mini
ESPANHOL

espanhol · português
português · espanhol

Martins Fontes
São Paulo 2005

Copyright © Ernst Klett Sprachen GmbH, Stuttgart, Federal Republic of Germany, 2005.
Copyright © for Brazil: Livraria Martins Fontes Editora Ltda., São Paulo, 2005.

1ª edição
julho de 2005

Gerente editorial
María Teresa Gondar Oubiña
Colaboradores
Cecília Aparecida Alves Schlünzen, Fernando Amado Aymoré,
Eliane B. Freire Ushijima, Peter Frank, José A. Gálvez, Andréa Otersen,
Josep Ràfols i Ventosa, Eva Schellert
Composição
Info-Satz, Stuttgart
Processamento de dados
Andreas Lang, conText AG für Informatik und Kommunikation, Zürich
Capa
Mai Design
Impressão e acabamento
Yangraf

ISBN 85-336-2168-X

Todos os direitos desta edição para o Brasil reservados à
Livraria Martins Fontes Editora Ltda.
*Rua Conselheiro Ramalho, 330   01325-000 São Paulo SP Brasil
Tel. (11) 3241.3677 Fax (11) 3101.1042
e-mail: info@martinsfontes.com.br http://www.martinsfontes.com.br*

Índice

Símbolos y abreviaturas IV

La pronunciación del español IX

Símbolos fonéticos del
portugués de Brasil XIII

Cómo utilizar el diccionario XIV

**Diccionario
Español-Portugués** 1–264

**Diccionario
Portugués-Español** 1–274

Los verbos regulares
e irregulares españoles 275

Los verbos regulares
e irregulares portugueses 298

Los numerales 318

Medidas y pesos 324

Pequeño manual de
conversación para el viaje 326

Índice

Símbolos e abreviaturas IV

A pronúncia espanhola IX

Símbolos fonéticos do
português do Brasil XIII

Como utilizar o dicionário XIV

**Dicionário
Espanhol-Português** 1–264

**Dicionário
Português-Espanhol** 1–274

Os verbos espanhóis
regulares e irregulares 275

Os verbos portugueses
regulares e irregulares 298

Os numerais 318

Medidas e pesos 324

Pequeno manual de
conversação para viagem 326

Símbolos y abreviaturas   Símbolos e abreviaturas

contracción	=	contração
corresponde a	≈	corresponde a
cambio de interlocutor	–	câmbio de interlocutor
marca registrada	®	marca registrada
abreviatura de	*abr de*	abreviatura de
	a. c.	alguma coisa
adjetivo	*adj*	adjetivo
administración	ADMIN	administração
adverbio	*adv*	adverbio
aeronáutica	AERO	aeronáutica
agricultura	AGR	agricultura
América Central	*AmC*	
América Latina	*AmL*	
América del Sur	*AmS*	
anatomía	ANAT	anatomia
Zona Andina	*And*	
Antillas	*Ant*	
República Argentina	*Arg*	
argot	*argot*	
arquitectura	ARQUIT	arquitetura
artículo	*art*	artigo
arte	ARTE	arte
astronomía, astrología	ASTRON	astronomia, astrologia
automóvil y tráfico	AUTO	automobilismo e tráfico
verbo auxiliar	*aux*	verbo auxiliar
biología	BIO	biologia
Bolivia	*Bol*	
botánica	BOT	botânica
	card	cardinal
Chile	*Chile*	
	chulo	chulo
cine	CINE	cinema
Colombia	*Col*	
comercio	COM	comércio
comparativo	*comp*	comparativo

conjunción	*conj*	conjunção
Costa Rica	*CRi*	
Cono Sur (República Argentina, Chile, Paraguay, Uruguay)	*CSur*	
Cuba	*Cuba*	
definido	*def*	definido
demostrativo	*dem*	demonstrativo
deporte	DEP	
diminutivo	*dim*	diminutivo
República Dominicana	*DomR*	
ecología	ECOL	ecologia
economía	ECON	economia
Ecuador	*Ecua*	
electrotécnica, electrónica	ELEC, ELETR,	eletricidade, eletrônica
lenguaje elevado, literario	*elev*	linguagem elevado
El Salvador	*ElSal*	
enseñanza	ENS	ensino
	ESPORT	esportes
feminino	*f*	feminino
ferrocarril	FERRO	estrada de ferro
figurativo	*fig*	sentido figurado
filosofía	FILOS	filosofia
finananzas, bolsa	FIN	finanças, bolsa
física	FÍS	física
lenguaje formal	*form*	
fotografía	FOTO	fotografia
futuro	*fut*	futuro
fútbol	FUT	futebol
gastronomía	GASTR	gastronomia
geografía, geología	GEO	geografia, geologia
gerundio	*ger*	gerundio
	gíria	gíria
Guatemala	*Guat*	
Guayana	*Guay*	
Guinea Ecuatorial	*GuinEc*	
historia, histórico	HIST	história, histórico
Honduras	*Hond*	

imperativo	*imper*	imperativo
imperfecto	*imperf*	imperfeito
impersonal	*impers, impess*	impessoal
indefinido	*indef*	indefinido
lenguaje informal	*inf*	linguagem informal
infinitivo	*infin*	infinitivo
informática	INFOR	informática
interjección	*interj*	interjeição
interrogativo	*interrog*	interrogativo
invariable	*inv*	invariable
irónico, humorístico	*irón, irôn*	irônico, humorístico
irregular	*irr*	irregular
jurisdicción, derecho	JUR	jurisprudência, direito
lingüística, gramática	LING	lingüística, gramática
literatura, poesía	LIT	literatura, poesia
masculino	*m*	masculino
masculino o feminino	*m o f, m ou f*	masculino ou feminino
matemáticas, geometría	MAT	matemática, geometria
medicina, farmacología	MED	medicina, farmacologia
metereología	METEO	meteorologia
México, Méjico	*Méx*	
masculino y feminino	*mf*	masculino e feminino
fuerzas armadas	MIL	exército
minería	MIN	mineração
música	MÚS	música
náutica, navegación	NÁUT	náutica, navegação
Nicaragua	*Nic*	
	num	número
	ord	ordinal
Panamá	*Pan*	
Paraguay	*Par*	
participio	*part*	particípio
	pej	pejorativo
perfecto	*perf*	perfeito
persona, personal	*pers*	
Perú	*Perú*	

VII

	pess	pessoa, pessoal
peyorativo	*pey*	
plural	*pl*	plural
política	POL	política
posesivo	*pos, poss*	possessivo
participio pasado	*pp*	particípio pretérito
prensa	PREN	prensa
preposición	*prep*	preposição
presente	*pres*	presente
pretérito	*pret*	pretérito
	pret imperf	pretérito imperfeito
	pret perf	pretérito perfeito
Puerto Rico	*PRico*	
pronombre	*pron*	pronome
proverbio	*prov*	provérbio
psicología	PSICO	psicologia
química	QUÍM	química
radio	RADIO, RÁDIO	rádio
República Dominicana	*RDom*	
reflexivo	*refl*	reflexivo
regional	*reg*	regional
relativo	*rel*	relativo
religión	REL	religião
Río de la Plata	*RíoPl*	
	sem pl	sem plural
singular	*sing*	singular
sin plural	*sín pl*	
sociología	SOCIOL	sociologia
subjuntivo	*subj*	subjuntivo
superlativo	*superl*	superlativo
también	*t., tb.*	também
tauromaquia	TAUR	
teatro	TEAT	teatro
técnica	TÉC	técnica
teléfono	TEL	telecomunicação
tipografía, imprenta, gráfica	TIPO	tipografia

televisión	TV	televisão
Unión Europea	UE	
universidad	UNIV	universidade
Uruguay	*Urug*	
véase	*v.*	ver
Venezuela	*Ven*	
verbo intransitivo	*vi*	verbo intransitivo
verbo impersonal	*vimpers, vimpess*	verbo impessoal
verbo reflexivo	*vr*	verbo reflexivo
verbo transitivo	*vt*	verbo transitivo
lenguaje vulgar	*vulg*	
zoología	ZOOL	zoologia

La pronunciación del español
A pronúncia espanhola

Grandes diferenças podem ser observadas na pronúncia espanhola, tanto nas várias regiões da Península Ibérica, quanto nos países em que se fala espanhol. Contrariamente à opinião geral, tais diferenças são mais acentuadas na Espanha do que nos vários países americanos de fala espanhola. Nas regiões bilíngües da Península Ibérica, como Catalunha, Valência, Ilhas Baleares, províncias bascas e Galiza, a pronúncia espanhola é fortemente influenciada por suas línguas nativas. Por outro lado, em outras regiões, traços de um conjunto de dialetos misturaram-se com o espanhol falado. Uma característica particular e independente evidencia-se na pronúncia andaluza, por exemplo, no caso do ceceio próprio desse dialeto: *s*, *z* e *c* são pronunciadas como fricativa interdental *θ* (*káza*, em oposição à *casa* *kása*).

Normalmente, a pronúncia castelhana é considerada a pronúncia padrão por ser a que apresenta maior aproximação com a forma escrita. É nesta pronúncia que as descrições seguintes estão baseadas:

Vogais

Símbolo	Representação gráfica	Exemplo
[a]	a	san, acción
[e]	e	pez, saber
[i]	i	sí, mirar
[o]	o	con
[u]	u	tú, dibujo

Semi-vogais resp. semi-consoantes

Símbolo	Representação gráfica	Exemplos	Notas
[i̯]	i, y	baile, hoy, despreciéis	*nos ditongos **ai, ei,** oi resp. **ay, ey, oy** e nos elementos finais de tritongos*
[j]	i	bieldo, apreciáis	*quando **i** é pronunciado como primeiro elemento de ditongo ou de tritongo*
[u̯]	u	auto, causa	*nos ditongos **au, eu, ou***
[w]	u	bueno, cuerda	*quando **u** é pronunciado como primeiro elemento de ditongo ou de tritongo*

Consoantes

Símbolo	Representação gráfica	Exemplos	Notas
[p]	p	pato	
[b]	b, v	vacío, hombre	*oclusiva*: em posição inicial absoluta, depois de pausa e em posição medial, após uma nasal
[β]	b, v	objeto, pueblo	*fricativa*: quando <u>não</u> ocorre em posição inicial absoluta nem depois de *m, n*.
[m]	m, n	mamá, convivir	qualquer *m*; ou *n* não-final antes de [p] ou [b]
[ɱ]	n	enfermo, infusión	qualquer *n* que anteceda *f*
[n]	n	nadie, entre	
[n̪]	n	quince, conciencia	*n* interdental: antes de [θ]
[ṇ]	n	condenar, cantar	*n* dentalizada: antes de [t] ou de [d]
[ŋ]	n	cinco, fingir	*n* em final de sílaba antes de consoante velar
[ɲ]	ñ, n	viña, concha	*ñ* em início de sílaba e *n* em final de sílaba antes de consoante palatal
[f]	f	café	
[k]	k, c, q	kilo, casa, que, actor	nas seqüências *c* + *a, o, u* e *qu* + *e, i* e em *c* em final de sílaba
[g]	g, gu	garra, guerra,	*oclusiva*: em posição inicial absoluta ou em posição medial seguindo nasal nas seqüências *g* + *a, o, u* e *gu* + *e, i*
[x]	j, g	rojo, girar, gente	equivalente a *j* e às seqüências *g* + *e, i*
[ɣ]	g, gu	agua, alegre, estigma	*fricativa*: nos encontros *g* + *a, o, u* e *gu* + *e, i*, quando <u>não</u> ocorrem em posição inicial absoluta nem depois de *n*
[t]	t	letra, tío	*oclusiva*: equivalente a *d* em posição inicial absoluta ou depois de *n* ou de *l*
[d]	d	dedo, conde, caldo	*oclusiva*: equivalente a *d* quando ocorre em posição inicial absoluta ou depois de *n* ou de *l*

[ð]	d	cada, escudo, juventud	*fricativa: equivalente a **d** quando não ocorre em posição inicial absoluta nem depois de **n** ou de **l***
[θ]	c, z	cero, zarza, cruz	nas seqüências *c + e, i* e *z + a, o, u* e em posição final de palavra
[l]	l	libro, bloque, sal	
[ḷ]	l	alce	*l interdental: somente antes de [θ]*
[l̪]	l	altura, caldo	*l dental: somente antes de [t] ou de [d]*
[ʎ]	ll, l	llueve, colcha	*equivalente a **ll**, e a **l** em final de sílaba antes de consoante palatal*
[s]	s	así, coser	
[r]	r	caro, prisa	*equivalente à letra **r** quando ocorre em início de palavra ou seguindo **n, l, s***
[rr]	r, rr	roca, honrado	*equivalente a -**rr**- e a **r**- ou -**r**- em início de palavra ou seguindo **n, l** ou **s***
[tʃ]	ch	chino	
[ʒ]	y, hi	cónyuge, inyección, yunque, hielo, hierba	*africada palatal: fricativa quando **y, hi** ocorre em início de sílaba*
[ʃ]	sh	shock	*semelhante ao inglês **sh**ock, **sh**ow*

A pronúncia hispano-americana é muito similar à da região do Andaluzia. Dentre as peculiaridades fonéticas que se podem encontrar em áreas hispano-americanas, os seguintes fenômenos são os mais proeminentes:

yeísmo

Pronuncia-se *ll* como se faz com *y* (*yovér*, em oposição à *llover lovér*). Esse fenômeno fonético é comum não somente nas áreas americanas de fala espanhola, mas também em várias regiões como a Adaluzia, as Ilhas Canárias, a Extremadura, Madrid e as regiões castelhanas. A suposição de que o *yeísmo* seja um traço fonético de todos os países hispano-americanos é falsa. A pronúncia padrão do *ll* mantém-se em sub-regiões do Chile, do Peru, da Colômbia e do Equador.

Outra peculiaridade é a pronúncia de *y* como *dʒ* (*adʒér*, em oposição a *ayer ajér*) na Argentina, Uruguai e sub-regiões do Equador e do México.

XII

ceceio

Pronunciam-se **z** e **c** (**θ**) similarmente a **s** (**sínko**, em oposição a *cinco* **θinko**). Essa peculiaridade dialetal é muito comum não somente na América Espanhola mas também em sub-regiões da Andaluzia e das Ilhas Canárias.

Na pronúncia vernácula de algumas das áreas da Espanha e da América Espanhola, também se encontra a aspiração do **s** em final de sílaba (**lah kása**, em oposição a *las casas* - **las kásas**), que também pode desaparecer (**mímo**, em oposição a *mismo* **mísmo**). Como ambos os fenômenos são considerados vulgares, procura-se evitá-los.

Símbolos fonéticos del portugués de Brasil
Símbolos fonéticos do português do Brasil

[a]	casa		[b]	bom
[ɜ]	cama, dano		[x]	rio, carro
[ɛ]	café, aberto		[d]	dormir
[e]	abelha, fortaleza		[dʒ]	cidade
[i]	disco		[f]	fazer
[j]	faculdade, realmente, acústica		[g]	golfo
[o]	coco, luminoso		[ʒ]	janela
[ɔ]	hora, luminosa		[k]	carro
[u]	madrugada, maduro		[l]	mala
[w]	quarto		[ʎ]	vermelho
[aj]	pai		[m]	mãe
[ɑʒ]	mãe		[n]	nata
[aw]	ausência, alface		[ɲ]	banho
[ɜ̃]	amanhã, maçã, campeã		[ŋ]	abandonar, banco
[ɜ̃ŋ]	dançar		[p]	pai
[ɜ̃w]	avião, coração		[ɾ]	parede, provar
[ej]	beira		[r]	pintar, fazer
[ẽj]	alguém, legenda, lente		[s]	solo
[ew]	deus, movel		[ʃ]	cheio
[ʎj]	jardim		[t]	total
[oj]	coisa, noite		[tʃ]	durante
[õj]	aviões		[v]	vida
[õw]	com, afronta		[z]	dose
[ũw]	acupuntura, comum			

Como utilizar o dicionário/Cómo utilizar el diccionario

Todas as **entradas** (incluindo abreviações, palavras compostas, variantes ortográficas, referências) estão ordenadas alfabeticamente e destacadas em negrito.

Avda. [aβe'niða] *abr de* **Avenida** Av.
ave ['aβe] *f* ave *f*; ~ **rapaz** [*o* **de presa**] ave rapina
açúcar [a'sukaɪ] *m* azúcar *m o f*
açucareiro [asuka'rejru] *m* azucarero *m*

Os algarismos arábicos sobrescritos indicam palavras **homógrafas** (palavras com grafias idênticas, mas significados diferentes).

era¹ ['era] *f* era f
era² ['era] *3. imp de* ser

Empregam-se os símbolos da IPA (International Phonetic Association) para a transcrição da **pronúncia do espanhol** e do **português do Brasil**.
As indicações das **formas irregulares do plural** e das **formas irregulares de verbos e adjetivos** estão entre os símbolos "menor que" e "maior que" logo após a entrada.

efecto [e'fekto] *m* efeito *m* ...
banhista [bã'ɲista] *mf* bañista *mf*
club [kluβ] <clubs *o* clubes> ...
fotografiar [fotoɡrafi'ar] <*1. pres:* fotografío> ...
gel <géis *ou* geles> ['ʒew, 'ʒɛjs, 'ʒɛʎis] *m* gel *m*
glorificar [ɡlorifi'kar] <c→qu> *vt* glorificar...

A forma feminina dos substantivos e adjetivos é indicada sempre que difira da forma masculina. Indica-se o gênero dos substantivos espanhóis e portugueses.

actor, actriz [ak'tor, ak'triθ] *m, f* ator, atriz *m, f* ...

Os algarismos romanos indicam as **categorias gramaticais** distintas. Os algarismos arábicos indicam **acepções** diferentes.

bañar [ba'ɲar] **I.** *vt* banhar **II.** *vr:* ~**se** tomar banho
haste ['astʃi] *f* **1.** *(de bandeira)* asta *f* **2.** BOT tallo *m* **3.** *(dos óculos)* patilla *f*

O **til** substitui a entrada nos exemplos ilustrativos, nas locuções e nos provérbios a entrada anterior.

risa [rri'sa] *f* risada *f*; ¡**qué ~!** que piada!

Várias **indicações** são dadas para orientar o usuário na tradução correta:
• indicações de **campo semântico**

salsa ['salsa] *f* **1.** GASTR molho *m* **2.** MÚS salsa *f*
juiz, juíza [ʒu'iz, ju'iza] <-es> *m*, *f* **1.** JUR juez(a) *m(f)*; **~ de paz** juez de paz **2.** ESPORT árbitro, -a *m*, *f*

• **definições** ou **sinônimos**, **complementos** ou **sujeitos** típicos da entrada

bandada [baɲ'daða] *f (de pájaros)* revoada *f*; *(de peces)* cardume *m*
barra ['baxa] *f (de aço, ferro)* barra *f*; *(de ouro)* lingote *m*; *(da saia)* dobladillo *m* ...

• indicações de **uso regional** tanto na entrada como na tradução

banqueta [baɲ'keta] *f* **1.** *(taburete)* banqueta *f* **2.** *AmC (acera)* calçada *f*

• indicações de **estilo**

espárrago [es'parraɣo] *m* aspargo *m*; ¡**vete a freír ~s!** *inf* vai plantar batatas!
enrolar [ĩxo'lar] *vt* **1.** *(papel, fio)* enrollar **2.** *inf (uma pessoa)* camelar

Quando não é possível traduzir uma entrada ou um exemplo devido a diferenças culturais, é dada uma **explicação** ou uma **equivalência aproximada** (≈).

bachillerato [batʃiʎe'rato] *m* ENS ≈ segundo *m* grau
sexta-feira ['sesta-'fejra] *f* viernes *m inv*; **~ treze** ≈ martes *m* y trece...

v.t. refere-se a uma **entrada-modelo** para informações adicionais.

abril [a'βril] *m* abril *m*; *v.t.* **marzo**
oitavo, -a *num ord* octavo, -a; *v.tb.* **segundo**

A

A, a [a] f A, a m
a [a] prep 1. (*dirección*) a; **ir ~ Barcelona** ir a Barcelona; **llegar ~ Lima** chegar em Lima 2. (*posición*) a; **~ la derecha** à direita 3. (*distancia*) **~ 10 kilómetros de aquí** a 10 quilómetros daqui 4. (*tiempo*) a; **~ mediodía** ao meio-dia; **~ las tres** às três 5. (*modo*) **~ mano** à mão; **~ oscuras** às escuras; **~ pie** a pé 6. (*precio*) **¿~ cómo está?** quanto custa?; **~ 2 euros el kilo** a 2 euros o quilo 7. (*relación*) **dos ~ dos** dois a dois 8. (*complemento*) **oler ~ gas** cheirar a gás; **he visto ~ tu hermano** vi seu irmão 9. (*con infinitivo*) **empezó ~ correr** começou a correr 10. (+ *que*) **¡~ que llueve mañana!** aposto que chove amanhã!
abadía [aβa'ðia] f abadia f
abajo [a'βaxo] adv abaixo; (*en casa*) embaixo; **calle ~** rua abaixo; **de arriba ~** de cima abaixo; **hacia ~** para baixo; **véase más ~** veja mais abaixo
abalanzarse [aβalan'θarse] <z→c> vr **~ sobre algo** atirar-se sobre a. c.
abandonado, -a [aβando'naðo, -a] adj abandonado, -a
abandonar [aβando'nar] I. vi DEP retirar-se II. vt (*dejar*) largar
abandono [aβan'dono] m abandono m
abanicarse [aβani'karse] <c→qu> vr abanar-se
abanico [aβa'niko] m t. fig leque m
abarcar [aβar'kar] <c→qu> vt abarcar
abarrotado, -a [aβarro'taðo, -a] adj abarrotado, -a
abastecer [aβaste'θer] irr como crecer I. vt abastecer II. vr **~se de algo** abastecer-se de a. c.
abasto [a'βasto] m **no dar ~** não ser suficiente
abatible [aβa'tiβle] adj reclinável
abatido, -a [aβa'tiðo, -a] adj abatido, -a
abatimiento [aβati'mjento] m abatimento m
abatir [aβa'tir] vt abater
abdicar [aβði'kar] <c→qu> vi abdicar
abdomen [aβ'ðomen] m abdome m
abdominal [aβðomi'nal] adj, m abdominal m
abecedario [aβeθe'ðarjo] m abecedário m
abeja [a'βexa] f abelha f
abejorro [aβe'xorro] m mamangaba f
abeto [a'βeto] m abeto m
abertura [aβer'tura] f abertura f
abierto, -a [a'βjerto, -a] I. pp de **abrir** II. adj aberto, -a
abismal [aβis'mal] adj abismal
abismo [a'βismo] m abismo m
ablandar [aβlan'dar] vt abrandar
abogado, -a [aβo'γaðo, -a] m, f advogado, -a m, f
abolición [aβoli'θjon] f abolição f
abolir [aβo'lir] irr vt abolir
abollar [aβo'ʎar] vt amassar
abonado, -a [aβo'naðo, -a] m, f assinante mf
abono [a'βono] m 1. (*a metro*) passe

m **2.** *(fertilizante)* adubo *m*

abordar [aβor'ðar] *vt* abordar

aborrecer [aβorre'θer] *irr como crecer vt* detestar

abortar [aβor'tar] *vi, vt* abortar

aborto [a'βorto] *m* aborto *m*

abrasar [aβra'sar] *vi, vt* queimar

abrazar [aβra'θar] <z→c> I. *vt* abraçar II. *vr:* ~**se** abraçar-se

abrazo [a'βraθo] *m* abraço *m*

abrebotellas [aβreβo'teʎas] *m inv* abridor *m* de garrafas

abrelatas [aβre'latas] *m inv* abridor *m* de latas

abreviar [aβre'βjar] *vt* abreviar

abreviatura [aβreβja'tura] *f* abreviatura *f*

abrigarse [aβri'ɣarse] <g→gu> *vr* abrigar-se

abrigo [a'βriɣo] *m* **1.** *(prenda)* casaco *m* **2.** *(refugio)* abrigo *m*

abril [a'βril] *m* abril *m; v.t.* **marzo**

abrir [a'βrir] *irr* I. *vt* abrir II. *vr:* ~**se** *(puerta, herida)* abrir

abrocharse [aβro'tʃarse] *vr* abotoar-se; **abróchense los cinturones** apertem os cintos

absolución [aβsolu'θjon] *f* absolvição *f*

absoluto, -a [aβso'luto, -a] *adj* absoluto, -a

absorbente [aβsor'βente] *adj* absorvente

absorber [aβsor'βer] *vt* absorver

absorción [aβsor'θjon] *f* absorção *f*

abstención [aβsten'θjon] *f* abstenção *f*

abstenerse [aβste'nerse] *irr como tener vr* ~ **de algo** abster-se de a. c.

abstracto, -a [aβ's'trakto, -a] *adj* abstrato, -a

absurdo, -a [aβ'surðo, -a] *adj* absurdo, -a

abuchear [aβutʃe'ar] *vt* vaiar

abucheo [aβu'tʃeo] *m* vaia *f*

abuelo, -a [a'βwelo, -a] *m, f* avô, avó *m, f*

abultado, -a [aβul'taðo, -a] *adj* avultado, -a

abultar [aβul'tar] *vt* avolumar

abundancia [aβuŋ'danθja] *f* abundância *f*

abundante [aβuŋ'dante] *adj* abundante

abundar [aβuŋ'dar] *vi* abundar

aburrido, -a [aβu'rriðo, -a] *adj* **1.** *estar* entediado, -a **2.** *ser* tedioso, -a

aburrimiento [aβurri'mjento] *m* tédio *m*

aburrirse [aβu'rrirse] *vr* entediar-se

abusar [aβu'sar] *vi* abusar

abusivo, -a [aβu'siβo, -a] *adj* abusivo, -a

abuso [a'βuso] *m* abuso *m*

abusón, -ona [aβu'son, -ona] *adj, m, f inf* aproveitador(a) *m(f)*

a.C. ['antes ðe 'kristo] *abr de* **antes de Cristo** a.C.

acá [a'ka] *adv* aqui

acabado [aka'βaðo] *m* acabamento *m*

acabado, -a [aka'βaðo, -a] *adj* acabado, -a

acabar [aka'βar] I. *vi, vt* acabar II. *vr:* ~**se** acabar-se

acabóse [aka'βose] *m inf* ¡esto es el ~! é realmente o fim!

academia [aka'ðemja] f academia f
académico, -a [aka'ðemiko, -a] adj, m, f acadêmico, -a m, f
acalorado, -a [akalo'raðo, -a] adj acalorado, -a
acampar [akam'par] vi acampar
acantilado [akanti'laðo] m falésia f
acaparar [akapa'rar] vt monopolizar
acariciar [akari'θjar] vt acariciar
acarrear [akarre'ar] vt acarretar
acaso [a'kaso] adv acaso; **por si ~** no caso de
acatarrarse [akata'rrarse] vr resfriar-se
acceder [akθe'ðer] vi aceder; **~ a Internet** acessar a Internet
accesible [akθe'siβle] adj acessível
acceso [aᵛ'θeso] m acesso m
accesorio [aᵛθe'sorjo] m acessório m
accidentado, -a [aᵛθiðen'taðo, -a] adj, m, f acidentado, -a m, f
accidental [aᵛθiðen'tal] adj acidental
accidente [aᵛθi'ðente] m acidente m
acción [aᵛ'θjon] f ação f
accionar [aᵛθjo'nar] vt acionar
acecho [a'θetʃo] m **estar al ~** estar à espreita
aceite [a'θejte] m 1. (de girasol) óleo m; **~ de oliva** azeite m de oliva 2. (lubrificante) óleo m
aceitoso, -a [aθej'toso, -a] adj oleoso, -a
aceituna [aθej'tuna] f azeitona f
acelerador [aθelera'ðor] m acelerador m
acelerar [aθele'rar] vt acelerar
acelga [a'θelɣa] f acelga f
acento [a'θento] m acento m

acentuar [aθentu'ar] <1. pres: acentúo> vt 1. (al pronunciar) acentuar 2. (resaltar) destacar
aceptación [aθepta'θjon] f aceitação f
aceptar [aθep'tar] vt aceitar
acequia [a'θekja] f acéquia f
acera [a'θera] f calçada f
acerca [a'θerka] prep **~ de** sobre
acercamiento [aθerka'mjento] m aproximação f
acercar [aθer'kar] <c→qu> I. vt acercar II. vr: **~se** aproximar-se; **~se a alguien/algo** aproximar-se de alguém/a. c.; **te acerco a casa** te levo em casa
acero [a'θero] m aço m
acertar [aθer'tar] <e→ie> vt acertar
acertijo [aθer'tixo] m adivinhação f
achacar [atʃa'kar] <c→qu> vt atribuir
aciago, -a [a'θjaɣo, -a] adj aziago, -a
ácido [a'θiðo] m ácido m
ácido, -a ['aθiðo, -a] adj ácido, -a
acierto [a'θjerto] m acerto m
aclamar [akla'mar] vt aclamar
aclaración [aklara'θjon] f explicação f
aclarado [akla'raðo] m enxágüe m
aclarar [akla'rar] I. vt 1. (un color) esclarecer 2. (un líquido) diluir 3. (explicar) explicar II. vr: **~se** (problema) esclarecer-se
acné [aɣ'ne] m o f acne f
acogedor(a) [akoxe'ðor(a)] adj acolhedor(a)
acoger [ako'xer] <g→j> vt acolher
acogida [ako'xiða] f acolhida f
acometer [akome'ter] vt 1. (embestir) atacar 2. (emprender) realizar

acomodado, -a [akomo'ðaðo, -a] *adj* (*rico*) abastado, -a

acomodador(a) [akomoða'ðor(a)] *m(f)* lanterninha *mf*

acomodar [akomo'ðar] **I.** *vt* acomodar **II.** *vr*: ~**se** acomodar-se

acompañante [akompa'ɲante] *mf* acompanhante *mf*

acompañar [akompa'ɲar] *vt t.* MÚS acompanhar; **te acompaño en el sentimiento** meus pêsames

acomplejar [akomple'xar] **I.** *vt* complexar **II.** *vr*: ~**se** sentir-se complexado

aconsejar [akonse'xar] *vt* aconselhar

acontecer [akonte'θer] *irr como crecer vi* acontecer

acontecimiento [akonteθi'mjento] *m* acontecimento *m*

acorazado [akora'θaðo] *m* couraçado *m*

acordar [akor'ðar] <o→ue> **I.** *vt* concordar **II.** *vr*: ~**se** lembrar-se

acorde [a'korðe] *adj* de acordo

acordeón [akorðe'on] *m* acordeão *m*

acortar [akor'tar] *vt* encurtar

acosar [ako'sar] *vt* **1.** (*perseguir*) acossar **2.** (*asediar*) assediar

acoso [a'koso] *m* assédio *m*; ~ **sexual** assédio sexual

acostar [akos'tar] <o→ue> **I.** *vt* deitar **II.** *vr*: ~**se** (*ir a la cama*) deitar-se

acostumbrado, -a [akostum'braðo, -a] *adj* acostumado, -a

acostumbrar [akostum'brar] **I.** *vi* ~ **a algo** acostumar a a. c. **II.** *vr*: ~**se a algo** acostumar-se a [*ou* com] a. c.

acribillar [akriβi'ʎar] *vt* ~ **a alguien a balazos/preguntas** encher alguém de balas/perguntas

acrobacia [akro'βaθja] *f* acrobacia *f*

acróbata [a'kroβata] *mf* acrobata *mf*

acrónimo [a'kronimo] *m* acrônimo *m*

acta ['akta] *f* ata *f*

actitud [akti'tuð] *f* atitude *f*

activar [akti'βar] *vt* ativar

actividad [aktiβi'ðað] *f* atividade *f*

activista [akti'βista] *mf* ativista *mf*

activo, -a [ak'tiβo, -a] *adj* ativo, -a; **en ~** em exercício

acto ['akto] *m* ato *m*; ~ **seguido...** logo depois...; **en el ~** no ato

actor, actriz [ak'tor, ak'triθ] *m, f* ator, atriz *m, f*

actuación [aktwa'θjon] *f* atuação *f*; ~ **en directo** apresentação ao vivo

actual [aktu'al] *adj* atual

actualidad [aktwali'ðað] *f* atualidade *f*; **en la ~** atualmente; **ser de gran ~** ser muito atual

actualización [aktwaliθa'θjon] *f* INFOR atualização *f*

actualizar [aktwali'θar] <z→c> *vt* atualizar

actualmente [aktwal'mente] *adv* atualmente

actuar [aktu'ar] <*1. pres*: actúo> *vi* atuar

acuarela [akwa'rela] *f* aquarela *f*

acuario [a'kwarjo] *m* aquário *m*

Acuario [a'kwarjo] *m* Aquário *m*; **ser ~** ser (de) Aquário

acuático, -a [a'kwatiko, -a] *adj* aquático, -a

acudir [aku'ðir] *vi* acudir

acuerdo [a'kwerðo] *m* acordo *m*; **de ~ de** acordo
acumulación [akumula'θjon] *f* acumulação *f*
acumular [akumu'lar] **I.** *vt* acumular **II.** *vr*: **~se** acumular-se
acupuntura [akupuŋ'tura] *f* acupuntura *f*
acusación [akusa'θjon] *f* acusação *f*
acusar [aku'sar] *vt* acusar
acuse [a'kuse] *m* **~ de recibo** aviso *m* de recebimento
acústico, -a [a'kustiko, -a] *adj* acústico, -a
adaptación [aðapta'θjon] *f* adaptação *f*
adaptador [aðapta'ðor] *m* TÉC adaptador *m*
adaptar [aðap'tar] **I.** *vt* adaptar **II.** *vr*: **~se** adaptar-se
adecuado, -a [aðe'kwaðo, -a] *adj* adequado, -a
adelantado, -a [aðelaŋ'taðo, -a] *adj* adiantado, -a; **pagar por ~** pagar adiantado
adelantar [aðelaŋ'tar] **I.** *vi, vt* **1.** adiantar **2.** (*coche*) ultrapassar **II.** *vr*: **~se** adiantar-se
adelante [aðe'laŋte] *adv* adiante
adelanto [aðe'laŋto] *m* adiantamento *m*
adelgazar [aðelɣa'θar] <z→c> *vi, vt* emagrecer
ademán [aðe'man] *m* ademã *m*
además [aðe'mas] *adv* além disso
adentrarse [aðen̪'trarse] *vr* **~ en** (*entrar*) adentrar-se em
adentro [a'ðen̪tro] *adv* dentro

aderezo [aðe'reθo] *m* tempero *m*
adhesión [aðe'sjon] *f* adesão *f*
adicción [aðiɣ'θjon] *f* vício *m*
adición [aði'θjon] *f* adição *f*
adicional [aðiθjo'nal] *adj* adicional
adiestrar [aðjes'trar] *vt* adestrar
adinerado, -a [aðine'raðo, -a] *adj* endinheirado, -a
adiós [a'ðjos] *interj* adeus
adivinanza [aðiβi'naŋθa] *f* advinhação *f*
adivinar [aðiβi'nar] *vt* advinhar
adivino, -a [aði'βino, -a] *m, f* adivinho, -a *m, f*
adjetivo [aðxe'tiβo] *m* adjetivo *m*
adjudicar [aðxuði'kar] <c→qu> *vt* adjudicar
adjuntar [aðxuŋ'tar] *vt* (*documento*) anexar
administración [aðministra'θjon] *f* administração *f*
administrar [aðminis'trar] *vt* administrar
admirable [aðmi'raβle] *adj* admirável
admiración [aðmira'θjon] *f* **1.** (*respeto*) admiração *f* **2.** (*signo*) exclamação *f*
admirador(a) [aðmira'ðor(a)] *m(f)* admirador(a) *m(f)*
admirar [aðmi'rar] **I.** *vt* admirar **II.** *vr* **~se de algo** admirar-se de [*ou* com] a. c.
admisible [aðmi'siβle] *adj* admissível
admisión [aðmi'sjon] *f* admissão *f*
admitir [aðmi'tir] *vt* admitir
adolescencia [aðoles'θeŋθja] *f* adolescência *f*
adolescente [aðoles'θeŋte] *adj, mf*

adolescente *mf*
adonde [a'ðoṇde] *adv* aonde
adónde [a'ðoṇde] *adv* aonde
adopción [aðoβ'θjon] *f* adoção *f*
adoptar [aðop'tar] *vt* adotar
adoptivo, -a [aðop'tiβo, -a] *adj* adotivo, -a
adorar [aðo'rar] *vt* adorar
adornar [aðor'nar] *vt* enfeitar
adorno [a'ðorno] *m* enfeite *m;* **estar de ~** estar de enfeite
adquirir [aðki'rir] *irr vt* adquirir
adquisición [aðkisi'θjon] *f* aquisição *f*
adrede [a'ðreðe] *adv* adrede
aduana [a'ðwana] *f* (*oficina*) alfândega *f*
adueñarse [aðwe'narse] *vr* **~ de** apropriar-se de
adulto, -a [a'ðuḷto, -a] *adj, m, f* adulto, -a *m, f*
adverbio [að'βerβjo] *m* advérbio *m*
adversario, -a [aðβer'sarjo, -a] *m, f* adversário, -a *m, f*
advertencia [aðβer'teṇθja] *f* advertência *f*
advertir [aðβer'tir] *irr como sentir vt* advertir
aéreo, -a [a'ereo, -a] *adj* aéreo, -a
aeróbic [ae'roβik] *m* aeróbica *f*
aeropuerto [aero'pwerto] *m* aeroporto *m*
aerosol [aero'sol] *m* aerossol *m*
afán [a'fan] *m* afã *m*
afanarse [afa'narse] *vr:* **~se** afanar-se
afectar [afek'tar] *vt* afetar
afecto [a'fekto] *m* afeto *m*
afectuoso, -a [afektu'oso, -a] *adj* afetuoso, -a

afeitarse [afej'tarse] *vr* barbear-se
afiche [a'fitʃe] *m AmL* cartaz *m*
afición [afi'θjon] *f* **1.** (*interés*) afeição *f* **2.** DEP (*hinchada*) torcida *f*
aficionado, -a [afiθjo'naðo, -a] **I.** *adj* aficionado, -a; **~ a algo** aficionado em a. c. **II.** *m, f* amador(a) *m(f)*
afilado, -a [afi'laðo, -a] *adj* afiado, -a
afilar [afi'lar] *vt* afiar
afín [a'fin] *adj* afim
afinar [afi'nar] *vt* afinar
afirmación [afirma'θjon] *f* afirmação *f*
afirmar [afir'mar] **I.** *vt* afirmar **II.** *vr:* **~se** afirmar-se
afirmativo, -a [afirma'tiβo, -a] *adj* afirmativo, -a
aflojar [aflo'xar] **I.** *vt* afrouxar **II.** *vr:* **~se** afrouxar-se
afónico, -a [a'foniko, -a] *adj* afônico, -a
afortunado, -a [afortu'naðo, -a] *adj* afortunado, -a
África ['afrika] *f* África *f*
africano, -a [afri'kano, -a] *adj, m, f* africano, -a *m, f*
afrontar [afron'tar] *vt* enfrentar
afuera [a'fwera] *adv* fora
afueras [a'fweras] *fpl* arredores *mpl*
agacharse [aɣa'tʃarse] *vr* abaixar-se
agalla [a'ɣaʎa] *f* guelra *f;* **tener ~s** *fig* ter coragem
agarrar [aɣa'rrar] **I.** *vi* agarrar **II.** *vt* **1.** agarrar **2.** (*enfermedad*) apanhar **III.** *vr:* **~se** agarrar-se
agencia [a'xenθja] *f* agência *f*
agenciarse [axen'θjarse] *vr inf* **agenciárselas** dar um jeito
agenda [a'xeṇda] *f* agenda *f*

agente [a'xente] *mf* agente *mf*
ágil ['axil] *adj* ágil
agilidad [axili'ðað] *f* agilidade *f*
agitar [axi'tar] I. *vt* agitar II. *vr:* ~**se** agitar-se
aglomeración [aɣlomera'θjon] *f* aglomeração *f*
aglomerarse [aɣlome'rarse] *vr* aglomerar-se
agobiante [aɣo'βjante] *adj* agoniador(a)
agobiarse [aɣo'βjarse] *vr* agoniar-se
agonía [aɣo'nia] *f* agonia *f*
agonizar [aɣoni'θar] <z→c> *vi* agonizar
agosto [a'ɣosto] *m* agosto *m; v.t.* **marzo**
agotado, -a [aɣo'taðo, -a] *adj* esgotado, -a
agotador(a) [aɣota'ðor(a)] *adj* esgotante
agotar [aɣo'tar] I. *vt* esgotar II. *vr:* ~**se** esgotar-se
agradable [aɣra'ðaβle] *adj* agradável
agradar [aɣra'ðar] *vi* agradar
agradecer [aɣraðe'θer] *irr como crecer vt* agradecer
agradecido, -a [aɣraðe'θiðo, -a] *adj* agradecido, -a
agradecimiento [aɣraðeθi'mjento] *m* agradecimento *m*
agravar [aɣra'βar] I. *vt* agravar II. *vr:* ~**se** agravar-se
agredir [aɣre'ðir] *vt* agredir
agresión [aɣre'sjon] *f* agressão *f*
agresivo, -a [aɣre'siβo, -a] *adj* agressivo, -a
agresor(a) [aɣre'sor(a)] *m(f)* agressor(a) *m(f)*

agricultor(a) [aɣrikul'tor(a)] *m(f)* agricultor(a) *m(f)*
agricultura [aɣrikul'tura] *f* agricultura *f*
agridulce [aɣri'ðulθe] *adj* agridoce
agrio, -a ['aɣrjo, -a] *adj* azedo, -a
agrupar [aɣru'par] I. *vt* agrupar II. *vr:* ~**se** agrupar-se
agua ['aɣwa] *f* 1. (*líquido*) água *f;* ~ **con/sin gas** água com/sem gás; ~ **del grifo** água da torneira; ~ **mineral** água mineral; ~ **potable** água potável 2. *pl* (*mar*) águas *fpl*
aguacate [aɣwa'kate] *m* abacate *m*
aguacero [aɣwa'θero] *m* aguaceiro *m*
aguafiestas [aɣwa'fjestas] *mf inv, inf* desmancha-prazeres *mf inv*
aguanieve [aɣwa'njeβe] *f* chuva *f* com neve
aguantar [aɣwan'tar] I. *vt* agüentar II. *vr:* ~**se** 1. (*contenerse*) segurar-se 2. (*resignarse*) agüentar-se
aguardiente [aɣwar'ðjente] *m* aguardente *m*
aguarrás [aɣwa'rras] *m* aguarrás *f*
agudizarse [aɣuði'θarse] <z→c> *vr* agravar-se
agudo, -a [a'ɣuðo, -a] *adj* 1. (*punta, dolor*) agudo, -a 2. (*ingenioso*) perspicaz
aguijón [aɣi'xon] *m* ZOOL ferrão *m*
águila ['aɣila] *f* águia *f*
aguja [a'ɣuxa] *f* 1. (*general*) agulha *f* 2. (*del reloj*) ponteiro *m*
agujerear [aɣuxere'ar] *vt* furar
agujero [aɣu'xero] *m* buraco *m*
agujetas [aɣu'xetas] *fpl* dores *mpl* musculares

ahí [a'i] **I.** *adv* (*lugar*) aí; ~ **está** aí está; **me voy por** ~ vou por aí; **por** ~ (*aproximadamente*) por aí **II.** *conj* **de** ~ **que...** daí que...

ahogar [ao'ɣar] <g→gu> *vr* **1.** (*en río*) afogar-se **2.** (*asfixiarse*) asfixiar-se

ahora [a'ora] *adv* (*en este momento*) agora; (*dentro de poco*) em breve; ~ **bien** mas; **de** ~ **en adelante** daqui em diante; **hasta** ~ até agora; **por** ~ por enquanto; ~ **mismo vengo** já estou chegando; **¿y** ~ **qué?** e agora?

ahorcar [aor'kar] <c→qu> **I.** *vt* enforcar **II.** *vr:* ~**se** enforcar-se

ahorita [ao'rita] *adv AmL* agora

ahorrar [ao'rrar] **I.** *vt* economizar **II.** *vr:* ~**se** poupar-se

ahorro [a'orro] *m* **1.** (*acción*) economia *f* **2.** *pl* (*dinero*) economias *fpl*

ahumado, -a [au'maðo, -a] *adj* (*salmón*) defumado, -a

ahuyentar [aujen'tar] *vt* afugentar

aire ['aire] *m* ar *m;* **tomar el** ~ tomar ar

aislado, -a [ais'laðo, -a] *adj* isolado, -a

aislamiento [aisla'mjento] *m* isolamento *m*

aislar [ais'lar] **I.** *vt* isolar **II.** *vr:* ~**se** isolar-se

ajedrez [axe'ðreθ] *m* xadrez *m*

ajeno, -a [a'xeno, -a] *adj* alheio, -a

ajetreo [axe'treo] *m* movimento *m*

ají [a'xi] *m AmS, Ant* pimentão *m* picante

ajo ['axo] *m* alho *m*

ajustado, -a [axus'taðo, -a] *adj* justo, -a

ajustar [axus'tar] *vt* ajustar

ajuste [a'xuste] *m* ajuste *m;* ~ **de cuentas** ajuste de contas

al [al] **= a + el** *v.* **a**

ala ['ala] *f* (*de ave, avión*) asa *f;* ~ **delta** asa delta

alabanza [ala'βanθa] *f* louvor *m*

alabar [ala'βar] *vt* louvar

alacrán [ala'kran] *m* escorpião *m*

alambrada [alam'braða] *f* alambrado *m*

alambre [a'lambre] *m* arame *m*

alarde [a'larðe] *m* alarde *m;* **hacer** ~ **de** fazer alarde de

alargar [alar'ɣar] <g→gu> **I.** *vt* **1.** (*extensión*) alargar; (*pierna, mano*) esticar **2.** (*duración*) prolongar **II.** *vr:* ~**se** **1.** (*en extensión*) alargar-se **2.** (*en duración*) prolongar-se

alarido [ala'riðo] *m* alarido *m*

alarma [a'larma] *f* alarme *m;* **dar la** ~ dar o alarme

alarmante [alar'mante] *adj* alarmante

alarmar [alar'mar] **I.** *vt* alarmar **II.** *vr:* ~**se** alarmar-se

albañil [alβa'ɲil] *mf* pedreiro *m*

albaricoque [alβari'koke] *m* damasco *m*

albergue [al'βerɣe] *m* albergue *m;* ~ **juvenil** albergue juvenil

albóndiga [al'βondiɣa] *f* almôndega *f*

albornoz [alβor'noθ] *m* roupão *m* de banho

alborotar [alβoro'tar] *vi, vt* alvoroçar

alboroto [alβo'roto] *m* alvoroço *m*

álbum ['alβun] *m* <álbum(e)s> álbum *m*

alcachofa [alka'tʃofa] *f* **1.** BOT alca-

alcalde chofra *f* **2.** (*de ducha*) crivo *m*
alcalde(sa) [al'kalde, alkal'desa] *m(f)* prefeito, -a *m,f*
alcaldía [alkal'dia] *f* prefeitura *f*
alcance [al'kanθe] *m* alcance *m*; **dar ~ a alguien** alcançar alguém
alcanfor [alkaɱ'for] *m* cânfora *f*
alcantarilla [alkaṇta'riʎa] *f* esgoto *m*
alcanzar [alkaṇ'θar] <z→c> **I.** *vi* alcançar; **~ a hacer algo** conseguir fazer a. c.; **~ para algo** ser suficiente para a. c. **II.** *vt* alcançar
alcaucil [alkau̯'θil] *m RíoPl* alcachofra *f*
alcohol [al'kol, alko'ol] *m* álcool *m*
alcohólico, -a [al'koliko, -a, alko'oliko, -a] **I.** *adj* alcoólico, -a **II.** *m, f* alcoólatra *mf*
alcoholismo [alko(o)'lismo] *m* alcoolismo *m*
alcornoque [alkor'noke] *m* sobreiro *m*
aldea [al'dea] *f* aldeia *f*
aldeano, -a [alde'ano, -a] *adj, m, f* aldeão, aldeã *m, f*
aleatorio, -a [alea'torjo, -a] *adj* aleatório, -a
alegar [ale'ɣar] <g→gu> **I.** *vt* alegar **II.** *vi AmL* (*discutir*) argumentar
alegato [ale'ɣato] *m AmL* (*disputa*) argumento *m*
alegrar [ale'ɣrar] **I.** *vt* alegrar **II.** *vr:* **~se** alegrar-se
alegre [a'leɣre] *adj* alegre
alegría [ale'ɣria] *f* alegria *f*
alejar [ale'xar] **I.** *vt* afastar **II.** *vr:* **~se** afastar-se
aleluya [ale'luja] *interj* aleluia
alemán, -ana [ale'man, -ana] *adj, m, f* alemão, alemã *m, f*
Alemania [ale'manja] *f* Alemanha *f*
alergia [a'lerxja] *f* alergia *f*
alérgico, -a [a'lerxiko, -a] *adj* alérgico, -a
alerta [a'lerta] *f* alerta *m*
alertar [aler'tar] *vt* alertar
aleta [a'leta] *f* **1.** (*de pez*) barbatana *f* **2.** (*de buzo*) pé-de-pato *m*
alfabeto [alfa'βeto] *m* alfabeto *m*
alfiler [alfi'ler] *m* alfinete *m*
alfombra [al'fombra] *f* tapete *m*
alfombrilla [alfom'briʎa] *f* INFOR mouse pad *m*
alga [al'ɣa] *f* alga *f*
álgebra [al'xeβra] *f* MAT álgebra *f*
algo [al'ɣo] **I.** *pron indef* algo; **~ es ~** já é alguma coisa; **¿quieres ~?** quer algo?; **me suena de ~** me parece familiar; **por ~ lo habrá dicho** por algum motivo terá dito; **por ~ será** é por alguma razão **II.** *adv* algo
algodón [alɣo'ðon] *m* algodão *m*; **~ dulce** algodão doce
alguien [al'ɣjen] *pron indef* alguém; **¿hay ~ aquí?** há alguém aqui?; **~ me lo ha contado** alguém me contou; **se cree ~** pensa que é alguém
algún [al'ɣun] *adj v.* **alguno¹**
alguno, -a¹ [al'ɣuno, -a] *adj* <algún> algum; **alguna vez** alguma vez; **en sitio ~** em lugar nenhum
alguno, -a² [al'ɣuno, -a] *pron indef* algum(a); **~s ya se han ido** alguns já tinham ido
alhaja [a'laxa] *f* jóia *f*
aliado, -a [ali'aðo, -a] *adj, m, f* aliado,

-a *m, f*
alianza [ali'aŋθa] *f* aliança *f*
alias ['aljas] I. *adv* vulgo II. *m* apelido *m*
alicate(s) [ali'kate(s)] *m(pl)* alicate *m*
aliciente [ali'θjeṇte] *m* incentivo *m*
aliento [a'ljeṇto] *m* (*hálito*) hálito *m*
alijo [a'lixo] *m* contrabando *m*
alimaña [ali'maɲa] *f* predador *m*
alimentación [alimeṇta'θjon] *f* alimentação *f*
alimentar [alimeṇ'tar] I. *vt* alimentar II. *vr:* ~**se** alimentar-se
alimento [ali'meṇto] *m* alimento *m*
aliñar [ali'ɲar] *vt* temperar
aliño [a'liɲo] *m* tempero *m*
alisar [ali'sar] *vt* alisar
aliviar [ali'βjar] *vt* aliviar
alivio [a'liβjo] *m* alívio *m*
allá [a'ʎa] *adv* lá; **el más** ~ o além; **¡**~ **tú!** *inf* problema seu!
allí [a'ʎi] *adv* ali; **por** ~ por ali; **¡**~ **viene!** ali vem!; **hasta** ~ até ali
alma ['alma] *f* alma *f;* **lo siento en el** ~ sinto muito
almacén [alma'θen] *m* armazém *m*; **grandes almacenes** loja *f* de departamentos
almacenar [almaθe'nar] *vt* armazenar
almeja [al'mexa] *f* amêijoa *f*
almendra [al'meṇdra] *f* amêndoa *f*
almíbar [al'miβar] *m* calda *f*
almohada [almo'aða] *f* travesseiro *m*
almohadón [almoa'ðon] *m* almofadão *m*
almorzar [almor'θar] *irr como forzar vi, vt* almoçar

almuerzo [al'mwerθo] *m* almoço *m*
alojamiento [aloxa'mjeṇto] *m* hospedagem *f;* **dar** ~ **a alguien** dar alojamento a alguém
alojar [alo'xar] I. *vt* alojar II. *vr:* ~**se** alojar-se
alpaca [al'paka] *f* alpaca *f*
alpargata [alpar'ɣata] *f* alpargata *f*
alquilar [alki'lar] *vt* alugar; **se alquila** aluga-se
alquitrán [alki'tran] *m* alcatrão *m*
alrededor [alrreðe'ðor] *adv* ao redor; ~ **de** (*aproximadamente*) ao redor de
alrededores [alrreðe'ðores] *mpl* arredores *mpl*
alta ['alta] *f* 1. (*documento*) alta *f;* **dar de** ~ **a alguien** dar alta a alguém 2. (*inscripción*) inscrição *f;* **darse de** ~ inscrever-se
altar [al'tar] *m* altar *m*
altavoz [alta'βoθ] *m* alto-falante *m*
alteración [altera'θjon] *f* alteração *f*
alterar [alte'rar] I. *vt* alterar II. *vr:* ~**se** alterar-se
altercado [alter'kaðo] *m* altercação *f*
alternarse [alter'narse] *vr* ~ **en algo** alternar-se em a. c.
alternativa [alterna'tiβa] *f* alternativa *f*
alternativo, -a [alterna'tiβo, -a] *adj* alternativo, -a
alterno, -a [al'terno, -a] *adj* alterno, -a
alteza [al'teθa] *f* alteza *f*
altibajos [alti'βaxos] *mpl* altibaixos *mpl*
altitud [alti'tuð] *f* altitude *f*
alto ['alto] I. *interj* alto II. *m*

alto

1. (*descanso*) alta *f* **2.** (*altura*) altura *f* **III.** *adv* alto; **pasar por ~** passar por alto

alto, -a ['alto, -a] *adj* alto, -a

altoparlante [altopar'lante] *m AmL* alto-falante *m*

altura [al'tura] *f* altura *f*

alubia [a'luβja] *f* feijão *m*

alucinación [aluθina'θjon] *f* alucinação *f*

alucinante [aluθi'nante] *adj inf* alucinante

alucinar [aluθi'nar] *vi, vt inf* alucinar

alud [a'luð] *m* avalanche *f*

aludir [alu'ðir] *vi* aludir; **darse por aludido** vestir a carapuça

alumbrado [alum'braðo] *m* iluminação *f*

alumbrar [alum'brar] *vt, vi* iluminar

aluminio [alu'minjo] *m* alumínio *m*

alumno, -a [a'lumno, -a] *m, f* aluno, -a *m, f*

alusión [alu'sjon] *f* alusão *f*

aluvión [alu'βjon] *m* aluvião *m ou f*

alza ['alθa] *f* alta *f*

alzamiento [alθa'mjento] *m* levantamento *m*

ama ['ama] *f* dona *f*; **~ de casa** dona de casa

amable [a'maβle] *adj* amável

amaestrar [amaes'trar] *vt* adestrar

amainar [amai'nar] *vi* amainar

amamantar [amaman'tar] *vt* amamentar

amanecer [amane'θer] **I.** *vimpers* amanhecer **II.** *m* amanhecer *m*

amanecida [amane'θiða] *f AmL* alvorecer *m*

amapola [ama'pola] *f* papoula *f*

amar [a'mar] *vt* amar

amargar [amar'ɣar] <g→gu> *vt* amargar

amargo, -a [a'marɣo, -a] *adj* amargo, -a

amargura [amar'ɣura] *f* amargura *f*

amarillento, -a [amari'ʎento, -a] *adj* amarelado, -a

amarillo, -a [ama'riʎo, -a] *adj* amarelo, -a

amarra [a'marra] *f* NÁUT amarra *f*; **soltar ~s** soltar as amarras

amarrar [ama'rrar] **I.** *vt* amarrar **II.** *vr:* **-se** *AmL* (*casarse*) casar-se

amateur [ama'ter] *adj, mf* <amateurs> amador(a) *m(f)*

amatista [ama'tista] *f* ametista *f*

Amazonas [ama'θonas] *m* **el ~** o Amazonas

Amazonia [ama'θonia] *f* **la ~** a Amazônia

amazónico, -a [ama'θoniko, -a] *adj* amazônico, -a

ámbar ['ambar] *adj inv, m* âmbar *m*

ambición [ambi'θjon] *f* ambição *f*

ambicioso, -a [ambi'θjoso, -a] *adj* ambicioso, -a

ambientación [ambjenta'θjon] *f* ambientação *f*

ambiental [ambjen'tal] *adj* ambiental

ambientar [ambjen'tar] **I.** *vt* (*novela*) ambientar **II.** *vr:* **-se** ambientar-se

ambiente [am'bjente] *m* **1.** (*aire*) ambiente *m* **2.** (*medio*) meio *m*; **medio ~** meio ambiente **3.** (*atmósfera*) atmosfera *f*

ambiguo, -a [am'biɣwo, -a] *adj* ambíguo, -a

ámbito ['ambito] *m* âmbito *m*

ambos, -as ['ambos, -as] *adj* ambos, -as

ambulancia [ambu'lanθja] *f* ambulância *f*

ambulante [ambu'lante] *adj* ambulante

ambulatorio [ambula'torjo] *m* ambulatório *m*

amén [a'men] **I.** *m* amém *m;* **en un decir** ~ num piscar de olhos **II.** *prep* ~ **de** além de

amenaza [ame'naθa] *f* ameaça *f*

amenazar [amena'θar] <z→c> *vt, vi* ameaçar; ~ **con algo** ameaçar com a. c.

amenizar [ameni'θar] <z→c> *vt* amenizar

ameno, -a [a'meno, -a] *adj* ameno, -a

América [a'merika] *f* América *f;* ~ **Central** América Central; ~ **Latina** América Latina; ~ **del Norte/del Sur** América do Norte/do Sul

> **Cultura** Muitos espanhóis emigraram para a América Latina nos séculos XIX e XX. A expressão "**hacer las Américas**" está relacionada diretamente a esse fato e significa fazer sua fortuna na América.

americana [ameri'kana] *f* jaqueta *f*

americano, -a [ameri'kano, -a] *adj, m, f* americano, -a *m, f*

ametralladora [ametraʎa'ðora] *f* metralhadora *f*

amígdala [a'miɣðala] *f* amígdala *f*

amigdalitis [amiɣða'litis] *f* amigdalite *f*

amigo, -a [a'miɣo, -a] **I.** *adj* amigo, -a; **hacerse** ~ **de alguien** fazer amizade com alguém; **ser** ~ **de algo** ser amante de a. c. **II.** *m, f* amigo, -a *m, f;* ~ **invisible** amigo oculto

amiguismo [ami'ɣismo] *m* nepotismo *m*

amistad [amis'tað] *f* amizade *f*

amistoso, -a [amis'toso, -a] *adj* amistoso, -a

amnesia [am'nesja] *f* amnésia *f*

amnistía [amnis'tia] *f* anistia *f*

amo, -a ['amo, -a] *m, f* dono, -a *m, f*

amontonarse [amonto'narse] *vr* amontoar-se

amor [a'mor] *m* amor *m;* **hacer el** ~ fazer amor; **por** ~ **al arte** por amor à arte; **¡por (el)** ~ **de Dios!** pelo amor de Deus!

amorfo, -a [a'morfo, -a] *adj* amorfo, -a

amorío(s) [amo'rio(s)] *m(pl)* namorico(s) *m(pl)*

amoroso, -a [amo'roso, -a] *adj* amoroso, -a

amortiguador [amortiɣwa'ðor] *m* amortecedor *m*

amortiguar [amorti'ɣwar] <gu→gü> *vt* amortecer

amparar [ampa'rar] **I.** *vt* amparar **II.** *vr:* **~se** amparar-se

amparo [am'paro] *m* amparo *m*

amperio [am'perjo] *m* ampère *m*

ampliable, -a [amplja'βle] *adj* ampliável

ampliación [amplja'θjon] *f* amplia-

ampliar [ampli'ar] <1. pres: amplío> vt ampliar

amplificador [amplifika'ðor] m amplificador m

amplio, -a ['amplio, -a] adj amplo, -a

amplitud [ampli'tuð] f amplitude f; **tener ~ de miras** ter mente aberta

ampolla [am'poʎa] f **1.** (en la piel) bolha f; **levantar ~s** fig levantar bolhas **2.** (frasco) ampola f

amputar [ampu'tar] vt amputar

amueblar [amwe'βlar] vt mobiliar

amuleto [amu'leto] m amuleto m

anacardo [ana'karðo] m (fruto) caju m

analfabeto, -a [analfa'βeto, -a] adj, m, f analfabeto, -a m, f

analgésico [anal'xesiko] m analgésico m

análisis [a'nalisis] m inv análise f; **~ de sangre** MED exame de sangue

analizar [anali'θar] <z→c> vt analisar

ananá(s) [ana'na(s)] m CSur abacaxi m

anatomía [anato'mia] f anatomia f

anatómico, -a [ana'tomiko, -a] adj anatômico, -a

anca ['aŋka] f **~s de rana** pernas fpl de rã

ancho ['antʃo] m largo m; **~ de banda** INFOR largura f de banda

ancho, -a ['antʃo, -a] adj largo, -a; **estar a sus anchas** estar à vontade; **quedarse tan ~** ficar muito tranqüilo

anchoa [an'tʃoa] f anchova f

anchura [an'tʃura] f largura f

anciano, -a [an'θjano, -a] adj, m, f ancião, anciã m, f

ancla ['aŋkla] f âncora f; **levar ~s** levantar âncora

andamio [an'damjo] m andaime m

andar [an'dar] irr vi andar; **~ a gatas** andar de gatinhas; **~ atareado** andar atarefado

andén [an'den] m plataforma f

Andes ['andes] mpl **los ~** os Andes

andino, -a [an'dino, -a] adj andino, -a

Andorra [an'dorra] f Andorra f

anécdota [a'neɣðota] f episódio m

anejo [a'nexo] m anexo m

anejo, -a [a'nexo, -a] adj anexo, -a

anemia [a'nemja] f anemia f

anémico, -a [a'nemiko, -a] adj anêmico, -a

anestesia [anes'tesja] f anestesia f

anestesiar [aneste'sjar] vt anestesiar

anexar [aney'sar] vt anexar

anexión [aneɣ'sjon] f anexação f

anexo [a'neɣso] m v. **anejo**

anexo, -a [a'neɣso, -a] adj v. **anejo, -a**

anfibio [am'fiβjo] m anfíbio m

anfiteatro [amfite'atro] m anfiteatro m

anfitrión, -ona [amfi'trjon, -ona] m, f anfitrião, anfitriã m, f

angelical [aŋxeli'kal] adj angelical

angina [aŋ'xina] f **~ de pecho** angina f do peito; **tener ~s** estar com uma amigdalite

ángel ['aŋxel] m anjo m

anguila [aŋ'gila] f enguia f

angula [aŋ'gula] f filhote m de enguia

ángulo ['aŋgulo] m **1.** ângulo m **2.** (rincón) canto m

angustia [aŋ'gustja] *f* angústia *f*
angustiar [aŋgus'tjar] **I.** *vt* angustiar **II.** *vr:* ~**se** angustiar-se
anilla [a'niʎa] *f* argola *f*
anillo [a'niʎo] *m* anel *m;* **venir como** ~ **al dedo** *fig* cair como uma luva
animación [anima'θjon] *f* animação *f*
animado, -a [ani'maðo, -a] *adj* animado, -a; ~ **por ordenador** INFOR animado por computador
animador(a) [anima'ðor(a)] *m(f)* animador(a) *m(f)*
animal [ani'mal] *adj, m* animal *m*
animar [ani'mar] **I.** *vt* animar **II.** *vr:* ~**se** animar-se
ánimo ['animo] *m* ânimo *m;* **dar** ~**s a alguien** dar ânimo a alguém
aniquilar [aniki'lar] *vt* aniquilar
anís [a'nis] <**anises**> *m* anis *m*
aniversario [aniβer'sarjo] *m* aniversário *m*
ano ['ano] *m* ânus *m*
anoche [a'notʃe] *adv* ontem à noite
anochecer [anotʃe'θer] **I.** *irr como crecer vimpers* anoitecer **II.** *m* anoitecer *m*
anónimo, -a [a'nonimo, -a] *adj* anônimo, -a
anorak [ano'rak] <**anoraks**> *m* anoraque *m*
anorexia [ano'reɣsja] *f* anorexia *f*
anoréxico, -a [ano'reɣsiko, -a] *adj* anoréxico, -a
anormal [anor'mal] *adj* anormal
anotar [ano'tar] *vt* **1.** (*apuntar*) anotar **2.** DEP (*marcar*) marcar
ansia ['ansja] *f* ânsia *f*
ansiar [an'sjar] <*1. pres:* ansío> *vt* ansiar
ansiedad [ansje'ðað] *f* ansiedade *f*
ansioso, -a [an'sjoso, -a] *adj* ansioso, -a
antaño [an'taɲo] *adv* antigamente
antártico, -a [an'tartiko, -a] *adj* antártico, -a; **el océano** ~ o oceano antártico
Antártida [an'tartiða] *f* Antártida *f*
ante¹ ['ante] *m* camurça *f*
ante² ['ante] *prep* **1.** (*posición*) antes **2.** (*en vista de*) perante
anteanoche [antea'notʃe] *adv* anteontem à noite
anteayer [antea'jer] *adv* anteontem
antebrazo [ante'βraθo] *m* antebraço *m*
antecedentes [anteθe'ðentes] *mpl* antecedentes *mpl;* ~ **penales** JUR antecedentes criminais
antecesor(a) [anteθe'sor(a)] *m(f)* antecessor(a) *m(f)*
antelación [antela'θjon] *f* **con** ~ com antecedência
antemano [ante'mano] *adv* **de** ~ de antemão
antena [an'tena] *f* antena *f;* ~ **colectiva** antena coletiva; ~ **parabólica** antena parabólica
anteojos [ante'oxo] *mpl AmL* (*gafas*) óculos *mpl*
antepenúltimo, -a [antepe'nultimo, -a] *adj, m, f* antepenúltimo, -a *m, f*
anteponer [antepo'ner] *irr como poner vt* ~ **algo a algo** antepor a. c. a a. c.
anterior [ante'rjor] *adj* anterior
anterioridad [anterjori'ðað] *prep* **con**

apuntar [apuṇ'tar] I. *vt* apontar; ~ **a algo** apontar para a. c. II. *vr* ~**se a algo** inscrever-se em a. c.

apunte [a'punte] *m* anotação *f*; **tomar** ~**s** fazer anotações

apurado, -a [apu'raðo, -a] *adj* **1.** (*falto*) apurado, -a; **estar ~ de tiempo** estar apertado de tempo **2.** *AmL* (*apresurado*) apressado, -a

apurarse [apu'rarse] *vr* **1.** (*preocuparse*) inquietar-se **2.** *AmL* (*darse prisa*) apressar-se

apuro [a'puro] *m* **1.** (*aprieto*) apuro *m* **2.** (*vergüenza*) **me da ~** me dá vergonha **3.** *AmL* (*prisa*) apuro *m*

aquel, aquella [a'kel, a'keʎa] I. *adj dem* <aquellos, -as> aquele, -a II. *pron dem v.* **aquél, aquélla, aquello**

aquél, aquélla [a'kel, a'keʎa, a'keʎo] <aquéllos, -as> *pron dem* aquele, aquela, aquilo; **¿qué es aquello?** o que é aquilo?; **oye, ¿qué hay de aquello?** *inf* ei, o que você acha daquilo?

aquí [a'ki] *adv* aqui; **(por) ~ cerca** aqui (por) perto; **~ dentro** aqui dentro; **éste de ~** este aqui; **de ~ en adelante** de aqui em diante; **de ~ a una semana** daqui a uma semana

árabe ['araβe] *adj, mf* árabe *mf*

Arabia [a'raβja] *f* Arábia *f*

arado [a'raðo] *m* arado *m*

arancel [araṇ'θel] *m* tarifa *f* alfandegária

arándano [a'raṇdano] *m* mirtilo *m*

arandela [araṇ'dela] *f* TÉC arruela *f*

araña [a'raɲa] *f* ZOOL aranha *f*

arañar [ara'ɲar] *vt* (*rasguñar*) arranhar

arañazo [ara'ɲaθo] *m* arranhão *m*

arbitraje [arβi'traxe] *m t.* DEP arbitragem *f*

arbitrar [arβi'trar] *vi, vt t.* DEP arbitrar

arbitrariedad [arβitrarje'ðað] *f* arbitrariedade *f*

arbitrario, -a [arβi'trarjo, -a] *adj* arbitrário, -a

árbitro, -a ['arβitro, -a] *m, f t.* DEP árbitro, -a *m, f*

árbol ['arβol] *m* BOT árvore *f*; **~ genealógico** árvore genealógica

arbusto [ar'βusto] *m* arbusto *m*

arca ['arka] *f* arca *f*; **las ~s del estado** os cofres públicos; **~ de Noé** arca de Noé

arcaico, -a [ar'kajko, -a] *adj* arcaico, -a

arcén [ar'θen] *m* acostamento *m*

archipiélago [artʃi'pjelaɣo] *m* arquipélago *m*

archivador [artʃiβa'ðor] *m* arquivo *m*

archivar [artʃi'βar] *vt* arquivar

archivo [ar'tʃiβo] *m* arquivo *m*

arcilla [ar'θiʎa] *f* argila *f*

arco ['arko] *m* **1.** (*general*) arco *m*; **~ iris** arco-íris *m* **2.** *AmL* DEP gol *m*

arcón [ar'kon] *m* baú *m*

arder [ar'ðer] *vi* arder

ardilla [ar'ðiʎa] *f* esquilo *m*

ardor [ar'ðor] *m* queimação *f*; **~ de estómago** queimação de estômago

área ['area] *f t.* MAT área *f*; **~ de castigo** [*o* **penalti**] DEP área de pênalti

arena [a'rena] *f* (*materia*) areia *f*; ~**s movedizas** areias movediças

arenoso, -a [are'noso, -a] *adj* areno-

arenque

so, -a

arenque [aˈreŋke] *m* arenque *m*

Argelia [arˈxelja] *f* Argélia *f*

argelino, -a [arxeˈlino, -a] *adj, m, f* argelino, -a

Argentina [arxeṇˈtina] *f* Argentina *f*

argentino, -a [arxeṇˈtino, -a] *adj, m, f* argentino, -a *m, f*

argolla [arˈɣoʎa] *f* argola *f*

argot [arˈɣoᵗ] <argots> *m* **1.** (*técnico*) jargão *m* **2.** (*popular*) gíria *f*

argumentación [arɣumeṇtaˈθjon] *f* argumentação *f*

argumentar [arɣumeṇˈtar] *vi, vt* argumentar

argumento [arɣuˈmeṇto] *m* argumento *m*

árido, -a [ˈariðo, -a] *adj* árido, -a

Aries [ˈarjes] *m inv* Áries *m inv*; **ser ~** ser (de) Áries

arisco, -a [aˈrisko, -a] *adj* arisco, -a

aristocracia [aristoˈkraθja] *f* aristocracia *f*

aristócrata [arisˈtokrata] *mf* aristocrata *mf*

aritmética [ariᵗˈmetika] *f* aritmética *f*

aritmético, -a [ariᵗˈmetiko, -a] *adj* aritmético, -a

arma [ˈarma] *f* (*instrumento*) arma *f*; **~ biológica** arma biológica; **~ blanca** arma branca; **~ de fuego** arma de fogo; **ser un ~ de doble filo** ser uma faca de dois gumes

armada [arˈmaða] *f* armada *f*

armadillo [armaˈðiʎo] *m* tatu *m*

armado, -a [arˈmaðo, -a] *adj* armado, -a

armador(a) [armaˈðor(a)] *m(f)* arma-

arquero

dor(a) *m(f)*

armadura [armaˈðura] *f* (*de caballero*) armadura *f*

armamento [armaˈmeṇto] *m* armamento *m*

armar [arˈmar] **I.** *vt t.* MIL, TÉC armar; **~la** *inf* armar uma confusão; **~ la de Dios es Cristo** *inf* armar uma tremenda confusão **II.** *vr*: **~se** armar-se; **~se de paciencia** armar-se de paciência; **se armó la gorda** *inf* armou-se uma tremenda confusão

armario [arˈmarjo] *m* armário *m*; **~ empotrado** armário embutido

armatoste [armaˈtoste] *m* trambolho *m*

Armenia [arˈmenja] *f* Armênia *f*

armenio, -a [arˈmenjo, -a] *adj, m, f* armênio, -a *m, f*

armiño [arˈmiɲo] *m* (*animal, piel*) arminho *m*

armonía [armoˈnia] *f* harmonia *f*

armónica [arˈmonika] *f* harmônica *f*

aro [ˈaro] *m* **1.** (*argolla*) aro *m* **2.** *AmL* (*anillo de boda*) aliança *f*

aroma [aˈroma] *m* aroma *m*

aromaterapia [aromateˈrapja] *f* aromaterapia *f*

aromático, -a [aroˈmatiko, -a] *adj* aromático, -a

arpa [ˈarpa] *f* harpa *f*

arpón [arˈpon] *m* arpão *m*

arqueología [arkeoloˈxia] *f* arqueologia *f*

arqueológico, -a [arkeoˈloxiko, -a] *adj* arqueológico, -a

arquero, -a [arˈkero, -a] *m, f AmL* (*portero*) goleiro, -a *m, f*

arquitecto, -a [arki'tekto, -a] *m, f* arquiteto, -a *m, f*

arquitectura [arkitek'tura] *f* arquitetura *f*

arraigado, -a [araj'ɣaðo, -a] *adj* arraigado, -a

arrancar [arraŋ'kar] <c→qu> I. *vt* arrancar II. *vi* arrancar; ~ **a cantar** começar a cantar

arranque [a'rraŋke] *m* arranque *m*

arrasar [arra'sar] *vi, vt* arrasar

arrastrar [arras'trar] I. *vt* 1. (*tirar de*) arrastar 2. (*impulsar*) incentivar II. *vr:* ~**se** arrastar-se

arrastre [a'rrastre] *m* **estar para el** ~ *inf* (*cosa*) estar arruinado; (*persona*) estar pregado

arrebatar [arreβa'tar] *vt* arrebatar

arrebato [arre'βato] *m* arrebatamento *m*

arreciar [arre'θjar] *vi* aumentar

arrecife [arre'θife] *m* recife *m*

arreglado, -a [arre'ɣlaðo, -a] *adj* (*ordenado, elegante*) arrumado, -a; **¡estamos ~s!** *inf* estamos arrumados!

arreglar [arre'ɣlar] I. *vt* 1. (*reparar*) consertar 2. (*resolver: asunto*) solucionar II. *vr:* ~**se** 1. (*vestirse, peinarse*) arrumar-se 2. *inf* (*componérselas*) **arreglárselas** dar um jeito

arreglo [a'rreɣlo] *m* 1. (*reparación*) conserto *m* 2. (*acuerdo*) acerto *m*

arremolinarse [arremoli'narse] *vr* amontoar-se

arrepentido, -a [arrepen'tiðo, -a] *adj* arrependido, -a

arrepentimiento [arrepenti'mjento] *m* arrependimento *m*

arrepentirse [arrepen'tirse] *irr como sentir vr* arrepender-se

arrestar [arres'tar] *vt* prender

arresto [a'rresto] *m* (*detención*) prisão *f*

arriar [arri'ar] <*1. pres:* arrío> *vt* arriar

arriba [a'rriβa] *adv* 1. (*posición*) em cima; **el piso de** ~ (*el último*) o último andar; **de** ~ **abajo** de cima abaixo 2. (*dirección*) acima; **río** ~ rio acima 3. (*cantidad*) **tener de 60 años para** ~ ter de 60 anos para cima

arribar [arri'βar] *vi* 1. NÁUT atracar 2. *AmL* (*llegar*) chegar

arriesgado, -a [arrjes'ɣaðo, -a] *adj* (*peligroso*) arriscado, -a

arriesgar [arrjes'ɣar] <g→gu> I. *vt* (*vida*) arriscar II. *vr:* ~**se** arriscar-se

arrinconar [arriŋko'nar] *vt* 1. (*objeto*) encostar 2. (*enemigo*) encurralar

arritmia [a'rriºmja] *f* arritmia *f*

arroba [a'rroβa] *f* INFOR arroba *f*

arrodillarse [arroði'ʎarse] *vr* ajoelhar-se

arrogancia [arro'ɣanθja] *f* arrogância *f*

arrogante [arro'ɣante] *adj* arrogante

arrojar [arro'xar] I. *vt* 1. (*lanzar*) arrojar 2. (*expulsar*) expulsar 3. *AmL, inf* (*vomitar*) arrojar II. *vr:* ~**se** jogar-se

arrollador(a) [arroʎa'ðor(a)] *adj* arrebatador(a)

arrollar [arro'ʎar] *vt* 1. (*atropellar*) atropelar 2. DEP superar

arroyo [a'rrojo] *m* arroio *m*

arroz [a'rroθ] *m* arroz *m;* ~ **con**

arruga [aˈrruɣa] f ruga f
arrugar [arruˈɣar] <g→gu> I. vt enrugar II. vr: ~**se** enrugar-se
arruinar [arrwiˈnar] I. vt arruinar II. vr: ~**se** arruinar-se
arsenal [arseˈnal] m MIL arsenal m
arte [ˈarte] m o f (m en sing, f en pl) arte f; **bellas** ~**s** belas artes; **el séptimo** ~ a sétima arte; **como por** ~ **de magia** como por encanto
artefacto [arteˈfakto] m (aparato) artefato m; (mecanismo) dispositivo m
arteria [arˈterja] f ANAT artéria f
arterio(e)sclerosis [arterjo(e)skleˈrosis] f inv arteriosclerose f
artesanal [artesaˈnal] adj artesanal
artesanía [artesaˈnia] f artesanato m
artesano, -a [arteˈsano, -a] m, f artesão, artesã m, f
ártico, -a [ˈartiko, -a] adj ártico, -a; **el océano** ~ o oceano ártico
articulación [artikulaˈθjon] f articulação f
articulado, -a [artikuˈlaðo, -a] adj articulado, -a
artículo [arˈtikulo] m artigo m
artífice [arˈtifiθe] mf artífice mf
artificial [artifiˈθjal] adj artificial
artillería [artiʎeˈria] f artilharia f
artilugio [artiˈluxjo] m engenhoca f
artimaña [artiˈmaɲa] f artimanha f
artista [arˈtista] mf artista mf
artístico, -a [arˈtistiko, -a] adj artístico, -a
artritis [arˈtritis] f inv artrite f
artrosis [arˈtrosis] f inv artrose f
arveja [arˈβexa] f RíoPl (guisante) ervilha f
arzobispo [arθoˈβispo] m arcebispo m
as [as] m ás m; **ser un** ~ fig ser um ás
asa [ˈasa] f asa f
asado [aˈsaðo] m GASTR assado m
asaltante [asalˈtante] mf assaltante mf
asaltar [asalˈtar] vt assaltar
asalto [aˈsalto] m assalto m
asamblea [asamˈblea] f assembléia f
asar [aˈsar] I. vt assar II. vr ~**se (de calor)** inf assar (de calor)
ascender [asθenˈder] <e→ie> vi ascender
ascensión [asθenˈsjon] f t. REL ascensão f
ascenso [asˈθenso] m ascenção f
ascensor [asθenˈsor] m elevador m
asco [ˈasko] m asco m; **dar** ~ dar asco; **tener** ~ **a algo** ter asco de a. c.
ascua [ˈaskwa] f brasa f; **en** ~**s** em brasas; **arrimar el** ~ **a su sardina** fig puxar a brasa para a sua sardinha
asearse [aseˈarse] vr assear-se
asediar [aseˈðjar] vt assediar
asedio [aˈsedjo] m assédio m
asegurado, -a [aseɣuˈraðo, -a] adj, m, f segurado, -a m, f
aseguradora [aseɣuraˈðora] f (empresa) seguradora f
asegurar [aseɣuˈrar] I. vt 1. (fijar) assegurar 2. (garantizar) segurar 3. (con un seguro) segurar II. vr: ~**se** 1. (agarrarse) segurar-se 2. (comprobar) assegurar-se 3. (con un seguro) segurar-se
asemejarse [aseme'xarse] vr parecer
asentamiento [asentaˈmjento] m as-

sentamento m
aseo [a'seo] m **1.** (*estado*) asseio m **2.** pl (*servicios*) toalete m
aséptico, -a [a'septiko, -a] *adj* asséptico, -a
asequible [ase'kiβle] *adj* acessível
asesinar [asesi'nar] *vt* assassinar
asesinato [asesi'nato] m assassinato m
asesino, -a [ase'sino, -a] m, f assassino, -a m, f
asesor(a) [ase'sor(a)] m(f) assessor(a) m(f)
asesorar [aseso'rar] **I.** *vt* assessorar **II.** *vr:* ~**se** aconselhar-se; ~**se de algo con alguien** aconselhar-se sobre a. c. com alguém
asesoría [aseso'ria] f assessoria f
asfaltar [asfal'tar] *vt* asfaltar
asfalto [as'falto] m asfalto m
asfixia [as'fiˠsja] f asfixia f
asfixiante [asfiˠ'sjante] *adj* asfixiante
asfixiar [asfiˠ'sjar] **I.** *vt* asfixiar **II.** *vr:* ~**se** asfixiar-se
así [a'si] **I.** *adv* **1.** (*de este modo*) assim; ...**o** ~ (*aproximadamente*) ... mais ou menos **2.** (*de esta medida*) ~ **de bien/de mal** tão bem/mal; ~ **de grande** grande assim **II.** *adj inv* assim
Asia ['asja] f Ásia f
asiático, -a [a'sjatiko, -a] *adj, m, f* asiático, -a m, f
asiduo, -a [a'siðwo, -a] *adj* assíduo, -a
asiento [a'sjento] m (*silla*) assento m
asignación [asiɣna'θjon] f (*de recursos*) atribuição f
asignar [asiɣ'nar] *vt* (*recursos*) atribuir
asignatura [asiɣna'tura] f matéria f; ~ **pendiente** *fig* matéria pendente
asilado, -a [asi'laðo, -a] m, f POL asilado, -a m, f
asilo [a'silo] m asilo m
asimétrico, -a [asi'metriko, -a] *adj* assimétrico, -a
asimilar [asimi'lar] *vt* assimilar
asimismo [asi'mismo] *adv* também
asir [a'sir] *irr* **I.** *vt* sujeitar **II.** *vr* ~**se a algo** sujeitar-se a a. c.
asistencia [asis'tenθja] f assistência f
asistenta [asis'tenta] f faxineira f
asistente [asis'tente] mf (*ayudante*) assistente mf; ~ **social** assistente social
asistido, -a [asis'tiðo, -a] *adj* assistido, -a
asistir [asis'tir] **I.** *vi* ~ **a algo** assistir a a. c. **II.** *vt* assistir
asma ['asma] m asma f
asmático, -a [as'matiko, -a] *adj, m, f* asmático, -a m, f
asno ['asno] m asno m
asociación [asoθja'θjon] f associação f
asociado, -a [aso'θjaðo, -a] *adj, m, f* associado, -a m, f
asociar [aso'θjar] **I.** *vt* associar **II.** *vr:* ~**se con alguien** associar-se a alguém
asomar [aso'mar] **I.** *vt* (*cabeza*) colocar para fora **II.** *vi* assomar **III.** *vr:* ~**se 1.** (*por un lugar*) aparecer **2.** (*sacar la cabeza*) debruçar-se; ~**se a la ventana** debruçar-se na janela
asombrar [asom'brar] **I.** *vt* (*pasmar*)

assombrar II. *vr:* ~**se** assombrar-se; ~**se de algo** assombrar-se com a. c.
asombroso, -a [asom'broso, -a] *adj* assombroso, -a
asomo [a'somo] *m* **ni por** ~ de modo algum
aspa ['aspa] *f (de molino)* pá *f*
aspecto [as'pekto] *m* aspecto *m*
áspero, -a ['aspero, -a] *adj* áspero, -a
aspiración [aspira'θjon] *f* aspiração *f*
aspirador [aspira'ðor] *m* aspirador *m*
aspiradora [aspira'ðora] *f* aspirador *m*
aspirante [aspi'rante] *mf* aspirante *mf*
aspirar [aspi'rar] I. *vt* aspirar II. *vi* aspirar; ~ **a algo** aspirar a a. c.
aspirina® [aspi'rina] *f* aspirina® *f*
asquear [aske'ar] *vt* enojar
asqueroso, -a [aske'roso, -a] *adj* asqueroso, -a
asta ['asta] *f* 1. *(de bandera)* haste *f*; **a media** ~ a meio pau 2. *(de toro)* chifre *m*
asterisco [aste'risko] *m* asterisco *m*
asteroide [aste'rojðe] *m* asteróide *m*
astilla [as'tiʎa] *f* lasca *f*; **hacer** ~**s algo** deixar a. c. em frangalhos
astillero [asti'ʎero] *m* estaleiro *m*
astro ['astro] *m t. fig* astro *m*
astrología [astrolo'xia] *f* astrologia *f*
astrólogo, -a [as'troloɣo, -a] *m, f* astrólogo, -a *m, f*
astronauta [astro'nayta] *mf* astronauta *mf*
astronave [astro'naβe] *f* espaçonave *f*
astronomía [astrono'mia] *f* astronomia *f*
astronómico, -a [astro'nomiko, -a] *adj t. fig* astronômico, -a
astucia [as'tuθja] *f (sagacidad)* astúcia *f*
astuto, -a [as'tuto, -a] *adj* astuto, -a
asumir [asu'mir] *vt* assumir
asunción [asun'θjon] *f* assunção *f*
Asunción [asun'θjon] *f* Assunção *f*
asunto [a'sunto] *m (cuestión)* assunto *m*; ~**s exteriores** relações exteriores; **no es** ~ **tuyo** não é problema seu
asustado, -a [asus'taðo, -a] *adj* assustado, -a
asustar [asus'tar] I. *vt* assustar II. *vr:* ~**se** assustar-se; ~**se de algo** assustar-se com a. c.
atacante [ata'kante] *mf* 1. *(asaltante)* assaltante *mf* 2. DEP atacante *mf*
atacar [ata'kar] <c→qu> *vi, vt* atacar
atadura [ata'ðura] *f (con cuerda)* amarra *f*
atajo [a'taxo] *m* atalho *m*
atañer [ata'ɲer] <3. *pret:* atañó> *vi* **eso no te atañe** isso não te diz respeito; **en lo que atañe a...** no que diz respeito a...
ataque [a'take] *m* ataque *m*; ~ **de nervios/de risa** ataque de nervos/de riso
atar [a'tar] I. *vt* 1. *(amarrar)* atar 2. *(quitar libertad)* amarrar II. *vi* atar III. *vr:* ~**se** amarrar
atardecer [ataröe'θer] I. *irr como crecer vimpers* entardecer II. *m* entardecer *m*
atareado, -a [atare'aðo, -a] *adj* atarefado, -a
atascarse [atas'karse] <c→qu> *vr*

(*cañería, mecanismo*) entupir-se
atasco [a'tasko] *m* (*de tráfico*) engarrafamento *m*
ataúd [ata'uð] *m* ataúde *m*
atemorizar [atemori'θar] <z→c> *vt* atemorizar
atención [aten'θjon] *f* atenção *f*; ~ **médica** atendimento *m* médico; **a la ~ de...** (*en cartas*) à atenção de...; **llamar la ~ a alguien** chamar a atenção de alguém; **prestar ~ a algo** prestar atenção em a. c.
atender [aten'der] <e→ie> I. *vt* atender II. *vi* atender; ~ **a algo** atender a a. c.
atenerse [ate'nerse] *irr como tener vr* ~ **a** ater-se a
atentado [aten'taðo] *m* atentado *m*
atentamente [atenta'mente] *adv* (*final de carta*) (**muy**) ~ (muito) atenciosamente
atentar [aten'tar] *vi* ~ **contra alguien** atentar contra alguém
atento, -a [a'tento, -a] *adj* **1.** (*pendiente*) atento, -a **2.** (*cortés*) atencioso, -a
ateo, -a [a'teo, -a] *adj, m, f* ateu, atéia *m, f*
aterrador(a) [aterra'ðor(a)] *adj* aterrorizador(a)
aterrar [ate'rrar] *vt* (*atemorizar*) aterrorizar
aterrizaje [aterri'θaxe] *m* aterrissagem *f*
aterrizar [aterri'θar] <z→c> *vi* aterrissar
aterrorizar [aterrori'θar] <z→c> *vt* aterrorizar

atiborrarse [atiβo'rrarse] *vr inf* ~**se de algo** abarrotar-se de a. c.
ático ['atiko] *m* ático *m*
atlántico, -a [að'lantiko, -a] *adj* atlântico, -a
Atlántico [að'lantiko] *m* **el** ~ o Atlântico
atlas ['aðlas] *m inv* atlas *m inv*
atleta [að'leta] *mf* atleta *mf*
atlético, -a [að'letiko, -a] *adj* atlético, -a
atletismo [að'letismo] *m* atletismo *m*
atmósfera [að'mosfera] *f t. fig* atmosfera *f*
atmosférico, -a [aðmos'feriko, -a] *adj* atmosférico, -a
atolondrado, -a [atolon'draðo, -a] *adj* atrapalhado, -a
atómico, -a [a'tomiko, -a] *adj* atômico, -a
átomo ['atomo] *m* átomo *m*
atontado, -a [aton'taðo, -a] *adj* (*tonto*) tonto, -a
atornillador [atorniʎa'ðor] *m CSur* chave *f* de fenda
atornillar [atorni'ʎar] *vt* aparafusar
atracador(a) [atraka'ðor(a)] *m(f)* atracador(a) *m(f)*
atracar [atra'kar] <c→qu> I. *vi* NÁUT atracar II. *vt* (*asaltar*) assaltar III. *vr*: ~**se** *inf* atracar-se
atracción [atrakˈθjon] *f t.* FÍS atração *f*
atraco [a'trako] *m* assalto *m*
atractivo, -a [atrak'tiβo, -a] *adj* atrativo, -a
atraer [atra'er] *irr como traer* I. *vt* atrair II. *vr*: ~**se** atrair-se
atragantarse [atrayan'tarse] *vr* en-

gasgar-se

atrapar [atra'par] *vt* pegar

atrás [a'tras] *adv* atrás; **rueda de ~** roda traseira; **años ~** anos atrás; **sentarse ~** sentar-se atrás; **¡~!** para trás!

atrasado, -a [atra'saðo, -a] *adj* atrasado, -a

atrasar [atra'sar] I. *vt* atrasar II. *vr:* **~se** atrasar-se

atraso [a'traso] *m (de tren, país)* atraso *m*

atravesar [atraβe'sar] <e→ie> *vt* atravessar

atrayente [atra'jente] *adj* atraente

atreverse [atre'βerse] *vr* atrever-se

atrevido, -a [atre'βiðo, -a] *adj* atrevido, -a

atrevimiento [atreβi'mjento] *m* **1.** *(audacia)* atrevimento *m* **2.** *(descaro)* descaramento *m*

atribuir [atriβu'ir] *irr como huir vt* atribuir

atrocidad [atroθi'ðað] *f* atrocidade *f*

atrofiarse [atro'fjarse] *vr* atrofiar-se

atropellar [atrope'ʎar] *vt* atropelar

atropello [atro'peʎo] *m (accidente)* atropelamento *m*

atroz [a'troθ] *adj* atroz

atuendo [a'twendo] *m* traje *m*

atún [a'tun] *m* atum *m*

audacia [au̯'ðaθja] *f* audácia *f*

audaz [au̯'ðaθ] *adj* audaz

audición [au̯ði'θjon] *f* t. TEAT audição *f*

audiencia [au̯'ðjenθja] *f* TEL, JUR audiência *f*

audífono [au̯'ðifono] *m* aparelho *m* auditivo

audiovisual [au̯ðjoβi'swal] *adj* audiovisual

auditivo, -a [au̯ði'tiβo, -a] *adj* ANAT auditivo, -a

auditor(a) [au̯ði'tor(a)] *m(f)* ECON, FIN auditor(a) *m(f)*

auditoría [au̯ðito'ria] *f* ECON, FIN auditoria *f*

auditorio [au̯ði'torjo] *m* auditório *m*

auge [au̯xe] *m* auge *m*

aula ['au̯la] *f* sala *f* de aula

aullar [au̯'ʎar] *irr vi* uivar

aullido [au̯'ʎiðo] *m* uivo *m*

aumentar [au̯men'tar] *vi, vt* aumentar

aumento [au̯'mento] *m* aumento *m;* **ir en ~** estar aumentando

aun [au̯n] *adv* mesmo; **~ así** mesmo assim

aún [a'un] *adv* ainda

aunque ['au̯nke] *conj* embora, ainda que; **es viejo, aún puede trabajar** embora seja velho, ainda pode trabalhar

aúpa [a'upa] *interj* upa; **un frío/susto de ~** *inf* um frio/susto daqueles; **ser de ~** *inf* ser extraordinário

aureola [au̯re'ola] *f* auréola *f*

auricular [au̯riku'lar] *m* **1.** TEL fone *m* **2.** *pl (de música)* fones *m* de ouvido

aurora [au̯'rora] *f* aurora *f;* **~ austral** aurora austral; **~ boreal** aurora boreal

ausencia [au̯'senθja] *f* ausência *f*

ausentarse [au̯sen'tarse] *vr (irse)* ausentar-se

ausente [au̯'sente] *adj* ausente

ausentismo [au̯sen'tismo] *m AmL* absentismo *m*

Australia [aʊs'tralja] f Austrália f
australiano, -a [aʊstra'ljano, -a] adj, m, f australiano, -a m, f
Austria ['aʊstrja] f Áustria f
austriaco, -a [aʊs'trjako, -a], **austríaco, -a** [aʊs'triako, -a] adj, m, f austríaco, -a m, f
auténtico, -a [aʊ'tentiko, -a] adj autêntico, -a
autista [aʊ'tista] adj autista
auto ['aʊto] m AmS, Cuba, RDom carro m
autobiografía [aʊtoβjoɣra'fia] f autobiografia f
autobús [aʊto'βus] m, [aʊto'kar] <autocares> m ônibus m
autóctono, -a [aʊ'toktono, -a] adj autóctone
autoescuela [aʊtoes'kwela] f auto-escola f
autoestop [aʊtoes'top] m **hacer ~** pedir carona
autoestopista [aʊtoesto'pista] mf carona mf
autógrafo [aʊ'toɣrafo] m autógrafo m
autómata [aʊ'tomata] m autômato m
automático, -a [aʊto'matiko, -a] adj automático, -a
automatizar [aʊtomati'θar] vt automatizar
automedicarse [aʊtomeði'carse] vr automedicar-se
automóvil [aʊto'moβil] m automóvel m
automovilismo [aʊtomoβi'lismo] m DEP automobilismo m
automovilista [aʊtomoβi'lista] mf automobilista mf

autonomía [aʊtono'mia] f autonomia f
autonómico, -a [aʊtono'miko, -a] adj autônomo, -a
autónomo, -a [aʊ'tonomo, -a] adj autônomo, -a
autopista [aʊto'pista] f rodovia f; **~ de la información** INFOR rodovia da informação f; **~ de peaje** rodovia com pedágio
autopsia [aʊ'toβsja] f MED autópsia f
autor(a [aʊ'tor(a)] m(f) autor(a) m(f)
autoridad [aʊtori'ðað] f autoridade f; **las ~es** POL as autoridades
autoritario, -a [aʊtori'tarjo, -a] adj autoritário, -a
autorización [aʊtoriθa'θjon] f autorização f
autorizado, -a [aʊtori'θaðo, -a] adj autorizado, -a
autorizar [aʊtori'θar] <z→c> vt autorizar
autorretrato [aʊtorre'trato] m autorretrato m
autoservicio [aʊtoser'βiθjo] m autoserviço m
autostop [aʊtos'top] m carona f; **hacer ~** pedir carona
autostopista [aʊtosto'pista] mf carona mf
autosuficiente [aʊtosufi'θjente] adj auto-suficiente
autosugestión [aʊtosuxes'tjon] f auto-sugestão f
autovía [aʊto'βia] f auto-estrada f
auxiliar¹ [aʊᵏsi'ljar] m LING auxiliar m
auxiliar² [aʊᵏsi'ljar] **I.** mf auxiliar mf; **~ de vuelo** comissário, -a m, f de

bordo **II.** *vt* auxiliar

auxilio [auɣ'siljo] *m* auxílio *m;* **primeros ~s** primeiros socorros

avalancha [aβa'lantʃa] *f* avalancha *f*

avance [a'βanθe] *m* avanço *m*

avanzado, -a [aβaɳ'θaðo, -a] *adj* avançado, -a

avanzar [aβaɳ'θar] <z→c> *vi t.* MIL avançar

avaricia [aβa'riθja] *f* avareza *f*

avaricioso, -a [aβari'θjoso, -a] *adj* avarento, -a

avaro, -a [a'βaro, -a] *adj, m, f* avaro, -a *m, f*

Avda. [aβe'niða] *abr de* **Avenida** Av.

ave ['aβe] *f* ave *f;* **~ rapaz** |**o de presa**| ave rapina

AVE ['aβe] *m abr de* **Alta Velocidad Española** trem espanhol de alta velocidade

avecinarse [aβeθi'narse] *vr* avizinhar-se

avellana [aβe'ʎana] *f* avelã *f*

avellano [aβe'ʎano] *m* aveleira *f*

avemaría [aβema'ria] *f* ave-maria *f*

avena [a'βena] *f* aveia *f*

avenida [aβe'niða] *f* avenida *f*

aventajado, -a [aβenta'xaðo, -a] *adj* destacado, -a

aventajar [aβenta'xar] *vt* superar

aventura [aβen'tura] *f* aventura *f*

aventurarse [aβentu'rarse] *vr* aventurar-se

aventurero, -a [aβentu'rero, -a] *adj* aventureiro, -a

avergonzar [aβerɣon'θar] *irr* **I.** *vt* envergonhar **II.** *vr:* **~se** envergonhar-se

avería [aβe'ria] *f* avaria *f*

averiado, -a [aβeri'aðo, -a] *adj* avariado, -a

averiarse [aβeri'arse] <*1. pres:* averío> *vr* avariar-se

averiguar [aβeri'ɣwar] <gu→gü> *vt* averiguar

avestruz [aβes'truθ] *m* avestruz *m*

aviación [aβja'θjon] *f* aviação *f*

aviador(a) [aβja'ðor(a)] *m(f)* aviador(a) *m(f)*

avión [aβi'on] *m* avião *m;* **en ~ de** avião

avioneta [aβjo'neta] *f* teco-teco *m*

avisar [aβi'sar] *vt* avisar

aviso [a'βiso] *m* aviso *m;* **estar sobre ~** estar de sobreaviso; **sin previo ~** sem aviso prévio

avispa [a'βispa] *f* vespa *f*

avispado, -a [aβis'paðo, -a] *adj* esperto, -a

avispero [aβis'pero] *m* vespeiro *m*

axila [aɣ'sila] *f* axila *f*

axioma [aɣ'sjoma] *m* axioma *m*

ay [aj] *interj* ai; **¡~ de nosotros!** ai de nós!

ayer [a'ʝer] *adv* ontem

ayuda [a'ʝuða] *f* ajuda *f*

ayudante [aʝu'ðante] *mf* ajudante *mf*

ayudar [aʝu'ðar] *vt* ajudar

ayunar [aʝu'nar] *vi* jejuar

ayunas [a'ʝunas] *adv* **en ~** em jejum

ayuno [a'ʝuno] *m* jejum *m*

ayuntamiento [aʝunta'mjento] *m* prefeitura *f*

azada [a'θaða] *f* enxada *f*

azafata [aθa'fata] *f* aeromoça *f*

azafrán [aθa'fran] *m* açafrão *m*

azahar [a'θar, aθa'ar] *m* flor *f* de laranjeira

azalea [aθa'lea] *f* azaléia *f*

azar [a'θar] *m* acaso *m*

Azerbaiyán [aθerβa'jan] *m* Azerbaijão *m*

Azores [a'θores] *fpl* **las** ~ os Açores

azotar [aθo'tar] *vt* açoitar

azote [a'θote] *m* açoite *m*

azotea [aθo'tea] *f* terraço *m*

azteca [aθ'teka] *adj, mf* asteca *mf*

> **Cultura** A tribo indígena dos **aztecas** construiu um vasto e poderoso império entre os séculos XIV e XVI na região centro-sul do México, que foi conquistado pelos espanhóis em 1521. O idioma dos **aztecas** era o **náhuatl**.

azúcar [a'θukar] *m* açúcar *m*

azucarado, -a [aθuka'raðo, -a] *adj* açucarado, -a

azucarero [aθuka'rero] *m* açucareiro *m*

azucarillo [aθuka'riʎo] *m* torrão *m* de açúcar

azucena [aθu'θena] *f* açucena *f*

azufre [a'θufre] *m* enxofre *m*

azul [a'θul] *adj, m* azul *m*

azulado, -a [aθu'laðo, -a] *adj* azulado, -a

azulejo [aθu'lexo] *m* azulejo *m*

B

B, b [b] *f* B, b *m*

baba ['baβa] *f* baba *f*

babear [baβe'ar] *vi* babar

babero [ba'βero] *m* babador *m*

babor [ba'βor] *m* NÁUT **a** ~ **a** bombordo

babosa [ba'βosa] *f* lesma *f*

baboso, -a [ba'βoso, -a] *adj AmL* tolo, -a

bacalao [baka'lao] *m* bacalhau *m*

bachata [ba'tʃata] *f RDom, PRico: canto popular dominicano*

bache ['batʃe] *m* buraco *m*

bachillerato [batʃiʎe'rato] *m* ENS ≈ segundo *m* grau

bacteria [bak'terja] *f* bactéria *f*

bahía [ba'ia] *f* baía *f*

bailar [baj'lar] *vi, vt* dançar

baile ['bajle] *m* baile *m*

baja ['baxa] *f* **1.** (*disminución*) redução *f* **2.** (*laboral, médica*) licença *f*; ~ **por maternidad** licença maternidade **3.** MIL baixa *f*

bajada [ba'xaða] *f* **1.** (*descenso*) redução *f* **2.** (*camino*) descida *f* **3.** (*pendiente*) ladeira *f*

bajar [ba'xar] I. *vi* **1.** (*de montaña, coche*) descer **2.** (*disminuir*) baixar II. *vt* **1.** (*transportar*) descer **2.** (*persiana, volumen*) abaixar **3.** (*ojos*) baixar III. *vr*: ~**se** (*de caballo, coche*) descer

bajo ['baxo] I. *adv* baixo II. *prep* (*debajo de*) debaixo de; (*por debajo de*) abaixo de; ~ **la lluvia** debaixo da chuva

bajo, -a ['baxo, -a] <**más bajo** *o* **inferior, bajísimo**> *adj* baixo, -a

bajón [ba'xon] *m* (*descenso*) queda *f*

bala ['bala] *f* bala *f*

balacear [balaθe'ar] *vt AmL* (*herir*) balear; (*disparar contra*) atirar
balance [ba'lanθe] *m* balanço *m*
balancearse [balanθe'arse] *vr* balançar-se
balanza [ba'lanθa] *f* balança *f*
balazo [ba'laθo] *m* balaço *m*
balbucear [balβuθe'ar] *vi*, *vt v.* **balbucir**
balcón [bal'kon] *m* sacada *f*
balde ['balde] *m* balde *m*; **de** ~ de graça; **en** ~ em vão
baldosa [bal'dosa] *f* lajota *f*
balear [bale'ar] *vt AmL* balear
ballena [ba'ʎena] *f* baleia *f*
ballet [ba'le] <ballets> *m* balé *m*
balneario [balne'arjo] *m* balneário *m*
balón [ba'lon] *m* bola *f*
baloncesto [balon'θesto] *m* basquete *m*
balonmano [balon'mano, balom'mano] *m* handebol *m*
balsa ['balsa] *f* (*embarcación*) balsa *f*
bambolearse [bambole'arse] *vr* balançar-se
banana [ba'nana] *f* banana *f*
banca ['baŋka] *f* **1.** (*tb. fin*) banco *m* **2.** (*en juegos*) banca *f*
bancarrota [baŋka'rrota] *f* bancarrota *f*
banco ['baŋko] *m* **1.** (*tb. fin*) banco *m* **2.** TÉC bancada *f* **3.** (*de peces*) cardume *m*
banda ['banda] *f* **1.** (*cinta, insignia*) faixa *f*; ~ **sonora** CINE trilha *f* sonora **2.** (*pandilla*) bando *m*; ~ **terrorista** *m* terrorista **3.** (*de música*) grupo *m*, banda *f*

bandada [ban'daða] *f* (*de pájaros*) revoada *f*; (*de peces*) cardume *m*
bandeja [ban'dexa] *f* bandeja *f*; **poner** [*o* **servir**] **en** ~ *fig* dar de bandeja
bandera [ban'dera] *f* bandeira *f*
bandido, -a [ban'diðo, -a] *m*, *f* bandido, -a *m*, *f*
bando ['bando] *m* (*facción*) bando *m*
banquero, -a [baŋ'kero, -a] *m*, *f* banqueiro, -a *m*, *f*
banqueta [baŋ'keta] *f* **1.** (*taburete*) banqueta *f* **2.** *AmC* (*acera*) calçada *f*
banquete [baŋ'kete] *m* banquete *m*
banquillo [baŋ'kiʎo] *m* banco *m*
bañador [baɲa'ðor] *m* (*de mujer*) maiô *m*; (*de hombre*) calção *m* de banho
bañar [ba'ɲar] **I.** *vt* banhar **II.** *vr*: ~**se** tomar banho
bañera [ba'ɲera] *f* banheira *f*
bañista [ba'ɲista] *mf* banhista *mf*
baño ['baɲo] *m* **1.** (*acto*) banho *m*; **darse un** ~ tomar um banho **2.** (*cuarto*) banheiro *m*
bar [bar] *m* bar *m*
baraja [ba'raxa] *f* baralho *m*
barajar [bara'xar] *vt* **1.** (*naipes*) embaralhar **2.** (*posibilidades*) considerar **3.** *CSur* (*detener*) pegar
baranda [ba'randa] *f*, **barandilla** [baran'diʎa] *f* corrimão *m*
baratija [bara'tixa] *f* bugiganga *f*
barato [ba'rato] *adv* barato
barato, -a [ba'rato, -a] *adj* barato, -a
barba ['barβa] *f* barba *f*; **por** ~ (*por persona*) por cabeça
barbacoa [barβa'koa] *f* grelha *f*

barbaridad [barβari'ðaᵒ] *f* barbaridade *f*

barbarie [bar'βarje] *f* barbárie *f*

bárbaro, -a ['barβaro, -a] *adj* 1. (*cruel*) bárbaro, -a 2. *inf* (*estupendo*) fantástico, -a

barbilla [bar'βiʎa] *f* queixo *m*

barca ['barka] *f* barco *m*

barco ['barko] *m* barco *m*; ~ **de vapor/vela** barco a vapor/vela

barniz [bar'niθ] *m* (*de uñas*) esmalte *m*; (*para madera*) verniz *m*

barquillo [bar'kiʎo] *m* taboca *f*

barra ['barra] *f* 1. (*pieza*) barra *f*; ~ **de labios** batom *m*; ~ **espaciadora** INFOR barra de espaço 2. (*de pan*) bisnaga *f* 3. (*en un bar*) balcão *m* 4. *AmL* (*pandilla*) gangue *f*

barraca [ba'rraka] *f AmL* (*almacén*) depósito *m*

barranco [ba'rraŋko] *m* barranco *m*

barrendero, -a [barreɲ'dero, -a] *m*, *f* gari *mf*

barrer [ba'rrer] *vt* varrer

barrera [ba'rrera] *f* barreira *f*

barriada [ba'rrjaða] *f* 1. (*barrio*) bairro *m* 2. *AmL* (*barrio pobre*) favela *f*

barriga [ba'rriɣa] *f* barriga *f*

barril [ba'rril] *m* barril *m*

barrio ['barrjo] *m* bairro *m*; **mandar al otro** ~ *inf* mandar desta para melhor

barro ['barro] *m* barro *m*

barrote [ba'rrote] *m* grade *f*; **estar entre** ~**s** *fig* estar atrás das grades

bártulos ['bartulos] *mpl* cacarecos *mpl*

barullo [ba'ruʎo] *m inf* 1. (*ruido*) barulho *m* 2. (*desorden*) confusão *f*

basar [ba'sar] I. *vt* basear II. *vr* ~**se en algo** basear-se em a. c.

báscula ['baskula] *f* balança *f*

base ['base] *f* base *f*; ~ **de datos** INFOR banco *m* de dados; **a** ~ **de bien** *inf* a valer

básico, -a ['basiko, -a] *adj* básico, -a

bastante [bas'taɲte] *adj*, *adv* bastante

bastar [bas'tar] I. *vi* bastar; ¡**basta de ruidos!** chega de barulho! II. *vr* ~**se** bastar-se

basto, -a ['basto, -a] *adj* 1. (*grosero*) grosseiro, -a 2. (*superficie*) áspero, -a

bastón [bas'ton] *m* bastão *m*

bastoncillo [baston'θiʎo] *m* ~ **de algodón** cotonete *m*

basura [ba'sura] *f* lixo *m*

basurero [basu'rero] *m* depósito *m* de lixo

basurero, -a [basu'rero, -a] *m*, *f* lixeiro, -a *m*, *f*

bata ['bata] *f* 1. (*de casa*) roupão *m* 2. (*de alumno, profesor*) guarda-pó *m*

batalla [ba'taʎa] *f* batalha *f*

batallón [bata'ʎon] *m* MIL batalhão *m*

batata [ba'tata] *f* batata-doce *f*

batería [bate'ria] *f* bateria *f*

batido [ba'tiðo] *m* milk-shake *m*

batidora [bati'ðora] *f* batedeira *f*

batir [ba'tir] *vt* 1. (*golpear*) bater 2. (*enemigo*) vencer; ~ **un récord** bater um recorde

batuta [ba'tuta] *f* batuta *f*

baúl [ba'ul] *m* 1. (*mueble*) baú *m* 2. *AmL* (*portamaletas*) porta-malas *m inv*

bautismo [bau̯'tismo] m batismo m
bautizar [bau̯ti'θar] <z→c> vt batizar
bautizo [bau̯'tiθo] m batizado m
bayeta [ba'ʝeta] f pano m
baza ['baθa] f vaza f; **meter ~ en algo** inf meter o bedelho em a. c.
bazo ['baθo] m ANAT baço m
bazofia [ba'θofja] f porcaria f
be [be] f bê m
bebé [be'βe] m bebê m
beber [be'βer] I. vi, vt beber II. vr: ~**se** beber
bebida [be'βiða] f bebida f
bebido, -a [be'βiðo, -a] adj bêbado, -a
beca ['beka] f bolsa f de estudos
becario, -a [be'karjo, -a] m, f bolsista mf
beicon ['bei̯kon] m bacon m
beige [bei̯s] adj bege
béisbol ['bei̯sβol] m beisebol m
belén [be'len] m presépio m
bélico, -a ['beliko, -a] adj bélico, -a
belleza [be'ʎeθa] f beleza f
bello, -a ['beʎo, -a] adj belo, -a
bellota [be'ʎota] f glande f
bendecir [bende'θir] irr como decir vt bendizer
bendición [bendi'θjon] f bênção f
bendito, -a [ben'dito, -a] adj bendito, -a
beneficiar [benefi'θjar] I. vt 1. (favorecer) beneficiar 2. AmL (animal) abater II. vr: ~**se**; ~**se con** [o **de**] **algo** tirar vantagem de a. c.
beneficio [bene'fiθjo] m 1. (bien) benefício m 2. (provecho) lucro m; **a ~ de** em benefício de 3. AmL (matanza) abate m
beneficioso, -a [benefi'θjoso, -a] adj,
benéfico, -a [be'nefiko, -a] adj benéfico, -a
benévolo, -a [be'neβolo, -a] adj benevolente
benigno, -a [be'niɣno, -a] adj MED benigno, -a
berberecho [berβe'retʃo] m berbigão m
berenjena [beren'xena] f berinjela f
bermudas [ber'muðas] mpl bermuda f
berrear [berre'ar] vi berrar
berrido [be'rriðo] m berro m
berrinche [be'rrintʃe] m inf **coger un ~** ter um chilique
berro ['berro] m agrião m
besar [be'sar] I. vt beijar II. vr: ~**se** beijar-se
beso ['beso] m beijo m
bestia¹ ['bestja] mf besta mf
bestia² ['bestja] f besta f
bestial [bes'tjal] adj 1. (salvaje) bestial 2. inf (enorme) terrível; (maravilloso) magnífico, -a
bestialidad [bestjali'ðaᵈ] f 1. (cualidad) bestialidade f 2. inf (montón) barbaridade f
besugo [be'suɣo] m dourada m
betún [be'tun] m 1. QUÍM betume m 2. (para el calzado) graxa f
biberón [biβe'ron] m mamadeira f
Biblia ['biβlja] f Bíblia f
biblioteca [biβljo'teka] f biblioteca f
bíceps ['biθeβs] m inv bíceps m inv
bicho ['bitʃo] m bicho m
bici ['biθi] f inf bicicleta f

bicicleta [biθi'kleta] *f* bicicleta *f*
bidón [bi'ðon] *m* tambor *m*
bien ['bjen] I. *m* bem *m;* ~s ECON bens *mpl* II. *adv* bem; ¡qué ~! que bom!; **ahora** ~ no entanto III. *conj* 1. *(aunque)* ~ **que, si** ~ se bem que 2. *(o... o...)* ~**...** ~**...** ou... ou...
bienestar [bjenes'tar] *m* bem-estar *m*
bienvenida [bjembe'niða] *f* **dar la ~ a alguien** dar as boas-vindas a alguém
bienvenido, -a [bjembe'niðo, -a] *interj* bem-vindo, -a; **¡~ a nuestra casa!** bem-vindo a nossa casa!
bife ['bife] *m CSur* bife *m*
bifocal [bifo'kal] *adj* bifocal
bigote [bi'γote] *m* bigode *m*
bikini [bi'kini] *m* biquíni *m*
bilingüe [bi'liŋgwe] *adj* bilíngue
billar [bi'ʎar] *m* bilhar *m*
billete [bi'ʎete] *m* 1. *(de tren, lotería)* bilhete *m* 2. *(de dinero)* cédula *f*
billetera [biʎe'tera] *f,* **billetero** [biʎe'tero] *m* carteira *f*
billón [bi'ʎon] *m* **un** ~ um trilhão
bimensual [bimen'swal] *adj* quinzenal
bingo ['biŋgo] *m* bingo *m*
biodegradable [bioðeγra'ðaβle] *adj* biodegradável
biodiversidad [bioðiβersi'ðað] *f* biodiversidade *f*
biografía [bioγra'fia] *f* biografia *f*
biógrafo [bi'oγrafo] *m CSur* cinema *m*
biología [biolo'xia] *f* biologia *f*
biológico, -a [bio'loxiko, -a] *adj* biológico, -a

biopsia [bi'oβsja] *f* biópsia *f*
biosfera [bios'fera] *f* biosfera *f*
biquini [bi'kini] *m* biquíni *m*
birome [bi'rome] *f CSur* caneta *f* esferográfica
bis [bis] I. *m* MÚS bis *m* II. *adj (piso)* **7** ~ 7 B
bisabuelo, -a [bisa'βwelo, -a] *m, f* bisavô, bisavó *m, f*
bisagra [bi'saγra] *f* dobradiça *f*
bisiesto [bi'sjesto] *adj* **año** ~ ano bissexto
bisnieto, -a [bis'njeto, -a] *m, f* bisneto, -a *m, f*
bisonte [bi'sonte] *m* bisão *m*
bistec [bis'tec] *m* <bistecs> bife *m*
bisturí [bistu'ri] *m* bisturi *m*
bisutería [bisute'ria] *f* bijuteria *f*
bizco, -a ['biθko, -a] *adj* vesgo, -a
bizcocho [biθ'kotʃo] *m* pão-de-ló *m*
biznieto, -a [biθ'njeto, -a] *m, f v.* **bisnieto**
blanco ['blaŋko] *m* 1. *(color)* branco *m* 2. *(diana)* alvo *m*
blanco, -a ['blaŋko, -a] I. *adj* branco, -a II. *m, f* branco, -a *m, f*
blando, -a ['blando, -a] *adj* mole
bledo ['bleðo] *m* **me importa un** ~ *inf* estou me lixando
bloque ['bloke] *m* bloco *m*
bloqueo [blo'keo] *m* bloqueio *m*
blusa ['blusa] *f* blusa *f*
boa ['boa] *f* jibóia *f*
bobada [bo'βaða] *f* bobagem *f;* **decir/hacer ~s** dizer/fazer bobagens
bobo, -a ['boβo, -a] *adj, m, f* bobo, -a *m, f*

boca ['boka] *f* boca *f*; **~ abajo/arriba de barriga** para baixo/cima; **a pedir de ~** às mil maravilhas

bocacalle [boka'kaʎe] *f* travessa *f*

bocadillo [boka'ðiʎo] *m* sanduíche *m*

bocajarro [boka'xarro] *adv* (*tirar*) **a ~** à queima-roupa

bocanada [boka'naða] *f* (*de humo*) baforada *f*

bocata [bo'kata] *m inf* sanduba *m*

boceto [bo'θeto] *m* esboço *m*

bochorno [bo'tʃorno] *m* **1.** METEO bochorno *m* **2.** (*vergüenza*) vergonha *f*

bocina [bo'θina] *f* buzina *f*

boda ['boða] *f* casamento *m*; **~s de plata/de oro** bodas de prata/de ouro

bodega [bo'ðeɣa] *f* **1.** (*de vino*) adega *f* **2.** (*en un buque*) porão *m*

bofetada [bofe'taða] *f* bofetada *f*

boga ['boɣa] *f* **estar en ~** estar em voga

bogavante [boɣa'βante] *m* lavagante *m*

boicot [boi̯'ko(t)] <**boicots**> *m* boicote *m*

boicotear [boi̯kote'ar] *vt* boicotar

bola ['bola] *f* (*pelota*) bola *f*; **~ de cristal** bola de cristal; **~ de nieve** bola de neve; **en ~s** *inf* pelado

boleta [bo'leta] *f AmL* **1.** (*documento*) autorização *f* **2.** (*para votar*) cédula *f* eleitoral

boletería [bolete'ria] *f AmL* bilheteria *f*

boleto [bo'leto] *m AmL* bilhete *m*

boli ['boli] *m inf* caneta *f*

boliche [bo'litʃe] *m AmL* (*bar*) bodega *f*

bólido ['boliðo] *m* carro *m* de corrida

bolígrafo [bo'liɣrafo] *m* caneta *f* esferográfica

Bolivia [bo'liβja] *f* Bolívia *f*

boliviano [boli'βjano] *m* (*moneda*) boliviano *m*

boliviano, -a [boli'βjano, -a] *adj, m, f* boliviano, -a *m, f*

bollo ['boʎo] *m* **1.** (*dulce*) bolo *m* **2.** (*abolladura*) amassadura *f*

bolo ['bolo] *m* **1.** (*pieza*) pino *m* **2.** *pl* (*juego*) boliche *m*

bolsa ['bolsa] *f* **1.** (*saco*) sacola *f* **2.** FIN ~ (**de valores**) bolsa *f* (de valores) **3.** *AmL* (*bolsillo*) bolso *m*

bolsillo [bol'siʎo] *m* bolso *m*; **de ~** de bolso

bolso ['bolso] *m* bolsa *f*

bomba ['bomba] **I.** *f* **1.** MIL, TÉC bomba *f* **2.** *AmL, inf* (*borrachera*) bebedeira *f* **II.** *adv inf* **pasarlo ~** divertir-se

bombardear [bombarðe'ar] *vt* bombardear

bombero, -a [bom'bero, -a] *m, f* bombeiro *m*

bombilla [bom'biʎa] *f* lâmpada *f*

bombo ['bombo] *m* bumbo *m*

bombón [bom'bon] *m* bombom *m*; **ser un ~** *inf* ser um avião

bombona [bom'bona] *f* botijão *m*

bonaerense [bonae'rense] *adj, mf* bonaerense *mf*

bondad [bon'dað] *f* bondade *f*

bondadoso, -a [bonda'ðoso, -a] *adj* bondoso, -a

bonito [bo'nito] I. *m* ZOOL bonito *m* II. *adv AmL* (*bien*) bem

bonito, -a [bo'nito, -a] *adj* bonito, -a

bono ['bono] *m* 1. (*vale*) vale *m* 2. COM bônus *m inv*

bonobús [bono'βus] *m* passagem de ônibus para várias viagens

boquerón [boke'ron] *m* anchova *f*

borbotón [borβo'ton] *m* **a borbotones** aos borbotões

borda [borða] *f* **echar algo por la ~** *fig* jogar a. c. pela janela

bordar [bor'ðar] *vt* bordar

borde ['borðe] *m* 1. (*de camino, río*) beira *f* 2. (*de mesa*) beirada *f*

bordear [borðe'ar] *vt* beirar

bordillo [bor'ðiʎo] *m* meio-fio *m*

bordo ['borðo] *m* NÁUT **a ~** a bordo

borrachera [borra'tʃera] *f* bebedeira *f*

borracho, -a [bo'rratʃo, -a] *adj, m, f* bêbado, -a *m, f*

borrador [borra'ðor] *m* 1. (*escrito*) rascunho *m* 2. (*trapo*) apagador *m*

borrar [bo'rrar] I. *vt* 1. (*con goma*) apagar 2. INFOR deletar II. *vr:* **~se** 1. (*difuminarse*) desaparecer 2. (*retirarse*) **~se de algo** retirar-se de a. c.

borrón [bo'rron] *m* borrão *m*; **hacer ~ y cuenta nueva** virar a página

borroso, -a [bo'rroso, -a] *adj* 1. (*escritura*) borrado, -a 2. (*foto*) manchado, -a

bosque ['boske] *m* bosque *m*

bostezar [boste'θar] <z→c> *vi* bocejar

bota ['bota] *f* bota *f*; **~s de agua** botas de chuva

botánico, -a [bo'taniko, -a] *adj* botânico, -a

botar [bo'tar] I. *vi* 1. (*pelota*) quicar 2. (*persona*) saltar II. *vt* 1. (*lanzar*) jogar; (*la pelota*) quicar 2. (*barco*) lançar à água 3. *AmL* (*expulsar*) expulsar

bote ['bote] *m* 1. (*salto*) pulo *m* 2. (*vasija*) pote *m* 3. (*en la lotería*) acumulado *m* 4. NÁUT bote *m*; **~ salvavidas** bote salva-vidas

botella [bo'teʎa] *f* garrafa *f*

botín [bo'tin] *m* 1. (*zapato*) botina *f* 2. (*de guerra*) pilhagem *f*

botiquín [boti'kin] *m* (*mueble*) armário *m* de primeiros socorros; (*caja*) caixa *f* de primeiros socorros

botón [bo'ton] *m* botão *m*; **~ de muestra** *fig* exemplo *m*

botones [bo'tones] *m inv* (*de hotel*) mensageiro *m*

bóveda [bo'βeða] *f* abóbada *f*

bovino, -a [bo'βino, -a] *adj* bovino, -a

boxeador(a) [boᵛsea'ðor(a)] *m(f)* boxeador(a) *m(f)*

boxeo [boᵛ'seo] *m* boxe *m*

boya ['boʝa] *f* bóia *f*

boyante [bo'ʝante] *adj* próspero, -a

braga ['braʝa] *f* calcinha *f*

bragueta [bra'ʝeta] *f* braguilha *f*

brasa ['brasa] *f* brasa *f*; **a la ~** na brasa

brasero [bra'sero] *m* braseiro *m*

Brasil [bra'sil] *m* Brasil *m*

brasileño, -a [brasi'leɲo, -a] *adj, m, f* brasileiro, -a *m, f*

bravo, -a ['braβo, -a] *adj* bravo, -a

braza ['braθa] *f* DEP nado *m* de peito

brazada [bra'θaða] *f* braçada *f*

brazalete [braθa'lete] m (*pulsera*) bracelete m

brazo ['braθo] m braço m; **~ de gitano** GASTR rocambole m

brea ['brea] f breu m

brecha ['bretʃa] f brecha f

Bretaña [bre'taɲa] f **Gran ~** Grã-Bretanha f

breve ['breβe] adj breve; **en ~** em breve

bricolaje [briko'laxe] m bricolagem f

brigada [bri'γaða] f brigada f

brillante [bri'ʎante] adj, m brilhante m

brillar [bri'ʎar] vi brilhar

brillo ['briʎo] m brilho m; **dar ~ a algo** lustrar a. c.

brincar [briŋ'kar] <c→qu> vi pular

brinco ['briŋko] m pulo m

brindar [brin'dar] vi brindar

brindis ['brindis] m inv brinde m

brisa ['brisa] f brisa f

británico, -a [bri'taniko, -a] adj, m, f britânico, -a m, f

brocha ['brotʃa] f broxa f

broche ['brotʃe] m fecho m; (*de adorno*) broche m

broma ['broma] f brincadeira f; **decir algo en ~** dizer a. c. de brincadeira; **ni en ~** nem de brincadeira

bromear [brome'ar] vi brincar

bromista [bro'mista] adj, m brincalhão, -ona m, f

bronca ['broŋka] f **1.** (*pelea*) briga f **2.** (*reprimenda*) bronca f; **echar una ~ a alguien** dar uma bronca em alguém

bronce ['bronθe] m bronze m

bronceado, -a [bronθe'aðo, -a] adj bronzeado, -a

broncear [bronθe'ar] **I.** vt bronzear **II.** vr: **~se** bronzear-se

bronquio ['broŋkjo] m brônquio m

brotar [bro'tar] vi brotar

brote ['brote] m **1.** BOT broto m **2.** (*de enfermedad*) surto m

bruces ['bruθes] adv **caer de ~** cair de bruços; **darse de ~ con alguien** dar de cara com alguém

brujo, -a ['bruxo, -a] m, f bruxo, -a m, f

brújula ['bruxula] f bússola f

bruma ['bruma] f bruma f

brumoso, -a [bru'moso, -a] adj brumoso, -a

brusco, -a ['brusko, -a] adj (*repentino*) brusco, -a

brutal [bru'tal] adj brutal

bruto, -a ['bruto, -a] adj bruto, -a; **en ~** em bruto

buceador(a) [buθea'ðor(a)] m(f) mergulhador(a) m(f)

bucear [buθe'ar] vi mergulhar

buen [bwen] adj v. **bueno**

bueno, -a ['bweno, -a] adj <mejor o más bueno, el mejor o buenísimo *delante de un sustantivo masculino:* buen> bom, boa; **~s días** bom dia; **hace ~** faz tempo bom; **estar de buenas** estar de bom humor; **estar ~** (*sabroso*) estar bom; inf (*atractivo*) estar um avião

buey [bwej] m boi m

bufanda [bu'fanda] f cachecol m

búho ['buo] m coruja f

buitre ['bwitre] m abutre m

bula ['bula] f bula f
bulbo ['bulβo] m bulbo m
bulla ['buʎa] f barulheira f
bullicio [buʎiθjo] m barulho m
bullicioso, -a [buʎiθjoso, -a] adj barulhento, -a
bullir [buʎir] <3. pret: bulló> vi ferver
bulto ['bulto] m 1. (fardo) volume m 2. (paquete) embrulho m
buñuelo [bu'nwelo] m sonho m
buque ['buke] m navio m; ~ **de vapor** navio a vapor
burbuja [bur'βuxa] f borbulha f
burdo, -a ['burðo, -a] adj grosseiro, -a
burla ['burla] f zombaria f
burlar [bur'lar] I. vt enganar II. vr: ~**se de alguien** zombar de alguém
burocracia [buro'kraθja] f burocracia f
burócrata [bu'rokrata] mf burocrata mf
burocrático, -a [buro'kratiko, -a] adj burocrático, -a
burrada [bu'rraða] f inf barbaridade f
burro, -a ['burro, -a] adj, m, f t. fig burro, -a m, f
bus [bus] m ônibus m
busca ['buska] f busca f
buscador [buska'ðor] m INFOR buscador m
buscar [bus'kar] <c→qu> vi, vt procurar
búsqueda ['buskeða] f busca f
busto ['busto] m busto m
butaca [bu'taka] f poltrona f
butano [bu'tano] m butano m

buzo ['buθo] m 1. (buceador) mergulhador m 2. (mono) macacão m
buzón [bu'θon] m caixa f de correio

C

C, c [c] f C, c m
C/ ['kaʎe] abr de **calle** R.
cabalgar [kaβal'γar] <g→gu> vi, vt cavalgar
caballero [kaβa'ʎero] m cavalheiro m
caballete [kaβa'ʎete] m cavalete m
caballito [kaβa'ʎito] m 1. ZOOL ~ **de mar** cavalo-marinho m 2. pl (en una feria) carrossel m
caballo [ka'βaʎo] m cavalo m
cabaña [ka'βana] f cabana f
cabecera [kaβe'θera] f 1. (de cama) cabeceira f 2. (del periódico) cabeçalho m
cabello [ka'βeʎo] m cabelo m
caber [ka'βer] irr vi caber
cabeza [ka'βeθa] f cabeça f; **traer de** ~ deixar louco
cabezazo [kaβe'θaθo] m cabeçada f
cabezón, -ona [kaβe'θon, -ona] adj cabeçudo, -a
cabezota [caβe'θota] mf inf cabeçudo, -a m, f
cabida [ka'βiða] f capacidade f
cabina [ka'βina] f cabine f; ~ **telefónica** cabine telefônica
cable ['kaβle] m cabo m; **echar un** ~ inf dar uma mão
cabo ['kaβo] m cabo m; **atar** ~**s** fig li-

gar os pontos
cabra ['kaβra] *f* cabra *f*
cabrearse [kaβre'arse] *vr inf* encher-se
cabreo [ka'βreo] *m inf* raiva *f*
caca ['kaka] *f inf* (*excremento*) cocô *m*
cacahuete [kaka'wete] *m* amendoim *m*
cacao [ka'kao] *m* **1.** (*polvo*) cacau *m* **2.** *inf* (*lío*) angu *m*
cacería [kaθe'ria] *f* caçada *f*
cacerola [kaθe'rola] *f* caçarola *f*
cachalote [katʃa'lote] *m* cachalote *m*
cacharro [ka'tʃarro] *m* **1.** (*recipiente*) louça *f* **2.** *pey, inf* (*aparato*) geringonça *f*
caché [ka'tʃe] *m v.* **cachet**
cachear [katʃe'ar] *vt* revistar
cachemir [katʃe'mir] *m* caxemira *f*
cacheo [ka'tʃeo] *m* revista *f*
cachet [ka'tʃe] *m* cachê *m*
cachimba [ka'tʃimba] *f AmL* cachimbo *m*
cachondearse [katʃonde'arse] *vr* ~ **de alguien** rir da cara de alguém
cachorro, -a [ka'tʃorro, -a] *m, f* filhote *m*
cacique [ka'θike] *m* cacique *m*
cacto ['kakto] *m* cacto *m*
cada ['kaða] *adj* cada; ~ **tres días** a cada três dias; ~ **hora** toda hora; ~ **dos por tres** cada três por dois
cadáver [ka'ðaβer] *m* cadáver *m*
cadena [ka'ðena] *f* **1.** *t. fig* (*objeto*) corrente *f* **2.** GEO, TV cadeia *f* **3.** (*en el baño*) descarga *f*; **tirar de la** ~ dar descarga **4.** *pl* AUTO correntes *fpl*
cadera [ka'ðera] *f* quadril *m*

caducar [kaðu'kar] <c→qu> *vi* vencer
caducidad [kaðuθi'ðað] *f* validade *f*
caer [ka'er] *irr* **I.** *vi* **1.** cair; ~ **bien/mal** cair bem/mal **2.** (*encontrarse*) ficar **II.** *vr:* ~**se** cair
café [ka'fe] *m* café *m*; ~ **solo** café puro
cafeína [kafe'ina] *f* cafeína *f*
cafetera [kafe'tera] *f* cafeteira *f*
cafetería [kafete'ria] *f* cafeteria *f*
cagar [ka'yar] <g→gu> *vi, vt vulg* cagar
caída [ka'iða] *f* queda *f*
caigo [kai̯yo] *1. pres de* **caer**
caimán [kai̯'man] *m* jacaré *m*
caja ['kaxa] *f* caixa *f*; ~ **de cambios** caixa de câmbio; ~ **fuerte** caixa-forte *f*
cajero [ka'xero] *m* caixa *m*; ~ **automático** caixa automático
cajero, -a [ka'xero, -a] *m, f* caixa *mf*
cajetilla [kaxe'tiʎa] *f* maço *m*
cajón [ka'xon] *m* (*de mueble*) gaveta *f*
cal [kal] *f* cal *f*; **a** ~ **y canto** a sete chaves
cala ['kala] *f* cala *f*
calabacín [kalaβa'θin] *m* abobrinha *f*
calabaza [kala'βaθa] *f* abóbora *f*
calada [ka'laða] *f* tragada *f*
calamar [kala'mar] *m* lula *f*
calambre [ka'lambre] *m* **1.** (*eléctrico*) choque *m* **2.** (*muscular*) cãibra *f*
calavera [kala'βera] *f* caveira *f*
calcetín [kalθe'tin] *m* meia *f*
calcio ['kalθjo] *m* cálcio *m*
calcomanía [kalkoma'nia] *f* decalque *m*

calculadora [kalkula'ðora] *f* calculadora *f*

calcular [kalku'lar] *vt* calcular

cálculo ['kalkulo] *m* cálculo *m*

calderilla [kalde'riʎa] *f* trocado *m*

caldo ['kaldo] *m* caldo *m*

calefacción [kalefaɣ'θjon] *f* aquecimento *m*

calendario [kaleɲ'darjo] *m* calendário *m*

calentamiento [kaleɲta'mjeɲto] *m* DEP aquecimento *m*

calentar [kaleɲ'tar] <e→ie> I. *vi* esquentar, aquecer II. *vt* 1. (*caldear*) esquentar 2. *inf* (*pegar*) bater III. *vr:* ~**se** esquentar-se

calidad [kali'ðað] *f* qualidade *f*

cálido, -a ['kaliðo, -a] *adj* 1. (*país*) quente 2. (*cariñoso*) acolhedor(a)

caliente [ka'ljeɲte] *adj* quente

calificación [kalifika'θjon] *f* (*nota*) nota *f*

calificar [kalifi'kar] <c→qu> *vt t.* ENS qualificar

cáliz ['kaliθ] *m* cálice *m*

callar [ka'ʎar] I. *vi, vt* calar II. *vr:* ~**se** calar-se

calle ['kaʎe] *f* rua *f*

callejero [kaʎe'xero] *m* guia *m* de ruas

callejón [kaʎe'xon] *m* beco *m;* ~ **sin salida** beco sem saída

callo ['kaʎo] *m* (*callosidad*) calo *m*

calma ['kalma] *f* calma *f*

calmante [kal'maɲte] *adj, m* calmante *m*

calmar [kal'mar] I. *vt* acalmar II. *vr:* ~**se** acalmar-se

calor [ka'lor] *m* calor *m;* **hacer** ~ fazer calor

caloría [kalo'ria] *f* caloria *f*

calumnia [ka'lumnja] *f* calúnia *f*

caluroso, -a [kalu'roso, -a] *adj* 1. (*clima*) quente 2. (*cariñoso*) caloroso, -a

calvo, -a ['kalβo, -a] *adj, m, f* calvo, -a *m, f*

calzada [kal'θaða] *f* calçamento *m*

calzado [kal'θaðo] *m* calçado *m*

calzador [kalθa'ðor] *m* calçadeira *f*

calzar [kal'θar] <z→c> I. *vt* calçar II. *vr:* ~**se** calçar-se

calzón [kal'θon] *m AmL* calcinha *f*

calzoncillo(s) [kalθoɲ'θiʎo(s)] *m(pl)* cueca(s) *m(pl)*

cama ['kama] *f* cama *f*

camada [ka'maða] *f* ninhada *f*

cámara¹ ['kamara] *f* câmara *f*

cámara² ['kamara] *mf* CINE câmera *mf*

camarada [kama'raða] *mf* camarada *mf*

camarero, -a [kama'rero, -a] *m, f* garçom, -onete *m, f*

camarote [kama'rote] *m* camarote *m*

cambiante [kam'bjaɲte] *adj* mutável

cambiar [kam'bjar] I. *vi* mudar II. *vt* mudar; (*dinero*) trocar III. *vr:* ~**se** (*de vestido*) trocar(-se)

cambio ['kambjo] *m* 1. (*transformación*) mudança *f;* ~ **climático** alteração *f* climática; **en** ~ por outro lado 2. (*intercambio*) troca *f;* **a** ~ **de algo** a troca de a. c. 3. FIN câmbio *m* 4. (*suelto*) trocado *m* 5. AUTO câmbio *m*

camello, -a [ka'meʎo, -a] *m, f* came-

lo, -a *m, f*
camerino [kame'rino] *m* camarim *m*
camilla [ka'miʎa] *f* maca *f*
caminar [kami'nar] **I.** *vi* **1.** (*ir*) caminhar **2.** *AmL* (*funcionar*) andar **II.** *vt* (*distancia*) caminhar
caminata [kami'nata] *f* caminhada *f*
camino [ka'mino] *m* caminho *m*; **ponerse en ~** começar a andar
camión [ka'mjon] *m* caminhão *m*
camionero, -a [kamjo'nero, -a] *m, f* caminhoneiro, -a *m, f*
camioneta [kamjo'neta] *f* caminhonete *f*
camisa [ka'misa] *f* camisa *f*
camiseta [kami'seta] *f* camiseta *f*
camisón [kami'son] *m* camisola *f*
camote [ka'mote] *m AmL* batata-doce *f*
campamento [kampa'mento] *m* acampamento *m*
campana [kam'pana] *f* sino *m*
campanada [kampa'naða] *f* badalada *f*
campanilla [kampa'niʎa] *f* campainha *f*
campaña [kam'paɲa] *f* campanha *f*
campeón, -ona [kampe'on, -ona] *m, f* campeão, -ã *m, f*
campeonato [kampeo'nato] *m* campeonato *m*
campesino, -a [kampe'sino, -a] *adj, m, f* camponês, -esa *m, f*
camping ['kampin] *m* camping *m*
campiña [kam'piɲa] *f* campina *f*
campo ['kampo] *m* campo *m*
campus ['kampus] *m inv* campus *m*
camuflaje [kamu'flaxe] *m* camuflagem *f*
cana ['kana] *f* cã *f,* cabelo *m* branco
canal [ka'nal] *m* canal *m*
canalla [ka'naʎa] *mf* canalha *mf*
canalón [kana'lon] *m* calha *f*
canasta [ka'nasta] *f* cesta *f*
cancelar [kanθe'lar] *vt* cancelar
cáncer ['kanθer] *m* câncer *m*
Cáncer ['kanθer] *m* Câncer *m;* **ser ~** ser (de) Câncer
cancerígeno, -a [kanθe'rixeno, -a] *adj* cancerígeno, -a
canceroso, -a [kanθe'roso, -a] *adj* canceroso, -a
cancha ['kantʃa] *f* quadra *f*
canción [kan'θjon] *f* canção *f*
candado [kan'daðo] *m* cadeado *m*
candidato, -a [kandi'ðato, -a] *m, f* candidato, -a *m, f*
canela [ka'nela] *f* canela *f;* **~ en rama** canela em pau
cangrejo [kan'grexo] *m* caranguejo *m*
canguro¹ [kan'guro] *m* (*animal*) canguru *m*
canguro² [kan'guro] *mf inf* (*persona*) babá *f,* baby-sitter *f*
caníbal [ka'niβal] *adj, mf* canibal *mf*
caniche [ka'nitʃe] *m* poodle *m*
canilla [ka'niʎa] *f RíoPl* (*grifo*) torneira *f*
canino [ka'nino] *m* canino *m*
canoa [ka'noa] *f* canoa *f*
canoso, -a [ka'noso, -a] *adj* grisalho, -a
cansado, -a [kan'saðo, -a] *adj* **1.** *estar* (*fatigado*) cansado, -a **2.** *ser* (*fatigoso*) cansativo, -a
cansancio [kan'sanθjo] *m* cansaço *m*

cansar [kan'sar] I. *vi, vt* cansar II. *vr:* ~**se** cansar-se
cantante [kaŋ'tante] *adj, mf* cantor(a) *m(f)*
cantar [kaŋ'tar] *vt, vi* cantar
cantidad [kaŋtiˈðað] *f* quantidade *f*
canto ['kaŋto] *m* **1.** *t.* MÚS canto *m* **2.** (*en cuchillo*) cota *f*
caña ['kaɲa] *f* **1.** BOT cana *f*; ~ **de azúcar** cana de açúcar **2.** (*de pescar*) vara *f* **3.** (*de cerveza*) caneca *f*
cañería [kaɲeˈria] *f* encanamento *m*
cañón [ka'ɲon] *m* **1.** MIL canhão *m* **2.** GEO cânion *m*
caoba [ka'oβa] *f* mogno *m*
caos ['kaos] *m inv* caos *m inv*
caótico, -a [ka'otiko, -a] *adj* caótico, -a
capa ['kapa] *f* **1.** (*prenda*) capa *f* **2.** (*cobertura*) camada *f* **3.** GEO camada *f*; ~ **de ozono** camada de ozônio
capacidad [kapaθiˈðað] *f* capacidade *f*
capaz [ka'paθ] *adj* capaz
capilla [ka'piʎa] *f* REL capela *f*
capital¹ [kapi'tal] *m* capital *m*
capital² [kapi'tal] *f* capital *f*
capitán [kapi'tan] *m* capitão *m*
capítulo [ka'pitulo] *m* capítulo *m*
capricho [ka'pritʃo] *m* capricho *m*
caprichoso, -a [kapri'tʃoso, -a] *adj* caprichoso, -a
Capricornio [kapri'kornjo] *m* Capricórnio *m*; **ser** ~ ser (de) Capricórnio
cápsula ['kaβsula] *f* cápsula *f*
captar [kap'tar] *vt* captar
captura [kap'tura] *f* captura *f*
capturar [kaptuˈrar] *vt* capturar
capucha [ka'putʃa] *f* (*de ropa*) capuz *m*
capullo [ka'puʎo] *m* **1.** BOT botão *m* **2.** ZOOL casulo *m*
caqui ['kaki] *m* **1.** (*color*) cáqui *m* **2.** (*fruto*) caqui *m*
cara ['kara] *f* **1.** (*rostro*) rosto *m*, cara *f*; **tener mucha** ~ *inf* ter (muita) cara-de-pau **2.** (*aspecto, lado*) cara *f*; **tener buena/mala** ~ ter boa/má cara; ~ **o cruz** cara ou coroa
caracol [kara'kol] *m* caracol *m*
carácter [ka'rakter] <caracteres> *m* **1.** (*general*) caráter *m* **2.** (*índole*) gênio *m*; **tener buen/mal** ~ ter bom/mau gênio
característica [karakte'ristika] *f* característica *f*
caradura [kara'ðura] *mf inf* caradura *mf*
caramba [ka'ramba] *interj* caramba
caramelo [kara'melo] *m* **1.** (*azúcar*) caramelo *m* **2.** (*golosina*) bala *f*
caraqueño, -a [kara'keɲo, -a] *adj* caraquenho, -a
caravana [kara'βana] *f* **1.** (*remolque*) trailer *m* **2.** (*de coches*) congestionamento *m*
carbón [kar'βon] *m* carvão *m*
carbono [kar'βono] *m* carbono *m*
carca ['karka] *adj, mf inf* careta *mf*
carcajada [karka'xaða] *f* gargalhada *f*
cárcel ['karθel] *f* prisão *f*
cardenal [karðe'nal] *m* **1.** REL cardeal *m* **2.** (*hematoma*) mancha-roxa *f*
cardiaco, -a [kar'ðjako, -a] *adj,* **cardíaco, -a** [kar'ðiako, -a] *adj* cardíaco, -a
cardinal [karði'nal] *adj* cardinal

carecer [kare'θer] *irr como crecer vi* ~ **de algo** carecer de a. c.
carencia [ka'renθja] *f* carência *f*
carente [ka'rente] *adj* carente
careta [ka'reta] *f* máscara *f*
carga ['karɣa] *f* carga *f*
cargado, -a [kar'ɣaðo, -a] *adj* **1.** (*tiempo*) carregado, -a **2.** (*bebida*) forte
cargar [kar'ɣar] <g→gu> I. *vt* **1.** *t.* INFOR carregar **2.** (*en una cuenta*) pôr **3.** *inf* (*molestar*) encher II. *vr*: ~**se** *inf* (*romper*) estragar; (*matar*) matar
cargo ['karɣo] *m* (*función*) cargo *m*
cariado, -a [ka'rjaðo, -a] *adj* cariado, -a
cariar [kari'ar, ka'rjar] *vt* cariar
Caribe [ka'riβe] *m* **el** (**Mar**) ~ **o** (**Mar**) (**do**) **Caribe**
caribeño, -a [kari'βeɲo, -a] *adj, m, f* caribenho, -a *m, f*
caricatura [karika'tura] *f* caricatura *f*
caricia [ka'riθja] *f* carícia *f*
caridad [kari'ðað] *f* caridade *f*
caries ['karjes] *f inv* MED cárie *f*
cariño [ka'riɲo] *m* (*afecto*) carinho *m*; ¡~ (**mío**)! meu amor!
cariñoso, -a [kari'ɲoso, -a] *adj* carinhoso, -a
carnaval [karna'βal] *m* carnaval *m*
carne ['karne] *f* carne *f*; **se me puso la** ~ **de gallina** me arrepiei
carné [kar'ne] *m* <carnés> carteira *f*
carnicería [karniθe'ria] *f* (*tienda*) açougue *m*
caro ['karo] *adv* caro
caro, -a ['karo, -a] *adj* caro, -a

carpa ['karpa] *f* **1.** ZOOL carpa *f* **2.** (*de circo*) tenda *f* **3.** *AmL* (*de campaña*) barraca *f*
carpeta [kar'peta] *f* pasta *f*
carrera [ka'rrera] *f* **1.** (*competición*) corrida *f* **2.** (*estudios*) ~ **profesional** carreira *f*
carrerilla [karre'riʎa] *f* **tomar** ~ pegar impulso
carrete [ka'rrete] *m* filme *m*
carretera [karre'tera] *f* estrada *f*
carretilla [karre'tiʎa] *f* carrinho *m* de mão
carril [ka'rril] *m* (*en la carretera*) pista *f*; ~ **bici** ciclovia *f*; ~ **bus** pista *f* de ônibus
carrillo [ka'rriʎo] *m* bochecha *f*
carrito [ka'rrito] *m* carrinho *m*
carro ['karro] *m* **1.** (*vehículo*) carroça *f* **2.** *AmL* (*coche*) carro *m*
carrocería [karroθe'ria] *f* carroceria *f*
carroza [ka'rroθa] I. *f* carro *m* alegórico II. *mf inf* careta *mf*
carrusel [karru'sel] *m* carrossel *m*
carta ['karta] *f* **1.** (*general*) carta *f* **2.** (*menú*) cardápio *m*; **comer a la** ~ comer à la carte
cartearse [karte'arse] *vr* corresponder-se
cartel [kar'tel] *m* cartel *m*
cártel [kar'tel] *m* ECON cartel *m*
cartelera [karte'lera] *f* (*en un periódico*) roteiro *m*; **estar en** ~ estar em cartaz
cartera [kar'tera] *f* **1.** (*de bolsillo*) carteira *f*; (*de mano*) bolsa *f*; (*portafolios*) pasta *f*; (*escolar*) mala *f* **2.** (*ministerio*) pasta *f*

cartero, -a [kar'tero, -a] *m, f* carteiro, -a *m, f*
cartílago [kar'tilaɣo] *m* cartilagem *f*
cartilla [kar'tiʎa] *f* cartilha *f*; **~ de ahorros** caderneta *f* de poupança
cartón [kar'ton] *m* **1.** (*material*) papelão *m* **2.** (*de cigarrillos*) pacote *m*
cartucho [kar'tutʃo] *m* cartucho *m*
cartulina [kartu'lina] *f* cartolina *f*
casa ['kasa] *f* casa *f*
casado, -a [ka'saðo, -a] *adj* casado, -a
casarse [ka'sarse] *vr* casar-se
cascabel [kaska'βel] *m* chocalho *m*
cascada [kas'kaða] *f* cachoeira *f*
cáscara ['kaskara] *f* casca *f*
casco ['kasko] *m* **1.** (*para la cabeza*) capacete *m* **2.** (*de animal, barco*) casco *m* **3.** (*de ciudad*) **~ antiguo** parte *f* antiga **4.** *pl* (*auriculares*) fones *mpl* de ouvido
casi ['kasi] *adv* quase
casino [ka'sino] *m* cassino *m*
caso ['kaso] *m* caso *m*; **en ~ contrario** caso contrário; **hacer ~** dar atenção
caspa ['kaspa] *f* caspa *f*
castaña [kas'taɲa] *f* (*fruto*) castanha *f*
castaño [kas'taɲo] *m* (*color*) castanho *m*
castaño, -a [kas'taɲo, -a] *adj* castanho, -a
castañuela [kasta'ɲwela] *f* castanhola *f*
castellano, -a [kaste'ʎano, -a] *adj, m, f* castelhano, -a *m, f*
castigar [kasti'ɣar] <g→gu> *vt* castigar
castigo [kas'tiɣo] *m* castigo *m*

castillo [kas'tiʎo] *m* castelo *m*
casual [ka'swal] *adj* casual
casualidad [kaswali'ðaθ] *f* casualidade *f*; **por ~** por acaso; **¡qué ~!** que coincidência!
catálogo [ka'taloɣo] *m* catálogo *m*
catarata [kata'rata] *f t.* MED catarata *f*
catarro [ka'tarro] *m* catarro *m*
catástrofe [ka'tastrofe] *f* catástrofe *f*
cate ['kate] *m* (*suspenso*) bomba *f*
catedral [kate'ðral] *f* catedral *f*
categoría [kateɣo'ria] *f* categoria *f*
católico, -a [ka'toliko, -a] *adj, m, f* católico, -a *m, f*
catorce [ka'torθe] *adj inv, m* catorze *m*; *v.t.* **ocho**
cauce ['kauθe] *m* leito *m*
caucho ['kautʃo] *m* **1.** (*sustancia*) borracha *f* **2.** *AmL* (*neumático*) pneu *m*
caudal [kau'ðal] *m* caudal *m*
causa ['kausa] *f* causa *f*; **a ~ de** por causa de
causar [kau'sar] *vt* causar
cauto, -a ['kauto, -a] *adj* cauto, -a
cava ['kaβa] *m* champanhe da Catalunha

> **Cultura** Cava é conhecida como a champanhe espanhola. O vinho branco frisante é produzido em adegas de champanhe no nordeste da Espanha.

cavar [ka'βar] *vi, vt* cavar
caverna [ka'βerna] *f* caverna *f*
caviar [ka'βjar] *m* caviar *m*
cavidad [kaβi'ðaθ] *f* cavidade *f*
caza¹ ['kaθa] *f* caça *f*

caza² ['kaθa] *m* MIL caça *m*

cazador(a) [kaθa'ðor(a)] *adj*, *m(f)* caçador(a) *m(f)*

cazadora [kaθa'ðora] *f* jaqueta *f*

cazar [ka'θar] <z→c> *vt* (*animales*) caçar

cazo ['kaθo] *m* 1. (*olla*) panelinha *f* 2. (*cucharón*) concha *f*

cazuela [ka'θwela] *f* panela *f*

CD [θe'ðe] *m abr de* **compact disc** CD *m*

cebada [θe'βaða] *f* cevada *f*

cebo ['θeβo] *m t. fig* isca *f*

cebolla [θe'βoʎa] *f* cebola *f*

cebra ['θeβra] *f* zebra *f*

ceceo [θe'θeo] *m* ceceio *m*

ceder [θe'ðer] *vi, vt* ceder

cédula ['θeðula] *f* cédula *f*

cegar [θe'ɣar] *irr como* **fregar** *vi, vt* cegar

ceguera [θe'ɣera] *f* cegueira *f*

ceja ['θexa] *f* sobrancelha *f*

celda ['θelda] *f* cela *f*

celebración [θeleβra'θjon] *f* celebração *f*

celebrar [θele'βrar] I. *vt* celebrar II. *vr:* ~**se** celebrar-se

célebre ['θeleβre] *adj* célebre

celebridad [θeleβri'ðað] *f* celebridade *f*

celestial [θeles'tjal] *adj* celestial

celo ['θelo] *m* 1. (*afán*) zelo *m* 2. *pl* (*por amor*) ciúmes *mpl*; **estar en** ~ (*macho, hembra*) estar no cio 3. (*autoadhesivo*) durex *m*

celofán [θelo'fan] *m* celofane *m*

celoso, -a [θe'loso, -a] *adj* 1. (*con celos*) ciumento, -a 2. (*con fervor*) zeloso, -a

célula [θelula] *f* célula *f*

celular [θelu'lar] I. *adj* celular II. *m AmL* (*teléfono*) celular *m*

celulitis [θelu'litis] *f inv* MED celulite *f*

cementerio [θemen'terjo] *m* cemitério *m*

cemento [θe'mento] *m* cimento *m*

cena [θena] *f* jantar *m*

cenar [θe'nar] *vi, vt* jantar

cenicero [θeni'θero] *m* cinzeiro *m*

ceniza [θe'niθa] *f* cinza *f*

censo [θenso] *m* censo *m*

censura [θen'sura] *f* censura *f*

centavo [θen'taβo] *m* centavo *m*

centena [θen'tena] *f* centena *f*

centenar [θente'nar] *m* centena *f*

centésimo, -a [θen'tesimo, -a] *adj*, *m, f* centésimo, -a *m, f*

centígrado, -a [θen'tiɣraðo, -a] *adj* centígrado, -a

centímetro [θen'timetro] *m* centímetro *m*

céntimo ['θentimo] *m* cêntimo *m*

central [θen'tral] I. *adj* central II. *f* 1. (*oficina*) matriz *f* 2. TÉC central *f*; ~ **eléctrica** central elétrica; ~ **nuclear** central nuclear

centralita [θentra'lita] *f* TEL central *f* telefónica

centrar [θen'trar] *vt* 1. TÉC, DEP centrar 2. (*atención*) concentrar

centro ['θentro] *m* centro *m*; ~ **comercial** shopping *m* (center)

Centroamérica [θentroa'merika] *f* América *f* Central

centroamericano, -a [θentroameri'kano, -a] *adj, m, f* centro-america-

no, -a *m, f*
ceñir [θe'niɾ] *irr* **I.** *vt* cingir **II.** *vr:* **~-se** cingir-se
cepillar [θepi'ʎaɾ] **I.** *vt* (*traje*) escovar **II.** *vr:* **~-se** (*dientes, pelo*) escovar(-se)
cepillo [θe'piʎo] *m* escova *f;* **~ de dientes** escova de dentes
cera ['θeɾa] *f* cera *f*
cerámica [θe'ɾamika] *f* cerâmica *f*
cerca ['θeɾka] *adv* perto; **~ de** perto de; **de ~** de perto
cercanía [θeɾka'nia] *f* **1.** (*proximidad*) cercania *f* **2.** *pl* (*alrededores*) cercanias *fpl*
cercano, -a [θeɾ'kano, -a] *adj* próximo, -a
cercar [θeɾ'kaɾ] <c→qu> *vt* cercar
cerdo, -a ['θeɾðo, -a] **I.** *adj inf* (*sucio*) porco, -a **II.** *m, f t. inf* porco, -a *m, f*
cereal [θeɾe'al] *m* cereal *m*
cerebro [θe'ɾeβɾo] *m* cérebro *m*
ceremonia [θeɾe'monja] *f* cerimônia *f*
cereza [θe'ɾeθa] *f* cereja *f*
cerilla [θe'ɾiʎa] *f* fósforo *m*
cero ['θeɾo] *m* zero *m*
cerrado, -a [θe'rraðo, -a] *adj* fechado, -a
cerradura [θerra'ðuɾa] *f* fechadura *f*
cerrajero, -a [θerra'xeɾo, -a] *m, f* chaveiro, -a *m, f*
cerrar [θe'rraɾ] <e→ie> **I.** *vi, vt* fechar **II.** *vr:* **~-se** fechar-se
cerrojo [θe'rroxo] *m* trinco *m*
certificado [θeɾtifi'kaðo] *m* certificado *m*
certificado, -a [θeɾtifi'kaðo, -a] *adj* (*correos*) registrado, -a
cerveza [θeɾ'βeθa] *f* cerveja *f;* **~ de barril** chope *m*
cesante [θe'sante] *adj AmL* desempregado, -a
cesar [θe'saɾ] *vi, vt* cessar
cese ['θese] *m* **1.** (*interrupción*) cessamento *m* **2.** (*destitución*) demissão *f*
césped ['θespeð] *m* grama *f*
cesta ['θesta] *f* cesta *f*
cesto ['θesto] *m* cesta *m*
chabola [tʃa'βola] *f* barraco *m*
chacha ['tʃatʃa] *f inf* empregada *f* doméstica
cháchara ['tʃatʃaɾa] *f inf* conversa *f* fiada
chacra ['tʃakɾa] *f AmL* chácara *f*
chafar [tʃa'faɾ] *vt* **1.** (*aplastar*) esmagar **2.** (*estropear*) estragar
chal [tʃal] *m* xale *m*
chalado, -a [tʃa'laðo, -a] *adj, m, f inf* pirado, -a *m, f*
chalé [tʃa'le] *m v.* **chalet**
chaleco [tʃa'leko] *m* colete *m;* **~ salvavidas** colete salva-vidas
chalet [tʃa'le] *m* casa *f*
chamaco, -a [tʃa'mako, -a] *m, f Méx* menino, -a *m, f*
champán [tʃam'pan] *m* champanhe *m*
champiñón [tʃam'piɲon] *m* champignon *m*
champú [tʃam'pu] *m* xampu *m*
chancho ['tʃantʃo] *m AmL* porco, -a *m, f*
chándal ['tʃandal] *m* <chándals> training *m*

chantaje [tʃanˈtaxe] *m* chantagem *f*
chantajear [tʃantaxeˈar] *vt* chantagear
chapa [ˈtʃapa] *f* 1. (*metal*) chapa *f* 2. (*tapón*) tampa *f* 3. *AmL* (*cerradura*) fechadura *f*
chaparrón [tʃapaˈrron] *m* pé-d'água *m*
chapucero, -a [tʃapuˈθero, -a] *adj, m, f* tapeador/a *m(f)*
chapuza [tʃaˈpuθa] *f* bico *m*
chapuzón [tʃapuˈθon] *m* mergulho *m*
chaqueta [tʃaˈketa] *f* (*de punto*) jaqueta *f*; (*de traje*) paletó *m*
chaquetón [tʃakeˈton] *m* casaco *m*
charco [ˈtʃarko] *m* charco *m*
charla [ˈtʃarla] *f* 1. (*conversación*) conversa *f* 2. (*conferencia*) palestra *f*
charlar [tʃarˈlar] *vi* conversar
charlatán, -ana [tʃarlaˈtan, -ana] *m, f* (*hablador*) conversador/a *m(f)*
chárter [ˈtʃarter] *inv adj, m* charter *m*
chasco [ˈtʃasko] *m* decepção *f*
chasis [ˈtʃasis] *m inv* chassi *m*
chatarra [tʃaˈtarra] *f* sucata *f*
chaval(a) [tʃaˈβal(a)] *m(f) inf* garoto, -a *m, f*
cheque [ˈtʃeke] *m* cheque *m*
chequear [tʃekeˈar] *vt AmL* checar
chica [ˈtʃika] I. *adj, f v.* **chico** II. *f* (*criada*) empregada *f* doméstica
chichón [tʃiˈtʃon] *m* galo *m*
chicle [ˈtʃikle] *m* chiclete *m*
chico, -a [ˈtʃiko] I. *adj* pequeno, -a II. *m, f* menino, -a *m, f*
chiflado, -a [tʃiˈflaðo, -a] *adj, m, f inf* doido, -a *m, f*
chiflar [tʃiˈflar] *vt inf* **me chiflan los helados** adoro sorvetes

chile [ˈtʃile] *m Méx* (*especia*) chile *m*
Chile [ˈtʃile] *m* Chile *m*
chileno, -a [tʃiˈleno, -a] *adj, m, f* chileno, -a *m, f*
chillar [tʃiˈʎar] *vi* (*persona*) gritar
chillido [tʃiˈʎiðo] *m* grito *m*
chillón, -ona [tʃiˈʎon, -ona] *adj* 1. (*voz*) estridente 2. (*color*) berrante
chimenea [tʃimeˈnea] *f* 1. (*tubo*) chaminé *f* 2. (*hogar*) lareira *f*
chimpancé [tʃimpanˈθe] *mf* chimpanzé *m*
China [ˈtʃina] *f* (**la**) ~ (a) China
chinche [ˈtʃintʃe] *m o f* (*animal*) percevejo *m*
chincheta [tʃinˈtʃeta] *f* tachinha *f*
chino, -a [ˈtʃino] *adj, m, f* chinês, -esa *m, f*
chiquillo, -a [tʃiˈkiʎo, -a] *m, f* menino, -a *m, f*
chirriar [tʃirriˈar] <*1. pres:* chirrío> *vi* chiar
chirrido [tʃiˈrriðo] *m* chiado *m*
chis [tʃis] *interj* psiu
chisme [ˈtʃisme] *m* 1. (*habladuría*) fofoca *f* 2. *inf* (*objeto*) treco *m*
chispa [ˈtʃispa] *f* faísca *f*
chiste [ˈtʃiste] *m* piada *f*
chistoso, -a [tʃisˈtoso, -a] *adj, m, f* engraçado, -a *m, f*
chivato, -a [tʃiˈβato, -a] *m, f* dedo-duro *mf*
chivo, -a [ˈtʃiβo, -a] *m, f* ~ **expiatorio** bode *m* expiatório
chocante [tʃoˈkante] *adj* chocante
chocar [tʃoˈkar] <c→qu> *vt* 1. (*copas*) brindar 2. (*sorprender*)

comedor [kome'ðor] *m (sala)* sala *f* de jantar; *(en una empresa)* refeitório *m*

comentar [komen'tar] *vt* comentar

comentario [komen'tarjo] *m* comentário *m*

comenzar [komen'θar] *irr como empezar vt, vi* começar

comer [ko'mer] **I.** *vi* **1.** *(alimentarse)* comer **2.** *(almorzar)* almoçar **II.** *vt* comer **III.** *vr:* ~**se** comer

comercial[1] [komer'θjal] **I.** *adj* comercial **II.** *mf* representante *mf* comercial

comercial[2] [komer'θjal] *m AmL (anuncio)* comercial *m*

comerciante, -a [komer'θjante, -a] *m, f* comerciante *mf*

comerciar [komer'θjar] *vi* comerciar

comercio [ko'merθjo] *m* comércio *m*

cometa[1] [ko'meta] *m* ASTRON cometa *m*

cometa[2] [ko'meta] *f (de papel)* pipa *f*

cometer [kome'ter] *vt* cometer

cómic ['komik] *m* <**cómics**> gibi *m*

comicios [ko'miθjos] *mpl* eleições *mpl*

cómico, -a ['komiko, -a] *adj, m, f* cômico, -a *m, f*

comida [ko'miða] *f* **1.** *(alimento)* comida *f* **2.** *(almuerzo)* almoço *m*

comienzo [ko'mjenθo] *m* começo *m*

comillas [ko'miʎas] *fpl* aspas *fpl;* **entre ~** entre aspas

comisaría [komisa'ria] *f* delegacia *f*

comisario, -a [komi'sarjo, -a] *m, f (de policía)* delegado, -a *m, f*

comisión [komi'sjon] *f* comissão *f*

como ['komo] **I.** *adv* **1.** *(general)* como; **hazlo ~ quieras** faça-o como quiser **2.** *(comparativo)* quanto; **tan alto ~...** tão alto quanto... **II.** *conj* como

cómo ['komo] *adv* **1.** *(exclamativo)* como **2.** *(por qué)* como

cómoda ['komoða] *f* cômoda *f*

comodín [komo'ðin] *m* **1.** *(en juegos)* curinga *m* **2.** INFOR caractere *m* curinga

cómodo, -a ['komoðo, -a] *adj* **1.** *ser (conveniente)* cômodo, -a **2.** *estar (a gusto)* à vontade

compadecer [kompaðe'θer] *irr como crecer* **I.** *vt* compadecer **II.** *vr* ~**se de** compadecer-se de

compañero, -a [kompa'ɲero, -a] *m, f* companheiro, -a *m, f*

compañía [kompa'ɲia] *f* companhia *f*

comparación [kompara'θjon] *f* comparação *f*

comparar [kompa'rar] **I.** *vt* comparar **II.** *vr:* ~**se** comparar-se

comparecer [kompare'θer] *irr como crecer vi* comparecer

compartir [kompar'tir] *vt* **1.** *(tener en común)* compartilhar **2.** *(repartirse)* compartir

compás [kom'pas] *m* compasso *m*

compasión [kompa'sjon] *f* compaixão *f*

compatible [kompa'tiβle] *adj* compatível

competencia [kompe'tenθja] *f* **1.** *t.* COM concorrência *f* **2.** *(responsabilidad)* competência *f*

competente [kompe'tente] *adj* competente

competición [kompeti'θjon] *f* competição *f*

competir [kompe'tir] *irr como pedir vi* competir

compinche [kom'pintʃe] *mf inf* cupincha *mf*

complejo, -a [kom'plexo] *adj* complexo, -a

complemento [komple'mento] *m* complemento *m*

completar [komple'tar] *vt* completar

completo, -a [kom'pleto, -a] *adj* completo, -a

cómplice ['kompliθe] *mf* cúmplice *mf*

comportamiento [komporta'mjento] *m* comportamento *m*

comportarse [kompor'tarse] *vr* comportar-se

composición [komposi'θjon] *f* composição *f*

compositor(a) [komposi'tor(a)] *m(f)* compositor(a) *m(f)*

compra ['kompra] *f* compra *f*; **hacer la ~** fazer supermercado; **ir de ~s** fazer compras

comprador(a) [kompra'ðor(a)] *m(f)* comprador(a) *m(f)*

comprar [kom'prar] *vt* comprar

comprender [kompren'der] *vt* compreender

comprensible [kompren'siβle] *adj* compreensível

comprensión [kompren'sjon] *f* compreensão *f*

comprensivo, -a [kompren'siβo, -a] *adj* compreensivo, -a

compresa [kom'presa] *f* **1.** (*apósito*) compressa *f* **2.** (*higiénica*) absorvente *m*

comprimido [kompri'miðo] *m* comprimido *m*

comprimir [kompri'mir] *vt* comprimir

comprobante [kompro'βante] *m* comprovante *m*

comprobar [kompro'βar] <o→ue> *vt* comprovar

comprometer [komprome'ter] **I.** *vt* comprometer **II.** *vr:* **~se** comprometer-se

compromiso [kompro'miso] *m* **1.** (*general*) compromisso *m* **2.** (*aprieto*) apuro *m*

computador(a) [komputa'ðor(a)] *m AmL*, **computadora** [komputa'ðora] *f AmL* computador *m*

comulgar [komul'ɣar] <g→gu> *vi* comungar

común [ko'mun] *adj* comum; **en ~** em comum

comunicación [komunika'θjon] *f* comunicação *f*

comunicar [komuni'kar] <c→qu> **I.** *vi* **1.** (*conectar*) comunicar **2.** (*teléfono*) estar ocupado **II.** *vt* comunicar **III.** *vr:* **~se** comunicar-se

comunidad [komuni'ðað] *f* comunidade *f*

comunión [komu'njon] *f* comunhão *f*

comunismo [komu'nismo] *m* comunismo *m*

comunista [komu'nista] *adj, mf* comunista *mf*

comunitario, -a [komuni'tarjo, -a] *adj* **1.** (*colectivo*) comunitário, -a **2.** POL da União Européia

con [kon] *prep* com; **~ sólo que**

+*subj* se +*fut subj*

conceder [konθe'ðer] *vt* conceder

concejal(a) [konθe'xal(a)] *m(f)* vereador(a) *m(f)*

concepto [kon'θepto] *m* conceito *m*

concertar [konθer'tar] <e→ie> *vt* (*una cita*) marcar

concha ['kontʃa] *f* concha *f*

conciencia [kon'θjenθja] *f* consciência *f*

concienciar [konθjen'θjar] *vt* conscientizar

concierto [kon'θjerto] *m* concerto *m*

conciliar [konθi'ljar] *vt* conciliar

conciso, -a [kon'θiso, -a] *adj* conciso, -a

concluir [konklu'ir] *irr como huir vt* concluir

conclusión [konklu'sjon] *f* conclusão *f*

concreto, -a [kon'kreto, -a] *adj* concreto, -a

concursante [konkur'sante] *mf* candidato, -a *m, f*

concursar [konkur'sar] *vi* concorrer

concurso [kon'kurso] *m* concurso *m*

condena [kon'dena] *f* condenação *f*

condenar [konde'nar] *vt* condenar

condición [kondi'θjon] *f* condição *f*

condicional [kondiθjo'nal] *adj* condicional

condón [kon'don] *m* preservativo *m*

cóndor ['kondor] *m* condor *m*

conducir [kondu'θir] *irr como traducir vi, vt* conduzir; AUTO dirigir

conducta [kon'dukta] *f* conduta *f*

conductor(a) [konduk'tor(a)] I. *adj* condutor(a) II. *m(f)* motorista *mf*

conectar [konek'tar] *vi, vt* conectar

conejo, -a [ko'nexo] *m, f* coelho, -a *m, f*

conexión [konek'sjon] *f* conexão *f*

confección [komfek'θjon] *f* confecção *f*

conferencia [komfe'renθja] *f* 1. (*charla*) conferência *f* 2. (*telefónica*) ligação interurbana ou internacional

confesar [komfe'sar] <e→ie> I. *vt* confessar II. *vr*: ~se confessar-se

confesión [komfe'sjon] *f* confissão *f*

confiado, -a [komfi'aðo, -a] *adj* confiante

confianza [komfi'anθa] *f* confiança *f*; **de** ~ de confiança

confiar [komfi'ar] <1. pres: confío> I. *vi, vt* confiar II. *vr*: ~se confiar-se

confidencial [komfiðen'θjal] *adj* confidencial

confirmación [komfirma'θjon] *f* confirmação *f*

confirmar [komfir'mar] I. *vt* confirmar II. *vr*: ~se confirmar-se

confiscar [komfis'kar] <c→qu> *vt* confiscar

confitura [komfi'tura] *f* geléia *f*

conflicto [kom'flikto] *m* conflito *m*

conforme [kom'forme] I. *adj* conforme; ~ **a** conforme a II. *adv* conforme

confortable [komfor'taβle] *adj* confortável

confundir [komfun'dir] I. *vt* confundir II. *vr*: ~se confundir-se

confusión [komfu'sjon] *f* confusão *f*

confuso, -a [kom'fuso, -a] *adj* confuso, -a

congelador [koŋxela'ðor] *m* congelador *m*

congelar [koŋxe'lar] **I.** *vt* congelar **II.** *vr:* ~**se** congelar-se

congestión [koŋxes'tjon] *f* congestão *f*

congreso [koŋ'greso] *m* congresso *m*

conjunto [koŋ'xuɲto] *m* conjunto *m*

conmemoración [koɳmemora'θjon, koᵐmemora'θjon] *f* comemoração *f*

conmemorar [koɳmemo'rar, koᵐmemo'rar] *vt* comemorar

conmigo [koɳmiɣo, koᵐmiɣo] *pron pers* comigo

conmoción [koɳmo'θjon, koᵐmo'θjon] *f* comoção *f;* ~ **cerebral** MED comoção cerebral

conmovedor(a) [koɳmoβe'ðor(a), koᵐmoβe'ðor(a)] *adj* comovedor(a)

conmover [koɳmo'βer, koᵐmo'βer] <o→ue> **I.** *vt* comover **II.** *vr:* ~**se** comover-se

cono ['kono] *m* cone *m*

> **Cultura** A união econômica entre os quatro países do extremo sul da América Latina, **Argentina**, **Chile**, **Paraguay** e **Uruguay**, é conhecida como **Cono Sur**.

conocer [kono'θer] *irr como crecer* **I.** *vt* conhecer **II.** *vr:* ~**se** conhecer-se

conocido, -a [kono'θiðo, -a] *adj, m, f* conhecido, -a *m, f*

conocimiento [konoθi'mjeɲto] *m* conhecimento *m*

conque ['koŋke] *conj inf* **1.** *(consecuencia)* portanto **2.** *(sorpresa)* então

conquista [koŋ'kista] *f* conquista *f*

conquistar [koŋkis'tar] *vt* conquistar

consciente [koⁿs'θjeɲte] *adj* consciente

consecuencia [konse'kweɲθja] *f* conseqüência *f*

conseguir [konse'ɣir] *irr como seguir vt* conseguir

consejo [kon'sexo] *m* conselho *m*

consenso [kon'senso] *m* consenso *m*

consentir [konseɲ'tir] *irr como sentir vt* **1.** *(autorizar)* consentir **2.** *(mimar)* mimar

conserje [kon'serxe] *mf* zelador(a) *m(f)*

conserva [kon'serβa] *f* conserva *f*

conservación [konserβa'θjon] *f* conservação *f*

conservar [konser'βar] **I.** *vt* conservar **II.** *vr:* ~**se** conservar-se

conservatorio [konserβa'torjo] *m* conservatório *m*

considerable [konsiðe'raβle] *adj* considerável

considerar [konsiðe'rar] *vt* considerar

consigna [kon'siɣna] *f* **1.** MIL ordem *f* **2.** *(de equipajes)* guarda-volumes *m inv*

consigo [kon'siɣo] *pron pers* consigo

consiguiente [konsi'ɣjeɲte] *adj* conseguinte

consistente [konsis'teɲte] *adj* consistente; ~ **en** que consiste em

consistir [konsis'tir] *vi* ~ **en** consistir em

consolar [konso'lar] <o→ue> vt consolar

constante [ko^{n}s'tante] I. adj constante II. f constante f; **~s vitales** MED funções fpl vitais

constar [ko^{n}s'tar] vi 1. (ser cierto) constar 2. (componerse) **~ de** constar de

constelación [ko^{n}stela'θjon] f constelação f

constipado [ko^{n}sti'paðo] m resfriado m

constipado, -a [ko^{n}sti'paðo, -a] adj **estar ~** estar resfriado

constiparse [ko^{n}sti'parse] vr resfriar-se

constitución [ko^{n}stitu'θjon] f constituição f

constituir [ko^{n}stitu'ir] irr como huir vt constituir

construcción [ko^{n}struɣ'θjon] f construção f

construir [ko^{n}stru'ir] irr como huir vt construir

consuelo [kon'swelo] m consolo m

consulado [konsu'laðo] m consulado m

consulta [kon'sulta] f 1. (acción) consulta f 2. (de un médico) consultório m; **pasar ~** passar em consulta

consultar [konsul'tar] vt consultar

consultor(a) [konsul'tor(a)] m(f) consultor(a) m(f)

consultoría [konsulto'ria] f consultoria f

consultorio [konsul'torjo] m (establecimiento) consultoria f; (de un médico) consultório m

consumición [konsumi'θjon] f consumação f

consumidor(a) [konsumi'ðor(a)] m(f) consumidor(a) m(f)

consumir [konsu'mir] vt consumir

consumista [konsu'mista] adj consumista

consumo [kon'sumo] m consumo m

contabilidad [kontaβili'ðað] f contabilidade f

contable [kon'taβle] mf contador(a) m(f)

contacto [kon'takto] m contato m

contado [kon'taðo] m **al ~** à vista

contagiar [konta'xjar] I. vt contagiar II. vr: **~se** contagiar-se

contagio [kon'taxjo] m contágio m

contagioso, -a [konta'xjoso, -a] adj contagioso, -a

contaminación [kontamina'θjon] f contaminação f; (del aire, agua) poluição f

contaminar [kontami'nar] vt contaminar; (aire, agua) poluir

contar [kon'tar] <o→ue> vi, vt contar

contemporáneo, -a [kontempora'neo, -a] adj, m, f contemporâneo, -a m, f

contenedor [kontene'ðor] m contêiner m

contener [konte'ner] irr como tener I. vt conter II. vr: **~se** conter-se

contenido [konte'niðo] m conteúdo m

contentar [konten'tar] I. vt contentar II. vr: **~se** contentar-se

contento, -a [kon'tento, -a] adj contente

contestador [kontesta'ðor] *m* ~ (**automático**) secretária feletrônica
contestar [kontes'tar] *vt* responder; *(oponerse)* contestar
contexto [kon'testo] *m* contexto *m*
contigo [kon'tiɣo] *pron pers* contigo
contiguo, -a [kon'tiɣwo, -a] *adj* contíguo, -a
continente [konti'nente] *m* continente *m*
continuación [kontinwa'θjon] *f* continuação *f;* **a** ~ a seguir
continuar [kontinu'ar, konti'nwar] <*1. pres:* continúo> *vi, vt* continuar
continuidad [kontinwi'ðað] *f* continuidade *f*
continuo, -a [kon'tinwo, -a] *adj* contínuo, -a
contra ['kontra] **I.** *prep* contra; **un voto en** ~ um voto contra **II.** *m* **los pros y los** ~**s** os prós e os contras
contracorriente [kontrako'rrjente] *f* **a** ~ contra a corrente
contradecir [kontraðe'θir] *irr como* **decir I.** *vt* contradizer **II.** *vr:* ~**se** contradizer-se
contradicción [kontraðiⱽ'θjon] *f* contradição *f*
contraer [kontra'er] *irr como* **traer I.** *vt* contrair **II.** *vr:* ~**se** contrair-se
contraluz [kontra'luθ] *m* **a** ~ contra a luz
contrariado, -a [kontrari'aðo, -a] *adj* contrariado, -a
contrariar [kontrari'ar] <*1. pres:* contrarío> *vt* contrariar
contrario [kon'trarjo] *m* contrário *m*
contrario, -a [kon'trarjo, -a] *adj* con‑ trário, -a; **de lo** ~ do contrário
contraseña [kontra'seɲa] *f* senha *f*
contraste [kon'traste] *m* contraste *m*
contratiempo [kontra'tjempo] *m* contratempo *m*
contrato [kon'trato] *m* contrato *m*
contribuir [kontriβu'ir] *irr como* **huir** *vi* contribuir
contribuyente [kontriβu'ʝente] *mf* contribuinte *mf*
contrincante [kontriŋ'kante] *mf* adversário, -a *m, f*
control [kon'trol] *m* controle *m*
controlar [kontro'lar] **I.** *vt* controlar **II.** *vr:* ~**se** controlar-se
controversia [kontro'βersja] *f* controvérsia *f*
contundente [kontun'dente] *adj* contundente
contusión [kontu'sjon] *f* MED contusão *f*
convencer [komben'θer] <c→z> **I.** *vt* convencer **II.** *vr:* ~**se** convencer-se
convencional [kombenθjo'nal] *adj* convencional
conveniente [kombe'njente] *adj* conveniente
convenio [kom'benjo] *m* convênio *m*
convenir [kombe'nir] *irr como* **venir** *vi* convir
convento [kom'bento] *m* convento *m*
conversación [kombersa'θjon] *f* conversa *f*
conversar [komber'sar] *vi* conversar
conversión [komber'sjon] *f* conversão *f*
convertir [komber'tir] *irr como* **sentir**

convicción 57 **correr**

I. *vt* converter II. *vr:* ~**se** converter-se

convicción [kombiˈʝθjon] *f* convicção *f*

convincente [kombinˈθente] *adj* convincente

convivencia [kombiˈβenθja] *f* convivência *f*

convivir [kombiˈβir] *vi* conviver

convocar [komboˈkar] <c→qu> *vt* convocar

convocatoria [kombokaˈtorja] *f* convocação *f*

convoy [komˈboj] *m* comboio *m*

cónyuge [ˈkonɟuxe] *mf form* cônjuge *mf*

cooperación [ko(o)peraˈθjon] *f* cooperação *f*

cooperante [ko(o)peˈrante] *mf* voluntário, -a *m, f*

cooperar [ko(o)peˈrar] *vi* cooperar

coordinación [ko(o)rðinaˈθjon] *f* coordenação *f*

coordinador(a) [ko(o)rðinaˈðor(a)] *adj, m(f)* coordenador(a) *m(f)*

coordinar [ko(o)rðiˈnar] *vt* coordenar

copa [ˈkopa] *f* **1.** *t.* DEP taça *f* **2.** (*de árbol*) copa *f*

copia [ˈkopja] *f* cópia *f*

copiar [koˈpjar] *vt* copiar

copo [ˈkopo] *m* floco *m*

coquetear [koketeˈar] *vi* paquerar

coraje [koˈraxe] *m* **1.** (*valor*) coragem *f* **2.** (*ira*) raiva *f*

coral[1] [koˈral] MÚS I. *adj* coral II. *f* coro *m*

coral[2] [koˈral] *m* ZOOL coral *m*

corazón [koraˈθon] *m* coração *m*

corazonada [koraθoˈnaða] *f* **1.** (*presentimiento*) intuição *f* **2.** (*impulso*) impulso *m*

corbata [korˈβata] *f* gravata *f*

corcho [ˈkortʃo] *m* **1.** (*material*) cortiça *f* **2.** (*tapón*) rolha *f*

cordero, -a [korˈðero] *m, f* cordeiro, -a *m, f*

cordial [korˈðjal] *adj* cordial

cordillera [korðiˈʎera] *f* cordilheira *f*

cordón [korˈðon] *m* **1.** (*cordel*) cordão *m;* ~ **umbilical** cordão umbilical **2.** ELEC fio *m*

córner [ˈkorner] *m* FUT escanteio *m*

coro [ˈkoro] *m* coro *m;* **a** ~ em coro

corona [koˈrona] *f* coroa *f*

coronación [koronaˈθjon] *f* coroação *f*

coronel [koroˈnel] *m* coronel *m*

coronilla [koroˈniʎa] *f* **estar hasta la** ~ *inf* estar até as tampas

corral [korˈral] *m* curral *m*

correa [korˈrea] *f* correia *f*

corrección [korrekˈθjon] *f* correção *f*

correcto, -a [korˈrekto, -a] *adj* correto, -a

corredor [korreˈðor] *m* corredor *m*

corredor(a) [korreˈðor(a)] *m(f)* DEP corredor(a) *m(f)*

corregir [korreˈxir] *irr como elegir vt* corrigir

correo [korˈreo] *m* correio *m;* ~ **electrónico** correio eletrônico

Correos [korˈreos] *mpl* Correios *mpl*

correr [korˈrer] I. *vi* correr; **a todo** ~ a todo vapor II. *vt* (*un mueble, cortina*) correr; **corre prisa** tem pressa III. *vr:* ~**se** (*moverse*) correr

correspondencia [korrespoɲ'denθja] *f* correspondência *f*

corresponsal [korrespon'sal] *mf* correspondente *mf*

corrida [ko'rriða] *f* TAUR tourada *f*

corriente [ko'rrjẽnte] **I.** *adj* **1.** (*fluente*) corrente **2.** (*actual, ordinario*) comum **II.** *f* **1.** (*eléctrica, de aire*) corrente *f* **2.** (*tendencia*) tendência *f*

corro ['korro] *m* roda *f*

corroer [korro'er] *irr como roer* **I.** *vt* corroer **II.** *vr:* ~**se** corroer-se

corromper [korrom'per] *vt* corromper

corrosión [korro'sjon] *f* corrosão *f*

corrosivo, -a [korro'siβo, -a] *adj* corrosivo, -a

corrupción [korruβ'θjon] *f* (*moral*) corrupção *f*

corrupto, -a [ko'rrupto, -a] *adj* corrupto, -a

cortado [kor'taðo] *m* (*café*) ≈ pingado *m*

cortado, -a [kor'taðo, -a] **I.** *pp de* **cortar I.** *adj* **1.** (*leche*) talhado, -a **2.** *inf* (*tímido*) acanhado, -a

cortar [kor'tar] **I.** *vt* cortar **II.** *vi* **1.** (*tajar*) cortar **2.** *inf* (*con alguien*) terminar **III.** *vr:* ~**se 1.** (*herirse*) cortar-se **2.** *inf* (*turbarse*) acanhar-se **3.** (*leche*) coalhar-se **4.** TEL cair

cortaúñas [korta'uɲas] *m inv* cortador *m* de unhas

corte[1] ['korte] *m* corte *m;* ~ **de digestión** indigestão *f*

corte[2] ['korte] *f* corte *f;* **las Cortes** sede do poder legislativo espanhol

cortés [kor'tes] *adj* cortês

cortesía [korte'sia] *f* cortesia *f*

corteza [kor'teθa] *f* (*de tronco, pan*) casca *f*; (*terrestre*) crosta *f*

cortina [kor'tina] *f* cortina *f*

corto, -a ['korto, -a] *adj* curto, -a; **quedarse** ~ calcular por baixo

cosa ['kosa] *f* coisa *f*; **como quien no quiere la** ~ como quem não quer nada; **como si tal** ~ como se não tivesse acontecido nada

cosecha [ko'setʃa] *f* colheita *f*

cosechar [kose'tʃar] *vi, vt* colher

coser [ko'ser] **I.** *vt* coser; **esto es** ~ **y cantar** isto se faz com o pé nas costas **II.** *vi* coser

cosmético, -a [kos'metiko, -a] *adj* cosmético, -a

cósmico, -a ['kosmiko, -a] *adj* cósmico, -a

cosmos ['kosmos] *m* cosmo *m*

cosquillas [kos'kiʎas] *fpl* **hacer** ~ fazer cócegas; **tener** ~ ter cócegas

costa ['kosta] *f* **1.** GEO costa *f* **2. a** ~ **de** à custa de; **a toda** ~ a todo custo

costar [kos'tar] <o→ue> *vi, vt* custar

Costa Rica *f* Costa Rica *f*

costarricense [kostarri'θense] *adj, mf* costarriquense *mf*

coste ['koste] *m* custo *m*

costero, -a [kos'tero, -a] *adj* costeiro, -a

costilla [kos'tiʎa] *f* costela *f*

costo ['kosto] *m* custo *m*

costoso, -a [kos'toso, -a] *adj* custoso, -a

costra ['kostra] *f* crosta *f*

costumbre [kos'tumbre] *f* costume *m*

costura [kos'tura] *f* costura *f*
cota ['kota] *f* **1.** (*altura*) altitude *f* **2.** (*importancia*) nível *m*
cotidiano, -a [koti'ðjano, -a] *adj* cotidiano, -a
cotilla [ko'tiʎa] *mf inf* fofoqueiro, -a *m, f*
cotillear [kotiʎe'ar] *vi inf* fofocar
cotilleo [koti'ʎeo] *m inf* fofoca *f*
cotillón [koti'ʎon] *m* réveillon *m*
cotorra [ko'torra] *f t. fig* maritaca *f*
coz [koθ] *m* coice *m*
cráneo ['kraneo] *m* ANAT crânio *m*; **ir de ~** *inf* ir mal
cráter ['krater] *m* cratera *f*
creación [krea'θjon] *f* criação *f*
creador(a) [krea'ðor(a)] *adj, m(f)* criador(a) *m(f)*
crear [kre'ar] *vt* criar
creatividad [kreatiβi'ðað] *f* criatividade *f*
creativo, -a [krea'tiβo, -a] *adj* criativo, -a
crecer [kre'θer] *irr vi* crescer
creciente [kre'θjente] *adj* crescente
crecimiento [kreθi'mjento] *m* crescimento *m*
crédito ['kreðito] *m* crédito *m*
credo ['kreðo] *m* credo *m*
creencia [kre'enθja] *f* crença *f*
creer [kre'er] *irr como leer* **I.** *vi, vt* crer **II.** *vr:* **~se** acreditar em
creíble [kre'iβle] *adj* crível
creído, -a [kre'iðo, -a] *adj* convencido, -a
crema ['krema] **I.** *adj* creme **II.** *f* creme *m*
cremallera [krema'ʎera] *f* zíper *m*
cresta ['kresta] *f* crista *f*
cretino, -a [kre'tino, -a] *m, f* cretino, -a *m, f*
creyente [kre'jente] *mf* crente *mf*
cría ['kria] *f* **1.** (*acción*) criação *f* **2.** (*animal*) cria *f*
criadero [kria'ðero] *m* criadouro *m*
criado, -a [kri'aðo, -a] *m, f* criado, -a *m, f*
criador(a) [kria'ðor] *m(f)* criador(a) *m(f)*
crianza [kri'anθa] *f* criação *f*
criar [kri'ar] <*l. pres:* **crío**> **I.** *vt* criar **II.** *vr:* **~se** criar-se
criatura [kria'tura] *f* criatura *f*; (*niño*) criança *f*
crimen ['krimen] *m* crime *m*
criminal [krimi'nal] **I.** *adj* criminal **II.** *mf* criminoso, -a *m, f*
crin [krin] *f* crina *f*
crío, -a ['krio, -a] *m, f* criança *f*
crisis ['krisis] *f inv* crise *f*
cristal [kris'tal] *m* **1.** (*mineral*) cristal *m* **2.** (*vidrio*) vidro *m* **3.** (*lámina*) lente *f*
cristianismo [kristja'nismo] *m* cristianismo *m*
cristiano, -a [kris'tjano] *adj, m, f* cristão, -ã *m, f*
Cristo ['kristo] *m* Cristo *m*
criterio [kri'terjo] *m* critério *m*
crítica ['kritika] *f* crítica *f*
criticar [kriti'kar] <c→qu> *vt* criticar
crítico, -a ['kritiko, -a] *adj, m, f* crítico, -a *m, f*
croar [kro'ar] *vi* (*rana*) coaxar
crol [krol] *m* crawl *m*
cromo ['kromo] *m* **1.** QUÍM cromo *m*

2. (*estampa*) figurinha *f*

cromosoma [kromo'soma] *m* cromossomo *m*

crónico, -a ['kroniko, -a] *adj t.* MED crônico, -a

cronológico, -a [krono'loxiko, -a] *adj* cronológico, -a

croqueta [kro'keta] *f* croquete *m*

cruce ['kruθe] *m* **1.** (*acción*) cruzamento *m* **2.** (*interferencia*) interferência *f*

crucero [kru'θero] *m* cruzeiro *m*

crucial [kru'θjal] *adj* crucial

crucifijo [kruθi'fixo] *m* crucifixo *m*

crucigrama [kruθi'γrama] *m* palavras *fpl* cruzadas

crudo ['kruðo] *m* petróleo *m*

crudo, -a ['kruðo, -a] *adj* (*sin cocer*) cru(a)

cruel [cru'el] *adj* cruel

crueldad [kruel'ðaᵈ] *f* crueldade *f*

crujido [kru'xiðo] *m* rangido *m*

crujiente [kru'xjeṇte] *adj* crocante

crujir [kru'xir] *vi* ranger

crustáceo [krus'taθeo] *m* crustáceo *m*

cruz [kruθ] *f* **1.** (*aspa*) cruz *f* **2.** (*de una moneda*) coroa *f*; ¿cara o ~? cara ou coroa?

cruzar [kru'θar] <z→c> **I.** *vt* cruzar **II.** *vr:* ~se cruzar

cuaderno [kwa'ðerno] *m* caderno *m*

cuadra ['kwaðra] *f* **1.** (*de caballos*) estábulo *m* **2.** *AmL* (*de casas*) quadra *f*

cuadrado [kwa'ðraðo] *m* MAT quadrado *m*

cuadrado, -a [kwa'ðraðo, -a] *adj* quadrado, -a

cuadragésimo, -a [kwaðra'xesimo] *adj* quadragésimo, -a; *v.t.* **octavo**

cuadrilla [kwa'ðriλa] *f* **1.** (*de amigos, trabajadores*) grupo *m* **2.** (*de maleantes*) quadrilha *f*

cuadro ['kwaðro] *m* quadro *m*

cuádruple ['kwaðruple] **I.** *adj* quádruplo, -a **II.** *m* quádruplo *m*

cuádruplo ['kwaðruplo] *m* quádruplo *m*

cuádruplo, -a ['kwaðruplo, -a] *adj* quádruplo, -a

cual [kwal] *pron rel* **el/la** ~ o/a qual; **lo** ~ o que; **los/las** ~**es** os/as quais

cuál [kwal] *pron interrog* qual; ¿~ **es el tuyo?** qual é o seu?

cualesquier(a) [kwales'kjera] *pron indef pl de* **cualquiera**

cualidad [kwali'ðaᵈ] *f* qualidade *f*

cualquiera [kwal'kjera] **I.** *pron indef* qualquer; **cualquier cosa** qualquer coisa **II.** *mf* **ser una** ~ *pey* ser uma qualquer

cuando ['kwaṇdo] *conj* **1.** (*presente*) quando; ~ **quieras** quando você quiser **2.** (*condicional*) se; ~ **más/menos** quanto mais/menos; **aun** ~ (*aunque*) mesmo se

cuándo ['kwaṇdo] *adv* quando

cuantía [kwaṇ'tia] *f* quantia *f*

cuantioso, -a [kwaṇ'tjoso, -a] *adj* quantioso, -a

cuanto ['kwaṇto] **I.** *adv* ~ **antes** quanto antes **II.** *prep* **en** ~ **a** quanto a **III.** *conj* **en** ~ (**que**) assim que

cuanto, -a ['kwaṇto, -a] **I.** *pron rel* (*neutro*) quanto, -a; **dije (todo) lo** ~ **sé**

disse (tudo) quanto sei **II.** *pron indef* **unos ~s**/**unas cuantas** uns quantos/umas quantas

cuánto ['kwanto] *adv* quanto

cuánto, -a ['kwanto, -a] **I.** *adj* quanto, -a **II.** *pron interrog* quanto

cuarenta [kwa'renta] *adj inv, m* quarenta *m; v.t.* **ochenta**

cuarentena [kwaren'tena] *f* quarentena *f;* **poner en ~** pôr de quarentena

cuaresma [kwa'resma] *f* quaresma *f*

cuartel [kwar'tel] *m* quartel *m;* **~ general** quartel general

cuartilla [kwar'tiʎa] *f* (*hoja*) folha *f* de papel

cuarto ['kwarto] *m* quarto *m;* **~ de baño** banheiro *m;* **~ de estar** sala *f* de estar

cuarto, -a ['kwarto, -a] **I.** *adj* quarto, -a; *v.t.* **octavo II.** *m, f* quarto, -a *m, f;* **~s de final** DEP quartas de final; **un ~ de hora** um quarto de hora

cuarzo ['kwarθo] *m* quartzo *m*

cuatro ['kwatro] *adj inv, m* quatro *m; v.t.* **ocho**

cuatrocientos, -as [kwatro'θjentos, -as] *adj* quatrocentos, -as

Cuba ['kuβa] *f* Cuba *f*

cubano, -a [ku'βano, -a] *adj, m, f* cubano, -a *m, f*

cubata [ku'βata] *m inf* cuba-libre *f*

cubertería [kuβerte'ria] *f* faqueiro *m*

cúbico, -a ['kuβiko, -a] *adj t.* MAT cúbico, -a

cubierta [ku'βjerta] *f* **1.** (*cobertura*) capa *f* **2.** NÁUT convés *m*

cubierto [ku'βjerto] *m* **1.** (*de mesa*) couvert *m*, serviço *m* de mesa **2.** (*cubertería*) talher *m;* **los ~s** os talheres

cubierto, -a [ku'βjerto, -a] **I.** *pp de* **cubrir II.** *adj* (*terraza, olla*) coberto, -a; (*cielo*) encoberto, -a; **ponerse a ~** abrigar-se

cubito [ku'βito] *m* **~ de hielo** cubo *m* de gelo

cubo ['kuβo] *m* **1.** (*recipiente*) balde *m;* **~ de la basura** lata *f* de lixo **2.** *t.* MAT cubo *m*

cubrir [ku'βrir] *irr como* **abrir I.** *vt* **1.** *t. fig* (*tapar*) cobrir **2.** (*vacante*) cobrir **II.** *vr:* **~se 1.** (*taparse*) cobrir-se **2.** (*el cielo*) encobrir-se

cucaracha [kuka'ratʃa] *f* barata *f*

cuchara [ku'tʃara] *f* colher *f*

cucharada [kutʃa'raða] *f* colherada *f*

cucharadita [kutʃara'ðita] *f* colherada *f* pequena

cucharilla [kutʃa'riʎa] *f* colher *f;* **~ de café/de té** colher de café/de chá

cucharón [kutʃa'ron] *m* concha *f*

cuchichear [kutʃitʃe'ar] *vi* cochichar

cuchilla [ku'tʃiʎa] *f* (*de afeitar*) gilete *f*

cuchillada [kutʃi'ʎaða] *f* facada *f*

cuchillo [ku'tʃiʎo] *m* faca *f*

cuclillas [ku'kliʎas] *fpl* **en ~** de cócoras

cuco ['kuko] *m* cuco *m*

cuco, -a ['kuko, -a] *adj* **1.** (*astuto*) esperto, -a **2.** *inf* (*bonito*) fofo, -a

cucurucho [kuku'rutʃo] *m* **1.** (*de papel*) cone *m* **2.** (*de helado*) casquinha *f*

cuello ['kweʎo] *m* **1.** ANAT pescoço *m* **2.** (*de una camisa*) colarinho *m;* (*otras prendas*) gola *f*

cuenca ['kwenka] f GEO bacia f
cuenco ['kwenko] m tigela f
cuenta ['kwenta] f conta f; ~ **atrás** contagem regressiva; **a** ~ **de alguien** por conta de alguém; **en resumidas** ~**s** em resumo
cuentakilómetros [kwentaki'lometros] m inv contador m de quilômetros
cuento ['kwento] m conto m; ~ **chino** inf conto da Carochinha; **ser el** ~ **de nunca acabar** ser uma história sem fim; **venir a** ~ vir ao caso
cuerda ['kwerða] f corda f; ~**s vocales** cordas vocais; **dar** ~ **al reloj** dar corda no relógio
cuerno ['kwerno] m 1. ZOOL corno m, chifre m 2. inf (exclamativo) **¡y un** ~**!** uma ova!; **irse al** ~ ir para o brejo
cuero ['kwero] m couro m
cuerpo ['kwerpo] m corpo m
cuervo ['kwerβo] m corvo m
cuesta ['kwesta] f ladeira f
cuestión [kwes'tjon] f questão f
cuestionario [kwestjo'narjo] m questionário m
cueva ['kweβa] f caverna f
cuidado [kwi'ðaðo] m cuidado m; ~**s intensivos** MED tratamento m intensivo
cuidadoso, -a [kwiða'ðoso, -a] adj cuidadoso, -a
cuidar [kwi'ðar] I. vi, vt cuidar II. vr: ~**se** cuidar-se
culebra [ku'leβra] f cobra f
culebrón [kule'βron] m TV novela f
culminación [kulmina'θjon] f culminação f
culminante [kulmi'nante] adj culminante
culminar [kulmi'nar] vi culminar
culo ['kulo] m inf (trasero) bunda f
culpa ['kulpa] f culpa f; **tener la** ~ ter culpa
culpable [kul'paβle] I. adj 1. JUR (que tiene culpa) culpável 2. (que se le imputa la culpa) culpado, -a II. mf culpado, -a m, f
culpar [kul'par] I. vt culpar II. vr: ~**se** culpar-se
cultivar [kulti'βar] vt cultivar
cultivo [kul'tiβo] m cultivo m
culto ['kulto] m culto m
culto, -a ['kulto, -a] adj culto, -a
cultura [kul'tura] f cultura f
cultural [kultu'ral] adj cultural
cumbre ['kumbre] f 1. (cima) cume m 2. (reunión) conferência f de cúpula
cumpleaños [kumple'aɲos] m inv aniversário m
cumplido [kum'pliðo] m cumprimento m
cumplimentar [kumplimen'tar] vt (un impreso) preencher
cumplir [kum'plir] I. vi, vt cumprir II. vr: ~**se** cumprir-se
cuna ['kuna] f berço m
cundir [kun'dir] vi 1. (dar mucho de sí) render 2. (rumor) espalhar-se
cuneta [ku'neta] f sarjeta f
cuñado, -a [ku'ɲaðo, -a] m, f cunhado, -a m, f
cuota ['kwota] f cota f
cupo ['kupo] 3. pret de **caber**

cupón [ku'pon] *m* cupom *m*; (*de lotería*) bilhete *m*
cúpula ['kupula] *f* cúpula *f*
cura¹ ['kura] *m* padre *m*
cura² ['kura] *f* 1. (*curación*) cura *f* 2. (*tratamiento*) tratamento *m*; ~ **de desintoxicación** tratamento de desintoxicação
curación [kura'θjon] *f* cura *f*
curar [ku'rar] I. *vi*, *vt* curar II. *vr*: ~**se** curar-se
curiosidad [kurjosi'ðað] *f* curiosidade *f*
curioso, -a [ku'rjoso, -a] I. *adj* (*indiscreto*) curioso, -a II. *m, f* 1. (*indiscreto*) curioso, -a *m, f* 2. *AmL* (*curandero*) curioso, -a *m, f*
cursar [kur'sar] *vt* (*cursos*) cursar
cursi ['kursi] *adj inf* brega
cursillo [kur'siʎo] *m* curso *m*
cursiva [kur'siβa] *f* letra *f* cursiva
cursivo, -a [kur'siβo, -a] *adj* cursivo, -a
curso ['kurso] *m* curso *m*
cursor [kur'sor] *m* INFOR cursor *m*
curva ['kurβa] *f* curva *f*
curvo, -a ['kurβo, -a] *adj* curvo, -a
cutis ['kutis] *m inv* cútis *f inv*
cutre ['kutre] *adj* (*sórdido*) miserável
cuyo, -a ['kuʝo, -a] *pron rel* cujo, -a
C.V. [ku'rrikulun βite] *abr de* **curriculum vitae** C.V.

D

D, d [de] *f* D, d *m*
dado¹ ['daðo] *m* dado *m*
dado² ['daðo] *conj* ~ **que...** dado que...
dado, -a ['daðo, -a] *adj* dado, -a; **en un momento** ~ em um dado momento
dama ['dama] *f* dama *f*
damasco [da'masko] *m RíoPl* damasco *m*
danés, -esa [da'nes, -esa] *adj*, *m*, *f* dinamarquês, -esa *m, f*
danza ['danθa] *f* dança *f*
daño ['daɲo] *m* 1. (*perjuicio*) dano *m*, prejuízo *m* 2. (*dolor*) **hacer** ~ machucar; **me hice** ~ **en la rodilla** machuquei meu joelho
dar [dar] *irr* I. *vt* 1. (*general*) dar; **¡qué más da!** *inf* tanto faz! 2. (*luz*) acender II. *vi* 1. (+ '*a*') **el balcón da a la calle** o terraço dá para a rua; ~ **a conocer** mostrar 2. (+ '*con*') ~ **con** (*persona*) encontrar com; (*solución*) dar com 3. (*hacerse más ancho*) ~ **de sí** esticar III. *vr*: ~**se** 1. (*suceder*) dar-se; ~**se un baño** tomar um banho 2. (+ '*a*': *consagrarse, entregarse*) entregar-se; ~**se a conocer** mostrar-se 3. (+ '*contra*') bater
dardo ['darðo] *m* dardo *m*
dátil ['datil] *m* tâmara *f*
dato ['dato] *m* dado *m*
dcha. [de'retʃa] *abr de* **derecha** direita
d. de J.C. [des'pwes ðe xesu'kristo] *abr de* **después de Jesucristo** d.C.
de [de] *prep* 1. de; **el reloj** ~ **mi padre** o relógio do meu pai; **ser** ~ **Italia** ser da Itália; ~ **madera** de madeira

2. (*temporal*) quando; ~ **niño** quando criança **3.** (*condición*) ~ **haberlo sabido...** se soubesse...

debajo [de'βaxo] **I.** *adv* embaixo **II.** *prep* ~ **de** debaixo de

debate [de'βate] *m* debate *m*

deber [de'βer] **I.** *vi* (*suposición*) **deben de ser las nueve** devem ser nove horas **II.** *vt* dever **III.** *m* **1.** (*obligación*) dever *m* **2.** *pl* (*escolares*) deveres *mpl* (de casa)

debido [de'βiðo] *prep* devido a

debido, -a [de'βiðo, -a] *adj* devido, -a

débil ['deβil] *adj* fraco, -a

debilidad [deβili'ðað] *f* fraqueza *m*

debut [de'βu⁽ᵗ⁾] *m* <debuts> debute *m*

debutar [deβu'tar] *vi* debutar

década ['dekaða] *f* década *f*

decadencia [deka'ðenθja] *f* decadência *f*

decena [de'θena] *f* dezena *f*

decente [de'θente] *adj* decente

decepción [deθeβ'θjon] *f* decepção *f*

decepcionar [deθeβθjo'nar] *vt* decepcionar

decibelio [deθi'βeljo] *m* decibel *m*

decidir [deθi'ðir] *vi, vt* decidir

décimo ['deθimo] *m* décimo *m*

décimo, -a ['deθimo, -a] *adj* décimo, -a; *v.t.* **octavo**

decimoctavo, -a [deθimok'taβo, -a] *adj* décimo, -a oitavo, -a; *v.t.* **octavo**

decimocuarto, -a [deθimo'kwarto, -a] *adj* décimo, -a quarto, -a; *v.t.* **octavo**

decimonoveno, -a [deθimono'βeno, -a] *adj* décimo, -a nono, -a; *v.t.* **octavo**

decimoquinto, -a [deθimo'kinto, -a] *adj* décimo, -a quinto, -a; *v.t.* **octavo**

decimoséptimo, -a [deθimo'septimo, -a] *adj* décimo, -a sétimo, -a; *v.t.* **octavo**

decimosexto, -a [deθimo'sesto, -a] *adj* décimo, -a sexto, -a; *v.t.* **octavo**

decimotercero, -a [deθimoter'θero, -a] *adj* décimo, -a terceiro, -a; *v.t.* **octavo**

decir [de'θir] *irr* **I.** *vi* dizer; **¿diga?** TEL alô?; **es** ~ quer dizer; **y no digamos...** sem falar de... **II.** *vt* dizer **III.** *vr* **¿cómo se dice en portugués?** como se fala em português?; **se dice que...** dizem que...

decisión [deθi'sjon] *f* decisão *f*

decisivo, -a [deθi'siβo, -a] *adj* decisivo, -a

declaración [deklara'θjon] *f* declaração *f*

declarar [dekla'rar] **I.** *vi, vt* declarar **II.** *vr:* ~**se 1.** (*epidemia, incendio*) deflagrar **2.** (*manifestarse, confesar amor*) declarar-se

decolaje [deko'laxe] *m AmL* decolagem *f*

decolar [deko'lar] *vi AmL* decolar

decoración [dekora'θjon] *f* decoração *f*

decorado [deko'raðo] *m* TEAT cenário *m*

decorar [deko'rar] *vt* decorar

decorativo, -a [dekora'tiβo, -a] *adj* decorativo, -a

dedicar [deði'kar] <c→qu> **I.** *vt* dedicar **II.** *vr:* ~**se a** dedicar-se a

dedicatoria [deðikaˈtorja] *f* dedicatória *f*

dedillo [deˈðiʎo] *f inf* **saber(se) algo al** ~ saber a. c. de cor

dedo [ˈdeðo] *m* dedo *m*; ~ **anular** dedo anular; ~ **corazón** dedo médio; ~ **gordo** *inf* dedo mata-piolho; ~ **índice** dedo indicador; ~ **meñique** dedo mínimo; ~ **pulgar** dedo polegar; **hacer** ~ *inf* pedir carona

defecto [deˈfekto] *m* defeito *m*

defender [defenˈder] <e→ie> I. *vt* defender II. *vr:* ~**se** defender-se

defensa¹ [deˈfensa] *f* defesa *f*

defensa² [deˈfensa] *mf* DEP zagueiro, -a *m, f*

defensiva [defenˈsiβa] *f* **ponerse a la** ~ ficar na defensiva

definición [definiˈθjon] *f* definição *f*

definir [defiˈnir] *vt* definir

definitivo, -a [definiˈtiβo, -a] *adj* definitivo, -a

deforestación [deforestaˈθjon] *f* desmatamento *m*

defraudar [defrauˈðar] *vt* 1. (*estafar*) defraudar; (*impuestos*) sonegar 2. (*decepcionar*) desapontar

dejar [deˈxar] I. *vi* deixar II. *vt* 1. (*abandonar*) deixar 2. (*prestar*) emprestar

del [del] = **de** + **el** *v.* **de**

delantal [delanˈtal] *m* avental *m*

delante [deˈlante] I. *adv* 1. (*en la parte delantera*) na frente; **de** ~ da frente; **el/la de** ~ o/a da frente 2. (*enfrente*) em frente a II. *prep* ~ **de** diante de, em frente a

delantera [delanˈtera] *f* 1. (*parte de delante*) frente *f* 2. (*distancia*) dianteira *f*

delantero [delanˈtero] *m* DEP atacante *mf;* ~ **centro** centroavante *mf*

delantero, -a [delanˈtero, -a] *adj* dianteiro, -a

delegación [deleɣaˈθjon] *f* 1. (*comisión*) delegação *f* 2. (*oficina*) delegacia *f*

delegado, -a [deleˈɣaðo, -a] *m, f* delegado, -a *m, f*

deletrear [deletreˈar] *vt* soletrar

delfín [delˈfin] *m* golfinho *m*

delgado, -a [delˈɣaðo, -a] *adj* 1. (*persona, animal*) magro, -a 2. (*tela*) fino, -a

delicado, -a [deliˈkaðo, -a] *adj* delicado, -a

delicia [deˈliθja] *f* delícia *f*

delicioso, -a [deliˈθjoso, -a] *adj* delicioso, -a

delincuente [delinˈkwente] *mf* delinqüente *mf*

delinquir [delinˈkir] <qu→c> *vi* delinqüir

delirar [deliˈrar] *vi* delirar

delito [deˈlito] *m* delito *m;* ~ **ecológico** crime *m* ecológico

delta [ˈdelta] *m* GEO delta *m*

demanda [deˈmanda] *f* 1. (*petición*) pedido *m* 2. COM, JUR demanda *f*

demandar [demanˈdar] *vt* demandar

demás [deˈmas] *adj* demais; **y** ~ (*etcétera*) et cetera; **por lo** ~ fora isso

demasiado [demaˈsjaðo] *adv* demais

demasiado, -a [demaˈsjaðo, -a] *adj* demasiado, -a

democracia [demoˈkraθja] *f* demo-

democrático 66 **desafiar**

cracia *f*

democrático, -a [demoˈkratiko, -a] *adj* democrático, -a

demonio [deˈmonjo] *m* demônio *m*

demostración [demostraˈθjon] *f* demonstração *f*

demostrar [demosˈtrar] <o→ue> *vt* demonstrar

densidad [densiˈðað] *f* densidade *f*

denso, -a [ˈdenso, -a] *adj* denso, -a

dentadura [dentaˈðura] *f* dentadura *f*

dental [denˈtal] *adj* dental

dentífrico [denˈtifriko] *m* dentifrício *m*

dentista [denˈtista] *mf* dentista *mf*

dentro [ˈdentro] I. *adv* dentro; **desde ~** de dentro II. *prep* **~ de** dentro de

denuncia [deˈnunθja] *f* denúncia *f*

denunciar [denunˈθjar] *vt* denunciar

departamento [departaˈmento] *m* 1. (*de empresa*) departamento *m* 2. *Arg* (*apartamento*) apartamento *m*

depender [depenˈder] *vi* **~ de** depender de

dependiente, -a [depenˈdjente, -a] *m, f* (*en panadería, tienda*) balconista *mf*; (*en grandes almacenes*) vendedor(a) *m(f)*

depilarse [depiˈlarse] *vr* depilar-se

deporte [deˈporte] *m* esporte *m*

deportista [deporˈtista] *adj, mf* esportista *mf*

deportivo [deporˈtiβo] *m* carro *m* esporte

deportivo, -a [deporˈtiβo, -a] *adj* esportivo, -a

depósito [deˈposito] *m* 1. *t.* FIN depósito *m* 2. AUTO tanque *m*

depreciación [depreθjaˈθjon] *f* depreciação *f*

depresión [depreˈsjon] *f* depressão *f*

deprimirse [depriˈmirse] *vr* deprimir-se

deprisa [deˈprisa] *adv* depressa

depuración [depuraˈθjon] *f* depuração *f*

derecha [deˈretʃa] *f* direita *f*; **ser de ~s** POL ser de direita

derecho [deˈretʃo] I. *adv* direto II. *m* 1. (*general*) direito *m*; **¡no hay ~!** *inf* não é justo! 2. (*de hoja*) frente *f*

derecho, -a [deˈretʃo, -a] *adj* direito, -a

deriva [deˈriβa] *f* **a la ~** à deriva

dermatólogo, -a [dermaˈtoloɣo, -a] *m, f* dermatologista *mf*

derramar [derraˈmar] *vt* derramar

derrame [deˈrrame] *m* derrame *m*

derretir [derreˈtir] *irr como pedir* I. *vt* derreter II. *vr:* **~se** derreter-se

derribar [derriˈβar] *vt* derrubar

derrochar [derroˈtʃar] *vt* esbanjar

derrota [deˈrrota] *f* derrota *f*

derrotar [derroˈtar] *vt* derrotar

desabotonar [desaβotoˈnar] *vt* desabotoar

desabrochar [desaβroˈtʃar] *vt* desabrochar

desactivar [desaktiˈβar] *vt* desativar

desacuerdo [desaˈkwerðo] *m* desacordo *m*

desafiar [desaˈfjar] <*l. pres:* desafío> *vt* desafiar

desafinar [desafi'nar] *vi* desafinar
desafio [desa'fio] *m* desafio *m*
desagradable [desaɣra'ðaβle] *adj* desagradável
desagradecido, -a [desaɣraðe'θiðo, -a] *m, f* **1.** (*tarea*) ingrato, -a *m, f* **2.** (*persona*) mal-agradecido, -a *m, f*
desagüe [de'saɣwe] *m* bueiro *m; (de casa)* ralo *m*
desalojar [desalo'xar] *vt* desalojar
desanimado, -a [desani'maðo, -a] *adj* desanimado, -a
desanimar [desani'mar] *vt* desanimar
desapacible [desapa'θiβle] *adj* desagradável
desaparecer [desapare'θer] *irr como* crecer *vi* desaparecer
desaparecido, -a [desapare'θiðo, -a] *adj, m, f* desaparecido, -a *m, f*
desaparición [desapari'θjon] *f* desaparecimento *m*
desapercibido, -a [desaperθi'βiðo, -a] *adj* **pasar ~** passar despercebido
desaprovechado, -a [desaproβe'tʃaðo, -a] *adj* desperdiçado, -a
desarme [de'sarme] *m* desarmamento *m*
desarrollado, -a [desarro'ʎaðo, -a] *adj* desenvolvido, -a
desarrollar [desarro'ʎar] **I.** *vt* desenvolver **II.** *vr:* **~se 1.** (*progresar*) desenvolver-se **2.** (*tener lugar*) ocorrer
desarrollo [desa'rroʎo] *m* desenvolvimento *m*
desastre [de'sastre] *m* desastre *m*
desastroso, -a [desas'troso, -a] *adj* desastroso, -a

desatar [desa'tar] **I.** *vt* **1.** (*nudo, prisionero*) desatar **2.** (*crisis*) desencadear **II.** *vr:* **~se 1.** (*nudo, prisionero*) desatar-se **2.** (*tormenta, crisis*) desencadear-se
desatascar [desatas'kar] <c→qu> *vt* desentupir
desatornillar [desatorni'ʎar] *vt* desaparafusar
desayunar [desaju'nar] **I.** *vi* tomar café-da-manhã **II.** *vt* tomar [*ou* comer] no café da manhã
desayuno [desa'juno] *m* café-da-manhã *m*
desbloquear [desβloke'ar] *vt* desbloquear
desbordarse [desβor'ðarse] *vt* transbordar
descalificar [deskalifi'kar] <c→qu> *vt* desqualificar
descalzarse [deskal'θarse] <z→c> *vr* descalçar-se
descansar [deskan'sar] *vi* descansar
descansillo [deskan'siʎo] *m* patamar *m*
descanso [des'kanso] *m* **1.** (*reposo, apoyo*) descanso *m* **2.** (*pausa*) *t.* DEP intervalo *m*
descarado, -a [deska'raðo, -a] *adj* descarado, -a
descarga [des'karɣa] *f* descarga *f*
descargar [deskar'ɣar] <g→gu> **I.** *vt* **1.** (*camión, pistola*) descarregar; **~ a alguien de algo** liberar alguém de a. c. **2.** INFOR baixar **II.** *vr:* **~se** (*pila*) descarregar-se
descaro [des'karo] *m* descaramento *m*

descartar [deskar'tar] *vt* descartar

descendencia [desθen'denθja] *f* descendência *f*

descender [desθen'der] <e→ie>
I. *vi* 1. (*valor, temperatura*) baixar 2. (*de coche, tren*) descer 3. (*proceder*) ~ **de** descender de 4. DEP cair II. *vt* descer

descendiente [desθen'djente] *mf* descendente *mf*

descenso [des'θenso] *m* 1. (*de valor, temperatura*) queda *f* 2. (*de montaña, escalera*) descida *f* 3. DEP rebaixamento *m*

descifrar [desθi'frar] *vt* decifrar

descolgar [deskol'ɣar] *irr como colgar vt* 1. (*cuadro, cortina*) despendurar 2. (*teléfono*) tirar do gancho

descomponer [deskompo'ner] *irr como poner* I. *vt* 1. (*desordenar*) descompor 2. (*alimentos, cadáver*) *t.* QUÍM decompor; (*persona*) descompor II. *vr:* ~**se** (*alimentos, cadáver*) *t.* QUÍM decompor-se; (*persona*) descompor-se

descomposición [deskomposi'θjon] *f* 1. (*de alimentos, cadáver*) decomposição *f* 2. (*diarrea*) desarranjo *m*

descompuesto, -a [deskom'pwesto, -a] I. *pp de* **descomponer** II. *adj* 1. (*desordenado*) descomposto, -a 2. (*podrido*) decomposto, -a

desconectar [deskonek'tar] *vt* desconectar

desconfianza [deskomfi'anθa] *f* desconfiança *f*

desconfiar [deskomfi'ar] <1. pres: desconfío> *vi* ~ **de alguien/algo** desconfiar de alguém/a. c.

descongelar [deskoŋxe'lar] *vt* descongelar

desconocer [deskono'θer] *irr como crecer vt* desconhecer

desconocido, -a [deskono'θiðo, -a] I. *adj* desconhecido, -a; **estar** ~ estar irreconhecível II. *m, f* desconhecido, -a *m, f*

desconocimiento [deskonoθi'mjento] *m* desconhecimento *m*

desconsiderado, -a [deskonsiðe'raðo, -a] *adj* indelicado, -a

descontado, -a [deskon'taðo, -a] *adj* **dar por ~ que...** dar por certo que...; **por ~** com certeza

descontar [deskon'tar] <o→ue> *vt* descontar

descontento [deskon'tento] *m* descontentamento *m*

descontento, -a [deskon'tento, -a] *adj* descontente

descontrol [deskon'trol] *m* descontrole *m*

descontrolarse [deskontro'larse] *vr* descontrolar-se

desconvocar [deskombo'kar] *vt* desconvocar

descorchar [deskor'tʃar] *vt* desarrolhar

descortesía [deskorte'sia] *f* descortesia *f*

descoser [desko'ser] *vt* descosturar

descremado, -a [deskre'maðo, -a] *adj* desnatado, -a

describir [deskri'βir] *irr como escribir vt* descrever

descripción [deskriβ'θjon] *f* descrição f

descuartizar [deskwarti'θar] <z→c> vt esquartejar

descubierto [desku'βjerto] m **al** ~ ao ar livre

descubridor(a) [deskuβri'ðor(a)] m(f) descobridor(a) m(f)

descubrimiento [deskuβri'mjento] m descoberta f

descubrir [desku'βrir] irr como abrir I. vt descobrir II. vr: ~**se** descobrir-se

descuento [des'kwento] m desconto m

descuidado, -a [deskwi'ðaðo, -a] adj 1. (falto de atención) descuidado, -a 2. (desprevenido) desprevenido, -a

descuidar [deskwi'ðar] I. vt (desatender) descuidar II. vi ¡**descuida!** não se preocupe! III. vr: ~**se** descuidar-se

descuido [des'kwiðo] m descuido m

desde ['desðe] I. prep 1. (en el tiempo, en el espacio) desde; ~ **entonces** desde então; ~ **hace un mes** faz [ou há] um mês 2. (local) de; **te llamo** ~ **el aeropuerto** estou ligando do aeroporto II. adv ~ **luego** sem dúvida

desdicha [des'ðitʃa] f infelicidade f

desdichado, -a [desði'tʃaðo, -a] adj infeliz

desear [dese'ar] vt desejar

desechable [dese'tʃaβle] adj descartável

desechar [dese'tʃar] vt 1. (tirar) jogar fora 2. (descartar) rejeitar

desecho(s) [de'setʃo(s)] m(pl) (restos) restos mpl; (residuos) resíduos mpl

desembarazarse [desembara'θarse] <z→c> vr ~ **de algo** desembaraçar-se de a. c.

desembarcar [desembar'kar] <c→qu> vi, vt desembarcar

desembarco [desem'barko] m desembarque m

desembocar [desembo'kar] <c→qu> vi ~ **en** desembocar em

desempatar [desempa'tar] vi desempatar

desempate [desem'pate] m desempate m

desempeñar [desempe'ɲar] vt desempenhar

desempleado, -a [desemple'aðo, -a] m, f desempregado, -a m, f

desempleo [desem'pleo] m desemprego m

desencadenar [desenkaðe'nar] I. vt desencadear II. vr: ~**se** desencadear-se

desencajar [desenka'xar] vt desencaixar

desencanto [desen'kanto] m desencanto m

desenchufar [desentʃu'far] vt tirar da tomada

desenfadado, -a [desemfa'ðaðo, -a] adj descontraído, -a

desenfado [desem'faðo] m descontração f

desenfocado, -a [desemfo'kaðo, -a] adj desfocado, -a

desenfrenado, -a [desemfre'naðo, -a] adj desenfreado, -a

desenfreno [desemˈfreno] *m* incontinência *f*

desenganchar [deseŋganˈtʃar] I. *vt* desenganchar II. *vr:* ~**se** desenganchar-se

desengañar [deseŋgaˈɲar] I. *vt* desenganar II. *vr* ~**se de algo** desenganar-se de a. c.

desengaño [deseŋˈgaɲo] *m* desengano *m*

desenlace [desenˈlaθe] *m* desenlace *m*

desenredar [desenrreˈðar] *vt* desembaraçar

desenterrar [deseteˈrrar] <e→ie> *vt* desenterrar

desentonar [deseŋtoˈnar] *vi* destoar

desenvoltura [desembolˈtura] *f* desenvoltura *f*

desenvolver [desembolˈβer] *irr como volver* I. *vt* desembrulhar II. *vr:* ~**se** desenvolver-se

deseo [deˈseo] *m* desejo *m*

deseoso, -a [deseˈoso, -a] *adj* desejoso, -a

desequilibrado, -a [desekiliˈβraðo, -a] *adj* (*balanza*) desregulado, -a; (*persona*) desequilibrado, -a

desértico, -a [deˈsertiko, -a] *adj* desértico, -a

desertización [desertiθaˈθjon] *f* desertificação *f*

desesperación [desesperaˈθjon] *f* desespero *m*

desesperado, -a [desespeˈraðo, -a] *adj* desesperado, -a; **hacer algo a la desesperada** fazer a. c. como último recurso

desesperarse [desespeˈrarse] *vr* desesperar-se

desfachatez [desfatʃaˈteθ] *f* desfaçatez *f*

desfasado, -a [desfaˈsaðo, -a] *adj* defasado, -a

desfavorable [desfaβoˈraβle] *adj* desfavorável

desfiladero [desfilaˈðero] *m* GEO desfiladeiro *m*

desfilar [desfiˈlar] *vi* desfilar

desfile [desˈfile] *m* desfile *m*

desgastar [desɣasˈtar] I. *vt* desgastar II. *vr:* ~**se** desgastar-se

desgaste [desˈɣaste] *m* desgaste *m*

desgracia [desˈɣraθja] *f* desgraça *f*

desgraciado, -a [desɣraˈθjaðo, -a] *adj, m, f* desgraçado, -a *m, f*

desgravable [desɣraˈβaβle] *adj* dedutível

desgravación [desɣraβaˈθjon] *f* dedução *f*

desguace [desˈɣwaθe] *m* desmanche *m*

desguazar [desɣwaˈθar] <z→c> *vt* desmanchar

deshabitado, -a [desaβiˈtaðo, -a] *adj* desabitado, -a

deshacer [desaˈθer] *irr como hacer* I. *vt* 1. (*nudo, cama, contrato*) desfazer 2. (*romper*) desmanchar II. *vr:* ~**se** 1. (*descomponerse, desprenderse*) desfazer-se 2. (*romperse*) desmanchar-se

deshecho, -a [desˈetʃo, -a] I. *pp de* **deshacer** II. *adj* 1. (*deprimido*) arrasado, -a 2. (*cansado*) exausto, -a

desheredar [desereˈðar] *vt* deserdar

deshidratarse [desiðra'tarse] *vr* deshidratar-se

deshielo [des'jelo] *m* degelo *m*

deshincharse [desin'tʃarse] *vr* **1.** (*perder aire*) esvaziar-se **2.** (*una inflamación*) desinchar-se

deshonesto, -a [deso'nesto, -a] *adj* desonesto, -a

deshonra [des'onrra] *f* desonra *f*

deshonrar [deson'rrar] *vt* desonrar

deshora [de'sora] *f* **a ~(s)** fora de hora

desierto [de'sjerto] *m* deserto *m*

desierto, -a [de'sjerto, -a] *adj* (*calle, ciudad*) deserto, -a

designar [desiɣ'nar] *vt* designar

desigual [desi'ɣwal] *adj* desigual

desigualdad [desiɣwal'dað] *f* desigualdade *f*

desilusión [desilu'sjon] *f* desilusão *f*

desilusionar [desilusjo'nar] **I.** *vt* desiludir **II.** *vr:* **~se** desiludir-se

desinfectante [desimfek'tante] *m* desinfetante *m*

desinfectar [desimfek'tar] *vt* desinfetar

desinflar [desim'flar] **I.** *vt* esvaziar **II.** *vr:* **~se** esvaziar-se

desintegración [desinteɣra'θjon] *f* desintegração *f*

desintegrar [desinte'ɣrar] **I.** *vt* desintegrar **II.** *vr:* **~se** desintegrar-se

desinterés [desinte'res] *m* desinteresse *m*

desistir [desis'tir] *vi* desistir

desleal [desle'al] *adj* desleal

deslealtad [deslealˈtað] *f* deslealdade *f*

desliz [des'liθ] *m* deslize *m*

deslizar [desli'θar] <z→c> **I.** *vt* deslizar **II.** *vr:* **~se** deslizar-se

deslucido, -a [deslu'θiðo, -a] *adj* desluzido, -a

deslucir [deslu'θir] *irr como lucir vt* ofuscar

deslumbrante [deslum'brante] *adj* deslumbrante

deslumbrar [deslum'brar] *vt* deslumbrar

desmadrarse [desma'ðrarse] *vr inf* descontrolar-se

desmadre [des'maðre] *m inf* bagunça *f*

desmán [des'man] *m* desmando *m*

desmano [des'mano] *m* **a ~** fora de mão

desmayarse [desma'ʝarse] *vr* desmaiar-se

desmayo [des'maʝo] *m* desmaio *m*

desmontable [desmon'taβle] *adj* desmontável

desmontar [desmon'tar] **I.** *vt* desmontar **II.** *vi* (*de caballo, moto*) desmontar

desmoralizar [desmorali'θar] <z→c> *vt* desmoralizar

desmoronarse [desmoro'narse] *vr* desmoronar-se

desnatado, -a [desna'taðo, -a] *adj* desnatado, -a

desnivel [desni'βel] *m* desnível *m*

desnudar [desnu'ðar] **I.** *vt* despir **II.** *vr:* **~se** despir-se

desnudo [des'nuðo] *m* nu *m*

desnudo, -a [des'nuðo, -a] *adj* nu(a), despido, -a

desnutrición [desnutri'θjon] *f* desnutrição *f*

desnutrido, -a [desnu'triðo, -a] *adj* desnutrido, -a

desobedecer [desoβeðe'θer] *irr como crecer vi, vt* desobedecer

desobediencia [desoβe'ðjenθja] *f* desobediência *f*

desobediente [desoβe'ðjente] *adj* desobediente

desocupación [desokupa'θjon] *f (paro)* desemprego *m*

desocupado, -a [desoku'paðo, -a] **I.** *adj* **1.** *AmL (parado)* desempregado, -a **2.** *(ocioso, vacío)* desocupado, -a **II.** *m, f* **1.** *AmL (parado)* desempregado, -a *m, f* **2.** *(ocioso)* desocupado, -a *m, f*

desocupar [desoku'par] *vt* desocupar

desodorante [desoðo'rante] *m* desodorante

desolación [desola'θjon] *f* desolação *f*

desolador(a) [desola'ðor(a)] *adj* desolador(a)

desolar [deso'lar] <o→ue> *vt* desolar

desorbitado, -a [desorβi'taðo, -a] *adj (precio)* exorbitante

desorden [de'sorðen] *m* desordem *f*

desordenado, -a [desorðe'naðo, -a] *adj* desordenado, -a

desordenar [desorðe'nar] *vt* desordenar

desorganizar [desorɣani'θar] <z→c> *vt* desorganizar

desorientación [desorjenta'θjon] *f* desorientação *f*

desorientarse [desorjen'tarse] *vr* desorientar-se

despacho [des'patʃo] *m (oficina, en casa)* escritório *m*, gabinete *m*; **~ de billetes** [*o* **de boletos** *AmL*] bilheteria *f*; **~ de localidades** TEAT, CINE bilheteria *f*

despacio [des'paθjo] **I.** *adv (lentamente)* devagar **II.** *interj* devagar

desparpajo [despar'paxo] *m inf (desenvoltura)* desembaraço *m*

desparramar [desparra'mar] *vt* esparramar

despectivo, -a [despek'tiβo, -a] *adj* depreciativo, -a

despedazar [despeða'θar] <z→c> *vt* despedaçar

despedida [despe'ðiða] *f* despedida *f*

despedir [despe'ðir] *irr como pedir* **I.** *vt* **1.** *(decir adiós)* despedir-se; **despedir a alguien** se despedir de alguien **2.** *(echar)* despedir **3.** *(emitir)* soltar **4.** *(producir)* exalar **II.** *vr:* **~se 1.** *(decir adiós)* despedir-se **2.** *(dejar un empleo)* demitir-se

despegar [despe'ɣar] <g→gu> **I.** *vt* descolar **II.** *vi (avión)* decolar **III.** *vr:* **~se** desapegar-se

despegue [des'peɣe] *m* decolagem *f*

despeinado, -a [despej'naðo, -a] *adj* despenteado, -a

despeinarse [despej'narse] *vr* despentear-se

despejado, -a [despe'xaðo, -a] *adj* **1.** *(cielo)* limpo, -a **2.** *(habitación)* livre **3.** *(persona, cabeza)* esperto, -a

despejar [despe'xar] **I.** *vt* **1.** *(lugar, sala)* desocupar **2.** *(situación)* esclarecer **3.** DEP chutar para longe **II.** *vr:* **~se 1.** *(cielo)* limpar-se;

(*misterio*) esclarecer-se **2.** (*despabilarse*) acordar

despenalizar [despenali'θar] *vt* descriminalizar

despensa [des'pensa] *f* despensa *f*

despeñadero [despeɲa'ðero] *m* GEO despenhadeiro *m*

despeñar [despe'ɲar] **I.** *vt* despenhar **II.** *vr:* ~**se** despencar-se

desperdiciar [desperði'θjar] *vt* desperdiçar

desperdicio [desper'ðiθjo] *m* **1.** (*residuo*) resto *m* **2.** (*de tiempo, recursos*) desperdício *m*

desperdigar [desperði'ɣar] <g→gu> **I.** *vt* espalhar **II.** *vr:* ~**se** espalhar-se

desperezarse [despere'θarse] <z→c> *vr* espreguiçar-se

desperfecto [desper'fekto] *m* **1.** (*defecto*) defeito *m* **2.** (*daño*) dano *m*

despertador [desperta'ðor] *m* despertador *m*

despertar [desper'tar] <e→ie> **I.** *vt* acordar, despertar **II.** *vr:* ~**se** acordar, despertar(-se)

despiadado, -a [despja'ðaðo, -a] *adj* desapiedado, -a

despido [des'piðo] *m* demissão *f*

despierto, -a [des'pjerto, -a] *adj* **1.** (*insomne*) acordado, -a **2.** (*listo*) esperto, -a

despilfarrar [despilfa'rrar] *vt* esbanjar

despilfarro [despil'farro] *m* esbanjamento *m*

despistado, -a [despis'taðo, -a] *adj, m, f* distraído, -a *m, f*

despistar [despis'tar] **I.** *vt* **1.** (*confundir*) despistar **2.** (*desorientar*) distrair **II.** *vr:* ~**se 1.** (*perder la orientación*) distrair-se **2.** (*desconcertarse*) desconcertar-se

despiste [des'piste] *m* (*distracción*) distração *f*

desplazamiento [desplaθa'mjento] *m* deslocamento *m*

desplazar [despla'θar] <z→c> **I.** *vt* **1.** (*mover*) deslocar **2.** (*suplantar*) substituir **II.** *vr:* ~**se** deslocar-se

desplegar [desple'ɣar] *irr como fregar vt* **1.** (*abrir*) desdobrar **2.** MIL espalhar

desplomarse [desplo'marse] *vr* desmoronar-se

despoblado, -a [despo'βlaðo, -a] *adj* despovoado, -a

despojar [despo'xar] **I.** *vt* despojar **II.** *vr* ~**se de algo** despojar-se de a. c.

desposeer [despose'er] *irr como leer vt* (*expropiar*) desapropriar

déspota ['despota] *mf* déspota *mf*

despotismo [despo'tismo] *m* despotismo *m*

despotricar [despotri'kar] <c→qu> *vi inf* ~ **contra algo** descer a lenha em a. c.

despreciar [despre'θjar] *vt* desprezar

desprecio [des'preθjo] *m* desprezo *m*

desprender [despren'der] **I.** *vt* **1.** (*soltar*) desprender **2.** (*gas, luz*) soltar **II.** *vr:* ~**se 1.** (*soltarse, deshacerse*) desprender-se **2.** (*deducirse*) **de eso se desprende que...** disso se conclui que...

desprendimiento [despreŋdi'mjento] *m* **1.** (*separación*) desprendimento *m*; ~ **de retina** descolamento de retina; ~ **de tierras** deslizamento *m* de terra **2.** (*generosidad*) desprendimento *m*

despreocupado, -a [despreoku'paðo, -a] *adj, m, f* despreocupado, -a *m, f*

desprestigiar [despresti'xjar] *vt* desprestigiar

desprevenido, -a [despreβe'niðo, -a] *adj* desprevenido, -a

desproporcionado, -a [desproporθjo'naðo, -a] *adj* desproporcional

despropósito [despro'posito] *m* despropósito *m*

desprovisto, -a [despro'βisto, -a] *adj* ~ **de** desprovido de

después [des'pwes] **I.** *adv* depois **II.** *conj* ~ **(de) que** depois que

desquiciado, -a [deski'θjaðo, -a] *adj* transtornado, -a

desquite [des'kite] *m* vingança *f*

destacado, -a [desta'kaðo, -a] *adj* destacado, -a

destacamento [destaka'mento] *m* destacamento *m*

destacar [desta'kar] <c→qu> **I.** *vi* destacar **II.** *vt* destacar **III.** *vr* ~**se de** destacar-se de

destapar [desta'par] *vt* **1.** (*abrir*) destampar **2.** (*desabrigar, descubrir*) descobrir

destartalado, -a [destarta'laðo, -a] *adj* desengonçado, -a

destello [des'teʎo] *m* faísca *f*

destemplado, -a [destem'plaðo, -a] *adj* **1.** (*voz*) desafinado, -a **2.** (*tiempo*) instável **3.** (*persona*) indisposto, -a

desteñir [deste'ɲir] *irr como ceñir vi, vt* desbotar

desternillarse [desterni'ʎarse] *vr* ~ **de risa** *inf* morrer de rir

desterrar [deste'rrar] <e→ie> *vt* **1.** (*exiliar*) desterrar **2.** (*alejar*) afastar

destiempo [des'tjempo] *m* **a** ~ a destempo

destierro [des'tjerro] *m* desterro *m*

destilar [desti'lar] *vi, vt* destilar

destilería [destile'ria] *f* destilaria *f*

destinar [desti'nar] *vt* destinar

destinatario, -a [destina'tarjo, -a] *m, f* destinatário, -a *m, f*

destino [des'tino] *m* destino *m*

destitución [destitu'θjon] *f* destituição *f*

destituir [destitu'ir] *irr como huir vt* destituir

destornillador [destorniʎa'ðor] *m* chave *f* de fenda

destornillar [destorni'ʎar] *vt* desaparafusar

destreza [des'treθa] *f* habilidade *f*

destrozar [destro'θar] <z→c> *vt* **1.** (*despedazar*) destroçar; (*libro, ropa*) estragar **2.** (*moralmente*) destroçar **3.** *inf* (*físicamente*) quebrar; **el viaje me ha destrozado** a viagem acabou comigo

destrozo [des'troθo] *m* destroço *m*

destrucción [destruɣ'θjon] *f* destruição *f*

destructivo, -a [destruk'tiβo, -a] *adj*

destruir [destru'ir] *irr como huir* vt destruir

desunión [desu'njon] *f* desunião *f*

desunir [desu'nir] *vt* desunir

desuso [de'suso] *m* **en** ~ em desuso

desvalijar [desβali'xar] *vt* roubar

desván [des'βan] *m* sótão *m*

desvanecerse [desβaneˈθerse] *irr como crecer* vr **1.** (*desaparecer*) dissipar-se **2.** (*desmayarse*) desfalecer

desvelar [desβe'lar] **I.** *vt* desvelar **II.** *vr:* ~**se** desvelar-se

desvencijado, -a [desβenθi'xaðo, -a] *adj* desvencilhado, -a

desventaja [desβen'taxa] *f* desvantagem *f*

desvergonzado, -a [desβerɣon'θaðo, -a] *adj, m, f* desavergonhado, -a *m, f*

desviación [desβja'θjon] *f* desvio *m*

desviar [desβi'ar] <*1. pres:* desvío> **I.** *vt* desviar **II.** *vr* ~**se de** desviar-se de

desvío [des'βio] *m* desvio *m*

desvirtuar [desβirtu'ar] <*1. pres:* desvirtúo> *vt* desvirtuar

desvivirse [desβi'βirse] *vr* desvelar-se

detallado, -a [deta'ʎaðo, -a] *adj* detalhado, -a

detallar [deta'ʎar] *vt* detalhar

detalle [de'taʎe] *m* **1.** (*pormenor*) detalhe *m* **2.** (*finura*) atenção *f*; **tener un** ~ **con alguien** ser atencioso com alguém

detectar [detek'tar] *vt* detectar

detective [detek'tiβe] *mf* detetive *mf*

detector [detek'tor] *m* detector *m*

detención [deten'θjon] *f* detenção *f*

detener [dete'ner] *irr como tener* **I.** *vt* deter **II.** *vr* ~**se en algo** deter-se em a. c.

detenido, -a [dete'niðo, -a] *adj* detalhado, -a

detenimiento [deteni'mjento] *m* **con** ~ com cuidado

detergente [deter'xente] *m* detergente *m*

deteriorarse [deterjo'rarse] *vr* deteriorar-se

deterioro [dete'rjoro] *m* deterioração *f*

determinación [determina'θjon] *f* determinação *f*; **tomar una** ~ tomar uma decisão

determinado, -a [determi'naðo, -a] *adj* determinado, -a

determinar [determi'nar] *vt* determinar

detestable [detes'taβle] *adj* detestável

detestar [detes'tar] *vt* detestar

detonación [detona'θjon] *f* detonação *f*

detonante [deto'nante] *m* (*causa*) detonador *m*

detonar [deto'nar] *vi* detonar

detractor(a) [detrak'tor(a)] *adj, m(f)* detrator(a) *m(f)*

detrás [de'tras] **I.** *adv* atrás; **allí** ~ ali atrás; **el que está** ~ o que está atrás **II.** *prep* ~ **de** atrás de; **estar** ~ **de algo** *fig* estar por trás de a. c.; **ir** ~ **de alguien** ir atrás de alguém

detrimento [detri'mento] *m* **en** ~ **de** em detrimento de

deuda ['deuða] *f* dívida *f*
deudor(a) [deu'ðor(a)] *m(f)* devedor(a) *m(f)*
devaluación [deβalwa'θjon] *f* desvalorização *f*
devaluar [deβalu'ar] *<1. pres:* devalúo*>* I. *vt* desvalorizar II. *vr:* ~se desvalorizar-se
devastador(a) [deβasta'ðor(a)] *adj* devastador(a)
devastar [deβas'tar] *vt* devastar
devoción [deβo'θjon] *f* devoção *f*
devolución [deβolu'θjon] *f* devolução *f*
devolver [deβol'βer] *irr como* volver I. *vt* 1. devolver 2. *(vomitar)* devolver II. *vi (vomitar)* devolver III. *vr:* ~se *AmL* voltar
devorar [deβo'rar] *vt* devorar
devoto, -a [de'βoto, -a] *adj, m, f* devoto, -a *m, f*
día ['dia] *m* dia *m*; ~ **feriado** *AmL*, ~ **festivo** ~ **hábil** [*o* **laborable**] dia útil; ~ **libre** dia de folga; **un** ~ **sí y otro no**, ~ **por medio** *AmL* dia sim, dia não; **hoy (en)** ~ hoje em dia; **hace buen** ~ o dia está bom; **¡buenos** ~s! bom dia!
diabetes [dja'βetes] *f inv* diabetes *m ou f inv*
diabético, -a [dja'βetiko, -a] *adj, m, f* diabético, -a *m, f*
diablo [di'aβlo] *m* diabo *m*
diablura [dja'βlura] *f* diabrura *f*
diabólico, -a [dja'βoliko, -a] *adj* diabólico, -a
diadema [dja'ðema] *f (del pelo)* tiara *f*
diafragma [dja'fraɣma] *m* diafragma *m*

diagnosis [djaɣ'nosis] *f inv* diagnose *f*
diagnosticar [djaɣnosti'kar] <c→qu> *vt* diagnosticar
diagonal [djaɣo'nal] *adj, f* diagonal *f*
diagrama [dja'ɣrama] *m* diagrama *m*
dialecto [dja'lekto] *m* dialeto *m*
diálisis [di'alisis] *f inv* diálise *f*
dialogante [djalo'ɣante] *adj* dialogador(a)
dialogar [djalo'ɣar] <g→gu> *vi* dialogar
diálogo [di'aloɣo] *m* diálogo *m*
diamante [dja'mante] *m* diamante *m*
diámetro [di'ametro] *m* diâmetro *m*
diana [di'ana] *f* 1. MIL alvorada *f* 2. *(objeto)* alvo *m;* **hacer** ~ acertar o alvo
diapositiva [djaposi'tiβa] *f* slide *m*
diario [di'arjo] *m* 1. *(periódico)* jornal *m* 2. *(memorias)* diário *m*
diario, -a [di'arjo, -a] *adj* diário, -a; **a** ~ diariamente
diarrea [dja'rrea] *f* diarréia *f*
dibujante [diβu'xante] *mf* desenhista *mf*
dibujar [diβu'xar] *vi, vt* desenhar
dibujo [di'βuxo] *m* desenho *m;* ~s **animados** desenho animado
diccionario [diɣθjo'narjo] *m* dicionário *m*
dicha ['ditʃa] *f (suerte)* sorte *f,* felicidade *f*
dicho ['ditʃo] *m (refrán)* dito *m*
dicho, -a ['ditʃo, -a] I. *pp de* decir II. *adj* ~ **y hecho** dito e feito
dichoso, -a [di'tʃoso, -a] *adj* 1. *(feliz)* feliz 2. *irón (maldito)* maldito, -a
diciembre [di'θjembre] *m* dezembro

m; v.t. **marzo**

dictado [dik'taðo] *m* (*escuela*) ditado *m*

dictador(a) [dikta'ðor(a)] *m(f)* ditador(a) *m(f)*

dictadura [dikta'ðura] *f* ditadura *f*

dictar [dik'tar] *vt* **1.** (*un dictado*) ditar **2.** (*una sentencia*) proferir **3.** *AmS* (*clases*) dar

didáctico, -a [di'ðaktiko, -a] *adj* didático, -a

diecinueve [djeθi'nweβe] *adj inv, m* dezenove *m; v.t.* **ocho**

dieciocho [djeθi'otʃo] *adj inv, m* dezoito *m; v.t.* **ocho**

dieciséis [djeθi'sejs] *adj inv, m* dezesseis *m; v.t.* **ocho**

diecisiete [djeθi'sjete] *adj inv, m* dezessete *m; v.t.* **ocho**

diente ['djente] *m* dente *m*; **~s de leche** dentes de leite; **~ de ajo** dente de alho

diéresis ['djeresis] *m inv* trema *m*

diesel ['djesel] *m* diesel *m*

diestro, -a ['djestro, -a] *adj* **1.** (*a la derecha*) destro, -a; **a ~ y siniestro** a torto e a direito **2.** (*hábil*) hábil **3.** (*no zurdo*) destro, -a

dieta [di'eta] *f* **1.** (*para adelgazar*) dieta *f*; **estar a ~** estar de dieta **2.** *pl* (*retribución*) diárias *fpl*

dietético, -a [dje'tetiko, -a] *adj* dietético, -a

diez [djeθ] *adj inv, m* dez *m; v.t.* **ocho**

difamar [difa'mar] *vt* difamar

diferencia [dife'renθja] *f* diferença *f*

diferenciar [diferen'θjar] **I.** *vt* diferenciar **II.** *vr* **~se de** diferenciar-se de

diferente [dife'rente] *adj, adv* diferente

difícil [di'fiθil] *adj* difícil

dificultad [difikul'taθ] *f* dificuldade *f*

dificultar [difikul'tar] *vt* dificultar

difundir [difun'dir] **I.** *vt* difundir **II.** *vr:* **~se** difundir-se

difunto, -a [di'funto, -a] *adj, m, f* defunto, -a *m, f*

difusión [difu'sjon] *f* difusão *f*

digerir [dixe'rir] *irr como sentir vt* digerir

digestión [dixes'tjon] *f* digestão *f*

digestivo, -a [dixes'tiβo, -a] *adj* digestivo, -a

digital [dixi'tal] *adj* digital; **huellas ~es** impressões digitais

digitalizar [dixitali'θar] <z→c> *vt* digitalizar

dígito ['dixito] *m* dígito *m*

dignarse [diɣ'narse] *vr* dignar-se

dignidad [diɣni'ðaθ] *f* dignidade *f*

digno, -a ['diɣno, -a] *adj* digno, -a

dilatar [dila'tar] **I.** *vt* dilatar **II.** *vr:* **~se** **1.** (*extenderse*) dilatar-se **2.** *AmL* (*demorar*) dilatar

dilema [di'lema] *m* dilema *m*

diligencia [dili'xenθja] *f* diligência *f*

diligente [dili'xente] *adj* diligente

diluir [dilu'ir] *irr como huir* **I.** *vt* diluir **II.** *vr:* **~se** diluir-se

diluviar [dilu'βjar] *vimpers* diluviar

diluvio [di'luβjo] *m* dilúvio *m*

dimensión [dimen'sjon] *f* dimensão *f*

diminutivo [diminu'tiβo] *m* diminutivo *m*

diminuto, -a [dimi'nuto, -a] *adj* diminuto, -a

dimisión [dimi'sjon] *f* demissão *f*

dimitir [dimi'tir] **I.** *vt* demitir **II.** *vi* demitir-se

Dinamarca [dina'marka] *f* Dinamarca *f*

dinámica [di'namika] *f* dinâmica *f*

dinámico, -a [di'namiko, -a] *adj* dinâmico, -a

dinamita [dina'mita] *f* dinamite *f*

dinamitar [dinami'tar] *vt* dinamitar

dinastía [dinas'tia] *f* dinastia *f*

dineral [dine'ral] *m* dinheirão *m*

dinero [di'nero] *m* dinheiro *m*

dinosaurio [dino'saurjo] *m* dinossauro *m*

dio [djo] *3. pret de* **dar**

diócesis [di'oθesis] *f inv* diocese *f*

dioptría [djop'tria] *f* dioptria *f*

dios(a) [djos, 'djosa] *m(f)* deus(a) *m(f)*

Dios [djos] *m* Deus *m;* **todo ~** todo mundo; **si ~ quiere** se Deus quiser; **a la buena de ~** ao Deus dará

diploma [di'ploma] *m* diploma *m*

diplomacia [diplo'maθja] *f* diplomacia *f*

diplomado, -a [diplo'maðo, -a] *adj, m, f* diplomado, -a *m, f*

diplomático, -a [diplo'matiko, -a] *adj, m, f* diplomático, -a *m, f*

diptongo [dip'toŋgo] *m* ditongo *m*

diputado, -a [dipu'taðo, -a] *adj, m, f* deputado, -a *m, f*

dique ['dike] *m* dique *m*

dirección [direᵞ'θjon] *f* **1.** (*rumbo, guía*) direção *f;* **~ única** mão *f* única; **~ prohibida** contramão *f* **2.** (*mando*) direção *f,* diretoria *f* **3.** (*señas*) endereço *m*

directa [di'rekta] *f* AUTO quinta *f* marcha

directiva [direk'tiβa] *f* (*ley*) diretriz *f*

directivo, -a [direk'tiβo, -a] *adj, m, f* diretor(a) *m(f)*

directo, -a [di'rekto, -a] *adj* direto, -a; **en ~** TV ao vivo

director(a) [direk'tor(a)] *m(f)* diretor(a) *m(f)*

directorio [direk'torjo] *m* **1.** INFOR diretório *m* **2.** (*de teléfonos*) lista *f* telefônica

dirigente [diri'xente] *mf* dirigente *mf*

dirigir [diri'xir] <g→j> **I.** *vt* **1.** dirigir **2.** *AmL* (*conducir*) dirigir **II.** *vi AmL* dirigir **III.** *vr* **~se a** dirigir-se a

disciplina [disθi'plina] *f* disciplina *f*

disciplinario, -a [disθipli'narjo, -a] *adj* disciplinar

discípulo, -a [dis'θipulo, -a] *m, f* discípulo, -a *m, f*

disco ['disko] *m* **1.** disco *m;* **~ compacto** disco compacto; **~ duro** disco rígido **2.** (*semáforo*) sinal *m*

discografía [diskoɣra'fia] *f* discografia *f*

discográfica [disko'ɣrafika] *f* gravadora *f*

discográfico, -a [disko'ɣrafiko, -a] *adj* discográfico, -a

disconforme [diskoɱ'forme] *adj* desconforme

discontinuo, -a [diskon'tinwo, -a] *adj* descontínuo, -a

discordia [dis'korðja] *f* discórdia *f*

discoteca [disko'teka] *f* discoteca *f*

discreción [diskre'θjon] *f* discrição *f*; **a ~** à discrição

discrepancia [diskre'panθja] *f* discrepância *f*

discrepar [diskre'par] *vi* discrepar; **~ de** discrepar de

discreto, -a [dis'kreto, -a] *adj* discreto, -a

discriminación [diskrimina'θjon] *f* discriminação *f*

discriminar [diskrimi'nar] *vt* discriminar

discriminatorio, -a [diskrimina'torjo, -a] *adj* discriminatório, -a

disculpa [dis'kulpa] *f* desculpa *f*

disculpar [diskul'par] I. *vt* desculpar II. *vr* ~**se** desculpar-se

discurso [dis'kurso] *m* discurso *m*

discusión [disku'sjon] *f* discussão *f*

discutible [disku'tiβle] *adj* discutível

discutir [disku'tir] *vi, vt* discutir

disecar [dise'kar] <c→qu> *vt* empalhar

diseminar [disemi'nar] *vt* disseminar

diseñador(a) [diseɲa'ðor(a)] *m(f)* desenhista *mf*

diseñar [dise'ɲar] *vt* desenhar

diseño [di'seɲo] *m* desenho *m*

disfraz [dis'fraθ] *m* (*traje*) fantasia *f*

disfrazar [disfra'θar] <z→c> *vt* 1. (*con traje*) fantasiar 2. (*escándalo, voz*) disfarçar

disfrutar [disfru'tar] *vi* 1. (*gozar*) deleitar-se 2. (*poseer*) desfrutar

disgusto [dis'ɣusto] *m* desgosto *m*; **estar a ~** estar a contragosto; **llevarse un ~** ter um desgosto

disimulado, -a [disimu'laðo, -a] *adj* dissimulado, -a

disimular [disimu'lar] *vi, vt* dissimular

disimulo [disi'mulo] *m* dissimulação *f*

disminución [disminu'θjon] *f* diminuição *f*

disminuir [disminu'ir] *irr como huir vi, vt* diminuir

disolución [disolu'θjon] *f* dissolução *f*

disolver [disol'βer] *irr como volver vt* dissolver

disparado, -a [dispa'raðo, -a] *adj* **salir ~** sair disparado

disparador [dispara'ðor] *m* 1. (*de un arma*) gatilho *m* 2. FOTO disparador *m*

disparar [dispa'rar] I. *vt* (*arma*) disparar II. *vi* 1. (*tirar*) disparar 2. *AmL* (*caballo*) disparar III. *vr*: ~**se** disparar

disparatado, -a [dispara'taðo, -a] *adj* disparatado, -a

disparate [dispa'rate] *m* disparate *m*

disparo [dis'paro] *m* disparo *m*

dispensar [dispen'sar] *vt* dispensar

dispersar [disper'sar] I. *vt* dispersar II. *vr*: ~**se** dispersar-se

disponer [dispo'ner] *irr como poner* I. *vi* dispor II. *vt* 1. (*colocar, preparar*) dispor 2. (*determinar*) providenciar III. *vr*: ~**se a hacer algo** dispor-se a fazer a. c.

disponible [dispo'niβle] *adj* disponível

disposición [disposi'θjon] *f* disposição *f*; **estar a ~ de alguien** estar à disposição de alguém; **poner a ~** pôr à disposição

dispositivo [disposi'tiβo] *m* disposi-

tivo *m*
dispuesto, -a [dis'pwesto, -a] **I.** *pp de* **disponer II.** *adj* disposto, -a
disputa [dis'puta] *f* disputa *f*
disputar [dispu'tar] **I.** *vi, vt* disputar **II.** *vr:* ~**se algo** disputar a. c.
disquete [dis'kete] *m* INFOR disquete *m*
distancia [dis'tanθja] *f* distância *f*; **guardar las ~s** *fig* manter distância; **salvando las ~s** guardando as diferenças
distante [dis'tante] *adj* distante
distinción [distin'θjon] *f* distinção *f*
distinguible [distin'giβle] *adj* distinguível
distinguido, -a [distin'giðo, -a] *adj* **1.** (*ilustre*) distinto, -a **2.** (*en cartas*) prezado, -a
distinguir [distin'gir] <gu→g> **I.** *vt* distinguir **II.** *vr:* ~**se por** distinguir-se por
distintivo [distin'tiβo] *m* distintivo *m*
distinto, -a [dis'tinto, -a] *adj* distinto, -a
distracción [distrak'θjon] *f* distração *f*
distraer [distra'er] **I.** *vt* distrair **II.** *vr:* ~**se** distrair-se
distraído, -a [distra'iðo, -a] *adj* **1.** (*despistado*) distraído, -a **2.** (*entretenido*) divertido, -a
distribución [distriβu'θjon] *f* distribuição *f*
distribuir [distriβu'ir] *irr como* huir *vt* distribuir
distrito [dis'trito] *m* distrito *m*; ~ **postal** código *m* postal
disturbio [dis'turβjo] *m* distúrbio *m*

disuadir [diswa'ðir] *vt* dissuadir
disuelto, -a [di'swelto, -a] *pp de* **disolver**
diván [di'βan] *m* divã *m*
divergencia [diβer'xenθja] *f* divergência *f*
divergente [diβer'xente] *adj* divergente
diversidad [diβersi'ðað] *f* diversidade *f*
diversión [diβer'sjon] *f* diversão *f*
diverso, -a [di'βerso, -a] *adj* diverso, -a
divertido, -a [diβer'tiðo, -a] *adj* divertido, -a
divertir [diβer'tir] *irr como* sentir **I.** *vt* divertir **II.** *vr:* ~**se** divertir-se
dividir [diβi'ðir] **I.** *vt* dividir; ~ **algo entre** [*o* **por**] **dos** MAT dividir a. c. por dois **II.** *vr:* ~**se** dividir-se
divinidad [diβini'ðað] *f* divindade *f*
divino, -a [di'βino, -a] *adj* divino, -a
divisa [di'βisa] *f* divisa *f*
divisible [diβi'siβle] *adj* divisível
división [diβi'sjon] *f* divisão *f*
divorciado, -a [diβor'θjaðo, -a] *adj, m, f* divorciado, -a *m, f*
divorciarse [diβor'θjarse] *vr* divorciar-se
divorcio [di'βorθjo] *m* divórcio *m*
divulgación [diβulγa'θjon] *f* divulgação *f*
DNI [de(e)ne'i] *m abr de* **Documento Nacional de Identidad** RG *m*
Dña. ['doɲa] *abr de* **doña** D.
do [do] <does> *m* MÚS dó *m*
doblaje [do'βlaxe] *m* CINE dublagem *f*
doblar [do'βlar] **I.** *vt* **1.** (*plegar, du-*

doble¹ ['doβle] **I.** *adj inv* duplo, -a **II.** *m f t.* CINE dublê *m f*

doble² ['doβle] *m* dupla *f*

doce ['doθe] *adj inv, m* doze *m; v.t.* **ocho**

docena [do'θena] *f* dúzia *f*

docencia [do'θenθja] *f* docência *f*

docente [do'θente] *adj, m f* UNIV docente *m f*

dócil ['doθil] *adj* dócil

doctor(a) [dok'tor(a)] *m(f)* doutor(a) *m(f)*

doctoral [dokto'ral] *adj* de doutorado

doctrina [dok'trina] *f* doutrina *f*

documentación [dokumenta'θjon] *f* documentação *f*

documental [dokumen'tal] **I.** *adj* documental **II.** *m* documentário *m*

documento [doku'mento] *m* documento *m*; **~ nacional de identidad** carteira *f* de identidade

dogma ['doyma] *m* dogma *m*

dogmático, -a [doɣ'matiko, -a] *adj* dogmático, -a

dogo ['doɣo] *m (perro)* dogue *m*

dólar ['dolar] *m* dólar *m*

doler [do'ler] <o→ue> *vi* doer; **me duele la cabeza** estou com dor de cabeça

dolor [do'lor] *m* dor *f*

domador(a) [doma'ðor(a)] *m(f)* domador(a) *m(f)*

domesticar [domesti'kar] <c→qu> *vt* domesticar

doméstico, -a [do'mestiko, -a] *adj* doméstico, -a

domicilio [domi'θiljo] *m* domicílio *m*

dominante [domi'nante] *adj* dominante

dominar [domi'nar] **I.** *vi, vt* dominar **II.** *vr:* **~se** dominar-se

domingo [do'mingo] *m* domingo *m; v.t.* **lunes**

dominguero, -a [domin'gero, -a] *m, f pey* farofeiro, -a *m, f; (conductor)* domingueiro, -a *m, f*

dominical [domini'kal] **I.** *adj* dominical **II.** *m* suplemento *m* de domingo

dominio [do'minjo] *m* domínio *m*

dominó [domi'no] *m* dominó *m*

don [don] *m* dom *m*

don, doña [don, 'doɲa] *m, f* senhor(a) *m(f);* **ser un ~ nadie** ser um joão-ninguém

donación [dona'θjon] *f* doação *f*

donante [do'nante] *m f* doador(a) *m(f)*

donativo [dona'tiβo] *m* donativo *m*

donde ['donde] *adv* onde; **de ~...** de onde...

dónde ['donde] *pron interrog, rel* onde; **¿~ está...?** onde está...?; **¿a** [*o* **hacia**] **~?** aonde?, para onde?

dondequiera [donde'kjera] *adv* onde quer

doña ['doɲa] *f v.* **don, doña**

dorado, -a [do'raðo, -a] *adj* dourado, -a

dormir [dor'mir] *irr* **I.** *vi* dormir **II.** *vt* fazer dormir; **~ la siesta** fazer a sesta **III.** *vr:* **~se** dormir

dormitorio [dormi'torjo] *m* dormitório *m*

dorsal [dor'sal] **I.** *adj* ANAT dorsal

dorso II. *m* DEP número *m*
dorso ['dorso] *m* dorso *m*
dos [dos] *adj inv, m inv* dois, duas *m, f;* **cada ~ por tres** a três por dois; *v.t.* **ocho**
doscientos, -as [dosˈθjentos, -as] *adj* duzentos, -as
dosis ['dosis] *f inv* dose *f*
doy [doi] *1. pres de* **dar**
dragón [draˈɣon] *m* dragão *m*
drama ['drama] *m* drama *m*
dramático, -a [draˈmatiko, -a] *adj* dramático, -a
dramatismo [dramaˈtismo] *m* dramatismo *m*
drástico, -a ['drastiko, -a] *adj* drástico, -a
droga ['droɣa] *f* droga *f*
drogadicción [droɣaðikˈθjon] *f* toxicomania *f*
drogadicto, -a [droɣaˈðikto, -a] *adj, m, f* toxicômano, -a *m, f*
drogarse [droˈɣarse] <g→gu> *vr* drogar-se
drogodependiente [droɣoðepenˈdjente] *adj, mf* dependente *mf* de drogas
droguería [droɣeˈria] *f* drogaria *f*
dromedario [dromeˈðarjo] *m* dromedário *m*
ducha ['dutʃa] *f* (*agua*) ducha *f;* (*instalación*) chuveiro *m;* **darse una ~** tomar uma ducha [*ou* um banho]
ducharse [duˈtʃarse] *vr* tomar banho
duda ['duða] *f* dúvida *f;* **sin ~** (**alguna**) sem (nenhuma) dúvida
dudar [duˈðar] *vi, vt* duvidar
dudoso, -a [duˈðoso, -a] *adj* duvidoso, -a
duelo ['dwelo] *m* **1.** (*desafío*) duelo *m* **2.** (*pesar*) pesar *m*
dueño, -a ['dweɲo, -a] *m, f* dono, *m, f*
dulce ['dulθe] *adj, m* doce *m*
duna ['duna] *f* duna *f*
dúo ['duo] *m* dueto *m*
duodécimo, -a [duoˈðeθimo, -a] *adj* duodécimo, -a; *v.t.* **octavo**
duplicar [dupliˈkar] <c→qu> *vt* duplicar
duplo ['duplo] *m* duplo *m*
duración [duraˈθjon] *f* duração *f*
durante [duˈrante] *prep* durante
durar [duˈrar] *vi* durar
durazno [duˈraθno] *m AmL* pêssego *m*
duro, -a ['duro, -a] *adj* duro, -a
DVD [deuβeˈðe] *abr de* **videodisco digital** DVD *m*

E

E, e [e] *f* E, e *m*
e [e] *conj* (*antes de 'hi' o 'i'*) e; **madres ~ hijas** mães e filhas
E ['este] *abr de* **Este** L
ébano ['eβano] *m* ébano *m*
ebrio, -a ['eβrjo, -a] *adj elev* ébrio, *m, f*
ebullición [eβuʎiˈθjon] *f* ebulição *f*
eccema [eɣˈθema] *m* eczema *m*
echar [eˈtʃar] I. *vt* **1.** (*tirar*) atirar (*sal*) acrescentar **2.** (*expulsar*) expul

eclesiástico, **-a** [ekle'sjastiko, -a] *adj* eclesiástico, -a

eclipse [e'klipse] *m* eclipse *m*

eco ['eko] *m* eco *m*

ecológico, **-a** [eko'loxiko, -a] *adj* ecológico, -a

ecologista [ekolo'xista] *adj, mf* ecologista *mf*

economía [ekono'mia] *f* economia *f*

económico, **-a** [eko'nomiko, -a] *adj* económico, -a; *(barato)* barato, -a

economista [ekono'mista] *mf* economista *mf*

ecosistema [ekosis'tema] *m* ecossistema *m*

ecoturismo [ekotu'rismo] *m* ecoturismo *m*

ecuación [ekwa'θjon] *f* equação *f*

ecuador [ekwa'ðor] *m* equador *m*

Ecuador [ekwa'ðor] *m* Equador *m*

ecuatorial [ekwato'rjal] *adj* equatorial

ecuatoriano, **-a** [ekwato'rjano, -a] *adj, m, f* equatoriano, -a *m, f*

eczema [eɣ'θema] *m* eczema *m*

edad [e'ðað] *f* idade *f*; **mayor/menor de** ~ maior/menor de idade; **¿qué ~ tiene?** quantos anos você tem?

edición [eði'θjon] *f* edição *f*; ~ **de bolsillo** edição de bolso

edificar [eðifi'kar] <c→qu> *vt* edificar

edificio [eði'fiθjo] *m* edifício *m*

editar [eði'tar] *vt* editar

editor(a) [eði'tor(a)] *m(f)* editor(a) *m(f)*

editorial [eðito'rjal] I. *adj* editorial II. *f* editora *f*

edredón [eðre'ðon] *m* edredom *m*

educación [eðuka'θjon] *f* educação *f*; **ser de mala/buena** ~ ter má/boa educação

educado, **-a** [eðu'kaðo, -a] *adj* educado, -a

educar [eðu'kar] <c→qu> *vt* educar

EE.UU. [es'taðos u'niðos] *mpl abr de* **Estados Unidos** EUA *mpl*

efectivamente [efektiβa'mente] *adv* efetivamente

efectivo [efek'tiβo] *m* dinheiro *m*; **en** ~ em dinheiro

efectivo, **-a** [efek'tiβo, -a] *adj* efetivo, -a

efecto [e'fekto] *m* efeito *m*; ~**s secundarios** efeitos secundários; **hacer** ~ fazer efeito; **en** ~ efetivamente

efectuar [efektu'ar] <1. pres: efectúo> *vt* efetuar

eficacia [efi'kaθja] *f* eficácia *f*

eficaz [efi'kaθ] *adj* eficaz

eficiente [efi'θjente] *adj* eficiente

Egeo [e'xeo] *m* Egeu *m*; **el mar** ~ o mar Egeu

egipcio, **-a** [e'xiβθjo, -a] *adj, m, f* egípcio, -a *m, f*

Egipto [e'xipto] *m* Egito *m*

egoísmo [eɣo'ismo] *m* egoísmo *m*

egoísta [eɣo'ista] *adj, mf* egoísta *mf*
ej. [e'xemplo] *abr de* **ejemplo** ex.
eje ['exe] *m* eixo *m*
ejecutar [exeku'tar] *vt* executar
ejemplar [exem'plar] *adj, m* exemplar *m*
ejemplo [e'xemplo] *m* exemplo *m*; **por ~** por exemplo
ejercer [exer'θer] <c→z> I. *vi* **~ de** trabalhar de II. *vt* exercer
ejercicio [exer'θiθjo] *m* exercício *m*
ejercitar [exerθi'tar] *vt* exercitar
ejército [e'xerθito] *m* exército *m*
el, la [el, la, lo] <los, las> *art def* **1.** o *m*, a *f*; **~ perro** o cachorro; **la mesa** a mesa; **los amigos/las amigas** os amigos/as amigas; **prefiero ~ azul al amarillo** prefiro o azul ao amarelo **2.** + *nombres geográficos* **~ Canadá** o Canadá; **la China/la India** a China/a Índia **3.** + *días de semana* **llegaré ~ domingo** chegarei no domingo; **los sábados no trabajo** aos sábados não trabalho
él [el] *pron pers, 3. sing m* ele; **el libro es de ~** (*suyo*) o livro é dele
elaboración [elaβora'θjon] *f* elaboração *f*
elaborar [elaβo'rar] *vt* elaborar
elasticidad [elastiθi'ðað] *f* elasticidade *f*
elástico, -a [e'lastiko, -a] *adj* elástico, -a
elección [elek'θjon] *f* eleição *f*; **lo dejo a su ~** deixo a seu critério
electoral [elekto'ral] *adj* eleitoral
electricidad [elektriθi'ðað] *f* electricidade *f*

electricista [elektri'θista] *mf* electricista *mf*
eléctrico, -a [e'lektriko, -a] *adj* elétrico, -a
electrocardiograma [elektrokarðjo'ɣrama] *m* eletrocardiograma *m*
electrocutar [elektroku'tar] *vt* eletrocutar
electrodoméstico [elektroðo'mestiko] *m* eletrodoméstico *m*
electrónico, -a [elek'troniko, -a] *adj* eletrônico, -a
elefante, -a [ele'fante, -a] *m, f* elefante, -a *m, f*
elegancia [ele'ɣanθja] *f* elegância *f*
elegante [ele'ɣante] *adj* elegante
elegir [ele'xir] *irr vt* escolher
elemental [elemen'tal] *adj* elementar
elemento [ele'mento] *m* elemento *m*
elepé [ele'pe] *m* elepê *m*
elevar [ele'βar] *vt* elevar
eliminar [elimi'nar] *vt* eliminar
élite ['elite] *f* elite *f*
ella ['eʎa] *pron pers, 3. sing f* ela; **el abrigo es de ~** (*suyo*) o casaco é dela
ellas ['eʎas] *pron pers, 3. pl f* elas; **el coche es de ~** (*suyo*) o carro é delas
ello ['eʎo] *pron pers, 3. sing neutro* ele; **para ~** para isso; **por ~** por isso; **estar en ~** estar nisso
ellos ['eʎos] *pron pers, 3. pl m* eles; **estos niños son de ~** (*suyos*) estas crianças são deles
elocuente [elo'kwente] *adj* eloqüente
elogiar [elo'xjar] *vt* elogiar
elogio [e'loxjo] *m* elogio *m*
e-mail [i'mejl] *m* e-mail *m*

emancipación [emanθipa'θjon] f emancipação f

emancipar [emanθi'par] I. vt emancipar II. vr: ~**se** emancipar-se

embajada [emba'xaða] f embaixada f

embajador(a) [embaxa'ðor(a)] m(f) embaixador(a) m(f)

embalaje [emba'laxe] m embalagem f

embalar [emba'lar] vt embalar

embalse [em'balse] m represa f

embarazada [embara'θaða] adj, f grávida f

embarazo [emba'raθo] m (gravidez) gravidez f

embarazoso, -a [embara'θoso, -a] adj embaraçoso, -a

embarcadero [embarka'ðero] m embarcadouro m

embarcar [embar'kar] <c→qu> I. vi, vt embarcar II. vr: ~**se** embarcar

embargo [em'barɣo] I. m embargo m II. conj **sin** ~ no entanto

embarque [em'barke] m embarque m

embaucar [embau̯'kar] <c→qu> vt tapear

emblema [em'blema] m emblema f

emborrachar [emborra'tʃar] I. vt embebedar II. vr: ~**se** embebedar-se

emboscada [embos'kaða] f emboscada f

embotellamiento [emboteʎa'mjento] m engarrafamento m

embrague [em'braɣe] m embreagem f

embriagar [embrja'ɣar] <g→gu> I. vt embriagar II. vr: ~**se** embriagar-se

embrión [embri'on] m embrião m

embrollar [embro'ʎar] vt inf embaralhar

embrujado, -a [embru'xaðo, -a] adj enfeitiçado, -a

embudo [em'buðo] m funil m

embustero, -a [embus'tero, -a] adj, m, f embusteiro, -a m, f

embutido [embu'tiðo] m embutido m

emergencia [emer'xenθja] f emergência f

emigración [emiɣra'θjon] f emigração f

emigrante [emi'ɣrante] mf emigrante mf

emigrar [emi'ɣrar] vi emigrar

emilio [e'miljo] m fam e-mail m; **escribir/mandar un** ~ escrever/mandar um e-mail

emisión [emi'sjon] f emissão f

emitir [emi'tir] vt emitir

emoción [emo'θjon] f emoção f; **llorar de** ~ chorar de emoção

emocionante [emoθjo'nante] adj emocionante

emocionar [emoθjo'nar] I. vt emocionar II. vr: ~**se** emocionar-se

empadronarse [empaðro'narse] vr recensear-se

empanada [empa'naða] f espécie de torta salgada, geralmente recheada de carne ou atum

empapar [empa'par] I. vt enchancar II. vr: ~**se** enchancar-se

empaquetar [empake'tar] vt empacotar

emparedado [empare'ðaðo] m sanduíche feito com pão de forma

empaste [em'paste] *m* obturação *f*

empatar [empa'tar] *vi* empatar

empate [em'pate] *m* empate *m*; ~ **a cero** empate de zero a zero

empedernido, -a [empeðer'niðo, -a] *adj* incorrigível

empeñado, -a [empe'ɲaðo, -a] *adj* **estar ~ (en hacer algo)** estar empenhado (em fazer a. c.)

empeñarse [empe'ɲar] *vr* insistir; **no te empeñes** não insista

empeño [em'peɲo] *m* determinação *f*

empeorar [empeo'rar] *vi, vt* piorar

emperador [empera'ðor] *m* imperador *m*

emperatriz [empera'triθ] *f* imperatriz *f*

empezar [empe'θar] *irr vi, vt* começar

empinar [empi'nar] **I.** *vt* erguer; ~ **el codo** *inf* encher a cara **II.** *vr:* **~se** colocar-se nas pontas dos pés

empírico, -a [em'piriko, -a] *adj* empírico, -a

empleado, -a [emple'aðo, -a] *m, f;* **empleada de hogar** empregada *f* doméstica

emplear [emple'ar] *vt* empregar

empleo [em'pleo] *m* emprego *m*

empollar [empo'ʎar] *vi inf* matar-se de estudar

empollón, -ona [empo'ʎon, -ona] *m, f inf* cdê-efe *mf*

emporio [em'porjo] *m* centro *m* comercial

empotrado, -a [empo'traðo, -a] *adj* embutido, -a

emprender [empreɲ'der] *vt* iniciar; ~ **la marcha** pôr-se a caminho; ~ **el vuelo** levantar vôo; ~ **la con alguien** implicar com alguém

empresa [em'presa] *f* empresa *f*

empresario, -a [empre'sarjo, -a] *m, f* empresário, -a *m, f*

empujar [empu'xar] *vt* empurrar; ~ **a alguien a hacer algo** levar alguém a fazer a. c.

empuje [em'puxe] *m* impulso *m*

empujón [empu'xon] *m* empurrão *m*, **a empujones** aos empurrões

emulsión [emul'sjon] *f* emulsão *f*

en [en] *prep* **1.** (*lugar: dentro, encima de*) em; ~ **el cajón** na gaveta; ~ **la mesa** na mesa; ~ **el campo/** ~ **la ciudad/** ~ **una isla** no campo/na cidade/em uma ilha; ~ **Argentina** na Argentina; **vacaciones** ~ **el mar** férias na praia; ~ **casa** em casa **2.** (*tiempo*) em; ~ **mayo/invierno/ el siglo XIX** em maio/no inverno/ no século XIX; ~ **otra ocasión** em outra ocasião; ~ **un mes/dos años** em um mês/em dois anos **3.** (*modo, estado*) ~ **construcción** em construção; ~ **flor** em flor; ~ **venta** à venda; ~ **vida** em vida; ~ **voz alta** em voz alta; ~ **español** em espanhol **4.** (*medio*) ~ **tren/coche/avión** de trem/de ônibus/de avião; **lo reconocí** ~ **la voz** o reconheci pela voz **5.** (*ocupación*) **doctor** ~ **filosofía** doutor em filosofia; **trabajan** ~ **Correos** trabalhar nos Correios **6.** (*con verbo*) **pienso** ~ **ti** penso em você; **no confío** ~ **él** não confio nele **ganar** ~ **importancia** tornar-se importante **7.** (*cantidades*) aumentar

~ **un 5%** aumentar em 5%

enajenar [enaxe'nar] *vt* alienar

enamorado, -a [enamo'raðo, -a] *adj*
estar ~ (de alguien/de algo) estar apaixonado (por alguém/por a. c.)

enamorarse [enamo'rarse] *vr* ~**(de alguien/de algo)** apaixonar-se (por alguém/por a. c.)

enano, -a [e'nano, -a] *adj, m, f* anão, anã *m, f*

encabezamiento [eŋkaβeθa'mjento] *m* cabeçalho *m*

encadenar [eŋkaðe'nar] *vt* acorrentar

encajar [eŋka'xar] *vi t.* TÉC encaixar

encaje [eŋ'kaxe] *m* encaixe *m*

encaminar [eŋkami'nar] **I.** *vt* encaminhar **II.** *vr* ~**se a/hacia algo** encaminhar-se a/para a. c.

encandilar [eŋkandi'lar] *vt* deslumbrar

encantado, -a [eŋkan'taðo, -a] *adj*
estar ~ de [*o* **con**] **algo/alguien** estar encantado com a. c./alguém; **¡~ (de conocerle)!** prazer (em conhecê-lo)!

encantador(a) [eŋkanta'ðor(a)] *adj* encantador(a)

encantar [eŋkan'tar] *vt* **me encanta viajar** adoro viajar; **me encantan los dulces** adoro doces

encanto [eŋ'kanto] *m* encanto *m*

encarecer [eŋkare'θer] *irr como crecer vt* encarecer

encargado, -a [eŋkar'ɣaðo, -a] *adj, m, f* encarregado, -a *m, f*

encargar [eŋkar'ɣar] <g→gu> **I.** *vt* **1.** (*comprar*) encomendar **2.** (*mandar*) encarregar **II.** *vr* ~**se de algo** encarregar-se de a. c.

encargo [eŋ'karɣo] *m* **1.** (*pedido*) encomenda *f;* **de ~** de encomenda **2.** (*trabajo*) encargo *m;* **hacer ~s** fazer encomendas

encariñarse [eŋkari'narse] *vr* ~ **con algo/alguien** afeiçoar-se por a. c./alguém

encarnación [eŋkarna'θjon] *f* encarnação *f*

encasillar [eŋkasi'ʎar] *vt* classificar

encauzar [eŋkau'θar] <z→c> *vt* canalizar

encendedor [enθende'ðor] *m* acendedor *m*

encender [enθen'der] <e→ie> *vt* (*cigarrillo*) acender; (*televisión*) ligar

encendido, -a [enθen'diðo, -a] *adj* (*cigarrillo*) aceso, -a; (*televisión*) ligado, -a

encerrar [enθe'rrar] <e→ie> *vt* encerrar

encerrona [enθe'rrona] *f* cilada *f*

enchufar [en'tʃufar] *vt* **1.** ELEC ligar (na tomada), *inf* (*persona*) apadrinhar

enchufe [en'tʃufe] *m* **1.** (*clavija*) tomada *f* **2.** *inf* (*contactos*) **tener ~** ter apadrinhamento

encía [en'θia] *f* gengiva *f*

enciclopedia [enθiklo'peðja] *f* enciclopédia *f*

encierro [en'θjerro] *m* **1.** (*reclusión*) confinamento *m* **2.** TAUR (*lugar*) touril *m;* (*acción*) ato festivo de conduzir os touros pela rua até o touril

encima [en'θima] **I.** *adv* **1.** (*arriba*) em cima **2.** *fig* **echarse ~ de al-**

guien perseguir alguém; **quitarse algo de ~** tirar a. c. de cima; **llevaba mucho dinero ~** levava muito dinheiro consigo; **se me ha quitado un peso de ~** tirou um peso de cima de mim **3.** (*además*) ainda por cima **4. por ~** (*superficialmente*) por cima II. *prep* **- de** acima de; **con queso ~** com queijo em cima; **el libro está ~ de la mesa** o livro está em cima da mesa; **viven ~ de nosotros** moram no andar acima de nós; **por ~ de todo** acima de tudo

encinta [eŋ'θiṇta] *adj* grávida

enclenque [eŋ'kleŋke] *adj* adoentado, -a

encoger [eŋko'xer] <g→j> I. *vi*, *vt* encolher II. *vr*: **~se** encolher-se; **~se de hombros** dar de ombros

encomendar [eŋkomeṇ'dar] <e→ie> *vt* **~ algo a alguien** encarregar alguém de a. c.

encomienda [eŋko'mjeṇda] *f* **1.** (*encargo*) atribuição *f* **2.** *AmL* (*postal*) encomenda *f*

encontrar [eŋkoṇ'trar] <o→ue> I. *vt* encontrar II. *vr*: **~se** encontrar-se; **~se con alguien** encontrar-se com alguém

encorvar [eŋkor'βar] *vt* encurvar

encrespar [eŋkres'par] I. *vt* (*rizar, irritar*) encrespar II. *vr*: **~se** (*rizarse, irritarse*) encrespar-se

encrucijada [eŋkruθi'xaða] *f t. fig* encruzilhada *f*

encuadernación [eŋkwaðerna'θjon] *f* encadernação *f*

encubrir [eŋku'brir] *irr como abrir vt* encobrir

encuentro [eŋ'kweṇtro] *m* encontro *m*; **salir al ~ de alguien** sair ao encontro de alguém

encuesta [eŋ'kwesta] *f* **1.** (*sondeo*) pesquisa *f* de opinião **2.** (*investigación*) questionário *m*

encuestar [eŋkwes'tar] *vt* pesquisar

endeble [eṇ'deβle] *adj* fraco, -a

endémico, -a [eṇ'demiko, -a] *adj* endêmico, -a

endemoniado, -a [eṇdemo'njaðo, -a] *adj* endemoniado, -a

enderezar [eṇdere'θar] <z→c> *vt* endireitar

endeudarse [eṇdeu̯'ðarse] *vr* endividar-se

endibia [eṇ'diβja] *f* endívia *f*

endulzar [eṇdul'θar] <z→c> *v* **1.** (*poner dulce*) adoçar **2.** (*suavizar*) abrandar

endurecer [eṇdure'θer] *irr como crecer* I. *vt* endurecer II. *vr*: **~se** endurecer-se

enemigo, -a [ene'miɣo, -a] <*enemicísimo*> *adj*, *m*, *f* inimigo, -a *m*, *f*

energía [ener'xia] *f* energia *f*; **con todas sus ~s** com todas as suas forças

enero [e'nero] *m* janeiro *m*; *v.t.* **marzo**

enfadar [eɱfa'ðar] I. *vt* aborrecer II. *vr*: **~se** aborrecer-se

enfado [eɱ'faðo] *m* aborrecimento *m*

énfasis ['eɱfasis] *m inv* ênfase *f*

enfermar [eɱfer'mar] I. *vi* **~ de algo** adoecer de a. c. II. *vr*: **~~se** adoecer

enfermedad [emferme'ðaᵈ] *f* enfermidade *f*

enfermera [emfer'mera] *f v.* **enfermero**

enfermería [emferme'ria] *f* enfermaria *f*

enfermero, -a [emfer'mero, -a] *m, f* enfermeiro, -a *m, f*

enfermizo, -a [emfer'miθo, -a] *adj* enfermiço, -a

enfermo, -a [em'fermo, -a] *adj, m, f* doente *mf*

enfocar [emfo'kar] <c→qu> *vt* focalizar

enfrentamiento [emfrenta'mjento] *m* enfrentamento *m*

enfrentar [emfren'tar] **I.** *vt* enfrentar **II.** *vr:* ~**se** enfrentar-se; ~**se con alguien** enfrentar alguém

enfrente [em'frente] **I.** *adv* em frente; **allí** ~ ali em frente; **la casa de** ~ a casa da frente **II.** *prep (local: frente a)* ~ **de** em frente a; ~ **mío** oposto a mim; ~ **del teatro** em frente ao teatro

enfriar [emfri'ar] <*1. pres:* enfrío> **I.** *vi, vt* esfriar **II.** *vr:* ~**se 1.** *(perder calor)* esfriar **2.** *(acatarrarse)* resfriar-se

enfurecer [emfure'θer] *irr como crecer* **I.** *vt* enfurecer **II.** *vr:* ~**se** enfurecer-se

engalanar [engala'nar] *vt* enfeitar

enganchar [engan'tʃar] **I.** *vt* enganchar **II.** *vr:* ~**se algo en** [*o* **con**] **algo** enganchar algo em a. c.

engañar [enga'ɲar] *vi, vt* enganar; ~ **a alguien** *(ser infiel)* enganar alguém

engaño [en'gaɲo] *m* engano *m*

engatusar [engatu'sar] *vt* levar na conversa

engendrar [enxen'drar] *vt* engendrar

engomar [engo'mar] *vt* engomar

engordar [engor'ðar] *vi* engordar

engranaje [engra'naxe] *m* engrenagem *f*

engrasar [engra'sar] *vt* engraxar

engreído, -a [engre'iðo, -a] *adj, m, f* convencido, -a *m, f*

enhebrar [ene'βrar] *vt* enfiar (a linha em)

enhorabuena [enora'βwena] *f* parabéns *mpl*

enjabonar [enxaβo'nar] *vt* ensaboar

enjambre [en'xambre] *m* enxame *m*

enjuagar [enxwa'ɣar] <g→gu> **I.** *vt* enxaguar **II.** *vr:* ~**se** enxaguar

enlace [en'laθe] *m* **1.** *(conexión)* ligação *f* **2.** *(boda)* enlace *m*

enlazar [enla'θar] <z→c> **I.** *vi (transporte)* entroncar **II.** *vt* **1.** *(atar)* unir **2.** *(conectar)* ligar

enloquecer [enloke'θer] *irr como crecer vi, vt* enlouquecer

enmienda [eᵐ'mjenda, eᵐ'mjenda] *f* emenda *f*

enojar [eno'xar] **I.** *vt* irritar **II.** *vr:* ~**se** irritar-se; ~**se con alguien por algo** irritar-se com alguém por a. c.

enojoso, -a [eno'xoso, -a] *adj* irritante

enorgullecer [enorɣuʎe'θer] *irr como crecer* **I.** *vt* orgulhar **II.** *vr:* ~**se** orgulhar-se

enorme [e'norme] *adj* enorme

enraizar [enrrai'θar] *irr vi* enraizar

enredar [enrre'ðar] I. *vt* 1. (*pelo, madeja*) emaranhar 2. (*confundir*) complicar II. *vr*: ~**se** enredar-se; ~**se en algo** enredar-se em a. c.

enredo [en'rreðo] *m* 1. (*de alambres*) emaranhado *m* 2. (*asunto*) confusão *f*

enrevesado, -a [enrreβe'saðo, -a] *adj* arrevesado, -a

enriquecer [enrrike'θer] *irr como crecer* I. *vt* enriquecer II. *vr*: ~**se** enriquecer-se

enrojecer [enrroxe'θer] *irr como crecer vi* ficar vermelho; ~ **de ira** ficar vermelho de raiva

enrolarse [enrro'larse] *vr* alistar-se; ~ **en** alistar-se em

enrollar [enrro'ʎar] I. *vt* (*cartel, cuerda*) enrolar II. *vr*: ~**se** *inf* 1. (*hablar*) ~**se** enrolar-se 2. (*ligar*) ~**se con alguien** envolver-se com alguém

ensalada [ensa'laða] *f* salada *f*

ensalzar [ensal'θar] <z→c> *vt* exaltar

ensanchar [ensan't∫ar] I. *vt* alargar II. *vr*: ~**se** alargar-se

ensangrentar [ensaŋgren̩'tar] <e→ie> *vt* ensangüentar

ensartar [ensar'tar] *vt* ensartar

ensayar [ensa'jar] *vt* 1. TEAT ensaiar 2. (*probar*) testar

ensayo [en'sajo] *m* 1. TEAT, LIT ensaio *m* 2. (*prueba*) teste *m*

enseguida [ense'ɣiða] *adv* em seguida

enseñanza [ense'naɲθa] *f* ensino *m*; ~ **superior** ensino superior

enseñar [ense'ɲar] *vt* 1. (*instruir*) ensinar 2. (*mostrar*) indicar

ensillar [ensi'ʎar] *vt* selar

ensimismarse [ensimis'marse] *vr* ensimesmar-se

ensordecedor(a) [ensorðeθe'ðor(a)] *adj* ensurdecedor(a)

ensuciar [ensu'θjar] I. *vt* sujar II. *vr*: ~**se** sujar-se; ~**se de/com algo** sujar-se de/com a. c.

ensueño [en'sweɲo] *m* **de** ~ de sonho

entablar [enta'βlar] *vt* entabular

entender [enten̩'der] <e→ie> I. *vi* (*saber*) entender; ~ **mucho de algo** entender muito de a. c. II. *vt* 1. (*comprender*) entender; **dar a** **que...** dar a entender que...; **lo entendieron mal** o interpretaram mal 2. (*creer*) achar; **yo no lo entiendo así** eu não vejo assim; **tengo entendido que...** tenho entendido que... III. *vr*: ~**se** entender-se; ~**se bien/ mal con alguien** entender-se bem/ mal com alguém

enterado, -a [ente'raðo, -a] *adj* **estar ~ de algo** estar a par de a. c.; **no se dio por ~** fez-se de desentendido

enteramente [entera'mente] *adv* inteiramente

enterarse [ente'rarse] *vr* ~ (**de algo**) (*descubrir*) inteirar (de a. c.); (*saber*) saber (de algo)

entereza [ente'reθa] *f* inteireza *f*

enternecer [eterne'θer] *irr como crecer* I. *vt* enternecer II. *vr*: ~**se** enternecer-se

entero, -a [en'tero, -a] *adj* inteiro, -a; **por ~** por inteiro

enterrar [ente'rrar] <e→ie> *vt* enterrar

entidad [enti'ðað] *f* entidade *f*

entierro [en'tjerro] *m* enterro *m*

entonces [en'tonθes] *adv* então; **en [o por] aquel ~** naquele momento

entorno [en'torno] *m* ambiente *m*

entorpecer [entorpe'θer] *irr como* **crecer las 1.** (*dificultar*) dificultar **2.** (*sentidos*) entorpecer

entrada [en'traða] *f* entrada *f*; **se prohibe la ~** proibe-se a entrada

entrado, -a [en'traðo, -a] *adj* **un señor ~ en años** um senhor entrado em anos; **llegamos entrada la noche** chegamos na caída da noite

entrañable [entra'naβle] *adj* íntimo, -a

entrañas [en'tranas] *fpl* entranhas *fpl*; **echar las ~** *inf* vomitar até as tripas

entrar [en'trar] *vi* entrar; **¡entre!** entre!; **~ en calor** ficar com calor; **yo en eso ni entro ni salgo** *inf* eu não me meto nisso

entre ['entre] *prep* **1.** (*dos cosas*) entre; **pasar por ~ las mesas** passar por entre as mesas; **~ semana** durante a semana; **~ tanto** entretanto **2.** MAT **ocho ~ dos son cuatro** oito dividido por dois são quatro

entrecejo [entre'θexo] *m* cenho *m*; **fruncir el ~** franzir o cenho

entrecortado, -a [entrekor'taðo, -a] *adj* entrecortado, -a

entredicho [entre'ðitʃo] *m* **poner algo en ~** pôr a. c. em dúvida

entrega [en'treɣa] *f* entrega *f*; **~ a domicilio** entrega em domicílio; **novela por ~s** romance em fascículos

entregar [entre'ɣar] <g→gu> **I.** *vt* entregar **II.** *vr:* **~se** entregar-se

entrelazar [entrela'θar] <z→c> *vt* entrelaçar

entremeses [entre'meses] *mpl* tira-gosto *m*

entremeterse [entreme'θerse] *vr* intrometer-se

entrenador(a) [entrena'ðor(a)] *m(f)* treinador(a) *m(f)*

entrenamiento [entrena'mjento] *m* treinamento *m*

entrenar [entre'nar] **I.** *vi, vt* treinar **II.** *vr:* **~se** treinar-se

entrepierna [entre'pjerna] *f* entreperna *f*

entresuelo [entre'swelo] *m* sobreloja *f*

entretanto [entre'tanto] *adv* entrementes

entretener [entrete'ner] *irr como* **tener I.** *vt* entreter **II.** *vr:* **~se** entreter-se; **¡no te entretengas!** não demore!

entretenido, -a [entrete'niðo, -a] *adj* divertido, -a

entretenimiento [entreteni'mjento] *m* diversão *f*

entretiempo [entre'tjempo] *m* meia-estação *f*; **chaqueta de ~** paletó de meia-estação

entrever [entre'βer] *irr como* **ver** *vt* entrever

entrevista [entre'βista] *f* entrevista *f*

entrevistar [entreβis'tar] **I.** *vt* entrevistar **II.** *vr:* **~se** reunir-se; **~se con**

entrometerse [eŋtrome'terse] *vr* intrometer-se; ~ **en algo** intrometer-se em a. c.

entrometido, -a [eŋtrome'tiðo, -a] *adj* intrometido, -a

entumecerse [eŋtume'θerse] *irr como crecer vr* entorpecer

enturbiar [eŋtur'βjar] *vt* turvar

entusiasmar [eŋtusjas'mar] I. *vt* entusiasmar II. *vr:* ~**se** entusiasmar-se; ~**se con algo** entusiasmar-se com a. c.

entusiasmo [eŋtu'sjasmo] *m* entusiasmo *m*

enumerar [enume'rar] *vt* enumerar

envasado [emba'saðo] *m* embalagem *f*

envasar [emba'sar] *vt* embalar

envase [em'base] *m* embalagem *f*

envejecer [embexe'θer] *irr como crecer vt* envelhecer

envenenar [embene'nar] *vt* envenenar

envergadura [emberɣa'ðura] *f* envergadura *f*

envés [em'bes] *m* avesso *m*

enviar [embi'ar] <*1. pres:* envío> *vt* enviar

envidia [em'biðja] *f* inveja *f;* **dar** ~ **a alguien** causar inveja a alguém; **tener** ~ **a** [*o* **de**] **alguien** ter inveja de alguém

envidiar [embi'ðjar] *vt* invejar

envidioso, -a [embi'ðjoso, -a] *adj, m, f* invejoso, -a *m, f*

envío [em'bio] *m* entrega *f;* ~ **a domicilio** entrega em domicílio

enviudar [embju'ðar] *vi* enviuvar

envoltorio [embol'torjo] *m* embalagem *f*

envoltura [embol'tura] *f* embalagem *f*

envolver [embol'βer] *irr como volver vt* **1.** (*en papel*) embalar **2.** (*implicar*) envolver

enyesar [eɲje'sar] *vt* engessar

épico, -a ['epiko, -a] *adj* épico, -a

epidemia [epi'ðemja] *f* epidemia *f*

epidermis [epi'ðermis] *f inv* epiderme *f*

epiléptico, -a [epi'leptiko, -a] *adj, m, f* epiléptico, -a *m, f*

episodio [epi'sodjo] *m* episódio *m*

época ['epoka] *f* época *f;* **en aquella** ~ naquela época

equilibrar [ekili'βrar] I. *vt* equilibrar II. *vr:* ~**se** equilibrar-se

equilibrio [eki'liβrjo] *m* equilíbrio *m;* **mantener/perder el** ~ manter/perder o equilíbrio

equipaje [eki'paxe] *m* bagagem *m;* ~ **de mano** bagagem de mão

equipamiento [ekipa'mjeŋto] *m* equipamento *m*

equipar [eki'par] *vt* equipar

equipo [e'kipo] *m* **1.** (*grupo*) equipe *f* **2.** DEP time *m* **3.** (*utensilios*) equipamento *m;* ~ **de música** aparelho de música

equis ['ekis] I. *adj inv* xis; ~ **euros** xis euros II. *f inv* xis *m inv*

equitación [ekita'θjon] *f* equitação *f*

equivalente [ekiβa'leŋte] *adj, m* equivalente *m*

equivaler [ekiβa'ler] *irr como valer vi* ~ **a** equivaler a

equivocación [ekiβoka'θjon] f engano m; **por** ~ por engano

equivocado, -a [ekiβo'kaðo, -a] adj equivocado, -a

equivocarse [ekiβo'karse] <c→qu> vr equivocar-se

era¹ ['era] f era f

era² ['era] 3. imperf de **ser**

erección [erek'θjon] f ereção f

erecto, -a [e'rekto, -a] adj ereto, -a

eres ['eres] 2. pres de **ser**

ergonómico, -a [erɣo'nomiko, -a] adj ergonômico, -a

erguir [er'ɣir] irr I. vt erguer II. vr: ~**se** erguer-se

erizado, -a [eri'θaðo, -a] adj (pelo) eriçado, -a

erizarse [eri'θarse] <z→c> vr eriçar-se; **se me erizó el vello de tanto frío** fiquei com a pele arrepiada de tanto frio

erizo [e'riθo] m ouriço m

ermita [er'mita] f ermida f

ermitaño, -a [ermi'taɲo, -a] m, f ermitão, ermitã m, f

erosión [ero'sjon] f t. fig erosão f

erótico, -a [e'rotiko, -a] adj erótico, -a

erradicar [errað i'kar] <c→qu> vt erradicar

errar [e'rrar] irr vi, vt errar

erróneo, -a [e'rroneo, -a] adj errôneo, -a

error [e'rror] m erro m; **estar en un** ~ estar enganado; **por** ~ por engano

eructar [eruk'tar] vi arrotar

eructo [e'rukto] m arroto m

erudito, -a [eru'ðito, -a] adj, m, f erudito, -a m, f

erupción [eruβ'θjon] f erupção f

es [es] 3. pres de **ser**

esa(s) ['esa(s)] adj, pron dem v. **ese**, **ese**

ésa(s) ['esa(s)] pron dem v. **ésa**

escabeche [eska'βetʃe] m escabeche m; **atún en** ~ atum à escabeche

escabullirse [eskaβu'ʎirse] <3. pret: se escabulló> vr escapulir; ~ (**por**) **entre la multitud** escapulir (por) entre a multidão

escacharrar [eskatʃa'rrar] vt espatifar

escafandra [eska'fandra] f escafandro m

escala [es'kala] f escala f; **en gran** ~ em grande escala; **hacer** ~ AERO fazer escala

escalada [eska'laða] f escalada f

escalar [eska'lar] vi, vt escalar

escalera [eska'lera] f escada f; ~ **mecánica** [o **automática**] escada rolante

escalinata [eskali'nata] f escadaria f

escalofrío [eskalo'frio] m calafrio m; **sentir** ~**s** sentir calafrios

escalón [eska'lon] m degrau m

escalope [eska'lope] m escalope m

escama [es'kama] f t. ZOOL, BOT escama f; ~**s de jabón** flocos de sabão

escandalizar [eskaɲdali'θar] <z→c> I. vt escandalizar II. vr: ~**se de** [o **por**] **algo** escandalizar-se com a. c.

escándalo [es'kaɲdalo] m escândalo m

escandaloso, -a [eskaɲda'loso, -a] adj escandaloso, -a

Escandinavia [eskaɲdi'naβja] f Escandinávia f

escandinavo, -a [eskandi'naβo, -a] *adj, m, f* escandinavo, -a *m, f*

escáner [es'kaner] *m* escâner *m*

escaño [es'kaɲo] *m* banco *m*

escapar [eska'par] I. *vi* escapar; ~ **de algo/alguien** escapar de a. c./alguém II. *vr:* ~**se** escapar; **se me ha escapado el autobús** perdi o ônibus

escaparate [eskapa'rate] *m* vitrina *f*

escape [es'kape] *m* escape *m*

escaquearse [eskake'arse] *vr inf* esquivar-se

escarabajo [eskara'βaxo] *m* 1. (*animal*) escaravelho *m* 2. *inf* (*coche*) fusca *m*

escarbar [eskar'βar] I. *vi* ~ **en algo** esgaravatar a. c. II. *vt* esgaravatar; (*la tierra*) escavar

escarcha [es'kartʃa] *f* geada *f*

escarlatina [eskarla'tina] *f* escarlatina *f*

escarmentar [eskarmen'tar] <e→ie> I. *vi* escarmentar II. *vt* castigar

escarpado, -a [eskar'paðo, -a] *adj* escarpado, -a

escasez [eska'seθ] *f* escassez *f*

escaso, -a [es'kaso, -a] *adj* escasso, -a; **andar ~ de dinero** andar curto de dinheiro

escayola [eska'jola] *f* gesso *m*

escena [es'θena] *f* cena *f*; **aparecer en ~** aparecer em cena; **salir a la ~** entrar em cena

escenario [esθe'narjo] *m* 1. (*lugar*) palco *m* 2. (*situación*) cenário *m*

escéptico, -a [es'θeptiko, -a] *adj, m, f* cético, -a *m, f*

esclavitud [esklaβi'tuð] *f* escravidão *f*

esclavo, -a [es'klaβo, -a] *adj, m, f* escravo, -a

esclerosis [eskle'rosis] *f inv* esclerose *f*

esclusa [es'klusa] *f* eclusa *f*

escoba [es'koβa] *f* vassoura *f*; **no vender ni una ~** *inf* não dar em nada

escobilla [esko'βiʎa] *f* escovinha *f*; (*de limpiaparabrisas*) lâmina *f* de borracha

escocer [esko'θer] *irr como cocer vi* arder

escocés [esko'θes] *m* escocês *m*

escocés, -esa [esko'θes, -esa] I. *adj* escocês, -esa; **falda escocesa** saia *f* escocesa II. *m, f* escocês, -esa *m, f*

Escocia [es'koθja] *f* Escócia *f*

escoger [esko'xer] <g→j> *vi, vt* escolher

escolar [esko'lar] *adj, mf* escolar *mf*

escolarizar [eskolari'θar] <z→c> *vt* escolarizar

escolta [es'kolta] *f* escolta *f*

escombros [es'kombros] *mpl* escombros *mpl*

esconder [eskon'der] I. *vt* esconder II. *vr:* ~**se** esconder-se

escondidas [eskon'diðas] *adv* **a ~** às escondidas

escondite [eskon'dite] *m* 1. (*juego*) esconde-esconde *m* 2. (*lugar*) esconderijo *m*

escopeta [esko'peta] *f* escopeta *f*

Escorpio [es'korpjo] *m* Escorpião *m*; **ser ~** ser (de) Escorpião

escorpión [eskor'pjon] *m* escorpião *m*

escotado, -a [esko'taðo, -a] *adj* decotado, -a

escote [es'kote] *m* decote *m*; **pagar a ~** pagar cada um sua parte

escozor [esko'θor] *m* ardência *f*

escribir [eskri'βir] *irr vi, vt* escrever

escrito [es'krito] *m* escrito *m*

escrito, -a [es'krito, -a] I. *pp de* **escribir** II. *adj* escrito, -a; **por ~** por escrito

escritor(a) [eskri'tor(a)] *m(f)* escritor(a) *m(f)*

escritorio [eskri'torjo] *m* escrivaninha *f*

escritura [eskri'tura] *f* 1. *(caligrafía, signos)* escrita *f* 2. *(documento)* escritura *f*

escroto [es'kroto] *m* ANAT escroto *m*

escrúpulo [es'krupulo] *m* escrúpulo *m*; **no tener ~s en hacer algo** não ter escrúpulos em fazer a. c.

escrutinio [eskru'tinjo] *m* 1. *(examen)* exame *m* 2. *(recuento)* escrutínio *m*

escuadrilla [eskwa'ðriʎa] *f* esquadrilha *f*

escuadrón [eskwa'ðron] *m* esquadrão *m*; **~ de la muerte** esquadrão da morte

escuálido, -a [es'kwaliðo, -a] *adj* esquálido, -a

escuchar [esku'tʃar] *vi, vt* escutar

escudo [es'kuðo] *m* escudo *m*

escudriñar [eskuðri'nar] *vt* esquadrinhar

escuela [es'kwela] *f* escola *f*; **~ de párvulos** escola infantil

escueto, -a [es'kweto, -a] *adj* sucinto, -a

esculpir [eskul'pir] *vt* esculpir

escultor(a) [eskul'tor(a)] *m(f)* escultor(a) *m(f)*

escultura [eskul'tura] *f* escultura *f*

escupir [esku'pir] *vi, vt* cuspir

escurreplatos [eskurre'platos] *m inv* escorredor *m* de pratos

escurridizo, -a [eskurri'ðiθo, -a] *adj* escorregadiço, -a

escurrir [esku'rrir] I. *vt* 1. *(ropa)* torcer 2. *(platos)* escorrer II. *vr*: **~se** 1. *(resbalar)* deslizar 2. *(escaparse)* escapulir

esdrújulo, -a [es'ðruxulo, -a] *adj* proparoxítono, -a

ese ['ese] *m* esse *m*; **hacer ~s** *inf* fazer ziguezagues

ese, -a ['ese, -a] *adj* <esos, -as> esse, -a

ese, esa ['ese, 'esa, 'eso] <esos, -as> *pron dem* esse, -a; **llegaré a eso de las doce** chegarei por volta das doze; **estaba trabajando, en eso (que) tocaron al timbre** estava trabalhando, nisso tocaram a campainha; **¡no me vengas con esas!** não me venha com essa!; **no es eso** não é isso; **por eso (mismo)** por isso (mesmo); **¿y eso?** e isso?; **¿y eso qué?** e daí?

ése, ésa <ésos, -as> *pron dem v.* **ese, esa, eso**

esencia [e'senθja] *f* essência *f*

esencial [esen'θjal] *adj* essencial

esfera [es'fera] *f* 1. *t.* MAT esfera *f* 2. *(del reloj)* mostrador *m*

esférico, -a [es'feriko, -a] *adj* esférico, -a

esfinge [es'finxe] f esfinge f

esforzarse [esfor'θarse] irr como forzar vr esforçar-se

esfuerzo [es'fwerθo] m esforço m

esfumarse [esfu'marse] vr desaparecer; **¡esfúmate!** inf desapareça!

esgrima [es'ɣrima] f esgrima f

esguince [es'ɣinθe] m entorse f; **hacerse un ~ en el tobillo** torcer o tornozelo

eslabón [esla'bon] m elo m

eslalon [es'lalon] m slalom m

eslavo, -a [es'laβo, -a] adj, m, f eslavo, -a m, f

eslogan [es'loɣan] m slogan m

eslovaco, -a [eslo'βako, -a] adj, m, f eslovaco, -a m, f

Eslovaquia [eslo'βakja] f Eslováquia f

Eslovenia [eslo'βenja] f Eslovênia f

esloveno, -a [eslo'βeno, -a] adj, m, f esloveno, -a m, f

esmalte [es'malte] m esmalte m

esmero [es'mero] m esmero m

esmirriado, -a [esmi'rrjaðo, -a] adj inf mirrado, -a

esnifar [esni'far] vt argot cafungar

esnob [es'noβ] adj, mf esnobe mf

eso ['eso] pron dem v. **ese**

esos ['esos] adj v. **ese**

ésos ['esos] pron dem v. **ése**

esotérico, -a [eso'teriko, -a] adj esotérico, -a

espabilado, -a [espaβi'laðo, -a] adj animado, -a

espabilar [espaβi'lar] I. vt animar II. vr: **~se** animar-se

espacial [espa'θjal] adj espacial

espacio [es'paθjo] m espaço m; **por ~ de tres horas** durante três horas; **~ informativo** boletim m informativo

espacioso, -a [espa'θjoso, -a] adj espaçoso, -a

espada [es'paða] f espada f; **estar entre la ~ y la pared** estar entre a cruz e a espada

espagueti(s) [espa'ɣeti(s)] m(pl) espaguete m; **~s a la boloñesa** espaguete à bolonhesa

espalda [es'palda] f costas fpl; **hablar a ~s de alguien** falar pelas costas de alguém

espantapájaros [espanta'paxaros] m inv espantalho m

espantar [espan'tar] vt espantar

espanto [es'panto] m pavor m; **¡qué ~!** que horror!; **hace un calor de ~ inf** faz um calor horroroso

espantoso, -a [espan'toso, -a] adj 1. (horroroso) horroroso, -a 2. (feo) pavoroso, -a

España [es'paɲa] f Espanha f

español(a) [espa'ɲol(a)] adj, m(f) espanhol(a) m(f)

esparadrapo [espara'ðrapo] m esparadrapo m

esparcir [espar'θir] <c→z> I. vt espalhar II. vr: **~se** espalhar-se

espárrago [es'parraɣo] m aspargo m; **¡vete a freír ~s!** inf vai plantar batatas!

espátula [es'patula] f espátula f

especia [es'peθja] f especiaria f

especial [espe'θjal] adj especial; **en ~** especial

especialidad [espeθjali'ðað] f espe-

especialista [espeθja'lista] *mf* especialista *mf*

especializarse [espeθjali'θarse] <z→c> *vr* especializar-se

especialmente [espeθjal'mente] *adv* especialmente

especie [es'peθje] *f* espécie *f*

específico, -a [espe'θifiko, -a] *adj* específico, -a

espectacular [espektaku'lar] *adj* espetacular

espectáculo [espek'takulo] *m* espetáculo *m*

espectador(a) [espekta'ðor(a)] *m(f)* espectador(a) *m(f)*

especulación [espekula'θjon] *f* especulação *f*

especular [espeku'lar] *vi* especular; ~ **en la Bolsa** especular na Bolsa

espejo [es'pexo] *m* espelho *m*; **mirarse al** ~ olhar-se no espelho

espeluznante [espeluθ'nante] *adj* horripilante

espera [es'pera] *f* espera *f*; **en** ~ **de su respuesta** na espera de sua resposta

esperanza [espe'ranθa] *f* esperança *f*; **no tener** ~**s** não ter esperanças

esperar [espe'rar] **I.** *vi* esperar; **¿a qué esperas?** o que está esperando? **II.** *vt* esperar; **espero que sí/no** espero que sim/não

espermatozoide [espermatoθoj'ðe] *m* espermatozóide *m*

espeso, -a [es'peso, -a] *adj* espesso, -a

espesor [espe'sor] *m* espessura *f*

espía [es'pia] *mf* espião, espiã *m, f*

espiar [espi'ar] *vt* espiar

espiga [es'piɣa] *f* espiga *f*

espina [es'pina] *f* (*de pescado*) espinha *f*; (*de planta*) espinho *m*; ~ (**dorsal**) ANAT espinha *f* (dorsal); **esto me da mala** ~ *inf* isto me dá um mau pressentimento

espinaca [espi'naka] *f* espinafre *m*

espinilla [espi'niʎa] *f* **1.** ANAT canela *f* **2.** (*grano*) espinha *f*

espionaje [espjo'naxe] *m* espionagem *f*

espiral [espi'ral] *adj, f* espiral *f*

espíritu [es'piritu] *m* espírito *m*

espiritual [espiritu'al] *adj* espiritual

espita [es'pita] *f* torneira *f*

espléndido, -a [es'plendiðo, -a] *adj* esplêndido, -a

esplendor [esplen'dor] *m* esplendor *m*

espolvorear [espolβore'ar] *vt* polvilhar

esponja [es'ponxa] *f* esponja *f*

esponjoso, -a [espon'xoso, -a] *adj* esponjoso, -a

espontáneo, -a [espon'taneo, -a] *adj* espontâneo, -a

esporádico, -a [espo'raðiko, -a] *adj* esporádico, -a

esposas [es'posas] *fpl* algemas *fpl*

esposo, -a [es'poso, -a] *m, f* esposo, -a *m, f*

espray [es'praj] *m* spray *m*

esprint [es'print] *m* DEP sprint *m*

espuela [es'pwela] *f* espora *f*

espuma [es'puma] *f* espuma *f*; ~ **de afeitar** espuma de barbear

espumoso, -a [espu'moso, -a] *adj*

espumante
esqueleto [eske'leto] *m* esqueleto *m*
esquema [es'kema] *m* esquema *m*
esquemático, -a [eske'matiko, -a] *adj* esquemático, -a
esquí [es'ki] *m* esqui *m*
esquiar [eski'ar] <*l. pres:* esquío> *vi* esquiar
esquimal [eski'mal] *adj, mf* esquimó *mf*
esquina [es'kina] *f* (*de calle*) esquina *f*; (*de objeto*) canto *m*
esquivar [eski'βar] *vt* 1. (*golpe*) desviar de 2. (*a alguien*) evitar
esquivo, -a [es'kiβo, -a] *adj* esquivo, -a
esquizofrénico, -a [eskiθo'freniko, -a] *adj* esquizofrênico, -a
esta ['esta] *adj v.* **este**.
ésta ['esta] *pron dem v.* **éste**.
estabilidad [estaβili'ðað] *f* estabilidade *f*
estabilización [estaβiliθa'θjon] *f* estabilização *f*
estabilizar [estaβili'θar] <z→c> I. *vt* estabilizar II. *vr:* ~**se** estabilizar-se
estable [es'taβle] *adj* estável
establecer [estaβle'θer] *irr como crecer* I. *vt* estabelecer II. *vr:* ~**se** estabelecer-se
establecimiento [estaβleθi'mjento] *m* estabelecimento *m*
establo [es'taβlo] *m* estábulo *m*
estaca [es'taka] *f* (*palo*) estaca *f*; (*garrote*) bastão *m*
estacada [esta'kaða] *f* estacada *f*; **dejar a alguien en la** ~ deixar alguém na mão

estación [esta'θjon] *f* estação *f*; ~ **de autobuses** estação rodoviária; ~ **de servicio** posto *m* de gasolina; ~ **de tren** estação de trem
estacionamiento [estaθjona'mjento] *m* estacionamento *m*
estacionar [estaθjo'nar] *vt* estacionar
estadio [es'taðjo] *m* 1. DEP estádio *m* 2. (*etapa*) estágio *m*
estadística [esta'ðistika] *f* estatística *f*
estado [es'taðo] *m* estado *m*; **estar en buen** ~ estar em bom estado
Estados Unidos [es'taðos u'niðos] *mpl* Estados Unidos *mpl*
estadounidense [estaðouni'ðense] *adj, mf* estadunidense *mf*
estafa [es'tafa] *f* trapaça *f*
estafador(a) [estafa'ðor(a)] *m(f)* trapaceiro, -a *m, f*
estafar [esta'far] *vt* trapacear
estallar [esta'ʎar] *vi* estourar; ~ **en carcajadas** cair na gargalhada; ~ **en llanto** desatar a chorar
estallido [esta'ʎiðo] *m* estouro *m*
Estambul [estam'bul] *m* Istambul *f*
estampa [es'tampa] *f* imagem *f*
estampado, -a [estam'paðo, -a] *adj* estampado, -a
estampar [estam'par] *vt* estampar
estampida [estam'piða] *f* debandada *f*
estampilla [estam'piʎa] *f* *AmL* selo *m* postal
estancar [estaŋ'kar] <c→qu> I. *vt* estancar II. *vr:* ~**se** estancar-se
estancia [es'taŋθja] *f* 1. (*permanencia*) estada *f* 2. (*habitación*) cômodo *m* 3. *AmL* (*hacienda*) fazenda *f*
estanco [es'taŋko] *m* tabacaria *f*

estándar [es'tandar] I. *adj inv* padronizado, -a II. *m* padrão *m*

estandarizar [estandari'θar] <z→c> *vt* padronizar

estandarte [estan'darte] *m* estandarte *m*

estanque [es'tanke] *m* tanque *m*

estanquero, -a [estan'kero, -a] *m, f* comerciante *mf* de tabaco

estante [es'tante] *m* prateleira *f*

estantería [estante'ria] *f* estante *f*

estar [es'tar] *irr vi* (*hallarse*) estar; ¿está Pepe? Pepe está?; ¿está la comida? a comida está pronta?; ¿cómo estás? como está?; ~ de mal humor estar de mau humor; ~ de pie estar de pé; hoy no estoy para bromas hoje não estou para brincadeiras; el tren está para salir o trem está por sair; estoy por llamarle estou por ligar para ele; eso está por ver vamos ver; ¿qué estás haciendo? o que está fazendo?; a las 10 en casa, ¿estamos? às 10 hora em casa, certo?; ¡estáte quieto! fica quieto!; ¡estáte callado! cala a boca!

estatal [esta'tal] *adj* estatal

estático, -a [es'tatiko, -a] *adj* estático, -a

estatua [es'tatwa] *f* estátua *f*

estatura [esta'tura] *f* estatura *f*

estatuto [esta'tuto] *m* estatuto *m*

este ['este] *m* leste *m*; el ~ de España o leste da Espanha; en el ~ de Inglaterra no leste da Inglaterra; al ~ de a leste de

este, -a ['este, -a] *adj* <estos, -as> este, -a; ~ perro es mío este cachorro é meu; esta casa es nuestra esta casa é nossa; estos guantes son míos estas luvas são minhas

este, esta ['este, 'esta, 'esto] <estos, -as> *pron dem* este, -a; (a) estos no los he visto nunca estes nunca vi; ~ se cree muy importante este se acha muito importante; antes yo también tenía una camisa como esta antes eu também tinha uma camisa como esta; ¡esta sí que es buena! *irón* esta é boa!

éste, ésta <éstos, -as> *pron dem v.* este, esta, esto

estepa [es'tepa] *f* estepe *f*

estera [es'tera] *f* esteira *f*

estéreo [es'tereo] *adj, m* estéreo *m*

estereotipo [estereo'tipo] *m* estereótipo *m*

estéril [es'teril] *adj* estéril

esterilidad [esterili'ðað] *f* esterilidade *f*

esterilizar [esterili'θar] <z→c> *vt* esterilizar

esteticista [esteti'θista] *mf* esteticista *mf*

estético, -a [es'tetiko, -a] *adj* estético, -a

estiércol [es'tjerkol] *m* esterco *m*

estigma [es'tiɣma] *m* estigma *m*

estilístico, -a [esti'listiko, -a] *adj* estilístico, -a

estilo [es'tilo] *m* estilo *m*; ~ directo/indirecto estilo direto/indireto; ~ de vida estilo de vida

estima [es'tima] *f* estima *f*

estimación [estima'θjon] *f* 1. (*aprecio*) estima *f* 2. (*evaluación*)

estimativa *f*
estimado, -a [esti'maðo, -a] *adj* estimado, -a; ~ **Señor** prezado Senhor
estimar [esti'mar] *vt* estimar; *(tasar)* avaliar
estimulante [estimu'lante] *adj, m* estimulante *m*
estimular [estimu'lar] *vt* estimular
estímulo [es'timulo] *m* estímulo *m*
estipular [estipu'lar] *vt* estipular
estirado, -a [esti'raðo, -a] *adj (engreído)* estirado, -a
estiramiento [estira'mjento] *m* estiramento *m;* **hacer ~s** fazer alongamento
estirar [esti'rar] I. *vi* esticar II. *vt* 1. *(extender)* estirar 2. *(brazos)* esticar; ~ **el cuello** esticar o pescoço; ~ **la pata** *inf* esticar a canela III. *vr:* ~**se** esticar-se; *(crecer)* esticar
estirón [esti'ron] *m* 1. *(tirón)* puxão *m* 2. *(crecimiento)* **dar un** ~ *inf* dar uma esticada
estirpe [es'tirpe] *f* estirpe *f*
estival [esti'βal] *adj* estival
esto [esto] *pron v.* **este**
Estocolmo [esto'kolmo] *m* Estocolmo *f*
estofado [esto'faðo] *m* ensopado *m*
estómago [es'tomaɣo] *m* estômago *m*
Estonia [es'tonja] *f* Estônia *f*
estonio, -a [es'tonjo, -a] *adj, m, f* estoniano, -a *m, f*
estorbar [estor'βar] *vi, vt* estorvar
estorbo [es'torβo] *m* estorvo *m*
estornudar [estornu'ðar] *vi* espirrar
estornudo [estor'nuðo] *m* espirro *m*
estos ['estos] *adj v.* **este, -a**
estrafalario, -a [estrafa'larjo, -a] *adj inf (extravagante)* esdrúxulo, -a; *(ridículo)* ridículo, -a
estrago [es'traɣo] *m* causar [*o* hacer] ~**s** causar [*ou* fazer] estragos
estragón [estra'ɣon] *m* estragão *m*
estrangular [estraŋgu'lar] *vt* estrangular
Estrasburgo [estras'βurɣo] *m* Estrasburgo *f*
estrategia [estra'texja] *f* estratégia *f*
estratégico, -a [estra'texiko, -a] *adj* estratégico, -a
estratosfera [estratos'fera] *f* estratosfera *f*
estrechar [estre'tʃar] I. *vt* estreitar; *(la mano)* apertar II. *vr:* ~**se** estreitar-se
estrechez [estre'tʃeθ] *f* estreiteza *f*
estrecho, -a [es'tretʃo, -a] *adj* estreito, -a
estrella [es'treʎa] *f* estrela *f;* ~ **fugaz** estrela cadente
estrellar [estre'ʎar] I. *vt* lançar; ~ **algo contra/en algo** lançar algo contra/em a. c. II. *vr* ~**se contra algo** chocar-se contra a. c.
estremecer [estreme'θer] *irr como* **crecer** I. *vt (conmover)* estremecer II. *vr:* ~**se** tremer; ~**se de frío/miedo** tremer de frio/medo
estremecimiento [estremeθi'mjento] *m* estremecimento *m*
estrenar [estre'nar] I. *vt* estrear; **sin** ~ sem estrear II. *vr:* ~**se** estrear
estreno [es'treno] *m* estréia *f;* **ser de** ~ ser novo

estreñido, -a [estre'ɲiðo, -a] *adj* constipado, -a

estreñimiento [estreɲi'mjento] *m* constipação *f*

estrepitoso, -a [estrepi'toso, -a] *adj* estrepitoso, -a

estrés [es'tres] *m* estresse *m*

estresado, -a [estre'saðo, -a] *adj* estressado, -a

estresar [estre'sar] *vt* estressar

estría [es'tria] *f* estria *f*

estribar [estri'βar] *vi* ~ **en** apoiar em

estribo [es'triβo] *m* estribo *m*; **perder los ~s** *fig* perder as estribeiras

estribor [estri'βor] *m* NÁUT estibordo *m*; **a ~** a estibordo

estricto, -a [es'trikto, -a] *adj* estrito, -a

estridente [estri'ðente] *adj* (*sonido*) estridente; (*colores*) exagerado, -a

estrofa [es'trofa] *f* estrofe *f*

estropajo [estro'paxo] *m* bucha *f*

estropear [estrope'ar] **I.** *vt* estragar **II.** *vr*: **~se** estragar-se

estructura [estruk'tura] *f* estrutura *f*

estruendo [es'trwendo] *m* estrondo *m*

estrujar [estru'xar] *vt* espremer; (*machacar*) triturar; (*papel*) amassar; **~se los sesos** *inf* quebrar a cabeça

estuche [es'tutʃe] *m* estojo *m*

estudiante [estu'ðjante] *mf* estudante *mf*

estudiantil [estuðjan'til] *adj* estudantil

estudiar [estu'ðjar] *vi*, *vt* estudar

estudio [es'tuðjo] *m* **1.** (*en general*) estudo *m*; **tener ~s** ter estudos **2.** (*piso*) estúdio *m*

estudioso, -a [estu'ðjoso, -a] *adj* estudioso, -a

estufa [es'tufa] *f* aquecedor *m*

estupefaciente [estupefa'θjente] *m* estupefaciente *m*

estupefacto, -a [estupe'fakto, -a] *adj* estupefato, -a

estupendo, -a [estu'pendo, -a] *adj* estupendo, -a

estupidez [estupi'ðeθ] *f* estupidez *f*

estúpido, -a [es'tupiðo, -a] *adj*, *m*, *f* estúpido, -a *m*, *f*

estupor [estu'por] *m* estupor *m*; **causar ~** causar estupor

etapa [e'tapa] *f* etapa *f*; **por ~s** por etapas

etarra [e'tarra] **I.** *adj* da ETA **II.** *mf* membro *m* da ETA

etcétera [e<^(dh)>'Tetera] et cetera

eternidad [eterni'ðað] *f* eternidade *f*

eterno, -a [e'terno, -a] *adj* eterno, -a

ética ['etika] *f* ética *f*

ético, -a ['etiko, -a] *adj* ético, -a

etíope [e'tiope] *adj*, *mf* etíope *mf*

Etiopía [etjo'pia] *f* Etiópia *f*

etiqueta [eti'keta] *f* etiqueta *f*; **ir de ~** ir de gala

etnia [e'θnja] *f* etnia *f*

étnico, -a ['eθniko, -a] *adj* étnico, -a

eucalipto [euka'lipto] *f* eucalipto *m*

euforia [eu'forja] *f* euforia *f*

eufórico, -a [eu'foriko, -a] *adj* eufórico, -a

Eurasia [eu'rasja] *f* Eurásia *f*

euro ['euro] *m* euro *m*

eurodiputado, -a [euroðipu'taðo, -a] *m*, *f* membro *m* do parlamento europeu

Europa [eu̯'ropa] *f* Europa *f*; **~ Central** Europa Central; **~ del Este** Europa do Leste; **~ Occidental** Europa Ocidental; **~ Oriental** Europa Oriental

europeo, -a [eu̯ro'peo, -a] *adj, m, f* europeu, -éia *m, f*

Euskadi [eu̯s'kaði] *m* País *m* Basco

euskera [eu̯s'kera] *adj*, **eusquera** [eu̯s'kera] *adj* basco, -a

eutanasia [eu̯ta'nasja] *f* eutanásia *f*

evacuar [eβa'kwar] *vt* evacuar

evadir [eβa'ðir] **I.** *vt* evadir **II.** *vr:* **~se** evadir-se

evaluación [eβalwa'θjon] *f* avaliação *f*

evaluar [eβalu'ar] <*I. pres:* evalúo> *vt* avaliar

evangélico, -a [eβaŋ'xeliko, -a] *adj, m, f* evangélico, -a *m, f*

evangelizar [eβaŋxeli'θar] *vt* evangelizar

evaporación [eβapora'θjon] *f* evaporação *f*

evaporar [eβapo'rar] **I.** *vt* evaporar **II.** *vr:* **~se** evaporar-se

evasión [eβa'sjon] *f* evasão *f*; **lectura de ~** leitura leve

evasivo, -a [eβa'siβo, -a] *adj* evasivo, -a

evento [e'βento] *m* evento *m*

eventual [eβen'twal] *adj* eventual

eventualidad [eβentwali'ðað] *f* eventualidade *f*

evidencia [eβi'ðenθja] *f* evidência *f*; **poner algo en ~** pôr a. c. em evidência; **poner a alguien en ~** pôr alguém em evidência

evidente [eβi'ðente] *adj* evidente

evitar [eβi'tar] *vt* evitar

evolución [eβolu'θjon] *f* evolução *f*

evolucionar [eβoluθjo'nar] *vi* evoluir

ex [eʸs] **I.** *adj* **~ novia** ex-namorada *f* **II.** *mf inf* ex *mf*

exactitud [eʸsakti'tuð] *f* exatidão *f*

exacto, -a [eʸ'sakto, -a] *adj* exato, -a

exageración [eʸsaxera'θjon] *f* exagero *m*

exagerado, -a [eʸsaxe'raðo, -a] *adj, m, f* exagerado, -a *m, f*

exagerar [eʸsaxe'rar] *vi, vt* exagerar

exaltar [eʸsal'tar] **I.** *vt* exaltar **II.** *vr:* **~se** exaltar-se

examen [eʸ'samen] *m* exame *m*; **hacer un ~** fazer um exame

examinar [eʸsami'nar] **I.** *vt* examinar **II.** *vr:* **~se** fazer prova

excavadora [eskaβa'ðora] *f* escavadeira *f*

excavar [eska'βar] *vt* escavar

excedencia [esθe'ðenθja] *f* (*laboral*) licença *f*

excedente [esθe'ðente] *adj, m* excedente *m*

exceder [esθe'ðer] **I.** *vt* exceder **II.** *vr:* **~se 1.** (*sobrepasar*) **~se (a sí mismo)** exceder-se (a si mesmo) **2.** (*pasarse*) **~se en algo** exceder-se em a. c.

excelencia [esθe'lenθja] *f* excelência *f*; **por ~** por excelência

excelente [esθe'lente] *adj* excelente

excéntrico, -a [es'θentriko, -a] *adj, m, f* excêntrico, -a *m, f*

excepción [esθeβ'θjon] *f* exceção *f*; **a** [*o* **con**] **~ de** com exceção de

excepcional [esθeβθjo'nal] *adj* excepcional

excepto [es'θepto] *adv* exceto

exceptuar [esθeptu'ar] <*1. pres:* exceptúo> *vt* excetuar

excesivo, -a [esθe'siβo, -a] *adj* excessivo, -a

exceso [es'θeso] *m* excesso *m*; **en ~** em excesso

excitación [esθita'θjon] *f* excitação *f*

excitante [esθi'tante] *adj* excitante

excitar [esθi'tar] I. *vt* excitar II. *vr:* **~se** excitar-se

exclamación [esklama'θjon] *f* exclamação *f*

exclamar [eskla'mar] *vi, vt* exclamar

excluir [esklu'ir] *irr como* huir *vt* excluir

exclusión [esklu'sjon] *f* exclusão *f*; **con ~ de** excluindo

exclusiva [esklu'siβa] *f* exclusiva *f*

exclusivo, -a [esklu'siβo, -a] *adj* exclusivo, -a

excremento [eskre'mento] *m* excremento *m*

excursión [eskur'sjon] *f* (*paseo*) excursão *f*; **ir de ~** fazer uma excursão

excursionista [eskursjo'nista] *mf* excursionista *mf*

excusa [es'kusa] *f* desculpa *f*

excusar [esku'sar] I. *vt* desculpar II. *vr:* **~se** desculpar-se

exento, -a [e^ɣ'sento, -a] *adj* isento, -a

exhaustivo, -a [e^ɣsaus'tiβo, -a] *adj* exaustivo, -a

exhausto, -a [e^ɣ'sausto, -a] *adj* exausto, -a

exhibición [e^ɣsiβi'θjon] *f* exibição *f*

exhibir [e^ɣsi'βir] I. *vt* exibir II. *vr:* **~se** exibir-se

exigencia [e^ɣsi'xenθja] *f* exigência *f*

exigente [e^ɣsi'xente] *adj* exigente

exigir [e^ɣsi'xir] <g→j> *vt* exigir

exiliado, -a [e^ɣsi'ljaðo, -a] *adj, m, f* exilado, -a *m, f*

exilio [e^ɣ'siljo] *m* exílio *m*

existencia [e^ɣsis'tenθja] *f* **1.** (*vida*) existência *f* **2.** (*pl*) COM estoque *m*; **renovar las ~s** renovar o estoque

existir [e^ɣsis'tir] *vi* existir

éxito ['e^ɣsito] *m* sucesso *m*

exótico, -a [e^ɣ'sotiko, -a] *adj* exótico, -a

expandir [espan'dir] I. *vt* expandir II. *vr:* **~se** expandir-se

expansión [espan'sjon] *f* expansão *f*

expansivo, -a [espan'siβo, -a] *adj* expansivo, -a

expectativa [espekta'tiβa] *f* expectativa *f*; **estar a la ~ de algo** estar na expectativa de a. c.

expedición [espeði'θjon] *f* expedição *f*

expediente [espe'ðjente] *m* **1.** (*investigación*) processo *m* **2.** (*historial*) histórico *m*; **~ académico** histórico escolar **3.** (*documentación*) documentação *f*

expedir [espe'ðir] *irr como* pedir *vt* expedir

expendedor [espende'ðor] *m* **~ automático** máquina *f* de venda automática

expensas [es'pensas] *fpl* **a ~ de** às custas de

experiencia [espe'rjenθja] *f* experiência f

experimentado, -a [esperimẽn'tađo, -a] *adj* experiente

experimentar [esperimẽn'tar] **I.** *vi* ~ **con algo** experimentar com a. c. **II.** *vt* experimentar

experimento [esperi'mẽnto] *m* experimento m

experto, -a [es'perto, -a] *adj, m, f* especialista m f

explicación [esplika'θjon] *f* explicação f

explicar [espli'kar] <c→qu> **I.** *vt* explicar **II.** *vr:* ~**se** explicar-se; **no me lo explico** eu não entendo; **¿me explico?** estou sendo claro?

explícito, -a [es'pliθito, -a] *adj* explícito, -a

exploración [esplora'θjon] *f* exploração f

explorador(a) [esplora'ðor(a)] *m(f)* explorador(a) m(f)

explorar [esplo'rar] *vt* **1.** MIL explorar **2.** MED examinar

explosión [esplo'sjon] *f* explosão f

explosivo, -a [esplo'siβo, -a] *adj* explosivo, -a

explotación [esplota'θjon] *f* exploração f

explotar [esplo'tar] *vi, vt* explorar

exponer [espo'ner] *irr como poner* **I.** *vt* expor **II.** *vr* ~**se a algo** expor-se a a. c.

exportación [esporta'θjon] *f* exportação f

exportar [espor'tar] *vt* exportar

exposición [esposi'θjon] *f* exposição f

expresar [espre'sar] **I.** *vt* expressar **II.** *vr:* ~**se** expressar-se

expresión [espre'sjon] *f* expressão f

expresivo, -a [espre'siβo, -a] *adj* expressivo, -a

expreso, -a [es'preso, -a] *adj* expresso, -a

exprimir [espri'mir] *vt* espremer

expropiar [espro'pjar] *vt* expropriar

expuesto, -a [es'pwesto, -a] **I.** *pp de* **exponer II.** *adj* exposto, -a

expulsar [espul'sar] *vt* expulsar

exquisito, -a [eski'sito, -a] *adj* excelente; *(comida)* delicioso, -a

éxtasis ['estasis] *m inv* êxtase m

extender [estẽn'der] <e→ie> **I.** *vt* **1.** *(en general)* estender; ~ **la mano** estender a mão **2.** *(cheque)* preencher **II.** *vr:* ~**se** estender-se

extendido, -a [estẽn'diðo, -a] *adj* **1.** *(amplio)* extenso, -a **2.** *(mano)* estendido, -a

extensión [estẽn'sjon] *f t.* TEL extensão f

extenso, -a [es'tenso, -a] *adj* extenso, -a

exterior [este'rjor] *adj, m* exterior m

exterminar [estermi'nar] *vt* exterminar

externo, -a [es'terno, -a] *adj* externo, -a

extinción [estiŋ'θjon] *f* extinção f

extinguir [estiŋ'gir] <gu→g> **I.** *vt* extinguir **II.** *vr:* ~**se** extinguir-se

extintor [estiŋ'tor] *m* ~ **(de incendios)** extintor m (de incêndios)

extra ['estra] **I.** *adj* extra; **de calidad** ~ de qualidade superior **II.** *m (paga)* extra m

extracción [estraˠ'θjon] f extração f

extracto [es'trakto] m extrato m

extraer [estra'er] irr como traer vt extrair

extranjero [estraŋ'xero] m estrangeiro m

extranjero, -a [estraŋ'xero, -a] adj, m, f estrangeiro, -a m, f

extrañar [estra'ɲar] vt 1. (sorprender) surpreender; ¡no me extraña! não me surpreende! 2. (echar de menos) sentir saudades de

extraño, -a [es'traɲo, -a] I. adj estranho, -a II. m, f (forastero) estrangeiro, -a m, f

extraordinario, -a [estraorði'narjo, -a] adj extraordinário, -a

extraterrestre [extrate'rrestre] adj, mf extraterrestre mf

extravagante [estraβa'ɣante] adj extravagante

extraviar [estraβi'ar] <1. pres: extravío> I. vt extraviar II. vr: ~se extraviar-se

Extremadura [estrema'ðura] f Estremadura f

extremeño, -a [estre'meɲo, -a] adj, m, f natural de Estremadura

extremidad [estremi'ðað] f 1. (cabo, punta) extremidade f 2. pl ANAT extremidades fpl

extremista [estre'mista] adj, mf extremista mf

extremo [es'tremo] m extremo m; **en último** ~ em último caso; **en este** ~ neste caso

extremo, -a [es'tremo, -a] adj extremo, -a

extrovertido, -a [estroβer'tiðo, -a] adj extrovertido, -a

exuberante [eˠsuβe'rante] adj exuberante

eyaculación [eɟakula'θjon] f ejaculação f

eyacular [eɟaku'lar] vi ejacular

F

F, f ['efe] f F, f m

fa [fa] m inv fá m

fábrica ['faβrika] f fábrica f

fabricante [faβri'kante] mf fabricante mf

fabricar [faβri'kar] <c→qu> vt fabricar

fabuloso, -a [faβu'loso, -a] adj fabuloso, -a

facción [faˠ'θjon] f 1. (de un partido) facção f 2. pl (rasgos) feições fpl

faceta [fa'θeta] f faceta f

fachada [fa'tʃaða] f fachada f

facial [fa'θjal] adj facial

fácil ['faθil] adj fácil; **es** ~ **que** +subj é provável que +subj

facilidad [faθili'ðaðˠ] f facilidade f

facilitar [faθili'tar] vt facilitar

factor [fak'tor] m fator m

factura [fak'tura] f fatura f

facturación [faktura'θjon] f 1. (de equipaje) expedição f 2. (de cuentas) faturamento m

facturar [faktu'rar] vt 1. AERO ~ (**el equipaje**) expedir (a bagagem)

2. (*cobrar*) faturar

facultad [fakul'ta^ð] *f t.* UNIV faculdade *f*

facultativo, -a [fakulta'tiβo, -a] *adj* facultativo, -a; (*del médico*) médico, -a; **prescripción facultativa** receita médica

faena [fa'ena] *f* serviço *m;* ~s **domésticas** trabalhos domésticos; **hacer una ~ a alguien** *inf* fazer uma sujeira com alguém

faisán [fai'san] *m* faisão *m*

faja ['faxa] *f* cinta *f*; (*para abrigar*) faixa *f*

falda ['falda] *f* saia *f*

fallar [fa'ʎar] **I.** *vi* falhar; ~ **a alguien** falhar com alguém **II.** *vt* DEP errar

fallecer [faʎe'θer] *irr como crecer vi* falecer

fallo ['faʎo] *m* **1.** JUR sentença *f* **2.** (*error*) falha *f*

falsificación [falsifika'θjon] *f* falsificação *f*

falsificar [falsifi'kar] <c→qu> *vt* falsificar

falso, -a ['falso, -a] *adj* falso, -a

falta ['falta] *f t.* DEP falta *f*; ~ **de ortografía** falta de ortografia; **¡ni ~ que hace!** nem faz falta!; **mañana sin ~** amanhã sem falta

faltar [fal'tar] *vi* faltar; ~ **a clase** faltar à aula; ~ **a alguien** ofender alguém; ~ **a una promesa** faltar a uma promessa; **¡no ~ía** [*o* **faltaba**] **más!** (*asentimiento*) claro que sim!; (*rechazo*) era só o que faltava!; **¡lo que faltaba!** a gota d'água!

fama ['fama] *f* fama *f*

famélico, -a [fa'meliko, -a] *adj* faminto, -a

familia [fa'milja] *f* família *f*

familiar [fami'ljar] *adj, mf* familiar *mf*

familiarizarse [familjari'θarse] <z→c> *vr* ~ **con algo** familiarizar-se com a. c.

famoso, -a [fa'moso, -a] *adj, m, f* famoso, -a *m, f*

fan [fan] *mf* <fans> fã *mf*

fanático, -a [fa'natiko, -a] *adj, m, f* fanático, -a *m, f*

fanfarrón, -ona [faɱfa'rron, -ona] *adj, m, f inf* fanfarrão, -ona *m, f*

fantasía [fanta'sia] *f* fantasia *f*; **¡déjate de ~s!** deixe de fantasias!

fantasma [fan'tasma] *m* fantasma *m*

fantástico, -a [fan'tastiko, -a] *adj* fantástico, -a

faringe [fa'rinxe] *f* faringe *f*

farmacéutico, -a [farma'θeutiko, -a] *adj, m, f* farmacêutico, -a *m, f*

farmacia [far'maθja] *f* farmácia *f*; ~ **de guardia** farmácia de plantão

fármaco ['farmako] *m* fármaco *m*

faro ['faro] *m* farol *m*

farol [fa'rol] *m* lampião *m*; **tirarse un ~** *inf* fazer farol

farola [fa'rola] *f* poste *m* de luz

farsante [far'sante] *mf* farsante *mf*

fascículo [fas'θikulo] *m* fascículo *m*

fascinante [fasθi'nante] *adj* fascinante

fascinar [fasθi'nar] *vt* fascinar

fascista [fas'θista] *adj, mf* fascista *mf*

fase ['fase] *f* fase *f*

fastidiar [fasti'ðjar] **I.** *vt* **1.** (*molestar*) aborrecer; **¡no te fastidia!** *inf* dá para acreditar? **2.** (*estropear*) quebrar **II.** *vr:* **~-se 1.** (*aguantarse*) agüentar-se, virar-se; **¡fastídiate!** *inf* que se agüente!; **¡hay que ~-se!** *inf* é o fim da picada! **2.** (*estropearse*) quebrar-se

fastidioso, -a [fasti'ðjoso, -a] *adj* chato, -a

fatal [fa'tal] **I.** *adj* fatal **II.** *adv inf* **el examen me fue ~** fui muito mal na prova; **me encuentro ~** me sinto muito mal

fatiga [fa'tiɣa] *f* fadiga *f*

fatigado, -a [fati'ɣaðo, -a] *adj* fadigado, -a

fatigar [fati'ɣar] <g→gu> *vt* fatigar

fauna ['fauna] *f* fauna *f*

favor [fa'βor] *m* favor *m*; **por ~** por favor; **estar a ~ de algo** estar a favor de a. c.; **hacer un ~ a alguien** fazer um favor para alguém

favorable [faβo'raβle] *adj* favorável

favorecer [faβore'θer] *irr como crecer vt* favorecer

favorito, -a [faβo'rito, -a] *adj, m, f* favorito *m, f*

fax [fa^Ys] *m* <-es *o inv*> fax *m*

fe [fe] *f* fé *f;* **tener ~ en alguien** ter fé em alguém

febrero [fe'βrero] *m* fevereiro *m; v.t.* **marzo**

fecha ['fetʃa] *f* data *f;* **~ de caducidad** data de validade; **~ de nacimiento** data de nascimento

fecundación [fekunda'θjon] *f* fecundação *f*

fecundar [fekun'dar] *vt* fecundar

federación [feðera'θjon] *f* federação *f*

federal [feðe'ral] *adj* federal

felicidad [feliθi'ðaⁿ] *f* felicidade *f;* **¡~es!** felicidades!; (*en Navidad*) feliz Natal!; (*en cumpleaños*) felicidades!; **¡~es por el trabajo!** parabéns pelo trabalho!

felicitación [feliθita'θjon] *f* felicitação *f;* (*tarjeta*) cartão *m* de felicitações

felicitar [feliθi'tar] *vt* ~ **a alguien por algo** felicitar alguém por a. c.

feliz [fe'liθ] *adj* feliz; **¡~ cumpleaños!** feliz aniversário!; **¡~ Navidad!** feliz Natal!; **¡~ viaje!** boa viagem!

felpa ['felpa] *f* pelúcia *f*

felpudo [fel'puðo] *m* capacho *m*

femenino, -a [feme'nino, -a] *adj* feminino, -a

feminista [femi'nista] *adj, mf* feminista *mf*

fémur ['femur] *m* ANAT fêmur *m*

fenomenal [fenome'nal] *inf* **I.** *adj* fenomenal **II.** *adv* muito bem; **me encuentro ~** me sinto muito bem

fenómeno [fe'nomeno] *m* fenômeno *m*

feo, -a ['feo, -a] *adj* feio, -a

féretro ['feretro] *m* féretro *m*

feria ['ferja] *f* **1.** (*exposición*) feira *f* **2.** (*verbena*) quermesse *f*

feriado [fe'rjaðo] *m AmL* feriado *m*

feriado, -a [fe'rjaðo, -a] *adj AmL* feriado, -a

fermentar [fermen'tar] *vi, vt* fermentar

feroz [fe'roθ] *adj* feroz

ferretería [ferrete'ria] *f* loja *f* de ferragens

ferrocarril [ferroka'rril] *m* **1.** (*vía*) fer-

rovia f **2.** (*tren*) trem m
ferroviario, **-a** [ferro'βjarjo, -a] *adj, m, f* ferroviário, -a *m, f*
ferry ['ferri] *m* ferry *m*
fértil ['fertil] *adj* fértil
fertilidad [fertili'ðað] *f* fertilidade *f*
fertilizar [fertili'θar] <z→c> *vt* fertilizar
festejar [feste'xar] *vt* festejar
festival [festi'βal] *m* festival *m*
festivo, **-a** [fes'tiβo, -a] *adj* festivo, -a
feto ['feto] *m* feto *m*
feudal [feu̯'ðal] *adj* feudal
fiable [fi'aβle] *adj* confiável
fianza [fi'anθa] *f* fiança *f*
fiar [fi'ar] <*1. pres:* fío> **I.** *vi* **1.** (*al vender*) fiar **2.** (*confiar*) **es de** ~ é de confiança **II.** *vt* (*dar crédito*) fiar **III.** *vr* ~**se de algo/alguien** confiar em a. c./alguém
fibra ['fiβra] *f* fibra *f*
ficción [fiɣ'θjon] *f* ficção *f*
ficha ['fitʃa] *f* ficha *f;* (*de dominó*) peça *f*
fichaje [fi'tʃaxe] *m* DEP contratação *f*
fichar [fi'tʃar] **I.** *vi* **1.** DEP ~ **por** ser contratado por **2.** (*en el trabajo*) marcar cartão **II.** *vt* **1.** (*policía*) fichar; **estar fichado** estar fichado **2.** DEP contratar
fichero [fi'tʃero] *m* **1.** (*archivador*) fichário *m* **2.** INFOR arquivo *m*
ficticio, **-a** [fik'tiθjo, -a] *adj* fictício, -a
fidelidad [fiðeli'ðað] *f* fidelidade *f*
fiebre ['fjeβre] *f* febre *f*
fiel [fjel] *adj* fiel
fieltro ['fjeltro] *m* feltro *m*
fiera ['fjera] *f* fera *f*

fiesta ['fjesta] *f* festa *f;* **¡Felices Fiestas!** Boas Festas!; **hoy hago** ~ hoje tirei o dia de folga
figura [fi'ɣura] *f* figura *f*
figurar [fiɣu'rar] **I.** *vi* figurar **II.** *vr:* ~**se** imaginar; **¡figúrate!** imagine!
fijador [fixa'ðor] *m* t. FOTO fixador *m*
fijar [fi'xar] **I.** *vt* fixar; ~ **la atención en algo** fixar a atenção em a. c. **II.** *vr:* ~**se** prestar atenção; **ese se fija en todo** esse repara em tudo; **fijate bien en lo que te digo** preste bem atenção no que eu lhe digo
fijo, **-a** ['fixo, -a] *adj* fixo, -a
fila ['fila] *f* fila *f;* **en** ~ (**india**) em fila (indiana)
filete [fi'lete] *m* filé *m*
filial [fi'ljal] *f* filial *f*
Filipinas [fili'pinas] *fpl* **las** ~ as Filipinas
filipino, **-a** [fili'pino, -a] *adj, m, f* filipino, -a *m, f*
filmar [fil'mar] *vt* filmar
filología [filolo'xia] *f* filologia *f*
filólogo, **-a** [fi'loloɣo, -a] *m, f* filólogo, -a *m, f*
filosofía [filoso'fia] *f* filosofia *f*
filosófico, **-a** [filo'sofiko, -a] *adj* filosófico, -a
filósofo, **-a** [fi'losofo, -a] *m, f* filósofo, -a *m, f*
filtrar [fil'trar] **I.** *vt* filtrar **II.** *vr:* ~**se 1.** (*líquido, luz*) infiltrar-se **2.** (*noticia*) vazar
filtro ['filtro] *m* filtro *m*
fin [fin] *m* fim *m;* ~ **de semana** fim de semana; **a** ~(**es**) **de mes** no final do mês; **en** ~ em resumo

final¹ [fi'nal] *adj, m* final *m;* **a ~es de** no final do mês; **al ~ no nos lo dijo** no fim não nos contou

final² [fi'nal] *f* DEP final *f*

finalidad [finali'ðað] *f* finalidade *f*

finalista [fina'lista] *mf* finalista *mf*

finalizar [finali'θar] <z→c> *vi, vt* finalizar

financiar [finan'θjar] *vt* financiar

financiero, -a [finan'θjero, -a] **I.** *adj* financeiro, -a **II.** *m, f* financista *mf*

finca [fiŋka] *f* propriedade *f*

finés, -esa [fi'nes, -esa] *adj, m, f* finês, -esa *m, f*

fingir [fin'xir] <g→j> *vi, vt* fingir

finlandés, -esa [finlan'des, -esa] *adj, m, f* finlandês, -esa *m, f*

Finlandia [fin'landja] *f* Finlândia *f*

fino, -a [fino, -a] *adj* fino, -a

firma ['firma] *f* assinatura *f*

firmar [fir'mar] *vi, vt* assinar

firme ['firme] *adj* firme; **¡~s!** MIL sentido!

firmeza [fir'meθa] *f* firmeza *f*

fiscal [fis'kal] **I.** *adj* fiscal **II.** *mf* JUR promotor/a *m(f)*

fiscalía [fiska'lia] *f* promotoria *f*

fisco ['fisko] *m* fisco *m*

fisgón, -ona [fis'ɣon, -ona] *m, f inf* xereta *mf*

física ['fisika] *f* física *f*

físico, -a ['fisiko, -a] *adj, m, f* físico, -a *m, f*

fisioterapia [fisjote'rapja] *f* fisioterapia *f*

flaco, -a ['flako, -a] *adj* **1.** *(delgado)* magro, -a **2.** *(débil)* fraco, -a

flamenco [fla'meŋko] *m* **1.** ZOOL flamingo *m* **2.** *(cante)* flamenco *m* **3.** *(lengua)* flamengo *m*

Cultura O **flamenco**, uma das formas de canto e dança mais tradicionais da **Andalucía**, é conhecido no mundo inteiro. As origens do **flamenco** podem ser encontradas nas ricas tradições de três grupos nacionais: os andaluzos, os mouros e os ciganos. As canções e os movimentos de dança (solo ou dueto) são sempre acompanhados por palmas e estalar de dedos rítmicos juntamente com gritos variados.

flamenco, -a [fla'meŋko, -a] **I.** *adj* **1.** *(andaluz)* flamenco, -a **2.** *(de Flandes)* flamengo, -a **II.** *m, f* flamengo, -a *m, f*

flan [flan] *m* flã *m;* **estar hecho** [*o* **como**] **un ~** *inf* estar tremendo como uma gelatina

Flandes ['flandes] *m* Flandres *f*

flauta ['flauta] *f* flauta *f*

flecha ['fletʃa] *f* **1.** *(arma)* flecha *f* **2.** *(indicador)* seta *f*

fleco ['fleko] *m* franja *f*

flequillo [fle'kiʎo] *m* franja *f*

flete ['flete] *m* frete *m*

flexibilidad [fleˠsiβili'ðað] *f* flexibilidade *f*

flexible [fleˠ'siβle] *adj* flexível

flexión [fleˠ'sjon] *f* flexão *f*

flojo, -a ['floxo, -a] *adj (nudo)* frouxo, -a; *(café)* fraco, -a

flor [flor] *f* flor *f*

flora ['flora] *f* flora *f*

florecer [flore'θer] *irr como crecer vi*

florescer
Florencia [flo'renθja] *f* Florença *f*
florero [flo'rero] *m* vaso *m*
floristería [floriste'ria] *f* floricultura *f*
flota ['flota] *f* frota *f*
flotador [flota'ðor] *m* bóia *f*
flotar [flo'tar] *vi* flutuar, boiar
flote ['flote] *m* **estar a ~** estar flutuando; *fig* estar fora de perigo; **mantenerse a ~** *fig* seguir adiante
fluctuar [fluktu'ar] <*1. pres:* fluctúo> *vi* flutuar
fluidez [flwi'ðeθ] *f* fluidez *f*; *fig* fluência *f*
fluido, -a [flu'iðo, -a] *adj* fluido, -a
fluir [flu'ir] *irr como huir vi* fluir
flujo [fluxo] *m* fluxo *m*
flúor ['fluor] *m* flúor *m*
fluorescente [flwores'θente] *adj* fluorescente
foca ['foka] *f* foca *f*
foco ['foko] *m* foco *m*
fogata [fo'yata] *f* fogueira *f*
fogón [fo'yon] *m* fogão *m*; (*de máquinas de vapor*) caldeira *f*
fogoso, -a [fo'yoso, -a] *adj* fogoso, -a
folclor(e) [fol'klor(e)] *m* folclore *m*
folclórico, -a [fol'kloriko, -a] *adj* folclórico, -a
follar [fo'ʎar] *vi, vt vulg* foder
folleto [fo'ʎeto] *m* folheto *m*
follón [fo'ʎon] *m inf* confusão *f*; **armar un ~** armar uma confusão
fomentar [fomen'tar] *vt* fomentar
fondo ['fondo] *m t.* FIN, POL fundo *m*; **en el ~** no fundo; **tocar ~** chegar ao fundo; **al ~ del pasillo** ao final do corredor

fonética [fo'netika] *f* fonética *f*
fontanero, -a [fonta'nero, -a] *m, f* encanador(a) *m(f)*
forastero, -a [foras'tero, -a] *m, f* forasteiro, -a *m, f*
forestal [fores'tal] *adj* florestal
forjar [for'xar] *vt* forjar
forma ['forma] *f* forma *f*; **de ~ que** de maneira que; **de todas ~s,...** de qualquer forma,...; **no hay ~ de abrir la puerta** não tem jeito de abrir a porta
formación [forma'θjon] *f* formação *f*; **~ profesional** formação profissional
formal [for'mal] *adj* formal
formalidad [formali'ðað] *f* formalidade *f*
formalizar [formali'θar] <z→c> *vt* formalizar
formar [for'mar] I. *vt* formar II. *vr:* **~se** formar-se; **~se una idea de algo** fazer uma idéia de a. c.
formatear [formate'ar] *vt* INFOR formatar
formato [for'mato] *m* formato *m*
formidable [formi'ðaβle] *adj* formidável
fórmula ['formula] *f* fórmula *f*
formular [formu'lar] *vt* formular, apresentar; **~ denuncia contra alguien** apresentar denúncia contra alguém
formulario [formu'larjo] *m* formulário *m*
foro ['foro] *m* (*local*) foro *m*, fórum *m*; (*discusión*) fórum *m*
forrar [fo'rrar] I. *vt* forrar II. *vr:* **~se** *inf* encher-se de dinheiro
forro ['forro] *m* forro *m*

fortalecer [fortale'θer] *irr como crecer* **I.** *vt* fortalecer **II.** *vr*: ~**se** fortalecer-se

fortaleza [forta'leθa] *f* fortaleza *f*

fortuito, -a [for'twito, -a, fortu'ito, -a] *adj* fortuito, -a

fortuna [for'tuna] *f* fortuna *f*; **por ~** por sorte

forzar [for'θar] *irr vt* forçar

forzoso, -a [for'θoso, -a] *adj* forçoso, -a

fosa ['fosa] *f* fossa *f*

fósforo ['fosforo] *m* fósforo *m*

fósil ['fosil] *m* fóssil *m*

foto ['foto] *f* foto *f*

fotocopia [foto'kopja] *f* fotocópia *f*

fotocopiadora [fotokopja'ðora] *f* xerox *F*

fotocopiar [fotoko'pjar] *vt* fotocopiar

fotogénico, -a [foto'xeniko, -a] *adj* fotogênico, -a

fotografía [fotoɣra'fia] *f* fotografia *f*; **hacer** [*o* **sacar**] **una ~** tirar uma fotografia

fotografiar [fotoɣrafi'ar, fotoɣra'fjar] <*1. pres*: **fotografío**> *vi*, *vt* fotografar

fotográfico, -a [foto'ɣrafiko, -a] *adj* fotográfico, -a

fotógrafo, -a [fo'toɣrafo, -a] *m*, *f* fotógrafo, -a *m, f*

frac [frak] *m* <**fracs** *o* **fraques**> fraque *m*

fracasar [fraka'sar] *vi* fracassar

fracaso [fra'kaso] *m* fracasso *m*

fracción [fraᵛ'θjon] *f* fração *f*

fracs *pl de* **frac**

fractura [frak'tura] *f* fratura *f*

fracturar [fraktu'rar] **I.** *vt* fraturar **II.** *vr*: ~**se** fraturar

fragancia [fra'ɣanθja] *f* fragrância *f*

fragata [fra'ɣata] *f* fragata *f*

frágil ['fraxil] *adj* frágil

fragmento [fraɣ'mento] *m* fragmento *m*

fraile ['frajle] *m* frade *m*

frambuesa [fram'bwesa] *f* framboesa *f*

francés, -esa [fran'θes, -esa] *adj, m, f* francês, -esa *m, f*

Francia ['franθja] *f* França *f*

franco, -a ['franko, -a] *adj* franco, -a

franela [fra'nela] *f* flanela *f*

franja ['franxa] *f* faixa *f*; (*guarnición*) franja *f*

franqueza [fraŋ'keθa] *f* franqueza *f*

franquicia [fraŋ'kiθja] *f* franquia *f*

franquista [fraŋ'kista] *adj, mf* HIST franquista *mf*

fraques ['frakes] *pl de* **frac**

frasco ['frasko] *m* frasco *m*

frase ['frase] *f* frase *f*

fraude ['frauðe] *m* fraude *f*

fraudulento, -a [frauðu'lento, -a] *adj* fraudulento, -a

frazada [fra'θaða] *f AmL* cobertor *m*

frecuencia [fre'kwenθja] *f* freqüência *f*

frecuentar [frekwen'tar] *vt* freqüentar

frecuente [fre'kwente] *adj* (*usual*) freqüente

fregadero [freɣa'ðero] *m* pia *f* de cozinha

fregar [fre'ɣar] *irr vt* esfregar; ~ **los platos** lavar os pratos

fregona [fre'ɣona] *f* esfregão *m*

freidora [frei̯'ðora] f fritadeira f
freír [fre'ir] irr I. vt fritar II. vr: ~**se** fritar; ~**se de calor** inf derreter de calor
frenar [fre'nar] I. vt frear II. vi frear; ~ **en seco** frear bruscamente
frenazo [fre'naθo] m freada f
frenético, -a [fre'netiko, -a] adj frenético, -a
freno ['freno] m freio m; ~ **de mano** freio de mão
frente¹ ['frente] f testa f, fronte f
frente² ['frente] I. m frente f; **al/de ~** à frente/de frente; **en ~ de** em frente de II. prep ~ **a** (enfrente de) em frente de; (contra) contra
fresa ['fresa] f morango m
fresco, -a ['fresko, -a] I. adj fresco, -a; inf (desvergonzado) descarado, -a II. m, f inf cara-de-pau m
frescura [fres'kura] f frescura f; inf (desvergüenza) atrevimento m
fricción [frikˠ'θjon] f fricção f
frígido, -a ['frixiðo, -a] adj frígido, -a
frigorífico [friɣo'rifiko] m geladeira f
frijol [fri'xol] m, **fríjol** ['frixol] m AmL feijão m
frío ['frio] m frio m; **coger ~** pegar frio; **hace ~** está frio; **tener ~** estar com frio
frío, -a ['frio, -a] adj frio, -a
friolero, -a [frjo'lero, -a] adj, m, f friorento, -a m, f
frito, -a ['frito, -a] I. pp de **freír** II. adj frito, -a; **quedarse ~** inf cair no sono
frívolo, -a ['friβolo, -a] adj frívolo, -a
frondoso, -a [fron'doso, -a] adj frondoso, -a
frontal [fron'tal] adj frontal
frontera [fron'tera] f fronteira f
fronterizo, -a [fronte'riθo, -a] adj fronteiriço, -a
frotar [fro'tar] vt esfregar
fruncir [frun'θir] <c→z> vt ~ **el ceño** franzir a testa
frustrar [frus'trar] vt frustrar
fruta ['fruta] f fruta f; ~ **del tiempo** fruta da época
frutería [frute'ria] f quitanda f
frutilla [fru'tiʎa] f AmL morango m
fruto ['fruto] m fruto m; ~**s secos** frutos secos
fue [fwe] **1.** 3. pret de **ir 2.** 3. pret de **ser**
fuego ['fweɣo] m fogo m; ~**s artificiales** fogos de artifício; **a ~ lento** em fogo baixo
fuel [fwel] m combustível m
fuelle ['fweʎe] m fole m
fuente ['fwente] f **1.** fonte f **2.** (plato) travessa f
fuera ['fwera] adv fora
fuerte ['fwerte] I. adj <fortísimo> forte II. m t. MIL forte m III. adv (con fuerza) forte; (en voz alta) alto
fuerza ['fwerθa] f força f
fuga ['fuɣa] f fuga f
fugarse [fu'ɣarse] <g→gu> vr fugir
fugaz [fu'ɣaθ] adj fugaz
fugitivo, -a [fuxi'tiβo, -a] adj, m, f fugitivo, -a m, f
fulano, -a [fu'lano, -a] m, f inf fulano, -a m, f; ~ **y zutano** fulano e beltrano
fumador(a) [fuma'ðor(a)] m(f) fumante mf

fumar [fu'mar] *vi, vt* fumar

fumigar [fumi'ɣar] <g→gu> *vt* fumigar

función [fuŋ'θjon] *f* função *f;* ~ **de noche** sessão da noite; **el presidente en funciones** o presidente em exercício

funcional [funθjo'nal] *adj* funcional

funcionar [funθjo'nar] *vi* funcionar

funcionario, -a [funθjo'narjo, -a] *m, f* funcionário, -a *m, f*

funda ['funda] *f* fronha *f*, capa *f*

fundación [funda'θjon] *f* fundação *f*

fundamental [fundamen'tal] *adj* fundamental

fundamentalista [fundamenta'lista] *adj, mf* fundamentalista *mf*

fundamentar [fundamen'tar] *vt* fundamentar

fundamento [funda'mento] *m* fundamento *m*

fundar [fun'dar] I. *vt* fundar II. *vr:* ~**se** fundamentar-se

fundir [fun'dir] I. *vt* fundir II. *vr:* ~**se** fundir-se; *(bombilla)* queimar

fúnebre ['funeβre] *adj* fúnebre

funeral [fune'ral] *m* funeral *m*

funeraria [fune'rarja] *f* funerária *f*

furgón [fur'ɣon] *m* **1.** *(vehículo)* furgão *m* **2.** *(vagón)* vagão *m*

furgoneta [furɣo'neta] *f* camionete *f*

furioso, -a [fu'rjoso, -a] *adj* furioso, -a

furtivo, -a [fur'tiβo, -a] *adj* furtivo, -a

fusible [fu'siβle] *m* fusível *m*

fusil [fu'sil] *m* fuzil *m*

fusilar [fusi'lar] *vt* fuzilar

fusión [fu'sjon] *f* fusão *f*

fútbol ['fuðβol] *m* futebol *m;* ~ **americano** futebol americano; ~ **sala** futebol de salão

futbolín [fuðβo'lin] *m* pebolim *m*

futbolista [fuðβo'lista] *mf* futebolista *mf*

futuro [fu'turo] *m* futuro *m*

futuro, -a [fu'turo, -a] *adj* futuro, -a

G

G, g [xe] *f* G, g *m*

gabardina [gaβar'ðina] *f* gabardina *f*

gabinete [gaβi'nete] *m* POL gabinete *m;* (de abogado) escritório *m;* ~ **de prensa** sala *f* de imprensa

Gabón [ga'βon] *m* Gabão *m*

gacela [ga'θela] *f* gazela *f*

gaceta [ga'θeta] *f* gazeta *f*

gafas ['gafas] *fpl* óculos *mpl;* ~**s de bucear** óculos de mergulho; ~**s de sol** óculos de sol

gafe ['gafe] *adj, mf* pé-frio *mf*

gaita ['gajta] *f* gaita *f* de foles

gajes ['gaxes] *mpl* ~ **del oficio** ossos *mpl* do ofício

gajo ['gaxo] *m* (de naranja) gomo *m;* (de uvas) cacho *m*

gala ['gala] *f* gala *f;* **hacer** ~ **de algo** vangloriar-se de a. c.; **traje de** ~**s** traje *m* de gala

galán [ga'lan] *m* galã *m*

galardón [galar'ðon] *m* galardão *m*

galaxia [ga'laˠsja] *f* galáxia *f*

galería [gale'ria] *f* galeria *f*

galés, -esa [ga'les, -esa] *adj, m, f* galês, -esa *m, f*

Gales ['gales] *m* (**el País de**) ~ (o País de) Gales

Galicia [ga'liθja] *f* Galiza *f*

gallego, -a [ga'ʎeɣo, -a] *adj, m, f* galego, -a *m, f*

galleta [ga'ʎeta] *f* bolacha *f*

gallina [ga'ʎina] *f* galinha *f*

gallinero [gaʎi'nero] *m* galinheiro *m*

gallo ['gaʎo] *m* galo *m;* **en menos que canta un** ~ em um minuto

galopar [galo'par] *vi* galopar

galope [ga'lope] *m* galope *m*

gama ['gama] *f* gama *f*

gamba ['gamba] *f* camarão *m*

gamberrada [gambe'rraða] *f* baderna *f*

gamberro, -a [gam'berro, -a] *m, f* baderneiro, -a *m, f*

gamuza [ga'muθa] *f* **1.** (*animal, piel*) camurça *f* **2.** (*paño*) pano *m* de pó

gana ['gana] *f* vontade *f;* **tener ~s de hacer algo** ter vontade de fazer a. c.

ganadería [ganaðe'ria] *f* (*ganado*) gado *m;* (*crianza*) criação *f* de gado

ganadero, -a [gana'ðero, -a] **I.** *adj* pecuário, -a **II.** *m, f* pecuarista *mf*

ganado [ga'naðo] *m* gado *m;* **~ bovino** [*o* **vacuno**]**/cabrío/ovino/porcino** gado bovino/cabrío/ovino/porcino

ganancia [ga'nanθja] *f* ganho *m*

ganar [ga'nar] *vi, vt* ganhar

ganchillo [gan'tʃiʎo] *m* crochê *m*

gancho ['gantʃo] *m* gancho *m;* **tener ~** *inf* ter charme

gandul(a) [gan'dul(a)] *adj, m(f) inf* safado, -a *m, f*

ganga ['ganga] *f* pechincha *f*

gángster ['gaⁿster] *m* gângster *m*

gansada [gan'saða] *f inf* palhaçada *f*

ganso, -a ['ganso, -a] *m, f* ganso, -a *m, f*

ganzúa [gan'θua] *f* gazua *f*

garabato [gara'βato] *m* rabisco *m*

garaje [ga'raxe] *m* garagem *f*

garantía [garan'tia] *f* garantia *f*

garantizar [garanti'θar] <z→c> *vt* garantir

garbanzo [gar'βanθo] *m* grão-de-bico *m*

gardenia [gar'ðenja] *f* gardênia *f*

garete [ga'rete] *m* **ir(se) al ~** *inf* ir por água abaixo

garfio ['garfjo] *m* gancho *m*

garganta [gar'ɣanta] *f* garganta *f*

gárgaras ['garɣaras] *fpl* gargarejos *mpl;* **¡vete a hacer ~!** *inf* vá ver se eu estou na esquina!

garra ['garra] *f* garra *f*

garrafa [ga'rrafa] *f* garrafão *m*

garrapata [garra'pata] *f* carrapato *m*

garza ['garθa] *f* garça *f*

gas [gas] *m* **1.** (*fluido*) gás *m;* **dar ~** *inf* AUTO dar gás **2.** *pl* (*en el estómago*) gases *mpl*

gasa ['gasa] *f* gaze *f*

gaseosa [gase'osa] *f* gasosa *f*

gaseoso, -a [gase'oso, -a] *adj* gasoso, -a

gasoil [ga'soil] *m,* **gasóleo** [ga'soleo] *m* óleo *m* diesel

gasolina [gaso'lina] *f* gasolina *f;* **~ sin plomo** gasolina sem chumbo

gasolinera [gasoli'nera] *f* posto *m* de

gasolina

gastar [gas'tar] I. *vt* gastar II. *vr*: **~se 1.** (*dinero*) gastar **2.** (*desgastarse*) desgastar-se

gasto ['gasto] *m* gasto *m*

gastronomía [gastrono'mia] *f* gastronomia *f*

gata ['gata] *f* gata *f*

gatas ['gatas] **andar a ~** andar de gatinhas

gatear [gate'ar] *vi* engatinhar

gatillo [ga'tiʎo] *m* gatilho *m*

gato ['gato] *m* **1.** (*félido*) gato *m* **2.** (*de coche*) macaco *m*

gaucho, -a ['gaɣtʃo, -a] *adj, m, f* gaúcho, -a *m, f*

Cultura **Gauchos** eram os vaqueiros ou "cowboys" dos **pampas** da América do Sul.

gaviota [ga'βjota] *f* gaivota *f*

gazpacho [gaθ'patʃo] *m* gaspacho *m*

gel [xel] *m* gel *m*

gelatina [xela'tina] *f* gelatina *f*

gemelo, -a [xe'melo, -a] *adj, m, f* gêmeo, -a *m, f*

gemelos [xe'melos] *mpl* **1.** (*prismáticos*) binóculo *m* **2.** (*de la camisa*) abotoadura *f*

Géminis ['xeminis] *m inv* Gêmeos *mpl*; **ser ~** ser (de) Gêmeos

gemir [xe'mir] *irr como pedir vi* gemer

gen [xen] *m* gene *m*

generación [xenera'θjon] *f* geração *f*

general [xene'ral] I. *adj* (*universal*) geral; **en** [*o* **por lo**] **~** em geral II. *m* general *m*

generalizar [xenerali'θar] <z→c> I. *vi* generalizar II. *vr*: **~se** generalizar-se

generar [xene'rar] *vt* gerar

género ['xenero] *m* **1.** (*clase, manera*) gênero *m*; **~ humano** espécie *f* humana **2.** (*mercancía*) mercadorias *fpl* **3.** (*tela*) tecido *m*; **~s de punto** artigos *mpl* de malha

generosidad [xenerosi'ðað] *f* generosidade *f*

generoso, -a [xene'roso, -a] *adj* generoso, -a

genético, -a [xe'netiko, -a] *adj* genético, -a

genial [xe'njal] *adj* genial

genio ['xenjo] *m* gênio *m*; **tener mucho ~** ter gênio forte

genitales [xeni'tales] *mpl* genitais *mpl*

gente ['xente] *f* gente *f*; **tener don de ~s** saber lidar com as pessoas

gentil [xen'til] *adj* gentil

gentileza [xenti'leθa] *f* gentileza *f*; **¿tendría Ud. la ~ de ayudarme?** você faria a gentileza de me ajudar?

gentío [xen'tio] *m* gentio *m*

gentuza [xen'tuθa] *f* gentalha *f*

geografía [xeoɣra'fia] *f* geografia *f*

geográfico, -a [xeo'ɣrafiko, -a] *adj* geográfico, -a

geología [xeolo'xia] *f* geologia *f*

geometría [xeome'tria] *f* geometria *f*

geométrico, -a [xeo'metriko, -a] *adj* geométrico, -a

Georgia [xe'orxja] *f* Geórgia *f*

georgiano, -a [xeor'xjano, -a] *adj, m, f* georgiano, -a *m, f*

geranio [xe'ranjo] *m* gerânio *m*
gerencia [xe'renθja] *f* gerência *f*
gerente [xe'rente] *mf* gerente *m*
germen ['xermen] *m* germe *m*
gerundio [xe'rundjo] *m* gerúndio *m*
gestación [xesta'θjon] *f* gestação *f*
gesticular [xestiku'lar] *vi* gesticular
gestión [xes'tjon] *f* **1.** (*diligencia*) gestão *f*; **hacer gestiones** tomar providências **2.** (*de una empresa*) t. INFOR gerência *f*; **~ de ficheros** gerenciamento *m* de arquivos
gestionar [xestjo'nar] *vt* **1.** (*asunto*) providenciar **2.** INFOR gerenciar
gesto ['xesto] *m* gesto *m*; **torcer el ~** fechar a cara
gestoría [xesto'ria] *f* consultoria *f* administrativa
ghanés, -esa [ga'nes, -esa] *adj, m, f* ganês, -esa *m, f*
Gibraltar [xiβral'tar] *m* Gibraltar *m*
gibraltareño, -a [xiβralta'reɲo, -a] *adj, m, f* gibraltarino, -a *m, f*
gigante [xi'ɣante] *adj, m* gigante *m*
gigantesco, -a [xiɣan'tesko, -a] *adj* gigantesco, -a
gilipollas [xili'poʎas] *adj, mf inv, vulg* babaca *mf*
gimnasia [xim'nasja] *f* ginástica *f*
gimnasio [xim'nasjo] *m* (*privado*) academia *f* de ginástica; (*en colegio*) ginásio *m*
ginebra [xi'neβra] *f* genebra *f*
Ginebra [xi'neβra] *f* Genebra *f*
ginecólogo, -a [xine'koloɣo, -a] *m, f* ginecologista *mf*
gira ['xira] *f* turnê *f*; **estar de ~** estar em turnê

girar [xi'rar] **I.** *vi* girar **II.** *vt* **1.** (*dar la vuelta*) girar **2.** (*dinero*) enviar
girasol [xira'sol] *m* girassol *m*
giro ['xiro] *m* **1.** (*vuelta*) giro *m*; (*cariz*) rumo *m* **2.** FIN transferência *f*; **~ postal** ordem *f* de pagamento
gitano, -a [xi'tano, -a] *adj, m, f* cigano, -a *m, f*
glacial [gla'θjal] *adj* glacial
gladiolo [gla'ðjolo] *m* gladíolo *m*
glándula ['glandula] *f* glândula *f*
global [glo'βal] *adj* global
globalización [gloβaliθa'θjon] *f* globalização *f*
globo ['gloβo] *m* globo *m*; (*para niños*) balão *m*; **~ terrestre** globo terrestre
gloria ['glorja] *f* glória *f*
glorieta [glo'rjeta] *f* **1.** (*plazoleta*) quiosque *m* **2.** (*rotonda*) rotatória *f*
glosario [glo'sarjo] *m* glossário *m*
glotón, -ona [glo'ton, -ona] *adj, m, f* glutão, -ona *m, f*
glucosa [glu'kosa] *f* glicose *f*
gobernador(a) [goβerna'ðor(a)] *m(f)* governador(a) *m(f)*
gobernar [goβer'nar] <e→ie> *vt* **1.** POL governar **2.** (*nave*) dirigir
gobierno [go'βjerno] *m* governo *m*
goce [ɡo'θe] *m* gozo *m*
gol [gol] *m* gol *m*
golear [gole'ar] *vt* golear
golf [golf] *m* golfe *m*
golfo, -a ['golfo, -a] *m, f inf* pilantra *mf*
golondrina [golon'drina] *f* andorinha *f*
golosina [golo'sina] *f* guloseima *f*

goloso, -a [go'loso, -a] *adj, m, f* guloso, -a *m, f*

golpe ['golpe] *m* golpe *m;* **abrirse de ~** abrir-se de súbito; **tragarse algo de un ~** engolir a. c. de uma vez só; **de ~ (y porrazo)** *inf* de golpe; **no pegó ni ~** *inf* não levantou nem um dedo

golpear [golpe'ar] *vt* golpear

goma ['goma] *f* **1.** *(sustancia)* borracha *f;* **~ de borrar** borracha de apagar *m* **2.** *inf (preservativo)* camisinha *f*

gomina [go'mina] *f* gel *m* de cabelo

gordinflón, -ona [gorðiɱ'flon, -ona] *adj, m, f inf* balofo, -a *m, f*

gordo, -a ['gorðo, -a] *adj, m, f* gordo, -a *m, f*

gorila [go'rila] *m* gorila *m*

gorra ['gorra] *f* boné *m;* **de ~** *inf (gratis)* de graça; **vivir de ~** *inf* viver às custas dos outros

gorrión [gorri'on] *m* pardal *m*

gorro ['gorro] *m* gorro *m*

gorrón, -ona [go'rron, -ona] *m, f inf* aproveitador(a) *m(f)*

gota ['gota] *f* gota *f;* **sudar la ~ gorda** *inf* dar duro

gotear [gote'ar] **I.** *vi* gotejar **II.** *vimpers* chuviscar

gotera [go'tera] *f* goteira *f*

gozar [go'θar] <z→c> *vi* gozar; **~ con algo** divertir-se com a. c.

grabadora [graβa'ðora] *f* gravador *m*

grabar [gra'βar] *vt* gravar

gracia ['graθja] *f* **1.** *pl (agradecimiento)* ¡**(muchas) ~s!** (muito) obrigado!; **~s a** graças a **2.** *t.* REL graça *f*

gracioso, -a [gra'θjoso, -a] *adj* engraçado, -a

grado ['graðo] *m t.* ENS, FÍS, MAT grau *m*

graduar [graðu'ar] <1. pres: gradúo> **I.** *vt* **1.** *(regular)* ajustar **2.** TÉC graduar; *(gafas)* testar o grau **3.** UNIV graduar **II.** *vr:* **~se** graduar-se

gráfico [grafiko] *m* gráfico *m*

gráfico, -a [grafiko, -a] *adj* gráfico, -a

gramática [gra'matika] *f* gramática *f*

gramo ['gramo] *m* grama *m*

gran [gran] *adj v.* **grande**

granada [gra'naða] *f* **1.** *(fruto)* romã *f* **2.** *(proyectil)* granada *f*

granate [gra'nate] *adj, m* grená *m*

Gran Bretaña [gram bre'taɲa] *f* Grã-Bretanha *f*

grande ['grande] *adj* <más grande *o* mayor, grandísimo> *(precediendo un sustantivo singular: gran)* grande; **a lo ~** com toda pompa; **pasarlo en ~** *inf* divertir-se muito

grandioso, -a [gran'djoso, -a] *adj* grandioso, -a

grandullón, -ona [grandu'ʎon, -ona] *adj, m, f inf* grandalhão, -ona *m, f*

granel [gra'nel] *m* **a ~** *t. fig* a granel

granero [gra'nero] *m* celeiro *m*

granizado [grani'θaðo] *m* refresco feito com gelo picado e suco de frutas

granizo [gra'niθo] *m* granizo *m*

granja ['granxa] *f* granja *f*

granjero, -a [gran'xero, -a] *m, f* granjeiro, -a *m, f*

grano ['grano] *m* **1.** *(de cereales, sal, arena)* grão *m;* **ir al ~** ir ao assunto

granuja 118 **guardapolvo**

2. (*en piel*) espinha *f*
granuja [gra'nuxa] *m* pivete *m*
grapa ['grapa] *f* grampo *m*
grapadora [grapa'ðora] *f* grampeador *m*
grapar [gra'par] *vt* grampear
grasa ['grasa] *f* **1.** (*animal, vegetal*) gordura *f* **2.** (*lubricante*) graxa *f*
grasiento, -a [gra'sjento, -a] *adj* engordurado, -a
graso, -a ['graso, -a] *adj* **1.** (*piel, cabello*) oleoso, -a **2.** (*leche*) integral
gratificar [gratifi'kar] <c→qu> *vt* gratificar
gratinar [grati'nar] *vt* gratinar
gratis ['gratis] *adj, adv* grátis
gratuito, -a [gra'twito, -a] *adj* gratuito, -a
gravamen [gra'βamen] *m* gravame *m*
grave ['graβe] *adj t.* LING grave
gravedad [graβe'ðað] *f* gravidade *f*
gravilla [gra'βiʎa] *f* brita *f*
Grecia ['greθja] *f* Grécia *f*
gremio ['gremjo] *m* grêmio *m*
greña ['greɲa] *f* cabelo *m* emaranhado; **andar a la ~ con alguien** *inf* andar às turras com alguém
griego, -a [grjeɣo, -a] *adj, m, f* grego, -a *m, f*
grieta ['grjeta] *f* **1.** (*en una taza*) fenda *f* **2.** (*en la piel*) rachadura *f*
grifo ['grifo] *m* torneira *f*
grillo ['griʎo] *m* grilo *m*
gringo, -a ['griŋgo, -a] *adj, m, f inf* ianque *mf*
gripe ['gripe] *f* gripe *f*
gris [gris] *adj* cinza
grisáceo, -a [gri'saθeo, -a] *adj* cinzento, -a
gritar [gri'tar] *vi, vt* gritar
griterío [grite'rio] *m* gritaria *f*
grito ['grito] *m* grito *m*; **pegar un ~** gritar; **ser el último ~** *fig* ser a última moda
groenlandés, -esa [groenlaɲ'des, -esa] *adj, m, f* groenlandês, -esa *m, f*
Groenlandia [groen'laɲdja] *f* Groenlândia *f*
grosella [gro'seʎa] *f* groselha *f*
grosero, -a [gro'sero, -a] *adj* grosseiro, -a
grotesco, -a [gro'tesko, -a] *adj* grotesco, -a
grúa ['grua] *f* **1.** (*máquina*) guindaste *m* **2.** (*vehículo*) guincho *m*
grueso, -a ['grweso, -a] *adj* **1.** (*objeto*) grosso, -a **2.** (*persona*) corpulento, -a
grumo ['grumo] *m* grumo *m*
gruñir [gru'ɲir] <3. *pret:* gruñó> *vi* grunhir; *fig* (*quejarse*) resmungar
gruñón, -ona [gru'ɲon, -ona] *adj, m, f inf* resmungão, -ona *m, f*
grupo ['grupo] *m* grupo *m*
gruta ['gruta] *f* gruta *f*
guante ['gwante] *m* luva *f*
guantera [gwan'tera] *f* porta-luvas *m inv*
guapo, -a ['gwapo, -a] *adj* bonito, -a
guarda ['gwarða] *mf* guarda *mf*; **~ jurado** vigilante *m*
guardabarros [gwarða'βarros] *m inv* pára-lama *m*
guardaespaldas [gwarðaes'paldas] *mf inv* guarda-costas *m inv*
guardapolvo [gwarða'polβo] *m*

guarda-pó *m*
guardar [gwar'ðar] *vt* guardar; ~ **cambios** INFOR salvar alterações
guardarropa [gwarða'rropa] *m* guarda-roupa *m*
guardería [gwarðe'ria] *f* (~ (*infantil*)) creche *f*
guardia[1] ['gwarðja] *f* **1.** (*vigilancia*) guarda *f*; **estar de** ~ estar de plantão **2.** (*cuerpo armado*) **la Guardia Civil** a Guarda Civil
guardia[2] ['gwarðja] *mf* guarda *mf*; ~ **de tráfico** guarda rodoviário
guardián, -ana [gwar'ðjan, -ana] *m, f* guardião, guardiã *m, f*
guarecer [gware'θer] *irr como crecer* **I.** *vt* proteger **II.** *vr* ~**se de** proteger-se de
guarida [gwa'riða] *f* covil *m*
guarnición [gwarni'θjon] *f* (*adorno*) enfeite *m*; GASTR acompanhamento *m*
guarro, -a ['gwarro, -a] *inf* **I.** *adj* **1.** (*cosa*) nojento, -a **2.** (*persona*) porco, -a **II.** *m, f* porco, -a *m, f*
guasa ['gwasa] *f* gozação *f*; **estar de** ~ estar de gozação
Guatemala [gwate'mala] *f* Guatemala *f*
guatemalteco, -a [gwatemal'teko, -a] *adj, m, f* guatemalteco, -a *m, f*
guay [gwaj] *adj inf* legal
guayaba [gwa'jaβa] *f* goiaba *f*
Guayana [gwa'jana] *f* Guiana *f*
guayanés, -esa [gwaja'nes, -esa] *adj, m, f* guianense *mf*
guerra ['gerra] *f* guerra *f*; **dar mucha** ~ *inf* dar muito trabalho

guerrero, -a [ge'rrero, -a] *adj, m, f* guerreiro, -a *m, f*
guerrillero, -a [gerri'ʎero, -a] *m, f* guerrilheiro, -a *m, f*
gueto ['geto] *m* gueto *m*
guía[1] ['gia] *mf* (*persona*) guia *mf*; ~ **turístico** guia turístico
guía[2] ['gia] *f* (*libro*) guia *m*; ~ **telefónica** lista *f* telefônica
guiar [gi'ar] <*1. pres:* guío> **I.** *vt* guiar **II.** *vr* ~**se por algo** guiar-se por a. c.
guinda ['ginda] *f* guinda *f*
guindilla [gin'diʎa] *f* malagueta *f*
guiñar [gi'ɲar] *vt* piscar; ~ **el ojo a alguien** piscar o olho para alguém
guiño ['giɲo] *m* piscadela *f*
guiñol [gi'ɲol] *m* fantoche *m*
guión [gi'on] *m* **1.** CINE, TV roteiro *m* **2.** LING hífen *m*
guiri ['giri] *adj, mf pey, inf* gringo, -a *m, f*
guirnalda [gir'nalda] *f* grinalda *f*
guisado [gi'saðo] *m* guisado *m*
guisante [gi'sante] *m* ervilha *f*
guisar [gi'sar] *vt* (*cocinar*) guisar
guiso ['giso] *m* guisado *m*
guitarra [gi'tarra] *f* violão *m*; ~ **eléctrica** guitarra *f*
gusano [gu'sano] *m* verme *m*
gustar [gus'tar] **I.** *vi* **1.** (*agradar*) **me gusta nadar/el helado** gosto de nadar/de sorvete; **¡así me gusta!** assim é que eu gosto! **2.** (*ser aficionado*) ~ **de hacer algo** gostar de fazer a. c. **3.** (*atraer*) **me gusta tu hermano** gosto do seu irmão **4.** (*condicional*) **me** ~**ía saber...** gostaria de

gusto saber... **II.** vt gostar
gusto ['gusto] m **1.** (sentido, sabor) gosto m **2.** (placer) prazer m; **con ~** com prazer; **estar a ~** estar à vontade; **tanto ~ en conocerla** prazer em conhecê-la

H

H, h ['tʃe] f H, h m
haba ['aβa] f fava f
Habana [a'βana] f **La ~** Havana f
habanero, -a [aβa'nero, -a] adj, m, f havanês, -esa m, f
habano [a'βano] m havana m
haber [a'βer] irr **I.** aux haver; **he comprado el periódico** comprei o jornal; **he de hacer algo** tenho que fazer a. c.; **han de llegar pronto** devem chegar logo **II.** vimpers haver; **ha habido un terremoto** houve um terremoto; **¿qué hay?** inf como vai?; **¡muchas gracias!** – **no hay de qué** muito obrigado! – não há de quê; **había una vez...** era uma vez...; **no hay que olvidar que...** não pode esquecer que...
habichuela [aβi'tʃwela] f feijão m
hábil ['aβil] adj hábil
habilidad [aβili'ðað] f habilidade f
habitación [aβita'θjon] f quarto m
habitante [aβi'tante] mf habitante mf
habitar [aβi'tar] vi, vt habitar
hábito ['aβito] m t. REL hábito m
habitual [aβitu'al] adj habitual
habituar [aβitu'ar] < l. pres: habituo> **I.** vt **~ a alguien a algo** habituar alguém a a. c. **II.** vr **~se a algo** habituar-se a a. c.
habla ['aβla] f fala f; **quedarse sin ~** ficar sem fala
hablar [a'βlar] vi, vt falar; **~ entre dientes** resmungar; **~ claro** falar francamente; **¡ni ~!** nem pensar!
hacer [a'θer] irr **I.** vt fazer; **¿qué hacemos hoy?** que faremos hoje?; **~ caso a alguien** prestar atenção em alguém **II.** vr **~se la víctima** fazer-se de vítima; **~se a algo** acostumar-se a a. c. **III.** vimpers **hace frío/calor** faz frio/calor; **hace tres días** há três dias atrás
hacha ['atʃa] f machado m
hachís [a'tʃis] m haxixe m
hacia ['aθja] prep **1.** (dirección) para; **salir ~ el sur** ir em direção ao sul **2.** (tiempo) por volta de; **llegará ~ las tres** chegará por volta das três **3.** (respecto a) respeito por; **el amor ~ los animales** o amor pelos animais; **la actitud ~ el trabajo** a atitude perante o trabalho
hacienda [a'θjenda] f t. FIN, POL fazenda f
hada ['aða] f fada f
Haití [ai'ti] m Haiti m
haitiano, -a [ai'tjano, -a] adj, m, f haitiano, -a m, f
halagar [ala'ɣar] <g→gu> vt bajular
halago [a'laɣo] m bajulação f
halcón [al'kon] m falcão m
hálito ['alito] m hálito m
hallar [a'ʎar] **I.** vt achar **II.** vr: **~se**

hallazgo [a'ʎaθɣo] *m* achado *m*
hamaca [a'maka] *f* rede *f*; (*tumbona*) espreguiçadeira *f*
hambre ['ambre] *f t. fig* fome *f*; **tener ~** ter fome
hambriento, -a [am'brjento, -a] *adj t. fig* faminto, -a
hamburguesa [amburˈɣesa] *f* hambúrguer *m*
hamburguesería [amburɣeseˈria] *f* lanchonete *f*
hampa ['ampa] *m* bandidagem *f*
haragán, -ana [araˈɣan, -ana] *m, f* vagabundo, -a *m, f*
harapo [aˈrapo] *m* farrapo *m*
harina [aˈrina] *f* farinha *f*
hartar [arˈtar] *irr* **I.** *vt* fartar; (*fastidiar*) encher **II.** *vr*: **~se** fartar-se; (*cansarse*) encher-se; **~se de reír** morrer de rir
hartazgo [arˈtaθɣo] *m* saturação *f*
harto, -a ['arto, -a] *adj* farto, -a; **estar ~ de alguien/algo** estar farto de alguém/a. c.
hasta ['asta] **I.** *prep* até; **~ cierto punto** até certo ponto; **~ ahora** até daqui a pouco; **¡~ luego!** até logo! **II.** *adv* até
Hawai [xaˈwaj] *m* Havaí *m*
hawaiano, -a [xawaˈjano, -a] *adj, m, f* havaiano, -a *m, f*
Haya ['aʝa] *f* **La ~** Haia *f*
hazaña [aˈθaɲa] *f* façanha *f*
he [e] *1. pres de* **haber**
hebilla [eˈβiʎa] *f* fivela *f*
hebra ['eβra] *f* fio *m*
hebreo [eˈβreo] *m* hebreu *m*

hebreo, -a [eˈβreo, -a] *adj, m, f* hebreu, hebréia *m, f*
hechizar [etʃiˈθar] <z→c> *vt* enfeitiçar
hechizo [eˈtʃiθo] *m* feitiço *m*
hecho ['etʃo] *m* **1.** (*obra*) feito *m* **2.** (*acontecimiento*) fato *m*; **de ~...** de fato...
hecho, -a [ˈetʃo, -a] *adj* feito, -a; **me gusta la carne hecha** gosto de carne bem passada
hectárea [ekˈtarea] *f* hectare *m*
heder [eˈðer] <e→ie> *vi* feder
hediondo, -a [eˈðjondo, -a] *adj* hediondo, -a
hedor [eˈðor] *m* fedor *m*
helada [eˈlaða] *f* geada *f*; **anoche cayó una ~** ontem à noite caiu uma geada
heladera [elaˈðera] *f Arg* geladeira *f*
heladería [elaðeˈria] *f* sorveteria *f*
helado [eˈlaðo] *m* sorvete *m*
helado, -a [eˈlaðo, -a] *adj* gelado, -a; **me quedé ~** fiquei gelado; (*pasmado*) fiquei perplexo
helar [eˈlar] <e→ie> **I.** *vt* congelar **II.** *vimpers* gear **III.** *vr*: **~se** congelar-se; **~se de frío** congelar-se de frio
helecho [eˈletʃo] *m* samambaia *f*
hélice ['eliθe] *f* hélice *f*
helicóptero [eliˈkoptero] *m* helicóptero *m*
hembra ['embra] *f* fêmea *f*
hemisferio [emisˈferjo] *m* hemisfério *m*
hemorragia [emoˈrraxia] *f* hemorragia *f*
hemorroides [emoˈrrojðes] *fpl* hemo-

rróidas *fpl*
hendidura [eɲdi'ðura] *f* fenda *f*
heno ['eno] *m* feno *m*
herbívoro, -a [er'βiβoro, -a] *adj, m, f* herbívoro, -a *m, f*
herboristería [erβoriste'ria] *f* herbanário *m*
hercio [er'θjo] *m* hertz *m*
heredar [ere'ðar] *vt* herdar
heredero, -a [ere'ðero, -a] *m, f* herdeiro, -a *m, f*
hereditario, -a [ereði'tarjo, -a] *adj* hereditário, -a
herencia [e'renθja] *f* herança *f*
herida [e'riða] *f* ferida *f*
herido, -a [e'riðo, -a] *adj, m, f* ferido, -a *m, f*
herir [e'rir] *irr como sentir vt* ferir
hermanastro, -a [erma'nastro, -a] *m, f* meio-irmão, meia-irmã *m, f*
hermandad [ermaṇ'dað] *f* irmandade *m*
hermano, -a [er'mano, -a] *m, f*; irmão, irmã *m, f*; ~ **gemelo** irmão gêmeo; ~ **político** cunhado *m*
hermético, -a [er'metiko, -a] *adj* hermético, -a
hermoso, -a [er'moso, -a] *adj* belo, -a
hernia ['ernja] *f* hérnia *f*
héroe ['eroe] *m* herói *m*
heroína [ero'ina] *f* (*droga, mujer*) heroína *f*
herramienta [erra'mjeṇta] *f* ferramenta *f*
herrero [e'rrero] *m* serralheiro *m*
hervir [er'βir] *irr como sentir* I. *vi* ferver; ~ **a fuego lento** cozinhar em fogo brando II. *vt* ferver
hervor [er'βor] *m* fervura *f*
heterodoxia [etero'ðoᵞsja] *f* heterodoxia *f*
heterogéneo, -a [etero'xeneo, -a] *adj* heterogêneo, -a
heterosexual [eteroseᵞ'swal] *adj, mf* heterossexual *mf*
hexágono [eᵞ'saɣono] *m* hexágono *m*
hidratante [iðra'taṇte] *adj* hidratante
hidratar [iðra'tar] *vt* hidratar
hidrato [i'ðrato] *m* hidrato *m*; ~ **de carbono** hidrato de carbono
hidrógeno [i'ðroxeno] *m* hidrogênio *m*
hiedra ['jeðra] *f* hera *f*
hiel [jel] *f* bílis *f inv*
hielo ['jelo] *m* gelo *m*
hiena ['jena] *f* hiena *f*
hierba ['jerβa] *f* erva *f*; **mala** ~ erva daninha
hierbabuena [jerβa'βwena] *f* hortelã *f*
hierro ['jerro] *m* ferro *m*; **salud/voluntad de** ~ saúde/vontade de ferro
hígado ['iɣaðo] *m* ANAT fígado *m*
higiene [i'xjene] *f* higiene *f*
higiénico, -a [i'xjeniko, -a] *adj* higiênico, -a
higo ['iɣo] *m* figo *m*; ~ **chumbo** figo-da-índia *m*
hijastro, -a [i'xastro, -a] *m, f* enteado, -a *m, f*
hijo, -a ['ixo, -a] *m, f* filho, -a *m, f*; ~ **político** genro *m*
hilar [i'lar] *vt* fiar
hilera [i'lera] *f* fileira *f*
hilo ['ilo] *m* 1. (*para coser*) linha *f*; ~

dental fio *m* dental; **pender de un ~** *fig* estar por um fio; **perder el ~ (de la conversación)** perder o fio (da conversa) **2.** (*tela*) tecido *m*

hilvanar [ilβa'naɾ] *vt* alinhavar

Himalaya [xima'laja] *m* **el ~** o Himalaia

himno ['imno] *m* hino *m*

hincapié [iŋka'pje] *m* **hacer ~ en algo** bater pé em a. c.

hincar [iŋ'kaɾ] <c→qu> **I.** *vt* fincar; **~ el diente en algo** *fig*, *inf* cravar o dente em a. c. **II.** *vr* **~se de rodillas** ajoelhar-se

hincha ['intʃa] *mf* fã *mf*

hinchada [in'tʃaða] *f* torcida *f*

hinchar [in'tʃaɾ] **I.** *vt* encher; (*exagerar*) aumentar **II.** *vr*: **~se** inchar; **~se de algo** *inf* (*de comer*) saturar-se de a. c.

hinchazón [intʃa'θon] *f* inchaço *m*

hindú [in'du] *mf* hindu *mf*

hinojo [i'noxo] *m* funcho *m*

hiper ['ipeɾ] *m* hipermercado *m*

hiperenlace [iperen'laθe] *m* INFOR hyperlink *m*

hipermercado [ipermeɾ'kaðo] *m* hipermercado *m*

hípica ['ipika] *f* hipismo *m*

hípico, -a ['ipiko, -a] *adj* hípico, -a

hipnotizar [iβnoti'θaɾ] <z→c> *vt* hipnotizar

hipo ['ipo] *m* soluço *m;* **tener ~** estar com soluço; **que quita el ~** *fig* que tira o fôlego

hipócrita [i'pokɾita] *adj*, *mf* hipócrita *mf*

hipódromo [i'poðɾomo] *m* hipódromo *m*

hipopótamo [ipo'potamo] *m* hipopótamo *m*

hipoteca [ipo'teka] *f* hipoteca *f*

hipotecar [ipote'kaɾ] <c→qu> *vt* hipotecar

hipotecario, -a [ipote'kaɾjo, -a] *adj* hipotecário, -a

hipótesis [i'potesis] *f inv* hipótese *f*

hispánico, -a [is'paniko, -a] *adj* hispânico, -a

hispanista [ispa'nista] *mf* hispanista *mf*

hispano, -a [is'pano, -a] *adj*, *m*, *f* hispánico, -a *m, f*

Hispanoamérica [ispanoa'meɾika] *f* América *f* Hispânica

hispanoamericano, -a [ispanoameɾi'kano, -a] *adj*, *m*, *f* hispano-americano, hispano-americana *m, f*

histérico, -a [is'teɾiko, -a] *adj*, *m*, *f* histérico, -a *m, f*

historia [is'toɾja] *f* história *f*

historial [isto'ɾjal] *m* histórico *m;* **~ delictivo** ficha *f* criminal; **~ profesional** experiência profissional

histórico, -a [is'toɾiko, -a] *adj* histórico, -a

historieta [isto'ɾjeta] *f* historieta *f*

hito ['ito] *m* marco *m*

hobby ['xoβi] *m* hobby *m*

hocico [o'θiko] *m* focinho *m*

hogar [o'ɣaɾ] *m* lar *m*

hogareño, -a [oɣa'ɾeɲo, -a] *adj* caseiro, -a

hoguera [o'ɣeɾa] *f* fogueira *f*

hoja ['oxa] *f t.* BOT folha *f;* **~ de afeitar** lâmina *f* de barbear; **~ de cálculo**

INFOR planilha *f*
hojalata [oxa'lata] *f* lata *f*
hojaldre [o'xaldre] *m* massa *f* folhada
hojear [oxe'ar] *vt* folhear
hola ['ola] *interj* olá
Holanda [o'landa] *f* Holanda *f*
holandés, -esa [olandes, -esa] *adj, m, f* holandês, -esa *m, f*
holgazán, -ana [olɣa'θan, -ana] *m, f* folgado, -a *m, f*
holgura [ol'ɣura] *f* folga *f*; **vivir con ~** viver com folga
hollín [o'ʎin] *m* fuligem *f*
hombre ['ombre] I. *m* homem *m* II. *interj* homem; **¡~!, ¿qué tal?** olá! como vai?; **¡cállate, ~!** dá um tempo!; **¡sí, ~!** sim, com certeza!
hombrera [om'brera] *f* ombreira *f*
hombro ['ombro] *m* ombro *m*; **encogerse de ~s** dar de ombros
homenaje [ome'naxe] *m* homenagem *f*
homenajear [omenaxe'ar] *vt* homenagear
homeopatía [omeopa'tia] *f* homeopatia *f*
homicidio [omi'θiðjo] *m* homicídio *m*; **~ involuntario** homicídio involuntário
homogéneo, -a [omo'xeneo, -a] *adj* homogêneo, -a
homologar [omolo'ɣar] <g→gu> *vt* homologar
homólogo, -a [o'moloɣo, -a] *m, f* homólogo, -a *m, f*
homosexual [omoseɣ'swal] *adj, mf* homossexual *mf*
honda ['onda] *f* estilingue *m*

hondo, -a ['ondo, -a] *adj* fundo, -a
Honduras [on'duras] *f* Honduras *f*
hondureño, -a [ondu'reno, -a] *adj, m, f* hondurenho, -a *m, f*
honestidad [onesti'ðað] *f* honestidade *f*
honesto, -a [o'nesto, -a] *adj* honesto, -a
hongo ['ongo] *m* fungo *m*; (*sombrero*) chapéu-coco *m*
honor [o'nor] *m* honra *f*
honorable [ono'raβle] *adj* honorável
honorario, -a [ono'rarjo, -a] *adj* honorário, -a
honorarios [ono'rarjos] *mpl* honorários *mpl*
honra ['onrra] *f* (*honor*) honra *f*
honrado, -a [on'rraðo, -a] *adj* honrado, -a
honrar [on'rrar] *vt* honrar
hora ['ora] *f* hora *f*; **~ punta** horário de pico; **¿qué ~ es?** que horas são?; **¿a qué ~ vendrás?** a que horas virá?; **me ha dado ~ para el martes** consegui um horário para terça-feira; **ya va siendo ~ de que** +*subj* já está na hora de +*infin*
horario ['orarjo] *m* horário *m*; **~ de oficina** horário de expediente
horario, -a ['orarjo, -a] *adj* horário, -a
horca ['orka] *f* forca *f*
horizontal [oriθon'tal] *adj* horizontal
horizonte [ori'θonte] *m* horizonte *m*
hormiga [or'miɣa] *f* formiga *f*
hormigón [ormi'ɣon] *m* concreto *m*; **~ armado** concreto armado
hormigonera [ormiɣo'nera] *f* betoneira *f*

hormigueo [ormi'ɣeo] *m* formigamento *m*

hormiguero [ormi'ɣero] *m* formigueiro *m*

hormona [or'mona] *f* hormônio *m*

hormonal [ormo'nal] *adj* hormonal

hornillo [or'niʎo] *m* fogareiro *m*

horno ['orno] *m* forno *m*; **asar al** ~ assar no forno

horóscopo [o'roskopo] *m* horóscopo *m*

horquilla [or'kiʎa] *f* **1.** *(del pelo)* grampo *m* **2.** *(de bicicleta)* garfo *m*

horrible [o'rriβle] *adj* horrível

horror [o'rror] *m* horror *m*; **¡qué** ~! *inf* que horror!

horrorizar [orrori'θar] <z→c> I. *vt* horrorizar II. *vr*: ~**se** horrorizar-se

horroroso, -a [orro'roso, -a] *adj* horroroso, -a

hortaliza [orta'liθa] *f* hortaliça *f*

hortelano, -a [orte'lano, -a] *m*, *f* hortelão, -loa *m*, *f*

hortensia [or'tensja] *f* hortênsia *f*

hortera [or'tera] *adj*, *mf inf* cafona *mf*

horterada [orte'raða] *f inf* cafonice *f*

hosco, -a ['osko, -a] *adj* tosco, -a

hospedar [ospe'ðar] I. *vt* hospedar II. *vr*: ~**se** hospedar-se

hospital [ospi'tal] *m* hospital *m*

hospitalario, -a [ospita'larjo, -a] *adj* **1.** *(del hospital)* hospitalar **2.** *(acogedor)* hospitaleiro, -a

hospitalizar [ospitali'θar] <z→c> *vt* hospitalizar

hostal [os'tal] *m* hospedaria *f*

hostelería [ostele'ria] *f* hotelaria *f*

hostia ['ostja] *f* **1.** REL hóstia *f* **2.** *vulg (bofetada)* tabefe *m*; *(golpe)* porrada *f* **3.** *fig*, *vulg* **¡me cago en la** ~! que merda!; **¡este examen es la** ~! este exame é a porra!

hostigar [osti'ɣar] <g→gu> *vt* **1.** *(fustigar)* açoitar **2.** *(molestar)* amolar; *(con observaciones)* assediar

hostil [os'til] *adj* hostil

hotel [o'tel] *m* hotel *m*

hotelero, -a [ote'lero, -a] *adj*, *m*, *f* hoteleiro, -a *m*, *f*

hoy [oj] *adv* hoje; ~ **(en) día** hoje em dia

hoyo ['oʝo] *m* buraco *m*

hubo ['uβo] *3. pret de* **haber**

hucha ['utʃa] *f* cofre *m*

hueco ['weko] *m* espaço *m*; **hazme un** ~ dá-um lugarzinho pra mim

hueco, -a ['weko, -a] *adj* oco, -a; *(sonido)* ressoante

huelga ['welɣa] *f* greve *f*

huella ['weʎa] *f* pegada *f*; *(vestigio)* rastro *m*; ~**s digitales** impressões digitais

huelveño, -a [wel'βeɲo, -a] *adj* de Huelva

huérfano, -a ['werfano, -a] *adj*, *m*, *f* órfão, órfã *m*, *f*

huerta ['werta] *f* *(de frutales)* pomar *m*; *(de hortalizas)* horta *f*

huerto ['werto] *m* horto *m*

hueso ['weso] *m* osso *m*; *(de fruto)* caroço *m*

huésped(a) ['wespe⁶(a)] *m(f)* hóspede *mf*

huevo ['weβo] *m* ovo *m*; ~**s revueltos** ovos mexidos; **¡estoy hasta los** ~**s!** *vulg* estou de saco cheio!; **¡me**

importa un ~! *vulg* estou cagando e andando!
huida [u'iða] *f* fuga *f*
huir [u'ir] *irr* fugir
humanidad [umani'ðaᵒ] *f* humanidade *f;* **la ~** a humanidade
humano, -a [u'mano, -a] *adj* humano, -a
humedad [ume'ðaᵒ] *f* umidade *f*
humedecer [umeðe'θer] *irr como crecer vt* umedecer
húmedo, -a ['umeðo, -a] *adj* úmido, -a
humilde [u'milde] *adj* humilde
humillar [umi'ʎar] *vt* humilhar
humo ['umo] *m* fumaça *f;* **tener muchos ~s** *inf* ser muito pretensioso
humor [u'mor] *m* humor *m;* **estar de buen/mal ~** estar de bom/mau humor
hundir [un'dir] I. *vt* 1. *(barco)* afundar 2. *(destrozar)* desmoronar II. *vr:* **~se** 1. *(barco)* afundar-se 2. *(edificio) t.* ECON desabar
húngaro, -a ['ungaro, -a] *adj, m, f* húngaro, -a *m, f*
Hungría [un'gria] *f* Hungria *f*
huracán [ura'kan] *m* furacão *m*
huraño, -a [u'raɲo, -a] *adj* esquivo, -a
hurgar [ur'ɣar] <g→gu> I. *vi* ~ **en algo** remexer em a. c. II. *vt* remexer; ~ **la nariz** pôr o dedo no nariz
hurón [u'ron] *m* furão *m*
hurtadillas [urta'ðiʎas] **a** ~ às escondidas
hurtar [ur'tar] *vt* furtar
hurto ['urto] *m* furto *m*
husmear [usme'ar] I. *vt* farejar II. *vi* fuçar
huy [uj] *interj (de dolor)* ui!; *(de asombro)* ai!

I

I , i [i] *f* I, i *m*
ibérico, -a [i'βeriko, -a] *adj* ibérico, -a
Iberoamérica [iβeroa'merika] *f* América *f* Ibérica
iberoamericano, -a [iβeroameri'kano, -a] *adj, m, f* ibero-americano, -a *m, f*
ibicenco, -a [iβi'θeŋko, -a] *adj* nascido, -a em Ibiza
Ibiza [i'βiθa] *f* Ibiza *f*
icono [i'kono] *m,* **ícono** ['ikono] *m* REL, INFOR ícone *m*
ida ['iða] *f* ida *f;* **de ~ y vuelta** de ida e volta
idea [i'ðea] *f* 1. idéia *f;* **no tener ni ~ not** ter nem idéia 2. *pl (convicciones)* idéias *fpl*
ideal [iðe'al] *adj, m* ideal *m*
idealista [iðea'lista] *adj, mf* idealista *mf*
idealizar [iðeali'θar] <z→c> *vt* idealizar
idéntico, -a [i'ðentiko, -a] *adj* idêntico, -a
identidad [iðenti'ðaᵒ] *f* identidade *f*
identificar [iðentifi'kar] <c→qu> I. *vt* identificar II. *vr:* **~se** identificar-se
idílico, -a [i'ðiliko, -a] *adj* idílico, -a

idioma [i'ðjoma] *m* idioma *m*
idiota [i'ðjota] *adj, mf* idiota *mf*
ídolo ['iðolo] *m* ídolo *m*
idóneo, -a [i'ðoneo, -a] *adj* idôneo, -a
iglesia [i'ɣlesja] *f* igreja *f*
ignorancia [iɣno'ranθja] *f* ignorância *f*
ignorante [iɣno'rante] *adj, mf* ignorante *mf*
ignorar [iɣno'rar] *vt* ignorar
igual [i'ɣwal] I. *adj* igual; **al ~ que...** assim como... II. *adv (quizá)* **~ no viene** talvez não venha
igualar [iɣwa'lar] I. *vi, vt* igualar II. *vr:* **~se** igualar-se
igualdad [iɣwal'dað] *f* igualdade *f*
ilegal [ile'ɣal] *adj* ilegal
ilegible [ile'xiβle] *adj* ilegível
ilegítimo, -a [ile'xitimo, -a] *adj* ilegítimo, -a
ileso, -a [i'leso, -a] *adj* ileso, -a
ilícito, -a [i'liθito, -a] *adj* ilícito, -a
ilimitado, -a [ilimi'taðo, -a] *adj* ilimitado, -a
iluminación [ilumina'θjon] *f* iluminação *f*
iluminar [ilumi'nar] *vt* iluminar
ilusión [ilu'sjon] *f* 1. *(alegría)* alegria *f*; **hacer ~** causar alegria 2. *(esperanza)* expectativa *f*; **hacerse ilusiones** criar expectativas 3. *(espejismo)* ilusão *f*
ilusionar [ilusjo'nar] I. *vt* iludir; **estar ilusionado con algo** estar iludido com a. c. II. *vr:* **~se** 1. *(alegrarse)* alegrar-se 2. *(esperanzarse)* iludir-se
ilusorio, -a [ilu'sorjo, -a] *adj* ilusório, -a
ilustración [ilustra'θjon] *f* ilustração *f*
ilustrar [ilus'trar] I. *vt* ilustrar II. *vr:* **~se** ilustrar-se
ilustre [i'lustre] *adj* ilustre
imagen [i'maxen] *f* imagem *f*
imaginación [imaxina'θjon] *f* imaginação *f*
imaginar [imaxi'nar] I. *vt* imaginar II. *vr:* **~se** imaginar-se
imaginario, -a [imaxi'narjo, -a] *adj* imaginário, -a
imaginativo, -a [imaxina'tiβo, -a] *adj* imaginativo, -a
imán [i'man] *m* ímã *m*
imbécil [im'beθil] *adj, mf* imbecil *mf*
imborrable [imbo'rraβle] *adj* inapagável
imitación [imita'θjon] *f* imitação *f*
imitar [imi'tar] *vt* imitar
impaciencia [impa'θjenθja] *f* impaciência *f*
impaciente [impa'θjente] *adj* impaciente
impacto [im'pakto] *m t. fig* impacto *m*
impar [im'par] *adj, m* ímpar *m*
imparcial [impar'θjal] *adj* imparcial
impartir [impar'tir] *vt* dar
impasible [impa'siβle] *adj* impassível
impecable [impe'kaβle] *adj* impecável
impedimento [impeði'mento] *m* impedimento *m*
impedir [impe'ðir] *irr como pedir vt* impedir
impensable [impen'saβle] *adj* impensável
imperar [impe'rar] *vi* imperar

imperativo [impera'tiβo] *m* LING imperativo *m*

imperativo, -a [impera'tiβo, -a] *adj* imperativo, -a

imperceptible [imperθep'tiβle] *adj* imperceptível

imperdible [imper'ðiβle] *m* alfinete *m* de segurança

imperdonable [imperðo'naβle] *adj* imperdoável

imperfecto [imper'fekto] *m* LING imperfeito *m*

imperfecto, -a [imper'fekto, -a] *adj* imperfeito, -a

imperial [impe'rjal] *adj* imperial

imperio [im'perjo] *m* império *m*

impermeable [imperme'aβle] *adj, m* impermeável *m*

impersonal [imperso'nal] *adj t.* LING impessoal

impertinente [imperti'nente] *adj* impertinente

ímpetu ['impetu] *m* ímpeto *m*

impetuoso, -a [impetu'oso, -a] *adj* impetuoso, -a

implacable [impla'kaβle] *adj* implacável

implantar [implan'tar] I. *vt* implantar II. *vr:* ~**se** estabelecer-se

implante [im'plante] *m* implante *m*

implicar [impli'kar] <c→qu> I. *vt* implicar II. *vr:* ~**se** envolver-se

implícito, -a [im'pliθito, -a] *adj* implícito, -a

imponer [impo'ner] *irr como poner* I. *vt* impor II. *vr:* ~**se** impor-se

importación [importa'θjon] *f* importação *f*

importancia [impor'tanθja] *f* importância *f*; **dar ~ a algo** dar importância a a. c.; **darse ~** gabar-se

importante [impor'tante] *adj* importante

importar [impor'tar] I. *vt (mercancía)* importar II. *vi* importar; **¿a ti qué te importa?** que te importa?

importe [im'porte] *m* preço *m*

importunar [importu'nar] *vt* importunar

imposible [impo'siβle] *adj* impossível

impostor(a) [impos'tor(a)] *m(f)* impostor(a) *m(f)*

impotencia [impo'tenθja] *f* impotência *f*

impotente [impo'tente] *adj* impotente

impregnar [impreɣ'nar] I. *vt* impregnar II. *vr:* ~**se** impregnar-se

imprenta [im'prenta] *f* imprensa *f*

imprescindible [impresθin'diβle] *adj* imprescindível

impresentable [impresen'taβle] *adj* inapresentável

impresión [impre'sjon] *f* impressão *f*

impresionante [impresjo'nante] *adj* impressionante

impresionar [impresjo'nar] I. *vt* impressionar II. *vr:* ~**se** impressionar-se

impreso [im'preso] *m* impresso *m*

impresora [impre'sora] *f* impressora *f*; **~ de chorro de tinta** impressora de jato de tinta; **~ láser** impressora a laser

imprevisible [impreβi'siβle] *adj* imprevisível

imprevisto, -a [impre'βisto, -a] *adj* imprevisto, -a

imprimir [impri'mir] *irr vt* imprimir

improbable [impro'βaβle] *adj* improvável

improcedente [improθe'ðente] *adj* improcedente

improvisar [improβi'sar] *vt* improvisar

improviso, -a [impro'βiso, -a] *adj* **de ~** de improviso

imprudente [impru'ðente] *adj* imprudente

impuesto [im'pwesto] *m* imposto *m*; **~ sobre el valor añadido** imposto sobre a circulação de mercadorias; **~ sobre la renta** imposto de renda

impugnar [impuɣ'nar] *vt* impugnar

impulsar [impul'sar] *vt* **1.** (*empujar*) impulsionar **2.** (*incitar*) estimular

impulsivo, -a [impul'siβo, -a] *adj* impulsivo, -a

impulso [im'pulso] *m* impulso *m*

impureza [impu'reθa] *f* impureza *f*

imputar [impu'tar] *vt* imputar

inaccesible [inaɣθe'siβle] *adj* inacessível

inaceptable [inaθep'taβle] *adj* inaceitável

inadmisible [inaðmi'siβle] *adj* inadmissível

inaguantable [inaɣwaɳ'taβle] *adj* insuportável

inalámbrico, -a [ina'lambriko, -a] *adj* TEL sem fio

inauguración [inauɣyura'θjon] *f* inauguração *f*

inaugurar [inauɣyu'rar] *vt* inaugurar

inca ['iŋka] *adj, mf* inca *mf*

> **Cultura** Os **Incas** eram originalmente uma pequena tribo guerreira que habitava uma região do **Perú**. Esse povo expandiu seu império ao longo do século XV, que passou a cobrir então as regiões onde se encontram hoje a Colômbia, o Equador, o Peru e parte da Argentina e do Chile.

incalculable [iŋkalku'laβle] *adj* incalculável

incapacidad [iŋkapaθi'ðað] *f* incapacidade *f*

incapaz [iŋka'paθ] *adj* incapaz

incautarse [iŋkau'tarse] *vr* **~ de algo** confiscar a. c.

incendiar [inθen'djar] **I.** *vt* incendiar **II.** *vr:* **~se** incendiar-se

incendio [in'θendjo] *m* incêndio *m*

incentivo [inθen'tiβo] *m* incentivo *m*

incertidumbre [inθerti'ðumbre] *f* incerteza *f*

incesante [inθe'sante] *adj* incessante

incesto [in'θesto] *m* incesto *m*

incidente [inθi'ðente] *m* incidente *m*

incidir [inθi'ðir] *vi* **~ en un error** incidir num erro

incienso [in'θjenso] *m* incenso *m*

incierto, -a [in'θjerto, -a] *adj* incerto, -a

incinerar [inθine'rar] *vt* incinerar

inciso [in'θiso] *m* inciso *m*; **hacer un ~** abrir um parêntese

incitar [inθi'tar] *vt* incitar

inclemente [iŋkle'mente] *adj* inclemente

inclinación [iŋklina'θjon] *f* inclinação *f*

inclinar [iŋkli'nar] I. *vt* inclinar II. *vr:* ~**se** 1. (*reverencia*) inclinar-se 2. (*propender*) ~**se a algo** inclinar-se a a. c.; ~**se por alguien/algo** estar inclinado por alguém/por a. c.

incluir [iŋklu'ir] *irr como huir vt* incluir

inclusive [iŋklu'siβe] *adv* inclusive

incluso [iŋ'kluso] I. *adv* inclusive II. *prep* até mesmo

incógnito, -a [iŋ'koɣnito, -a] *adj* incógnito, -a; **de ~** incógnito

incoherente [iŋkoe'rente] *adj* incoerente

incoloro, -a [iŋko'loro, -a] *adj* incolor

incomodidad [iŋkomoði'ðaðˢ] *f*, **incomodo** [iŋ'komoðo] *m* incomodidade *f*

incómodo, -a [iŋ'komoðo, -a] *adj* incómodo, -a

incomparable [iŋkompa'raβle] *adj* incomparável

incompatible [iŋkompa'tiβle] *adj* incompatível

incompetente [iŋkompe'tente] *adj* incompetente

incompleto, -a [iŋkom'pleto, -a] *adj* incompleto, -a

incomprensible [iŋkompren'siβle] *adj* incompreensível

inconcebible [iŋkonθe'βiβle] *adj* inconcebível

incondicional [iŋkondiθjo'nal] *adj* incondicional

inconfundible [iŋkomfuɲ'diβle] *adj* inconfundível

inconmensurable [iŋkoⁿmensu'raβle, iŋkoᵐmensu'raβle] *adj* incomensurável

inconsciente [iŋkoⁿs'θjente] *adj* inconsciente

inconsecuente [iŋkonse'kwente] *adj* inconseqüente

inconsolable [iŋkonso'laβle] *adj* inconsolável

inconstante [iŋkoⁿs'tante] *adj* inconstante

incontable [iŋkon'taβle] *adj* incontável

incontrolable [iŋkontro'laβle] *adj* incontrolável

inconveniente [iŋkombe'njente] *adj, m* inconveniente *m*

incordiar [iŋkor'ðjar] *vt inf* irritar

incorporar [iŋkorpo'rar] I. *vt* 1. (*agregar*) incorporar 2. (*enderezar*) endireitar II. *vr:* ~**se** 1. (*agregarse*) incorporar-se 2. (*enderezarse*) endireitar-se

incorrecto, -a [iŋko'rrekto, -a] *adj* incorreto, -a

incrédulo, -a [iŋ'kreðulo, -a] *adj, m, f* incrédulo, -a *m, f*

increíble [iŋkre'iβle] *adj* incrível

incrementar [iŋkremen'tar] *vt* incrementar

incremento [iŋkre'mento] *m* incremento *m*

increpar [iŋkre'par] *vt* repreender

inculcar [iŋkul'kar] <c→qu> *vt* incutir; ~ **algo a alguien** incutir a. c. em alguém

inculto, -a [iŋ'kulto, -a] *adj, m, f* inculto, -a *m, f*

incumbir [iŋkum'bir] *vi* incumbir; **eso no te incumbe** isso não incumbe a você

incumplir [iŋkum'plir] *vt* descumprir

incurable [iŋku'raβle] *adj* incurável

incurrir [iŋku'rrir] *vi* ~ **en algo** incorrer em a. c.

indagar [iŋda'ɣar] <g→gu> *vt* indagar

indecente [iŋde'θente] *adj* indecente

indeciso, -a [iŋde'θiso, -a] *adj* indeciso, -a

indefenso, -a [iŋde'fenso, -a] *adj* indefeso, -a

indefinido, -a [iŋdefi'niðo, -a] *adj t.* LING indefinido, -a

indemne [iŋ'demne] *adj* ileso, -a

indemnización [iŋdemniθa'θjon] *f* indenização *f*

indemnizar [iŋdemni'θar] <z→c> *vt* indenizar

independencia [iŋdepeŋ'denθja] *f* independência *f*

independiente [iŋdepeŋ'djente] *adj* independente

independizarse [iŋdepeŋdi'θarse] <z→c> *vr* independentizar-se

indeseable [iŋdese'aβle] I. *adj* indesejável II. *mf* pessoa *f* indesejável

indestructible [iŋdestruk'tiβle] *adj* indestrutível

indeterminado, -a [iŋdetermi'naðo, -a] *adj* indeterminado, -a

India ['iŋdja] *f* **la ~ a** Índia

indicación [iŋdika'θjon] *f* indicação *f*

indicar [iŋdi'kar] <c→qu> *vt* indicar

indicativo [iŋdika'tiβo] *m* LING indicativo *m*

índice ['iŋdiθe] *m* índice *m*

indicio [iŋ'diθjo] *m* indício *m*

indiferente [iŋdife'rente] *adj* indiferente

indígena [iŋ'dixena] *adj, mf* indígena *mf*

indigente [iŋdi'xente] *mf* indigente *mf*

indigestión [iŋdixes'tjon] *f* indigestão *f*

indignación [iŋdiɣna'θjon] *f* indignação *f*

indignar [iŋdiɣ'nar] I. *vt* indignar II. *vr:* **~se** indignar-se

indio, -a ['iŋdjo, -a] I. *adj* **1.** (*de la India*) indiano, -a **2.** (*de América*) indígena II. *m, f* **1.** (*de la India*) indiano, -a *m, f* **2.** (*de América*) indígena *mf*

indirecta [iŋdi'rekta] *f* indireta *f;* **lanzar una ~** dar uma indireta

indirecto, -a [iŋdi'rekto, -a] *adj* indireto, -a

indiscreto, -a [iŋdis'kreto, -a] *adj* indiscreto, -a

indispensable [iŋdispen'saβle] *adj* indispensável

individual [iŋdiβi'ðwal] *adj* individual

individuo [iŋdi'βidwo] *m* indivíduo *m*

índole ['iŋdole] *f* índole *f*

indudable [iŋdu'ðaβle] *adj* indubitável

indulto [iŋ'dulto] *m* indulto *m*

industria [iŋ'dustrja] *f* indústria *f*

industrial [iŋdus'trjal] *adj, mf* industrial *mf*

industrializar [iŋdustrjali'θar] <z→c>

I. *vt* industrializar II. *vr:* ~**se** industrializar-se

inédito, -a [i'neðito, -a] *adj* inédito, -a

ineficaz [inefi'kaθ] *adj* ineficaz

inepto, -a [i'nepto, -a] *adj* inepto, -a

inercia [i'nerθja] *f t.* FÍS inércia *f*

inerte [i'nerte] *adj* inerte

inestable [ines'taβle] *adj* instável

inevitable [ineβi'taβle] *adj* inevitável

inexactitud [ineᵛsakti'tuð] *f* inexatidão *f*

inexperto, -a [ines'perto, -a] *adj* inexperiente

inexplicable [inespli'kaβle] *adj* inexplicável

infalible [imfa'liβle] *adj* infalível

infame [im'fame] *adj* infame

infamia [im'famja] *f* infâmia *f*

infancia [im'fanθja] *f* infância *f*

infantil [imfan'til] *adj t. pey* infantil

infarto [im'farto] *m* enfarte *m*

infección [imfeᵏ'θjon] *f* infecção *f*

infectar [imfek'tar] I. *vt* infectar II. *vr:* ~**se** infectar-se

infeliz [imfe'liθ] *adj, mf* infeliz *mf*

inferior [imfe'rjor] *adj, mf* inferior *mf*

infiel [im'fjel] *adj* infiel *mf*

infierno [im'fjerno] *m* inferno *m*; **vete al ~** *inf* vá pro inferno!

ínfimo, -a ['imfimo, -a] *adj* ínfimo, -a

infinidad [imfini'ðað] *f* infinidade *f*

infinitesimal [imfinitesi'mal] *adj* infinitesimal

infinitivo [imfini'tiβo] *m* infinitivo *m*

infinito [imfi'nito] *m* infinito *m*

infinito, -a [imfi'nito, -a] *adj* infinito, -a

inflación [imfla'θjon] *f* inflação *f*

inflamable [imfla'maβle] *adj* inflamável

inflamación [imflama'θjon] *f* inflamação *f*

inflamar [imfla'mar] I. *vt* inflamar II. *vr:* ~**se** inflamar-se

inflar [im'flar] I. *vt* inflar II. *vr:* ~**se** encher-se

inflexible [imfleᵛ'siβle] *adj* inflexível

influencia [im'flwenθja] *f* influência *f*

influir [imflu'ir] *irr como* huir *vi* influir; ~ **en algo** influir em a. c.

influyente [imflu'jente] *adj* influente

información [imforma'θjon] *f* informação *f*

informal [imfor'mal] *adj* **1.** (*desenfadado*) informal **2.** (*no cumplidor*) indolente

informar [imfor'mar] I. *vt* informar II. *vr:* ~**se** informar-se

informática [imfor'matika] *f* informática *f*

informático, -a [imfor'matiko, -a] *adj, m, f* informático, -a *m, f*

informativo [imforma'tiβo] *m* noticiário *m*

informativo, -a [imforma'tiβo, -a] *adj* informativo, -a

informatizar [imformati'θar] <z→c> *vt* informatizar

informe [im'forme] *m* informe *m*

infracción [imfraᵛ'θjon] *f* infração *f*

infrarrojo, -a [imfra'rroxo, -a] *adj* infravermelho, -a

infravalorar [imfraβalo'rar] *vt* subestimar

infringir [imfriŋ'xir] <g→j> *vt* infringir

infructuoso, -a [imfruktu'oso, -a] *adj* infrutífero, -a

infusión [imfu'sjon] *f* infusão *f*

ingeniar [iŋxe'njar] I. *vt* engenhar II. *vr*: **~se** arranjar-se; **ingeniárselas para algo** tramar para conseguir a. c.

ingeniería [iŋxenje'ria] *f* engenharia *f*

ingeniero, -a [iŋxe'njero, -a] *m*, *f* engenheiro, -a *m, f*

ingenio [iŋ'xenjo] *m* engenho *m*

ingenioso, -a [iŋxe'njoso, -a] *adj* engenhoso, -a

ingenuo, -a [iŋ'xenwo, -a] *adj* ingênuo, -a

ingerir [iŋxe'rir] *irr como sentir vt* ingerir

Inglaterra [iŋgla'terra] *f* Inglaterra *f*

ingle ['iŋgle] *f* ANAT virilha *f*

inglés, -esa [iŋ'gles, -esa] *adj, m, f* inglês, -esa *m, f*

ingrato, -a [iŋ'grato, -a] *adj* ingrato, -a

ingrediente [iŋgre'ðjente] *m* ingrediente *m*

ingresar [iŋgre'sar] I. *vi* ingressar II. *vt* 1. FIN depositar 2. (*hospitalizar*) **~ a alguien en el hospital** hospitalizar alguém

ingreso [iŋ'greso] *m* 1. (*en organización, hospital*) ingresso *m* 2. FIN depósito *m* 3. *pl* (*retribuciones*) renda *f*

inhabilitar [inaβili'tar] *vt* inabilitar

inhabitable [inaβi'taβle] *adj* inabitável

inhalar [ina'lar] *vt t.* MED inalar

inherente [ine'rente] *adj* inerente

inhibir [ini'βir] I. *vt* inibir II. *vr*: **~-se** abster-se; **~se de algo** abster-se de a. c.

inhumano, -a [inu'mano, -a] *adj* desumano, -a

inicial [ini'θjal] *adj, f* inicial *f*

iniciar [ini'θjar] I. *vt* iniciar II. *vr*: **~se** iniciar-se

iniciativa [iniθja'tiβa] *f* iniciativa *f*

inicio [i'niθjo] *m* início *m*

injerto [iŋ'xerto] *m* enxerto *m*

injuria [iŋ'xurja] *f* injúria *f*

injusticia [iŋxus'tiθja] *f* injustiça *f*

injusto, -a [iŋ'xusto, -a] *adj* injusto, -a

inmaduro, -a [iⁿma'ðuro, -a, iᵐma'ðuro, -a] *adj* (*persona*) imaturo, -a

inmediaciones [iⁿmeðja'θjones, iᵐmeðja'θjones] *fpl* imediações *fpl*

inmediato, -a [iⁿme'ðjato, -a, iᵐme'ðjato, -a] *adj* imediato, -a; **de ~** de imediato

inmejorable [iⁿmexo'raβle, iᵐmexo'raβle] *adj* perfeito, -a

inmenso, -a [iⁿmenso, -a, iᵐmenso, -a] *adj* imenso, -a

inmigración [iⁿmiɣra'θjon, iᵐmiɣra'θjon] *f* imigração *f*

inmigrante [iⁿmi'ɣrante, iᵐmi'ɣrante] *mf* imigrante *mf*

inmigrar [iⁿmi'ɣrar, iᵐmi'ɣrar] *vi* imigrar

inminente [iⁿmi'nente, iᵐmi'nente] *adj* iminente

inmobiliaria [iⁿmoβi'ljarja, iᵐmoβi'ljarja] *f* imobiliária *f*

inmobiliario, -a [iⁿmoβi'ljarjo, -a, iᵐmoβi'ljarjo, -a] *adj* imobiliário, -a

inmoral [iⁿmo'ral, iᵐmo'ral] *adj*

imoral
inmortal [iⁿmor'tal, iᵐmor'tal] *adj* imortal

inmóvil [iⁿ'moβil, iᵐ'moβil] *adj* imóvel

inmovilizar [iⁿmoβili'θar, iᵐmoβili'θar] <z→c> *vt* imobilizar

inmueble [iⁿ'mweβle, iᵐ'mweβle] *adj, m* imóvel *m*

inmundo, -a [iⁿ'muɳdo, -a, iᵐ'muɳdo, -a] *adj* imundo, -a

inmune [iⁿ'mune, iᵐ'mune] *adj* MED imune

inmunidad [iⁿmuni'ðaᵈ, iᵐmuni'ðaᵈ] *f* imunidade *f*

inmutarse [iⁿ'mutarse, iᵐ'mutarse] *vr* alterar-se; **sin ~** sem se alterar

innato, -a [in'nato, -a] *adj* inato, -a

innovación [innoβa'θjon] *f* inovação *f*

innumerable [innume'raβle] *adj* inumerável

inocente [ino'θeɳte] *adj* inocente

inodoro [ino'ðoro] *m* vaso *m* sanitário

inofensivo, -a [inofen'siβo, -a] *adj* inofensivo, -a

inolvidable [inolβi'ðaβle] *adj* inesquecível

inoportuno, -a [inopor'tuno, -a] *adj* inoportuno, -a

inoxidable [inoᵛsi'ðaβle] *adj* inoxidável

inquietar [iŋkje'tar] I. *vt* inquietar II. *vr:* ~**se** inquietar-se; ~**se por algo** inquietar-se por a. c.

inquieto, -a [iŋ'kjeto, -a] *adj* inquieto, -a

inquilino, -a [iŋki'lino, -a] *m, f* inquilino, -a *m, f*

insaciable [insa'θjaβle] *adj* insaciável

insalubre [insa'luβre] *adj* insalubre

inscribir [iⁿskri'βir] *irr como* escribir I. *vt* inscrever II. *vr:* ~**se** inscrever-se

inscripción [iⁿskriβ'θjon] *f* inscrição *f*

insecticida [insekti'θiða] *m* inseticida *m*

insecto [in'sekto] *m* inseto *m*

inseguro, -a [inse'ɣuro, -a] *adj* inseguro, -a

insensato, -a [insen'sato, -a] *adj* insensato, -a

insensible [insen'siβle] *adj* insensível

inseparable [insepa'raβle] *adj* inseparável

insertar [inser'tar] *vt* inserir

inservible [inser'βiβle] *adj* imprestável

insignificante [insiɣnifi'kaɳte] *adj* insignificante

insinuación [insinwa'θjon] *f* insinuação *f*

insinuar [insinu'ar] <1. pres: insinúo> I. *vt* insinuar II. *vr:* ~**se** insinuar-se

insípido, -a [in'sipiðo, -a] *adj* insípido, -a

insistir [insis'tir] *vi* insistir; ~ **en algo** insistir em a. c.

insolación [insola'θjon] *f* insolação *f*

insolente [inso'leɳte] *adj* insolente

insólito, -a [in'solito, -a] *adj* insólito, -a

insoluble [inso'luβle] *adj* insolúvel

insolvente [insol'βeɳte] *adj* insolvente

insomnio [in'somnjo] *m* MED insônia *f*

insoportable [insopor'taβle] *adj* insuportável

inspección [iⁿspeɣ'θjon] *f* inspeção *f*

inspeccionar [iⁿspeɣθjo'nar] *vt* inspecionar

inspector(a) [iⁿspek'tor(a)] *m(f)* inspetor(a) *m(f)*

inspiración [iⁿspira'θjon] *f* inspiração *f*

inspirar [iⁿspi'rar] **I.** *vt* inspirar **II.** *vr:* ~**se** inspirar-se

instalación [iⁿstala'θjon] *f* instalação *f*

instalar [iⁿsta'lar] **I.** *vt* instalar **II.** *vr:* ~**se** instalar-se

instancia [iⁿs'taŋθja] *f* instância *f*

instantáneo, -a [iⁿstaⁿ'taneo, -a] *adj* instantâneo, -a

instante [iⁿs'tante] *m* instante *m;* **en un ~** num instante

instar [iⁿs'tar] *vt* instar; ~ **a alguien a algo** instar alguém a a. c.

instinto [iⁿs'tinto] *m* instinto *m*

institución [iⁿstitu'θjon] *f* instituição *f*

instituto [iⁿsti'tuto] *m* instituto *m;* ~ **de bachillerato** *instituto de ensino secundário*

instrucción [iⁿstruɣ'θjon] *f* instrução *f;* **dar instrucciones** dar instruções

instrumento [iⁿstru'mento] *m* instrumento *m*

insuficiente [insufi'θjente] *adj* insuficiente

insular [insu'lar] *adj* insular

insultar [insul'tar] *vt* insultar

insulto [in'sulto] *m* insulto *m*

insuperable [insupe'raβle] *adj* insuperável

intacto, -a [iⁿ'takto, -a] *adj* intacto, -a

integración [iⁿteɣra'θjon] *f* integração *f*

integral [iⁿte'ɣral] *adj, f* MAT integral *f*

integrar [iⁿte'ɣrar] **I.** *vt* integrar **II.** *vr:* ~**se** integrar-se

íntegro, -a ['iⁿteɣro, -a] *adj* íntegro, -a

intelectual [iⁿtelektu'al] *adj, mf* intelectual *mf*

inteligencia [iⁿteli'xeⁿθja] *f* inteligência *f*

inteligente [iⁿteli'xente] *adj* inteligente

intemperie [iⁿtem'perje] *f* intempérie *f;* **a la ~** ao ar livre

intención [iⁿten'θjon] *f* intenção *f*

intensidad [iⁿtensi'ðað] *f* intensidade *f*

intensivo, -a [iⁿten'siβo, -a] *adj* intensivo, -a

intenso, -a [iⁿ'tenso, -a] *adj* intenso, -a

intentar [iⁿten'tar] *vt* tentar

intento [iⁿ'tento] *m* tentativa *f*

intercambio [iⁿter'kambjo] *m* intercâmbio *m*

interés [iⁿte'res] *m* **1.** *(en general)* interesse *m* **2.** FIN juro *m*

interesante [iⁿtere'sante] *adj* interessante

interesar [iⁿtere'sar] **I.** *vi* interessar **II.** *vr* ~**se por algo** interessar-se por a. c.

interior [iⁿte'rjor] *adj, m* interior *m*

intermediario, -a [iⁿterme'ðjarjo, -a]

intermedio | 136 | **invariable**

adj, m, f intermediário, -a *m, f*
intermedio [iṇter'meðjo] *m* intervalo *m*
intermedio, -a [iṇter'meðjo, -a] *adj* intermediário, -a
interminable [iṇtermi'naβle] *adj* interminável
intermitente [iṇtermi'teṇte] *m* AUTO pisca-pisca *m*
internacional [iṇternaθjo'nal] *adj* internacional
internado [iṇter'naðo] *m* internato *m*
interno, -a [iṇ'terno, -a] *adj, m, f* interno, -a *m, f*
interponer [iṇterpo'ner] *irr como poner* I. *vt* interpor II. *vr:* ~se interpor-se
interpretar [iṇterpre'tar] *vt* interpretar
intérprete [iṇ'terprete] *mf* intérprete *mf*
interrogar [iṇterro'ɣar] <g→gu> *vt* interrogar
interrogatorio [iṇterroɣa'torjo] *m* interrogatório *m*
interrumpir [iṇterrum'pir] I. *vt* interromper II. *vr:* ~se interromper-se
interrupción [iṇterruβ'θjon] *f* interrupção *f*
intervalo [iṇter'βalo] *m t.* MÚS intervalo *m*
intervenir [iṇterβe'nir] *irr como venir* I. *vi* intervir; ~ **en algo** intervir em a. c. II. *vt* **1.** MED operar **2.** (*incautar*) confiscar **3.** (*teléfono*) grampear
interviú [iṇter'βju] *f* entrevista *f*
intestino [iṇtes'tino] *m* ANAT intestino *m*

intimidad [iṇtimi'ðað] *f* intimidade *f*
íntimo, -a ['iṇtimo, -a] *adj* íntimo, -a
intolerante [iṇtole'raṇte] *adj* intolerante
intoxicación [iṇtoᵏsika'θjon] *f* intoxicação *f*
intranquilo, -a [iṇtraŋ'kilo, -a] *adj* intranqüilo, -a
intranscendente [iṇtraⁿsθeṇ'deṇte] *adj* ordinário, -a
intransigente [iṇtransi'xeṇte] *adj* intransigente
intransitivo, -a [iṇtransi'tiβo, -a] *adj* LING intransitivo, -a
intriga [iṇ'triɣa] *f* **1.** (*maquinación*) intriga *f* **2.** (*curiosidad*) curiosidade *f*
intrigar [iṇtri'ɣar] <g→gu> *vi, vt* intrigar
introducción [iṇtroðuᵏ'θjon] *f* introdução *f*
introducir [iṇtroðu'θir] *irr como traducir* I. *vt* introduzir II. *vr:* ~se introduzir-se
intromisión [iṇtromi'sjon] *f* intromissão *f*
introvertido, -a [iṇtroβer'tiðo, -a] *adj* introvertido, -a
intruso, -a [iṇ'truso, -a] *adj, m, f* intruso, -a *m, f*
intuición [iṇtwi'θjon] *f* intuição *f*
inundación [inuṇda'θjon] *f* inundação *f*
inusual [inusu'al] *adj* incomum
inútil [i'nutil] *adj* inútil
invadir [imba'ðir] *vt* invadir
inválido, -a [im'baliðo, -a] *adj, m, f* inválido, -a *m, f*
invariable [imbarja'βle] *adj* invariável

invasión [imba'sjon] *f* invasão *f*

invencible [imben'θiβle] *adj* invencível

inventar [imben'tar] *vt* inventar

inventario [imben'tarjo] *m t.* COM inventário *m*

invento [im'bento] *m* invento *m*

inventor(a) [imben'tor(a)] *m(f)* inventor(a) *m(f)*

invernadero [imberna'ðero] *m* estufa *f*; (*lugar para invernar*) invernadouro *m*

inverosímil [imbero'simil] *adj* inverossímil

inversión [imber'sjon] *f* COM, FIN investimento *m*; (*al revés*) inversão *f*

inverso, -a [im'berso, -a] *adj* inverso, -a; **en orden ~** na ordem inversa

inversor(a) [imber'sor(a)] *m(f)* investidor(a) *m(f)*

invertebrado, -a [imberte'βraðo, -a] *adj* invertebrado, -a

invertir [imber'tir] *irr como sentir vt* **1.** (*orden*) inverter **2.** (*dinero*) investir

investigación [imbestiɣa'θjon] *f* **1.** (*en la ciencia*) pesquisa *f*; **~ y desarrollo** pesquisa e desenvolvimento **2.** (*indagación*) investigação *f*

investigar [imbesti'ɣar] <g→gu> *vt* **1.** (*en la ciencia*) pesquisar **2.** (*indagar*) investigar

inviable [imbi'aβle] *adj* inviável

invidente [imbi'ðente] *adj, mf* cego, -a *m, f*

invierno [im'bjerno] *m* inverno *m*

invisible [imbi'siβle] *adj* invisível

invitación [imbita'θjon] *f* convite *m*

invitado, -a [imbi'taðo, -a] *adj, m, f* convidado, -a *m, f*

invitar [imbi'tar] *vi, vt* convidar

involucrar [imbolu'krar] **I.** *vt* envolver; **~ a alguien en algo** envolver alguém em a. c. **II.** *vr:* **~se** intrometer-se; **~se en algo** intervir em a. c.

invulnerable [imbulne'raβle] *adj* invulnerável

inyección [inɟe'ɣʝojon] *f* injeção *f*

ir [ir] *irr* **I.** *vi* ir; **¡voy!** já venho!; **~ en coche/avión** ir de carro/avião; **¿cómo te va?** com vai você?; **~ é por el pan** vou buscar pão; **¿tú sabes de qué va?** você sabe a que se refere?; **¡vaya coche!** que carro!; **¡qué va!** que bobagem!; **voy a hacerlo** vou fazer isso **II.** *vr:* **~se** ir-se

ira ['ira] *f* ira *f*

Irak [i'rak] *m* Iraque *m*

Irán [i'ran] *m* Irã *m*

iraní [ira'ni] *adj, mf* iraniano, -a *m, f*

iraquí [ira'ki] *adj, mf* iraquiano, -a *m, f*

irgo ['irɣo] *1. pres de* **erguir**

irguió [ir'ɣjo] *3. pret de* **erguir**

iris ['iris] *m inv* ANAT íris *f*

Irlanda [ir'laṇda] *f* Irlanda *f*; **~ del Norte** Irlanda do Norte

irlandés, -esa [irlaṇ'des, -esa] *adj, m, f* irlandês, -esa *m, f*

ironía [iro'nia] *f* ironia *f*

irónico, -a [i'roniko, -a] *adj* irônico, -a

irracional [irraθjo'nal] *adj* irracional

irreal [irre'al] *adj* irreal

irregular [irreɣu'lar] *adj* irregular

irremediable [irreme'ðjaβle] *adj* irremediável

irrepetible [irrepe'tiβle] *adj* sem igual

irresistible [irresis'tiβle] *adj* irresistível

irresponsable [irrespon'saβle] *adj, mf* irresponsável *mf*

irreversible [irreβer'siβle] *adj* irreversível

irritación [irrita'θjon] *f* irritação *f*

irritar [irri'tar] **I.** *vt* irritar **II.** *vr*: ~se *t.* MED irritar-se

irrumpir [irrum'pir] *vi* ~ **en** irromper em

isla ['isla] *f* ilha *f*

Islam [is'lan] *m* **el** ~ o Islã

islámico, -a [is'lamiko, -a] *adj* islâmico, -a

islandés, -esa [islan'des, -esa] *adj, m, f* islandês, -esa *m, f*

Islandia [is'landja] *f* Islândia *f*

isleño, -a [is'leɲo, -a] *adj, m, f* insulano, -a *m, f*

Israel [i(s)rra'el] *m* Israel *m*

israelí [i(s)rrae'li] *adj, mf* israelense *mf*

israelita [i(s)rrae'lita] *adj, mf* israelita *mf*

Italia [i'talja] *f* Itália *f*

italiano, -a [ita'ljano, -a] *adj, m, f* italiano, -a *m, f*

itinerario [itine'rarjo] *m* itinerário *m*

izquierdo, -a [iθ'kjerðo, -a] *adj* esquerdo, -a

J

J, j ['xota] *f* J, j *m*

jabalí [xaβa'li] *m* <jabalíes> javali *m*

jabón [xa'βon] *m* sabão *m*

jactarse [xak'tarse] *vr* ~ **de algo** jactar-se de a. c.

jadear [xaðe'ar] *vi* ofegar

jaguar [xa'ɣwar] *m* jaguar *m*

jalea [xa'lea] *f* geléia *f*

jaleo [xa'leo] *m inf* algazarra *f*; **armar** ~ armar confusão

jamaicano, -a [xamaj'kano, -a] *adj, m, f* jamaicano, -a *m, f*

jamás [xa'mas] *adv* jamais

jamón [xa'mon] *m* presunto *m*; ~ **serrano** presunto defumado; **¡y un** ~**!** *inf* uma ova!

Japón [xa'pon] *m* Japão *m*

japonés, -esa [xapo'nes, -esa] *adj, m, f* japonês, -esa *m, f*

jaque ['xake] *m* DEP xeque *m*; ~ **mate** xeque-mate *m*; **tener en** ~ **a alguien** *inf* encher a paciência de alguém

jaqueca [xa'keka] *f* enxaqueca *f*

jarabe [xa'raβe] *m* xarope *m*

jardín [xar'ðin] *m* jardim *m*

jardinero, -a [xarði'nero, -a] *m, f* jardineiro, -a *m, f*

jarra ['xarra] *f* jarra *f*; **ponerse en** ~**s** colocar as mãos na cintura

jarro ['xarro] *m* jarro *m*

jarrón [xa'rron] *m* vaso *m*

jauja ['xauxa] *f* **ser** ~ *inf* ser o paraíso

jaula ['xaula] *f* jaula *f*; (*para pájaros*) gaiola *f*

jauría [xau'ria] *f* matilha *f*

jazmín [xaθ'min] *m* jasmim *m*

jefatura [xefa'tura] *f* **1.** (*cargo*) chefia *f* **2.** (*sede*) chefatura *f*; ~ **de policía** delegacia *f* de polícia; ~ **de tráfico**

jefe, **-a** ['xefe, -a] *m*, *f* chefe *mf*
jengibre [xeŋ'xiβre] *m* gengibre *m*
jerarquía [xerar'kia] *f* hierarquia *f*
jerez [xe'reθ] *m* xerez *m*
jerga ['xerɣa] *f* jargão *m*
jeringa [xe'riŋga] *f* seringa *f*
jersey [xer'sei] *m* suéter *mf*
Jerusalén [xerusa'len] *m* Jerusalém *f*
Jesús [xe'sus] *m* Jesus *m*; **¡~!** (*al estornudar*) Saúde!; (*interjección*) Credo!
jeta ['xeta] *f inf* cara-de-pau *f*
jinete [xi'nete] *m* ginete *m*
jirafa [xi'rafa] *f* girafa *f*
joder [xo'ðer] *vulg* **I.** *vt* **1.** (*copular*) foder **2.** (*fastidiar*) sacanear; **¡no me jodas!** não me sacaneie! **3.** (*echar a perder*) pôr a perder **II.** *vr:* **~se** foder-se; **¡jódete!** foda-se!
jolgorio [xol'ɣorjo] *m* bagunça *f*
Jordania [xor'ðanja] *f* Jordânia *f*
jordano, **-a** [xor'ðano, -a] *adj*, *m*, *f* jordaniano, -a *m*, *f*
jornada [xor'naða] *f* jornada *f*; **trabajo a media ~** trabalho *m* de meio turno
jornal [xor'nal] *m* diária *f*
joroba [xo'roβa] *f* (*de persona*) corcunda *f*; (*de camello*) corcova *f*
jorobado, **-a** [xoro'βaðo, -a] *adj*, *m*, *f* corcunda *mf*
jota ['xota] *f* jota *m*; **no saber ni ~** *inf* não ter a menor idéia
joven ['xoβen] *adj*, *mf* jovem *mf*
jovial [xo'βjal] *adj* jovial
joya ['xoja] *f t. fig* jóia *f*
joyería [xoje'ria] *f* joalheria *f*

joyero, **-a** [xo'jero, -a] *m*, *f* joalheiro, -a *m*, *f*
jubilación [xuβila'θjon] *f* aposentadoria *f*
jubilar [xuβi'lar] **I.** *vt t. fig* aposentar **II.** *vr:* **~se** aposentar-se
judía [xu'ðia] *f* feijão *m*
judío, **-a** [xu'ðio, -a] *adj*, *m*, *f* judeu, -dia *m*, *f*
juego ['xweɣo] *m t.* DEP jogo *m*; (*en tenis*) game *m*; **~ de café** jogo de café; **~ de mesa** jogo de mesa; **fuera de ~** DEP impedimento *m*
juerga ['xwerɣa] *f inf* farra *f*; **correrse unas cuantas ~s** cair numa boa farra
jueves ['xweβes] *m inv* quinta-feira *f*; **Jueves Santo** Quinta-Feira Santa; *v.t.* **lunes**
juez [xweθ] *mf t.* JUR juiz, juíza *m*, *f*; **~ de línea** DEP bandeirinha *m*
jugada [xu'ɣaða] *f* **1.** DEP jogada *f* **2.** (*jugarreta*) trapaça *f*
jugador(a) [xuɣa'ðor(a)] *m(f) t.* DEP jogador(a) *m(f)*
jugar [xu'ɣar] *irr* **I.** *vi* **1.** (*a un juego, deporte*) jogar **2.** (*bromear*) brincar **II.** *vt* (*un juego, apostar*) jogar **III.** *vr:* **~se 1.** (*apostar*) jogar **2.** (*arriesgar*) pôr em jogo
jugarreta [xuɣa'rreta] *f inf* trapaça *f*
jugo ['xuɣo] *m* suco *m*
jugoso, **-a** [xu'ɣoso, -a] *adj* suculento, -a; (*comentario*) proveitoso, -a
juguete [xu'ɣete] *m* brinquedo *m*
juguetería [xuɣete'ria] *f* loja *f* de brinquedos
juguetón, **-ona** [xuɣe'ton, -ona] *adj*

brincalhão, -ona

juicio ['xwiθjo] *m t.* JUR juízo *m*; **perder el** ~ perder o juízo; **a mi** ~ na minha opinião

julio ['xuljo] *m* julho *m*; *v.t.* **marzo**

jungla ['xuŋgla] *f* selva *f*

junio ['xunjo] *m* junho *m*; *v.t.* **marzo**

junta ['xunta] *f* 1. (*comité*) junta *f*; ~ **directiva** COM conselho *m* de diretores 2. (*reunión*) reunião *f*; ~ **de accionistas** assembléia *f* de acionistas

juntar [xun'tar] I. *vt* juntar II. *vr:* ~**se** juntar-se

junto ['xunto] *prep* 1. (*local*) ~ **a** junto a; ~ **a la entrada** junto à entrada; **pasaron** ~ **a nosotros** passaram perto de nós 2. (*con movimiento*) ~ **a** ao lado; **pon la silla** ~ **a la mesa** ponha a cadeira próxima à mesa 3. (*con*) ~ **con** junto com

junto, -a ['xunto, -a] *adj* junto, -a

Júpiter ['xupiter] *m* Júpiter *m*

jurado [xu'raðo] *m* JUR (*miembro*) jurado, -a *m, f*; (*tribunal, de examen*) júri *m*

jurado, -a [xu'raðo, -a] *adj* juramentado, -a

juramento [xura'mento] *m t.* JUR juramento *m*; **prestar** ~ prestar testemunho

jurar [xu'rar] *vi, vt* jurar

jurídico,-a [xu'riðiko,-a] *adj* jurídico,-a

jurisdicción [xurisðiγ'θjon] *f* jurisdição *f*

jurisprudencia [xurispru'ðenθja] *f* jurisprudência *f*

justamente [xusta'mente] *adv* precisamente

justicia [xus'tiθja] *f* justiça *f*

justificación [xustifika'θjon] *f* justificação *f*

justificante [xustifi'kante] *m* justificativa *f*

justificar [xustifi'kar] <c→qu> I. *vt* justificar II. *vr:* ~**se** justificar-se

justo ['xusto] *adv* justo; ~ **a tiempo** bem na hora

justo, -a ['xusto, -a] *adj* 1. (*persona, decisión*) justo, -a 2. (*exacto*) justo, -a, exato, -a 3. (*vestido*) apertado, -a

juvenil [xuβe'nil] *adj* juvenil

juventud [xuβen'tu^ð] *f* juventude *f*

juzgado [xuθ'γaðo] *m* tribunal *m*

juzgar [xuθ'γar] <g→gu> *vt* julgar; **a** ~ **por...** a julgar por...

K

K, k [ka] *f* K, k *m*

Kazakistán [kaθakis'tan] *m* Cazaquistão *m*

kazako, -a [kaθako, -a] *adj, m, f* cazaque *mf*

keniano, -a [ke'njano, -a] *adj, m, f*, **keniata** [ke'njata] *adj, mf* queniano, -a *m, f*

kilobyte [kilo'βai^t] *m* INFOR quilobyte *m*

kilogramo [kilo'γramo] *m* quilograma *m*

kilometraje [kilome'traxe] *m* AUTO quilometragem *f*

kilómetro [ki'lometro] *m* quilômetro *m*

kinder ['kinder] *m inv*, **kindergarten** [kinder'ɣarten] *m inv*, *AmL* jardim *m* de infância

kiwi ['kiβi] *m* quiuí *m*

kleenex® ['kline⁽ʸ⁾s] *m inv*, **klínex** ['kline⁽ʸ⁾s] *m inv* lenço *m* de papel

kosovar [koso'βar] *adj, mf* kosovar *mf*

Kosovo ['kosoβo] *m* Kosovo *m*

Kurdistán [kurðis'tan] *m* Curdistão *m*

kurdo, -a ['kurðo, -a] *adj, m, f* curdo, -a *m, f*

Kuwait [ku'βai̯t] *m* Kuwait *m*

kuwaití [kuβai̯'ti] *adj, mf* kuwaitiano, -a *m, f*

L

L, l ['ele] *f* L, l *m*

la [la] I. *art def v.* **el, la, lo** II. *pron pers, f sing* 1. *(objeto directo)* a; **mi bicicleta y ~ tuya** minha bicicleta e a sua 2. *(con relativo)* **~ que...** a que...; **~ cual...** a qual... III. *m* MÚS lá *m*

laberinto [laβe'rinto] *m* labirinto *m*

labio ['laβjo] *m* lábio *m*

labor [la'βor] *f* trabalho *m*; **no estoy por la ~** não estou a fim; **profesión: 'sus ~es'** profissão: 'dona-de-casa'

laborable [laβo'raβle] *adj* **día ~** dia útil

laboral [laβo'ral] *adj* de trabalho

laboratorio [laβora'torjo] *m* laboratório *m*

labranza [la'βranθa] *f* lavoura *f*

labrar [la'βrar] *vt* lavrar

laca ['laka] *f* laca *f*; *(para el pelo)* laquê *m*

lacio, -a ['laθjo, -a] *adj (cabello)* liso, -a

lacra ['lakra] *f* seqüela *f*

lacrar [la'krar] *vt* lacrar

lacrimógeno, -a [lakri'moxeno, -a] *adj* lacrimogêneo, -a

lactancia [lak'tanθja] *f* lactância *f*

lactante [lak'tante] *mf* lactente *mf*

lácteo, -a ['lakteo, -a] *adj* lácteo, -a

ladera [la'ðera] *f* ladeira *f*

ladilla [la'ðiʎa] *f* chato *m*

lado ['laðo] *m* lado *m*; **por un ~..., y por el otro ~...** por um lado..., e por outro lado...

ladrar [la'ðrar] *vi (perro)* ladrar

ladrido [la'ðriðo] *m* latido *m*

ladrillo [la'ðriʎo] *m* tijolo *m*

ladrón, -ona [la'ðron, -ona] *m, f* ladrão, ladra *m, f*

lagarto [la'ɣarto] *m* lagarto *m*

lago ['laɣo] *m* lago *m*

lágrima ['laɣrima] *f* lágrima *f*

laguna [la'ɣuna] *f* 1. *(de agua)* laguna *f* 2. *(omisión)* lacuna *f*

lamentable [lamen'taβle] *adj* lamentável

lamentar [lamen'tar] I. *vt* lamentar; **lo lamento** sinto muito II. *vr* **~se de algo** lamentar-se de a. c.

lamento [la'mento] *m* lamento *m*

lamer [la'mer] *vt* lamber

lámina ['lamina] *f* 1. *(hojalata)* lâmina *f* 2. *(ilustración)* impressão *f*

lámpara ['lampara] *f* lamparina *f*; **~ de mesa** abajur *m* de mesa

lampiño, -a [lam'piɲo, -a] *adj* (*sin barba*) imberbe; (*sin pelo*) glabro, -a
lana ['lana] *f* lã *f*
lancha ['lantʃa] *f* lancha *f*
langosta [laŋ'gosta] *f* 1. (*insecto*) gafanhoto *m* 2. (*crustáceo*) lagosta *f*
langostino [laŋgos'tino] *m* lagostim *m*
lanza ['lanθa] *f* lança *f*
lanzadera [lanθa'ðera] *f* lançadeira *f*
lanzamiento [lanθa'mjento] *m* lançamento *m*; ~ **de disco** DEP arremesso *m* de disco
lanzar [lan'θar] <z→c> I. *vt* lançar II. *vr:* ~**se** lançar-se; ~**se al agua** atirar-se na água
lapicero [lapi'θero] *m* lápis *m inv*
lápida ['lapiða] *f* lápide *f*
lápiz ['lapiθ] *m* lápis *m inv*; ~ **de labios** batom *m*
lapo ['lapo] *m inf* cusparada *f*
lapón, -ona [la'pon, -ona] *adj, m, f* lapão, -ona *m, f*
Laponia [la'ponja] *f* Lapónia *f*
lapso ['lapso] *m* lapso *m*
largar [lar'γar] <g→gu> I. *vt* 1. (*soltar*) soltar 2. *inf* (*golpe*) meter 3. *inf* (*discurso*) dar II. *vr:* ~**se** (*irse*) ir embora
largo ['larγo] I. *adv* muito; ~ **y tendido** demoradamente II. *m* longo *m* III. *interj* ¡~ (**de aquí**)! fora (daqui)!
largo, -a ['larγo, -a] *adj* comprido, -a; **a lo ~ de los años** ao longo dos anos; **a ~ plazo** a longo prazo
largometraje [larγome'traxe] *m* longa-metragem *m*

laringe [la'rinxe] *f* laringe *f*
larva ['larβa] *f* larva *f*
las [las] I. *art def v.* **el, la, lo** II. *pron pers f pl* 1. (*objeto directo*) as; ¡lláma~! chame-as! 2. (*con relativo*) ~ **que...** as que...; ~ **cuales...** as quais...
láser ['laser] *m* laser *m*
lástima ['lastima] *f* pena *f*; ¡qué ~! que pena!
lastimar [lasti'mar] I. *vt* machucar II. *vr:* ~**se** machucar-se
lastre ['lastre] *m* 1. NÁUT lastro *m* 2. (*estorbo*) peso *m*
lata ['lata] *f* 1. (*envase*) lata *f* 2. *inf* (*pesadez*) chatice *f*; **dar la** ~ encher a paciência
lateral [late'ral] I. *adj* lateral II. *m* lado *m*
latido [la'tiðo] *m* pulsação *f*
latifundista [latifun'dista] *mf* latifundiário, -a *m, f*
látigo ['latiγo] *m* chicote *m*
latín [la'tin] *m* latim *m*
latino, -a [la'tino, -a] *adj, m, f* latino, -a *m, f*
Latinoamérica [latinoa'merika] *f* América Latina
latinoamericano, -a [latinoameri'kano, -a] *adj, m, f* latino-americano, -a *m, f*
latir [la'tir] *vi* pulsar
latitud [lati'tuð] *f* GEO latitude *f*
latón [la'ton] *m* latão *m*
latoso, -a [la'toso, -a] *adj inf* chato, -a
laurel [lau̯'rel] *m* louro *m*
lava ['laβa] *f* lava *f*
lavabo [la'βaβo] *m* 1. (*pila*) pia

2. (*cuarto*) lavabo *m*
lavadora [laβa'ðora] *f* lavadora *f*
lavandería [laβande'ria] *f* lavanderia *f*
lavaplatos [laβa'platos] *m inv* lava-louças *f inv*
lavar [la'βar] **I.** *vt* lavar **II.** *vr*: ~**-se** lavar-se; **~se los dientes** escovar os dentes
lavavajillas [laβaβa'xiʎas] *m inv* **1.** (*aparato*) lava-louças *f inv* **2.** (*detergente*) detergente *m*
lazo ['laðo] *m* laço *m*
le [le] *pron pers objeto indirecto* lhe; ¡da~ **un beso!** dá-lhe um beijo!; ~ **puedo llamar el lunes** posso chamá-lo na segunda-feira
leal [le'al] *adj* leal
lección [lek'θjon] *f* lição *f*
leche ['letʃe] *f* leite *m*; ~ **entera** leite integral; **estar de mala** ~ *inf* estar de mau humor; ¡~**s!** *inf* (que) droga!; **ser la** ~ *inf* ser o fim da picada
lechero, -a [le'tʃero, -a] *m, f* leiteiro, -a *m, f*
lecho ['letʃo] *m* leito *m*
lechuga [le'tʃuɣa] *f* alface *f*
lechuza [le'tʃuθa] *f* coruja *f*
lectivo, -a [lek'tiβo, -a] *adj* ENS letivo, -a
lector(a) [lek'tor(a)] *m(f) t.* UNIV leitor(a) *m(f)*
lectura [lek'tura] *f* leitura *f*
leer [le'er] *irr vt* ler
legal [le'ɣal] *adj* legal
legalización [leɣaliθa'θjon] *f* legalização *f*
legalizar [leɣali'θar] <z→c> *vt* **1.** (*autorizar*) legalizar **2.** (*atestar*) reconhecer
legaña [le'ɣaɲa] *f* remela *f*
legar [le'ɣar] <g→gu> *vt* legar
legión [le'xjon] *f t.* MIL legião *f*
legionario, -a [lexjo'narjo, -a] *m,* flegionário, -a *m, f*
legislación [lexisla'θjon] *f* legislação *f*
legislar [lexis'lar] *vi* legislar
legislatura [lexisla'tura] *f* **1.** (*período*) legislatura *f* **2.** *AmL* (*parlamento*) corpo *m* legislativo
legítimo, -a [le'xitimo, -a] *adj* legítimo, -a
legua [le'ɣwa] *f* légua *f*; **se ve a la ~ que...** se vê de longe que...
legumbre [le'ɣumbre] *f* legume *m*
lejanía [lexa'nia] *f* distância *f*
lejano, -a [le'xano, -a] *adj* distante; **un pariente** ~ um parente distante
lejía [le'xia] *f* água *f* sanitária
lejos ['lexos] **I.** *adv* longe; ~ **de algo** longe de a. c.; **a lo ~** ao longe **II.** *conj* ~ **de** longe de
lema ['lema] *m* lema *m*
lencería [lenθe'ria] *f* **1.** (*ropa*) lingerie *m* **2.** (*tienda*) loja *f* de lingerie
lengua ['leŋgwa] *f* ANAT, LING língua *f*; **darle a la ~** *inf* falar sem parar
lenguado [leŋ'gwaðo] *m* linguado *m*
lenguaje [leŋ'gwaxe] *m* linguagem *f*
lengüeta [leŋ'gweta] *f* **1.** (*de zapato*) lingüeta *f* **2.** MÚS palheta *f*
lente ['lente] *f* lente *f*
lenteja [len'texa] *f* lentilha *f*
lentes ['lentes] *mpl AmL* óculos *mpl*; **llevar ~** usar óculos
lentilla [len'tiʎa] *f* lente *f* de contato
lento, -a ['lento, -a] *adj* lento, -a

leña ['leɲa] *f sin pl* lenha *f;* **dar** [*o* **repartir**] ~ *fig* jogar pesado

Leo ['leo] *m* Leão *m;* **ser** ~ ser (de) Leão

león [le'on] *m* leão *m; AmL (puma)* onça-parda *f*

leopardo [leo'parðo] *m* leopardo *m*

leotardo(s) [leo'tarðo(s)] *m(pl)* collant *m*

lepra ['lepra] *f* lepra *f*

lerdo, -a ['lerðo, -a] *adj* lerdo, -a

les [les] *pron pers* **1.** *mf pl (objeto indirecto)* lhes **2.** *m pl, reg (objeto directo)* os, as

lesbiana [les'βjana] *f* lésbica *f*

lesión [le'sjon] *f* lesão *f*

lesionar [lesjo'nar] **I.** *vt* lesionar **II.** *vr:* ~**se** lesionar-se

letargo [le'tarɣo] *m* letargia *f*

letón, -ona [le'ton, -ona] *adj, m, f* letão, -tã *m, f*

Letonia [le'tonja] *f* Letônia *f*

letra ['letra] *f* letra *f;* **al pie de la** ~ ao pé da letra

letrero [le'trero] *m* letreiro *m*

levadura [leβa'ðura] *f* levedura *f*

levantar [leβan̩'tar] **I.** *vt* levantar; ~ **la voz** levantar a voz; ~ **un embargo** revogar um embargo **II.** *vr:* ~**se** **1.** *(en general)* levantar-se **2.** *(viento)* levantar

leve ['leβe] *adj* leve

ley [lej] *f* JUR, REL, FÍS lei *f;* **con todas las de la** ~ como manda a lei

leyenda [le'jen̩da] *f* **1.** LIT, REL lenda *f* **2.** *(en moneda)* inscrição *f*

liar [li'ar] *<1. pres:* **lío***>* **I.** *vt* **1.** *(fardo)* amarrar **2.** *(cigarrillo)* enrolar **3.** *inf (enredar)* enrolar-se **II.** *vr:* ~**se** enrolar-se; ~**se con alguien** enrolar-se com alguém

libanés, -esa [liβa'nes, -esa] *adj, m, f* libanês, -esa *m, f*

Líbano ['liβano] *m* **El** ~ O Líbano

libélula [li'βelula] *f* libélula *f*

liberal [liβe'ral] *adj, mf* liberal *mf*

liberalizar [liβerali'θar] *<z→c> vt* liberalizar

liberar [liβe'rar] *vt* libertar

Liberia [li'βerja] *f* Libéria *f*

libertad [liβer'tað] *f* liberdade *f;* **quedar en** ~ permanecer em liberdade; **tomarse la** ~ **de hacer algo** tomar a liberdade de fazer a. c.

libertar [liβer'tar] *vt* libertar

Libia ['liβja] *f* Líbia *f*

libio, -a ['liβjo, -a] *adj, m, f* líbio, -a *m, f*

libra ['liβra] *f* libra *f*

Libra ['liβra] *f* Libra *f*

librar [li'βrar] **I.** *vt* **1.** *(dejar libre)* livrar **2.** COM *(letra)* emitir **II.** *vi (tener libre)* **hoy libro** hoje tenho o dia livre **III.** *vr* ~**se de algo/ alguien** livrar-se de a. c./alguém

libre ['liβre] *<libérrimo> adj* livre

librería [liβre'ria] *f* **1.** *(tienda)* livraria *f* **2.** *(estantería)* estante *f*

libreta [li'βreta] *f* caderneta *f;* ~ **de ahorros** caderneta de poupança

libro ['liβro] *m* livro *m;* ~ **de bolsillo** livro de bolso; ~ **de texto** livro didático

licencia [li'θenθja] *f* licença *f;* **tomarse la** ~ **de hacer algo** tomar a liberdade de fazer a. c.

licenciado, -a [liθen'θjaðo, -a] *m, f* **1.** (*estudiante*) graduado, -a *m, f* **2.** (*soldado*) licenciado, -a *m, f*

licenciar [liθen'θjar] **I.** *vt* (*soldado*) licenciar **II.** *vr:* ~**se 1.** (*estudiante*) graduar-se **2.** (*soldado*) licenciar-se

licenciatura [liθenθja'tura] *f* graduação *f*

liceo [li'θeo] *m AmL* colégio *m*

licor [li'kor] *m* licor *m*

licuadora [likwa'ðora] *f* liquidificador *m*

líder [' liðer] *mf* líder *mf*

liderar [liðe'rar] *vt* liderar

liderato [liðe'rato] *m,* **liderazgo** [liðe'raθγo] *m* liderança *f*

lidia ['liðja] *f* TAUR lide *f*

liebre [lje'βre] *f* lebre *f*

liendre ['ljendre] *f* lêndea *f*

lienzo ['ljenθo] *m* **1.** (*tela*) lona *f* **2.** (*cuadro*) tela *f*

liga ['liγa] *f. t.* DEP liga *f*

ligadura [liγa'ðura] *f* **1.** (*atadura*) atadura *f* **2.** *fig* (*compromiso*) ligação *f* **3.** MED ligadura *f*; ~ **de trompas** ligadura de trompas

ligar [li'γar] <g→gu> **I.** *vi* inf ligar; ~ **con alguien** paquerar alguém **II.** *vt* (*atar, unir*) ligar; ~ **un metal** ligar um metal **III.** *vr:* ~**se 1.** (*unirse*) ligar-se **2.** *inf* (*enamorar*) ~**se a alguien** conquistar alguém

ligero, -a [li'xero, -a] *adj* **1.** (*leve*) leve; **a la ligera** superficialmente **2.** (*ágil*) ligeiro, -a

ligue ['liγe] *m inf* paquera *f*

liguero [li'γero] *m* cinta-liga *f*

lija ['lixa] *f* lixa *f*

lijar [li'xar] *vt* lixar

lima ['lima] *f t.* BOT lima *f*

limar [li'mar] *vt* **1.** (*pulir*) limar; ~ **asperezas** *fig* aparar as arestas **2.** (*perfeccionar*) aperfeiçoar

limitación [limita'θjon] *f* limitação *f*

limitar [limi'tar] **I.** *vi, vt* limitar **II.** *vr* ~**se a** limitar-se a

límite ['limite] *m* limite *m*

limítrofe [li'mitrofe] *adj* limítrofe

limón [li'mon] *m* limão *m*

limonada [limo'naða] *f* limonada *f*

limosna [li'mosna] *f* esmola *f*

limpiabotas [limpja'βotas] *mf inv* engraxate *mf*

limpiaparabrisas [limpjapara'βrisas] *m inv* limpador *m* de pára-brisas

limpiar [lim'pjar] **I.** *vt* limpar; ~ **el polvo** tirar o pó **II.** *vi* (*quitar la suciedad*) limpar-se **III.** *vr:* ~**se** limpar; **límpiate la nariz** limpe o nariz

limpieza [lim'pjeθa] *f* limpeza *f*

limpio ['limpjo] *adv* limpo; **escribir en** ~ passar a limpo

limpio, -a ['limpjo, -a] *adj t. fig* limpo, -a

linaza [li'naθa] *f* linhaça *f*

lindar [lin'dar] *vi* ~ **con algo** fazer limite com a. c.

linde ['linde] *m o f,* **lindero** [lin'dero] *m* limite *m*

lindo, -a ['lindo, -a] *adj* lindo, -a; **divertirse de lo** ~ divertir-se muito

línea ['linea] *f* linha *f*; **leer entre** ~**s** ler nas entrelinhas; **no hay** ~ TEL não tem linha

lingüística [lin'gwistika] *f* lingüística *f*

lino ['lino] *m* linho *m*

linóleo [li'noleo] m linóleo m
linterna [lin'terna] f (de mano) lanterna f
lío ['lio] m 1. (problema) encrenca f; **meterse en ~s** meter-se em confusões 2. (desorden) bagunça f 3. inf (relación) caso m
liquidación [likiða'θjon] f liquidação f
liquidar [liki'ðar] vt liquidar
líquido [li'kiðo] m 1. (agua) líquido m 2. (saldo) dinheiro m (disponível)
líquido, -a ['likiðo, -a] adj líquido, -a
lírico, -a ['liriko, -a] adj lírico, -a
Lisboa [lis'βoa] f Lisboa f
lisboeta [lisβo'eta] adj, m lisboeta mf
lisiar [li'sjar] I. vt (mutilar) aleijar II. vr: **~se** aleijar-se
liso, -a ['liso, -a] adj liso, -a
lisonjear [lisonxe'ar] vt lisonjear
lista ['lista] f 1. (en general) lista f; **pasar ~** fazer chamada 2. (de madera) tira f; (estampado) listra f
listado [lis'taðo] m listagem f
listo, -a ['listo, -a] adj 1. (inteligente) esperto, -a 2. (preparado) pronto, -a; **¡ya estoy ~!** já estou pronto!
listón [lis'ton] m listel m
litera [li'tera] f beliche m
literal [lite'ral] adj literal
literatura [litera'tura] f literatura f
litoral [lito'ral] I. adj litorâneo, -a II. m litoral m
litro ['litro] m litro m
Lituania [li'twanja] f Lituânia f
lituano, -a [li'twano, -a] adj, m, f lituano, -a m, f
liviano, -a [li'βjano, -a] adj (trivial, ligero) leve

llaga ['ʎaɣa] f ferida f
llama ['ʎama] f 1. (fuego) chama f 2. ZOOL lhama f
llamada [ʎa'maða] f 1. (en general) chamada f; **~ de atención** alerta m 2. (telefónica) ligação f; **~ a cobro revertido** ligação a cobrar 3. (apelación) apelo m
llamar [ʎa'mar] I. vt chamar II. vi chamar; **~ por teléfono** telefonar III. vr: **~se** chamar-se; **¿cómo te llamas?** como você se chama?
llano, -a ['ʎano, -a] adj 1. (liso) plano, -a 2. (campechano) simples 3. LING paroxítona
llanta ['ʎanta] f 1. (aro) aro m 2. AmL (rueda) pneu m
llanto ['ʎanto] m pranto m
llanura [ʎa'nura] f planície f
llave ['ʎaβe] f 1. (en general) chave f 2. (grifo) torneira f; **~ de paso** registro m geral
llavero [ʎa'βero] m chaveiro m
llegada [ʎe'ɣaða] f chegada f
llegar [ʎe'ɣar] <g→gu> vi chegar; **~ pronto/tarde** chegar logo/tarde; **~ a los ochenta** chegar aos oitenta; **~ lejos** chegar longe
llenar [ʎe'nar] I. vt 1. (atestar) encher 2. (rellenar) preencher 3. (satisfacer) completar II. vi (comida) encher III. vr: **~se** (de comida) encher-se
lleno, -a ['ʎeno, -a] adj cheio, -a; **de ~** em cheio
llevar [ʎe'βar] I. vt levar; (ropa) usar; **dos pizzas para ~** duas pizzas para viagem; **me llevó dos días hacer**

llorar esto levei dois dias a fazer isto; **yo llevo la contabilidad** eu cuido da contabilidade II. *vr:* **~se 1.** (*coger*) levar; **~se dos años** estar há dois anos **2.** (*estar de moda*) usar-se muito **3.** (*soportarse*) **~se bien/mal con alguien** dar-se bem/mal com alguém

llorar [ʎo'rar] *vi, vt* chorar

lloriquear [ʎorike'ar] *vi* choramingar

llorón, -ona [ʎo'ron, -ona] *adj, m, f* chorão, -ona *m, f*

llover [ʎo'βer] <o→ue> I. *vimpers* chover II. *vt* chover; **le llueven las ofertas de trabajo** chovem-lhe ofertas de trabalho

llovizna [ʎo'βiθna] *f* chuvisco *m*

lloviznar [ʎoβiθ'nar] *vimpers* chuviscar

lluvia ['ʎuβja] *f* chuva *f*

lo [lo] I. *art def v.* **el, la, lo 1.** + *adj* **~ bueno/~ malo** o bom/o mau; **~ antes posible** o mais cedo possível **2.** + *que* **~ que digo es...** o que digo é... II. *pron pers m y neutro sing* **1.** (*objeto*) o; **¡haz~!** faça-o; **¡lláma~!** chame-o! **2.** (*con relativo*) **~ que...** o que...; **~ cual...** o qual...

lobo, -a ['loβo, -a] *m, f* lobo *m, f*

local [lo'kal] *adj, m* local *m*

localidad [lokali'ðað] *f* **1.** (*municipio*) localidade *f* **2.** (*entrada*) bilhete *m* **3.** (*asiento*) lugar *m*

localizar [lokali'θar] <z→c> *vt* localizar

loción [lo'θjon] *f* loção *f;* **~ para después del afeitado** loção pós-barba

loco, -a ['loko, -a] *adj, m, f* louco, -a *m, f*

locomotora [lokomo'tora] *f* locomotiva *f*

locuaz [lo'kwaθ] *adj* loquaz

locura [lo'kura] *f* loucura *f;* **con ~** (*mucho*) loucamente

locutorio [loku'torjo] *m* TEL cabine *f* telefónica

lodo ['loðo] *m* lodo *m*

logaritmo [loɣa'riθmo] *m* logaritmo *m*

lógico, -a ['loxiko, -a] *adj* lógico, -a

logotipo [loɣo'tipo] *m* logotipo *m*

lograr [lo'ɣrar] *vt* conseguir

logro ['loɣro] *m* êxito *m*

loma ['loma] *f* colina *f*

lombriz [lom'briθ] *f* minhoca *f;* **~ intestinal** lombriga *f*

lomo ['lomo] *m* **1.** (*espalda, solomillo*) lombo *m* **2.** (*de libro*) lombada *f* **3.** (*de cuchillo*) costas *fpl*

lona ['lona] *f* lona *f*

loncha ['lontʃa] *f* fatia *f*

londinense [londi'nense] *adj, mf* londrino, -a *m, f*

Londres ['londres] *m* Londres *f*

longaniza [loŋga'niθa] *f* lingüiça *f*

longitud [loŋxi'tuð] *f* comprimento *m;* GEO longitude *f*

loro ['loro] *m* papagaio *m*

los [los] I. *art def v.* **el, la, lo** II. *pron pers m y neutro pl* **1.** (*objeto directo*) os; **¡lláma~!** chame-os! **2.** (*con relativo*) **~ que...** os que...; **~ cuales...** os quais...

losa ['losa] *f* laje *f*

lote ['lote] *m* lote *m*

lotería [lote'ria] *f* loteria *f*
loza ['loθa] *f* porcelana *f*
lubricante [luβri'kante] *m* lubrificante *m*
lucero [lu'θero] *m* luzeiro *m*; **~ del alba** estrela-d'alva *f*
lucha ['lutʃa] *f* luta *f*
luchar [lu'tʃar] *vi* lutar
lúcido, -a ['luθiðo, -a] *adj* **1.** (*clarividente*) lúcido, -a **2.** (*sobrio*) sóbrio, -a
luciérnaga [lu'θjernaɣa] *f* vaga-lume *m*
lucir [lu'θir] *irr* **I.** *vi* brilhar **II.** *vt* (*exhibir*) mostrar **III.** *vr:* **~se 1.** (*destacarse*) sobressair-se **2.** *irón* (*hacer el ridículo*) dar-se mal
lucrativo, -a [lukra'tiβo, -a] *adj* lucrativo, -a
lucro ['lukro] *m* lucro *m;* **con ánimo de ~** com fins lucrativos
lúdico, -a ['luðiko, -a] *adj* lúdico, -a
luego ['lweɣo] **I.** *adv* (*después*) depois; **¡hasta ~!** até logo! **II.** *conj* (*así que*) logo; **desde ~** (*sin duda*) com certeza
lugar [lu'ɣar] *m* lugar *m;* **en ~ de...** ao invés de...; **sin ~ a dudas** sem sombra de dúvidas; **tener ~** ocorrer
lujo ['luxo] *m* luxo *m;* **con todo ~ de detalles** com riqueza de detalhes; **permitirse el ~ de algo** dar-se ao luxo de a. c.
lujoso, -a [lu'xoso, -a] *adj* luxuoso, -a
lujuria [lu'xurja] *f* luxúria *f*
luminoso, -a [lumi'noso, -a] *adj* luminoso, -a
luna ['luna] *f* **1.** ASTRON lua *f* **2.** (*cristal*) vidraça *f* **3.** (*espejo*) espelho *m*
lunar [lu'nar] **I.** *adj* lunar **II.** *m* **1.** (*en la piel*) pinta *f* **2.** (*en una tela*) bolinha *f*
lunes ['lunes] *m inv* segunda-feira *f;* **el ~ pasado** na segunda-feira passada; **el ~ que viene** na próxima segunda-feira; **el ~ por la noche/al mediodía/por la mañana/por la tarde** na segunda-feira à noite/ao meio-dia/de manhã/à tarde; **en la noche del ~ al martes** na madrugada de segunda para terça-feira; **cada dos ~** (**del mes**) segunda-feira sim, segunda-feira não; **caer en ~** cair na segunda-feira
luneta [lu'neta] *f* vidro *m* traseiro
lupa ['lupa] *f* lupa *f*
lustrar [lus'trar] *vt* lustrar
luto ['luto] *m* luto *m*
Luxemburgo [luɣ'semburɣo] *m* Luxemburgo *m*
luxemburgués, -esa [luɣsembur'ɣes, -esa] *adj, m, f* luxemburguês, -a *m, f*
luz [luθ] *f* luz *f;* **luces cortas** [*o* **de cruce**] farol *m* baixo; **luces largas** [*o* **de carretera**] farol *m* alto; **salir a la ~** *fig* vir à tona; **a la ~ del día** em plena luz do dia; **a todas luces** evidente

M

M, m ['eme] *f* M, m *m*
macabro, -a [ma'kaβro, -a] *adj* macabro, -a

maceta [ma'θeta] f vaso m
macetero [maθe'tero] m suporte m de vasos
machacar [matʃa'kar] <c→qu> vt **1.** (*triturar*) triturar **2.** inf (*insistir*) martelar
machete [ma'tʃete] m facão m
machismo [ma'tʃismo] m machismo m
macho ['matʃo] adj, m macho m
macizo, -a [ma'θiθo, -a] adj **1.** (*sólido*) maciço, -a **2.** inf (*atractivo*) sedutor(a)
Madagascar [maðaɣas'kar] m Madagascar f
madera [ma'ðera] f madeira f; **tener ~ de** fig ter talento para
madrastra [ma'ðrastra] f madrasta f
madre ['maðre] f mãe f; **¡~ mía!** nossa mãe!; **de puta ~** vulg do caralho
Madrid [ma'ðriðˠ] m Madri f
madriguera [maðri'ɣera] f **1.** (*de animales*) toca f **2.** (*de delincuentes*) esconderijo m
madrileño, -a [maðri'leɲo, -a] adj, m, f madrileno, -a m, f
madrina [ma'ðrina] f madrinha f
madrugada [maðru'ɣaða] f madrugada f
madrugar [maðru'ɣar] <g→gu> vi madrugar
madurar [maðu'rar] vi, vt amadurecer
madurez [maðu'reθ] f **1.** (*de fruta*) madureza f **2.** (*de persona*) maturidade f; **estar en la ~** estar na meia-idade
maduro, -a [ma'ðuro, -a] adj maduro, -a

maestro, -a [ma'estro, -a] **I.** adj (*obra*) mestre, -a **II.** m, f mestre, -a m, f; ENS professor(a) m(f)
magia ['maxja] f magia f
mágico, -a ['maxiko, -a] adj mágico, -a
magistral [maxis'tral] adj magistral
magnesio [maɣ'nesjo] m magnésio m
magnético, -a [maɣ'netiko, -a] adj magnético, -a
magnífico, -a [maɣ'nifiko, -a] adj magnífico, -a
magnitud [maɣni'tuðˠ] f magnitude f
mago, -a ['maɣo, -a] m, f mago, -a m, f
Magreb [ma'ɣreβ] m **el ~** o Magreb
magrebí [maɣre'βi] adj, mf magrebino, -a m, f
magro, -a ['maɣro, -a] adj magro, -a
magulladura [maɣuʎa'ðura] f machucado m
mahonesa [mao'nesa] f maionese f
maicena [maj'θena] f maisena f
mailing ['mejliŋ] <mailings> m mala f direta
maíz [ma'iθ] m milho m
majareta [maxa'reta] adj, m inf maluco, -a m, f
majestad [maxes'taðˠ] f majestade f
majo, -a ['maxo, -a] adj **1.** (*bonito*) belo, -a **2.** (*agradable*) simpático, -a
mal [mal] **I.** adj v. **malo II.** m mal m; **~ de ojo** mau-olhado m **III.** adv mal; **tomarse algo a ~** levar a. c. a mal; **me cae ~** não vou com a cara
malabarista [malaβa'rista] mf (*artista*) malabarista mf

malaria [ma'larja] f malária f
Malasia [ma'lasja] f Malásia f
malayo, -a [ma'laʝo, -a] adj, m, f malaio, -a m, f
malcriar [malkri'ar] <1. pres: malcrío> vt educar mal
maldecir [malde'θeir] irr vi, vt maldizer
maldición [maldi'θjon] f maldição f
maldito, -a [mal'dito, -a] I. pp de **maldecir** II. adj maldito, -a; ¡maldita sea! inf maldita seja!
maleducado, -a [maleðu'kaðo, -a] adj, m, f mal-educado, -a m, f
maleficio [male'fiθjo] m malefício m
malentendido [malenten'diðo] m mal-entendido m
malestar [males'tar] m mal-estar m
maleta [ma'leta] f mala f; **hacer la** ~ fazer a mala
maletero [male'tero] m AUTO porta-malas m inv
maletín [male'tin] m maleta f
maleza [ma'leθa] f mato m
malformación [malforma'θjon] f má-formação f
malgastar [malɣas'tar] vt desperdiçar
malherir [male'rir] irr como **sentir** vt ferir gravemente
malhumorado, -a [malumo'raðo, -a] adj mal-humorado, -a
maligno, -a [ma'liɣno, -a] adj maligno, -a
malla [ma'ʎa] f malha f; AmL (de baño) maiô m
Mallorca [ma'ʎorka] f Maiorca f
mallorquín, -ina [maʎor'kin, -ina] adj, m, f maiorquino, -a m, f

malo, -a ['malo, -a] I. adj <peor, pésimo> (delante de sustantivo masculino: mal) **1.** (en general) mau, má; **tener mala suerte** ter má sorte; **hace un tiempo malísimo** faz um tempo péssimo **2.** (enfermo) doente; **estar** ~ estar mal II. m, f mau, má m, f
malograr [malo'ɣrar] I. vt malograr II. vr: **~se** malograr-se
Malta ['malta] f Malta f
maltés, -esa [mal'tes, -esa] adj, m, f maltês, -esa m, f
maltratar [maltra'tar] vt maltratar
maltrato [mal'trato] m maus-tratos mpl
malva ['malβa] I. adj malva II. f malva f; **criar** ~**s** inf estar morto e enterrado
malvado, -a [mal'βaðo, -a] adj malvado, -a
Malvinas [mal'βinas] fpl **las** ~ as Malvinas
malvivir [malβi'βir] vi sobreviver
mama ['mama] f mama f
mamá [ma'ma] f inf mamãe f
mamar [ma'mar] vi, vt mamar
mamarracho [mama'rratʃo] m (persona ridícula) palhaço, -a m, f; (persona despreciable) vil mf
mamífero, -a [ma'mifero, -a] adj, m, f mamífero, -a m, f
mamón, -ona [ma'mon, -ona] m, f **1.** (insulto) parasita m **2.** AmL, inf (borracho) beberrão, -ona m, f
mampara [mam'para] f boxe m
mampostería [mamposte'rja] f alvenaria f

manada [maˈnaða] f (de animales) manada f; (de gente) multidão f

Managua [maˈnaɣwa] m Manágua f

manantial [mananˈtjal] m manancial m

mancha [ˈmantʃa] f mancha f

manchar [manˈtʃar] I. vt manchar II. vr: ~se manchar-se

manco, -a [ˈmanko, -a] adj 1. (de mano, brazo) maneta; **no ser (cojo ni) ~** ser exímio 2. (incompleto) manco, -a

mandado [manˈdaðo] m mandado m

mandamiento [mandaˈmjento] m 1. (orden) mandado m 2. REL mandamento m

mandar [manˈdar] vt mandar

mandarina [mandaˈrina] f tangerina f

mandato [manˈdato] m mandato m

mandíbula [manˈdiβula] f mandíbula f

mandioca [manˈdjoka] f mandioca f

mando [ˈmando] m 1. (poder, persona) comando m; **alto ~** MIL alto comando; **estar al ~ de algo** estar no comando de a. c. 2. TÉC controle m; **~ a distancia** controle m remoto

manecilla [maneˈθiʎa] f ponteiro m

manejar [maneˈxar] I. vt 1. (usar) manejar 2. (persona) tratar 3. AmL (conducir) dirigir II. vi AmL (conducir) dirigir III. vr: ~se mover-se

manera [maˈnera] f maneira f; **de ninguna ~** de maneira nenhuma; **en cierta ~** de certo modo; **no hay ~ de...** não há meio de...; **¡qué ~ de**

llover! como chove!

manga [ˈmaŋga] f (del vestido) manga f; **sacarse algo de la ~** fig inventar a. c.

mangar [maŋˈgar] <g→gu> vt inf surrupiar

mango [ˈmaŋgo] m 1. (pieza) cabo m 2. (fruta) manga f 3. (árbol) mangueira f

mangonear [maŋgoneˈar] inf I. vi intrometer-se II. vt interferir em

manguera [maŋˈgera] f mangueira f

maní [maˈni] m RíoPl amendoim m

manía [maˈnia] f mania f; **coger ~ a alguien** ter implicância com alguém

maniaco, -a [maˈnjako, -a] adj, m, f, **maníaco, -a** [maˈniako, -a] adj, m, f maníaco, -a m, f

maniático, -a [maˈnjatiko, -a] adj, m, f maníaco, -a m, f

manicomio [maniˈkomjo] m hospital m psiquiátrico; fig (casa de locos) manicômio m

manicura [maniˈkura] f manicure f

manido, -a [maˈniðo, -a] adj batido, -a

manifestación [manifestaˈθjon] f manifestação f

manifestar [manifesˈtar] <e→ie> I. vt manifestar II. vr: ~se manifestar-se

manifiesto [maniˈfjesto] m manifesto m

manija [maˈnixa] f (de puerta) maçaneta f; (de jarro) asa f

Manila [maˈnila] f Manilha f

manillar [maniˈʎar] m guidom m

maniobra [maˈnjoβra] f manobra f

manipulación [manipula'θjon] *f* manipulação *f*

manipular [manipu'lar] *vt* manipular

maniquí [mani'ki] <maniquíes> I. *m* (*muñeco*) manequim *m* II. *mf* (*modelo*) modelo *mf*

manitas [ma'nitas] *inf* I. *f inv* hacer ~ fazer carícias II. *mf inv* (*persona*) **ser un** ~ ser habilidoso

manivela [mani'βela] *f* manivela *f*

manjar [maŋ'xar] *m* manjar *m*

mano ['mano] *f* mão *f*; (*de pintura*) demão *f*; **hecho a** ~ feito à mão; **tener** ~ **con algo** ter jeito com a. c.; **tener** ~ **izquierda** ter jogo de cintura; **traer entre ~s** estar tramando; **a** ~ **derecha/izquierda** mão direita/esquerda

manojo [ma'noxo] *m* punhado *m*

manopla [ma'nopla] *f* luva *f*

manoseado, -a [manose'aðo, -a] *adj* **1.** (*sobado*) manuseado, -a **2.** (*trillado*) batido, -a

manosear [manose'ar] *vt* manusear

mansalva [man'salβa] *adv* **a** ~ aos montes

mansión [man'sjon] *f* mansão *f*

manso, -a ['manso, -a] *adj* manso, -a

manta ['manta] *f* (*de cama*) cobertor *m*

manteca [man'teka] *f* **1.** (*grasa*) gordura *f* **2.** *RíoPl* (*mantequilla*) manteiga *f*

mantecado [mante'kaðo] *m* **1.** (*bollo*) amanteigado *m* **2.** (*helado*) sorvete *m*

mantel [man'tel] *m* toalha *f* de mesa

mantener [mante'ner] *irr como* tener I. *vt* manter II. *vr*: ~**se** manter-se

mantenimiento [manteni'mjento] *m* **1.** (*alimentos*) conservação *f* **2.** TÉC manutenção *f*

mantequilla [mante'kiʎa] *f* manteiga *f*

manto ['manto] *m* manto *m*

manual [manu'al] *adj, m* manual *m*

manufactura [manufak'tura] *f* manufatura *f*

manuscrito [manus'krito] *m* manuscrito *m*

manutención [manuten'θjon] *f* (*alimentos*) sustento *m*

manzana [man'θana] *f* **1.** (*fruta*) maçã *f* **2.** (*de casas*) quarteirão *m* **3.** *AmL* ANAT pomo-de-adão *m*

manzanilla [manθa'niʎa] *f* **1.** (*planta*) camomila *f* **2.** (*infusión*) chá *m* camomila **3.** (*vino*) manzanilha *f*

maña ['maɲa] *f* manha *f*

mañana¹ [ma'ɲana] I. *f* manhã *f*; ~ **por la** ~ amanhã pela manhã II. *adv* amanhã; **¡hasta** ~! até amanhã!

mañana² [ma'ɲana] *m* amanhã *m*; **pasado** ~ depois de amanhã

mañoso, -a [ma'ɲoso, -a] *adj* habilidoso, -a

mapa ['mapa] *m* mapa *m*

maqueta [ma'keta] *f* **1.** ARQUIT maquete *f* **2.** (*de libro*) cópia *f*

maquetar [make'tar] *vt* editorar

maquillaje [maki'ʎaxe] *m* maquiagem *f*

maquillar [maki'ʎar] I. *vt* maquilar II. *vr*: ~**se** maquilar-se

máquina ['makina] *f* máquina *f*; **a toda** ~ a todo vapor

maquinaria [maki'narja] *f* **1.** (*máqui-*

nas) maquinário *m* **2.** (*mecanismo*) mecanismo *m*

maquinilla [maki'niʎa] *f* ~ (**de afeitar**) barbeador *m*

mar [mar] *m o f* mar *m*; **llueve a ~es** chove a cântaros; **ser la ~ de aburrido** ser muito chato

maratón [mara'ton] *m o f* maratona *f*

maravilla [mara'βiʎa] *f* maravilha *f*

maravilloso, -a [maraβi'ʎoso, -a] *adj* maravilhoso, -a

marca ['marka] *f t.* DEP marca *f*

marcar [mar'kar] <c→qu> *vt t.* DEP marcar; (*teléfono*) discar; (*cabello*) pentear

marcha ['martʃa] *f* marcha *f*; (*salida*) saída *f*; **~ atrás** marcha a ré; **a toda ~** a toda velocidade; **poner en ~** pôr em funcionamento; **un bar/una persona con mucha ~** um bar/uma pessoa com muita animação; **salir de ~** *inf* sair

marchar [mar'tʃar] **I.** *vi* **1.** (*ir*)andar; **¡marchando!** vamos! **2.** (*funcionar*) funcionar **II.** *vr:* **~se** ir-se

marchitar [martʃi'tar] **I.** *vi* murchar **II.** *vr:* **~se** murchar-se

marchoso, -a [mar'tʃoso, -a] *adj inf* animado, -a

marco ['marko] *m* **1.** (*recuadro*) moldura *f* **2.** (*armazón*) armação *f* **3.** (*ambiente*) cenário *m*

marea [ma'rea] *f* maré *f*; **alta/baja** maré alta/baixa

mareado, -a [mare'aðo, -a] *adj* enjoado, -a

marear [mare'ar] **I.** *vt* **1.** MED enjoar **2.** *inf* (*molestar*) amolar **II.** *vr:* **~se** **1.** (*enfermarse*) enjoar-se **2.** (*quedar aturdido*) ficar tonto **3.** (*emborracharse*) embriagar-se

mareo [ma'reo] *m* enjôo *m*

marfil [mar'fil] *m* marfim *m*

margarina [marγa'rina] *f* margarina *f*

margarita [marγa'rita] *f* margarida *f*

margen ['marxen] *m* margem *f*; **dejar al ~** deixar de lado; **mantenerse al ~** *fig* manter-se afastado

marginar [marxi'nar] *vt* (*algo*) desconsiderar; (*a alguien*) marginalizar

maricón [mari'kon] *m vulg* bicha *mf*

marido [ma'riðo] *m* marido *m*

marihuana [mari'wana] *f* maconha *f*

marimacho [mari'matʃo] *m pey, inf* machona *f*; (*lesbiana*) lésbica *f*

marina [ma'rina] *f* marinha *f*

marinero [mari'nero] *m* marinheiro *m*

marino, -a [ma'rino, -a] *adj* marinho, -a

marioneta [marjo'neta] *f* marionete *f*

mariposa [mari'posa] *f* borboleta *f*

mariquita¹ [mari'kita] *f* ZOOL joaninha *f*

mariquita² [mari'kita] *m inf* maricas *m inv*

marisco [ma'risko] *m* frutos *mpl* do mar

marítimo, -a [ma'ritimo, -a] *adj* marítimo, -a

marketing ['arketin] *m* marketing *m*

mármol ['marmol] *m* mármore *m*

marqués, -esa [mar'kes, -esa] *m, f* marquês, -esa *m, f*

marquesina [marke'sina] *f* marquise *f*

marrano, -a [ma'rrano, -a] *adj, m, f t. pey*porco, -a *m, f*

marrón [ma'rron] *adj* marrom
marroquí [marro'ki] *adj, mf* marroquino, -a
Marruecos [ma'rrwekos] *m* Marrocos *m*
Marte ['marte] *m* Marte *m*
martes ['martes] *m inv* terça-feira *f*; *v.t.* **lunes**
martillo [mar'tiʎo] *m* martelo *m*
mártir ['martir] *mf* mártir *mf*
martirio [mar'tirjo] *m* martírio *m*
marzo [mar'θo] *m* março *m*; **en** ~ em março; **a principios/a fin(al)es de** ~ no começo/no fim de março; **a mediados de** ~ em meados de março; **el 21 de** ~ o (dia) 21 de março; **el pasado** ~ **fue muy frío** março passado fez muito frio
más [mas] I. *adv* mais; ~ **grande/pequeño** maior/menor; ~ **guapo que tú** mais bonito (do) que você; ~ **que nunca** mais do que nunca; ~ **bien** pelo contrário; ~ **o menos** mais ou menos; **el** ~ **allá** o além; **quien** ~ **y quien menos** cada um de nós; ~ **aún** mais ainda II. *m* MAT mais *m*
masa ['masa] *f t.* ELEC massa *f*
masacre [ma'sakre] *f* massacre *m*
masaje [ma'saxe] *m* massagem *f*
máscara ['maskara] *f* máscara *f*
mascarilla [maska'riʎa] *f* máscara *f*; ~ **facial** máscara facial
mascota [mas'kota] *f* mascote *f*
masculino [masku'lino] *m* LING masculino *m*
masculino, -a [masku'lino, -a] *adj* masculino, -a
mascullar [masku'ʎar] *vt* murmurar

masivo, -a [ma'siβo, -a] *adj* maciço, -a
masoquista [maso'kista] *adj, mf* masoquista *mf*
máster ['master] <másters> *m* mestrado *m*
masticar [masti'kar] <c→qu> *vt* mastigar
mástil ['mastil] *m* 1. NÁUT mastro *m* 2. *(de guitarra)* braço *m*
masturbarse [mastur'βarse] *vr* masturbar-se
mata ['mata] *f* arbusto *m*; ~ **de pelo** cabeleira *f*
matadero [mata'ðero] *m* matadouro *m*
matador(a) [mata'ðor(a)] *m(f)* TAUR matador(a) *m(f)*
matamoscas [mata'moskas] *m inv* *(insecticida)* inseticida *m*; *(objeto)* enxota-mosca *m*
matanza [ma'tanθa] *f* matança *f*
matar [ma'tar] I. *vt* 1. *(asesinar)* matar; ~ **el tiempo** matar o tempo 2. *(sellos)* carimbar II. *vr*: ~**se** matar-se; ~**se a trabajar** matar-se de trabalhar
matasellos [mata'seʎos] *m inv* carimbo *m*
mate ['mate] I. *adj* mate II. *m* 1. *(ajedrez)* xeque-mate *m* 2. *(infusión)* mate *m* 3. *pl, inf (matemáticas)* matemática *f*
matemáticas [mate'matikas] *fpl* matemática *f*
materia [ma'terja] *f* matéria *f*; **entrar en** ~ entrar no assunto
material [mate'rjal] *adj, m* material *m*
maternidad [materni'ðað] *f* materni-

dade *f*
materno, -a [ma'terno, -a] *adj* materno, -a
matinal [mati'nal] *adj* matinal
matiz [ma'tiθ] *m* matiz *m*
matizar [mati'θar] <z→c> *vt* **1.** (*con colores*) matizar **2.** (*puntualizar*) nuançar
matorral [mato'rral] *m* matagal *m*
matrícula [ma'trikula] *f* **1.** (*documento, inscripción*) matrícula *f*; ~ **de honor** nota máxima **2.** AUTO placa *f*
matricular [matriku'lar] *vt* **1.** (*alumno*) matricular **2.** AUTO licenciar
matrimonio [matri'monjo] *m* **1.** (*boda*) casamento *m* **2.** (*marido y mujer*) casal *m*
matrona [ma'trona] *f* **1.** (*comadrona*) parteira *f* **2.** (*de familia*) matrona *f*
maullar [mauˈʎar] *irr como aullar* *vi* miar
máximo ['maˠsimo] *m* máximo *m*; **como** ~ no máximo
máximo, -a ['maˠsimo, -a] *adj* máximo, -a
maya ['maja] *adj, m* maia *mf*

Cultura Os **mayas** eram uma raça indígena de povos nativos da América Central (hoje, México, Guatemala e Honduras), com uma civilização altamente avançada em diversos campos. O grande número de ruínas existentes testemunha esse fato, como por exemplo, as pirâmides construídas com blocos de pedra, numerosas inscrições e desenhos, e ainda um calendário de grande precisão utilizado por eles.

mayo ['majo] *m* maio *m*; *v.t.* **marzo**
mayonesa [majo'nesa] *f* maionese *f*
mayor [ma'jor] **I.** *adj* **1.** (*tamaño*) maior; ~ **que** maior que **2.** (*edad*) mais velho; ~ **de edad** maior de idade; ~ **que** mais velho que; **ser** ~ ser adulto; **mi hermano** ~ meu irmão mais velho; **persona** ~ pessoa idosa **II.** *m* **1.** MIL major *m* **2.** (*superior*) superior *m* **3.** *pl* (*ascendientes*) ancestrais *mpl*
mayordomo, -a [major'ðomo, -a] *m, f* mordomo, governanta *m, f*
mayoría [majo'ria] *f* maioria *f*; ~ **de edad** maioridade *f*
mayorista [majo'rista] *adj, mf* atacadista *mf*
mayúscula [ma'juskula] *f* maiúscula *f*; **en ~s** em maiúsculas
mazapán [maθa'pan] *m* marzipã *m*
mazo ['maθo] *m* **1.** (*martillo*) marreta *f* **2.** (*del mortero*) pilão *m* **3.** (*manojo*) maço *m*
mazorca [ma'θorka] *f* espiga *f*
me [me] **I.** *pron pers* **1.** (*objeto directo*) me; **¡míra~!** olhe para mim! **2.** (*objeto indirecto*) me; **da~ el libro** dê-me o livro **II.** *pron refl* ~ **lavo** eu me lavo; ~ **voy** vou indo; ~ **he comprado un piso** comprei um apartamento para mim
mear [me'ar] *inf* **I.** *vi* mijar **II.** *vr*: ~**se** *inf* mijar-se
mecachis [meˈkatʃis] *interj inf* droga
mecánico, -a [meˈkaniko, -a] *adj, m, f* mecânico, -a *m, f*
mecanismo [meka'nismo] *m* mecanismo *m*

mecanografiar [mekanoɣra'fjar] *vt* datilografar

mecedora [meθe'ðora] *f* cadeira *f* de balanço

mecer [me'θer] <c→z> I. *vt* balançar II. *vr:* ~**se** balançar-se

mecha ['metʃa] *f* 1. (*pabilo*) pavio *m*; **a toda** ~ *inf* a todo vapor 2. *pl* (*de pelo*) mechas *fpl*

mechero [me'tʃero] *m* isqueiro *m*

medalla [me'ðaʎa] *f* medalha *f*

media ['meðja] *f* 1. (*promedio*) média *f* 2. (*calceta*) meia *f* 3. *AmL* (*calcetín*) meia *f*

mediación [meðja'θjon] *f* mediação *f*

mediano, -a [me'ðjano, -a] *adj* mediano, -a

medianoche [meðja'notʃe] *f* meia-noite *f*

mediante [me'ðjante] *prep* mediante

mediar [me'ðjar] *vi* 1. (*intermediar*) mediar 2. (*por alguien*) interceder

medicamento [meðika'mento] *m* medicamento *m*

medicar [meði'kar] I. *vt* medicar II. *vr:* ~**se** medicar-se

medicina [meði'θina] *f* 1. (*ciencia*) medicina *f*; ~ **general/interna** clínica *f* geral/médica 2. (*medicamento*) remédio *m*

medición [meði'θjon] *f* medição *f*

médico, -a ['meðiko, -a] *adj, m, f* médico, -a *m, f*

medida [me'ðiða] *f* medida *f*; **a la** ~ (*ropa*) sob medida; **hasta cierta** ~ até certo ponto; **tomar** ~**s** tomar providências

medio ['meðjo] I. *m* 1. meio *m*; **en** ~ **de** no meio de; **por** ~ **de** por meio de 2. (*entorno*) ~ **ambiente** meio *m* ambiente 3. DEP meio-campo *m* II. *adv* meio; ~ **vestido** meio vestido

medio, -a ['meðjo, -a] *adj* 1. (*mitad*) meio, -a; **a las cuatro y media** às quatro e meia; **ir a medias** dividir em partes iguais 2. (*promedio*) médio, -a

mediocre [me'ðjokre] *adj* medíocre

mediodía [meðjo'dia] *m* meio-dia *m*

medir [me'ðir] *irr como pedir* I. *vi, vt* medir II. *vr:* ~**se** (*con alguien*) comparar-se com

meditar [meði'tar] *vi, vt* meditar

mediterráneo, -a [meðite'rraneo, -a] *adj* mediterrâneo, -a

Mediterráneo [meðite'rraneo] *m* **el** ~ o Mediterrâneo

médula ['meðula] *f* ANAT medula *f*; **hasta la** ~ excessivamente

medusa [me'ðusa] *f* medusa *f*

megáfono [me'ɣafono] *m* megafone *m*

mejicano, -a [mexi'kano, -a] *adj, m, f* mexicano, -a *m, f*

Méjico ['mexiko] *m* México *m*

mejilla [me'xiʎa] *f* bochecha *f*

mejillón [mexi'ʎon] *m* mexilhão *m*

mejor [me'xor] I. *adj* melhor; ~ **que** melhor do que; **es** ~ **que** +*subj* é melhor que +*subj* II. *adv* melhor; **a lo** ~ talvez; ~ **que** ~ melhor ainda

mejora [me'xora] *f* melhora *f*

mejorar [mexo'rar] I. *vi, vt* melhorar II. *vr:* ~**se** melhorar-se

melancolía [melaŋko'lia] *f* melan-

colia *f*
melancólico, -a [melaŋ'koliko, -a] *adj* melancólico, -a
melena [me'lena] *f* (*de persona*) cabeleira *f*; (*de león*) juba *f*
mellizo, -a [me'ʎiθo, -a] *adj, m, f* gêmeo, -a *m, f*
melocotón [meloko'ton] *m* pêssego *m*
melodía [melo'ðia] *f* melodia *f*
melódico, -a [me'loðiko, -a] *adj* melódico, -a
melodramático, -a [meloðra'matiko, -a] *adj* melodramático, -a
melón [me'lon] *m* melão *m*
membrete [mem'brete] *m* timbre *m*
membrillo [mem'briʎo] *m* marmelo *m*; **dulce de ~** marmelada *f*
memoria [me'morja] *f* **1.** *t.* INFOR (*facultad*) memória *f*; **de ~** de cabeça **2.** (*informe*) relatório *m* **3.** *pl* (*autobiografía*) memórias *fpl*
memorizar [memori'θar] <z→c> *vt* memorizar
menaje [me'naxe] *m* utensílios *mpl* domésticos
mencionar [menθjo'nar] *vt* mencionar
mendigar [mendi'ɣar] <g→gu> *vi, vt* mendigar
mendigo, -a [men'diɣo, -a] *m, f* mendigo, -a *m, f*
mendrugo [men'druɣo] *m* pedaço *m* de pão duro
menear [mene'ar] **I.** *vt* mexer **II.** *vr:* **~se** mexer-se
menester [menes'ter] *m* **1.** (*necesidad*) mister *m* **2.** *pl* (*tareas*) obrigações *fpl*
menguante [meŋ'gwante] *adj* minguante
menguar [meŋ'gwar] <gu→gü> *vi, vt* minguar
menor [me'nor] **I.** *adj* menor; **~ de edad** menor de idade; **el ~ de mis hermanos** o mais novo de meus irmãos **II.** *mf* menor *mf*; **apta para ~es** liberado para menores
Menorca [me'norka] *f* Minorca *f*
menorquín, -ina [menor'kin, -ina] *adj, m, f* minorquino, -a *m, f*
menos ['menos] **I.** *adv* menos; **echar de ~** sentir saudades; **ir a ~** diminuir; **¡ni mucho ~!** de jeito nenhum!; **son las ocho ~ diez** faltam dez minutos para as oito **II.** *m* MAT menos *m*
menospreciar [menospre'θjar] *vt* menosprezar
mensaje [men'saxe] *m* mensagem *f*
mensajería [mensaxe'ria] *f* serviço *m* de entrega
menstruación [menstrwa'θjon] *f* menstruação *f*
mensual [mensu'al] *adj* mensal
mensualidad [menswali'ðað] *f* mensalidade *f*
menta ['menta] *f* menta *f*
mental [men'tal] *adj* mental
mentalidad [mentali'ðað] *f* mentalidade *f*
mentalizar [mentali'θar] <z→c> **I.** *vt* mentalizar; **~ a alguien de algo** conscientizar alguém de a. c. **II.** *vr:* **~se** mentalizar-se
mente ['mente] *f* mente *f*

mentecato, -a [mente'kato, -a] *adj, m, f* mentecapto, -a *m, f*

mentir [men'tir] *irr como sentir vi* mentir

mentira [men'tira] *f* mentira *f*

mentiroso, -a [menti'roso, -a] *adj, m, f* mentiroso, -a *m, f*

mentón [men'ton] *m* queixo *m*

menú [me'nu] *m* <menús> *t.* INFOR menu *m*

menudo, -a [me'nuðo, -a] *adj* miúdo, -a; **a ~** *fig* com freqüência; **¡~ mentiroso!** grande mentiroso!

meñique [me'ɲike] *m* (dedo *m*) mínimo *m*

mercadillo [merka'ðiʎo] *m* feira *f*

mercado [mer'kaðo] *m* mercado *m*

mercancía [merkan'θia] *f* mercadoria *f*

mercería [merθe'ria] *f* (*tienda*) armarinho *m*

mercurio [mer'kurjo] *m* mercúrio *m*

Mercurio [mer'kurjo] *m* Mercúrio *m*

merecer [mere'θer] *irr como crecer* **I.** *vt* merecer **II.** *vr:* **~se** merecer-se

merendar [meren'dar] <e→ie> *vi, vt* merendar

merengue [me'reŋge] *m* merengue *m*

meridional [meriðjo'nal] *adj* meridional

merienda [me'rjenda] *f* merenda *f*

mérito ['merito] *m* mérito *m*; **hacer ~s** provar seu valor

merluza [mer'luθa] *f* merluza *f*

merma ['merma] *f* diminuição *f*

mermelada [merme'laða] *f* geléia *f*

mero, -a ['mero, -a] *adj* **1.** (*simple*) mero, -a **2.** *AmC* (*propio*) mesmo, -a

merodear [meroðe'ar] *vi* vagar

mes [mes] *m* mês *m*

mesa ['mesa] *f* mesa *f*; **poner/quitar la ~** pôr/tirar a mesa; **¡a la ~!** a comida está pronta!

meseta [me'seta] *f* GEO meseta *f*

mesilla [me'siʎa] *f* mesinha *f*; **~ de noche** criado-mudo *m*

mesón [me'son] *m* taberna *f*

mestizo, -a [mes'tiθo, -a] *adj, m, f* mestiço, -a *m, f*

> **Cultura** Um **mestizo** na América Latina é uma pessoa de raça mista cujos pais são de origem branca (i.e. européia) e indígena. (No Brasil, **mestizos** são conhecidos como **mamelucos**).

meta ['meta] *f* meta *f*

metabolismo [metaβo'lismo] *m* metabolismo *m*

metáfora [me'tafora] *f* metáfora *f*

metal [me'tal] *m* metal *m*; **dinero m; en ~** em dinheiro

metálico, -a [me'taliko, -a] *adj* metálico, -a

metedura [mete'ðura] *f* **~ de pata** *inf* pisada *f* na bola

meteorología [meteorolo'xia] *f* meteorologia *f*

meter [me'ter] **I.** *vt* meter; (*invertir*) investir; **~ prisa a alguien** *inf* apressar alguém **II.** *vr:* **~se** meter-se; **~se con alguien** meter-se com alguém;

meticuloso 159 **millonario**

~**se en la cabeza que...** meter na cabeça que...; **¿dónde se habrá metido?** aonde terá se metido?

meticuloso, -a [metiku'loso, -a] *adj* meticuloso, -a

método ['metoðo] *m* método *m*

metralleta [metra'ʎeta] *f* metralhadora *f*

metro ['metro] *m* **1.** (*unidad, instrumento*) metro *m* **2.** (*medio de transporte*) metrô *m*

metropolitano, -a [metropoli'tano, -a] *adj* metropolitano, -a

mexicano, -a [mexi'kano, -a] *adj, m, f* mexicano, -a *m, f*

México ['mexiko] *m* México *m*

mezcla ['meθkla] *f* mescla *f*

mezclar [meθ'klar] **I.** *vt* misturar **II.** *vr:* ~**se** misturar-se

mezquino, -a [meθ'kino, -a] *adj, m, f* mesquinho, -a *m, f*

mi [mi] **I.** *adj* meu, minha **II.** *m inv* MÚS mi *m*

mí [mi] *pron pers* mim; **para** ~ para mim; **¿y a** ~ **qué?** e daí?; **por** ~ por mim

michelín [mitʃe'lin] *m inv* pneu *m*

micro ['mikro] *m* (*micrófono*) microfone *m*

microbio [mi'kroβjo] *m* micróbio *m*

micrófono [mi'krofono] *m* microfone *m*

microondas [mikro'ondas, mi'krondas] *m inv* microondas *m inv*

microscopio [mikros'kopjo] *m* microscópio *m*

miedo ['mjeðo] *m* medo *m;* **dar/tener** ~ dar/ter medo; **de** ~ *inf* divino

miedoso, -a [mje'ðoso, -a] *adj, m, f* medroso, -a *m, f*

miel [mjel] *f* mel *m*

miembro ['mjembro] *m* **1.** *pl* (*extremidades*) membros *mpl* **2.** *t.* LING, MAT (*socio*) membro *m* **3.** (*pene*) ~ (**viril**) pênis *m*

mientras ['mjentras] **I.** *adv* enquanto; ~ (**tanto**) enquanto isso **II.** *conj* ~ **que** enquanto

miércoles ['mjerkoles] *m inv* quarta-feira *f;* ~ **de ceniza** quarta-feira de cinzas; *v.t.* **lunes**

mierda ['mjerða] *f vulg* merda *f,* à merda!; **¡(vete) a la ~!** vai à merda!

miga ['miγa] *f* migalha *f;* **hacer buenas ~s con alguien** *inf* entender-se bem com alguém; **esto tiene su** ~ isto tem conteúdo

migaja [mi'γaxa] *f* **1.** (*trocito*) migalha *f;* **una ~ de** uma migalha de **2.** *pl* (*sobras*) migalhas *fpl*

migración [miγra'θjon] *f* migração *f*

mil [mil] *adj inv* mil

milagro [mi'laγro] *m* milagre *m*

milenio [mi'lenjo] *m* milênio *m*

mili ['mili] *f inf* serviço *m* militar; **hacer la** ~ servir o exército

miligramo [mili'γramo] *m* miligrama *m*

mililitro [mili'litro] *m* mililitro *m*

milímetro [mi'limetro] *m* milímetro *m*

militar [mili'tar] **I.** *vi* militar **II.** *adj, m* militar *m*

milla ['miʎa] *f* milha *f*

millar [mi'ʎar] *m* milhar *m*

millón [mi'ʎon] *m* milhão *m*

millonario, -a [miʎo'narjo, -a] *adj, m,*

f milionário, -a *m, f*

mimar [mi'mar] *vt* mimar

mimbre ['mimbre] *m* vime *m*

mimo ['mimo] *m* (*caricia*) mimo *m*

mina ['mina] *f* **1.** (*explosivo, de lápiz*) t. MIN mina *f* **2.** *CSur, inf* (*mujer*) mulher *f*

mineral [mine'ral] *adj, m* mineral *m*

miniatura [minja'tura] *f* miniatura *f*

minifalda [mini'falda] *f* minissaia *f*

minifundio [mini'fundjo] *m* minifúndio *m*

minimizar [minimi'θar] <z→c> *vt* minimizar

mínimo ['minimo] *m* mínimo *m*; **como** ~ no mínimo

mínimo, -a ['minimo, -a] *adj superl* de **pequeño** mínimo, -a; **no ayudar en lo más** ~ não ajudar nem um pouco

ministerio [minis'terjo] *m* ministério *m*

ministro, -a [mi'nistro, -a] *m, f* ministro, -a *m, f*

minoría [mino'ria] *f* minoria *f*

minorista [mino'rista] *adj, mf* varejista *mf*

minucioso, -a [minu'θjoso, -a] *adj* minucioso, -a

minúscula [mi'nuskula] *f* minúscula *f*; **en** ~**s** em minúsculas

minusválido, -a [minus'βaliðo, -a] *adj, m, f* deficiente *mf*

minuta [mi'nuta] *f* **1.** (*cuenta*) conta *f* **2.** (*menú*) cardápio *m*

minutero [minu'tero] *m* ponteiro *m*

minuto [mi'nuto] *m* minuto *m*

mío, -a ['mio, -a] *pron pos* **1.** (*de mi propiedad*) meu, minha; **el libro es** ~ o livro é meu; **la botella es mía** a garrafa é minha **2.** (*tras artículo*) **el** ~/**la mía** o meu/a minha; **los** ~**s** (*parientes*) os meus **3.** (*tras sustantivo*) meu, minha; **una amiga mía** uma amiga minha; (**no**) **es culpa mía** (não) é culpa minha; **¡amor** ~**!** meu amor!

miope [mi'ope] *adj, mf* míope *mf*

mira ['mira] *f* **1.** (*para apuntar*) mira *f* **2.** *pl* (*intención*) propósito *m*; **ser amplio/corto de** ~**s** ter cabeça aberta/fechada; **con** ~ **a** com o propósito de

mirada [mi'raða] *f* olhar *f*; **apartar la** ~ desviar o olhar

miramiento [mira'mjento] *m* consideração *f*; **sin ningún** ~ sem nenhuma consideração

mirar [mi'rar] **I.** *vt* olhar **II.** *vi* olhar; **la casa mira al este** a casa tem face para o leste; **mira** (**a ver**) **si...** olhe (para ver) se... **III.** *vr*: ~**se** olhar-se; **se mire como se mire** não importa como se veja isso

mirilla [mi'riʎa] *f* olho *m* mágico

mirón, -ona [mi'ron, -ona] *adj, m, f inf* curioso, -a *m, f*

misa ['misa] *f* missa *f*

miserable [mise'raβle] *adj, mf* miserável *mf*

miseria [mi'serja] *f* miséria *f*

misericordia [miseri'korðja] *f* misericórdia *f*

misión [mi'sjon] *f* missão *f*

misionero, -a [misjo'nero, -a] *m, f* missionário, -a *m, f*

mismo ['mismo] *adv* **ayer/ahí/así** ~

ontem/aí/assim mesmo

mismo, -a ['mismo, -a] *adj* mesmo, -a; **da lo ~** tanto faz

misterio [mis'terjo] *m* mistério *m*

misterioso, -a [miste'rjoso, -a] *adj* misterioso, -a

místico, -a ['mistiko, -a] *adj, m, f* místico, -a *m, f*

mitad [mi'tað] *f* metade *f*; **reducir a la ~** reduzir pela metade

mítico, -a ['mitiko, -a] *adj* mítico, -a

mitigar [miti'γar] <g→gu> *vt* mitigar

mito ['mito] *m* mito *m*

mitología [mitolo'xia] *f* mitologia *f*

mixto, -a ['misto, -a] *adj* misto, -a

mobiliario [moβi'ljarjo] *m* mobiliário *m*

mocasín [moka'sin] *m* mocassim *m*

mochila [mo'tʃila] *f* mochila *f*

mochuelo [mo'tʃwelo] *m* coruja *f*; **cargar a alguien con el ~** *inf* fazer alguém descascar o abacaxi

moción [mo'θjon] *f.t.* POL moção *f*

moco ['moko] *m* muco *m*; **limpiarse los ~s** assoar o nariz

moda ['moða] *f* moda *f*; **estar/ponerse de ~** estar/ficar na moda

modales [mo'ðales] *mpl* modos *mpl*

modelo¹ [mo'ðelo] *m* (*ejemplo*) modelo *m*

modelo² [mo'ðelo] *mf* modelo *mf*

módem ['moðen] *m* INFOR modem *m*

moderar [moðe'rar] I. *vt* moderar II. *vr*: **~se** moderar-se

modernizar [moðerni'θar] <z→c> I. *vt* modernizar II. *vr*: **~se** modernizar-se

moderno, -a [mo'ðerno, -a] *adj* moderno, -a

modestia [mo'ðestja] *f* modéstia *f*

modesto, -a [mo'ðesto, -a] *adj* modesto, -a

modificación [moðifika'θjon] *f* modificação *f*

modificar [moðifi'kar] <c→qu> *vt* modificar

modo ['moðo] *m* modo *m*; **de ningún ~** de maneira nenhuma; **hacer algo de cualquier ~** fazer a. c. de qualquer jeito

modorra [mo'ðorra] *f inf* modorra *f*

módulo ['moðulo] *m* módulo *m*

mofarse [mo'farse] *vr*: **~ de alguien** caçoar de alguém

moflete [mo'flete] *m* bochecha *f*

mogollón [moγo'ʎon] *m inf* **1.** (*cantidad*) montão *m*; **~ de gente** montão de gente **2.** (*lío*) confusão *f*

moho ['mo(o)] *m* mofo *m*

mojar [mo'xar] I. *vt* **1.** (*con un líquido*) molhar **2.** *inf* (*celebrar*) bebemorar II. *vr*: **~se** molhar-se

mojón [mo'xon] *m* marco *m*

Moldavia [mol'daβja] *f* Moldávia *f*

moldavo, -a [mol'daβo, -a] *adj, m, f* moldávio, -a *m, f*

molde ['molde] *m* forma *f*

moldear [molde'ar] *vt* moldar

Cultura **Mole** é o nome dado a um molho picante mexicano. A pimenta de Caiena obtida da planta do chile dá a esse molho seu gosto forte característico.

molécula [mo'lekula] *f* molécula *f*

moler [mo'ler] <o→ue> *vt* moer

molestar [moles'tar] I. *vt* incomodar II. *vr*: ~**se** 1. (*tomarse la molestia*) incomodar-se; **ni siquiera te has molestado en...** nem mesmo se ofendeu em... 2. (*ofenderse*) ofender-se

molestia [mo'lestja] *f* incômodo *m*; **tomarse la ~ de hacer algo** incomodar-se em fazer a. c.; **perdonen las ~s** desculpem o incômodo

molesto, -a [mo'lesto, -a] *adj* 1. ser (*fastidioso*) incômodo, -a 2. estar (*enfadado*) irritado, -a 3. estar (*incómodo*) aborrecido, -a

molido, -a [mo'liðo, -a] *adj inf* (*cansado*) moído, -a

molinillo [moli'niʎo] *m* 1. (*aparato*) ~ **de café** moedor *m* (de café) 2. (*juguete*) cata-vento *m*

molino [mo'lino] *m* moinho *m*

molusco [mo'lusko] *m* molusco *m*

momento [mo'mento] *m* momento *m*; **al** ~ na hora; **en este/en todo** ~ neste/a todo momento; **hace un** ~ há um momento atrás

momia ['momja] *f* múmia *f*

Mónaco ['monako] *m* Mônaco *m*

monaguillo, -a [mona'ɣiʎo, -a] *m, f* coroinha *m*

monarquía [monar'kia] *f* monarquia *f*

monasterio [monas'terjo] *m* mosteiro *m*

mondadientes [monda'ðjentes] *m inv* palito *m* de dentes

mondar [mon'dar] *vt* descascar

moneda [mo'neða] *f* moeda *f*

monedero [mone'ðero] *m* porta-níqueis *m inv*

Mongolia [moŋ'golja] *f* Mongólia *f*

mongólico, -a [moŋ'goliko, -a] *adj, m, f* 1. (*de Mongolia*) mongol *mf* 2. (*enfermo*) mongolóide *mf*

monigote [moni'ɣote] *m* 1. (*dibujo*) boneco *m*, *f* 2. *inf* (*persona*) fantoche *mf*

monitor [moni'tor] *m* monitor *m*

monitor(a) [moni'tor(a)] *m(f)* (*instructor*) monitor(a) *m(f)*

monja ['monxa] *f* freira *f*

monje ['monxe] *m* monge *m*

mono ['mono] *m* 1. (*traje*) macacão *m* 2. *inf* (*de drogas*) síndrome *f* de abstinência

mono, -a ['mono, -a] I. *adj* bonito, -a II. *m, f* ZOOL macaco, -a *m, f*

monólogo [mo'noloɣo] *m* monólogo *m*

monopatín [monopa'tin] *m* skate *m*

monopolio [mono'poljo] *m* monopólio *m*

monótono, -a [mo'notono, -a] *adj* monótono, -a

monstruo ['monstrwo] *m* monstro *m*

monstruoso, -a [monstru'oso, -a] *adj* monstruoso, -a

monta ['monta] *f* monta *f*; **de poca ~** *fig* de pouca monta

montaje [mon'taxe] *m t.* TÉC, CINE montagem *f*

montaña [mon'taɲa] *f* montanha *f*

montañismo [monta'nismo] *m* alpinismo *m*

montañoso, -a [monta'noso, -a] *adj* montanhoso, -a

montar [mon'tar] I. *vi* montar II. *vt* 1. montar; ~ **un número** *inf* montar um número **2.** (*huevo*) bater **III.** *vr:* ~se montar; **montárselo** *inf* virar-se

monte ['monte] *m* monte *m*

Montevideo [monteβi'ðeo] *m* Montevidéu *f*

monto ['monto] *m* montante *m*

montón [mon'ton] *m* montão *m;* **ser del** ~ *inf* ser ordinário

monumento [monu'mento] *m* monumento *m*

moño ['moɲo] *m* coque *m;* **estar hasta el** ~ **de algo** *inf* estar de saco cheio de a. c.

moqueta [mo'keta] *f* carpete *m*

mora ['mora] *f* amora *f*

morado, -a [mo'raðo, -a] *adj* roxo, -a; **pasarlas moradas** *inf* passar maus bocados; **ponerse** ~ *inf* empanturrar-se

moral [mo'ral] *adj, f* moral *f*

moraleja [mora'lexa] *f* moral *f*

moratón [mora'ton] *m* hematoma *m*

morbo ['morβo] *m* morbidez *f*

morboso, -a [mor'βoso, -a] *adj inf* mórbido, -a

morcilla [mor'θiʎa] *f* morcela *f*

mordaz [mor'ðaθ] *adj* mordaz

morder [mor'ðer] <o→ue> **I.** *vt* morder **II.** *vr:* ~se morder-se

mordisco [mor'ðisko] *m* mordida *f*

moreno, -a [mo'reno, -a] **I.** *adj* moreno, -a **II.** *m, f* **1.** (*de piel oscura*) moreno, -a *m, f* **2.** *Cuba* (*mulato*) mulato, -a *m, f*

moretón [more'ton] *m* mancha *f* roxa

moribundo, -a [mori'βundo, -a] *adj* moribundo, -a

morir [mo'rir] *irr* **I.** *vi* morrer **II.** *vr:* ~se morrer; ~se **de hambre** morrer de fome

moro, -a ['moro, -a] *adj, m, f* mouro, -a *m, f*

moroso, -a [mo'roso, -a] *adj, m, f* atrasado, -a *m, f*

morriña [mo'riɲa] *f inf* saudade *f*

morro ['morro] *m* focinho *m;* **estar de** ~(**s**) *inf* estar muito zangado; **tener** ~ *inf* ter cara-de-pau

mortal [mor'tal] *adj, mf* mortal *mf*

mortalidad [mortali'ðað] *f* mortalidade *f*

mortificar [mortifi'kar] <c→qu> **I.** *vt* mortificar **II.** *vr:* ~se mortificar-se

mosaico [mo'sajko] *m* mosaico *m*

mosca ['moska] *f* mosca *f;* **estar** ~ *inf* (*receloso*) estar desconfiado, -a; (*enfadado*) estar zangado, -a; **por si las** ~**s** *inf* na dúvida

moscovita [mosko'βita] *adj, mf* moscovita *mf*

Moscú [mos'ku] *m* Moscou *f*

mosquearse [moske'arse] *vr inf* (*enfadarse*) ofender-se

mosquito [mos'kito] *m* mosquito *m*

mostaza [mos'taθa] *f* mostarda *f*

mostrador [mostra'ðor] *m* balcão *m*

mostrar [mos'trar] <o→ue> **I.** *vt* mostrar **II.** *vr:* ~se mostrar-se

mota ['mota] *f* grão *m*

mote ['mote] *m* apelido *m*

motín [mo'tin] *m* motim *m*

motivación [motiβa'θjon] *f* motivação *f*

motivar [moti'βar] *vt* motivar

motivo [mo'tiβo] *m* motivo *m;* **con** ~

de... na [*ou* por] ocasião de...
moto ['moto] *f inf* moto *f*; **~ acuática** jet-ski *m*
motocicleta [motoθi'kleta] *f* motocicleta *f*
motor [mo'tor] *m* motor *m*
motorista [moto'rista] *mf* motociclista *mf*
mover [mo'βer] <o→ue> I. *vt* **1.** (*desplazar*) mover **2.** (*incitar*) causar II. *vr:* **~se** mover-se; **¡venga, muévete!** venha, mova-se!
movido, -a [mo'βiðo, -a] *adj* **1.** (*foto*) tremido, -a **2.** (*activo, música*) agitado, -a
móvil [mo'βil] I. *adj* móvel II. *m* **1.** (*para colgar*) móbile *m* **2.** (*crimen*) motivo *m* **3.** TEL telefone *m* celular
movilizar [moβili'θar] <z→c> *vt* mobilizar
movimiento [moβi'mjento] *m t.* COM, FÍS, MÚS movimento *m*
Mozambique [moθam'bike] *m* Moçambique *f*
mozambiqueño, -a [moθambi'keɲo, -a] *adj, m, f* moçambicano, -a *m, f*
mozo, -a ['moθo, -a] *adj, m, f* moço, -a *m, f*
muchacho, -a [mu'tʃatʃo, -a] *m, f* moço, -a *m, f*
muchedumbre [mutʃe'ðumbre] *f* multidão *f*
mucho, -a ['mutʃo, -a] I. *adj* muito, -a II. *adv* muito; **no hace ~** não faz muito (tempo); **como ~** no máximo; **ni ~ menos** nem pensar; **por ~ que** +*subj* por mais que +*subj*

muda ['muða] *f* muda *f*
mudanza [mu'ðanθa] *f* mudança *f*
mudar [mu'ðar] I. *vi* mudar; **~ de** mudar de II. *vt* mudar III. *vr:* **~se** mudar-se
mudo, -a ['muðo, -a] *adj, m, f* mudo, -a *m, f*
mueble ['mweβle] *m* móvel *m*
mueca ['mweka] *f* careta *f*; **hacer ~s** fazer caretas
muela ['mwela] *f* molar *m*; **~s del juicio** dente *m* de siso
muelle ['mweʎe] *m* **1.** (*resorte*) mola *f* **2.** (*puerto*) cais *m*
muerte ['mwerte] *f* morte *f*; **de mala ~** *inf* horrível
muerto, -a ['mwerto, -a] I. *pp de* **morir** II. *adj, m, f* morto, -a *m, f*
muestra ['mwestra] *f* **1.** (*mercancía, prueba*) amostra *f*; **~ gratuita** amostra grátis; **~ de sangre** MED amostra de sangue **2.** (*demostración*) demonstração *f*; **~ de amistad** demonstração de amizade
muestreo [mwes'treo] *m* amostragem *f*
mugir [mu'xir] <g→j> *vi* (*vaca*) mugir
mugre ['muɣre] *f* sujeira *f*
mugriento, -a [mu'ɣrjento, -a] *adj* sujo, -a
mujer [mu'xer] *f* mulher *f*; **~ de la limpieza** faxineira *f*
mujeriego [muxe'rjeɣo] *m* mulherengo *m*
mulato, -a [mu'lato, -a] *adj, m, f* mulato, -a *m, f*
muleta [mu'leta] *f t.* TAUR muleta *f*
multa ['multa] *f* multa *f*

multar [mul'tar] *vt* multar
multicopista [multiko'pista] *f* copiadora *f*
multilateral [multila'teral] *adj* multilateral
multimedia [multi'medja] *adj inv* multimídia
multimillonario, -a [multimiʎo'narjo, -a] *adj, m, f* multimilionário, -a *m, f*
multinacional [multinaθjo'nal] *adj, f* multinacional *f*
múltiple ['multiple] *adj* múltiplo, -a
multiplicar [multipli'kar] <c→qu> I. *vi, vt* multiplicar II. *vr*: ~se multiplicar-se
múltiplo, -a ['multiplo, -a] *adj* múltiplo, -a
multitud [multi'tuð] *f* multidão *f*
multitudinario, -a [multituði'narjo, -a] *adj* multitudinário, -a
mundial [mun'djal] *adj, m. t.* DEP mundial *m*
mundo ['mundo] *m* mundo *m*; **tener mucho ~** ter muita vivência; **ver ~** correr mundo
munición [muni'θjon] *f* munição *f*
municipal [muniθi'pal] *adj* municipal
municipio [muni'θipjo] *m* município *m*
muñeca [mu'ɲeka] *f* **1.** (*brazo*) munheca *f* **2.** (*juguete*) boneca *f*
muñeco [mu'ɲeko] *m* **1.** (*juguete*) boneco *m*; ~ **de nieve** boneco de neve **2.** *pey* (*monigote*) fantoche *m*
muñón [mu'ɲon] *m* coto *m*
muralla [mu'raʎa] *f* muralha *f*
murciélago [mur'θjelaɣo] *m* morcego *m*

murmullo [mur'muʎo] *m* murmúrio *m*
murmurar [murmu'rar] *vi, vt* murmurar
muro ['muro] *m* muro *m*
musculación [muskula'θjon] *f* musculação *f*
músculo ['muskulo] *m* músculo *m*
musculoso, -a [musku'loso, -a] *adj* musculoso, -a
museo [mu'seo] *m* museu *m*
musgo ['musɣo] *m* musgo *m*
música ['musika] *f* música *f*
musical [musi'kal] *adj, m* musical *m*
músico, -a ['musiko, -a] I. *adj* musical II. *m, f* músico, -a *m, f*
musitar [musi'tar] *vi* sussurrar
muslo ['muslo] *m* coxa *f*
mustio, -a ['mustjo, -a] *adj* murcho, -a
musulmán, -ana [musul'man, -ana] *adj, m, f* muçulmano, -a *m, f*
mutilar [muti'lar] *vt* mutilar
mutuo, -a ['mutwo, -a, -a] *adj* mútuo, -a
muy [mwi] *adv* muito; ~ **atentamente,** (*en cartas*) atenciosamente,

N

N, n ['ene] *f* N, n *m*
nacer [na'θer] *irr como crecer vi* nascer
nacimiento [naθi'mjento] *m* nascimento *m*; (*belén*) presépio *m*
nación [na'θjon] *f* nação *f*

nacional [naθjo'nal] *adj* nacional
nacionalidad [naθjonali'ðað] *f* nacionalidade *f*
nacionalizar [naθjonali'θar] <z→c>
I. *vt* nacionalizar II. *vr* **~se español** naturalizar-se espanhol
nada ['naða] I. *pron indef* nada; **¡gracias! – ¡de ~!** obrigado! – de nada!; **se queja por ~** se queixa por nada II. *adv* nada; **antes de ~** (*primero*) antes de qualquer coisa; **~ más** nada mais; **~ de ~** absolutamente nada
nadar [na'ðar] *vi* nadar
nadie ['naðje] *pron indef* ninguém; **no vino ~** não veio ninguém
nafta ['nafta] *f CSur* (*gasolina*) gasolina *f*
naipe ['najpe] *m* 1. (*carta*) carta *m* 2. *pl* (*baraja*) baralho *m*
nalga ['nalɣa] *f* nádega *f*
Namibia [na'miβja] *f* Namíbia *f*
namibio, -a [na'miβjo, -a] *adj, m, f* namibiano, -a *m, f*
nana ['nana] *f* canção *f* de ninar
naranja [na'raŋxa] *adj, f* laranja *f*
naranjada [naraŋ'xaða] *f* laranjada *f*
narcotráfico [narko'trafiko] *m* narcotráfico *m*
nariz [na'riθ] *f* nariz *m*; **estar hasta las narices** *inf* estar de saco cheio
narración [narra'θjon] *f* narração *f*
narrar [na'rrar] *vt* narrar
nata ['nata] *f* 1. (*producto*) creme *m*; **~ montada** chantilly *m* 2. (*sobre la leche*) nata *f*
natación [nata'θjon] *f* natação *f*
natalidad [natali'ðað] *f* natalidade *f*

natillas [na'tiʎas] *fpl* doce de leite e ovos
nativo, -a [na'tiβo, -a] *adj, m, f* nativo, -a *m, f*
natural [natu'ral] *adj* natural
naturaleza [natura'leθa] *f* natureza *f*
naturalidad [naturali'ðað] *f* naturalidade *f*
naturalizar [naturali'θar] <z→c>
I. *vt* naturalizar II. *vr:* **~se** naturalizar-se
naturista [natu'rista] *mf* naturista *mf*
naufragio [nau'fraxjo] *m* naufrágio *m*
náufrago, -a ['naufraɣo, -a] *adj, m, f* náufrago, -a *m, f*
nauseabundo, -a [nausea'βundo, -a] *adj* nauseabundo, -a
náuseas ['nauseas] *fpl* náuseas *fpl*
náutico, -a ['nautiko, -a] *adj* náutico, -a
navaja [na'βaxa] *f* navalha *f*; **~ de afeitar** lâmina *f* de barbear
navarro, -a [na'βarro, -a] *adj, m, f* navarro, -a *m, f*
nave ['naβe] *f* 1. NÁUT navio *m* 2. AERO, ARQUIT nave *f* 3. (*almacén*) depósito *m*; **~ industrial** galpão *m*
navegar [naβe'ɣar] <g→gu> *vi* navegar; **~ por Internet** navegar na Internet
Navidad [naβi'ðað] *f* Natal *m*; **¡Feliz ~!** Feliz Natal!
navideño, -a [naβi'ðeɲo, -a] *adj* natalino, -a
neblina [ne'βlina] *f* neblina *f*
necesario, -a [neθe'sarjo, -a] *adj* necessário, -a
neceser [neθe'ser] *m* nécessaire *m*

necesidad [neθesi'ðaᵈ] *f* necessidade *f*

necesitar [neθesi'tar] **I.** *vt* necessitar; **se necesita piso** procura-se apartamento **II.** *vi* ~ **de algo** necessitar de a. c.

necio, -a ['neθjo, -a] *adj, m, f* néscio, -a *m, f*

néctar ['nektar] *m* néctar *m*

nectarina [nekta'rina] *f* nectarina *f*

neerlandés, -esa [ne(e)rlaŋ'des, -esa] *adj, m, f* holandês, -esa *m, f*

negar [ne'ɣar] *irr como fregar* **I.** *vt* negar **II.** *vr* ~**se a algo** negar-se a a. c.

negativo, -a [neɣa'tiβo, -a] *adj* negativo, -a

negligente [neɣli'xente] *adj* negligente

negociar [neɣo'θjar] *vi, vt* negociar

negocio [ne'ɣoθjo] *m* negócio *m*; **eso no es ~ mío** isso não é problema meu

negrita [ne'ɣrita] *f* TIPO negrito *m*

negro ['neɣro] *m* (*color*) preto *m*

negro, -a ['neɣro, -a] **I.** *adj* (*color, raza*) negro, -a; **estar/ponerse ~** *inf* estar/ficar roxo [*ou* verde] de raiva; **pasarlas negras** *inf* passar maus bocados **II.** *m, f* negro, -a *m, f*

nene, -a ['nene, -a] *m, f* nenê *mf*

neón [ne'on] *m* néon *m*

neoyorquino, -a [neoɟor'kino, -a] *adj, m, f* nova-iorquino, -a, *m, f*

neozelandés, -esa [neoθelan'des, -esa] *adj, m, f* neozelandês, -esa *m, f*

Nepal ['nepal] *m* Nepal *m*

nepalés, -esa [nepa'les, -esa] *adj, m, f* nepalês, -esa *m, f*

Neptuno [nep'tuno] *m* Netuno *m*

nervio ['nerβjo] *m* nervo *m*; **crispar los ~s a alguien** *inf* enervar alguém

nervioso, -a [ner'βjoso, -a] *adj* nervoso, -a

neto, -a ['neto, -a] *adj* **1.** (*claro*) nítido, -a **2.** (*peso, importe*) líquido, -a

neumático [neu'matiko] *m* pneu *m*

neurótico, -a [neu'rotiko, -a] *adj* neurótico, -a

neutral [neu'tral] *adj* neutro

neutralizar [neutrali'θar] <z→c> *vt* neutralizar

neutro, -a ['neutro, -a] *adj* neutro, -a

nevar [ne'βar] <e→ie> *vimpers* nevar

nevera [ne'βera] *f* geladeira *f*

ni [ni] **I.** *conj* ~... ~... não... nem... **II.** *adv* nem; ~ (**siquiera**) nem (sequer); **¡~ lo pienses!** nem pense nisso!; **sin más ~ más** sem mais nem menos; **¡~ que fueras tonto!** nem se você fosse um idiota!; **~ bien...** *Arg* nem bem...

Nicaragua [nika'raɣwa] *f* Nicarágua *f*

nicaragüense [nikara'ɣwense] *adj, mf* nicaragüense *mf*

nicho ['nitʃo] *m* nicho *m*

nicotina [niko'tina] *f* nicotina *f*

nido ['niðo] *m* ninho *m*

niebla ['njeβla] *f* névoa *f*

nieto, -a ['njeto, -a] *m, f* neto, -a *m, f*

nieve ['njeβe] *f* neve *f*; **a punto de ~** GASTR em ponto de neve

Nigeria [ni'xerja] *f* Nigéria *f*

nigeriano, -a [nixe'rjano, -a] *adj, m, f* nigeriano, -a *m, f*

nimio, -a ['nimjo, -a] *adj* insignificante

ningún [niŋ'gun] *adj indef v.* **ninguno**

ninguno, -a [niŋ'guno, -a] **I.** *adj indef* (*precediendo un sustantivo masculino singular: ningún*) nenhum(a); **de ninguna manera** de maneira nenhuma; **no hay ningún peligro** não há perigo algum **II.** *pron indef* nenhum(a); **no quiso venir ~** ninguém quis vir

niña ['niɲa] *f* menina *f*

niñera [ni'ɲera] *f* babá *f*

niñería [niɲe'ria] *f* criancice *f*

niñez [ni'neθ] *f* meninice *f*

niño ['niɲo] *m* menino *m*; (*chico*) garoto *m*

nítido, -a [nitiðo, -a] *adj* nítido, -a

nivel [ni'βel] *m* nível *m*

no [no] *adv* **1.** (*respuesta*) não; **~... nada** não... nada; **~... nunca** não... nunca; **ya ~** não mais **2.** (*retórica*) **¿~?** não?

noble ['noβle] <nobilísimo> *adj, mf* nobre *mf*

nobleza [no'βleθa] *f* nobreza *f*

noche ['notʃe] *f* noite *f*; **buenas ~s** boa noite; **a media ~** no meio da noite; **hacerse de ~** anoitecer

Nochebuena [notʃe'bwena] *f* noite *f* de Natal

Nochevieja [notʃe'βjexa] *f* noite *f* de 31 de dezembro

noción [no'θjon] *f* noção *f*

nocivo, -a [no'θiβo, -a] *adj* nocivo, -a

noctámbulo, -a [nok'tambulo, -a] *m, f* noctívago, -a *m, f*

nocturno, -a [nok'turno, -a] *adj* noturno, -a

nodriza [no'ðriθa] *f* ama-de-leite *f*

nombrar [nom'brar] *vt* nomear

nombre ['nombre] *m t.* LING nome *m*

nomeolvides [nomeol'βiðes] *f inv* miosótis *m inv*

nómina ['nomina] *f* **1.** (*sueldo*) salário *m* **2.** (*plantilla*) pessoal *m* **3.** (*documento*) contracheque *m*

nominación [nomina'θjon] *f* indicação *f*

nominal [nomi'nal] *adj* nominal

nominar [nomi'nar] *vt* indicar

non [non] *adj, m* ímpar *m*

nonagésimo, -a [nona'xesimo, -a] *adj* nonagésimo, -a; *v.t.* **octavo**

nordeste [nor'ðeste] *m* nordeste *m*

nórdico, -a [nor'ðiko, -a] *adj, m, f* nórdico, -a *m, f*

noreste [no'reste] *m* nordeste *m*

noria ['norja] *f* **1.** (*para agua*) nora *f* **2.** (*de feria*) roda-gigante *f*

norirlandés, -esa [norirlan'des, -esa] *adj, m, f* norte-irlandês, -esa *m, f*

norma ['norma] *f* norma *f*

normal [nor'mal] *adj* normal

normalidad [normali'ðað] *f* normalidade *f*

normalizar [normali'θar] <z→c> *vt* normalizar

normalmente [normal'mente] *adv* normalmente

normativa [norma'tiβa] *f* normativa *f*

noroeste [noro'este] *m* noroeste *m*

norte ['norte] *m* norte *m*; **perder el ~** *fig* perder o rumo

Norteamérica [nortea'merika] *f* América *f* do Norte

norteamericano, -a [nortea'merika-

no, -a *adj, m, f* norte-americano, -a *m, f*

Noruega [no'rweɣa] *f* Noruega *f*

noruego, -a [no'rweɣo, -a] *adj, m, f* norueguês, -esa *m, f*

nos [nos] **I.** *pron pers* nos; **tu primo ~ pegó** teu primo nos bateu; **~ escribieron una carta** escreveram-nos uma carta **II.** *pron refl* nos

nosotros, -as [no'sotros, -as] *pron pers, 1. pl* nós

nostalgia [nos'talxja] *f* nostalgia *f*

nota ['nota] *f* nota *f;* **sacar malas ~s** ENS tirar notas más

notable [no'taβle] *adj, m* notável *m*

notar [no'tar] **I.** *vt* notar **II.** *vr:* **~se** notar-se

notario [no'tarjo, -a] *m, f* notário, -a *m, f*

noticia [no'tiθja] *f* notícia *f;* **las ~s** TV as notícias

notificar [notifi'kar] <c→qu> *vt* notificar

notorio, -a [no'torjo, -a] *adj* notório, -a

novatada [noβa'taða] *f* **1.** (*broma*) trote *m* **2.** *inf* (*error*) erro *m* de principiante

novato, -a [no'βato, -a] *adj, m, f* novato, -a *m, f*

novecientos, -as [noβe'θjentos, -as] *adj* novecentos, -as

novedad [noβe'ðað] *f* novidade *f*

novel [no'βel] *adj* novel

novela [no'βela] *f* romance *m*

noveno, -a [no'βeno, -a] *adj* nono, -a; *v.t.* **octavo**

noventa [no'βenta] *adj inv, m* noventa *m; v.t.* **ochenta**

noviazgo [no'βjaθɣo] *m* noivado *m*

noviembre [no'βjembre] *m* novembro *m; v.t.* **marzo**

novillero, -a [noβi'ʎero, -a] *m, f* toureador *m* de novilhos

novillo, -a [no'βiʎo, -a] *m, f* novilho, -a *m, f;* **hacer ~s** *inf* matar aula

novio, -a ['noβjo, -a] *m, f* **1.** (*pareja sentimental*) namorado, -a *m, f* **2.** (*a punto de casarse*) noivo, -a *m, f*

nubarrón [nuβa'rron] *m* nuvem *f* densa

nube ['nuβe] *f* nuvem *f;* **estar por las ~s** (*precios*) estar muito caro

nublado, -a [nu'βlaðo, -a] *adj* nublado, -a

nublar [nu'βlar] **I.** *vt* nublar **II.** *vr:* **~se** nublar-se

nubosidad [nuβosi'ðað] *f* nebulosidade *f*

nuca ['nuka] *f* nuca *f*

nuclear [nukle'ar] *adj* nuclear

núcleo ['nukleo] *m* núcleo *m*

nudo ['nuðo] *m t.* NÁUT nó *m;* **~ ferroviario** entroncamento *m* ferroviário

nuera ['nwera] *f* nora *f*

nuestro, -a ['nwestro, -a] **I.** *adj* nosso, -a; **la casa es nuestra** a casa é nossa **II.** *pron pos* nosso, -a *m, f;* **el ~/la nuestra/lo ~** o nosso/a nossa/o nosso; **una amiga nuestra** uma amiga nossa

nueva ['nweβa] *f* nova *f;* **esto me coge de ~s** isto me pegou de surpresa

Nueva Delhi ['nweβa 'deli] *f* Nova Déli *f*

Nueva York ['nweβa ɟork] f Nova Iorque f

Nueva Zelanda ['nweβa θe'laŋda] f Nova Zelândia f

nueve ['nweβe] adj inv, m nove m; v.t. **ocho**

nuevo, -a ['nweβo, -a] adj novo, -a

nuez [nweθ] f 1. BOT noz f 2. ANAT pomo-de-adão m

nulo, -a ['nulo, -a] adj nulo, -a

numerar [nume'rar] vt numerar

número ['numero] m número m; **estar en ~s rojos** estar no vermelho; **hacer ~s para ver si...** fazer contas para ver se...; **montar un ~** inf fazer uma cena

numeroso, -a [nume'roso, -a] adj numeroso, -a

nunca ['nuŋka] adv nunca; **jamás nunca** mais; **más que ~** mais do que nunca

nupcial [nuβ'θjal] adj nupcial

nutrición [nutri'θjon] f nutrição f

nutrido, -a [nu'triðo, -a] adj 1. (alimentado) nutrido, -a; **bien/mal ~** bem/mal nutrido 2. (abundante) farto, -a

nutrir [nu'trir] vt nutrir

nutritivo, -a [nutri'tiβo, -a] adj nutritivo, -a

Ñ

Ñ, ñ ['eɲe] f Ñ, ñ m

ñandú [ɲaɲ'du] m ema f

> **Cultura** O **eñe** é a marca registrada do **alfabeto** espanhol. Até poucos anos atrás, o **'ch'** – **la che** – (logo após o **'c'**) e o **'ll'** – **la elle** – (após o **'l'**) também faziam parte do alfabeto por serem sons independentes por si sós. No entanto, isso teve que ser mudado para internacionalizar o alfabeto espanhol e poder adaptá-lo às outras línguas.

ñato, -a ['ɲato, -a] adj CSur de nariz achatado

ñoñería [ɲoɲe'ria] f tolice f

ñoño, -a ['ɲoɲo, -a] adj inf 1. (soso) sem graça 2. (remilgado) cheio, -a de coisa

ñoqui ['ɲoki] m nhoque m

ñu [ɲu] m <núes> gnu m

O

O, o [o] f O, o m

o, ó [o] conj ou; **~..., ~...** ou..., ou...; **~ sea** ou seja

O [o'este] abr de **oeste** O

oasis [o'asis] m inv oásis m inv

obedecer [oβeðe'θer] irr como crecer vi, vt obedecer

obediencia [oβe'ðjenθja] f obediência f

obediente [oβe'ðjente] adj obediente

obelisco [oβe'lisko] m obelisco m

obertura [oβer'tura] f abertura f

obesidad [oβesi'ðað] f obesidade f

obeso, -a [o'βeso, -a] *adj, m, f* obeso, -a *m, f*

obispo [o'βispo] *m* bispo *m*

objeción [oβxe'θjon] *f* objeção *f*

objetar [oβxe'tar] *vt* objetar

objetivo [oβxe'tiβo] *m* **1.** *(finalidad, blanco)* objetivo *m* **2.** FOTO objetiva *f*

objetivo, -a [oβxe'tiβo, -a] *adj* objetivo, -a

objeto [oβ'xeto] *m* objeto *m*; **~s perdidos** achados *mpl* e perdidos; **con** [*o* **al**] **~ de...** com objetivo de...

obligación [oβliɣa'θjon] *f* obrigação *f*

obligar [oβli'ɣar] <g→gu> *vt* obrigar

obligatorio, -a [oβliɣa'torjo, -a] *adj* obrigatório, -a

oboe [o'βoe] *m* oboé *m*

obra ['oβra] *f* obra *f*; **~ maestra** obra-prima *f*; **~ de teatro** peça *f* de teatro

obsceno, -a [oβs'θeno, -a] *adj* obsceno, -a

obsequio [oβ'sekjo] *m* presente *m*

observación [oβserβa'θjon] *f* observação *f*

observador(a) [oβserβa'ðor(a)] *adj, m(f)* observador(a) *m(f)*

observar [oβser'βar] *vt* observar

observatorio [oβserβa'torjo] *m* observatório *m*

obsesión [oβse'sjon] *f* obsessão *f*

obsesionar [oβsesjo'nar] **I.** *vt* obcecar **II.** *vr*: **~se** obcecar-se

obsesivo, -a [oβse'siβo, -a] *adj* obsessivo, -a

obstaculizar [oβstakuli'θar] <z→c> *vt* obstaculizar

obstáculo [oβs'takulo] *m* obstáculo *m*

obstante [oβs'tante] *adv* **no ~** não obstante

obstinación [oβstina'θjon] *f* obstinação *f*

obstinado, -a [oβsti'naðo, -a] *adj* obstinado, -a

obstinarse [oβsti'narse] *vr* obstinar-se

obstrucción [oβstruɣ'θjon] *f* obstrução *f*

obstruir [oβstru'ir] *irr como* huir *vt* obstruir

obtener [oβte'ner] *irr como* tener *vt* obter

obvio, -a [o'βbjo, -a] *adj* óbvio, -a

oca ['oka] *f* **1.** ZOOL ganso *m* **2.** *(juego)* jogo-da-glória *m*

ocasión [oka'sjon] *f* ocasião *f*; **con ~ de** por ocasião de; **en ocasiones** às vezes; **en la primera ~** na primeira oportunidade

ocasionar [okasjo'nar] *vt* ocasionar

occidental [oɣθiðen'tal] *adj, mf* ocidental *mf*

occidente [oɣθi'ðente] *m* ocidente *m*; **(el) ~** o ocidente

Oceanía [oθea'nia] *f* Oceania *f*

oceánico, -a [oθe'aniko, -a] *adj* oceânico, -a

océano [o'θeano] *m* oceano *m*

oceanografía [oθeanoɣra'fia] *f* oceanografia *f*

oceanógrafo, -a [oθea'noɣrafo, -a] *m, f* oceanógrafo, -a

ochenta [o'tʃenta] *adj inv, m* oitenta *m*; **los años ~** os anos oitenta; **un hombre de alrededor de ~ años** um homem de aproximadamente oitenta anos

ocho ['otʃo] *adj inv, m* oito *m;* **~ veces mayor/menor que...** oito vezes maior/menor que...; **a las ~** às oito; **son las ~ y media de la mañana/tarde** são oito e meia da manhã/noite; **las ~ y cuarto** oito e quinze; **las ~ menos cuarto** quinze para as oito; **a las ~ en punto** às oito em ponto; **el ~ de agosto** o oito de agosto

ochocientos, -as [otʃoˈθjentos, -as] *adj* oitocentos, -as

ocio ['oθjo] *m* ócio *m*

ocioso, -a [oˈθjoso, -a] *adj* ocioso, -a

ocre ['okre] *adj, m* ocre *m*

octagonal [oktaɣoˈnal] *adj* octogonal

octavilla [oktaˈβiʎa] *f* folheto *m*

octavo, -a [okˈtaβo, -a] *adj* oitavo, -a; **en ~ lugar** em oitavo lugar; **la octava parte** a oitava parte

octogésimo, -a [oktoˈxesimo, -a] *adj* octagésimo, -a; *v.t.* **octavo**

octubre [okˈtuβre] *m* outubro *m; v.t.* **marzo**

oculista [okuˈlista] *mf* oculista *mf*

ocultar [okulˈtar] *vt* ocultar

oculto, -a [oˈkulto, -a] *adj* oculto, -a

ocupación [okupaˈθjon] *f* ocupação *f*

ocupado, -a [okuˈpaðo, -a] *adj* ocupado, -a

ocupante [okuˈpante] *adj, mf* ocupante *mf*

ocupar [okuˈpar] **I.** *vt* ocupar **II.** *vr* **~se de** ocupar-se de

ocurrencia [okuˈrrenθja] *f* idéia *f*

ocurrir [okuˈrrir] **I.** *vi* ocorrer **II.** *vr:* **~se** ocorrer-se; **no se me ocurre nada** não me ocorre nada

odiar [oˈðjar] *vt* odiar

odio ['oðjo] *m* ódio *m*

odioso, -a [oˈðjoso, -a] *adj* odioso, -a

odisea [oðiˈsea] *f* odisséia *f*

odontólogo, -a [oðonˈtoloɣo, -a] *m, f* odontólogo, -a *m, f*

oeste [oˈeste] *m* oeste *m;* **el lejano ~** o faroeste

ofender [ofenˈder] **I.** *vt* ofender **II.** *vr:* **~se** ofender-se

ofensa [oˈfensa] *f* ofensa *f*

ofensiva [ofenˈsiβa] *f* ofensiva *f*

ofensivo, -a [ofenˈsiβo, -a] *adj* ofensivo, -a

oferta [oˈferta] *f* oferta *f;* **la ~ y la demanda** a oferta e a procura; **estar de ~** estar em oferta

oficial [ofiˈθjal] *adj, m* oficial *m*

oficina [ofiˈθina] *f* escritório *m;* **~ de empleo** agência *f* de emprego; **~ de turismo** agência *f* de turismo

oficinista [ofiθiˈnista] *mf* funcionário, -a *m, f*

oficio [oˈfiθjo] *m* ofício *m*

ofrecer [ofreˈθer] *irr como* **crecer** **I.** *vt* oferecer **II.** *vr:* **~se** oferecer-se; **¿se le ofrece algo?, ¿qué se le ofrece?** em que posso lhe ajudar?

ofrecimiento [ofreθiˈmjento] *m* oferecimento *m*

ofrenda [oˈfrenda] *f* oferenda *f*

oftalmología [oftalmoloˈxia] *f* oftalmologia *f*

oftalmólogo, -a [oftalˈmoloɣo, -a] *m, f* oftalmologista *mf*

ogro ['oɣro] *m* ogro *m*

oída [oˈiða] *f* **de ~s** de ouvir falar

oído [oˈiðo] *m* ouvido *m*

oír [o'ir] *irr vi, vt* ouvir; **¡oye!** escuta!
ojal [o'xal] *m* casa *f*
ojalá [oxa'la] *interj* tomara; **¡~ tuvieras razón!** tomara que você tenha razão!
ojeada [oxe'aða] *f* olhada *f*
ojeras [o'xeras] *fpl* **tener ~** ter olheiras
ojo ['oxo] **I.** *m* olho *m;* **a ~** de olho **II.** *interj* abre o olho
ojota [o'xota] *f AmL:* sandália rústica de couro, borracha ou outro material
ola ['ola] *f* onda *f*
olé [o'le] *interj* viva
oleada [ole'aða] *f* onda *f*
óleo ['oleo] *m* óleo *m*
oleoducto [oleo'ðukto] *m* oleoduto *m*
oler [o'ler] *irr* **I.** *vi, vt* cheirar **II.** *vr:* **~se** *inf* cheirar-se
olfatear [olfate'ar] *vt* farejar
olfativo, -a [olfa'tiβo, -a] *adj* olfativo, -a
olfato [ol'fato] *m* olfato *m;* **tener (buen) ~ para algo** *fig* ter bom faro para a. c.
olimpiada [olim'pjaða] *f* olimpíada *f*
olímpico, -a [o'limpiko, -a] *adj* olímpico, -a
oliva [o'liβa] *f* oliva *f*
olivo [o'liβo] *m* oliveira *f*
olla ['oʎa] *f* panela *f*
olor [o'lor] *m* cheiro *m*
olote [o'lote] *m Méx* sabugo *m*
olvidar [olβi'ðar] **I.** *vt* esquecer **II.** *vr:* **~se** esquecer-se
olvido [ol'βiðo] *m* esquecimento *m*
ombligo [om'bliɣo] *m* umbigo *m*

omisión [omi'sjon] *f* omissão *f*
omnipotente [omnipo'tente] *adj* onipotente
omnipresente [omnipre'sente] *adj* onipresente
omnívoro, -a [om'niβoro, -a] *adj, m, f* onívoro, -a *m, f*
omoplato [omo'plato] *m,* **omóplato** [o'moplato] *m* omoplata *f*
once ['onθe] *adj inv, m* onze *m; v.t.* **ocho**
onda ['onda] *f* onda *f*
ondear [onde'ar] *vi* ondear
ondulado, -a [ondu'laðo, -a] *adj* ondulado, -a
ONG [oene'xe] *f abr de* **Organización No Gubernamental** ONG *f*
onomatopeya [onomato'peja] *f* onomatopéia *f*
ONU ['onu] *f abr de* **Organización de las Naciones Unidas** ONU *f*
opaco, -a [o'pako, -a] *adj* opaco, -a
ópalo ['opalo] *m* opala *f*
opción [oβ'θjon] *f* opção *f*
opcional [oβθjo'nal] *adj* opcional
ópera ['opera] *f* ópera *f*
operación [opera'θjon] *f* operação *f*
operar [ope'rar] **I.** *vi, vt* operar **II.** *vr:* **~se** operar-se
opinar [opi'nar] **I.** *vi* opinar; **¿tú qué opinas de** [*o* **sobre**] **esto?** o que você acha disso? **II.** *vt* opinar
opinión [opi'njon] *f* opinião *f;* **~ pública** opinião pública
oponente [opo'nente] *mf* oponente *mf*
oponer [opo'ner] *irr como* **poner** **I.** *vt* opor **II.** *vr:* **~se** opor-se

oporto [o'porto] *m* vinho *m* do porto

oportunidad [oportuni'ðaᵟ] *f* oportunidade *f*

oportunista [oportu'nista] *adj, mf* oportunista *mf*

oportuno, -a [opor'tuno, -a] *adj* oportuno, -a

oposición [oposi'θjon] *f* **1.** *t.* POL oposição *f* **2.** (*pl*) (*examen*) concurso *m*

opositor(a) [oposi'tor(a)] *m(f)* opositor(a) *m(f)*

opresión [opre'sjon] *f* opressão *f*

opresor(a) [opre'sor(a)] *adj, m(f)* opressor(a) *m(f)*

oprimir [opri'mir] *vt* oprimir

optar [op'tar] *vi* **1.** (*escoger*) optar **2.** (*aspirar*) aspirar; ~ **a algo** aspirar a a. c.

optativa [opta'tiβa] *f* matéria *f* optativa

optativo, -a [opta'tiβo, -a] *adj* optativo, -a

óptica ['optika] *f* óptica *f*

óptico, -a ['optiko, -a] *adj, m, f* óptico, -a *m, f*

optimismo [opti'mismo] *m* otimismo *m*

optimista [opti'mista] *adj, mf* otimista *mf*

óptimo, -a ['optimo, -a] **I.** *superl de* **bueno II.** *adj* ótimo, -a

opuesto, -a [o'pwesto, -a] **I.** *pp de* **oponer II.** *adj* oposto, -a

oración [ora'θjon] *f* oração *f*

oral [o'ral] **I.** *adj* oral **II.** *m* ENS oral *f*

órale ['orale] *interj Méx* ora

orangután [orangu'tan] *m* orangotango *m*

orar [o'rar] *vi elev* orar

oratoria [ora'torja] *f* oratória *f*

órbita ['orβita] *f* órbita *f*

orca ['orka] *f* orca *f*

orden¹ [or'ðen] <**órdenes**> *m* ordem *f*; ~ **del día** ordem do dia; ~ **pública** ordem pública; **llamar al** ~ **a alguien** chamar a atenção de alguém

orden² [or'ðen] <**órdenes**> *f* ordem; ~ **de arresto** ordem de prisão; **estar a las órdenes de alguien** estar às ordens de alguém; **por** ~ por ordem

ordenado, -a [orðe'naðo, -a] *adj* ordenado, -a

ordenador [orðena'ðor] *m* computador *m*; ~ **personal** microcomputador *m*; ~ **portátil** laptop *m*

ordenar [orðe'nar] *vt* ordenar

órdenes ['rðenes] *m pl de* **orden**

ordeñar [orðe'nar] *vt* ordenhar

ordinal [orði'nal] *adj* ordinal

ordinario, -a [orði'narjo, -a] *adj* ordinário, -a; **de** ~ normalmente

orégano [o'reɣano] *m* orégano *m*

oreja [o'rexa] *f* ANAT orelha *f*

orgánico, -a [or'ɣaniko, -a] *adj* orgânico, -a

organigrama [orɣani'ɣrama] *m* organograma *m*

organismo [orɣa'nismo] *m* organismo *m*

organización [orɣaniθa'θjon] *f* organização *f*

organizar [orɣani'θar] <z→c> **I.** *vt* organizar **II.** *vr*: ~**se** organizar-se

órgano ['orɣano] *m* órgão *m*

orgía [or'xia] f orgia f
orgullo [or'ɣuʎo] m orgulho m
orgulloso, -a [orɣu'ʎoso, -a] adj, m, f orgulhoso, -a m, f
orientación [orjenta'θjon] f orientação f
oriental [orjen'tal] adj, mf oriental mf
orientar [orjen'tar] I. vt orientar II. vr: ~**se** orientar-se
oriente [o'rjente] m oriente m
orificio [ori'fiθjo] m orifício m
origen [o'rixen] m origem f
original [orixi'nal] adj, m original m
originalidad [orixinali'ðað] f originalidade f
originar [orixi'nar] I. vt originar II. vr: ~**se** originar-se
originario, -a [orixi'narjo, -a] adj originário, -a
orilla [o'riʎa] f 1. (borde) beira f 2. (ribera) margem f
orina [o'rina] f urina f
orinal [ori'nal] m urinol m
orinar [ori'nar] I. vi, vt urinar II. vr: ~**se** urinar-se
oriundo, -a [o'rjundo, -a] adj oriundo
ornamentación [ornamenta'θjon] f ornamentação f
ornamental [ornamen'tal] adj ornamental
oro ['oro] m ouro m
orquesta [or'kesta] f orquestra f
orquídea [or'kiðea] f orquídea f
ortiga [or'tiɣa] f urtiga f
ortodoxo, -a [orto'ðoˠso, -a] adj ortodoxo, -a
ortografía [ortoɣra'fia] f ortografia f
ortográfico, -a [orto'ɣrafiko, -a] adj ortográfico, -a
ortopédico, -a [orto'peðiko, -a] adj ortopédico, -a
oruga [o'ruɣa] f larva f
orzuelo [or'θwelo] m terçol m
os [os] I. pron (objeto directo e indirecto) vós II. pron refl vos; ¿~ **marcháis?** vocês vão embora?
osa ['osa] f ursa f
oscilación [osθila'θjon] f oscilação f
oscilar [osθi'lar] vi oscilar
oscurecer [oskure'θer] irr como crecer vt, vimpers escurecer
oscuridad [oskuri'ðað] f obscuridade f
oscuro, -a [os'kuro, -a] adj 1. (día, color) escuro, -a 2. (significado) obscuro, -a
oso ['oso] m urso m; ~ **hormiguero** tamanduá m; ~ **panda** panda m; ~ **de peluche** urso de pelúcia
ostensible [osten'siβle] adj ostensivo, -a
ostentación [ostenta'θjon] f ostentação f
ostentar [osten'tar] vt ostentar
ostra ['ostra] I. f ostra f; **aburrirse como una** ~ inf entediar-se completamente II. interj inf puxa
otoño [o'tono] m outono m
otorgar [otor'ɣar] <g→gu> vt outorgar
otro, -a ['otro, -a] I. adj outro, -a; ¡**otra vez será!** talvez uma outra vez!; ¡**hasta otra (vez)**! até outra vez! II. pron indef outro, -a; **el** ~/**la** ~/**lo** ~ o outro/a outra/o outro; ¡**otra, otra!** mais um, mais um!
ovación [oβa'θjon] f ovação f

ovacionar [oβaθjo'nar] *vt* ovacionar
oval [o'βal] *adj* oval
ovario [o'βarjo] *m* ovário *m*
oveja [o'βexa] *f* ovelha *f*
overol [oβe'rol] *m AmL* macacão *m*
ovillo [o'βiʎo] *m* novelo *m*
ovni ['oβni] *m* óvni *m*
óvulo ['oβulo] *m* óvulo *m*
oxidación [oˠsiða'θjon] *f* oxidação *f*
oxidar [oˠsi'ðar] I. *vt* oxidar II. *vr*: ~**se** oxidar-se
óxido ['oˠsiðo] *m* 1. QUÍM óxido *m* 2. (*herrumbre*) ferrugem *m*
oxígeno [oˠ'sixeno] *m* oxigênio *m*
oyente [o'jente] *mf* ouvinte *mf*
ozono [o'θono] *m* ozônio *m*

P

P, p [pe] *f* P, p *m*
pabellón [paβe'ʎon] *m* pavilhão *m*
pacer [pa'θer] *irr como crecer vi* pastar
paciencia [pa'θjenθja] *f* paciência *f*
paciente [pa'θjente] *adj, mf* paciente *mf*
pacificar [paθifi'kar] <c→qu> *vt* pacificar
pacífico, -a [pa'θifiko, -a] *adj* pacífico, -a
Pacífico [pa'θifiko] *m* **el ~** o Pacífico
pacifista [paθi'fista] *adj, mf* pacifista *mf*
pactar [pak'tar] *vi, vt* pactuar
pacto ['pakto] *m* pacto *m*
padecer [paðe'θer] *irr como crecer vi* *vt* padecer
padecimiento [paðeθi'mjento] *m* padecimento *m*
padrastro [pa'ðrastro] *m* padrasto *m*
padre ['paðre] *m* pai *m*
padrenuestro [paðre'nwestro] *m* pai-nosso *m*
padrino [pa'ðrino] *m* padrinho *m*
paella [pa'eʎa] *f* paelha *f*

Cultura **Paella** é uma iguaria típica espanhola que consiste em um ensopado de arroz e vários tipos de carne e peixe, **marisco** (marisco) e **azafrán** (açafrão), o que dá ao arroz sua cor amarela-escura característica. Originalmente de **Valencia**, a paelha é conhecida hoje em todo o mundo.

paga ['paɣa] *f* pagamento *m*
pagadero, -a [paɣa'ðero, -a] *adj* pagável
pagar [pa'ɣar] <g→gu> *vt* pagar
página ['paxina] *f* página *f*
pago [pa'ɣo] *m* pagamento *m*; ~ **por visión** TV pay-per-view *m*
país [pa'is] *m* país *m*
paisaje [pai'saxe] *m* paisagem *f*
paisano, -a [pai'sano, -a] *m, f* paisano, -a *m, f*; **de ~** à paisana
Países Bajos [pa'ises 'βaxos] *mp*. Países Baixos *mpl*
paja ['paxa] *f* palha *f*; (*para beber*) canudo *m*
pajar [pa'xar] *m* palheta *f*
pajarita [paxa'rita] *f* gravata *f* borboleta

pájaro ['paxaro] m pássaro m
pajita [pa'xita] f canudinho m
Pakistán [pakis'tan] m Paquistão m
pala ['pala] f pá f
palabra [pa'laβra] f palavra f; **de ~** oralmente
palabrota [pala'βrota] f palavrão m
palacio [pa'laθjo] m palácio m
paladar [pala'ðar] m paladar m
paladear [palaðe'ar] vt saborear
palanca [pa'laŋka] f alavanca f; AmL (*influencia*) poder m
palangana [palaŋ'gana] f bacia f
palco ['palko] m camarote m
paleontología [paleontolo'xia] f paleontologia f
Palestina [pales'tina] m Palestina f
paleta [pa'leta] f espátula f; (*de pintor*) paleta f
paliar [pa'ljar] <*1. pres:* palío, palio> vt paliar
palidecer [paliðe'θer] *irr como crecer* vi empalidecer
pálido, -a [pa'liðo, -a] *adj* pálido, -a
palillo [pa'liʎo] m **~ (de dientes)** palito m (de dentes)
paliza [pa'liθa] f surra f; *inf* (*esfuerzo*) canseira f
palma ['palma] f BOT palmeira f; ANAT palma f
palmada [pal'maða] f palmada f; **dar ~s** bater palmas
palmera [pal'mera] f palmeira f
palmo ['palmo] m palmo m
palo ['palo] m bastão m; (*de golf*) taco m
paloma [pa'loma] f pomba f
palomitas [palo'mitas] fpl **~ (de maíz)** pipoca f
palpar [pal'par] vt apalpar
palpitar [palpi'tar] vi palpitar
pamela [pa'mela] f capelina f
pampa ['pampa] f pampa m

> **Cultura** O **pampa** é uma vasta planície no centro da Argentina coberta por vegetação rasteira que se eleva desde a costa do Atlântico em direção à Cordilheira dos Andes. É uma região extremamente fértil, com solo úmido e arenoso, ideal para o cultivo de cereais.

pan [pan] m pão m; **~ rallado** farinha f de rosca; **ser ~ comido** *inf* ser moleza
pana ['pana] f veludo m cotelê
panadería [panaðe'ria] f padaria f
panadero, -a [pana'ðero, -a] m, f padeiro, -a m, f
panal [pa'nal] m favo m
Panamá [pana'ma] m Panamá m
pancarta [paŋ'karta] f cartaz m
panda ['panda] m ZOOL panda m
pandilla [pan'diʎa] f turma f
panecillo [pane'θiʎo] m pãozinho m
panel [pa'nel] m painel m
panfleto [pam'fleto] m panfleto m
pánico ['paniko] m pânico m
panorama [pano'rama] m panorama m
panorámica [pano'ramika] f panorâmica f
pantalla [pan'taʎa] f quebra-luz m; (*infor*) tela f
pantalón [panta'lon] m calça f
pantano [pan'tano] m pântano m;

(*embalse*) represa *f*
panteón [pante'on] *m* jazigo *m*
pantera [paɲ'tera] *f* pantera *f*
pantorrilla [paɲto'rriʎa] *f* panturrilha *f*
pantufla [paɲ'tufla] *f* chinelo *m*
pañal [pa'ɲal] *m* fralda *f*
paño ['paɲo] *m* tecido *m;* **en ~s menores** *inf* em trajes menores
pañuelo [pa'ɲwelo] *m* lenço *m*
papa[1] ['papa] *m* papa *m*
papa[2] ['papa] *f AmL* batata *f*
papá [pa'pa] *m inf* papai *m;* **Papá Noel** Papai Noel
papagayo [papa'ɣaʝo] *m* papagaio *m*
papel [pa'pel] *m* papel *m;* **~ higiénico** papel higiênico; **~ de plata** papel de alumínio
papeleo [pape'leo] *m* papelada *f*
papelera [pape'lera] *f* cesto *m* de papéis; (*fábrica*) fábrica *f* de papel
papelería [papele'ria] *f* papelaria *f*
papeleta [pape'leta] *f* cédula *f*
papilla [pa'piʎa] *f* papinha *f*
paquete [pa'kete] *m* pacote *m;* **~ postal** encomenda *f* postal
Paquistán [pakis'tan] *m* Paquistão *m*
par [par] *m* par *m*
para ['para] *prep* para; **mira ~ acá** olhe para cá; **vendrá ~ Navidad** virá para o Natal; **no estoy ~ bromas** não estou para brincadeiras
parabólica [para'βolika] *f* parabólica *f*
parabrisas [para'βrisas] *m inv* pára-brisa *m*
paracaídas [paraka'iðas] *m inv* pára-quedas *m inv*
paracaidista [parakaj'ðista] *mf* pára-quedista *mf*
parachoques [para'tʃokes] *m inv* pára-choque *m*
parada [pa'raða] *f* parada *f;* **~ de autobús** ponto *m* de ônibus
paradero [para'ðero] *m* paradeiro *m*
paradigma [para'ðiɣma] *m* paradigma *m*
parado, -a [pa'raðo, -a] *adj* parado, -a; (*sin empleo*) desempregado, -a
paradoja [para'ðoxa] *f* paradoxo *m*
paráfrasis [pa'rafrasis] *f inv* paráfrase *f*
paraguas [pa'raɣwas] *m inv* guarda-chuva *m*
Paraguay [para'ɣwaj] *m* Paraguai *m*
paraíso [para'iso] *m* paraíso *m*
paraje [pa'raxe] *m* paragem *f*
paralelismo [parale'lismo] *m* paralelismo *m*
paralelo, -a [para'lelo, -a] *adj* paralelo, -a
paralítico, -a [para'litiko, -a] *adj, m, f* paralítico, -a *m, f*
paralización [paraliθa'θjon] *f* paralisação *f*
paralizar [parali'θar] <z→c> *vt* paralisar
parámetro [pa'rametro] *m* parâmetro *m*
páramo ['paramo] *m* páramo *m*
paranoia [para'noja] *f* paranóia *f*
parapléjico, -a [para'plexiko, -a] *adj, m, f* paraplégico, -a *m, f*
parapsicología [paraβsikolo'xia] *f* parapsicologia *f*
parar [pa'rar] **I.** *vi, vt* parar **II.** *vr:* **~se** parar

pararrayos [para'rrajos] *m inv* pára-raios *m inv*

parásito, -a [pa'rasito, -a] *adj, m, f* parasita *mf*

parcela [par'θela] *f* lote *m*

parcelar [parθe'lar] *vt* lotear

parche ['partʃe] *m* remendo *m*

parchís [par'tʃis] *m* ludo *m*

parcial [par'θjal] *adj* parcial

parcialidad [parθjali'ðaθ] *f* parcialidade *f*

pardo, -a ['parðo, -a] *adj* pardo, -a

parecer [pare'θer] I. *irr como crecer vi* parecer; **¿qué te parece?** o que você acha?; **si te parece bien,...** se está bem para você,... II. *irr como crecer vr:* **~se** parecer-se III. *m* parecer *m*; **a mi ~** a meu ver

parecido, -a [pare'θiðo, -a] *adj* parecido, -a; **ser bien ~** ter boa aparência

pared [pa'reð] *f* parede *f*

pareja [pa'rexa] *f* par *m*; *(de novios)* casal *m*

parentesco [paren'tesko] *m* parentesco *m*

paréntesis [pa'rentesis] *m inv* parêntese *m*

pariente [pa'rjente] *mf* parente *mf*

parir [pa'rir] *vi, vt* parir

París [pa'ris] *m* Paris *f*

parking ['parkiŋ] *m* <parkings> estacionamento *m*

parlamentario, -a [parlamen'tarjo, -a] *adj, m, f* parlamentário, -a *m, f*

parlamento [parla'mento] *m* parlamento *m*

parlanchín, -ina [parlan'tʃin, -ina] *adj, f inf* tagarela *mf*

paro ['paro] *m* parada *f*; *(desempleo)* desemprego *m*

parodia [pa'roðja] *f* paródia *f*

parodiar [paro'ðjar] *vt* parodiar

parpadear [parpaðe'ar] *vi* piscar

párpado ['parpaðo] *m* pálpebra *f*

parque ['parke] *m* parque *m*; **~ zoológico** jardim *m* zoológico

parqué [par'ke] *m*, **parquet** [par'ke⁽ᵗ⁾] *m* parquê *m*

parquímetro [par'kimetro] *m* parquímetro *m*

parra ['parra] *f* parreira *f*

párrafo ['parrafo] *m* parágrafo *m*

párroco ['parroko] *m* pároco *m*

parroquia [pa'rrokja] *f* paróquia *f*

parte¹ ['parte] *f* 1. *(porción)* parte *f*; **tomar ~ en** participar de; **por otra ~** por outro lado 2. *(lugar)* lugar *m*; **no llevar a ninguna ~** não levar a lugar nenhum

parte² ['parte] *m* parecer *m*; **~ meteorológico** boletim *m* meteorológico

parterre [par'terre] *m* canteiro *m*

partición [parti'θjon] *f* partição *f*

participación [partiθipa'θjon] *f* participação *f*; *(de lotería)* bilhete *m*

participar [partiθi'par] *vi* participar

particular [partiku'lar] *adj* particular

partida [par'tiða] *f* partida *f*; **~ de nacimiento** certidão *f* de nascimento

partidario, -a [parti'ðarjo, -a] *adj* partidário, -a

partidismo [parti'ðismo] *m* partidarismo *m*

partido [par'tiðo] *m* DEP partida *f*; POL partido *m*; **sacar ~ de** tirar partido de

partir [par'tir] I. *vi, vt* partir II. *vr:* ~se partir-se; ~se (**de risa**) *inf* morrer (de rir)

partitura [parti'tura] *f* MÚS partitura *f*

parto ['parto] *m* parto *m*

pasa ['pasa] *f* passa *f*

pasable [pa'saβle] *adj* passável

pasada [pa'saða] *f* **de** ~ de passagem

pasadizo [pasa'ðiθo] *m* passagem *f*

pasado [pa'saðo] *m* passado *m*

pasado, -a [pa'saðo, -a] *adj* passado, -a; ~ **mañana** depois de amanhã; ~ **de moda** fora de moda

pasador [pasa'ðor] *m* fivela *f*

pasajero, -a [pasa'xero, -a] *adj, m, f* passageiro, -a *m, f*

pasaporte [pasa'porte] *m* passaporte *m*

pasar [pa'sar] I. *vi* passar; (*ocurrir*) acontecer; ~ **de largo** passar direto; ¿**qué pasa?** o que está acontecendo?; **aún puede** ~ até pode passar; **vamos pasando** estamos no virando; **lo pasado, pasado está** o que está feito, está feito II. *vt* passar; (*hojas*) virar; **le paso a...** passo-lhe a ...; ¡**que lo paséis bien!** divirtam-se! III. *vr:* ~se passar; **pásate por mi casa** dê uma passada pela minha casa; **se me pasó tu cumpleaños** esqueci seu aniversário; **se me pasó el turno** perdi a vez; **ya se le** ~**á el enfado** a raiva dele já passou

pasarela [pasa'rela] *f* passarela *f*

pasatiempo [pasa'tjempo] *m* passatempo *m*

Pascua ['paskwa] *f* Páscoa *f*; **felices** ~**s** boas festas

pase ['pase] *m* DEP passe *m*; (*permiso*) passe *m*; (*de modelos*) desfile *m*

pasear [pase'ar] I. *vi, vt* passear II. *vr:* ~se passear

paseo [pa'seo] *m* passeio *m*; ~ **marítimo** orla *f* marítima

pasillo [pa'siʎo] *m* corredor *m*

pasión [pa'sjon] *f* paixão *f*

pasional [pasjo'nal] *adj* passional

pasivo, -a [pa'siβo, -a] *adj* passivo, -a

pasmar [pas'mar] I. *vt* pasmar II. *vr:* ~se pasmar-se

pasmoso, -a [pas'moso, -a] *adj* pasmoso, -a

paso ['paso] *m* **1.** (*acción*) passo *m*; **salir del** ~ resolver a situação **2.** (*lugar*) passagem *f*; ~ **a nivel** passagem de nível; ~ **de cebra** faixa *f* de pedestre; **ceder el** ~ dar passagem; ¡**prohibido el** ~! proibida a passagem! **3.** (*de contador*) pulso *m*

pasta ['pasta] *f* **1.** (*de dientes*) pasta *f* **2.** (*comida*) massa *f*

pastel [pas'tel] *m* bolo *m*

pastelería [pastele'ria] *f* confeitaria *f*

pastilla [pas'tiʎa] *f* MED comprimido *m*; (*de chocolate*) barra *f*

pasto ['pasto] *m* pasto *m*

pastor [pas'tor] *m* REL pastor *m*

pastor(a) [pas'tor(a)] *m(f)* pastor(a) *m(f)*

pata ['pata] *f* pata *f*; (*de mueble*) perna *f*; **mala** ~ *inf* má sorte; **meter la** ~ *fig* dar um fora

patada [pa'taða] *f* pontapé *m*; **tratar a** ~**s** *inf* tratar a patadas

Patagonia [pata'ɣonja] *f* **la** ~ a Patagônia

> **Cultura** A **Patagonia** situa-se no extremo sul do Chile e Argentina, ao sul do Pampa. Diferentemente do Pampa, este vasto terreno de estepe, escassamente cultivado e árido, é desfavorável ao cultivo de cereais, sendo por isso usado principalmente para criação de ovelhas.

patata [pa'tata] *f* batata *f*
paté [pa'te] *m* patê *m*
patentar [paten'tar] *vt* patentear
patente [pa'tente] *f* licença *f*
paternalista [paterna'lista] *adj* paternalista
paternidad [paterni'ðað] *f* paternidade *f*
patillas [pa'tiʎas] *fpl* costeletas *fpl*
patín [pa'tin] *m* patim *m*
patinaje [pati'naxe] *m* patinação *f*
patinar [pati'nar] *vi* patinar; *(vehículo)* derrapar
patinete [pati'nete] *m* patinete *m*
patio ['patjo] *m* pátio *m*
pato, -a ['pato, -a] *m, f* pato, -a *m, f*
patológico, -a [pato'loxiko, -a] *adj* patológico, -a
patoso, -a [pa'toso, -a] *adj, m, f* desajeitado, -a *m, f*
patria ['patrja] *f* pátria *f*
patrimonio [patri'monjo] *m* patrimônio *m*
patriota [pa'trjota] *mf* patriota *mf*
patrocinador(a) [patroθina'ðor(a)] *m(f)* patrocinador(a) *m(f)*
patrocinar [patroθi'nar] *vt* patrocinar
patrón, -ona [pa'tron, -ona] *m, f* patrão, patroa *m, f*
patronal [patro'nal] *adj* ECON patronal
patrulla [pa'truʎa] *f* patrulha *f*
pausa ['pausa] *f* pausa *f*
pauta ['pauta] *f* pauta *f*
pavimento [paβi'mento] *m* pavimento *m*
pavo, -a ['paβo, -a] *m, f* ZOOL peru(a) *m(f)*
pavor [pa'βor] *m* pavor *m*
payaso, -a [pa'jaso, -a] *m, f* palhaço, -a *m, f*
paz [paθ] *f* paz *f*; **en ~ descanse** descanse em paz
P.D. [pos'ðata] *abr de* posdata P.S.
peaje [pe'axe] *m* pedágio *m*
peatón, -ona [pea'ton, -ona] *m, f* pedestre *mf*
pecado [pe'kaðo] *m* pecado *m*
pecar [pe'kar] <c→qu> *vi* pecar
pecera [pe'θera] *f* aquário *m*
pecho ['petʃo] *m* peito *m*; **tomarse a ~** levar a sério
pechuga [pe'tʃuɣa] *f* peito *m*
pecoso, -a [pe'koso, -a] *adj* sardento, -a
peculiar [peku'ljar] *adj* peculiar
pedagogía [peðaɣo'xia] *f* pedagogia *f*
pedagogo, -a [peða'ɣoɣo, -a] *m, f* pedagogo, -a *m, f*
pedal [pe'ðal] *m* pedal *m*
pedante [pe'ðante] *adj, mf* pedante *mf*
pedazo [pe'ðaθo] *m* pedaço *m*; **ser un ~ de pan** *fig* ser um amor
pedestal [peðes'tal] *m* pedestal *m*
pediatra [pe'ðjatra] *mf* pediatra *mf*
pedido [pe'ðiðo] *m* pedido *m*

pedir [pe'ðir] *irr vi, vt* pedir
pedo ['peðo] *m inf* (*ventosidad*) peido *m;* (*borrachera*) porre *m*
pedrada [pe'ðraða] *f* pedrada *f*
pega ['peɣa] *f inf* problema *m*
pegajoso, -a [peɣa'xoso, -a] *adj* pegajoso, -a
pegamento [peɣa'mento] *m* cola *f*
pegar [pe'ɣar] <g→gu> I. *vt* 1. (*poner*) aderir, colar 2. (*contagiar*) pegar; ~ **una bofetada** *inf* dar uma bofetada; **no ~ ojo** *fig* não pregar o olho II. *vi* combinar; **no ~ golpe** *inf* não fazer nada III. *vr:* **~se** (*comida*) queimar; **~se con alguien** brigar com alguém
pegatina [peɣa'tina] *f* adesivo *m*
peinado [pei̯'naðo] *m* penteado *m*
peinar [pei̯'nar] I. *vt* pentear II. *vr:* **~se** pentear-se
peine ['pei̯ne] *m* pente *m*
p.ej. [por e'xemplo] *abr de* por ejemplo p.ex.
Pekín [pe'kin] *m* Pequim *f*
pelado, -a [pe'laðo, -a] *adj* pelado, -a; *inf* (*sin dinero*) duro, -a
pelar [pe'lar] I. *vt, vi* (*animales*) tosar; (*frutas*) descascar; **hace un frío que pela** faz um frio de doer II. *vr:* **~se** cortar
peldaño [pel'daɲo] *m* degrau *m*
pelea [pe'lea] *f* briga *f*
pelear [pele'ar] I. *vi* brigar; (*discutir*) discutir II. *vr:* **~se por algo** brigar por a. c.; (*verbal*) discutir por a. c.
peletería [pelete'ria] *f* peleteria *f*
pelícano [peli'kano] *m* pelicano *m*
película [pe'likula] *f* filme *m;* **de ~** *inf* de cinema
peligro [pe'liɣro] *m* perigo *m*
peligroso, -a [peli'ɣroso, -a] *adj* perigoso, -a
pelirrojo, -a [peli'rroxo, -a] *adj, m, f* ruivo, -a *m, f*
pellejo [pe'ʎexo] *m* pele *f;* **salvar el ~** *inf* salvar a pele
pellizcar [peʎiθ'kar] <c→qu> *vt* beliscar
pelma ['pelma] *m inf* chato, -a *m, f*
pelo ['pelo] *m* cabelo *m;* (*de animal*) pelo *m;* **por un ~** *inf* por um triz; **tomar el ~ a alguien** *inf* tirar sarro de alguém; **se me pusieron los ~s de punta** *inf* meus pelos ficaram em pé
pelota [pe'lota] *f* bola *f;* **en ~s** *inf* nu; **hacer la ~ a alguien** *inf* puxar o saco de alguém
pelotazo [pelo'taθo] *m* bolada *f*
peluca [pe'luka] *f* peruca *f*
peluche [pe'lutʃe] *m* pelúcia *f*
peluquería [peluke'ria] *f* salão *m* de cabeleireiro
peluquero, -a [pelu'kero, -a] *m, f* cabeleireiro, -a *m, f*
pelusa [pe'lusa] *f* (*vello*) penugem *f;* (*tejido*) fiapo *m*
pena ['pena] *f* 1. (*tristeza*) lástima *f*, pena *f* 2. (*sanción*) pena *f* 3. *AmL* (*vergüenza*) vergonha *f*
penal [pe'nal] *m* presídio *m*, pênalti *m*
penalizar [penali'θar] <z→c> *vt* penalizar
penalti [pe'nalti] *m* pênalti *m*
pendiente¹ [pen'djente] I. *adj* pen-

dente; **estar ~ de algo** estar esperando a a. c. II. *m* brinco *m*

pendiente² [peŋ'djente] *f* declive *m*

péndulo ['pendulo] *m* pêndulo *m*

pene ['pene] *m* pênis *m inv*

penetrante [pene'trante] *adj* penetrante

penetrar [pene'trar] *vi, vt* penetrar

penicilina [peniθi'lina] *f* penicilina *f*

península [pe'ninsula] *f* península *f*; **la Península Ibérica** a Península Ibérica

penitencia [peni'tenθja] *f* penitência *f*

penitenciario, -a [peniten'θjarjo, -a] *adj* penitenciário, -a

penoso, -a [pe'noso, -a] *adj* penoso, -a

pensador(a) [pensa'ðor(a)] *m(f)* pensador(a) *m(f)*

pensamiento [pensa'mjento] *m* pensamento *m*

pensar [pen'sar] <e→ie> I. *vi* pensar II. *vt* pensar; **¡ni ~lo!** nem pensar!

pensión [pen'sjon] *f* pensão *f*; **media ~** meia pensão *f*

pensionista [pensjo'nista] *mf* pensionista *mf*

pentagrama [penta'ɣrama] *m* pentagrama *m*

penúltimo, -a [pe'nultimo, -a] *adj, f* penúltimo, -a *m, f*

penumbra [pe'numbra] *f* penumbra *f*

peñón [pe'ɲon] *m* penhasco *m*; **el Peñón** o Estreito (de Gibraltar)

peón [pe'on] *m* peão, peona *m, f*

peonza [pe'onθa] *f* pião *m*

peor [pe'or] I. *adj* 1. (*compar*) pior; **~ es nada** é melhor do que nada; **de mal en ~** de mal a pior 2. (*superl*) **el/la/lo ~** o/a/o pior; **el ~ día** o pior dia II. *adv* pior

pepino [pe'pino] *m* pepineiro *m*; (*fruto*) pepino *m*; **me importa un ~** *inf* me lixando para isso

pepita [pe'pita] *f* semente *f*

pequeño, -a [pe'keɲo, -a] *adj, m, f* pequeno, -a *m, f*

pera ['pera] *f* pêra *f*

per cápita [per'kapita] *adv* per capita

percatarse [perka'tarse] *vr* aperceber-se

percepción [perθeβ'θjon] *f* percepção *f*

percha ['pertʃa] *f* cabide *m*

perchero [per'tʃero] *m* cabide *m*

percibir [perθi'βir] *vt* perceber

percusionista [perkusjo'nista] *mf* percussionista *f*

perdedor(a) [perðe'ðor(a)] *adj, m(f)* perdedor(a) *m(f)*

perder [per'ðer] <e→ie> I. *vi* perder II. *vt* perder; **llevar todas las de ~** lutar uma batalha perdida III. *vr*: **~se** perder-se; **¿qué se le habrá perdido por allí?** *fig* o que ele está fazendo lá?

perdición [perði'θjon] *f* perdição *f*

pérdida ['perðiða] *f* perda *f*; **no tiene ~** não tem erro

perdido, -a [per'ðiðo, -a] *adj* perdido, -a; **loco ~** *inf* louco varrido; **poner ~** *inf* sujar

perdiz [per'ðiθ] *f* perdiz *f*

perdón [per'ðon] I. *m* perdão *m* II. *interj* desculpa

perdonar [perðo'nar] *vt* perdoar; **per-**

dona, ¿puedo pasar? desculpe-me, posso passar?

perecer [pere'θer] *irr como crecer* vi perecer

peregrinación [pereɣrina'θjon] *f* peregrinação *f*

peregrino, -a [pere'ɣrino, -a] *adj, m, f* peregrino, -a *m, f*

perejil [pere'xil] *m* salsa *f*

pereza [pe're θa] *f* preguiça *f*

perezoso, -a [pere'θoso, -a] *adj* preguiçoso, -a; **ni corto ni ~** *inf* sem pensar muito

perfección [perfeɣ'θjon] *f* perfeição *f*

perfeccionar [perfeɣθjo'nar] *vt* aperfeiçoar

perfecto, -a [per'fekto, -a] *adj* perfeito, -a

perfil [per'fil] *m* perfil *m*

perfilar [perfi'lar] I. *vt* perfilar II. *vr*: **~se** perfilar-se

perforación [perfora'θjon] *f* perfuração *f*

perforar [perfo'rar] *vt* perfurar

perfumar [perfu'mar] I. *vt* perfumar II. *vr*: **~se** perfumar-se

perfume [per'fume] *m* perfume *m*

pericia [pe'riθja] *f* perícia *f*

periferia [peri'ferja] *f* periferia *f*

perímetro [pe'rimetro] *m* perímetro *m*

periódico [pe'rjoðiko] *m* jornal *m*

periódico, -a [pe'rjoðiko, -a] *adj* periódico, -a

periodismo [perjo'ðismo] *m* jornalismo *m*

periodista [perjo'ðista] *mf* jornalista *mf*

periodo [pe'rjoðo] *m,* **período** [pe'rioðo] *m* período *m*

peripecia [peri'peθja] *f* peripécia *f*

periquito [peri'kito] *m* periquito *m*

periscopio [peris'kopjo] *m* periscópio *m*

perito, -a [pe'rito, -a] *adj, m, f* perito, -a *m, f*

perjudicar [perxuði'kar] <c→qu> *vt* prejudicar

perjudicial [perxuði'θjal] *adj* prejudicial

perjuicio [per'xwiθjo] *m* prejuízo *m;* **ir en ~ de** prejudicar

perla ['perla] *f* pérola *f*

permanecer [permane'θer] *irr como crecer* vi permanecer

permanente [perma'nente] *adj, f* permanente *m*

permeable [perme'aβle] *adj* permeável

permiso [per'miso] *m* permissão *f;* **~ de conducir** carteira *f* de motorista

permitir [permi'tir] I. *vt* permitir II. *vr*: **~se** permitir-se

pernicioso, -a [perni'θjoso, -a] *adj* (*tumor*) pernicioso, -a

pernoctar [pernok'tar] *vi* pernoitar

pero ['pero] I. *conj* mas II. *m* porém *m;* **poner ~s** colocar poréns

peroné [pero'ne] *m* perônio *m*

perpendicular [perpendiku'lar] *adj, f* perpendicular *f*

perpetuo, -a [per'petwo, -a] *adj* perpétuo, -a

perplejidad [perplexi'ðað] *f* perplexidade *f*

perplejo, -a [per'plexo, -a] *adj* per-

plexo, -a
perra ['perra] f cadela f; **coger una ~** inf embirrar
perro, -a ['perro, -a] m, f cão, cadela m, f; ~ **callejero** vira-lata m; ~ **salchicha** bassê m
persecución [perseku'θjon] f perseguição f
perseguir [perse'ɣir] irr como seguir vt perseguir; **¿qué persigues con esto?** o que espera conseguir com isto?
perseverar [perseβe'rar] vi perseverar
persiana [per'sjana] f persiana f
persignarse [persiɣ'narse] vr persignar-se
persistencia [persis'tenθja] f persistência f
persistir [persis'tir] vi persistir
persona [per'sona] f pessoa f
personaje [perso'naxe] m personagem mf
personal [perso'nal] I. adj pessoal II. m palmilha f
personalidad [personali'ðað] f personalidade f
personarse [perso'narse] vr apresentar-se
personificar [personifi'kar] <c→qu> vt personificar
perspectiva [perspek'tiβa] f perspectiva f; pl (posibilidad) probabilidade f
perspicacia [perspi'kaθja] f perspicácia f
perspicaz [perspi'kaθ] adj perspicaz
persuadir [perswa'ðir] I. vt persuadir II. vr: ~**se** persuadir-se

persuasión [perswa'sjon] f persuasão f
persuasivo, -a [perswa'siβo, -a] adj persuasivo, -a
pertenecer [pertene'θer] irr como crecer vi pertencer
perteneciente [pertene'θjente] adj pertencente
pertenencia [perte'nenθja] f pertences mpl
pertinente [perti'nente] adj pertinente
perturbado, -a [pertur'βaðo, -a] adj, m, f perturbado, -a m, f
perturbar [pertur'βar] vt perturbar
Perú [pe'ru] m Peru m
peruano, -a [pe'rwano, -a] adj, m, f peruano, -a m, f
perversión [perβer'sjon] f perversão f
perverso, -a [per'βerso, -a] adj perverso, -a
pervertir [perβer'tir] irr como sentir vt perverter
pesa ['pesa] f peso m
pesadez [pesa'ðeθ] f peso m; fig chatice f
pesadilla [pesa'ðiʎa] f pesadelo m
pesado, -a [pe'saðo, -a] adj pesado, -a; fig chato, -a
pésame ['pesame] m pêsames mpl
pesar [pe'sar] I. vi pesar II. vt pesar; **mal que te pese...** querendo ou não... III. m pesar m; **muy a ~ mío** muito a contragosto; **a ~ de** apesar de
pesca ['peska] f pesca f
pescadería [peskaðe'ria] f peixaria f
pescado [pes'kaðo] m peixe m

pescador(a) [peska'ðor(a)] *m(f)* pescador(a) *m(f)*
pescar [pes'kar] <c→qu> I. *vi* pescar II. *vt* pescar; *inf (novio)* arrumar
pescuezo [pes'kweθo] *m* pescoço *m*
peseta [pe'seta] *f* peseta *f*
pesimismo [pesi'mismo] *m* pessimismo *m*
pesimista [pesi'mista] *adj, mf* pessimista *mf*
pésimo, -a ['pesimo, -a] *adj* péssimo, -a
peso ['peso] *m* peso *m*; **razón de ~** razão forte
pesquero [pes'kero] *m* pesqueiro *m*
pesquisa [pes'kisa] *f* pesquisa *f*
pestaña [pes'taɲa] *f* cílio *m*
peste ['peste] *f (plaga)* peste *f*; *(olor)* fedor *m*; **echar ~s** *inf* falar horrores
pestilencia [pesti'lenθja] *f* pestilência *f*
pestillo [pes'tiʎo] *m* trinco *m*
pétalo ['petalo] *m* pétala *f*
petardo [pe'tarðo] *m* petardo *m*; **ser un ~** *inf* ser um bagulho
petición [peti'θjon] *f* petição *f*; **a ~ de...** a pedido de...
petróleo [pe'troleo] *m* petróleo *m*
petrolero [petro'lero] *m* petroleiro *m*
petrolífero, -a [petro'lifero, -a] *adj* petrolífero, -a
peyorativo, -a [pejora'tiβo, -a] *adj* pejorativo, -a
pez [peθ] *m* peixe *m*; **un ~ gordo** *inf* um figurão; **estar ~** *inf* estar por fora
pezón [pe'θon] *m* mamilo *m*
pezuña [pe'θuɲa] *f* casco *m*
pianista [pja'nista] *mf* pianista *mf*

piano [pi'ano] *m* piano *m*
piar [pi'ar] <*1. pres*: **pío**> *vi* piar
picado, -a [pi'kaðo, -a] *adj (fruta)* podre, -a; *inf (enfadado)* aborrecido, -a
picadura [pika'ðura] *f* picada *f*
picante [pi'kante] *adj* picante
picaporte [pika'porte] *m* trinco *m*
picar [pi'kar] <c→qu> I. *vi* **1.** *(sol)* queimar; *(pimienta)* arder **2.** *(pez)* fisgar II. *vt* **1.** *(con punzón)* furar; *(insecto)* picar, irritar **2.** *(comida)* lambiscar III. *vr*: **~se** *(muela)* cariar-se; *inf (ofenderse)* ofender-se
picardía [pikar'ðia] *f* picardia *f*
pícaro, -a ['pikaro, -a] *adj* malicioso, -a
picnic ['piɣniᵏ] *m* piquenique *m*
pico ['piko] *m* **1.** *(del pájaro)* bico *m* **2.** *(herramienta)* picareta *f* **3.** *(montaña)* pico *m*; **llegar a las cuatro y ~** *inf* chegar às quatro e pouco
picor [pi'kor] *m* coceira *f*
picotear [pikote'ar] *vt* bicar
pie [pje] *m* pé *m*; **~ de página** rodapé *m* da página; **a ~ a pé**; **¿qué ~ calza Ud.?** que número você calça?
piedad [pje'ðaᵟ] *f* piedade *f*
piedra [pje'ðra] *f* pedra *f*; **quedarse de ~** *fig* ficar petrificado
piel [pjel] *f* pele *f*
pienso ['pjenso] *m* ração *f*
pierna [pi'jerna] *f* perna *f*; **a ~ suelta** *inf* profundamente
pieza ['pjeθa] *f* peça *f*; *AmL* cômodo *m*; **me quedé de una ~** *inf* fiquei de boca aberta
pijama [pi'xama] *m* pijama *m*

pila ['pila] *f* **1.** (*lavadero*) pia *f* **2.** (*montón*) *t.* ELEC pilha *f*

pilar [pi'lar] *m* pilar *m*

píldora ['pildora] *f* pílula *f*

pileta [pi'leta] *f* piscina *f*

pillaje [pi'ʎaxe] *m* pilhagem *f*

pillar [pi'ʎar] I. *vt* pegar; **Correos nos pilla cerca** os Correios ficam longe II. *vr*: **~se** prender; **me pillé el dedo** prendi o dedo

pilotar [pilo'tar] *vt* pilotar

piloto¹ [pi'loto] *mf* piloto *mf*

piloto² [pi'loto] *m* TÉC piloto *m*

pimienta [pi'mjenta] *f* pimenta *f*; **~ negra** pimenta-do-reino *f*

pimiento [pi'mjento] *m* pimentão *m*

pinacoteca [pinako'teka] *f* pinacoteca *f*

pincel [pin'θel] *m* pincel *m*

pincelada [pinθe'laða] *f* pincelada *f*

pinchadiscos [pintʃa'ðiskos] *mf inv* disc-jóquei *mf*

pinchar [pin'tʃar] I. *vt* espetar; (*con inyección*) injetar II. *vr*: **~se** espetar-se; *inf* (*drogarse*) picar-se; **se nos ha pinchado una rueda** nosso pneu furou

pinchazo [pin'tʃaθo] *m* pontada *f*; (*de neumático*) furo *m*

pincho ['pintʃo] *m* (*de rosa*) espinho *m*; GASTR espetinho *m*

ping-pong [piɱ'poɲ] *m* pingue-pongue *m*

pingüino [pin'gwino] *m* pingüim *m*

pino ['pino] *m* pinheiro *m*; **en el quinto ~** *fig* no fim do mundo

pinta ['pinta] *f* pinta *f*; **tener ~ de caro** *inf* ter jeito de caro

pintada [pin'taða] *f* pichação *f*

pintado, -a [pin'taðo, -a] *adj* pintado, -a; **te sienta que ni ~** *inf* realmente te cai muito bem

pintalabios [pinta'laβjos] *m inv* batom *m*

pintar [pin'tar] I. *vi* pintar II. *vt* pintar; **no ~ nada** *fig* não apitar nada; **¿qué pinta eso aquí?** o que significa isso aqui?; **¡recién pintado!** recém-pintado!

pintor(a) [pin'tor(a)] *m(f)* pintor(a) *m(f)*

pintoresco, -a [pinto'resko, -a] *adj* pitoresco, -a

pintura [pin'tura] *f* **1.** (*cuadro*) pintura *f* **2.** (*producto*) tinta *f*; **no lo puedo ver ni en ~** *inf* não posso vê-lo nem pintado

pinza(s) ['pinθa(s)] *f(pl)* pinça *f*; (*para ropa*) pregador *m*

piña ['piɲa] *f* (*del pino*) pinha *f*; (*fruta*) abacaxi *m*

piñón [pi'ɲon] *m* **1.** (*del pino*) pinhão *m* **2.** TÉC roda *f* dentada

pío [pio] *m* pio *m*; **no decir ni ~** *inf* não dar um pio

piojo ['pjoxo] *m* piolho *m*

pionero, -a [pjo'nero, -a] *m, f* pioneiro, -a *m, f*

pipa ['pipa] *f* **1.** (*de fumador*) cachimbo *m* **2.** (*de girasol*) semente *f*; **lo pasamos ~** *inf* nos divertimos muito

pipí [pi'pi] *m inf* pipi *m*

pique ['pike] *m inf* ressentimento *m*; **irse a ~** ir a pique

piqueta [pi'keta] *f* picareta *f*

piquete [pi'kete] *m* piquete *m*

piragua [pi'raɣwa] f canoa f
pirámide [pi'ramiðe] f pirâmide f
piraña [pi'raɲa] f piranha f
pirarse [pi'rarse] vr inf puxar o carro
pirata [pi'rata] mf pirata mf; ~ **informático** hacker m
piratería [pirate'ria] f pirataria f
Pirineos [piri'neos] mpl **los** ~ os Pirineus
pirómano, -a [pi'romano, -a] m, f pirômano, -a m, f
piropo [pi'ropo] m elogio m
pirueta [pi'rweta] f pirueta f
piruleta [piru'leta] f pirulito m
pis [pis] m inf xixi m
pisada [pi'saða] f pisada f
pisapapeles [pisapa'peles] m inv pesa-papéis m inv
pisar [pi'sar] vt pisar; ~ **los talones a alguien** fig estar no encalço de alguém
piscina [pis'θina] f piscina f
Piscis ['pisθis] m inv Peixes m inv
piso ['piso] m 1. (pavimento) piso m 2. (planta) andar m 3. (vivienda) apartamento m
pisotear [pisote'ar] vt pisotear
pisotón [piso'ton] m pisão m
pista ['pista] f pista f; (de tenis) quadra f
pistacho [pis'tatʃo] m pistache m
pistola [pis'tola] f pistola f
pistolero, -a [pisto'lero, -a] m, f pistoleiro, -a m, f
pistón [pis'ton] m pistão m
pitar [pi'tar] I. vt 1. (arbitrar) apitar 2. (abuchear) vaiar 3. AmS (fumar) fumar II. vi buzinar; **salir pitando** inf sair como um foguete
pitido [pi'tiðo] m apito m
pitillera [pitiˈʎera] f cigarreira f
pitillo [pi'tiʎo] m cigarro m
pito ['pito] m apito m; **me importa un** ~ inf não estou nem aí
pitón [pi'ton] m chifre m
píxel ['piksel] m INFOR pixel m
pizarra [pi'θarra] f (roca) ardósia f; (encerado) lousa f
pizca ['piθka] f inf pouquinho m
pizza ['pitsa] f pizza f
placa ['plaka] f t. AUTO placa f
placentero, -a [plaθen'tero, -a] adj prazeroso, -a
placer [pla'θer] I. m prazer m II. irr como crecer vi aprazer
plácido, -a ['plaθiðo, -a] adj plácido, -a
plaga ['plaɣa] f praga f
plagiar [pla'xjar] vt plagiar; AmL (secuestrar) seqüestrar
plagio ['plaxjo] m plágio m; AmL (secuestro) seqüestro m
plan [plan] m plano m; inf (ligue) paquera f; **en** ~ **de...** inf com jeito de...
plana ['plana] f página f
plancha ['plantʃa] f prancha f; (para ropa) ferro m de passar roupa; GASTR grelha f
planchar [plan'tʃar] vt passar roupa
planeador [planea'ðor] m planador m
planear [plane'ar] I. vi planar II. vt planejar
planeta [pla'neta] m planeta m
planificación [planifika'θjon] f planejamento m

planificar [planifi'kar] *vt* planejar
plano ['plano] *m* plano *m*
plano, -a ['plano, -a] *adj* plano, -a
planta ['planta] *f* **1.** *t.* BOT planta *f* **2.** (*piso*) piso *m*; **tener buena ~** *fig* ter boa aparência
plantación [planta'θjon] *f* plantação *f*
plantar [plan'tar] **I.** *vt* plantar; **~ un tortazo** *inf* meter um soco; **me dejó plantado** *inf* me deixou plantado **II.** *vr*: **~se** chegar
planteamiento [plantea'mjento] *m* ponto *m* de vista
plantear [plante'ar] **I.** *vt* expor **II.** *vr*: **~se** considerar
plantilla [plan'tiʎa] *f* **1.** (*empleados*) quadro *m* de funcionários; **estar en ~** ser empregado fixo **2.** (*de zapato*) palmilha *f* **3.** DEP equipe *f*
plástico ['plastiko] *m* plástico *m*
plástico, -a ['plastiko, -a] *adj t.* ARTE plástico, -a
plastificar [plastifi'kar] *vt* plastificar
plata ['plata] *f* prata *f*; *AmL* (*dinero*) dinheiro *m*
plataforma [plata'forma] *f* plataforma *f*
plátano ['platano] *m* (*fruto*) banana *f*; (*árbol*) bananeira *f*
platea [pla'tea] *f* platéia *f*
plateado, -a [plate'aðo, -a] *adj* prateado, -a
platillo [pla'tiʎo] *m* (*de taza*) pires *m*; (*de balanza*) prato *m*; **~ volante** disco *m* voador
platina [pla'tina] *f* platina *f*
plato ['plato] *m* prato *m*; **primer/segundo ~** prato de entrada/principal; **pagar los ~s rotos** *fig* pagar o pato
playa ['plaʝa] *f* praia *f*; **~ de estacionamiento** *AmL* pátio *m* de estacionamento
playeras [pla'ʝeras] *fpl* alpargata *f*
plaza ['plaθa] *f* praça *f*; (*de parking*) vaga *f*; **~ mayor** praça central
plazo ['plaθo] *m* prazo *m*; **a ~s** a prazo; **a corto ~** a curto prazo
plegable [ple'ɣaβle] *adj* dobrável
plegar [ple'ɣar] *irr como fregar vt* dobrar
plegaria [ple'ɣarja] *f* oração *f*
pleito ['plejto] *m* pleito *m*
plenitud [pleni'tuð] *f* plenitude *f*
pleno, -a ['pleno, -a] *adj* pleno, -a
pliegue ['pljeɣe] *m* prega *f*
plomero [plo'mero] *m AmL* encanador(a) *m(f)*
plomo ['plomo] *m* chumbo *m; pl* ELEC fusível *m*
pluma ['pluma] *f* pluma *f*; **~ estilográfica** caneta-tinteiro *f*
plumaje [plu'maxe] *m* plumagem *f*
plumero [plu'mero] *m* espanador *m*; **vérsele el ~** *inf* ver o que está tramando
plural [plu'ral] *adj, m* plural *m*
pluralismo [plura'lismo] *m* pluralismo *m*
plusmarca [plus'marka] *f* recorde *m*
plusmarquista [plusmar'kista] *mf* recordista *mf*
Plutón [plu'ton] *m* Plutão *m*
población [poβla'θjon] *f* (*habitantes*) população *f*; (*pueblo*) povoado *m*
poblado [po'βlaðo] *m* povoado *m*
poblador(a) [poβla'ðor(a)] *m(f)* habi-

tante *mf*

poblar [po'βlar] <o→ue> I. *vi, vt* povoar II. *vr:* ~**se** povoar-se

pobre ['poβre] *adj, mf* pobre

pobreza [po'βreθa] *f* pobreza *f*

pocilga [po'θilγa] *f* pocilga *f*

poco ['poko] *adv* pouco; **hace** ~ faz pouco; **a** ~ **de llegar...** logo depois de chegar

poco, -a ['poko, -a] <poquísimo> *adj* pouco, -a

podar [po'ðar] *vt* podar

poder [po'ðer] I. *irr vi, vimpers* poder; **a** ~ **ser** se possível; **no puede ser** não pode ser; **¿se puede?** posso? II. *m* poder *m;* **haré todo lo que está en mi** ~ farei tudo o que estiver ao meu alcance

poderoso, -a [poðe'roso, -a] *adj* poderoso, -a

podio ['poðjo] *m* pódio *m*

podólogo, -a [po'ðoloγo, -a] *m, f* podólogo, -a *m, f*

podrido, -a [po'ðriðo, -a] *adj* podre

podrir [po'ðrir] *irr vt, vr v.* **pudrir**

poema [po'ema] *m* poema *m;* **ser todo un** ~ *inf* ser ridículo

poesía [poe'sia] *f* poesia *f*

poeta, -isa [po'eta, poe'tisa] *m, f* poeta, -isa *m, f*

poético, -a [po'etiko, -a] *adj* poético, -a

póker ['poker] *m* pôquer *m*

polaco, -a [po'lako, -a] *adj, m, f* polonês, -esa *m, f*

polea [po'lea] *f* polia *f*

polémica [po'lemika] *f* polêmica *f*

polémico, -a [po'lemiko, -a] *adj* polêmico, -a

polen ['polen] *m* pólen *m*

policía[1] [poli'θia] *f* polícia *f*

policía[2] [poli'θia] *mf* policial *mf*

policíaco, -a [poli'θjako, -a] *adj* policial

polideportivo [poliðepor'tiβo] *m* ginásio *m* de esportes

poliéster [po'ljester] *m* poliéster *m*

polifacético, -a [polifa'θetiko, -a] *adj* multifacetado, -a

poligamia [poli'γamja] *f* poligamia *f*

polígono [po'liγono] *m* MAT polígono *m*

polilla [po'liʎa] *f* traça *f*

política [po'litika] *f* política *f*

político, -a [po'litiko, -a] *adj, m, f* político, -a *m, f*

polivalente [poliβa'lente] *adj* polivalente

póliza [po'liθa] *f* apólice *f*

polizón [poli'θon] *m* clandestino, -a *m, f*

pollera [po'ʎera] *f* AmL saia *f*

pollería [poʎe'ria] *f* aviário *m*

pollo [po'ʎo] *m* GASTR frango *m*

polo ['polo] *m* **1.** *t.* GEO, DEP pólo *m* **2.** (*helado*) picolé *m*

Polonia [po'lonja] *f* Polônia *f*

polución [polu'θjon] *f* poluição *f*

polvo ['polβo] *m* **1.** (*suciedad*) pó *m;* **quitar el** ~ tirar pó; **hacer** ~ **a alguien** *inf* destruir alguém; **estoy hecho** ~ *inf* estou acabado **2.** *vulg* (*coito*) trepada *f*

pólvora ['polβora] *f* pólvora *f*

polvoriento, -a [polβo'rjento, -a] *adj* poeirento, -a

pomada [poˈmaða] f pomada f
pomelo [poˈmelo] m toranja f
pómez [ˈpomeθ] f **piedra** ~ pedra-pomes f
pomo [ˈpomo] m maçaneta f
pompa [ˈpompa] f bolha f; fig pompa f; ~s **fúnebres** funeral m
pomposo, -a [pomˈposo, -a] adj pomposo, -a
pómulo [ˈpomulo] m pômulo m
ponche [ˈpontʃe] m ponche m
ponderar [pondeˈrar] vt ponderar
ponencia [poˈnenθja] f apresentação f
poner [poˈner] irr I. vt 1. (colocar, dar) pôr; (inyección) tomar; ~ **la mesa** pôr a mesa; ~ **en peligro** pôr em perigo; ~ **por escrito** pôr por escrito; ~ **la firma** assinar; ~ **en marcha** pôr em funcionamento; **lo pongo en tus manos** fig ponho em tuas mãos; **¿qué nombre le van a** ~? que nome vão dar a ele?; **¿qué ponen hoy en el cine?** o que está passando no cinema hoje? 2. (encender) ligar 3. (loc) ~ **mala cara** fazer cara feia; **pon que no viene** suponho que não vem; **pusimos todo de nuestra parte** de nossa parte fizemos tudo II. vr: ~**se** pôr; ~**se insolente** ficar insolente; **se puso a llover** começou a chover; **ponte cómodo** acomode-se; **ponte guapo** ponha-se bonito
poniente [poˈnjente] m poente m
pontífice [ponˈtifiθe] m pontífice m
pop [pop] adj, m inv pop m inv
popa [ˈpopa] f popa f
popular [popuˈlar] adj popular
popularidad [populariˈðað] f popularidade f
popularizar [populariˈθar] <z→c> I. vt popularizar II. vr: ~**se** popularizar-se
populista [popuˈlista] adj populista
póquer [ˈpoker] m pôquer m
por [por] prep 1. (lugar, tiempo) por; ~ **dentro/fuera** por dentro/fora; ~ **la(s) mañana(s)** pela(s) manhã(s); **mañana** ~ **la mañana** amanhã pela manhã; ~ **la tarde** à tarde; **el ocho** ~ **ciento** oito por cento; **adelantar** ~ **la izquierda** ultrapassar pela esquerda; **poner** ~ **escrito** deixar por escrito; **pasé** ~ **Madrid hace poco** passei por Madri há pouco; **al** ~ **mayor** por atacado; **cambié el libro** ~ **el álbum** troquei o livro pelo álbum; **toca a cuatro** ~ **cabeza** resulta em quatro para cada um 2. (causa) **¿**~ **(qué)?** por (quê)?; ~ **si acaso** se por acaso; ~ **fin** finalmente; ~ **consiguiente** por conseguinte; ~ **(lo) tanto** por tanto; ~ **lo que a eso se refiere** a que isso se refere; **está** ~ **lavar** está para lavar 3. (finalidad) para
porcelana [porθeˈlana] f porcelana f
porcentaje [porθenˈtaxe] m porcentagem f
porcentual [porθenˈtwal] adj percentual
porche [ˈportʃe] m alpendre m
porción [porˈθjon] f porção f
pordiosero, -a [porðjoˈsero, -a] m, f mendigo, -a m, f
porfiar [porˈfjar] <1. pres: porfío> vi ~ **en** porfiar em
pormenor [pormeˈnor] m pormenor m

pornografía [pornoɣra'fia] *f* pornografia *f*

pornográfico, -a [porno'ɣrafiko, -a] *adj* pornográfico, -a

poro ['poro] *m* poro *m*

poroso, -a [po'roso, -a] *adj* poroso, -a

porque ['porke] *conj* porque; ~ **sí** porque quis; **recemos ~ llueva** rezemos para que chova

porqué [por'ke] *m* porquê *m*

porquería [porke'ria] *f* porcaria *f*

porra ['porra] *f* cassetete *m*; **¡vete a la ~!** *inf* vá pro inferno!

porrazo [po'rraθo] *m* cacetada *f*

porro ['porro] *m inf* baseado *m*

porrón [po'rron] *m* garrafão *m*

portaaviones [porta(a)βi'ones] *m inv* porta-aviões *m inv*

portada [por'taða] *f* PREN página *f* de rosto

portador(a) [porta'ðor(a)] *m(f)* portador(a) *m(f)*

portaequipajes [portaeki'paxes] *m inv* porta-malas *m inv*

portal [por'tal] *m* portal *m*

portamaletas [portama'letas] *m inv* porta-malas *m inv*

portarse [por'tarse] *vr* portar-se

portátil [por'tatil] *adj* portátil

portavoz [porta'βoθ] *mf* porta-voz *mf*

portazo [por'taθo] *m* **dar un ~** bater a porta com força

porte ['porte] *m* porte *m*

portento [por'tento] *m* portento *m*

portentoso, -a [porten'toso, -a] *adj* portentoso, -a

portería [porte'ria] *f* portaria *f*; DEP gol *m*

portero, -a [por'tero, -a] *m, f* porteiro, -a *m, f*; DEP goleiro, -a *m, f*

pórtico ['portiko] *m* pórtico *m*

Portugal [prtu'ɣal] *m* Portugal *m*

portugués, -esa [portu'ɣes, -esa] *adj, m, f* português, -a *m, f*

porvenir [porβe'nir] *m* porvir *m*

posada [po'saða] *f* pousada *m*; **dar ~** hospedar

posar [po'sar] I. *vi, vt* posar II. *vr*: **~se** pousar

posavasos [posa'βasos] *m inv* descanso *m* de copos

posdata [pos'ðata] *f* pós-escrito *m*

pose ['pose] *f* pose *f*

poseedor(a) [pose(e)'ðor(a)] *m(f)* possuidor(a) *m(f)*

poseer [po'ser, pose'er] *irr como leer vt* possuir

posesión [pose'sjon] *f* posse *f*

posesivo, -a [pose'siβo, -a] *adj* possessivo, -a

posibilidad [posiβili'ðað] *f* possibilidade *f*

posibilitar [posiβili'tar] *vt* possibilitar

posible [po'siβle] *adj* possível; **es ~ que** +*subj* é possível que +*subj*; **si es ~** se for possível

posición [posi'θjon] *f* posição *f*

positivo, -a [posi'tiβo, -a] *adj* positivo, -a

poso ['poso] *m* depósito *m*

posponer [pospo'ner] *irr como poner vt* adiar

postal [pos'tal] *f* cartão-postal *m*

poste ['poste] *m* poste *m*

póster ['poster] *m* pôster *m*

postergar [poster'ɣar] <g→gu> *vt*

postergar

posteridad [posteri'ðaᵒ] *f* posteridade *f*

posterior [poste'rjor] *adj* posterior; ~ **a** atrás de

postizo, -a [pos'tiθo, -a] *adj* postiço, -a

postor(a) [pos'tor(a)] *m(f)* proponente *mf*; **al mejor** ~ a quem deu a melhor oferta

postrado, -a [pos'trado, -a] *adj* prostrado, -a

postre ['postre] *m* sobremesa *f*; **a la** ~ no final

postrimerías [postrime'rias] *fpl* final *m*

postulado [postu'laðo] *m* postulado *m*

póstumo, -a ['postumo, -a] *adj* póstumo, -a

postura [pos'tura] *f* postura *f*

potable [po'taβle] *adj* potável

pote ['pote] *m* pote *m*

potencia [po'tenθja] *f* potência *f*; **en** ~ em potencial

potencial [poten'θjal] *adj, m* potencial *m*

potente [po'tente] *adj* potente

potestad [potes'taᵒ] *f* autoridade *f*

potro ['potro] *m* DEP cavalo *m*

potro, -a ['potro, -a] *m, f* potro, -a *m, f*

pozo ['poθo] *m* poço *m*

práctica ['praktika] *f* prática *f*; **llevar a la** ~ pôr em prática

practicable [prakti'kaβle] *adj* praticável

practicante [prakti'kante] *mf* (*de religión*) praticante *mf*; MED enfermeiro, -a *m, f*

practicar [prakti'kar] <c→qu> *vi, vt* praticar

práctico, -a ['praktiko, -a] *adj* prático, -a

pradera [pra'ðera] *f* pradaria *f*

prado ['prado] *m* prado *m*

pragmático, -a [praɣ'matiko, -a] *adj, m, f* pragmático, -a *m, f*

pragmatismo [praɣma'tismo] *m* pragmatismo *m*

preámbulo [pre'ambulo] *m* preâmbulo *m*

precalentar [prekalen'tar] <e→ie> *vt* aquecer

precariedad [prekarje'ðaᵒ] *f* precariedade *f*

precario, -a [pre'karjo, -a] *adj* precário, -a

precaución [prekau̯'θjon] *f* precaução *f*

precaver [preka'βer] **I.** *vt* precaver **II.** *vr*: ~**se** precaver-se

precavido, -a [preka'βiðo, -a] *adj* precavido, -a

precedente [preθe'ðente] *adj, m* precedente *m*

preceder [preθe'ðer] *vt* preceder

precepto [pre'θepto] *m* preceito *m*

preciarse [pre'θjarse] *vr* ~ **de algo** orgulhar-se de a. c.

precintar [preθin'tar] *vt* selar

precinto [pre'θinto] *m* selo *m*

precio ['preθjo] *m* preço *m*; **a cualquier** ~ *fig* a qualquer preço

preciosidad [preθjosi'ðaᵒ] *f* preciosidade *f*

precioso, -a [pre'θjoso, -a] *adj* lin-

do, -a
precipicio [preθi'piθjo] *m* precipício *m*
precipitación [preθipita'θjon] *f* precipitação *f*
precipitado, -a [preθipi'taðo, -a] *adj* precipitado, -a
precipitar [preθipi'tar] **I.** *vt* precipitar **II.** *vr:* ~se precipitar-se; ¡no se precipite! não se precipite!
precisar [preθi'sar] *vt* precisar
precisión [preθi'sjon] *f* precisão *f*
preciso, -a [pre'θiso, -a] *adj* preciso, -a; si es ~... se for preciso...
precoz [pre'koθ] *adj* precoce
precursor(a) [prekur'sor(a)] *m(f)* precursor(a) *m(f)*
predecesor(a) [preðeθe'sor(a)] *m(f)* predecessor(a) *m(f)*
predecible [preðe'θiβle] *adj* previsível
predecir [preðe'θir] *irr como decir vt* predizer
predestinado, -a [preðesti'naðo, -a] *adj* predestinado, -a
predestinar [preðesti'nar] *vt* predestinar
predeterminar [preðetermi'nar] *vt* predeterminar
predicado [preði'kaðo] *m* predicado *m*
predicador(a) [preðika'ðor(a)] *m(f)* pregador(a) *m(f)*
predicar [preði'kar] <c→qu> *vi, vt* pregar
predicción [preðiɣ'θjon] *f* predição *f*
predilección [preðileɣ'θjon] *f* predileção *f*
predisponer [preðispo'ner] *irr como poner vt* predispor
predisposición [preðisposi'θjon] predisposição *f*
predominante [preðomi'nante] *adj* predominante
predominar [preðomi'nar] *vi* predominar
predominio [preðo'minjo] *m* predomínio *m*
prefabricado, -a [prefaβri'kaðo, -a] *adj* pré-fabricado, -a
prefacio [pre'faθjo] *m* prefácio *m*
preferencia [prefe'renθja] *f* preferência *f*
preferible [prefe'riβle] *adj* preferível
preferir [prefe'rir] *irr como sentir v.* preferir
prefijo [pre'fixo] *m* TEL, LING prefixo *m*
pregón [pre'ɣon] *m* pregão *m*
pregonar [preɣo'nar] *vt* apregoar
pregunta [pre'ɣunta] *f* pergunta *f*
preguntar [preɣun'tar] **I.** *vi, vt* perguntar **II.** *vr:* ~se perguntar-se
prehistoria [preis'torja] *f* pré-história *f*
prejuicio [pre'xwiθjo] *m* preconceito *m*
preliminar [prelimi'nar] *adj* preliminar
preludio [pre'luðjo] *m* prelúdio *m*
prematuro, -a [prema'turo, -a] *adj* prematuro, -a
premeditación [premeðita'θjon] premeditação *f*
premeditado, -a [premeði'taðo, -a] *adj* premeditado, -a
premeditar [premeði'tar] *vt* premeditar

premiar [pre'mjar] *vt* premiar
premio ['premjo] *m* prêmio *m*; **~ gordo** primeiro prêmio
premisa [pre'misa] *f* premissa *f*
premonición [premoni'θjon] *f* premonição *f*
premura [pre'mura] *f* presteza *f*
prenda ['prenda] *f* **1.** (*fianza*) penhor *m*; **dar en ~** dar em garantia **2.** (*ropa*) roupa *f*; **~s interiores** roupas íntimas
prender [pren'der] **I.** *vi* prender **II.** *vt* prender; *AmL* (*luz*) acender; **~ fuego a algo** pegar fogo em a. c.
prensa ['prensa] *f* (*máquina*) prensa *f*; (*periódicos*) imprensa *f*; **~ del corazón** revistas de fofoca
prensar [pren'sar] *vt* prensar
preocupación [preokupa'θjon] *f* preocupação *f*
preocupado, -a [preoku'paðo, -a] *adj* preocupado, -a
preocupante [preoku'pante] *adj* preocupante
preocupar [preoku'par] **I.** *vt* preocupar **II.** *vr*: **~se por alguien** preocupar-se com alguém; **~se de algo** encarregar-se de a. c.
preparación [prepara'θjon] *f* preparação *f*
preparado [prepa'raðo] *m* preparado *m*
preparado, -a [prepa'raðo, -a] *adj* preparado, -a; **¡~s, listos, ya!** um, dois, três, já!
preparar [prepa'rar] **I.** *vt* preparar **II.** *vr*: **~se** preparar-se; **se prepara una tormenta** está armando um temporal
preparativo [prepara'tiβo] *m* preparativo *m*
preponderancia [preponde'ranθja] *f* preponderância *f*
preposición [preposi'θjon] *f* preposição *f*
prepotencia [prepo'tenθja] *f* prepotência *f*
prepotente [prepo'tente] *adj* prepotente
presa ['presa] *f* **1.** (*de caza*) presa *f* **2.** (*dique*) represa *f*
presagiar [presa'xjar] *vt* pressagiar
presagio [pre'saxjo] *m* presságio *m*
prescindir [presθin'dir] *vi* **~ de** prescindir de
prescribir [preskri'βir] *irr como escribir vt* prescrever
prescripción [preskriβ'θjon] *f* prescrição *f*
presencia [pre'senθja] *f* presença *f*
presenciar [presen'θjar] *vt* presenciar
presentación [presenta'θjon] *f* apresentação *f*
presentador(a) [presenta'ðor(a)] *m(f)* apresentador(a) *m(f)*
presentar [presen'tar] **I.** *vt* apresentar **II.** *vr*: **~se** apresentar-se
presente [pre'sente] **I.** *adj* presente **II.** *m* presente *m*; **hasta el ~** até o momento; **por el ~** no momento
presentimiento [presenti'mjento] *m* pressentimento *m*
presentir [presen'tir] *irr como sentir vt* pressentir
preservar [preser'βar] *vt* preservar
preservativo [preserβa'tiβo] *m* pre-

servativo *m*

presidencia [presi'ðenθja] *f* presidência *f*

presidente [presi'ðente] *mf* presidente *mf*

presidiario, -a [presi'ðjarjo, -a] *m, f* presidiário, -a *m, f*

presidio [pre'siðjo] *m* presídio *m*; **20 años de ~** 20 anos de prisão

presidir [presi'ðir] *vt* presidir

presión [pre'sjon] *f* pressão *f*

presionar [presjo'nar] *vt* pressionar

preso, -a ['preso, -a] *m, f* preso, -a *m, f*

prestado, -a [pres'taðo, -a] *adj* emprestado, -a

prestamista [presta'mista] *mf* prestamista *mf*

préstamo ['prestamo] *m* empréstimo *m*

prestar [pres'tar] I. *vt* 1. (*dejar*) emprestar 2. (*dedicar*) **~ atención** prestar atenção; **~ silencio** fazer silêncio II. *vr:* **~se a algo** prestar-se a a. c.

presteza [pres'teθa] *f* presteza *f*

prestidigitador(a) [prestiðixita'ðor(a)] *m(f)* prestidigitador(a) *m(f)*

prestigio [pres'tixjo] *m* prestígio *m*

prestigioso, -a [presti'xjoso, -a] *adj* prestigioso, -a

presumible [presu'miβle] *adj* presumível

presumido, -a [presu'miðo, -a] *adj* convencido, -a

presumir [presu'mir] I. *vi* **~ de algo** gabar-se [*ou* vangloriar-se] de a. c. II. *vt* presumir

presunción [presun'θjon] *f* presunção *f*

presunto, -a [pre'sunto, -a] *adj* suposto, -a, pretenso, -a

presuntuoso, -a [presuntu'oso, -a] *adj, m, f* presunçoso, -a *m, f*

presuponer [presupo'ner] *irr como* **poner** *vt* pressupor

presuposición [presuposi'θjon] *f* pressuposição *f*

presupuestar [presupwes'tar] *vt* orçar

presupuesto [presu'pwesto] *m* orçamento *m*

pretencioso, -a [preten'θjoso, -a] *adj, m, f* pretensioso, -a *m, f*

pretender [preten'der] *vt* pretender

pretendiente [preten'djente] *m* pretendente *m*

pretensión [preten'sjon] *f* pretensão *f*

pretérito [pre'terito] *m* pretérito *m*

pretexto [pre'testo] *m* pretexto *m*

prevalecer [preβale'θer] *irr como* **crecer** *vi* prevalecer

prevaricar [preβari'kar] *vi* prevaricar

prevención [preβen'θjon] *f* prevenção *f*

prevenido, -a [preβe'niðo, -a] *adj* 1. *estar* (*alerta*) prevenido, -a 2. *ser* (*previsor*) prevenido, -a

prevenir [preβe'nir] *irr como* **venir** I. *vt* prevenir; **más vale ~ que curar** *prov* é melhor prevenir que remediar II. *vr:* **~se** prevenir-se

preventivo, -a [preβen'tiβo, -a] *adj* preventivo, -a

prever [pre'βer] *irr como* **ver** *vt* prever

previo, -a ['preβjo, -a] *adj* prévio, -a

previsible [preβi'siβle] *adj* previsível
previsión [preβi'sjon] *f* previsão *f*; **en ~ de...** para prevenir...
previsor(a) [preβi'sor(a)] *adj* previdente
previsto, -a [pre'βisto, -a] *adj* previsto, -a
prima ['prima] *f* prêmio *m*
primar [pri'mar] *vi* primar
primario, -a [pri'marjo, -a] *adj* primário, -a
primavera [prima'βera] *f* primavera *f*
primaveral [primaβe'ral] *adj* primaveril
primer [pri'mer] *adj v.* **primero, -a**
primera [pri'mera] *f* primeira *f*
primero [pri'mero] *adv* primeiro
primero, -a [pri'mero, -a] I. *adj ante sustantivo masculino: primer* primeiro, -a *m, f;* **el Primer Ministro** o Primeiro Ministro; **en primer lugar** em primeiro lugar; **a la primera** à primeira; **a ~s de mes** no começo do mês; **desde un primer momento** desde o primeiro momento II. *m, f* primeiro, -a *m, f*
primitivo, -a [primi'tiβo, -a] *adj* primitivo, -a
primo, -a ['primo, -a] *m, f* primo, *f* *m, f;* **materia prima** matéria prima; **número ~** MAT número primo; **~ hermano** primo irmão; **hacer el ~** *inf* fazer papel de bobo
primogénito, -a [primo'xenito, -a] *adj, m, f* primogênito, -a *m, f*
primor [pri'mor] *m* primor *m*
primordial [primor'ðjal] *adj* primordial
primoroso, -a [primo'roso, -a] *adj* primoroso, -a
principado [prinθi'paðo] *m* principado *m*
principal [prinθi'pal] I. *adj* principal II. *m* sobre-loja *f*
príncipe, princesa ['prinθipe, prin'θesa] *m, f* príncipe, princesa *m, f;* **~ azul** príncipe encantado
principiante [prinθi'pjante] *mf* principiante *mf*
principio [prin'θipjo] *m* princípio *m;* **al ~** no princípio; **desde un ~** desde o princípio; **en/por ~** em/por princípio; **a ~s de diciembre** no começo de dezembro
pringar [prin'gar] <g→gu> I. *vt* lambuzar II. *vr:* **~se** lambuzar-se
pringoso, -a [prin'goso, -a] *adj* engordurado, -a; *(pegajoso)* lambuzado, -a
prioridad [prjori'ðað] *f* prioridade *f*
prioritario, -a [prjori'tarjo, -a] *adj* prioritário, -a
prisa ['prisa] *f* pressa *f;* **de ~** depressa; **de ~ y corriendo** às pressas; **meter ~ a alguien** dar pressa em alguém; **¡date ~!** apresse-se!; **tengo ~** estou com pressa
prisión [pri'sjon] *f* prisão *f*
prisionero, -a [prisjo'nero, -a] *m, f* prisioneiro, -a *m, f*
prismáticos [pris'matikos] *mpl* binóculo *m*
privación [priβa'θjon] *f* privação *f*
privado, -a [pri'βaðo, -a] *adj* privado, -a; **en ~** em particular
privar [pri'βar] I. *vt* privar II. *vr:*

~se privar-se

privatización [priβatiθa'θjon] *f* privatização *f*

privatizar [priβati'θar] <z→c> *vt* privatizar

privilegiar [priβile'xjar] *vt* privilegiar

privilegio [priβi'lexjo] *m* privilégio *m*

pro [pro] **I.** *m* pró *m*; **los ~s y los contras** os prós e os contras; **en ~ de** em pró de **II.** *prep* pró

proa ['proa] *f* NÁUT proa *f*

probabilidad [proβaβili'ðað] *f* probabilidade *f*

probable [pro'βaβle] *adj* provável; **lo más ~ es que...** +*subj* o mais provável é que... +*subj*

probador [proβa'ðor] *m* provador *m*

probar [pro'βar] <o→ue> **I.** *vt* provar **II.** *vi* ~ **a hacer algo** experimentar fazer a. c. **III.** *vr*: ~**se** (*ropa*) provar

probeta [pro'βeta] *f* proveta *f*

problema [pro'βlema] *m* problema *m*

problemático, -a [pro'βle'matiko, -a] *adj* problemático, -a

procedencia [proθe'ðenθja] *f* procedência *f*

procedente [proθe'ðente] *adj* procedente

proceder [proθe'ðer] **I.** *m* proceder *m* **II.** *vi* ~ **a** proceder a; ~ **de** proceder de

procedimiento [proθeði'mjento] *m* procedimento *m*

procesado, -a [proθe'saðo, -a] *m*, *f* réu, ré *m*, *f*

procesador [proθesa'ðor] *m* processador *m*

procesar [proθe'sar] *vt* processar

procesión [proθe'sjon] *f* procissão *f* **la ~ va por dentro** *inf* isto é só aparência

proceso [pro'θeso] *m* processo *m*

proclamación [proklama'θjon] *f* proclamação *f*

proclamar [prokla'mar] **I.** *vt* proclamar **II.** *vr*: ~**se** proclamar-se

procreación [prokrea'θjon] *f* procriação *f*

procurador(a) [prokura'ðor(a)] *m(f)* procurador(a) *m(f)*

procurar [proku'rar] *vt* **1.** (*intentar*) procurar, esforçar-se por **2.** (*proporcionar*) proporcionar

prodigar [proði'ɣar] <g→gu> **I.** *vt* prodigalizar **II.** *vr*: ~**se en elogios hacia alguien** desfazer-se em elogios a alguém

prodigio [pro'ðixjo] *m* prodígio *m*

prodigioso, -a [proði'xjoso, -a] *adj* prodigioso, -a

pródigo, -a ['proðiɣo, -a] *adj* pródigo, -a

producción [proðuɣ'θjon] *f* produção *f*

producir [proðu'θir] *irr como traducir* **I.** *vt* produzir **II.** *vr*: ~**se** produzir-se

productividad [proðuktiβi'ðað] *f* produtividade *f*

producto [pro'ðukto] *m* produto *m*, **Producto Interior Bruto** Produto Interno Bruto

productor(a) [proðuk'tor(a)] *adj*, *m(f)* produtor(a) *m(f)*

productora [proðuk'tora] *f* pro-

dutora *f*
proeza [pro'eθa] *f* proeza *f*
profanación [profana'θjon] *f* profanação *f*
profanar [profa'nar] *vt* profanar
profano, -a [pro'fano, -a] *adj* profano, -a
profecía [profe'θia] *f* profecia *f*
proferir [profe'rir] *irr como sentir vt* proferir
profesar [profe'sar] *vt* professar
profesión [profe'sjon] *f* profissão *f*
profesional [profesjo'nal] *adj* profissional
profesionalidad [profesjonali'ðað] *f* profissionalismo *m*
profesionalizar [profesjonali'θar] <z→c> *vt* profissionalizar
profesor(a) [profe'sor(a)] *m(f)* professor(a) *m(f)*
profesorado [profeso'raðo] *m* professorado *m*
profeta, -isa [pro'feta, profe'tisa] *m, f* profeta, -isa *m, f*
profetizar [profeti'θar] <z→c> *vt* profetizar
profiláctico [profi'laktiko] *m* preservativo *m*
prófugo ['profuɣo] *m* MIL desertor *m*
profundidad [profuɳdi'ðað] *f* profundidade *f*
profundizar [profuɳdi'θar] <z→c> *vi, vt* aprofundar
profundo, -a [pro'fuɳdo, -a] *adj* profundo, -a
profusión [profu'sjon] *f* profusão *f*
progenitor(a) [proxeni'tor(a)] *m(f)* progenitor(a) *m(f)*

programa [pro'ɣrama] *m* programa *m*
programación [proɣrama'θjon] *f* programação *f*
programador(a) [proɣrama'ðor(a)] *m(f)* programador(a) *m(f)*
programar [proɣra'mar] *vt* programar
progre ['proɣre] *adj inf* pra-frente
progresar [proɣre'sar] *vi* progredir
progresión [proɣre'sjon] *f* progressão *f*
progresista [proɣre'sista] *adj, mf* progressista *mf*
progresivo, -a [proɣre'siβo, -a] *adj* progressivo, -a
progreso [pro'ɣreso] *m* progresso *m*
prohibición [proiβi'θjon] *f* proibição *f*
prohibido, -a [proi'βiðo, -a] *adj* proibido, -a
prohibir [proi'βir] *irr vt* proibir
prohibitivo, -a [proiβi'tiβo, -a] *adj* proibitivo, -a
prójimo ['proximo] *m* próximo *m*
proletario, -a [prole'tarjo, -a] *adj, m, f* proletário, -a *m, f*
proliferación [prolifera'θjon] *f* proliferação *f*
proliferar [prolife'rar] *vi* proliferar
prolijo, -a [pro'lixo, -a] *adj* prolixo, -a
prólogo ['proloɣo] *m* prólogo *m*
prolongación [proloŋga'θjon] *f* (*en el espacio*) prolongamento *m*; (*en el tiempo*) prorrogação *f*
prolongado, -a [proloŋ'gaðo, -a] *adj* prolongado, -a
prolongar [proloŋ'gar] <g→gu> I. *vt* prolongar II. *vr*: ~**se** prolongar-se

promedio [pro'meðjo] *m* média *f*
promesa [pro'mesa] *f* promessa *f*
prometedor(a) [promete'ðor(a)] *adj* prometedor(a)
prometer [prome'ter] I. *vi*, *vt* prometer II. *vr*: ~**se** comprometer-se
prometido, -a [prome'tiðo, -a] *m*, *f* noivo, -a *m*, *f*
prominente [promi'nente] *adj* proeminente
promiscuidad [promiskwi'ðað] *f* promiscuidade *f*
promoción [promo'θjon] *f* promoção *f*
promocionar [promoθjo'nar] *vt* promover
promotor(a) [promo'tor(a)] *m(f)* promotor(a) *m(f)*
promover [promo'βer] <o→ue> *vt* provocar
promulgar [promul'ɣar] <g→gu> *vt* promulgar
pronombre [pro'nombre] *m* pronome *m*
pronosticar [pronosti'kar] <c→qu> *vt* prognosticar
pronóstico [pro'nostiko] *m* prognóstico *m*
prontitud [pronti'tuð] *f* prontidão *f*
pronto ['pronto] *adv* 1. (*rápido*) pronto; **tan** ~ **como** +*subj* tão logo +*subj*; **de** ~ de repente; **¡hasta** ~! até logo! 2. (*temprano*) cedo
pronto, -a ['pronto, -a] *adj* rápido, -a
pronunciación [pronunθja'θjon] *f* pronúncia *f*
pronunciar [pronun'θjar] I. *vt* pronunciar II. *vr*: ~**se** pronunciar-se

propagación [propaɣa'θjon] *f* propagação *f*
propaganda [propa'ɣanda] *f* propaganda *f*
propagandístico, -a [propaɣan'distiko, -a] *adj* propagandístico, -a
propagar [propa'ɣar] <g→gu> I. *vt* propagar II. *vr*: ~**se** propagar-se
propasarse [propa'sarse] *vr* exceder-se
propenso, -a [pro'penso, -a] *adj* propenso, -a
propiamente [propja'mente] *adv* propriamente
propiciar [propi'θjar] *vt* propiciar
propicio, -a [pro'piθjo, -a] *adj* propício, -a
propiedad [propje'ðað] *f* propriedade *f*; **con** ~ com propriedade
propietario, -a [propje'tarjo, -a] *m*, *f* proprietário, -a *m*, *f*
propina [pro'pina] *f* gorjeta *f*
propio, -a ['propjo, -a] *adj* próprio, -a; **al** ~ **tiempo** ao mesmo tempo
proponer [propo'ner] *irr como poner* I. *vt* propor II. *vr* propor-se; **¿qué te propones?** o que você pretende?
proporción [propor'θjon] *f* proporção *f*
proporcionar [proporθjo'nar] *vt* proporcionar
proposición [proposi'θjon] *f* proposta *f*
propósito [pro'posito] *m* propósito *m*; **a** ~ (*adrede*) de propósito; (*adecuado*) a propósito; **tener el** ~ **de...** ter o propósito de...
propuesta [pro'pwesta] *f* proposta *f*;

a ~ de alguien por sugestão de alguém

propugnar [propuɣ'nar] *vt* propugnar

propulsar [propul'sar] *vt* propulsar

propulsión [propul'sjon] *f* propulsão *f*

prórroga ['prorroɣa] *f* prorrogação *f*

prorrogar [prorro'ɣar] <g→gu> *vt* prorrogar

prosa ['prosa] *f* prosa *f*

proscrito, -a [pros'krito, -a] *m, f* proscrito, -a *m, f*

proseguir [prose'ɣir] *irr como* seguir *vi, vt* prosseguir

prospección [prospeɣ'θjon] *f* prospecção *f*

prospecto [pros'pekto] *m* prospecto *m*

prosperar [prospe'rar] *vi* prosperar

prosperidad [prosperi'ðað] *f* prosperidade *f*

próspero, -a ['prospero, -a] *adj* próspero, -a

próstata ['prostata] *f* próstata *f*

prostitución [prostitu'θjon] *f* prostituição *f*

prostituta [prosti'tuta] *f* prostituta *f*

protagonismo [protaɣo'nismo] *m* protagonismo *m*

protagonista [protaɣo'nista] *mf* protagonista *mf*

protagonizar [protaɣoni'θar] <z→c> *vt* protagonizar

protección [proteɣ'θjon] *f* proteção *f*

proteccionismo [proteɣθjo'nismo] *m* protecionismo *m*

protector(a) [protek'tor(a)] *adj, m(f)* protetor(a) *m(f)*

proteger [prote'xer] <g→j> *I. vt* proteger **II.** *vr:* ~**se** proteger-se

protegido, -a [prote'xiðo, -a] *adj* protegido, -a; ~ **contra escritura** INFOR somente para leitura

prótesis ['protesis] *f inv* prótese *f*

protesta [pro'testa] *f* protesto *m*

protestante [protes'tante] *adj, mf* protestante *mf*

protestar [protes'tar] *vi, vt* protestar

protocolo [proto'kolo] *m* protocolo *m*

prototipo [proto'tipo] *m* protótipo *m*

provecho [pro'βetʃo] *m* proveito *m*; **¡buen ~!** bom apetite!

proveedor(a) [proβe(e)'ðor(a)] *m(f)* fornecedor(a) *m(f)*

proveer [pro'βer] *irr vt* prover

proverbio [pro'βerβjo] *m* provérbio *m*

providencial [proβiðen'θjal] *adj* providencial

provincia [pro'βinθja] *f* província *f*

provincial [proβin'θjal] *adj* provincial

provisión [proβi'sjon] *f* provisão *f*

provisional [proβisjo'nal] *adj* provisório, -a

provocación [proβoka'θjon] *f* provocação *f*

provocador(a) [proβoka'ðor(a)] *adj, m(f)* provocador(a) *m(f)*

provocar [proβo'kar] <c→qu> *vt* provocar

próximamente [proɣsima'mente] *adv* brevemente

proximidad [proɣsimi'ðað] *f* proximidade *f*

próximo, -a ['proɣsimo, -a] *adj* próximo, -a; **¡hasta la próxima!** até a próxima!

proyección [proʝeᵞ'θjon] f projeção f

proyectar [proʝek'tar] vt projetar

proyectil [proʝek'til] m projétil m

proyecto [pro'ʝekto] m projeto m

proyector [proʝek'tor] m projetor m

prudencia [pru'ðenθja] f prudência f

prudente [pru'ðente] adj prudente

prueba ['prweβa] f prova f; (médica) exame m; ~ **de fuego** fig prova de fogo; **período de** ~ período de experiência

(p)seudónimo [seu̯'ðonimo] m pseudônimo m

(p)sicoanálisis [sikoa'nalisis] m inv psicanálise f

(p)sicoanalista [sikoana'lista] mf psicanalista mf

(p)sicología [sikolo'xia] f psicologia f

(p)sicólogo, -a [si'koloɣo, -a] m, f psicólogo, -a m, f

(p)sicópata [si'kopata] mf psicopata mf

(p)sicosis [si'kosis] f inv psicose f

(p)siquiatra [si'kjatra] mf psiquiatra mf

(p)siquiatría [sikja'tria] f psiquiatria f

(p)síquico, -a [si'kiko, -a] adj psíquico, -a

PSOE [pe'soe] m abr de **Partido Socialista Obrero Español** Partido Socialista Operário Espanhol

púa ['pua] f (de planta) espinho m; (del peine) dente m; MÚS palheta f

pub [paᵝ] <pubs> m pub m

pubertad [puβer'taᵟ] f puberdade f

publicación [puβlika'θjon] f publicação f

publicar [puβli'kar] <c→qu> vt publicar

publicidad [puβliθi'ðaᵟ] f publicidade f; **hacer** ~ fazer propaganda

público ['puβliko] m público m

público, -a ['puβliko, -a] adj público, -a; **hacer** ~ tornar público

púdico, -a ['puðiko, -a] adj pudico, -a

pudor [pu'ðor] m pudor m

pudoroso, -a [puðo'roso, -a] adj pudoroso, -a

pudrir [pu'ðrir] irr I. vt apodrecer II. vr: ~**se** apodrecer-se

pueblo ['pweβlo] m (nación) povo m; (población) povoado m

puente ['pwente] m ponte f; ~ **aéreo** ponte aérea; **hacer un** ~ **a un coche** fazer chupeta em um carro; **hacer** ~ inf emendar o feriado

puerco, -a ['pwerko, -a] adj, m, f inf porco, -a m, f

pueril [pwe'ril] adj pueril

puerro ['pwerro] m alho-poró m

puerta ['pwerta] f porta f; ~ **de embarque** portão m de embarque; ~ **giratoria** porta giratória; **a** ~ **abierta** de porta aberta; **de** ~**s adentro** da porta para dentro

puerto ['pwerto] m 1. NÁUT porto m; ~ **deportivo** marina f 2. (de montaña) passo m 3. INFOR porta f

Puerto Rico ['pwerto 'rriko] m Porto Rico m

puertorriqueño, -a [pwertorri'keɲo, -a] adj, m, f porto-riquenho, -a m, f

pues [pwes] adv 1. (bueno) pois; ~ **bien** pois bem; ~ **entonces, nada** então é isso; **Ana quiere conocerte**

– ~ **que venga** Ana quer conhecer você – pois então que venha; **¿estuviste por fin en Toledo?** – ~ no/sí você esteve por fim em Toledo? – não/sim; **¡~ esto no es nada!** mas isto não é nada! **2.** (*exclamativo*) **¡~ vaya lata!** mas que chato!; **¿y ~?** e daí?

puesta ['pwesta] *f* colocação *f*; **~ a punto** revisão *f*; **~ de sol** pôr *m* do sol; **~ en escena** montagem *f*; **~ en funcionamiento** início *m* de funcionamento; **~ en marcha** partida *f*; **~ en práctica** colocação em prática

puesto, -a ['pwesto, -a] I. *pp de* **poner** II. *adj inf* **ir bien** ~ ir bem arrumado; ~ **que** posto que

pugna ['puɣna] *f* pugna *f*

pugnar [puɣ'nar] *vi* pugnar, brigar

pujar [pu'xar] *vi* dar lance

pulcro, -a ['pulkro, -a] <pulquérrimo> *adj* asseado, -a

pulga ['pulɣa] *f* pulga *f*; **tener malas ~s** *inf* ter gênio ruim

pulgada [pul'ɣaða] *f* polegada *f*

pulgar [pul'ɣar] *m* polegar *m*

pulir [pu'lir] I. *vt* polir II. *vr*: **~se** *inf* torrar

pulmón [pul'mon] *m* pulmão *m*

pulmonía [pulmo'nia] *f* pneumonia *f*

pulpa ['pulpa] *f* polpa *f*

pulpería [pulpe'ria] *f AmL* mercearia *f*

pulpo ['pulpo] *m* polvo *m*

> **Cultura** Na América Latina, uma **pulpería** é uma mercearia que vende bebida alcoólica e onde podem ser comprados vários tipos de mercadorias. As **Pulperías** são muito semelhantes às pequenas **tiendas de pueblo** freqüentemente encontradas nas pequenas cidades da Espanha.

pulsación [pulsa'θjon] *f* ANAT pulsação *f*; **pulsaciones por minuto** toques *mpl* por minuto

pulsar [pul'sar] *vt* apertar

pulsera [pul'sera] *f* pulseira *f*

pulso ['pulso] *m* pulso *m*; **a** ~ no ar

pulverizador [pulβeriθa'ðor] *m* pulverizador *m*

pulverizar [pulβeri'θar] <z→c> *vt* pulverizar

puma ['puma] *m* onça-parda *f*

punk [punᵏ] *m* punk *m*

punta ['punta] *f* ponta *f*; **sacar ~ a un lápiz** apontar um lápis

puntada [pun'taða] *f* pontada *f*

puntal [pun'tal] *m* pontalete *m*; *fig* muleta *f*

puntapié [punta'pje] *m* pontapé *m*

puntera [pun'tera] *f* ponteira *f*, biqueira *f*

puntería [punte'ria] *f* pontaria *f*

puntero [pun'tero] *m* cinzel *m*

puntero, -a [pun'tero, -a] *adj* primeiro, -a

puntiagudo, -a [puntja'ɣuðo, -a] *adj* pontiagudo, -a

puntilla [pun'tiʎa] *f* renda *f*; **ponerse de ~s** ficar na ponta dos pés

punto ['punto] *m* ponto *m;* ~ **muerto** AUTO ponto morto; ~**s suspensivos** reticências *fpl;* ~ **y aparte** ponto e parágrafo; ~ **y coma** ponto-e-vírgula *m;* ~ **de venta** ponto-de-venda *m;* ~ **de vista** ponto de vista; **hacer** ~ tricotar; **la una en** ~ uma em ponto; **hasta cierto** ~ até certo ponto; **hasta tal** ~ **que...** a tal ponto que...; **en su** ~ GASTR no ponto; **está a** ~ **de llover** está a ponto de chover; **¡y ~!** *inf* e ponto (final)!

puntocom [punto'kom] *f* INFOR (*compañía*) ~ empresa *f* ponto-com

puntuación [puntwa'θjon] *f* pontuação *f*

puntual [puntu'al] *adj* pontual

puntualidad [puntwali'ðaθ] *f* pontualidade *f*

puntualizar [puntwali'θar] <z→c> *vt* especificar

puntuar [puntu'ar] <*1. pres:* **puntúo**> *vt* dar pontos

punzada [pun'θaða] *f* pontada *f*

punzante [pun'θante] *adj* pungente; *fig* agudo, -a

punzar [pun'θar] <z→c> *vt* furar

punzón [pun'θon] *m* punção *f*

puñado [pu'ɲaðo] *m* punhado *m*

puñal [pu'ɲal] *m* punhal *m*

puñalada [puɲa'laða] *f* punhalada *f*

puñetazo [puɲe'taθo] *m* soco *m*

puño ['puɲo] *m* punho *m;* **como ~s** *inf* (*verdad*) enorme

pupilo, -a [pu'pilo, -a] *m, f* pupilo, -a *m, f*

pupitre [pu'pitre] *m* carteira *f*

puré [pu're] *m* purê *m*

pureza [pu'reθa] *f* pureza *f*

purgar [pur'ɣar] <g→gu> *vt t.* MED purgar

purgatorio [purɣa'torjo] *m* purgatório *m*

purificación [purifika'θjon] *f* purificação *f*

purificar [purifi'kar] <c→qu> *vt* purificar

puritanismo [purita'nismo] *m* puritanismo *m*

puro ['puro] *m* charuto *m*

puro, -a ['puro, -a] *adj* puro, -a

púrpura ['purpura] *adj, f* púrpura *f*

purpurina [purpu'rina] *f* purpurina *f*

pus [pus] *m* pus *m.*

puta ['puta] *f vulg* puta *f*

putada [pu'taða] *f vulg* **¡qué ~!** que sacanagem!

putrefacción [putrefaɣ'θjon] *f* putrefação *f*

puya ['puja] *f* aguilhão *m*

puzzle ['puθle] *m* puzzle *m,* quebra-cabeça *m*

Q

Q, q [ku] *f* Q, q *m*

que [ke] **I.** *pron rel* **1.** (*con antecedente*) que; **la mujer ~ trabaja a** mulher que trabalha *f*. (*sin antecedente*) **el/la/lo ~...** o/a/o qual...; **el ~ quiera,** ~ **se marche** aquele que quiser, que se vá; **es todo lo ~ sé** é tudo o que sei; **no sabes lo difícil**

~ **es** não sabe como é difícil **3.** *(con preposición)* **de lo ~ habláis** do que falam **II.** *conj* **1.** *(completivo)* que; **me pidió ~ le ayudara** me pediu que o ajudasse **2.** *(estilo indirecto)* que; **ha dicho ~...** disse que... **3.** *(comparativo)* **más alto ~** mais alto que; **yo ~ tú...** se eu fosse você... **4.** *(explicativo)* **hoy no vendré, es ~ estoy cansado** hoje não irei, porque estou cansado **5.** *(enfático)* **¡~ sí/no!** claro que sim/não! **6.** *(exclamativo)* **¡~ me canso!** estou ficando cansado! **7.** *(con verbo)* **hay ~ trabajar más** tem que trabalhar mais; **tener ~ hacer algo** ter que fazer a. c.

qué [ke] *adj, pron interrog* **1.** *(general)* que; **¿para ~?** para quê?; **¿por ~?** por quê?; **¿~ edad tienes?** que idade você tem? **2.** *(exclamativo)* **¡~ alegría!** que alegria! **3.** **¿~?** o quê?; **¿~ tal?** como vai?; **¿y ~?** e daí?; **¿y a mí ~?** o que eu tenho a ver com isto?

quebradero [keβra'ðero] *m* **~ de cabeza** *inf* preocupação *f*

quebrado [ke'βraðo] *m* MAT fração *f*

quebrantar [keβran'tar] *vt* quebrantar

quebranto [ke'βranto] *m* debilidade *f*; *(pérdida)* perda *f*

quebrar [ke'βrar] <e→ie> **I.** *vi, vt* quebrar **II.** *vr:* **~se** quebrar-se

quechua ['ketʃwa] *adj, mf* quíchua *mf*

quedar [ke'ðar] **I.** *vi* **1.** *(permanecer)* ficar; **¿cuánta gente queda?** quantas pessoas restam? **2.** *(sobrar)* restar; **no nos queda dinero** não nos sobra dinheiro; **no queda pan** não tem mais pão **3.** *(estar)* **~ en ridículo** cair no ridículo **4.** *(faltar)* faltar; **aún queda mucho por hacer** ainda falta fazer muito **5.** *(acordar)* combinar; **quedamos a las 10** combinamos às 10 **6.** ~ **bien** ficar bem **II.** *vr:* **~se 1.** *(permanecer)* ficar; **~se atrás** ficar pra trás **2.** *(resultar)* **~se viuda** ficar viúva **3.** **~se con algo** ficar com a. c.

> **Cultura** **Quechua** é o nome dado tanto aos habitantes nativos do **Perú** quanto à sua língua. **Quechua** é a segunda língua oficial do **Perú**.

quehacer [kea'θer] *m* tarefa *f*; **los ~es de la casa** os afazeres domésticos

queja ['kexa] *f* queixa *f*

quejarse [ke'xarse] *vr* queixar-se

quejido [ke'xiðo] *m* gemido *m*

quemado [ke'maðo, -a] **I.** *pp de* **quemar** **II.** *adj* queimado, -a

quemadura [kema'ðura] *f* queimadura *f*

quemar [ke'mar] **I.** *vi, vt* queimar **II.** *vr:* **~se** queimar-se

quepo ['kepo] *1. pres de* **caber**

querella [ke'reʎa] *f* querela *f*

querellarse [kereʎarse] *vr* queixar-se

querer [ke'rer] *irr vt* **1.** *(desear)* querer; **sin ~** sem querer; **como tú quieras** como queira; **has ganado, ¿qué más quieres?** você já ganhou, o que quer mais? **2.** *(amar)* amar

querido, -a [ke'riðo, -a] *adj, m, f* que-

queroseno 206 **racimo**

rido, -a *m, f*
queroseno [kero'seno] *m* querosene *m*
queso ['keso] *m* queijo *m*
quetzal [ke⁰'θal] *m* quetzal *m*
quicio ['kiθjo] *m* quício *m;* **sacar de ~** *inf* tirar do sério
quiebra ['kjeβra] *f* COM quebra *f*
quiebro ['kjeβro] *m* esquiva *f*
quien [kjen] *pron rel* quem; **el chico de ~ te hablé** o menino de quem lhe falei; **las chicas con ~es...** as meninas com quem...; **~ más, ~ menos** uns mais, outros menos
quién [kjen] *pron interrog* quem; **¿~ es?** *(llama)* quem é?; **¿a ~ has visto?** quem você viu?; **¡~ tuviera 20 años!** se eu tivesse 20 anos!
quienquiera [kjeŋ'kjera] <quienesquiera> *pron indef* qualquer pessoa
quieto, -a [kjeto, -a] *adj* quieto, -a
quilate [ki'late] *m* quilate *m*
quilla ['kiʎa] *f* quilha *f*
quimera [ki'mera] *f* quimera *f*
química ['kimika] *f* química *f*
quince ['kinθe] *adj inv, m* quinze *m; v.t.* **ocho**
quincena [kin'θena] *f* quinzena *f*
quincuagésimo, -a [kiŋkwa'xesimo, -a] *adj* qüinquagésimo, -a; *v.t.* **octavo**
quiniela [ki'njela] *f* espécie de loteria esportiva
quinientos, -as [ki'njentos, -as] *adj* quinhentos, -as
quinqué [kiŋ'ke] *m* lamparina *f*
quinqui ['kiŋki] *mf inf* delinqüente *mf*
quinta ['kinta] *f* quinta *f*

quinto, -a ['kinto, -a] *adj* quinto, -a *v.t.* **octavo**
quiosco ['kjosko] *m* banca *f*
quirófano [ki'rofano] *m* sala *f* de cirurgia
quirúrgico, -a [ki'rurxiko, -a] *adj* cirúrgico, -a
quiso ['kiso] *3. pret de* **querer**
quisquilloso, -a [kiski'ʎoso, -a] *adj* suscetível
quiste ['kiste] *m* cisto *m*
quitar [ki'tar] I. *vt* 1. *(mancha, mesa)* tirar 2. *(robar)* tirar II. *vr:* **~se** *(ropa)* tirar; *(apartarse)* retirar-se; **~se de encima a. alguien** livrar-se de alguém; **¡quítate de mi vista** suma da minha vista
quizá(s) [ki'θa(s)] *adv* quiçá, talvez

R

R, r ['erre] *f* R, r *m*
rábano ['rraβano] *m* rabanete *m*
rabia ['rraβja] *f* raiva *f*
rabiar [rra'βjar] *vi* irritar-se
rabieta [rra'βjeta] *f inf* chilique *m*
rabino [rra'βino] *m* rabino *m*
rabioso, -a [rra'βjoso, -a] *adj* raivoso, -a
rabo ['rraβo] *m* rabo *m*
rácano, -a ['rrakano, -a] *adj, m, f inf* avarento, -a *m, f*
racha ['rratʃa] *f (de aire)* rajada *f; (fase)* período *m;* **a ~s** mais ou menos
racial [rra'θjal] *adj* racial
racimo [rra'θimo] *m* cacho *m*

aciocinio [rraθjo'θinjo] *m* raciocínio *m*
ación [rra'θjon] *f* porção *f*
acionado, -a [rraθjo'naðo, -a] *adj* racionado, -a
acional [rraθjo'nal] *adj* racional
acionalismo [rraθjona'lismo] *m* racionalismo *m*
acionalización [rraθjonaliθa'θjon] *f* racionalização *f*
acionalizar [rraθjonali'θar] <z→c> *vt* racionalizar
acionar [rraθjo'nar] *vt* racionar
acismo [rra'θismo] *m* racismo *m*
acista [rra'θista] *adj, mf* racista *mf*
adar [rra'ðar] *m* radar *m*
adiación [rraðja'θjon] *f* radiação *f*
adiactividad [rraðjaktiβi'ðað] *f* radioatividade *f*
adiador [rraðja'ðor] *m* radiador *m*
adiante [rra'ðjante] *adj* radiante
adical [rraði'kal] *adj, mf* radical *mf*
adicalización [rraðikaliθa'θjon] *f* radicalização *f*
adicalizar [rraðikali'θar] <z→c> **I.** *vt* radicalizar **II.** *vr*: ~**se** radicalizar-se
adicar [rraði'kar] <c→qu> *vi* ~ **en algo** residir em a. c.
adio¹ ['rraðjo] *f* rádio *m*
adio² ['rraðjo] *m* raio *m*
adioaficionado, -a [rraðjoafiθjo'naðo, -a] *m, f* radioamador(a) *m(f)*
adiocasete [rraðjoka'sete] *m* radiogravador *m*
adiografía [rraðjoɣra'fia] *f* radiografia *f*
adiografiar [rraðjoɣrafi'ar] <*1. pres: radiografío*> *vt* radiografar
radioterapia [rraðjote'rapja] *f* radioterapia *f*
radioyente [rraðjo'jente] *mf* radiouvinte *mf*
RAE ['rrae] *f abr de* **Real Academia Española** *Real Academia Espanhola*, ≈ ABL *f*

Cultura Desde sua criação em 1714, a **Real Academia Española** (**RAE**) faz da padronização e pureza da língua Espanhola um de seus objetivos.

ráfaga ['rrafaɣa] *f* rajada *f*
raído, -a [rra'iðo, -a] *adj* surrado, -a
rail [rra'il] *m* trilho *m*
raíz [rra'iθ] *f* raiz *f*; **a ~ de** por causa de; **tener su ~ en** ter sua origem em
raja ['rraxa] *f* rachadura *f*; (*rodaja*) fatia *f*
rajar [rra'xar] **I.** *vt* rachar **II.** *vr*: ~**se** rachar-se; *inf* dar para trás
rallador [rraʎa'ðor] *m* ralador *m*
rallar [rra'ʎar] *vt* ralar
rally ['rrali] *m* rali *m*
ralo, -a ['rralo, -a] *adj* ralo, -a
rama ['rrama] *f* ramo *m*; **andarse por las ~s** *inf* embromar
ramaje [rra'maxe] *m* ramagem *f*
rambla ['rrambla] *f* bulevar *m*
ramificación [rramifika'θjon] *f* ramificação *f*
ramificarse [rramifi'karse] <c→qu> *vr* ramificar-se
ramillete [rrami'ʎete] *m* ramalhete *m*
ramo ['rramo] *m* **1.** (*de flores*) buquê *m* **2.** (*sector*) ramo *m*

rampa ['rrampa] f rampa f
rana ['rrana] f rã f
ranchero, -a [rran'tʃero, -a] m, f rancheiro, -a m, f
rancho ['rrantʃo] m **1.** (comida) refeição f **2.** (granja) rancho m
rancio, -a ['rranθjo, -a] adj rançoso, -a; (antiguo) antigo, -a
rango ['rrango] m nível m; **de primer** ~ de primeiro escalão
ranura [rra'nura] f ranhura f
rapapolvo [rrapa'polβo] f bronca f
raparse [rra'parse] vr rapar-se
rapaz [rra'paθ] f ave f de rapina
rape ['rrape] m ZOOL peixe-pescador m
rapidez [rrapi'ðeθ] f rapidez f
rápido, -a ['rrapiðo, -a] adj rápido, -a
rapiña [rra'pina] f rapina f
raptar [rrap'tar] vt raptar
rapto ['rrapto] m rapto m
raqueta [rra'keta] f raquete f
raquítico, -a [rra'kitiko, -a] adj raquítico, -a m, f
rareza [rra'reθa] f raridade f
raro, -a ['rraro, -a] adj estranho, -a
ras [rras] m **al** ~ ao rés; **a** ~ **del agua** rente à água
rascacielos [rraska'θjelos] m inv arranha-céus m inv
rascar [rras'kar] <c→qu> I. vt coçar II. vr: ~**se** coçar-se
rasgar [rras'ɣar] <g→gu> I. vt rasgar II. vr: ~**se** rasgar-se
rasgo ['rrasɣo] m traço m
rasguño [rras'ɣuɲo] m arranhão m
raspado [rras'paðo] m MED curetagem f

raspar [rras'par] vt raspar
rastra ['rrastra] f **a** ~**s** fig a contragosto
rastrear [rrastre'ar] vt rastrear
rastrero, -a [rras'trero, -a] adj vulgar
rastrillo [rras'triʎo] m rastelo m
rastro ['rrastro] m rastro m
rastrojo [rras'troxo] m restolho m
rasurar [rrasu'rar] I. vt barbear II. vr: ~**se** barbear-se
rata ['rrata] f rato m
ratero, -a [rra'tero, -a] m, f inf larápio, -a m, f
raticida [rrati'θiða] m raticida m
ratificar [rratifi'kar] <c→qu> vt ratificar
rato ['rrato] m momento m; **a** ~**s** às vezes; **a cada** ~ com freqüência; **al (poco)** ~ (pouco) depois; **de** ~ **en** ~ de vez em quando; **todo el** ~ o tempo todo; **pasar un buen** ~ passar um bom pedaço; **pasar el** ~ matar o tempo
ratón [rra'ton] m rato m; INFOR mouse m
raudal [rrau'ðal] m caudal m ou f; ~**es** em abundância
raya ['rraja] f **1.** (línea) linha f; **a** ~ de listas; **pasarse de la** ~ inf ir longe demais **2.** (del pelo) risca f **3.** (pez) arraia f
rayar [rra'jar] I. vt riscar II. vi fazer limite
rayo ['rrajo] m raio m; ~**s X** raios X
saber a ~**s** inf ter o sabor ruim
raza ['rraθa] f raça f
razón [rra'θon] f razão f; **en** ~ **de** por causa de
razonable [rraθo'naβle] adj razoável

razonamiento [rraθona'mjento] *m* raciocínio *m*

razonar [rraθo'nar] *vi*, *vt* raciocinar

RDSI [erreðe(e)se'i] *f abr de* **Red Digital de Servicios Integrados** RDSI *f*

re [rre] *m* MÚS ré *m*

reacción [rreaɣ'θjon] *f* reação *f*

reaccionar [rreaɣθjo'nar] *vi* reagir

reaccionario, -a [rreaɣθjo'narjo, -a] *adj*, *m*, *f* reacionário, -a *m*, *f*

reacio, -a [rre'aθjo, -a] *adj* resistente

reactivación [rreaktiβa'θjon] *f* reativação *f*

reactivar [rreakti'βar] *vt* reativar

reactor [rreak'tor] *m* reator *m*

readaptación [rreaðapta'θjon] *f* readaptação *f*

readaptar [rreaðap'tar] **I.** *vt* readaptar **II.** *vr*: **~se** readaptar-se

readmitir [rreaðmi'tir] *vt* readmitir

reafirmar [rreafir'mar] **I.** *vt* reafirmar **II.** *vr*: **~se** reafirmar; **~se en algo** reafirmar a. c.

reagrupar [rreaɣru'par] *vt* reagrupar

reajustar [rreaxus'tar] *vt* reajustar

real [rre'al] *adj* real

realeza [rrea'leθa] *f* realeza *f*

realidad [reali'ðað] *f* realidade *f*

realismo [rrea'lismo] *m* realismo *m*

realista [rrea'lista] *adj*, *mf* realista *mf*

realización [rrealiθa'θjon] *f* realização *f*; CINE direção *f*

realizador(a) [rrealiθa'ðor(a)] *m(f)* diretor(a) *m(f)*

realizar [rreali'θar] <z→c> **I.** *vt* realizar; CINE dirigir **II.** *vr*: **~se** realizar-se

realquilar [rrealki'lar] *vt* sublocar

realzar [rreal'θar] <z→c> *vt* realçar

reanimación [rreanima'θjon] *f* reanimação *f*

reanimar [rreani'mar] **I.** *vt* reanimar **II.** *vr*: **~se** reanimar-se

reanudación [rreanuða'θjon] *f* retomada *f*

reanudar [rreanu'ðar] **I.** *vt* retomar **II.** *vr*: **~se** retomar-se

reaparecer [rreapare'θer] *vi* reaparecer

reaparición [rreapari'θjon] *f* reaparição *f*

reapertura [rreaper'tura] *f* reabertura *f*

reavivar [rreaβi'βar] **I.** *vt* reavivar **II.** *vr*: **~se** reavivar-se

rebaja [rre'βaxa] *f* (*oferta*) liquidação *f*; (*descuento*) desconto *m*

rebajar [rreβa'xar] **I.** *vt* rebaixar **II.** *vr*: **~se** rebaixar-se

rebanada [rreβa'naða] *f* fatia *f*

rebaño [rre'βaɲo] *m* rebanho *m*

rebasar [rreβa'sar] *vt* ultrapassar

rebatir [rreβa'tir] *vt* rebater

rebelarse [rreβe'larse] *vr* rebelar-se

rebelde [rre'βelde] *adj*, *mf* rebelde *mf*

rebelión [rreβe'ljon] *f* rebelião *f*

reblandecer [rreβlande'θer] *irr como* **crecer I.** *vt* amolecer **II.** *vr*: **~se** amolecer-se

rebobinar [rreβoβi'nar] *vt* rebobinar

rebosar [rreβo'sar] *vi* transbordar

rebotar [rreβo'tar] *vi* quicar

rebote [rre'βote] *m* rebote *m*; **de ~** *inf* por tabela

rebozar [rreβo'θar] <z→c> *vt* empanar

rebuscado, -a [rreβusˈkaðo, -a] *adj* rebuscado, -a

rebuznar [rreβuθˈnar] *vi* zurrar

recado [rreˈkaðo] *m* recado *m*; (*encargo*) tarefa *f*

recaer [rrekaˈer] *irr como* caer *vi* (*enfermedad*) recair; (*delito*) reincidir; (*error*) repetir

recaída [rrekaˈiða] *f* recaída *f*

recalcar [rrekalˈkar] <c→qu> *vt* enfatizar

recalentar [rrekalenˈtar] <e→ie> *vt* requentar

recambio [rreˈkambjo] *m* substituição *f*

recapacitar [rrekapaθiˈtar] *vi* recapacitar

recapitular [rrekapituˈlar] *vt* recapitular

recargable [rrekarˈɣaβle] *adj* (*pila*) recarregável

recargado, -a [rrekarˈɣaðo, -a] *adj* carregado, -a

recargar [rrekarˈɣar] <g→gu> *vt* carregar

recargo [rreˈkarɣo] *m* sobretaxa *f*

recatado, -a [rrekaˈtaðo, -a] *adj* recatado, -a

recato [rreˈkato] *m* recato *m*

recaudación [rrekauˌðaˈθjon] *f* arrecadação *f*

recaudar [rrekauˈðar] *vt* arrecadar

recelar [rreθeˈlar] *vi* desconfiar

recelo [rreˈθelo] *m* receio *m*

recepción [rreθepˈθjon] *f* recepção *f*

recepcionista [rreθepθjoˈnista] *mf* recepcionista *mf*

receptáculo [rreθepˈtakulo] *m* receptáculo *m*

receptor [rreθepˈtor] *m* receptor *m*

recesión [rreθeˈsjon] *f* recessão *f*

receta [rreˈθeta] *f* receita *f*

recetar [rreθeˈtar] *vt* receitar

rechazar [rretʃaˈθar] <z→c> *vt* rechaçar

rechazo [rreˈtʃaθo] *m* rechaço *m*

rechinar [rretʃiˈnar] *vi* ranger

rechistar [rretʃisˈtar] *vi* reclamar

rechupete [rretʃuˈpete] **de ~** *inf* de lamber os beiços

recibidor [rreθiβiˈðor] *m* hall *m* de entrada

recibir [rreθiˈβir] *vt* receber

recibo [rreˈθiβo] *m* recibo *m*; **no ser de ~** não ser aceitável

reciclaje [rreθiˈklaxe] *m* reciclagem *f*

reciclar [rreθiˈklar] *vt* reciclar

recién [rreˈθjen] *adv* recém

recinto [rreˈθinto] *m* recinto *m*

recipiente [rreθiˈpjente] *m* recipiente *m*

recíproco, -a [rreˈθiproko, -a] *adj* recíproco, -a

recital [rreθiˈtal] *m* recital *m*

recitar [rreθiˈtar] *vt* recitar

reclamación [rreklamaˈθjon] *f* reclamação *f*

reclamar [rrekla'mar] *vi, vt* reclamar

reclamo [rreˈklamo] *m* reclamo *m*; COM propaganda *f*

reclinar [rrekliˈnar] I. *vt* reclinar II. *vr*: **~se** reclinar-se

reclusión [rrekluˈsjon] *f* reclusão *f*

recluta [rreˈkluta] *mf* recruta *mf*

recobrar [rrekoˈβrar] I. *vt* recobrar II. *vr*: **~se** recobrar-se

recodo [rre'koðo] m curva f
recogedor [rrekoxe'ðor] m pá f
recoger [rreko'xer] <g→j> vt 1. (*buscar*) buscar 2. (*coger*) recolher; (*cosecha*) colher 3. (*cabello*) prender
recolección [rrekoleɣ'θjon] f colheita f
recolectar [rrekolek'tar] vt colher
recomendación [rrekomeṇda'θjon] f recomendação f
recomendar [rrekomeṇ'dar] <e→ie> vt recomendar
recompensa [rrekom'pensa] f recompensa f
recompensar [rrekompen'sar] vt recompensar
reconciliación [rrekoṇθilja'θjon] f reconciliação f
reconciliar [rrekoṇθi'ljar] I. vt reconciliar II. vr: ~se reconciliar-se
recóndito, -a [rre'koṇdito, -a] adj recôndito, -a
reconocer [rrekono'θer] irr como crecer vt reconhecer
reconocimiento [rrekonoθi'mjeṇto] m reconhecimento m; MED exame m
reconquista [rrekoŋ'kista] f reconquista f

Cultura A **Reconquista** terminou após oito séculos de ocupação moura, através da retomada do Reino de **Granada**. Durante oito séculos o único objetivo dos soberanos cristãos foi a retirada dos árabes da **Península Ibérica**. Aqueles mouros e judeus que quisessem permanecer na Espanha tiveram que se converter ao cristianismo.

reconsiderar [rrekonsiðe'rar] vt reconsiderar
reconstrucción [rrekoⁿstruɣ'θjon] f reconstrução f
reconstruir [rrekoⁿstru'ir, rrekoⁿs'trwir] irr como huir vt reconstruir
recopilar [rrekopi'lar] vt compilar
récord ['rrekor<(dh)>] <récords> m recorde m
recordar [rrekor'ðar] <o→ue> vi, vt recordar
recorrer [rreko'rrer] vt percorrer
recortar [rrekor'tar] vt recortar; (*uñas*) cortar
recorte [rre'korte] m recorte m; (*reducción*) corte m
recreación [rrekrea'θjon] f recreação f
recrear [rrekre'ar] I. vt recriar II. vr: ~se divertir-se
recreativo, -a [rrekrea'tiβo, -a] adj creativo, -a
recreo [rre'kreo] m recreio m
recriminar [rrekrimi'nar] vt recriminar
recrudecer [rrekruðe'θer] irr como crecer I. vi recrudescer II. vr: ~se recrudescer
recta ['rrekta] f reta f
rectángulo [rrek'taŋgulo] m retângulo m
rectificar [rrektifi'kar] <c→qu> vt retificar
recto, -a ['rrekto, -a] adj reto, -a
rector(a) [rrek'tor(a)] m(f) UNIV reitor(a) m(f)
recuadro [rre'kwaðro] m quadro f
recubrir [rreku'βrir] irr como abrir vt

recuento [rre'kwento] *m* recontagem *f*

recuerdo [rre'kwerðo] *m* lembrança *f*; *(de un viaje)* recordação *f*; **dales ~s de mi parte** dê-lhes lembranças de minha parte

recular [rreku'lar] *vi inf* recuar

recuperación [rrekupera'θjon] *f* recuperação *f*

recuperar [rrekupe'rar] **I.** *vt* recuperar **II.** *vr:* **~se** recuperar-se

recurrir [rreku'rrir] *vi, vt* recorrer

recurso [rre'kurso] *m* JUR recurso *m*

red [rreð] *f* rede *f*; **la Red** (*Internet*) a Rede; **~ informática** rede de computadores

redacción [rreðaɣ'θjon] *f* redação *f*

redactar [rreðak'tar] *vt* redigir

redactor(a) [rreðak'tor(a)] *m(f)* redator(a) *m(f)*

redada [rre'ðaða] *f* blitz *f*

redimir [rreði'mir] **I.** *vt* redimir **II.** *vr:* **~se** redimir-se

redistribución [rreðistriβu'θjon] *f* redistribuição *f*

redistribuir [rreðistri'βwir] *vt* redistribuir

redoblar [rreðo'βlar] *vt* redobrar

redonda [rre'ðonda] *f* **en tres kilómetros a la ~** num raio de três quilômetros

redondear [rreðonde'ar] *vt* arredondar

redondel [rreðon'del] *m* círculo *m*

redondo, -a [rre'ðondo, -a] *adj* redondo, -a; **negarse en ~** *inf* negar-se terminantemente

reducción [rreðuɣ'θjon] *f* redução *f*

reducir [rreðu'θir] **I.** *vt* reduzir **II.** *vr:* **~se** reduzir-se

redundante [rreðun'dante] *adj* redundante

reelegir [rre(e)le'xir] *irr como elegir vt* reeleger

reembolso [rre(e)m'bolso] *m* **contra ~** por reembolso postal

reemplazar [rre(e)mpla'θar] <z→c> *vt* substituir

reestructurar [rre(e)struktu'rar] *vt* reestruturar

referencia [rrefe'renθja] *f* referência *f*

referéndum [rrefe'rendun] <referéndums> *m* referendo *m*

referente [rrefe'rente] *adj* **~ a...** referente a...; **en lo ~ a...** no que diz respeito a...

referir [rrefe'rir] *irr como sentir vt* referir; *(remitir)* remeter

refinamiento [rrefina'mjento] *m* refinamento *m*

refinería [rrefine'ria] *f* refinaria *f*

reflejar [rrefle'xar] **I.** *vt* refletir **II.** *vr:* **~se** refletir-se

reflejo [rre'flexo] *m* reflexo *m*

reflexión [rrefleɣ'sjon] *f* reflexão *f*

reflexionar [rrefleɣsjo'nar] *vi, vt* refletir

reforma [rre'forma] *f* reforma *f*

reformar [rrefor'mar] **I.** *vt* reformar **II.** *vr:* **~se** reformar-se

reformatorio [rreforma'torjo] *m* reformatório *m*

reforzar [rrefor'θar] *irr como forzar vt* reforçar

refrán [rre'fran] *m* provérbio *m*

refrenar [rrefre'nar] I. *vt* refrear II. *vr:* ~**se** refrear-se
refrescante [rrefres'kante] *adj* refrescante
refrescar [rrefres'kar] I. *vi, vt, vimpers* refrescar II. *vr:* ~**se** refrescar-se
refresco [rre'fresko] *m* refresco *m*
refriega [rre'frjeɣa] *f* refrega *f*
refrigeración [rrefrixera'θjon] *f* refrigeração *f*
refrigerar [rrefrixe'rar] *vt* refrigerar
refuerzo [rre'fwerθo] *m* reforço *m*
refugiado, -a [rrefu'xjaðo, -a] *adj, m, f* refugiado, -a *m, f*
refugiarse [rrefu'xjarse] *vr* refugiar-se
refugio [rre'fuxjo] *m* refúgio *m*
refutar [rrefu'tar] *vt* refutar
regadera [rreɣa'ðera] *f* regador *m;* **como una ~** *inf* pirado
regadío [rreɣa'ðio] *m* terra *f* regada
regalado, -a [rreɣa'laðo, -a] *adj* barato, -a
regalar [rreɣa'lar] *vt* presentear
regaliz [rreɣa'liθ] *m* alcaçuz *m*
regalo [rre'ɣalo] *m* presente *m*
regañadientes [rreɣaɲa'ðjentes] **a ~** a contragosto
regañar [rreɣa'ɲar] I. *vt* repreender II. *vi* brigar
regar [rre'ɣar] *irr como fregar vt* regar
regata [rre'ɣata] *f* DEP regata *f*
regatear [rreɣate'ar] I. *vi* regatear; *(con balón)* driblar II. *vt* regatear
regeneración [rrexenera'θjon] *f* regeneração *f*
regenerar [rrexene'rar] I. *vt* regenerar II. *vr:* ~**se** regenerar-se

regentar [rrexen'tar] *vt* administrar
régimen [rreximen] *m* <**regímenes**> regime *m*
regimiento [rrexi'mjento] *m* regimento *m*
región [rre'xjon] *f* região *f*
regional [rrexjo'nal] *adj* regional
regir [rre'xir] *irr como elegir vt* dirigir
registrador(a) [rrexistra'ðor(a)] *m(f)* registrador(a) *m(f)*
registrar [rrexis'trar] I. *vt* 1. *(examinar)* pesquisar 2. *(inscribir)* registrar II. *vr:* ~**se** 1. *(inscribirse)* registrar-se 2. *(observarse)* examinar-se
registro [rre'xistro] *m* registro *m*
regla [rreɣla] *f* 1. *(instrumento)* régua *f* 2. *(norma)* regra *f;* **estar en ~** estar em ordem; **por ~ general** por via de regra 3. *inf* **estar con la ~** estar menstruada
reglamentar [rreɣlamen'tar] *vt* regulamentar
reglamento [rreɣla'mento] *m* regulamento *m*
reglar [rre'ɣlar] *vt* regrar
regresar [rreɣre'sar] *vi* regressar
regresivo, -a [rreɣre'siβo, -a] *adj* regressivo, -a
regreso [rre'ɣreso] *m* regresso *m*
reguero [rre'ɣero] *m* rastro *m*
regulación [rreɣula'θjon] *f* regularização *f*
regulador [rreɣula'ðor] *m* regulador *m*
regular [rreɣu'lar] I. *adj* regular; **por lo ~** por via de regra II. *vt* regular
regularidad [rreɣulari'ðað] *f* regularidade *f*

regularizar [rreɣulari'θar] <z→c> vt regularizar

rehabilitar [rreaβili'tar] vt reabilitar

rehacer [rrea'θer] irr como hacer I. vt refazer II. vr: ~**se** refazer-se

rehén [rre'en] m refém mf

rehuir [rreu'ir] irr como huir vt evitar

reina ['rreina] f rainha f

reinado [rrei'naðo] m reinado m

reinar [rrei'nar] vi reinar

reincidir [rreinθi'ðir] vi reincidir

reincorporarse [rreiŋkorpo'rarse] vr reincorporar-se

reinicializar [rreiniθjali'θar] <z→c> vt INFOR reinicializar

reino ['rreino] m reino m; **Reino Unido** Reino Unido

reinserción [rreinser'θjon] f reinserção f

reinsertar [rreinser'tar] vt reinserir

reinstaurar [rreinstau'rar] vt reimplantar

reintegración [rreinteɣra'θjon] f reintegração f

reintegrar [rreinte'ɣrar] I. vt reintegrar II. vr: ~**se** reintegrar-se

reintegro [rrein'teɣro] m reintegração f

reír [rre'ir] irr I. vi rir; **echarse a ~** cair na risada II. vr: ~**se** rir

reiterar [rreite'rar] vt reiterar

reivindicación [rreiβindika'θjon] f reivindicação f

reivindicar [rreiβindi'kar] <c→qu> vt reivindicar

reja ['rrexa] f grade f

relación [rrela'θjon] f relação f; **relaciones públicas** relações públicas; **guardar ~ con** corresponder a; **han roto sus relaciones** cortaram relações

relacionar [rrelaθjo'nar] vt relacionar

relajación [rrelaxa'θjon] f relaxamento m

relajado, -a [rrela'xaðo, -a] adj relaxado, -a

relajante [rrela'xante] adj relaxante

relajar [rrela'xar] I. vt relaxar II. vr: ~**se** relaxar-se

relamer [rrela'mer] I. vt lamber II. vr: ~**se** lamber-se

relámpago [rre'lampaɣo] m relâmpago m

relampaguear [rrelampaɣe'ar] vi, vimpers relampejar

relatar [rrela'tar] vt relatar

relativizar [rrelatiβi'θar] vt relativizar

relativo, -a [rrela'tiβo, -a] adj relativo, -a

relato [rre'lato] m relato m

relax [rre'laˠs] m relax m

relegar [rrele'ɣar] <g→gu> vt relegar

relevancia [rrele'βanθja] f relevância f

relevante [rrele'βante] adj relevante

relevar [rrele'βar] I. vt **1.** (liberar) liberar **2.** (destituir) destituir; (reemplazar) substituir II. vr: ~**se** substituir

relevo [rre'leβo] m (pl) DEP revezamento m; MIL troca f

relieve [rre'ljeβe] m relevo m; fig (renombre) reputação f; **poner de ~** pôr em relevo

religión [rreli'xjon] f religião f

religiosidad [rrelixjosi'ðað] f religiosi-

dade *f*
religioso, -a [rreli'xjoso, -a] *adj, m, f* religioso, -a *m, f*
relinchar [relin't∫ar] *vi* relinchar
reliquia [rre'likja] *f* relíquia *f*
rellano [rre'ʎano] *m* patamar *m*
rellenar [rreʎe'nar] *vt* (re)encher; (*completar*) preencher
relleno [rre'ʎeno] *m* recheio *m*
reloj [rre'lox] *m* relógio *m*; ~ **de arena** ampulheta *f*; ~ **despertador** despertador *m*; ~ **de pulsera** relógio de pulso
relojero, -a [rrelo'xero, -a] *m, f* relojoeiro, -a *m, f*
reluciente [rrelu'θjente] *adj* reluzente
relucir [rrelu'θir] *irr como lucir vi* reluzir; **salir a** ~ trazer à tona
relumbrar [rrelum'brar] *vi* reluzir
remachar [rrema't∫ar] *vt* martelar; (*subrayar*) realçar
remanente [rrema'nente] *m* saldo *m*
remangar [rrema'ŋgar] <g→gu> **I.** *vt* arremangar **II.** *vr:* **~se** arremangar-se
remar [rre'mar] *vi* remar
rematar [rrema'tar] *vt* rematar; DEP arrematar
remate [rre'mate] *m t.* DEP arremate *m*; **loco de** ~ *inf* louco de pedra
remediar [rreme'ðjar] *vt* remediar
remedio [rre'meðjo] *m* remédio *m*; **sin** ~ (*inútil*) irremediável; (*sin falta*) inevitável
remendar [rremen'dar] <e→ie> *vt* remendar
remiendo [rre'mjendo] *m* remendo *m*
remilgo [rre'milɣo] *m* cerimônia *f*

reminiscencia [rreminis'θenθja] *f* reminiscência *f*
remitente [rremi'tente] *mf* remetente *mf*
remitir [rremi'tir] *vt* enviar
remo ['rremo] *m* remo *m*
remodelación [rremoðela'θjon] *f* remodelação *f*
remodelar [rremoðe'lar] *vt* remodelar
remojar [rremo'xar] *vt* molhar
remojo [re'moxo] *m* molho *m*
remolacha [rremo'lat∫a] *f* beterraba *f*
remolcador [rremolka'ðor] *m* rebocador *m*
remolcar [rremol'kar] <c→qu> *vt* rebocar
remolino [rremo'lino] *m* remoinho *m*
remolque [rre'molke] *m* reboque *m*
remontar [rremon'tar] **I.** *vt* **1.** (*superar*) vencer **2.** (*subir*) subir **II.** *vr:* **~se** remontar-se
remorder [rremor'ðer] <o→ue> *vt* remoer
remordimiento [rremorði'mjento] *m* remorso *m*
remoto, -a [rre'moto, -a] *adj* remoto, -a
remover [rremo'βer] <o→ue> *vt* (*mover*) revolver; (*agitar*) mexer
remuneración [rremunera'θjon] *f* remuneração *f*
remunerar [rremune'rar] *vt* remunerar
renacer [rrena'θer] *irr como crecer vi* renascer
renacimiento [rrenaθi'mjento] *m t.* ARTE renascimento *m*
renacuajo [rrena'kwaxo] *m* girino *m*;

inf (niño) pirralho, -a *m, f*
rencilla [rreɲ'θiʎa] *f* desavença *f*
rencor [rreŋ'kor] *m* rancor *m*
rencoroso, -a [rreŋko'roso, -a] *adj* rancoroso, -a
rendición [rreṇdi'θjon] *f* rendição *f*
rendido, -a [rreṇ'diðo, -a] *adj* rendido, -a
rendija [rreɲ'dixa] *f* fresta *f*
rendimiento [rreṇdi'mjeṇto] *m* rendimento *m*
rendir [rreṇ'dir] *irr como pedir* **I.** *vt* render **II.** *vr:* ~**se** render-se
renegado, -a [rrene'ɣaðo, -a] *adj, m, f* renegado, -a *m, f*
renegar [rrene'ɣar] *irr como fregar vi, vt* renegar
renegociación [rreneɣoθja'θjon] *f* renegociação *f*
renegociar [rreneɣo'θjar] *vt* renegociar
RENFE ['rremfe] *f abr de* **Red Nacional de Ferrocarriles Españoles** Companhia *f* Estatal Ferroviária Espanhola
renglón [rreŋ'glon] *m* linha *f*; **a ~ seguido** em seguida
reno ['rreno] *m* rena *f*
renombrado, -a [rrenom'braðo, -a] *adj* renomado, -a
renombre [rre'nombre] *m* renome *m*
renovable [rreno'βaβle] *adj* renovável
renovación [rrenoβa'θjon] *f* renovação *f*
renovar [rreno'βar] <o→ue> *vt* renovar
renta ['rreṇta] *f* renda *f*
rentabilidad [rreṇtaβili'ðað] *f* rentabilidade *f*
rentable [rreṇ'taβle] *adj* rentável
renuencia [rre'nweṇθja] *f* resistência *f*
renuncia [rre'nuṇθja] *f* renúncia *f*
renunciar [rrenuṇ'θjar] *vi* renunciar
reñido, -a [rre'ɲiðo, -a] *adj (enojado)* brigado, -a; *(encarnizado)* obstinado, -a
reñir [rre'ɲir] *irr como ceñir* **I.** *vi* brigar **II.** *vt* repreender
reo, -a ['rreo, -a] *m, f* réu, ré *m, f*
reojo [rre'oxo] *m* **mirar de ~** olhar de soslaio
reorganización [rreorɣaniθa'θjon] *f* reorganização *f*
reorganizar [rreorɣani'θar] <z→c> *vt* reorganizar
reparación [rrepara'θjon] *f* conserto *m*; *(indemnización)* reparação *f*
reparar [rrepa'rar] **I.** *vt* consertar; *(indemnizar)* reparar **II.** *vi* ~ **en algo** reparar em a. c.
reparo [rre'paro] *m (dificultad)* problema *m; (objeción)* objeção *f*; **me da ~ decírselo** tenho receio de dizer isso a ele
repartidor(a) [rreparti'ðor(a)] *m(f)* distribuidor(a) *m(f)*
repartir [rrepar'tir] *vt* distribuir
reparto [rre'parto] *m* distribuição *f*; TEAT elenco *m*
repasar [rrepa'sar] *vt* repassar; *(cuenta)* conferir
repaso [rre'paso] *m* revisão *f*
repatriación [rrepatrja'θjon] *f* repa-

triação *f*
repatriar [rrepa'trjar] *vt* repatriar
repelente [rrepe'lẹnte] *adj* repelente
repeler [rrepe'ler] *vt* **1.** (*rechazar*) repelir **2.** (*repugnar*) repugnar
repente [rre'pẹnte] *m* **de** ~ de repente
repercusión [rreperku'sjon] *f* repercussão *f*
repercutir [rreperku'tir] *vi* repercutir
repertorio [rreper'torjo] *m* repertório *m*
repetición [rrepeti'θjon] *f* repetição *f*
repetido, -a [rrepe'tiðo, -a] *adj* repetido, -a
repetir [rrepe'tir] *irr como pedir* **I.** *vi, vt* repetir **II.** *vr*: ~**se** repetir-se
repicar [rrepi'kar] <c→qu> *vi, vt* repicar
repiquetear [rrepikete'ar] *vi* repicar
repisa [rre'pisa] *f* consolo *m*
replantar [rreplan'tar] *vt* replantar
replanteamiento [rreplantea'mjẹnto] *f* reconsideração *f*
replantear [rreplante'ar] *vt* reconsiderar
replegar [rreple'ɣar(se)] *irr como fregar* **I.** *vt* retirar **II.** *vr*: ~**se** isolar-se
repleto, -a [rre'pleto, -a] *adj* repleto, -a
réplica ['rreplika] *f* réplica *f*
replicar [rrepli'kar] <c→qu> *vi, vt* replicar
repliegue [rre'pljeɣe] *m* retirada *f*
repoblación [rrepoβla'θjon] *f* repovoamento *m*; ~ **forestal** reflorestamento *m*
repoblar [rrepo'βlar] <o→ue> *vt* repovoar
repollo [rre'poʎo] *m* repolho *m*
reponer [rrepo'ner] *irr como poner* **I.** *vt* repor **II.** *vr*: ~**se** recompor-se
reportaje [rrepor'taxe] *m* reportagem *f*
reportero, -a [rrepor'tero, -a] *m, f* repórter *mf*
reposado, -a [rrepo'saðo, -a] *adj* sossegado, -a
reposar [rrepo'sar] *vi* repousar
reposición [rreposi'θjon] *f* reposição *f*
reposo [rre'poso] *m* repouso *m*
repostar [rrepos'tar] *vi, vt* reabastecer
repostería [rreposte'ria] *f* confeitaria *f*
reprender [rrepren'der] *vt* repreender
represalia [rrepre'salja] *f* represália *f*
representación [rrepresenta'θjon] *f* representação *f*
representante [rrepresen'tante] *mf* representante *mf*; (*de actor*) empresário, -a *m, f*
representar [rrepresen'tar] *vt* representar
representativo, -a [rrepresenta'tiβo, -a] *adj* representativo, -a
represión [rrepre'sjon] *f* repressão *f*
represivo, -a [rrepre'siβo, -a] *adj* repressivo, -a
reprimenda [rrepri'mẹnda] *f* reprimenda *f*
reprimido, -a [rrepri'miðo, -a] *adj* reprimido, -a
reprimir [rrepri'mir] **I.** *vt* reprimir **II.** *vr*: ~**se** reprimir-se
reprobable [rrepro'βaβle] *adj* reprovável

reprobación [rreproβa'θjon] *f* reprovação *f*

reprobar [rrepro'βar] <o→ue> *vt* reprovar

reprochar [rrepro'tʃar] I. *vt* censurar II. *vr*: ~**se** censurar-se

reproche [rre'protʃe] *m* censura *f*

reproducción [rreproðuᵞ'θjon] *f* reprodução *f*

reproducir [rreproðu'θir] *irr como* traducir I. *vt* reproduzir II. *vr*: ~**se** reproduzir-se

reproductor(a) [rreproðuk'tor(a)] *adj* reprodutor(a)

reptar [rrep'tar] *vi* rastejar

reptil [rrep'til] *m* réptil *m*

república [rre'puβlika] *f* república *f*; **República Dominicana** República Dominicana

repudiar [rrepu'ðjar] *vt* repudiar

repuesto, -a [rre'pwesto, -a] *pp de* **reponer**

repugnancia [rrepuᵞ'nanθja] *f* repugnância *f*

repugnante [rrepuᵞ'nante] *adj* repugnante

repugnar [rrepuᵞ'nar] *vi* repugnar

repujar [rrepu'xar] *vt* lavrar

repulsa [rre'pulsa] *f* repulsa *f*

repulsivo, -a [rrepul'siβo, -a] *adj* repulsivo, -a

reputación [rreputa'θjon] *f* reputação *f*

reputado, -a [rrepu'taðo, -a] *adj* reputado, -a

requerimiento [rrekeri'mjento] *m* pedido *m*; **a ~ de...** a pedido de...

requerir [rreke'rir] *irr como* sentir *vt* requerer

requesón [rreke'son] *m* requeijão *m*

requisar [rreki'sar] *vt* vistoriar

requisito [rreki'sito] *m* requisito *m*

res [rres] *f* rês *f*

resaca [rre'saka] *f* ressaca *f*

resaltar [rresal'tar] *vi, vt* ressaltar

resarcir [rresar'θir] <c→z> I. *vt* ressarcir II. *vr*: ~**se** ressarcir-se

resbalar [rresβa'lar] *vi* escorregar

resbalón [rresβa'lon] *m* escorregão *m*

rescatar [rreska'tar] *vt* resgatar

rescate [rres'kate] *m* resgate *m*

rescindir [rresθin'dir] *vt* rescindir

rescisión [rresθi'sjon] *f* rescisão *f*

resecar [rrese'kar] <c→qu> *vt* ressecar

resentimiento [rresenti'mjento] *m* ressentimento *m*

resentirse [rresen'tirse] *irr como* sentir *vr* ressentir-se

reseña [rre'seɲa] *f* resenha *f*

reseñar [rrese'ɲar] *vt* resenhar

reserva [rre'serβa] I. *f* reserva *f*; ~ **nacional** parque *m* nacional II. *mf* DEP reserva *mf*

reservado, -a [rreser'βaðo, -a] *adj* reservado, -a

reservar [rreser'βar] *vt* reservar

resfriado [rresfri'aðo] *m* resfriado *m*

resfriarse [rresfri'arse] <3. *pres*: **se resfría**> *vr* resfriar-se

resguardar [rresɣwar'ðar] I. *vt* resguardar II. *vr*: ~**se** resguardar-se

residencia [rresi'ðenθja] *f* residência *f*; ~ **de ancianos** asilo *m* de idosos; ~ **de estudiantes** república *f*

residencial [rresiðen'xjal] *adj* resi-

dencial
residente [rresi'ðente] *adj, mf* residente *mf*
residir [rresi'ðir] *vi* residir
residual [rresiðu'al] *adj* residual
residuo [rre'siðwo] *m* resíduo *m*
resignación [rresiɣna'θjon] *f* resignação *f*
resignarse [rresiɣ'narse] *vr* resignar-se
resina [rre'sina] *f* resina *f*
resistencia [rresis'tenθja] *f* resistência *f*
resistente [rresis'tente] *adj* resistente
resistir [rresis'tir] I. *vi* resisitir; **¡no lo resisto más!** não o suporto mais! II. *vt* resistir; *(aguantar)* suportar III. *vr*: ~**se a algo** resistir a a. c.
resollar [rreso'ʎar] *vi* ofegar
resolución [rresolu'θjon] *f* resolução *f*; JUR decisão *f* judicial
resolver [rresol'ßer] *irr como volver* I. *vt* resolver; *(decidir)* decidir II. *vr*: ~**se** resolver-se; *(decidirse)* decidir-se
resonancia [rreso'nanθja] *f* ressonância *f*; *fig* ter repercussão
resonar [rreso'nar] <o→ue> *vi* ressoar
resorte [rre'sorte] *m* mola *f*; *(medio)* meio *m*
respaldar [rrespal'dar] I. *vt* sustentar II. *vr*: ~**se** encostar-se
respaldo [rres'paldo] *m* encosto *m*; *(apoyo)* apoio *m*
respectivo, -a [rrespek'tiβo, -a] *adj* respectivo, -a
respecto [rres'pekto] *m* **al** ~ e este respeito; **con** ~ **a** com respeito a
respetable [rrespe'taβle] *adj* respeitável
respetar [rrespe'tar] *vt* respeitar
respeto [rres'peto] *m* respeito *m*
respetuoso, -a [rrespetu'oso, -a] *adj* respeitoso, -a
respingo [rres'pingo] *m* **dar un** ~ dar um pulo
respiración [rrespira'θjon] *f* respiração *f*
respirar [rrespi'rar] I. *vi* respirar; **sin** ~ *fig* sem parar II. *vt* respirar
respiro [rres'piro] *m* respiro *m*; *(alivio)* alívio *m*
resplandecer [rresplande'θer] *irr como crecer* *vi* resplandecer
resplandeciente [rresplande'θjente] *adj* resplandecente
resplandor [rresplan'dor] *m* resplendor *m*
responder [rrespon'der] *vi, vt* responder
respondón, -ona [rrespon'don, -ona] *adj inf* respondão, -ona
responsabilidad [rresponsaβili'ðað] *f* responsabilidade *f*
responsabilizar [rresponsaβili'θar] <z→c> I. *vt* responsabilizar II. *vr*: ~**se** responsabilizar-se
responsable [rrespon'saβle] *adj* responsável
respuesta [rres'pwesta] *f* resposta *f*
resquebrajar [rreskeβra'xar] I. *vt* rachar II. *vr*: ~**se** rachar-se
resquicio [rres'kiθjo] *m* fresta *f*
resta ['rresta] *f* subtração *f*
restablecer [rrestaβle'θer] *irr como*

crecer **I.** *vt* restabelecer **II.** *vr:* ~**se** restabelecer-se

restablecimiento [rrestaβleθi'mjento] *m* restabelecimento *m*

restante [rres'tante] *adj* restante

restar [rres'tar] **I.** *vi* restar **II.** *vt* subtrair

restauración [rrestauɾa'θjon] *f* restauração *f*

restaurante [rrestau'rante] *m* restaurante *m*

restaurar [rrestau'rar] *vt* restaurar

restituir [rrestitu'ir] *irr como huir vt* restituir

resto ['rresto] *m* resto *m*

restregar [rrestre'ɣar] *irr como fregar* **I.** *vt* esfregar **II.** *vr:* ~**se** esfregar

restricción [rrestriɣ'θjon] *f* restrição *f*

resucitar [rresuθi'tar] *vi, vt* ressuscitar

resuelto, -a [rre'swelto, -a] **I.** *pp de* **resolver II.** *adj* resolvido, -a; **estar ~ a** estar decidido a

resultado [rresul'taðo] *m* resultado *m*

resultar [rresul'tar] *vi* resultar; **su plan no resultó** seu plano não deu resultado; **resulta demasiado pequeño** é muito pequeno

resumen [rre'sumen] *m* resumo *m*

resumir [rresu'mir] **I.** *vt* resumir **II.** *vr:* ~**se en** resumir-se em

resurgir [rresur'xir] <g→j> *vi* ressurgir

resurrección [rresurreɣ'θjon] *f* ressurreição *f*

retablo [rre'taβlo] *m* retábulo *m*

retal [rre'tal] *m* retalho *m*

retar [rre'tar] *vt* desafiar

retardar [rretar'ðar] *vt* retardar

retener [rrete'ner] *irr como tener vt* reter

reticencia [rreti'θenθja] *f* reticência *f*

retina [rre'tina] *f* retina *f*

retirada [rreti'raða] *f* retirada *f*

retirado, -a [rreti'raðo, -a] *adj* **1.** (*lejos*) retirado, -a **2.** (*jubilado*) aposentado, -a

retirar [rreti'rar] **I.** *vt* retirar; (*jubilar*) aposentar **II.** *vr:* ~**se** retirar-se; (*jubilarse*) aposentar-se

reto ['rreto] *m* desafio *m*

retocar [rreto'kar] <c→qu> *vt* retocar

retoño [rre'toɲo] *m* broto *m*; (*niño*) rebento *m*

retoque [rre'toke] *m* retoque *m*

retorcer [rretor'θer] *irr como cocer* **I.** *vt* torcer **II.** *vr:* ~**se** retorcer-se

retórica [rre'torika] *f* retórica *f*

retornable [rretor'naβle] *adj* retornável

retornar [rretor'nar] **I.** *vi* retornar **II.** *vt* devolver

retorno [rre'torno] *m* retorno *m*

retortijón [rretorti'xon] *m* cólica *f*

retractarse [rretrak'tarse] *vr* retratar-se

retraer [rretra'er] *irr como traer* **I.** *vt* retrair **II.** *vr:* ~**se** retrair-se

retransmisión [rretraⁿsmi'sjon] *f* retransmissão *f*

retransmitir [rretraⁿsmi'tir] *vt* retransmitir

retrasado, -a [rretra'saðo, -a] *adj* atrasado, -a; MED retardado, -a

retrasar [rretra'sar] **I.** *vt* retardar; (*reloj*) atrasar **II.** *vr:* ~**se** atrasar-se

retraso [rre'traso] *m* atraso *m*; (*men-*

tal) retardamento *m*
retratar [rretra'tar] *vt* retratar
retrato [rre'trato] *m* retrato *m*
retrete [rre'trete] *m* latrina *f*
retribución [rretriβu'θjon] *f* retribuição *f*
retribuir [retriβu'ir] *irr como huir vt* retribuir
retroceder [rretroθe'ðer] *vi* retroceder
retroceso [rretro'θeso] *m* retrocesso *m*
retrospectiva [rretrospek'tiβa] *f* retrospectiva *f*
retrovisor [rretroβi'sor] *m* retrovisor *m*
retumbar [rretum'bar] *vi* retumbar
reumatismo [rreuma'tismo] *m* reumatismo *m*
reunificar [rreunifi'kar] <c→qu> *vt* reunificar
reunión [rreu'njon] *f* reunião *f*
reunir [rreu'nir] *irr* I. *vt* reunir II. *vr*: ~**se** reunir-se
revalidar [rreβali'ðar] *vt* revalidar
revalorización [rreβaloriθa'θjon] *f* revalorização *f*
revancha [rre'βantʃa] *f* revanche *f*
revelación [rreβela'θjon] *f* revelação *f*
revelar [rreβe'lar] I. *vt* revelar II. *vr*: ~**se** revelar-se
reventar [rreβen'tar] <e→ie> *vi, vt* arrebentar
reventón [rreβen'ton] *m* estouro *m*; **tener un** ~ ter um pneu furado
reverberar [rreβerβe'rar] *vi* reverberar
reverencia [rreβe'renθja] *f* reverência *f*

reverendo, -a [rreβe'rendo, -a] *adj* reverendo, -a
reversible [rreβer'siβle] *adj* reversível
reverso [rre'βerso] *m* reverso *m*
revertir [rreβer'tir] *irr como sentir vi* reverter
revés [rre'βes] *m t. fig* revés *m*; **al/del** ~ no/do avesso
revestir [rreβes'tir] *irr como pedir* I. *vt* revestir II. *vr*: ~**se** revestir-se
revisar [rreβi'sar] *vt* revisar
revisor(a) [rreβi'sor(a)] *m(f)* revisor(a) *m(f)*
revista [rre'βista] *f* PREN revista *f*
revivir [rreβi'βir] *vi, vt* reviver
revocar [rreβo'kar] <c→qu> *vt* revogar
revolcarse [rreβol'karse] *irr como volcar vr* revolver-se
revoltoso, -a [rreβol'toso, -a] *adj* travesso, -a
revolución [rreβolu'θjon] *f* revolução *f*
revolucionario, -a [rreβoluθjo'narjo, -a] *adj, m, f* revolucionário, -a *m, f*
revolver [rreβol'βer] *irr como volver* I. *vt* 1. (*mezclar*) misturar 2. (*soliviantar*) instigar II. *vr*: ~**se** revirar-se
revólver [rre'βolβer] *m* revólver *m*
revuelo [rre'βwelo] *m* rebuliço *m*
revuelta [rre'βwelta] *f* revolta *f*
revuelto, -a [rre'βwelto, -a] I. *pp de* **revolver** II. *adj* revirado, -a; (*huevos*) mexido, -a
rey [rrei] *m* rei *m*
rezagarse [rreθa'ɣarse] <g→gu> *vr* ficar para trás

rezar [rreˈθar] <z→c> *vi, vt* rezar
ria [ˈrria] *f* ria *f*
riada [rriˈaða] *f* inundação *f*
ribera [rriˈβera] *f* ribeira *f*
ribete [rriˈβete] *m* debrum *m*
rico, -a [ˈrriko, -a] *adj (persona)* rico, -a; *(comida)* gostoso, -a
ridiculizar [rriðikuliˈθar] <z→c> *vt* ridicularizar
ridículo, -a [rriˈðikulo, -a] *adj* ridículo, -a
riego [ˈrrjeɣo] *m* irrigação *f*
riel [rrjel] *m* trilho *m*
rienda [ˈrrjenda] *f* rédea *f*; **a ~ suelta** à rédea solta
riesgo [ˈrrjesɣo] *m* risco *m*
rifar [rriˈfar] *vt* rifar
rifle [ˈrrifle] *m* rifle *m*
rígido, -a [ˈrrixiðo, -a] *adj* rígido, -a
rigor [rriˈɣor] *m* rigor *m*; **de ~** de costume
riguroso, -a [rriɣuˈroso, -a] *adj* rigoroso, -a
rima [ˈrrima] *f* rima *f*
rimar [rriˈmar] *vi* rimar
rincón [rrinˈkon] *m* canto *m*
rinoceronte [rrinoθeˈronte] *m* rinoceronte *m*
riña [ˈrriɲa] *f* briga *f*
riñón [rriˈɲon] *m* ANAT rim *m*; **costar un ~** *inf* custar os tubos
río [ˈrrio] *m* rio *m*
rioplatense [rrioplaˈtense] *adj, mf* platino, -a *m, f*
riqueza [rriˈkeθa] *f* riqueza *f*
risa [ˈrrisa] *f* risada *f*; **¡qué ~!** que piada!
risueño, -a [rriˈsweɲo, -a] *adj* risonho, -a

ritmo [ˈrriðmo] *m* ritmo *m*
rito [ˈrrito] *m* ritual *m*; REL rito *m*
ritual [rrituˈal] *adj, m* ritual *m*
rival [rriˈβal] *adj, mf* rival *mf*
rizado, -a [rriˈθaðo, -a] *adj* cacheado, -a
rizo [ˈrriθo] *m* cacho *m*; **rizar el ~** *inf* complicar demais as coisas
RNE [ˈerraðjo naθjoˈnal de (e)sˈpaɲa] *f abr de* **Radio Nacional de España** *Estação de Rádio Pública Espanhola*
robar [rroˈβar] *vt* roubar
roble [ˈrroβle] *m* carvalho *m*
robo [ˈrroβo] *m* roubo *m*
robot [rroˈβoᵗ] <robots> *m* robô *m*
robusto, -a [rroˈbusto, -a] *adj* robusto, -a
roca [ˈrroka] *f* rocha *f*
roce [ˈrroθe] *m* **1.** *(fricción)* atrito *m* **2.** *(discusión)* desavença *f*
rocío [rroˈθio] *m* orvalho *m*
rodaja [rroˈðaxa] *f* rodela *f*
rodaje [rroˈðaxe] *m* filmagem *f*
rodapié [rroðaˈpje] *m (zócalo)* rodapé *m*
rodar [rroˈðar] <o→ue> **I.** *vi* rolar **II.** *vt* rodar
rodear [rroðeˈar] **I.** *vi, vt* rodear **II.** *vr*: **~se** rodear-se
rodeo [rroˈðeo] *m* rodeio *m*
rodilla [rroˈðiʎa] *f* joelho *m*
rodillo [rroˈðiʎo] *m* rolo *m*
roer [rroˈer] *irr vt* roer
rogar [rroˈɣar] <o→ue> *vt* rogar
rojo, -a [ˈrroxo, -a] *adj* vermelho, -a; **ponerse ~** ficar vermelho
rollo [ˈrroʎo] *m* rolo *m*; *inf (aburri-*

miento) chatice *f*; **¡corta el ~!** *inf* corta o barato!; **tener un ~ con alguien** *inf* ter um caso com alguém

romance [rro'manθe] *m* romance *m*

romántico, -a [rro'mantiko, -a] *adj* romântico, -a

rombo ['rrombo] *m* losango *m*

romero [rro'mero] *m* alecrim *m*

rompecabezas [rrompeka'βeθas] *m inv* quebra-cabeça *m*

rompeolas [rrompe'olas] *m inv* quebra-mar *m*

romper [rrom'per] **I.** *vi* (*olas*) quebrar; (*día, con alguien*) romper; **~ a llorar** começar a chorar **II.** *vt* quebrar; (*relaciones*) romper **III.** *vr:* **~se** quebrar

ron [rron] *m* rum *m*

roncar [rroŋ'kar] <c→qu> *vi* roncar

ronco, -a ['rroŋko, -a] *adj* rouco, -a

ronda ['rronda] *f* **1.** (*de vigilancia*) ronda *f* **2.** (*de bebidas*) rodada *f*

rondar [rron'dar] *vi, vt* rondar

ronquido [rroŋ'kiðo] *m* ronco *m*

ropa ['rropa] *f* roupa *f*

ropero [rro'pero] *m* roupeiro *m*

rosa ['rrosa] *adj, f* rosa *f*

rosado, -a [ro'saðo, -a] *adj* rosado, -a

rosca ['rroska] *f* TÉC rosca *f*; **hacer la ~ a alguien** *inf* puxar o saco de alguém; **pasarse de ~** *inf* extrapolar

rosquilla [rros'kiʎa] *f* rosquinha *f*

rostro ['rrostro] *m* rosto *m*; **tener mucho ~** *inf* ter muita cara-de-pau

rotación [rrota'θjon] *f* rotação *f*

roto, -a ['rroto, -a] **I.** *pp de* **romper II.** *adj* quebrado, -a

rotonda [rro'tonda] *f* rotunda *f*

rotulador [rrotula'ðor] *m* marca-texto *m*

rótulo ['rrotulo] *m* rótulo *m*

rotundo, -a [rro'tundo, -a] *adj* firme

rozamiento [rroθa'mjento] *m* atrito *m*

rozar [rro'θar] <z→c> **I.** *vi* roçar **II.** *vt* beirar

RTVE [erreteuβe'e] *f abr de* **Radio Televisión Española** Rádio e Televisão Públicas Espanholas

rubeola [rruβe'ola] *f* rubéola *f*

rubio, -a ['rruβjo, -a] *adj* loiro, -a

ruborizar [rruβori'θar] <z→c> **I.** *vt* ruborizar **II.** *vr:* **~se** ruborizar-se

rúbrica [rru'βrika] *f* rubrica *f*

rudimentario, -a [rruðimen'tarjo, -a] *adj* rudimentar

rudo, -a ['rruðo, -a] *adj* rude

rueda ['rrweða] *f* roda *f*; **marchar sobre ~s** *inf* ir de vento em popa

ruego ['rrweɣo] *m* rogo *m*

rugir [rru'xir] <g→j> *vi* rugir

rugoso, -a [rru'ɣoso, -a] *adj* rugoso, -a

ruido [rrwiðo] *m* ruído *m*

ruin [rrwin] *adj* ruim

ruina [rrwina] *f* ruína *f*; **estar en la ~** ECON estar falido

ruleta [rru'leta] *f* roleta *f*

Rumanía [rruma'nia] *f* Romênia *f*

rumbo ['rrumbo] *m t. fig* rumo *m*

rumor [rru'mor] *m* rumor *m*

rumorearse [rrumore'arse] *vr* rumorejar

ruptura [rrup'tura] *f* ruptura *f*

rural [rru'ral] *adj* rural

Rusia ['rrusja] *f* Rússia *f*

ruso, -a ['rruso, -a] *adj, m, f* russo, -a *m, f*
rústico, -a ['rrustiko, -a] *adj* rústico, -a
ruta ['rruta] *f* rota *f*
rutina [rru'tina] *f* rotina *f*

S

S, s ['ese] *f* S, S *m*
S. [san] *abr de* **San** S.
sábado ['saβaðo] *m* sábado *m; v.t.* **lunes**
sábana ['saβana] *f* lençol *m*
sabañón [saβa'ɲon] *m* frieira *f*
saber [sa'βer] *irr* **I.** *vt* saber; **sabe ruso** sabe russo **II.** *vi* saber; ~ **bien/mal** saber bem/mal **III.** *vr:* ~**se** saber; ~**se algo muy bien** saber a. c. muito bem
sabiduría [saβiðu'ria] *f* sabedoria *f*
sabiendas [sa'βjendas] **a** ~ com conhecimento de causa
sabio, -a ['saβjo, -a] *adj, m, f* sábio, -a *m, f*
sable ['saβle] *m* sabre *m*
sabor [sa'βor] *m* sabor *m*
saborear [saβore'ar] *vt* saborear
sabotear [saβote'ar] *vt* sabotar
sabroso, -a [sa'βroso, -a] *adj* saboroso, -a
sacacorchos [saka'kortʃos] *m inv* saca-rolhas *m inv*
sacapuntas [saka'puntas] *m inv* apontador *m*
sacar [sa'kar] <c→qu> **I.** *vt* tirar; (*entrada*) comprar; ~ **adelante** levar adiante; ~ **a la venta** pôr à venda **II.** *vi* (*en tenis*) sacar; (*en fútbol*) chutar **III.** *vr:* ~**se** tirar
sacerdote [saθer'ðote] *m* sacerdote *m*
saciar [sa'θjar] **I.** *vt* saciar **II.** *vr:* ~**se** saciar-se
saciedad [saθje'ðað] *f* saciedade *f*
saco ['sako] *m* sacola *f*; *AmL* (*prenda*) paletó *m*; ~ **de dormir** saco *m* de dormir
sacramento [sakra'mento] *m* sacramento *m*
sacrificar [sakrifi'kar] <c→qu> **I.** *vt* sacrificar **II.** *vr:* ~**se** sacrificar-se
sacrificio [sakri'fiθjo] *m* sacrifício *m*
sacrilegio [sakri'lexjo] *m* sacrilégio *m*
sacristía [sakris'tia] *f* sacristia *f*
sacudida [saku'ðiða] *f* sacudida *f*
sacudir [saku'ðir] *vt* sacudir; *inf* (*pegar*) bater
sádico, -a ['saðiko, -a] *adj, m, f* sádico, -a *m, f*
sadismo [sa'ðismo] *m* sadismo *m*
safari [sa'fari] *m* safári *m*
saga ['saɣa] *f* saga *f*
sagaz [sa'ɣaθ] *adj* sagaz
Sagitario [saxi'tarjo] *m* Sagitário *m*
sagrado, -a [sa'ɣraðo, -a] *adj* sagrado, -a
Sáhara ['saxara] *m* **el** ~ o Saara
sal [sal] *f* sal *m*
sala ['sala] *f* sala *f*
salado, -a [sa'laðo, -a] *adj* salgado, -a; *fig* engraçado, -a
salar [sa'lar] *vt* salgar
salario [sa'larjo] *m* salário *m*

salchicha [sal'tʃitʃa] f salsicha f

salchichón [saltʃi'tʃon] m salsichão m

saldar [sal'dar] vt saldar; (diferencias) ajustar

saldo ['saldo] m **1.** saldo m **2.** pl (rebajas) ofertas fpl

salero [sa'lero] m saleiro m; fig graça f

salida [sa'liða] f saída f; DEP largada f; ~ **del sol** nascer m do sol

salir [sa'lir] irr **I.** vi sair; ~ **a la luz** fig vir à luz **II.** vr: ~**se** (líquido) derramar-se; (leche) derramar; (persona: de una organización) sair

saliva [sa'liβa] f saliva f

salmo ['salmo] m salmo m

salmón [sal'mon] adj, m salmão m

salón [sa'lon] m salão m

salpicadero [salpika'ðero] m painel m

salpicar [salpi'kar] <c→qu> vt salpicar

salpicón [salpi'kon] m **1.** GASTR espécie de salada à base de carne, crustáceos ou peixe **2.** Col, Ecua (bebida) bebida fria feita de suco de frutas

> **Cultura** Na **Colombia** e no **Ecuador** o **salpicón** é uma bebida refrescante com pedaços de frutas. Na Espanha, entretanto, o **salpicón** é um prato que se consome frio como entrada e é feito com fatias de carne, frios, peixe ou frutos do mar temperados com sal, pimenta, azeite, vinagre e cebola.

salsa ['salsa] f **1.** GASTR molho m **2.** MÚS salsa f

saltador(a) [salta'ðor(a)] m(f) DEP saltador(a) m(f)

saltamontes [salta'montes] m inv gafanhoto m

saltar [sal'tar] **I.** vi pular, saltar; (explotar) arrebentar **II.** vt pular **III.** vr: ~**se** pular; (semáforo) desrespeitar

salto ['salto] m pulo m, salto m; ~ **de página** INFOR pular de página

saltón, -ona [sal'ton, -ona] adj saltado, -a

salud [sa'lu^{ð}] interj, f saúde f

saludable [salu'ðaβle] adj saudável

saludar [salu'ðar] vt cumprimentar; **saluda a tu madre de mi parte** mande lembranças minhas a sua mãe; **le saluda atentamente su...** form atenciosamente...

saludo [sa'luðo] m cumprimento m; **con un cordial ~** form cordiais saudações

salvación [salβa'θjon] f t. REL salvação f

salvador(a) [salβa'ðor(a)] adj, m(f) salvador(a) m(f)

Salvador [salβa'ðor] m **El ~** O Salvador

salvaguardar [salβaɣwar'ðar] vt salvaguardar

salvaje [sal'βaxe] adj, mf selvagem mf

salvamento [salβa'mento] m salvamento m

salvar [sal'βar] **I.** vt salvar **II.** vr: ~**se** salvar-se

salvavidas [salβa'βiðas] m inv salva-vidas m inv

salvedad [salβe'ðað] f ressalva f

salvo ['salβo] prep salvo; ~ **que** +subj a menos que +subj

samba ['samba] *f* samba *m*
san [san] *adj* são
sanar [sa'nar] I. *vi* sarar II. *vt* curar
sanatorio [sana'torjo] *m* sanatório *m*
sanción [san'θjon] *f* sanção *f*
sancionar [sanθjo'nar] *vt* sancionar
sandalia [san'dalja] *f* sandália *f*
sandía [san'dia] *f* melancia *f*
sándwich ['saŋgwitʃ] *m* sanduíche *m*
sanear [sane'ar] *vt* sanear
sangrar [saŋ'grar] *vi*, *vt* sangrar
sangre ['saŋgre] *f* sangue *m*
sangría [saŋ'gria] *f* TIPO indentação *f*; (*bebida*) sangria *f*
sangriento, -a [saŋ'grjento, -a] *adj* sangrento, -a
sanidad [sani'ðað] *f* sanidade *f*; **la ~ pública** a saúde pública
sanitario [sani'tarjo] *m* vaso *m* sanitário
sanitario, -a [sani'tarjo, -a] *adj* sanitário, -a
sano, -a ['sano, -a] *adj* são, sã
santiamén [santja'men] *m* **en un ~** num santiâmem
santidad [santi'ðað] *f* santidade *f*
santificar [santifi'kar] <c→qu> *vt* santificar
santiguarse [santi'ɣwarse] <gu→gü> *vr* benzer-se
santo, -a ['santo, -a] *adj*, *m*, *f* santo, -a *m*, *f*
santuario [santu'arjo] *m* santuário *m*
saña ['saɲa] *f* sanha *f*
sapo ['sapo] *m* sapo *m*
saque ['sake] *m* saque *m*; (*en fútbol*) chute *m*; **tener buen ~** *fig* ser um bom garfo

saquear [sake'ar] *vt* saquear
sarampión [saram'pjon] *m* sarampo *m*
sarcástico, -a [sar'kastiko, -a] *adj* sarcástico, -a
sardina [sar'ðina] *f* sardinha *f*
sargento [sar'xento] *m* sargento *m*
sarro ['sarro] *m* sarro *m*
sartén [sar'ten] *f* frigideira *f*; **tener la ~ por el mango** *fig* ter a faca e o queijo na mão
sastre, -a ['sastre, -a] *m*, *f* alfaiate, -a *m*, *f*
sastrería [sastre'ria] *f* (*tienda*) alfaiataria *f*
satélite [sa'telite] *m* satélite *m*
satírico, -a [sa'tiriko, -a] *adj* satírico, -a
satisfacción [satisfaɣ'θjon] *f* satisfação *f*
satisfacer [satisfa'θer] *irr como hacer* I. *vt* satisfazer II. *vr*: **~se** satisfazer-se
satisfecho, -a [satis'fetʃo, -a] I. *pp de* **satisfacer** II. *adj* satisfeito, -a
saturación [satura'θjon] *f* saturação *f*
saturar [satu'rar] *vt* saturar
Saturno [sa'turno] *m* Saturno *m*
sauce ['sauθe] *m* salgueiro *m*
saudí [sau'ði] <saudíes>, **saudita** [sau'ðita] *adj*, *mf* saudita *mf*
sauna ['sauna] *f* sauna *f*
saxofón [saɣso'fon] *m* saxofone *m*
sazonar [saθo'nar] *vt* sazonar
se [se] *pron pers* se; **~ lava los dientes** escova os dentes
sé [se] 1. *pres de* **saber**
sebo ['seβo] *m* sebo *m*

secador [seka'ðor] *m* secador *m*

secadora [seka'ðora] *f* secadora *f*

secar [se'kar] <c→qu> I. *vt* secar II. *vr*: **~se** secar-se

sección [seɣ'θjon] *f* seção *f*

seco, -a ['seko, -a] *adj* seco, -a

secreción [sekre'θjon] *f* secreção *f*

secretaría [sekreta'ria] *f* secretaria *f*

secretario, -a [sekre'tarjo, -a] *m, f* secretário, -a *m, f*

secreto [se'kreto] *m* segredo *m*

secreto, -a [se'kreto, -a] *adj* secreto, -a

secta ['sekta] *f* seita *f*

sector [sek'tor] *m* setor *m*

secuela [se'kwela] *f* seqüela *f*

secuencia [se'kwenθja] *f* seqüência *f*

secuestrar [sekwes'trar] *vt* seqüestrar

secuestro [se'kwestro] *m* seqüestro *m*

secular [seku'lar] *adj* secular

secundar [sekun'dar] *vt* secundar

secundario, -a [sekun'darjo, -a] *adj* secundário, -a

sed [seð] *f* sede *f*

seda ['seða] *f* seda *f*

sedante [se'ðante] *adj, m* calmante *m*

sede ['seðe] *f* sede *f*

sediento, -a [se'ðjento, -a] *adj* sedento, -a

sedimentar [seðimen'tar] I. *vt* sedimentar II. *vr*: **~se** sedimentar-se

sedimento [seði'mento] *m* sedimento *m*

sedoso, -a [se'ðoso, -a] *adj* sedoso, -a

seducir [seðu'θir] *irr como traducir vt* seduzir

sefardí [sefar'ði], **sefardita** [sefar'ðita] *adj, mf* sefardi *mf*, sefardita *mf*

segadora [seɣa'ðora] *f* segadeira *f*

segar [se'ɣar] *irr como fregar vt* segar

segmento [seɣ'mento] *m* segmento *m*

segregar [seɣre'ɣar] <g→gu> *vt* segregar

seguido, -a [se'ɣiðo, -a] *adj* seguido, -a; **todo ~** sempre em frente

seguidor(a) [seɣi'ðor(a)] *m(f)* seguidor(a) *m(f)*; DEP torcedor(a) *m(f)*

seguimiento [seɣi'mjento] *m* seguimento *m*

seguir [se'ɣir] *irr* I. *vi, vt* seguir II. *vr*: **~se** seguir-se

según [se'ɣun] I. *prep* segundo; **~ eso** de acordo com isso II. *adv* (*como*) segundo; **~ lo convenido...** conforme combinado...; **¿vendrás? – ~ y como** você virá? – depende

segunda [se'ɣunda] *f* segunda *f*

segundero [seɣun'dero] *m* segundeiro *m*

segundo [se'ɣundo] *m* segundo *m*

segundo, -a [se'ɣundo, -a] *adj* segundo, -a; *v.t.* **octavo**

seguridad [seɣuri'ðað] *f* segurança *f*; **Seguridad Social** Previdência *f* Social

seguro [se'ɣuro] *m* seguro *m*; (*mecanismo*) segurança *f*

seguro, -a [se'ɣuro, -a] *adj* seguro, -a; **¿estás ~?** tem certeza?

seis [sejs] *adj inv, m inv* seis *m inv*; *v.t.* **ocho**

seiscientos, -as [sejs'θjentos, -as] *adj* seiscentos, -as

seísmo [se'ismo] *m* sismo *m*

selección [seleɣ'θjon] *f* seleção *f*
seleccionar [seleɣ'θjo'nar] *vt* selecionar
selectivo, -a [selek'tiβo, -a] *adj* seletivo, -a
sellar [se'ʎar] *vt* selar
sello ['seʎo] *m* selo *m*
selva ['selβa] *f* selva *f*
semáforo [se'maforo] *m* semáforo *m*
semana [se'mana] *f* semana *f*
semanal [sema'nal] *adj* semanal
sembrar [sem'brar] <e→ie> *vt* semear
semejante [seme'xaṇte] *adj, m* semelhante *m*
semen ['semen] *m* sêmen *m*
semestre [se'mestre] *m* semestre *m*
semicírculo [semi'θirkulo] *m* semicírculo *m*
semidesnatado, -a [semiðesna'taðo, -a] *adj* semidesnatado, -a
semifinal [semifi'nal] *f* semifinal *f*
semilla [se'miʎa] *f* semente *f*
seminario [semi'narjo] *m* seminário *m*
sémola ['semola] *f* sêmola *f*
Sena ['sena] *m* **el** ~ o Sena
senado [se'naðo] *m* senado *m*
senador(a) [sena'ðor(a)] *m(f)* senador(a) *m(f)*
sencillez [senθi'ʎeθ] *f* simplicidade *f*
sencillo, -a [sen'θiʎo, -a] *adj* simples *inv*
senda ['seṇda] *f* senda *f*, vereda *f*
senderismo [seṇde'rismo] *m* caminhada *f*
sendero [seṇ'dero] *m v.* **senda**

sendos, -as ['seṇdos, -as] *adj* senhos, -as
senil [se'nil] *adj* senil
seno ['seno] *m* ANAT seio *m*; MAT seno *m*
sensación [sensa'θjon] *f* sensação *f*
sensacional [sensaθjo'nal] *adj* sensacional
sensatez [sensa'teθ] *f* sensatez *f*
sensato, -a [sen'sato, -a] *adj* sensato, -a
sensibilidad [sensiβili'ðað] *f* sensibilidade *f*
sensible [sen'siβle] *adj* sensível
sensor [sen'sor] *m* sensor *m*
sensual [sensu'al] *adj* sensual
sensualidad [senswali'ðað] *f* sensualidade *f*
sentado, -a [seṇ'taðo, -a] *adj* **dar por** ~ dar por certo
sentar [seṇ'tar] <e→ie> I. *vi* cair; ~ **bien/mal** (*ropa, comida*) cair bem/mal II. *vt* sentar III. *vr*: ~**se** sentar-se
sentencia [seṇ'teṇθja] *f* sentença *f*
sentenciar [seṇteṇ'θjar] *vt* sentenciar
sentido [seṇ'tiðo] *m* sentido *m*; (*capacidad*) senso *m*
sentimental [seṇtimeṇ'tal] *adj* sentimental
sentimiento [seṇti'mjeṇto] *m* sentimento *m*
sentir [seṇ'tir] *irr* I. *vt* sentir II. *vr*: ~**se bien/mal** sentir-se bem/mal
seña ['seɲa] *f* **1.** senha *f*, gesto *m*. **2.** *pl* (*dirección*) endereço *m*
señal [se'ɲal] *f* sinal *m*
señalar [seɲa'lar] *vt* assinalar

señalizar [seɲaliˈθar] <z→c> *vt* sinalizar

señor(a) [seˈɲor(a)] *m(f)* senhor(a) *m(f)*; **Muy ~ mío:** Prezado Senhor:

señorita [seɲoˈrita] *f (chica)* senhorita *f*; *(profesora)* professora *f*

señorito [seɲoˈrito] *m* jovem senhor *m*

señuelo [seˈɲwelo] *m t. fig* chamariz *m*

separación [sepaɾaˈθjon] *f* separação *f*

separado, -a [sepaˈɾaðo, -a] *adj* separado, -a

separar [sepaˈɾar] **I.** *vt* separar **II.** *vr*: **~se** separar-se

sepia [ˈsepja] *f* sépia *f*

septiembre [sepˈtjembɾe] *m* setembro *m*; *v.t.* **marzo**

séptimo, -a [ˈseptimo, -a] *adj* sétimo, -a; *v.t.* **octavo**

septuagésimo, -a [septwaˈxesimo, -a] *adj* septuagésimo, -a; *v.t.* **octavo**

sepulcro [seˈpulkɾo] *m* sepulcro *m*

sepultar [sepulˈtar] *vt* sepultar

sepultura [sepulˈtuɾa] *f* sepultura *f*

sequía [seˈkia] *f* seca *f*

séquito [ˈsekito] *m* séquito *m*

ser [ser] *irr* **I.** *vi* ser; **¿quién es?** *(puerta)* quem é?; *(teléfono)* quem fala?; **son las cuatro** são quatro; **¿a cuánto es el pollo?** quanto é a galinha?; **¿qué ha sido de ella?** o que ela tem feito? **II.** *aux* ser **III.** *m* ser *m*

Serbia [ˈserβja] *f* Sérvia *f*

sereno, -a [seˈɾeno, -a] *adj* sereno, -a

serial [seˈrjal] *m* seriado *m*

serie [ˈserje] *f* série *f*

seriedad [serjeˈðaᵈ] *f* seriedade *f*

serio, -a [ˈserjo, -a] *adj* sério, -a

sermón [serˈmon] *m* sermão *m*

sermonear [sermoneˈar] *vi* dar sermão

seropositivo, -a [seɾoposiˈtiβo, -a] *adj, m, f* soropositivo, -a *m, f*

serpiente [serˈpjente] *f* serpente *f*

serrar [seˈrar] <e→ie> *vt* serrar

serrín [seˈrrin] *m* serragem *f*

servicio [serˈβiθjo] *m* serviço *m*

servidor [serβiˈðor] *m* INFOR servidor *m*

servidor(a) [serβiˈðor(a)] *m(f)* criado, -a *m, f*; **¿quién es el último? – ~** quem é o último? – eu(, às suas ordens)

servilleta [serβiˈʎeta] *f* guardanapo *m*

servir [serˈβir] *irr como pedir* **I.** *vi, vt* servir **II.** *vr*: **~se** servir-se

sésamo [ˈsesamo] *m* gergelim *m*

sesenta [seˈsenta] *adj inv, m* sessenta *m*; *v.t.* **ochenta**

sesión [seˈsjon] *f* sessão *f*

seso [ˈseso] *m* cérebro *m*

seta [ˈseta] *f* cogumelo *m*

setecientos, -as [seteˈθjentos, -as] *adj* setecentos, -as

setenta [seˈtenta] *adj, m inv* setenta *m*; *v.t.* **ochenta**

seto [ˈseto] *m* cerca *f*

seudónimo [seuˈðonimo] *m* pseudônimo *m*

Seúl [seˈul] *m* Seul *f*

severo, -a [seˈβero, -a] *adj* severo, -a

Sevilla [seˈβiʎa] *f* Sevilha *f*

sexagésimo, -a [seᵏsaˈxesimo, -a] *adj*

sexagésimo, -a; *v.t.* **octavo**
sexi ['seʸsi] *adj* sexy
sexo ['seʸso] *m* sexo *m*
sexto, -a ['sesto, -a] *adj* sexto, -a; *v.t.* **octavo**
sexual [seʸsu'al] *adj* sexual
sexualidad [seʸswali'ðaᵟ] *f* sexualidade *f*
sexy ['seʸsi] *adj* sexy
si [si] I. *conj* se; **por ~ acaso** pelo sim pelo não II. *m* MÚS si *m*
sí [si] I. *adv* sim; **volver en ~** voltar a si II. *pron* si; **a ~ mismo** a si mesmo III. *m* sim *m*; **dar el ~** dar o sim
siamés, -esa [sja'mes, -esa] *adj, m, f* siamês, -esa *m, f*
Siberia [si'βerja] *f* Sibéria *f*
sicario [si'karjo] *m* sicário *m*
Sicilia [si'θilja] *f* Sicília *f*
sida ['siða] *m abr de* **síndrome de inmunodeficiencia adquirida** aids *f*
sidecar [siðe'kar] *m* side-car *m*
siderurgia [siðe'rurxja] *f* siderurgia *f*
sidra ['siðra] *f* sidra *f*
siembra ['sjembra] *f* semeadura *f*
siempre ['sjempre] *adv* sempre; **¡hasta ~!** adeus!; **~ y cuando** +*subj* contanto que +*subj*
sien [sjen] *f* têmpora *f*
sierra [ˈsjera] *f* serra *f*
siesta ['sjesta] *f* sesta *f*
siete ['sjete] *adj inv, m* sete *m*; *v.t.* **ocho**
sifón [si'fon] *m* sifão *m*
sigilo [si'xilo] *m* sigilo *m*
sigla ['siɣla] *f* sigla *f*
siglo ['siɣlo] *m* século *m*
significado [siɣnifi'kaðo] *m* significado *m*
significar [siɣnifi'kar] <c→qu> *vi, vt* significar
significativo, -a [siɣnifika'tiβo, -a] *adj* significativo, -a
signo ['siɣno] *m t.* MAT, LING sinal *m*
siguiente [si'ɣjente] *adj* seguinte
sílaba ['silaβa] *f* sílaba *f*
silbar [sil'βar] *vi, vt* assobiar
silbato [sil'βato] *m* apito *m*
silbido [sil'βiðo] *m* assobio *m*
silenciar [silen'θjar] *vt* silenciar
silencio [si'lenθjo] *m* silêncio *m*
silla ['siʎa] *f* cadeira *f*; (*montura*) sela *f*
sillín [si'ʎin] *m* selim *m*
sillón [si'ʎon] *m* poltrona *f*
silueta [sil'weta] *f* silhueta *f*
silvestre [sil'βestre] *adj* silvestre
simbólico, -a [sim'boliko, -a] *adj* simbólico, -a
simbolizar [simboli'θar] <z→c> *vt* simbolizar
símbolo ['simbolo] *m* símbolo *m*
simetría [sime'tria] *f* simetria *f*
simétrico, -a [si'metriko, -a] *adj* simétrico, -a
símil ['simil] *m* símile *m*
similar [simi'lar] *adj* similar
similitud [simili'tuᵟ] *f* similitude *f*
simpatía [simpa'tia] *f* simpatia *f*
simpático, -a [sim'patiko, -a] *adj* simpático, -a
simpatizar [simpati'θar] <z→c> *vi* simpatizar
simple ['simple] *adj* simples *inv*
simpleza [sim'pleθa] *f* bobagem *f*; (*tontería*) besteira *f*
simplificación [simplifika'θjon] *f* sim-

plificação *f*
simplificar [simplifi'kar] <c→qu> *vt* simplificar
simposio [sim'posjo] *m* simpósio *m*
simulación [simula'θjon] *f* simulação *f*
simulacro [simu'lakro] *m* simulacro *m*
simulador [simula'ðor] *m* simulador *m*
simular [simu'lar] *vt* simular
simultanear [simultane'ar] *vt* conciliar
simultáneo, -a [simul'taneo, -a] *adj* simultâneo, -a
sin [sin] *prep* sem
sinagoga [sina'ɣoɣa] *f* REL sinagoga *f*
sincerarse [sinθe'rarse] *vt* desabafar
sinceridad [sinθeri'ðað] *f* sinceridade *f*
sincero, -a [sin'θero, -a] *adj* sincero, -a
sincronización [sinkroniθa'θjon] *f* sincronização *f*
sincronizar [sinkroni'θar] <z→c> *vt* sincronizar
sindical [sindi'kal] *adj* sindical
sindicato [sindi'kato] *m* sindicato *m*
síndrome ['sindrome] *m* síndrome *f*
sinfín [sin'fin] *m* **un ~ de** um sem-fim de
sinfonía [simfo'nia] *f* sinfonia *f*
Singapur [siŋɡa'pur] *m* Cingapura *f*
singular [siŋɡu'lar] *adj, m* singular *m*
singularizar [siŋɡulari'θar] <z→c> I. *vt* singularizar II. *vr:* ~**se** singularizar-se
siniestro [si'njestro] *m* sinistro *m*

sino ['sino] *conj* senão
sinónimo [si'nonimo] *m* sinónimo *m*
sinopsis [si'nopsis] *m inv* sinopse *f*
sinsabor [sinsa'βor] *m* dissabor *m*
sinsentido [sinsen'tiðo] *m* absurdo *m*
sintáctico, -a [sin'taktiko, -a] *adj* sintático, -a
sintaxis [sin'taⱱsis] *f inv* sintaxe *f*
síntesis ['sintesis] *f inv* síntese *f*
sintetizar [sinteti'θar] <z→c> *vt* sintetizar
síntoma ['sintoma] *m* sintoma *m*
sintomático, -a [sinto'matiko, -a] *adj* sintomático, -a
sintonía [sinto'nia] *f* sintonia *f*
sintonizar [sintoni'θar] <z→c> *vt* sintonizar
sinuoso, -a [sinu'oso, -a] *adj* sinuoso, -a
sinvergüenza [simber'ɣwenθa] *adj, mf* sem-vergonha *mf*
siquiera [si'kjera] I. *adv* sequer; **ni (tan) ~** nem sequer II. *conj* + *subj* mesmo se +*subj*
sirena [si'rena] *f* sirene *f*; (*mujer pez*) sereia *f*
Siria ['sirja] *f* Síria *f*
sirviente [sir'βjente] *mf* criado, -a *m, f*
sísmico, -a ['sismiko, -a] *adj* sísmico, -a
sistema [sis'tema] *m* sistema *m*; **~ operativo** INFOR sistema operacional
sistematizar [sistemati'θar] <z→c> *vt* sistematizar
sitio ['sitjo] *m* lugar *m*
situación [sitwa'θjon] *f* situação *f*
situar [situ'ar] <*1. pres:* sitúo> I. *vt* situar II. *vr:* ~**se** situar-se

so [so] *prep* sob; ¡~ **imbécil!** seu imbecil!

sobaco [so'βako] *m* sovaco *m*

sobar [so'βar] **I.** *vt* sovar; *inf (a persona)* surrar **II.** *vi inf* dormir

soberanía [soβera'nia] *f* soberania *f*

soberano, -a [soβe'rano, -a] *adj, m, f* soberano, -a

soberbia [so'βerβja] *f* soberba *f*

soberbio, -a [so'βerβjo, -a] *adj* soberbo, -a

sobornar [soβor'nar] *vt* subornar

soborno [so'βorno] *m* suborno *m*

sobra ['soβra] *f* sobra *f*

sobrar [so'βrar] *vi* sobrar

sobre ['soβre] **I.** *m* envelope *m* **II.** *prep* sobre; ~ **las tres** por volta das três

sobrecargar [soβrekar'ɣar] <g→gu> *vt* sobrecarregar

sobrecoger [soβre'koxer] <g→j> **I.** *vt* surpreender **II.** *vr:* ~**se** surpreender-se

sobredosis [soβre'ðosis] *f inv* overdose *f*

sobreentender [soβre(e)nten'der] <e→ie> **I.** *vt* subentender **II.** *vr:* ~**se** subentender-se

sobre(e)stimar [soβre(e)sti'mar] *vt* sobre(e)stimar

sobrehumano, -a [soβreu'mano, -a] *adj* sobre-humano, -a

sobremesa [soβre'mesa] *f* **ordenador de** ~ INFOR desktop *m*

sobrenatural [soβrenatu'ral] *adj* sobrenatural

sobrepasar [soβrepa'sar] *vt* ultrapassar

sobrepeso [soβre'peso] *m* sobrepeso *m*

sobreponer [soβrepo'ner] *irr como poner* **I.** *vt* sobrepor **II.** *vr:* ~**se** sobrepor-se

sobresaliente [soβresa'ljente] **I.** *adj* sobressalente **II.** *m* ENS nota máxima nos exames

sobresalir [soβresa'lir] *irr como salir* *vi* sobressair

sobresaltar [soβresal'tar] *vt* sobressaltar

sobresalto [soβre'salto] *m* sobressalto *m*

sobrevenir [soβreβe'nir] *irr como venir* *vi* sobrevir

sobrevivir [soβreβi'βir] *vi* sobreviver

sobrevolar [soβreβo'lar] <o→ue> *vt* sobrevoar

sobriedad [soβrje'ðað] *f* sobriedade *f*

sobrino, -a [so'βrino, -a] *m, f* sobrinho, -a *m, f*

sobrio, -a ['soβrjo, -a] *adj* sóbrio, -a

sociable [so'θjaβle] *adj* sociável

social [so'θjal] *adj* social

socialismo [soθja'lismo] *m* socialismo *m*

socialista [soθja'lista] *adj, mf* socialista *mf*

sociedad [soθje'ðað] *f* sociedade *f*

socio, -a [so'θjo, -a] *m, f* sócio, -a *m, f*

sociología [soθjolo'xia] *f* sociologia *f*

socorrer [soko'rrer] *vt* socorrer

socorrista [soko'rrista] *mf* socorrista *mf*

socorro [so'korro] *m* socorro *m*

sofá [so'fa] <sofás> *m* sofá *m*

sofá-cama [so'fa-'kama] <sofás-ca-

sofisticación [sofistika'θjon] f sofisticação f

sofisticar [sofisti'kar] <c→qu> vt sofisticar

sofocante [sofo'kaṇte] adj sufocante

sofocar [sofo'kar] <c→qu> I. vt sufocar II. vr: ~**se** sufocar-se

sofoco [so'foko] m sufoco m

sofreír [sofre'ir] irr como reír vt fritar levemente

sofrito [so'frito] m refogado m

software [sof'twer] m software m

soga ['soya] f corda f

sois [sojs] 2. pres pl de **ser**

soja ['soxa] f soja f

sol [sol] m t. MÚS sol m

solamente [sola'meṇte] adv somente

solapa [so'lapa] f lapela f; (de libro) orelha f

solar [so'lar] adj, m solar m

soldado, -a [sol'daðo, -a] m, f MIL soldado m

soldar [sol'dar] <o→ue> vt soldar

soleado, -a [sole'aðo, -a] adj ensolarado, -a

soledad [sole'ðað] f solidão f

solemne [so'lemne] adj solene

soler [so'ler] <o→ue> vi costumar

solfeo [sol'feo] m MÚS solfejo m

solicitar [soliθi'tar] vt solicitar

solicitud [soliθi'tuð] f solicitude f; (petición) solicitação f

solidaridad [soliðari'ðað] f solidariedade f

solidario, -a [soli'ðarjo, -a] adj solidário, -a

solidez [soli'ðeθ] f solidez f

sólido ['soliðo] m sólido m

sólido, -a ['soliðo, -a] adj sólido, -a

solista [so'lista] mf MÚS solista mf

solitario, -a [soli'tarjo, -a] adj, m, f solitário, -a m, f

sollozar [soʎo'θar] <z→c> vi soluçar

sollozo [so'ʎoθo] m soluço m

sólo ['solo] adv só; **tan** ~ somente

solo, -a ['solo, -a] adj só; **un café** ~ um café preto

solomillo [solo'miʎo] m lombinho m

soltar [sol'tar] irr I. vt soltar II. vr: ~**se** soltar-se

soltero, -a [sol'tero, -a] adj, m, f solteiro, -a m, f

soltura [sol'tura] f soltura f

soluble [so'luβle] adj solúvel

solución [solu'θjon] f solução f

solucionar [soluθjo'nar] vt solucionar

solvencia [sol'βenθja] f solvência f

solventar [solβeṇ'tar] vt solver

sombra ['sombra] f sombra f

sombrero [som'brero] m chapéu m

sombrilla [som'briʎa] f sombrinha f

someter [some'ter] I. vt submeter II. vr: ~**se** submeter-se

sometimiento [someti'mjeṇto] m submissão m

somier [so'mjer] <somieres> m somiê m

somnífero [som'nifero] m sonífero m

somnolencia [somno'leṇθja] f sonolência f

somnoliento, -a [somno'ljeṇto, -a] adj sonolento, -a

somos ['somos] 1. pres pl de **ser**

son [son] 3. pres pl de **ser**

sonajero [sona'xero] m chocalho m

sonámbulo, -a [so'nambulo, -a] *m, f* sonâmbulo, -a *m, f*

sonar [so'nar] <o→ue> I. *vi* soar II. *vt* (*la nariz*) assoar III. *vr*: ~**se** assoar-se

sondear [sonde'ar] *vt* sondar

sondeo [son'deo] *m* sondagem *f*

sonido [so'niðo] *m* som *m*

sonorizar [sonori'θar] <z→c> *vt* sonorizar

sonreír [sonrre'ir] *irr como reír* I. *vi* sorrir II. *vr*: ~**se** sorrir-se

sonrisa [son'rrisa] *f* sorriso *m*

sonrojar [sonrro'xar] I. *vt* ruborizar II. *vr*: ~**se** ruborizar-se

sonrojo [son'rroxo] *m* rubor *m*

sonsacar [sonsa'kar] <c→qu> *vt* arrancar

soñador(a) [sona'ðor(a)] *adj, m(f)* sonhador(a) *m(f)*

soñar [so'nar] <o→ue> *vi, vt* sonhar

soñoliento, -a [sono'ljento, -a] *adj* sonolento, -a

sopa ['sopa] *f* sopa *f*

sopesar [sope'sar] *vt* sopesar

soplar [so'plar] *vi, vt* soprar

soplido [so'pliðo] *m* sopro *m*

soplo ['soplo] *m* sopro *m*; *inf* dica *f*

soporífero [sopo'rifero] *m* soporífero *m*

soporífero, -a [sopo'rifero, -a] *adj* soporífero, -a

soportable [sopor'taβle] *adj* suportável

soportar [sopor'tar] *vt* suportar

soporte [so'porte] *m* suporte *m*; ~ **físico** INFOR hardware *m*; ~ **lógico** INFOR software *m*

soprano [so'prano] *mf* MÚS soprano *mf*

sorber [sor'βer] *vt* sorver

sorbo ['sorβo] *m* gole *m*

sordera [sor'ðera] *f* surdez *f*

sórdido, -a [sor'ðiðo, -a] *adj* sórdido, -a

sordo, -a ['sorðo, -a] *adj, m, f* surdo, -a *m, f*

sordomudo, -a [sorðo'muðo, -a] *adj, m, f* surdo-mudo, surda-muda *m, f*

sorprender [sorpren'der] I. *vt* surpreender II. *vr*: ~**se** surpreender-se

sorprendido, -a [sorpren'diðo, -a] *adj* surpreendido, -a

sorpresa [sor'presa] *f* surpresa *f*

sortear [sorte'ar] *vt* (*rifar*) sortear; (*esquivar*) evitar

sorteo [sor'teo] *m* sorteio *m*

sortija [sor'tixa] *f* anel *m*

sosiego [so'sjeɣo] *m* sossego *m*

soslayar [sosla'jar] *vt* esguelhar

soslayo [sos'lajo] **de** ~ de soslaio

soso, -a ['soso, -a] *adj* insosso, -a

sospecha [sos'petʃa] *f* suspeita *f*

sospechar [sospe'tʃar] *vi, vt* suspeitar

sospechoso, -a [sospe'tʃoso, -a] *adj, m, f* suspeito, -a *m, f*

sostén [sos'ten] *m* sutiã *m*; *t. fig* sustento *m*

sostener [soste'ner] *irr como tener* I. *vt* sustentar II. *vr*: ~**se** sustentar-se

sota ['sota] *f* dama *f*

sótano ['sotano] *m* porão *m*

soy [soj] *1. pres de* **ser**

spray [es'praj] *m* <**sprays**> spray *m*

Sr. [se'nor] *abr de* **señor** Sr.

Sra. [se'ɲora] *abr de* **señora** Sra.
Srta. [seɲo'rita] *abr de* **señorita** Srta.
Sta. ['santa] *abr de* **santa** Sta.
stop [es'top] *m* stop *m*
su [su] *adj (de él, Ud.)* seu; *(de ella)* sua
suave [su'aβe] *adj* suave
suavidad [swaβi'ðaº] *f* suavidade *f*
suavizante [swaβi'θante] *m (para ropa)* amaciante *m; (para cabello)* condicionador *m*
suavizar [swaβi'θar] <z→c> *vt* suavizar
subalimentación [suβalimenta'θjon] *f* subalimentação *f*
subasta [su'βasta] *f* leilão *m*
subastar [suβas'tar] *vt* leiloar
subcampeón, -ona [suβkampe'on, -ona] *m, f* vice-campeão, vice-campeã *m, f*
subconsciente [suβkoⁿs'θjente] *adj, m* subconsciente *m*
subdesarrollado, -a [suβðesarro'ʎaðo, -a] *adj* subdesenvolvido, -a
súbdito, -a ['suβðito, -a] *m, f* súdito, -a *m, f*
subestimar [suβesti'mar] *vt* subestimar
subida [su'βiða] *f* subida *f*
subido, -a [su'βiðo, -a] *adj* forte
subir [su'βir] **I.** *vi, vt* subir **II.** *vr:* ~**se** subir
súbito, -a ['suβito, -a] *adj* súbito, -a
subjetividad [suβxetiβi'ðaº] *f* subjetividade *f*
subjetivo, -a [suβxe'tiβo, -a] *adj* subjetivo, -a
subjuntivo [suβxuⁿ'tiβo] *m* subjuntivo *m*
sublevación [suβleβa'θjon] *f* sublevação *f*
sublevar [suβle'βar] **I.** *vt* sublevar **II.** *vr:* ~**se** sublevar-se
sublime [su'βlime] *adj* sublime
submarinista [suβmari'nista, suᵐmari'nista] *mf* submarinista *mf*, mergulhador(a) *m(f)*
submarino [suβma'rino, suᵐma'rino] *m* submarino *m*
submarino, -a [suβma'rino, -a, suᵐma'rino, -a] *adj* submarino, -a
subnormal [suβnor'mal] *adj, mf* subnormal *mf*
subordinado, -a [suβorði'naðo, -a] *adj, m, f* subordinado, -a *m, f*
subordinar [suβorði'nar] *vt* subordinar
subrayar [suβrra'ʝar] *vt* sublinhar
subsanar [suβsa'nar] *vt* sanar
subscribir [suβskri'βir] *vt, vr v.* **suscribir**
subscripción [suβskrip'θjon] *f v.* **suscripción**
subsidio [suβ'siðjo] *m* subsídio *m*
subsiguiente [suβsi'ɣjente] *adj* subseqüente
subsistencia [suβsis'tenθja] *f* subsistência *f*
subsistir [suβsis'tir] *vi* subsistir
subterráneo, -a [suβte'rraneo, -a] *adj* subterrâneo, -a
subtítulo [suβ'titulo] *m t.* CINE legenda *f*
suburbano, -a [suβur'βano, -a] *adj* suburbano, -a
suburbio [su'βurβjo] *m* subúrbio *m*

subvención [suββen'θjon] *f* subvenção *f*
subvencionar [suββenθjo'nar] *vt* subvencionar
subversión [suββer'sjon] *f* subversão *f*
subversivo, -a [suββer'siβo, -a] *adj* subversivo, -a
subvertir [suββer'tir] *vt* subverter
subyacer [suβja'θer] *vi* subjazer
succión [suɣ'θjon] *f* sucção *f*
succionar [suɣθjo'nar] *vt* sugar
sucedáneo [suθe'ðaneo] *m* sucedâneo *m*
suceder [suθe'ðer] *vi, vt* suceder
sucesivo, -a [suθe'siβo, -a] *adj* sucessivo, -a; **en lo ~** daqui por diante
suceso [su'θeso] *m* sucesso *m*
sucesor(a) [suθe'sor(a)] *m(f)* sucessor(a) *m(f)*
suciedad [suθje'ðað] *f* sujeira *f*
sucio, -a ['suθjo, -a] *adj* sujo, -a
suculento, -a [suku'lento, -a] *adj* suculento, -a
sucumbir [sukum'bir] *vi* sucumbir
sucursal [sukur'sal] *f* sucursal *f*
Sudáfrica [su'ðafrika] *f* África *f* do Sul
Sudamérica [suða'merika] *f* América *f* do Sul
sudamericano, -a [suðameri'kano, -a] *adj, m,f* sul-americano, -a *m, f*
Sudán [su'ðan] *m* Sudão *m*
sudar [su'ðar] *vi, vt* suar
sudeste [su'ðeste] *m* sudeste *m*
sudoeste [suðo'este] *m* sudoeste *m*
sudor [su'ðor] *m* suor *m*
Suecia ['sweθja] *f* Suécia *f*
sueco, -a ['sweko, -a] *adj, m, f* sueco, -a *m, f*
suegro, -a ['sweɣro, -a] *m, f* sogro, -a *m, f*
suela ['swela] *f* sola *f*
sueldo ['sweldo] *m* salário *m*
suelo ['swelo] *m* solo *m*; (*de la casa*) chão *m*
suelto ['swelto] *m* trocado *m*
suelto, -a ['swelto, -a] *adj* solto, -a
sueño ['sweɲo] *m* sono *m*; (*el soñar*) sonho *m*
suerte ['swerte] *f* sorte *f*
suéter ['sweter] *m* suéter *m ou f*
suficiente [sufi'θjente] *adj, m* suficiente *m*
sufijo [su'fixo] *m* sufixo *m*
sufragar [sufra'ɣar] <g→gu> *vt* sufragar
sufragio [su'fraxjo] *m* sufrágio *m*
sufrimiento [sufri'mjento] *m* sofrimento *m*
sufrir [su'frir] *vi, vt* sofrer
sugerencia [suxe'renθja] *f* sugestão *f*
sugerir [suxe'rir] *irr como sentir vt* sugerir
sugestión [suxes'tjon] *f* sugestão *f*
sugestionar [suxestjo'nar] **I.** *vt* sugestionar **II.** *vr:* **~se** sugestionar-se
suicidarse [swiθi'ðarse] *vr* suicidar-se
suicidio [swi'θiðjo] *m* suicídio *m*
Suiza ['swiθa] *f* Suíça *f*
suizo, -a ['swiθo, -a] *adj, m, f* suíço, -a *m, f*
sujeción [suxe'θjon] *f* sujeição *f*
sujetador [suxeta'ðor] *m* sutiã *m*
sujetar [suxe'tar] **I.** *vt* sujeitar **II.** *vr:* **~se** sujeitar-se
sujeto [su'xeto] *m* sujeito *m*

suma ['suma] *f* suma *f*

sumar [su'mar] **I.** *vt* somar **II.** *vr*: **~se** somar-se

sumario [su'marjo] *m* sumário *m*

sumergible [sumer'xiβle] *adj, m* submersível *m*

sumergir [sumer'xir] <g→j> **I.** *vt* submergir **II.** *vr*: **~se** *t. fig* submergir-se

sumidero [sumi'ðero] *m* sarjeta *f*

suministrar [suminis'trar] *vt* subministrar

suministro [sumi'nistro] *m* subministração *f*

sumir [su'mir] **I.** *vt* mergulhar **II.** *vr*: **~se en algo** mergulhar em a. c.

sumisión [sumi'sjon] *f* submissão *f*

sumo, -a ['sumo, -a] *adj* sumo, -a; **a lo ~** no mais alto grau

suntuosidad [suntwosi'ðað] *f* suntuosidade *f*

suntuoso, -a [suntu'oso, -a] *adj* suntuoso, -a

supeditar [supeði'tar] **I.** *vt* submeter **II.** *vr*: **~se** submeter-se

súper¹ ['super] **I.** *adj inf* excelente **II.** *m* supermercado *m*

súper² ['super] *f* gasolina *f* super

superación [supera'θjon] *f* superação *f*

superar [supe'rar] **I.** *vt* superar **II.** *vr*: **~se** superar-se

superávit [supe'raβit] *m* <superávit(s)> superávit *m*

superficial [superfi'θjal] *adj* superficial

superficialidad [superfiθjali'ðað] *f* superficialidade *f*

superficie [super'fiθje] *f* superfície *f*

superfluo, -a [su'perflwo, -a] *adj* supérfluo, -a

superior [supe'rjor] *adj* superior

superior(a) [supe'rjor(a)] *m(f)* superior(a) *m(f)*

superioridad [superjori'ðað] *f* superioridade *f*

superlativo, -a [superla'tiβo, -a] *adj t.* LING superlativo, -a

supermercado [supermer'kaðo] *m* supermercado *m*

superponer [superpo'ner] *irr como* poner **I.** *vt* superpor **II.** *vr*: **~se** superpor-se

supersónico, -a [super'soniko, -a] *adj* supersônico, -a

superstición [supersti'θjon] *f* superstição *f*

supersticioso, -a [supersti'θjoso, -a] *adj* supersticioso, -a

supervisar [superβi'sar] *vt* supervisionar

supervisión [superβi'sjon] *f* supervisão *f*

supervisor(a) [superβi'sor(a)] *m(f)* supervisor(a) *m(f)*

supervivencia [superβi'βenθja] *f* sobrevivência *f*

superviviente [superβi'βjente] *adj, mf* sobrevivente *mf*

suplantar [suplan'tar] *vt* suplantar

suplementario, -a [suplemen'tarjo, -a] *adj* suplementário, -a

suplemento [suple'mento] *m* suplemento *m*

suplente [su'plente] *adj, mf* suplente *mf*

supletorio [suple'torjo] *m* TEL extensão *f*

súplica ['suplika] *f* súplica *f*

suplicar [supli'kar] <c→qu> *vt* suplicar

suplicio [su'pliθjo] *m* suplício *m*

suplir [su'plir] *vt* suprir

supo ['supo] *3. pret de* **saber**

suponer [supo'ner] *irr como* **poner** *vt* supor; **~ un duro golpe** representar um duro golpe; **dar por supuesto** tomar como certo

suposición [suposi'θjon] *f* suposição *f*

supositorio [suposi'torjo] *m* MED supositório *m*

supremacía [suprema'θia] *f* supremacia *f*

supremo, -a [su'premo, -a] *adj* supremo, -a

supresión [supre'sjon] *f* supressão *f*

suprimir [supri'mir] *vt* suprimir

supuesto, -a [su'pwesto, -a] *adj* suposto, -a; **por ~** certamente; **dar algo por ~** dar a. c. como certo

sur [sur] *m* sul *m*

surafricano, -a [surafri'kano, -a] *adj, m, f* sul-africano, -a *m, f*

surcar [sur'kar] <c→qu> *vt* sulcar

surco ['surko] *m* sulco *m*

sureste [sur'este] *m* sudeste *m*

surfear [surfe'ar] *vi inf* INFOR surfar

surgir [sur'xir] <g→j> *vi* surgir

suroeste [suro'este] *m* sudoeste *m*

surrealista [surrea'lista] *adj, mf* surrealista *mf*

surtido [sur'tiðo] *m* sortimento *m*

surtido, -a [sur'tiðo, -a] *adj* sortido, -a

surtidor [surti'ðor] *m* (*de gasolina* bomba *f* de gasolina; (*fuente*) repuxo *m*

surtir [sur'tir] **I.** *vt* abastecer **II.** *vr* abastecer-se

susceptible [susθep'tiβle] *adj* susceptível

suscitar [susθi'tar] *vt* suscitar

suscribir [suskri'βir] *irr como* **escribi**
I. *vt* subscrever **II.** *vr:* **~se** subscrever-se

suscripción [suskriβ'θjon] *f* assinatura *f*

suspender [suspen'der] *vt* suspender

suspense [sus'pense] *m* suspense *m*

suspensión [suspen'sjon] *f* suspensão *f*

suspenso [sus'penso] *m* ENS nota vermelha

suspenso, -a [sus'penso, -a] *adj* suspenso, -a

suspicacia [suspi'kaθja] *f* suspicácia *f*

suspicaz [suspi'kaθ] *adj* suspicaz

suspirar [suspi'rar] *vi* suspirar

suspiro [sus'piro] *m* suspiro *m*

sustancia [sus'tanθja] *f* substância *f*

sustancial [sustan'θjal] *adj* substancial

sustantivo [sustan'tiβo] *m* substantivo *m*

sustentar [susten'tar] **I.** *vt* sustentar **II.** *vr:* **~se** sustentar-se

sustento [sus'tento] *m* sustento *m*

sustitución [sustitu'θjon] *f* substituição *f*

sustituir [sustitu'ir] *irr como* **huir** *vt t.* DEP substituir

susto ['susto] *m* susto *m*

sustraer [sustra'er] *irr como traer vt* subtrair

susurrar [susu'rrar] *vi* sussurrar

susurro [su'surro] *m* sussurro *m*

sutil [su'til] *adj* sutil

sutileza [suti'leθa] *f*, **sutilidad** [sutili'ðaº] *f* sutileza *f*

suturar [sutu'rar] *vt* suturar

suyo, -a ['sujo, -a] *adj, pron* (*de él, Ud.*) seu; (*de ella*) sua; **ir a lo ~** seguir seu próprio caminho

Swazilandia [swaθi'landja] *f* Suazilândia *f*

T

T, t [te] *f* T, t *m*

tabaco [ta'βako] *m* tabaco *m*, fumo *m*

taberna [ta'βerna] *f* taberna *f*

tabique [ta'βike] *m* tabique *m*

tabla ['taβla] *f* (*plancha*) tábua *f*; (*lista*) tabela *f*; **tener ~s** ter experiência de palco

tablero [ta'βlero] *m* tábua *f*; **~ de ajedrez** tabuleiro *m* de xadrez

tableta [ta'βleta] *f* MED comprimido *m*

tablón [ta'βlon] *m* tábua *f*; **~ de anuncios** quadro *m* de avisos

tabú [ta'βu] *m* <tabúes> tabu *m*

tabulador [taβula'ðor] *m* tabulador *m*

taburete [taβu'rete] *m* tamborete *m*

tacaño, -a [ta'kaɲo, -a] *adj, m, f* tacanho, -a *m, f*

tachar [ta'tʃar] *vt* riscar; (*acusar*) tachar

tachón [ta'tʃon] *m* rabisco *m*

tachuela [ta'tʃwela] *f* tacha *f*

taciturno, -a [taθi'turno, -a] *adj* taciturno, -a

taco ['tako] *m* **1.** (*pedazo*) naco *m*; (*de billar*) taco *m* **2.** TÉC bucha *f* **3.** *inf* palavrão *m*

tacón [ta'kon] *m* salto *m*

taconear [takone'ar] *vi* sapatear

táctica ['taktika] *f* tática *f*

táctico, -a ['taktiko, -a] *adj, m, f* tático, -a *m, f*

tacto ['takto] *m t. fig* tato *m*

Tailandia [taj'landja] *f* Tailândia *f*

taimado, -a [taj'maðo, -a] *adj* taimado, -a

Taiwán [taj'wan] *m* Taiwan *m*

tajada [ta'xaða] *f inf* pedaço *m*; **sacar ~** tirar proveito

tajante [ta'xante] *adj* taxativo, -a

Tajo ['taxo] *m* **el ~** o Tejo

tal [tal] **I.** *adj* tal; **en ~ caso** nesse caso; **~ vez** (*quizás*) talvez **II.** *pron* **el ~** o tal **III.** *adv* tal; **¿qué ~ (te va)?** que tal (está você)? **IV.** *conj* **con ~ de** +*infin*, **con ~ de que** +*subj* contanto que

taladradora [talaðra'ðora] *f* perfuradora *f*

taladrar [tala'ðrar] *vt* perfurar

taladro [ta'laðro] *m* furadeira *f*

talante [ta'lante] *m* temperamento *m*

talar [ta'lar] *vt* talar

talco ['talko] *m* talco *m*

talego [ta'leɣo] *m* (*talega*) taleiga *m*

talento [ta'lento] *m* talento *m*

talismán [talis'man] *m* talismã *m*

talla ['taʎa] *f* **1.** (*en madera*) talha *f*

2. (*estatura*) altura f **3.** (*de vestido*) tamanho m

tallar [ta'ʎar] vt talhar
talle ['taʎe] m cintura f
taller [ta'ʎer] m oficina f
tallo ['taʎo] m talo m
talón [ta'lon] m **1.** (*del pie*) calcanhar m **2.** (*cheque*) cheque m
talonario [talo'narjo] m talão m
tamaño [ta'maɲo] m tamanho m
tambalearse [tambale'arse] vr cambalear
también [tam'bjen] adv também
tambor [tam'bor] m tambor m
tamiz [ta'miθ] m peneira f
tampoco [tam'poko] adv tampouco
tampón [tam'pon] m (*de tinta*) almofada f; (*para mujer*) tampão m
tan [tan] adv tão; **ni ~ siquiera** pelo menos
tanatorio [tana'torjo] m capela f mortuária
tanda ['tanda] f turno m, vez f
tándem ['tanden] m tandem m
tanga ['taŋɡa] f tanga f
tango ['taŋɡo] m tango m
tanque [taŋke] m tanque m
tanteador [tantea'ðor] m marcador m
tantear [tante'ar] vt (*calcular*) estimar; (*probar*) sondar
tanteo [tan'teo] m estimativa f; DEP pontuação f
tanto ['tanto] **I.** m tanto m; (*gol*) ponto m; **~ por ciento** tanto por cento **II.** adv tanto; **~ como** tanto quanto; **~... como...** tão... quanto...; **en ~ (que)** +subj enquanto +subj; **entre ~** enquanto isso; **por (lo) ~** portanto
tanto, -a ['tanto, -a] adj, pron der tanto, -a; **tener 40 y ~s** ter 40 e tantos
Tanzania [tan'θanja] f Tanzânia f
tapa ['tapa] f tampa f; (*de libro*) capa f; GASTR tira-gosto m
tapadera [tapa'ðera] f tampa f
tapar [ta'par] **I.** vt t. fig tapar **II.** vr ~**se** cobrir-se
tapete [ta'pete] m toalha f (de centro) **sobre el ~** fig em discussão
tapia ['tapja] f muro m; **sordo como una ~** surdo como uma porta
tapiar [ta'pjar] vt murar
tapiz [ta'piθ] m tapeçaria f
tapón [ta'pon] m tampa f
taquigrafiar [takiɣrafi'ar] <*1. pres* taquigrafío*> vt* taquigrafar
taquilla [ta'kiʎa] f armário m; TEATR guichê m
tara ['tara] f defeito m; COM tara f
tarántula [ta'rantula] f tarântula f
tararear [tarare'ar] vt cantarolar
tardanza [tar'ðanθa] f demora f, tardança m
tardar [tar'ðar] vi tardar; ~ **en llegar** atrasar-se; **sin ~** sem demora; **¡no tardes!** volte logo!
tarde ['tarðe] adv, f tarde f; **~ o temprano** cedo ou tarde; **se me hace ~** me atrasei; **¡buenas ~s!** boa tarde!
tarea [ta'rea] f tarefa f
tarifa [ta'rifa] f tarifa f
tarima [ta'rima] f plataforma f
tarjeta [tar'xeta] f t. INFOR cartão m
tarro ['tarro] m tarro m
tarta ['tarta] f torta f

tartamudear [tartamuðe'ar] *vi* gaguejar
tartamudez [tartamu'ðeθ] *f* gagueira *f*
tartamudo, -a [tarta'muðo, -a] *adj, m, f* gago, -a *m, f*
tasa ['tasa] *f* taxa *f*
tasar [ta'sar] *vt* taxar
tata ['tata] *m AmL* papai *m*
tatarabuelo, -a [tatara'βwelo, -a] *m, f* tataravô, -ó *m, f*
tatuaje [tatu'axe] *m* tatuagem *f*
tatuar [tatu'ar] <*1. pres:* tatúo> *vt* tatuar
Tauro ['tauro] *m* Touro *m*
taxi ['taˠsi] *m* táxi *m*
taxista [taˠ'sista] *mf* taxista *mf*
taza ['taθa] *f* xícara *f*
té [te] *m* chá *m*
te [te] **I.** *f* tê *f* **II.** *pron pers, refl* te; **¡míra~!** olha para você!; **~ vistes** você se veste
teatral [tea'tral] *adj* teatral
teatro [te'atro] *m* teatro *m*
tebeo [te'βeo] *m* revista *f* em quadrinhos
techo ['tetʃo] *m* teto *m*
tecla ['tekla] *f* tecla *f*
teclado [te'klaðo] *m* teclado *m*
técnica ['teɣnika] *f* técnica *f*
técnico, -a ['teɣniko, -a] *adj, m, f* técnico, -a *m, f*
tecno ['teɣno] *m* MÚS tecno *m*
tecnócrata [teɣ'nokrata] **I.** *adj* tecnocrático, -a **II.** *mf* tecnocrata *mf*
tecnología [teɣnolo'xia] *f* tecnologia *f*
tecnológico, -a [teɣno'loxiko, -a] *adj* tecnológico, -a

tedio ['teðjo] *m* tédio *m*
teja ['texa] *f* telha *f*
tejado [te'xaðo] *m* telhado *m*
tejanos [te'xanos] *mpl* calça *f* jeans
tejer [te'xer] *vt* fiar; (*tricotar*) tecer
tejido [te'xiðo] *m* tecido *m*
tel. [te'lefono] *abr de* **teléfono** tel.
tela ['tela] *f* tecido *m*; (*lienzo*) tela *f*
telar [te'lar] *m* (*máquina*) tear *m*
telaraña [tela'raɲa] *f* teia *f* de aranha
tele ['tele] *f inf* tv *f*
telecomunicación [telekomunika'θjon] *f* telecomunicação *f*
telediario [teleði'arjo] *m* telejornal *m*
teledirigido, -a [teleðiri'xiðo, -a] *adj* teledirigido, -a
teleférico [tele'feriko] *m* teleférico *m*
telefilm [tele'fil^m] *m* telefilme *m*
telefonear [telefone'ar] *vi* telefonar
Telefónica [tele'fonika] *f* companhia espanhola de telefonia
telefónico, -a [tele'foniko, -a] *adj* telefônico, -a
telefonista [telefo'nista] *mf* telefonista *mf*
teléfono [te'lefono] *m* telefone *m*; **~ móvil** telefone celular; **llamar por ~** telefonar, ligar
telegrafiar [teleɣrafi'ar] <*3. pret:* telegrafió> *vi, vt* telegrafar
telegráfico, -a [tele'ɣrafiko, -a] *adj* telegráfico, -a
telégrafo [te'leɣrafo] *m* telégrafo *m*
telegrama [tele'ɣrama] *m* telegrama *m*
telemando [tele'mando] *m* controle *m* remoto
telenovela [teleno'βela] *f* TV telenovela

telepatía [telepa'tia] *f* telepatia *f*

telescopio [teles'kopjo] *m* telescópio *m*

telespectador(a) [telespekta'ðor(a)] *m(f)* telespectador(a) *m(f)*

telesquí [teles'ki] *m* teleférico *m* de estação de esqui

teletexto [tele'testo] *m* teletexto *m*

teletrabajo [teletra'βaxo] *m* teletrabalho *m*

televidente [teleβi'ðente] *mf v.* **telespectador**

televisar [teleβi'sar] *vt* televisionar

televisión [teleβi'sjon] *f* televisão *f*

televisor [teleβi'sor] *m* televisor *m*

telón [te'lon] *m* cortina *f*; **~ de fondo** pano *m* de fundo

tema ['tema] *m* tema *m*

temario [te'marjo] *m* temário *m*

temblar [tem'blar] <e→ie> *vi* tremer

temblor [tem'blor] *m* tremor *m*

temer [te'mer] **I.** *vi, vt* temer **II.** *vr:* **~se** temer

temerario, -a [teme'rarjo, -a] *adj* temerário, -a

temeridad [temeri'ðað] *f* temeridade *f*

temible [te'miβle] *adj* temível

temor [te'mor] *m* temor *m*

témpano ['tempano] *m* bloco *m*

temperamental [temperamen'tal] *adj* temperamental

temperamento [tempera'mento] *m* temperamento *m*; **tener mucho ~** ter uma personalidade forte

temperatura [tempera'tura] *f* temperatura *f*

tempestad [tempes'tað] *f* tempestade *f*

novela *f*

tempestuoso, -a [tempestu'oso, -a] *adj* tempestuoso, -a

templado, -a [tem'plaðo, -a] *adj* morno, -a; *fig* sereno, -a

templar [tem'plar] **I.** *vt* amenizar **II.** *vr:* **~se** aquecer-se; *AmL* apaixonar-se

templo ['templo] *m* templo *m*

temporada [tempo'raða] *f* temporada *f*; **de ~** da estação

temporalidad [temporali'ðað] *f* temporalidade *f*

temprano [tem'prano] *adv* cedo

temprano, -a [tem'prano, -a] *adj* temporão, temporã

tenacidad [tenaθi'ðað] *f* tenacidade *f*

tenaz [te'naθ] *adj* tenaz

tenaza(s) [te'naθa(s)] *f(pl)* alicate *m*

tendedero [tende'ðero] *m* varal *m*

tendencia [ten'denθja] *f* tendência *f*

tendencioso, -a [tenden'θjoso, -a] *adj* tendencioso, -a

tender [ten'der] <e→ie> **I.** *vt* estender; *(tumbar)* deitar; **~ la cama** *AmL* fazer a cama; **~ la mesa** *AmL* pôr a mesa **II.** *vi* tender (a)

tenderete [tende'rete] *m* banca *f*

tendero, -a [ten'dero, -a] *m, f* comerciante *mf*

tendido, -a [ten'diðo, -a] *adj (persona)* deitado, -a

tendón [ten'don] *m* ANAT tendão *m*

tenebroso, -a [tene'βroso, -a] *adj* tenebroso, -a

tenedor [tene'ðor] *m* garfo *m*

tener [te'ner] *irr* **I.** *vt* ter; *(sujetar)* segurar; **~ 29 años** ter 29 anos; **~ hambre** ter fome; **me tienes preo-**

cupada estou preocupada com você II. *vr:* ~**se** achar-se; ~**se firme** *t. fig* manter-se firme III. *aux* ter; ~ **pensado hacer algo** ter pensado em fazer a. c.; ~ **que** ter que

teniente [te'njente] *m* MIL tenente *m*

tenis ['tenis] *m* tênis *m*

tenista [te'nista] *mf* tenista *mf*

tenor [te'nor] *m* MÚS tenor *m*

tensar [ten'sar] *vt* estender

tensión [ten'sjon] *f* tensão *f*; ~ (**arterial**) pressão *f* arterial

tenso, -a ['tenso, -a] *adj* tenso, -a

tentación [tenta'θjon] *f* tentação *f*

tentáculo [ten'takulo] *m* tentáculo *m*

tentador(a) [tenta'ðor(a)] *m* tentador(a)

tentar [ten'tar] <e→ie> *vt* tentar

tentativa [tenta'tiβa] *f* tentativa *f*

tentempié [tentem'pje] *m inf* lanche *m*

tenue ['tenwe] *adj* tênue

teñir [te'ɲir] *irr como ceñir* I. *vt* tingir II. *vr:* ~**se** tingir-se

teología [teolo'xia] *f* teologia *f*

teorema [teo'rema] *m* teorema *m*

teoría [teo'ria] *f* teoria *f*

teorizar [teori'θar] <z→c> *vi* teorizar

teórico, -a [te'oriko, -a] *adj, m, f* teórico, -a *m, f*

tequila [te'kila] *m* tequila *f*

terapeuta [tera'peuta] *mf* terapeuta *mf*

terapia [te'rapja] *f* terapia *f*

tercer [ter'θer] *adj v.* **tercero**

tercermundista [terθermun'dista] *adj referente ao terceiro mundo*

tercero, -a [ter'θero, -a] *adj (ante sustantivo masculino: tercer)* terceiro, -a; *v.t.* **octavo**

terciar [ter'θjar] I. *vt AmL* diluir II. *vi* intervir; *(mediar)* mediar III. *vr:* ~**se** propiciar-se; **si se tercia** se surgir a oportunidade

terciario, -a [ter'θjarjo, -a] *adj* terciário, -a

tercio [ter'θjo] *m* terço *m*

terciopelo [terθjo'pelo] *m* veludo *m*

terco, -a ['terko, -a] *adj, m, f* teimoso, -a *m, f*

tergal® [ter'ɣal] *m* tergal® *m*

tergiversar [terxiβer'sar] *vt* distorcer

termal [ter'mal] *adj* termal

térmico, -a ['termiko, -a] *adj* térmico, -a

terminación [termina'θjon] *f* término *m*

terminal¹ [termi'nal] *m* INFOR terminal *m*

terminal² [termi'nal] *f* terminal *m*

terminar [termi'nar] I. *vi, vt* terminar II. *vr:* ~**se** terminar

término ['termino] *m* 1. término *m*; **llevar a** ~ levar a término; **en primer** ~ *fig* em primeiro lugar 2. *pl (de contrato)* termos *mpl*; **en** ~**s generales** em termos gerais

termita [ter'mita] *f* ZOOL cupim *m*

termo ['termo] *m* garrafa *f* térmica

termómetro [ter'mometro] *m* termômetro *m*

termostato [termos'tato] *m* termostato *m*

ternera [ter'nera] *f* vitela *f*

ternero, -a [ter'nero, -a] *m, f* bezerro, -a *m, f*

terno ['terno] *m* (*traje*) terno *m*
ternura [ter'nura] *f* ternura *f*
terquedad [terke'ðað] *f* obstinação *f*
Terranova [terra'noβa] *f* Terra *f* Nova
terraplén [terra'plen] *m* terraplenagem *f*
terráqueo, -a [te'rrakeo, -a] *adj* terráqueo, -a
terrario [te'rrarjo] *m* terrário *m*
terraza [te'rraθa] *f* terraço *m*
terremoto [terre'moto] *m* terremoto *m*
terrenal [terre'nal] *adj* terreno, -a
terreno [te'rreno] *m* terreno *m*; DEP cancha *f*; **sobre el ~** in loco
terrestre [te'rrestre] *adj* terrestre
terrible [te'rriβle] *adj* terrível
territorial [territo'rjal] *adj* territorial
territorio [terri'torjo] *m* território *m*
terrón [te'rron] *m* torrão *m*
terror [te'rror] *m* terror *m*
terrorífico, -a [terro'rifiko, -a] *adj* horrendo, -a
terrorismo [terro'rismo] *m* terrorismo *m*
terrorista [terro'rista] *adj, mf* terrorista *mf*
terso, -a ['terso, -a] *adj* terso, -a
tertulia [ter'tulja] *f* tertúlia *f*
tesis ['tesis] *f inv* tese *f*
tesón [te'son] *m* perseverança *f*
tesorería [tesore'rja] *f* tesouraria *f*
tesoro [te'soro] *m* tesouro *m*
test [tesᵗ] *m* exame *m*
testamento [testa'mento] *m* testamento *m*
testarudo, -a [testa'ruðo, -a] *adj, m, f* teimoso, -a *m, f*

testículo [tes'tikulo] *m* testículo *m*
testificar [testifi'kar] <c→qu> *vi, vt* testemunhar
testigo [tes'tiɣo] *mf* testemunha *mf*
testimonial [testimo'njal] *adj* testemunhal
testimonio [testi'monjo] *m* testemunho *m*
tetera [te'tera] *f* chaleira *f*
tetina [te'tina] *f* tetina *f*
tetrapléjico, -a [tetra'plexiko, -a] *adj, m, f* tetraplégico, -a *m, f*
tétrico, -a [te'triko, -a] *adj* tétrico, -a
textil [tes'til] *adj, m* têxtil *m*
texto ['testo] *m* texto *m*
textual [testu'al] *adj* textual
textura [tes'tura] *f* textura *f*
tez [teθ] *f* tez *f*
ti [ti] *pron pers* ti
tía ['tia] *f* tia *f*; **¡qué ~ más buena!** *in.* que gata!
tibia ['tiβja] *f* tíbia *f*
tibio, -a ['tiβjo, -a] *adj* tíbio, -a
tiburón [tiβu'ron] *m* tubarão *m*
tic [tiᵏ] *m* <tics> tique *m*
tictac [tik'tak] *m* tique-taque *m*
tiempo ['tjempo] *m t.* METEO tempo *m*; **al poco ~** pouco tempo depois
tienda ['tjenda] *f* loja *f*; **~ (de campaña)** barraca *f* (de camping); **ir de ~s** fazer compras
tienta ['tjenta] *f* **andar a ~s** *fig* tatear
tiento ['tjento] *m* tato *m*
tierno, -a ['tjerno, -a] *adj* terno, -a
tierra ['tjerra] *f* terra *f*; **tomar ~** AERO aterrissar
tieso, -a ['tjeso, -a] *adj* teso, -a; *fig* arrogante

tiesto ['tjesto] *m* vaso *m*

tifón [ti'fon] *m* tufão *m*

tifus ['tifus] *m inv* tifo *m*

tigre, -a ['tiɣre, -a] *m*, *f AmL* jaguar *m*

tigre(sa) ['tiɣre, ti'ɣresa] *m(f)* tigre, sa *m, f*

tijera(s) [ti'xera(s)] *f(pl)* tesoura *f*

tila ['tila] *f* tília *f*

tildar [til'dar] *vt* tachar

tilde ['tilde] *f* acento *m*

tilo ['tilo] *m* tília *f*

timador(a) [tima'ðor(a)] *m(f)* trapaceiro, -a *m, f*

timar [ti'mar] *vt* trapacear

timbre ['timbre] *m* timbre *m*; *(aparato)* campainha *f*

timidez [timi'ðeθ] *f* timidez *f*

tímido, -a ['timiðo, -a] *adj* tímido, -a

timo ['timo] *m* trapaça *f*

timón [ti'mon] *m* leme *m*; **llevar el ~** *inf* ter as rédeas

timonel [timo'nel] *mf* timoneiro, -a *m, f*

tímpano ['timpano] *m* tímpano *m*

tina ['tina] *f* tina *f*

tinglado [tiŋ'glaðo] *m* galpão *m*; *inf (lío)* bagunça *f*

tiniebla [ti'njeβla] *f* treva *f*

tino ['tino] *m* pontaria *f*; *(destreza)* tino *m*

tinta ['tinta] *f* tinta *f*; **medias ~s** meias palavras; **cargar las ~s** *inf* exagerar; **sudar ~** *inf* suar a camisa

tinte ['tinte] *m* tintura *f*; *(tintorería)* lavanderia *f*

tintero [tiŋ'tero] *m* tinteiro *m*

tintinear [tintine'ar] *vi* tilintar

tinto ['tinto] *m* tinto *m*

tintorería [tintore'ria] *f* tinturaria *f*

tintura [tin'tura] *f* tintura *f*

tío ['tio] *m* tio *m*; **¡qué ~ más bueno!** *inf* que gato!

tiovivo [tio'βiβo] *m* carrossel *m*

típico, -a ['tipiko, -a] *adj* típico, -a

tipo ['tipo] *m* tipo *m*; **~ de cambio** taxa de câmbio; **aguantar el ~** *inf* agüentar a barra; **tener buen ~** ter um corpo bonito

tipografía [tipoɣra'fia] *f* tipografia *f*

tipología [tipolo'xia] *f* tipologia *f*

tíquet [ti'keˡ] *m* <tíquets> tíquete *m*

tiquismiquis [tikis'mikis] *mf inv* melindroso, -a *m, f*

tira ['tira] *f* tira *f*; **me ha gustado la ~** *inf* gostei demais

tirabuzón [tiraβu'θon] *m* cacho *m*

tirachinas [tira'tʃinas] *m inv* estilingue *m*

tirada [ti'raða] *f* tiragem *f*; *(en juego)* jogada *f*; **de una ~** *fig* de uma só vez

tirado, -a [ti'raðo, -a] *adj inf (barato)* barato, -a; *(fácil)* fácil

tirador [tira'ðor] *m* puxador *m*

tiranía [tira'nia] *f* tirania *f*

tiranizar [tirani'θar] <z→c> *vt* tiranizar

tirano, -a [ti'rano, -a] *adj*, *m*, *f* tirano, -a *m, f*

tirantes [ti'rantes] *mpl* suspensórios *mpl*

tirantez [tiran'teθ] *f* tensão *f*

tirar [ti'rar] I. *vt* 1. *(arrastrar)* puxar; *(atraer)* atrair 2. *(disparar)* atirar; **¿qué tal? – vamos tirando** *inf* como está? – vamos indo II. *vt* atirar; FOTO tirar III. *vr*: **~se** 1. *(lanzarse)*

atirar-se **2.** (*echarse*) deitar-se
tirita [ti'rita] *f* band-aid *m*
tiritar [tiri'tar] *vi* tiritar
tiro ['tiro] *m* tiro *m;* **a** ~ *t. fig* na mira; **sentar como un** ~ *inf* cair mal
tirotear [tirote'ar] *vt* tirotear
tirón [ti'ron] *m* tirão *m;* **de un** ~ de uma vez
tisis ['tisis] *f inv* MED tuberculose *f*
titánico, -a [ti'taniko, -a] *adj* titânico, -a
titanio [ti'tanjo] *m* titânio *m*
títeres ['titere] *mpl* teatro *m* de marionetes
titilar [titi'lar] *vi* tremer; (*centellear*) reluzir
titiritero, -a [titiri'tero, -a] *m, f* titereiro, -a *m, f*
titubear [tituβe'ar] *vi* titubear
titubeo [titu'βeo] *m* titubeio *m*
titulación [titula'θjon] *f* titulação *f*
titular¹ [titu'lar] I. *vt* titular II. *vr:* ~**se** diplomar-se
titular² [titu'lar] *adj, mf* titular *mf*
título ['titulo] *m* título *m;* ENS diploma *m*
tiza ['tiθa] *f* giz *m*
tiznar [tiθ'nar] *vt* tisnar
toalla [to'aʎa] *f* toalha *f*
tobillera [toβi'ʎera] *f* tornozeleira *f*
tobillo [to'βiʎo] *m* tornozelo *m*
tobogán [toβo'ɣan] *m* escorregador *m*
tocadiscos [toka'ðiskos] *m inv* toca-discos *m inv*
tocante [to'kante] *adj* **en lo** ~ **a** no que toca a
tocar [to'kar] <c→qu> I. *vt* tocar; ~

a la puerta tocar à porta; **el reloj tocó las tres** o relógio bateu três horas II. *vi* tocar; **te toca jugar** é a tua vez III. *vr:* ~**se** (*estar en contacto*) tocar-se
tocateja [toka'texa] *inf* **a** ~ à vista
tocayo, -a [to'kaʝo, -a] *m, f* homônimo, -a *m, f*
tocino [to'θino] *m* toucinho *m*
todavía [toða'βia] *adv* ainda
todo ['toðo] I. *pron indef* tudo; **ante** [*o* **sobre**] ~ sobretudo; ~ **lo contrario** muito pelo contrário II. *m* todo *m*
todo, -a ['toðo, -a] *art indef* todo, -a; **de** ~**s modos** de todos os modos
todoterreno [toðote'rreno] *m* veículo *m* todo-terreno
Tokio ['tokjo] *m* Tóquio *f*
toldo ['toldo] *m* toldo *m*
tolerancia [tole'ranθja] *f* tolerância *f*
tolerante [tole'rante] *adj* tolerante
tolerar [tole'rar] *vt* tolerar
toma ['toma] *f* tomada *f*
tomar [to'mar] I. *vi* AmL (*alcohol*) tomar II. *vt* tomar; ~ **un café** tomar um café; ~ **algo a mal** levar a. c. a mal; ~ **en serio** levar a sério III. *vr:* ~**se 1.** (*coger, beber, comer*) tomar **2.** AmL (*emborracharse*) **tomársela** embriagar-se
tomate [to'mate] *m* tomate *m*
tomatera [toma'tera] *f* tomateiro *m*
tomavistas [toma'βistas] *m inv* FOTO filmadora *f*
tomillo [to'miʎo] *m* tomilho *m*
tomo ['tomo] *m* tomo *m*
ton [ton] *inf* **sin** ~ **ni son** sem motivo

tonalidad [tonali'ðaᵒ] f tonalidade f
tonelada [tone'laða] f tonelada f
tonelaje [tone'laxe] m tonelagem f
tónica ['tonika] f tônica f
tonificar [tonifi'kar] <c→qu> vt tonificar
tono ['tono] m tom m
tontería [tonte'ria] f bobagem f
tonto, -a ['tonto, -a] adj, m, f tonto, -a m, f; **hacer el ~** fazer brincadeiras
topacio [to'paθjo] m topázio m
topar [to'par] I. vi ~ **con alguien** topar com alguém II. vr: ~**se con alguien** topar-se com alguém
tope ['tope] m trava f; (límite) limite m
tópico ['topiko] m tópico m
topo ['topo] m toupeira f
topógrafo, -a [to'poɣrafo, -a] m, f topógrafo, -a m, f
toque ['toke] m toque m; ~ **de atención** chamada f
tórax ['toraʸs] m inv tórax m inv
torbellino [torβe'ʎino] m torvelinho m
torcedura [torθe'ðura] f MED torcedura f
torcer [tor'θer] irr como cocer I. vt torcer II. vt torcer; ~ **la vista** desviar os olhos III. vr: ~**se** (pie) torcer
torcido, -a [tor'θiðo, -a] adj torcido, -a
tordo ['torðo] m turdo m
torear [tore'ar] vt tourear
toreo [to'reo] m toureação f
torero, -a [to'rero, -a] adj, m, f toureiro, -a m, f
tormenta [tor'menta] f tormenta f
tormento [tor'mento] m tormento m

tornado [tor'naðo] m tornado m
tornar [tor'nar] I. vi, vt tornar II. vr: ~**se** tornar-se
torneo [tor'neo] m torneio m
tornillo [tor'niʎo] m parafuso m
torno ['torno] m torno m
toro ['toro] m touro m
torpe ['torpe] adj desajeitado, -a
torpedo [tor'peðo] m torpedo m
torpeza [tor'peθa] f inabilidade f
torre ['torre] f torre f
torrencial [torren'θjal] adj torrencial
torrente [to'rrente] m torrente f
torso ['torso] m torso m
torta ['torta] f **1.** (tarta) torta f **2.** AmL (pastel) pastelão **3.** inf (bofetada) sopapo m
tortazo [tor'taθo] m inf sopapo m
tortícolis [tor'tikolis] f inv torcicolo m
tortilla [tor'tiʎa] f omelete m
tortuga [tor'tuɣa] f tartaruga f
tortura [tor'tura] f tortura f
torturar [tortu'rar] vt torturar
tos [tos] f tosse f
tosco, -a ['tosko, -a] adj tosco, -a
toser [to'ser] vi tossir
tostada [tos'taða] f torrada f
tostadora [tosta'ðora] f torradeira f
tostar [tos'tar] <o→ue> I. vt torrar II. vr: ~**se** bronzear-se
tostón [tos'ton] m inf (aburrimiento) chatice f
total [to'tal] adj, m total m
totalidad [totali'ðaᵒ] f totalidade f
totalitarismo [totalita'rismo] m totalitarismo m
totalizar [totali'θar] <z→c> vt totalizar

tótem ['toten] *m* totem *m*

tóxico ['to^Ysiko] *m* tóxico *m*

toxicomanía [to^Ysikoma'nia] *f* toxicomania *f*

tozudo, -a [to'θuðo, -a] *adj, m, f* teimoso, -a *m, f*

traba ['traβa] *f* empecilho *m*

trabajador(a) [traβaxa'ðor(a)] *adj, m(f)* trabalhador(a) *m(f)*

trabajar [traβa'xar] *vi, vt* trabalhar

trabajo [tra'βaxo] *m* trabalho *m*

trabalenguas [traβa'leŋgwas] *m inv* trava-língua *m*

trabar [tra'βar] **I.** *vt* agarrar; ~ **amistad** travar amizade **II.** *vr*: ~**se** travar-se

tracción [tra^Y'θjon] *f* tração *f*

tractor [trak'tor] *m* trator *m*

tradición [traði'θjon] *f* tradição *f*

tradicional [traðiθjo'nal] *adj* tradicional

traducción [traðu^Y'θjon] *f* tradução *f*

traducir [traðu'θir] *irr vt* traduzir

traductor(a) [traðuk'tor(a)] *adj, m(f)* tradutor(a) *m(f)*

traer [tra'er] *irr* **I.** *vt* trazer; **me trae sin cuidado** *inf* pouco me importa **II.** *vr* ~**se algo entre manos** estar tramando a. c.

traficante [trafi'kante] *mf* traficante *mf*

traficar [trafi'kar] <c→qu> *vi* traficar

tráfico [tra'fiko] *m* trânsito *m*, tráfego *m*; *(comercio)* tráfico *m*

tragaluz [traɣa'luθ] *m* clarabóia *f*

tragaperras [traɣa'perras] *f inv, inf* caça-níquel *m*

tragar [tra'ɣar] <g→gu> **I.** *vt* tragar; *fig* engolir; **no** ~ **a alguien** não engolir alguém **II.** *vr*: ~**se** *t. fig* engolir

tragedia [tra'xeðja] *f* tragédia *f*

trágico, -a ['traxiko, -a] *adj, m, f* trágico, -a *m, f*

trago ['traɣo] *m* gole *m*; *inf* trago *m*; **un mal** ~ um mau bocado

traición [trai'θjon] *f* traição *f*; **a** ~ pelas costas

traicionar [traiθjo'nar] *vt* trair

traidor(a) [trai'ðor(a)] *adj, m(f)* traidor(a) *m(f)*

traigo ['traiɣo] *1. pres de* **traer**

trailer ['trailer] *m* trailer *m*

traje ['traxe] *m* traje *m*; *(de hombre)* terno *m*; ~ **de baño** traje de banho

trajín [tra'xin] *m* agitação *f*

trama ['trama] *f* trama *f*

tramar [tra'mar] *vt* tramar

tramitar [trami'tar] *vt* tramitar

trámite ['tramite] *m* trâmite *m*

tramo ['tramo] *m* trecho *m*

trampa ['trampa] *f* armadilha *f*; **hacer** ~ fazer trapaça

trampolín [trampo'lin] *m* trampolim *m*

tramposo, -a [tram'poso, -a] *adj, m, f* trapaceiro, -a *m, f*

tranca ['traŋka] *f* pau *m*; **a** ~**s y barrancas** *inf* aos trancos e barrancos

trance ['tranθe] *m* transe *m*; **un** ~ **difícil** um momento difícil

tranquilidad [traŋkili'ðað] *f* tranqüilidade *f*

tranquilizante [traŋkili'θante] *m* tranqüilizante *m*

tranquilizar [traŋkili'θar] <z→c> **I.** *vt* tranqüilizar **II.** *vr*: ~**se** tranqüilizar-se quilizar-se

tranquilo, -a [traŋˈkilo, -a] *adj* tranquilo, -a

transacción [transakˈθjon] *f* transação *f*

transatlántico [transaðˈlantiko] *m* transatlântico *m*

transbordador [traⁿsβorðaˈðor] *m* balsa *f*

transbordar [traⁿsβorˈðar] *vi, vt* baldear

transcurrir [traⁿskuˈrrir] *vi* transcorrer

transcurso [traⁿsˈkurso] *m* transcurso *m*

transeúnte [transeˈunte] *mf* transeunte *mf*

transferencia [traⁿsfeˈreⁿθja] *f* transferência *f*

transferir [traⁿsfeˈrir] *irr como sentir vt* transferir

transformación [traⁿsformaˈθjon] *f* transformação *f*

transformar [traⁿsforˈmar] I. *vt* transformar II. *vr*: **~se** transformar-se

transfusión [traⁿsfuˈsjon] *f* transfusão *f*

transgredir [traⁿsɣreˈðir] *irr como abolir vt* transgredir

transgresión [traⁿsɣreˈsjon] *f* transgressão *f*

transición [transiˈθjon] *f* transição *f*

transigente [transiˈxente] *adj* transigente

transigir [transiˈxir] <g→j> *vi* transigir

transistor [transisˈtor] *m* transistor *m*

transitar [transiˈtar] *vi* transitar

tránsito [ˈtransito] *m* trânsito *m*

transmisión [traⁿsmiˈsjon] *f* transmissão *f*

transmitir [traⁿsmiˈtir] *vt* transmitir

transparencia [traⁿspaˈreⁿθja] *f* transparência *f*

transparentar [traⁿspareⁿˈtar] I. *vt* transparentar II. *vr*: **~se** transparecer

transparente [traⁿspaˈrente] *adj* transparente

transpirar [traⁿspiˈrar] *vi (persona)* transpirar

transportar [traⁿsporˈtar] I. *vt* transportar II. *vr*: **~se** transportar-se

transporte [traⁿsˈporte] *m* transporte *m*

transversal [traⁿsβerˈsal] *adj* transversal

tranvía [tramˈbia] *m* bonde *m*

trapecio [traˈpeθjo] *m* trapézio *m*

trapo [ˈtrapo] *m* trapo *m*

traqueteo [trakeˈteo] *m* balanço *m*

tras [tras] *prep (temporal)* depois de, após; *(espacial)* atrás de

trascendencia [trasθeⁿˈdeⁿθja] *f* transcendência *f*

trascendental [trasθeⁿdeⁿˈtal] *adj* transcendental

trasera [traˈsera] *f* traseira *f*

trasero, -a [traˈsero, -a] *adj* traseiro, -a

trasfondo [trasˈfondo] *m* fundo *m*

trasladar [traslaˈðar] I. *vt* mudar; *(fecha)* transferir II. *vr*: **~se** mudar-se

traslado [trasˈlaðo] *m* mudança *f*

traslúcido, -a [trasluˈθiðo, -a] *adj* translúcido, -a

trasluz [tras'luθ] *m* translucidez *f*

trasnochado, -a [trasno'tʃaðo, -a] *adj* ultrapassado, -a

trasnochar [trasno'tʃar] *vi* tresnoitar

traspasar [traspa'sar] *vt* trespassar

traspaso [tras'paso] *m* transferência *f*; DEP passe *m*

traspié [tras'pje] *m t. fig* tropeção *m*

trasplante [tras'plante] *m* transplante *m*

trastada [tras'taða] *f inf* arte *f*

trastero [tras'tero] *m* despejo *m*

trasto ['trasto] *m inf* **1.** (*mueble, aparato*) traste *m* **2.** *pl* (*utensilios*) apetrechos *mpl*

trastornar [trastor'nar] **I.** *vt* transtornar **II.** *vr:* ~**se** transtornar-se

trastorno [tras'torno] *m* transtorno *m*

trasvasar [trasβa'sar] *vt* transvazar

tratado [tra'taðo] *m* tratado *m*

tratamiento [trata'mjento] *m* tratamento *m*; ~ **de textos** processamento *m* de texto

tratar [tra'tar] **I.** *vt* tratar; ~ **de tú** tratar de você **II.** *vi* **1.** tratar; ~ **de** [*o* **sobre**] **algo** tratar de a. c. **2.** COM comercializar; ~ **en algo** negociar com a. c. **III.** *vr* ~**se con alguien** relacionar-se com alguém; **¿de qué se trata?** de que se trata?

trato ['trato] *m* trato *m*

trauma ['trauma] *m* trauma *m*

traumatismo [trauma'tismo] *m* traumatismo *m*

traumatología [traumatolo'xia] *f* traumatologia *f*

través [tra'βes] **I.** *m* través *m*; **de** ~ de través **II.** *prep* **a** ~ **de** através de

travesaño [traβe'saɲo] *m* travessão *m*

travesía [traβe'sia] *f* travessia *f*; (*calle*) travessa *f*

travesti [tra'βesti] *mf* travesti *mf*

travesura [traβe'sura] *f* travessura *f*

travieso, -a [tra'βjeso, -a] *adj* travesso, -a

trayecto [tra'jekto] *m* trajeto *m*

trayectoria [trajek'torja] *f* trajetória *f*

trazado [tra'θaðo] *m* traçado *m*

trazar [tra'θar] <z→c> *vt* traçar

trazo ['traθo] *m* traço *m*

trébol ['treβol] *m* trevo *m*

trece ['treθe] *adj inv, m* treze *m; v.t.* **ocho**

trecho ['tretʃo] *m* trecho *m*

tregua ['treɣwa] *f* trégua *f*

treinta ['treinta] *adj inv, m* trinta *m, v.t.* **ochenta**

tremendo, -a [tre'mendo, -a] *adj* tremendo, -a

tren [tren] *m* trem *m*; ~ **de vida** nível *m* de vida; **estar como un** ~ *inf* ser muito atraente

trenza ['trenθa] *f* trança *f*

trenzar [tren'θar] <z→c> *vt* trançar

trepar [tre'par] *vi, vt* trepar

trepidar [trepi'ðar] *vi* trepidar

tres [tres] *adj inv, m inv* três *m*; ~ **en raya** (*juego*) jogo-da-velha *m*; **de** ~ **al cuarto** *inf* de pouca qualidade; *v.t.* **ocho**

trescientos, -as [tres'θjentos, -as] *adj* trezentos, -as

tresillo [tre'siʎo] *m* jogo de sofá com três lugares e duas poltronas

treta ['treta] *f* treta *f*

triangular [triaŋgu'lar] *adj* triangular
triángulo [tri'aŋgulo] *m t.* MÚS triângulo *m*
tribu ['triβu] *f* tribo *f*
tribuna [tri'βuna] *f* tribuna *f*
tribunal [triβu'nal] *m* JUR tribunal *m*
tributar [triβu'tar] *vt* tributar
tributo [tri'βuto] *m* tributo *m*
triciclo [tri'θiklo] *m* triciclo *m*
tricolor [triko'lor] *adj* tricolor
tricot [tri'kot] *m* tricô *m*
trifulca [tri'fulka] *f inf* briga *f*
trigésimo, -a [tri'xesimo, -a] *adj* trigésimo, -a; *v.t.* **octavo**
trigo ['triɣo] *m* trigo *m*
trillado, -a [tri'ʎaðo, -a] *adj* batido, -a
trillizo, -a [tri'ʎiθo, -a] *m, f* trigêmeo, -a *m, f*
trillón [tri'ʎon] *m* quintilhão *m*
trimestre [tri'mestre] *m* trimestre *m*
trinar [tri'nar] *vi* estrilar
trinchar [trin'tʃar] *vt* trinchar
trinchera [trin'tʃera] *f* trincheira *f*
trineo [tri'neo] *m* trenó *m*
trino ['trino] *m* MÚS trino *m*
trío ['trio] *m* trio *m*
tripa ['tripa] *f* tripa *f*; **echar ~** *inf* criar barriga
triple ['triple] *adj, m* triplo *m*
triplicar [tripli'kar] <c→qu> I. *vt* triplicar II. *vr:* **~se** triplicar-se
trípode ['tripoðe] *m* FOTO tripé *m*
tríptico ['triptiko] *m* tríptico *m*
tripulación [tripula'θjon] *f* tripulação *f*
tripular [tripu'lar] *vt* tripular
tris [tris] *m inv* **estar en un ~ de...** estar por um triz de...

triste ['triste] *adj* triste
tristeza [tris'teθa] *f* tristeza *f*
triturar [tritu'rar] *vt* triturar
triunfal [trjum'fal] *adj* triunfal
triunfar [trjum'far] *vi* triunfar
triunfo ['trjumfo] *m* triunfo *m*
trivial [tri'βjal] *adj* trivial
trivializar [triβjali'θar] <z→c> *vt* trivializar
trizas ['triθas] *fpl* **hacer ~ algo** fazer pedacinhos de a. c.; **estar hecho ~** *inf* (*cansado*) estar um caco
trocear [troθe'ar] *vt* dividir em pequenos pedaços
trofeo [tro'feo] *m* troféu *m*
troglodita [troɣlo'ðita] *mf* troglodita *mf*
trola ['trola] *f inf* lorota *f*
tromba ['tromba] *f* tromba *f*; **en ~** *inf* com tudo
trombón [trom'bon] *m* MÚS trombone *m*
trombosis [trom'bosis] *f inv* MED trombose *f*
trompa ['trompa] *f* **1.** (*de elefante*) tromba *f* **2.** MÚS trompa *f*
trompazo [trom'paθo] *m inf* golpe *m*; **darse un ~** dar uma topada
trompeta [trom'peta] *f* trompete *m*
trompicón [trompi'kon] *m* tropicão *m*
trompo ['trompo] *m* pião *m*
tronar [tro'nar] <o→ue> *vimpers* trovejar
tronchar [tron'tʃar] I. *vt* partir II. *vr:* **~se (de risa)** *inf* morrer de rir
tronco ['tronko] *m* tronco *m*; **dormir como un ~** *inf* dormir como uma pedra
trono ['trono] *m* trono *m*

tropa ['tropa] *f* tropa *f*
tropel [tro'pel] *m* **en ~** em tropa
tropezar [trope'θar] *irr como empezar* I. *vi* tropeçar II. *vr:* **~se con alguien** *inf* topar-se com alguém
tropezón [trope'θon] *m* tropeção *f*
tropical [tropi'kal] *adj* tropical
trópico ['tropiko] *m* trópico *m*
tropiezo [tro'pjeθo] *m* tropeço *m*
trotar [tro'tar] *vi* trotear
trote ['trote] *m* trote *m;* **al ~** *fig* a toda a pressa
trozo ['troθo] *m* pedaço *m*
trucaje [tru'kaxe] *m* trucagem *f*
trucar [tru'kar] <c→qu> *vt* adulterar
trucha ['trutʃa] *f* truta *f*
truco ['truko] *m* truque *m*
truculento, -a [truku'lento, -a] *adj* truculento, -a
trueno ['trweno] *m* trovão *m*
trueque ['trweke] *m* troca *f*
trufa ['trufa] *f* trufa *f*
truhán, -ana [tru'an, -ana] *m, f* vigarista *mf*
truncar [truŋ'kar] <c→qu> *vt* interromper; *(esperanzas)* frustrar
tu [tu] *art pos* o seu, a sua; **~ casa** a sua casa; **~ coche** o seu carro
tú [tu] *pron pers* você; **tratar de ~** tratar de você; **de ~ a ~** de igual para igual
tuba ['tuβa] *m* MÚS tuba *f*
tubérculo [tu'βerkulo] *m* tubérculo *m*
tuberculosis [tuβerku'losis] *f inv* tuberculose *f*
tubería [tuβe'ria] *f* tubulação *f*
tubo ['tuβo] *m* tubo *m;* **~ de escape** cano *m* de escapamento; **por un ~** *inf* a rodo
tucán [tu'kan] *m* tucano *m*
tuerca ['twerka] *f* porca *f*
tuerto, -a ['twerto, -a] *adj, m, f* caolho, -a *m, f*
tufo ['tufo] *m* fedor *m*
tulipán [tuli'pan] *m* tulipa *f*
tumba ['tumba] *f* tumba *f;* **ser (como) una ~** *inf* ser um túmulo
tumbar [tum'bar] I. *vt* derrubar II. *vr:* **~se** deitar-se
tumbona [tum'bona] *f* cadeira *f* reclinável
tumor [tu'mor] *m* MED tumor *m*
tumulto [tu'multo] *m* tumulto *m*
tuna ['tuna] *f* tuna *f*
tunda ['tunda] *f* tunda *f*
tundra ['tundra] *f* tundra *f*
túnel ['tunel] *m* túnel *m;* **~ de lavado** sistema *m* de lavagem automática
Túnez ['tuneθ] *m* Tunísia *f*
túnica ['tunika] *f* túnica *f*
tuntún [tun'tun] *m inf* **al (buen) ~** sem refletir
tupé [tu'pe] *m* topete *m*
tupido, -a [tu'piðo, -a] *adj* espesso, -a
turbación [turβa'θjon] *f* turvação *f*
turbante [tur'βante] *m* turbante *m*
turbar [tur'βar] I. *vt* turbar II. *vr:* **~se** turbar-se
turbina [tur'βina] *f* turbina *f*
turbio, -a [tur'βjo, -a] *adj* turvo, -a; *fig* suspeito, -a
turbo ['turβo] *m t.* AUTO turbo *m*
turbulencia [turβu'lenθja] *f* turbulência *f*
turbulento, -a [turβu'lento, -a] *adj*

turbulento, -a
turco, -a ['turko, -a] *adj, m, f* turco, -a *m, f*
turismo [tu'rismo] *m* **1.** (*viajar*) turismo *m*; ~ **verde** turismo ecológico **2.** AUTO van *f*
turista [tu'rista] *mf* turista *mf*
turnar [tur'nar] **I.** *vi* revezar **II.** *vr*: ~**se** revezar-se
turno ['turno] *m* turno *m*; **estar de** ~ estar de serviço; **pedir** ~ pedir a vez
turquesa [tur'kesa] *f* MIN turquesa *f*
Turquía [tur'kia] *f* Turquia *f*

Cultura O **turrón** é uma especialidade que não pode faltar na Espanha durante o Natal. O **turrón** tradicional tem formato retangular e contém frutas secas, mel e amêndoas que podem ser adicionadas ao doce inteiras ou moídas, dependendo da região. O **turrón** é feito especialmente em **Levante**, **Jijona** e **Alicante**.

tutear [tute'ar] **I.** *vt* tutear **II.** *vr*: ~**se** tutear-se
tutela [tu'tela] *f* tutela *f*
tutor(a) [tu'tor(a)] *m(f)* tutor(a) *m(f)*
tutoría [tuto'ria] *f* tutoria *f*
tuyo, -a ['tujo, -a] *pron pos* teu; **tú a lo ~** preocupe-se com o que é seu; **esto no es lo ~** esta não é a sua
TVE [teuβe'e] *f abr de* **Televisión Española** Televisão *f* Espanhola

U

U, u [u] *f* <úes> U, u *m*
u [u] *conj* (*antes de 'o' u 'ho'*) ou
ubicar [uβi'kar] <c→qu> **I.** *vt* localizar **II.** *vr*: ~**se** localizar-se
Ucrania [u'kranja] *f* Ucrânia *f*
Ud(s). [us'te^ð(es)] *abr de* **usted(es)** o(s) Sr(s)., a(s) Sra(s).
UE [u'e] *f abr de* **Unión Europea** UE *f*
úlcera ['ulθera] *f* MED úlcera *f*
últimamente [ultima'mente] *adv* ultimamente
ultimar [ulti'mar] *vt* **1.** ultimar **2.** *AmL* (*matar*) matar
ultimátum [ulti'matun] *m inv* ultimato *m*
último, -a ['ultimo, -a] *adj* último, -a; **a ~s de mes** no final do mês; **estar a la última** *inf* estar por dentro; **ser lo ~** *inf* (*lo más moderno*) ser o último
ultraderecha [ultrade'retʃa] *f* extrema direita *f*
ultraje [ul'traxe] *m* ultraje *m*
ultramarinos [ultrama'rinos] *mpl* mercearia *f*
ultranza [ul'tranθa] **ecologista a ~** ecologista incondicional; **defender a ~** defender até a morte
ultrasonido [ultraso'niðo] *m* ultra-som *m*
ultravioleta [ultraβjo'leta] *adj inv* ultravioleta *inv*
umbral [um'bral] *m* soleira *f*
un, una [un, 'una] <unos, -as> **I.** *art indef* um, uma **II.** *adj v.* **uno, -a**
unánime [u'nanime] *adj* unânime

unanimidad [unanimi'ðaᵒ] f unanimidade f

undécimo, -a [un'deθimo, -a] adj décimo, -a primeiro, undécimo, -a; v.t. **octavo**

ungüento [uŋ'gwento] m ungüento m

único, -a ['uniko, -a] adj único, -a

unidad [uni'ðaᵒ] f unidade f

unido, -a [u'niðo, -a] adj unido, -a

unificación [unifika'θjon] f unificação f

unificar [unifi'kar] <c→qu> vt unificar

uniformar [unifor'mar] vt uniformizar

uniforme [uni'forme] adj, m uniforme m

uniformidad [uniformi'ðaᵒ] f uniformidade f

unilateral [unilate'ral] adj unilateral

unión [u'njon] f união f; **Unión Europea** União Européia

unir [u'nir] I. vt unir II. vr: ~se unir-se

universal [uniβer'sal] adj universal

universidad [uniβersi'ðaᵒ] f universidade f

universitario, -a [uniβersi'tarjo, -a] adj, m, f universitário, -a m, f

universo [uni'βerso] m universo m

uno ['uno] m um m

uno, -a ['uno, -a] I. adj uno, -a; **llegó a la una de la mañana** (hora) chegou à uma da manhã; v. **ocho** II. pron indef (alguno) um(a); ~s **cuantos** uns quantos; ~ **de tantos** um entre tantos; **de** ~ **en** ~ de um em um

untar [un'tar] I. vt 1. untar 2. inf (sobornar) molhar a mão II. vr: ~se sujar-se

uña ['uɲa] f unha f; **enseñar las** ~s inf mostrar as unhas [ou garras]; **ser** ~ **y carne** inf ser unha e carne

Urales [u'rales] mpl Urais mpl

uranio [u'ranjo] m urânio m

Urano [u'rano] m Urano m

urbanidad [urβani'ðaᵒ] f urbanidade f

urbanización [urβaniθa'θjon] f urbanização f; (de casas) condomínio m

urbanizar [urβani'θar] <z→c> I. vt urbanizar II. vr: ~se urbanizar-se

urbano, -a [ur'βano, -a] adj urbano, -a

urdir [ur'ðir] vt urdir

urgencia [ur'xenθja] f 1. urgência f 2. pl (en hospital) pronto-socorro m

urgente [ur'xente] adj urgente

urgir [ur'xir] <g→j> vi urgir

urinario [uri'narjo] m mictório m

urna ['urna] f urna f

urraca [u'rraka] f gralha f

URSS [urrs] f HIST abr de **Unión de Repúblicas Socialistas Soviéticas** URSS f

Uruguay [uru'ɣwai] m Uruguai m

usado, -a [u'saðo, -a] adj usado, -a

usanza [u'sanθa] f **a la antigua** ~ à moda antiga

usar [u'sar] I. vt usar II. vr: ~se usar-se

uso ['uso] m uso m

usted [us'teᵒ] pron 1. sing, pl, form o senhor, a senhora; **tratar de** ~ tratar de senhor/senhora 2. pl, AmL (vosotros) vocês

usual [usu'al] *adj* usual
usuario, -a [usu'arjo, -a] *m, f t.* INFOR usuário, -a *m, f*
usurero, -a [usu'rero, -a] *m, f* agiota *mf*
usurpar [usur'par] *vt* usurpar
utensilio [uten'siljo] *m* utensílio *m*
útero ['utero] *m* útero *m*
útil ['util] *adj* útil
utilidad [utili'ðað] *f* utilidade *f*
utilizar [utili'θar] <z→c> *vt* utilizar
utopía [uto'pia] *f* utopia *f*
uva ['uβa] *f* uva *f*; **de mala ~** *inf* de mau humor
uve ['uβe] *f* vê *m*; **~ doble** dáblio *m*
UVI ['uβi] *f abr de* **Unidad de Vigilancia Intensiva** UTI *f*
Uzbekistán [uθβekis'tan] *m* Uzbequistão *m*

V

V, v ['uβe] *f* V, v *m*; **~ doble** dáblio *m*
vaca ['baka] *f* vaca *f*
vacaciones [baka'θjones] *fpl* férias *fpl*
vaciar [baθi'ar] <*l. pres:* vacío> *vt* esvaziar; (*edificio*) desocupar
vacilación [baθila'θjon] *f* vacilação *f*
vacilar [baθi'lar] *vi* vacilar
vacío, -a [ba'θio, -a] *adj* vazio, -a
vacuna [ba'kuna] *f* vacina *f*
vacunación [bakuna'θjon] *f* vacinação *f*
vacunar [baku'nar] **I.** *vt* vacinar **II.** *vr:* **~se** vacinar-se
vado ['baðo] *m* **~ permanente** AUTO guia *f* rebaixada
vagabundo, -a [baɣa'βuɲdo, -a] *adj, m, f* vagabundo, -a *m, f*
vagar [ba'ɣar] <g→gu> *vi* vagar
vagina [ba'xina] *f* ANAT vagina *f*
vago, -a ['baɣo, -a] *adj* preguiçoso, -a
vagón [ba'ɣon] *m* vagão *m*
vaguedad [baɣe'ðað] *f* imprecisão *f*
vaho ['bao] *m* vapor *m*
vainilla [bai'niʎa] *f* baunilha *f*
vaivén [bai'βen] *m* vaivém *m*
vajilla [ba'xiʎa] *f* louça *f*
vale ['bale] *m* vale *m*
valentía [baleɲ'tia] *f* valentia *f*
valer [ba'ler] *irr* **I.** *vt* valer **II.** *vi* servir, valer; **¡vale ya!** já chega!; **¡vale!** certo!; **más vale que** +*subj* é melhor que +*subj* **III.** *vr:* **~se** valer-se
valía [ba'lia] *f* valia *f*
validez [bali'ðeθ] *f* validez *f*
válido, -a [ba'liðo, -a] *adj* válido, -a
valiente [ba'ljeɲte] *adj* valente
valija [ba'lixa] *f* maleta *f*
valioso, -a [ba'ljoso, -a] *adj* valioso, -a
valla ['baʎa] *f* cerca *f*
vallar [ba'ʎar] *vt* cercar
valle ['baʎe] *m* vale *m*
valor [ba'lor] *m* **1.** (*valentía*) valor *m*; **~ añadido** valor agregado **2.** (*valentía*) coragem *f*
valorar [balo'rar] *vt* valorizar
vals [bals] *m* MÚS valsa *f*
válvula ['balβula] *f* ANAT, TÉC válvula *f*
vampiro [bam'piro] *m* vampiro *m*
vanagloriarse [banaɣlo'rjarse] *vr* vangloriar-se

vandalismo [banda'lismo] m vandalismo m

vanguardia [baŋ'gwarðja] f vanguardia f

vanguardista [baŋgwar'ðista] adj, mf vanguardista mf

vanidad [bani'ðaᵒ] f vaidade f

vanidoso, -a [bani'ðoso, -a] adj, m, f vaidoso, -a m, f

vano, -a ['bano, -a] adj vão, vã; **en ~** em vão

vapor [ba'por] m vapor m

vaporizar [bapori'θar] <z→c> I. vt vaporizar II. vr: **~se** vaporizar-se

vapulear [bapule'ar] vt surrar

vaquero, -a [ba'kero, -a] adj, m, f vaqueiro, -a m, f

vaquero(s) [ba'kero(s)] m(pl) jeans mpl

vara ['bara] f vara f; (de mando) cetro m

varadero [bara'ðero] m NÁUT varadouro m

varar [ba'rar] vi NÁUT varar

variación [barja'θjon] f variação f

variante [ba'rjante] f variante f

variar [bari'ar] <1. pres: varío> vi, vt variar; **para ~...** para variar...

varicela [bari'θela] f MED varicela f

variedad [barje'ðaᵒ] f 1. variedade f 2. pl (espectáculo) variedades fpl

varios, -as ['barjos, -as] adj vários, -as

varita [ba'rita] f varinha f

variz [ba'riθ] f MED variz f

varón [ba'ron] m varão m

vasallo, -a [ba'saʎo, -a] m, f vassalo, -a m, f

vasco, -a ['basko, -a] adj, m, f basco, -a m, f

Vascongadas [baskoŋ'gaðas] fpl ≈ País Basco m

vaselina [base'lina] f vaselina f

vasija [ba'sixa] f vasilha f

vaso ['baso] m 1. (copa) copo m 2. ANAT vaso m

vasto, -a ['basto, -a] adj vasto, -a

váter ['bater] m vaso m sanitário

Vaticano [bati'kano] m Vaticano m

vatio ['batjo] m watt m

Vd. [usˈteᵒ] pron pers abr de **usted** o Sr., a Sra.

vecindario [beθin'darjo] m vizinhança f

vecino, -a [be'θino, -a] adj, m, f vizinho, -a m, f

vedar [be'ðar] vt vedar

vegetación [bexeta'θjon] f vegetação f

vegetal [bexe'tal] adj, m vegetal m

vegetariano, -a [bexeta'rjano, -a] adj, m, f vegetariano, -a m, f

vehemencia [be(e)'menθja] f veemência f

vehemente [be(e)'mente] adj veemente

vehículo [be'ikulo] m veículo m

veinte ['beinte] adj inv, m vinte m; v.t. **ochenta**

veintena [bein'tena] f vintena f

vejar [be'xar] vt vexar

vejatorio, -a [bexa'torjo, -a] adj vexatório, -a

vejez [be'xeθ] f velhice f

vejiga [be'xiɣa] f bexiga f

vela ['bela] f vela f; **estar a dos ~s** inf estar duro; **pasar la noche en ~** fig passar a noite em claro

velada [be'laða] *f* noitada *f*

velar [be'lar] **I.** *vi, vt* velar **II.** *vr:* ~**se** FOTO velar-se

velatorio [bela'torjo] *m* velório *m*

velcro ['belkro] *m* velcro *m*

velero [be'lero] *m* NÁUT veleiro *m*

veleta [be'leta] *f* cata-vento *m*

vello ['beʎo] *m* pelo *m*

velo ['belo] *m* véu *m*; **correr un tupido ~ sobre algo** *inf* pôr uma pedra sobre a. c.

velocidad [beloθi'ðað] *f* velocidade *f*; AUTO marcha *f*

velódromo [be'loðromo] *m* velódromo *m*

veloz [be'loθ] *adj* veloz

vena ['bena] *f* **1.** ANAT veia *f* **2.** (*filón*) veio *m*

vencedor(a) [benθe'ðor(a)] *adj, m(f)* vencedor(a) *m(f)*

vencer [ben'θer] <c→z> *vi, vt* vencer

venda ['benda] *f* MED venda *f*

vendar [ben'dar] *vt* vendar

vendaval [benda'βal] *m* vendaval *m*

vendedor(a) [bende'ðor(a)] *m(f)* vendedor(a) *m(f)*

vender [ben'der] **I.** *vt* vender **II.** *vr:* ~**se** vender-se

vendimia [ben'dimja] *f* vindima *f*

Venecia [be'neθja] *f* Veneza *f*

veneno [be'neno] *m* veneno *m*

veneración [benera'θjon] *f* veneração *f*

venerar [bene'rar] *vt* venerar

Venezuela [bene'θwela] *f* Venezuela *f*

venganza [ben'ganθa] *f* vingança *f*

vengar [ben'gar] <g→gu> **I.** *vt* vingar **II.** *vr:* ~**se** vingar-se

vengativo, -a [benga'tiβo, -a] *adj* vingativo, -a

venida [be'niða] *f* vinda *f*

venidero, -a [beni'ðero, -a] *adj* vindouro, -a

venir [be'nir] *irr* **I.** *vi* **1.** (*trasladar*) vir; **el mes que viene** o mês que vem; **~ de una familia rica** vir de uma família rica **2.** (*prenda*) cair; **me viene bien** me cai bem **II.** *vr:* ~**se** vir; ~**se abajo** vir abaixo

venta ['benta] *f* venda *f*; **~ al contado** venda à vista; **en ~** à venda

ventaja [ben'taxa] *f t.* DEP vantagem *f*

ventajoso, -a [benta'xoso, -a] *adj* vantajoso, -a

ventana [ben'tana] *f* janela *f*

ventanilla [benta'niʎa] *f* (*de coche*) vidro *m*; (*taquilla*) guichê *m*

ventilación [bentila'θjon] *f* ventilação *f*

ventilador [bentila'ðor] *m* ventilador *m*

ventilar [benti'lar] **I.** *vt* ventilar **II.** *vr:* ~**se** ventilar-se

ventosa [ben'tosa] *f* ventosa *f*

ventrículo [ben'trikulo] *m* ANAT ventrículo *m*

ventrílocuo, -a [ben'trilokwo, -a] *m, f* ventríloquo, -a *m, f*

ventura [ben'tura] *f* ventura *f*

Venus ['benus] *m* Vênus *m*

ver [ber] *irr* **I.** *vi* ver; **a ~** vamos ver; **a mi modo de ~** no meu modo de ver **II.** *vt ver*; **¡habráse visto!** nunca se viu tal coisa!; **hay que ~ lo**

tranquilo que es Pedro tem que ver como Pedro é tranqüilo; **te veo venir** *fig* já sei o que você quer **III.** *vr:* ~**se** ver-se; **se ve que…** se vê que…

veraneante [berane'ante] *mf* veranista *mf*

veranear [berane'ar] *vi* veranear

veraneo [bera'neo] *m* veraneio *m*

veraniego, -a [bera'njeɣo, -a] *adj* de verão

verano [be'rano] *m* verão *m*

veras [ˈberas] *fpl* **de** ~ de verdade; **esto va de** ~ isto é sério

verbalizar [berβaliˈθar] <z→c> *vt* verbalizar

verbo [ˈberβo] *m* verbo *m*

verdad [berˈðað] *f* verdade *f*; ~ **de Perogrullo** obviedade *f*

verdadero, -a [berðaˈðero, -a] *adj* verdadeiro, -a

verde [ˈberðe] **I.** *adj* verde; *(chiste)* sujo, -a; **poner** ~ **a alguien** *inf* meter o pau em alguém **II.** *m* verde *m*

verdugo [berˈðuɣo] *m* carrasco *m*

verdulería [berðuleˈria] *f* quitanda *f*

verdura [berˈðura] *f* verdura *f*

vereda [beˈreða] *f* vereda *f*; *AmL (acera)* calçada *f*

veredicto [bereˈðikto] *m* JUR veredicto *m*

verga [ˈberɣa] *f* vara *f*

vergonzoso, -a [berɣonˈθoso, -a] *adj (persona)* envergonhado, -a; *(acción)* vergonhoso, -a

vergüenza [berˈɣwenθa] *f* vergonha *f*

verídico, -a [beˈriðiko, -a] *adj* verídico, -a

verificar [berifiˈkar] <c→qu> **I.** *vt* verificar **II.** *vr:* ~**se** verificar-se

verja [ˈberxa] *f* grade *f*

vermú [berˈmu] *m*, **vermut** [berˈmu] *m* <vermús> *(licor)* vermute *m*

verosímil [beroˈsimil] *adj* verossímil

verruga [beˈrruɣa] *f* verruga *f*

versar [berˈsar] *vt* versar

versículo [berˈsikulo] *m* versículo *m*

versión [berˈsjon] *f* versão *f*

verso [ˈberso] *m* verso *m*

vértebra [ˈberteβra] *f* ANAT vértebra *f*

vertebrado [berteˈβraðo] *m* vertebrado *m*

vertedero [berteˈðero] *m* depósito *m* de lixo

verter [berˈter] <e→ie> *vi, vt* verter

vertedura [berteˈðura] *f*

vertical [bertiˈkal] *adj, f* vertical *f*

vértice [ˈbertiθe] *m* vértice *m*

vertido [berˈtiðo] *m* vertedura *f*

vertiente [berˈtjente] *f* vertente *f*

vértigo [ˈbertiɣo] *m* vertigem *f*

vesícula [beˈsikula] *f* ANAT vesícula *f*

vestíbulo [besˈtiβulo] *m* vestíbulo *m*

vestido [besˈtiðo] *m* vestido *m*

vestigio [besˈtixjo] *m* vestígio *m*

vestir [besˈtir] *irr como pedir* **I.** *vi, vt* vestir **II.** *vr:* ~**se** vestir-se

vestuario [besˈtwarjo] *m* **1.** *(ropa)* vestuário *m* **2.** DEP vestiário *m*

veta [ˈbeta] *f* veio *m*

vetar [beˈtar] *vt* vetar

veterano, -a [beteˈrano, -a] *adj, m, f* veterano, -a *m, f*

veterinario, -a [beteriˈnarjo, -a] *adj, m, f* veterinário, -a *m, f*

veto [ˈbeto] *m* veto *m*

vez [beθ] *f* vez *f*; **a la** ~ ao mesmo tempo; **a veces** às vezes; **de una** ~

de uma vez; **en ~ de** em vez de; **tal ~** talvez; **érase una ~...** era uma vez...

vía ['bia] *ft.* FERRO via *f;* **~ pública** via pública; **por ~ aérea** (*correos*) por via aérea

viable [bi'aβle] *adj* viável

viaducto [bja'ðukto] *m* viaduto *m*

viajante [bja'xaṇte] *mf* viajante *mf*

viajar [bja'xar] *vi* viajar

viaje [bi'axe] *m* viagem *f;* **~ de ida y vuelta** viagem de ida e volta; **~ de negocios** viagem de negócios; **¡buen ~!** boa viagem!

viajero, -a [bja'xero, -a] *adj, m, f* viajante *mf*

víbora ['biβora] *f* víbora *f*

vibración [biβra'θjon] *f* vibração *f*

vibrar [bi'βrar] *vi* vibrar

viceversa [biθe'βersa] *adv* vice-versa

viciado, -a [bi'θjaðo, -a] *adj* viciado, -a

viciar [bi'θjar] **I.** *vt* viciar **II.** *vr:* **~se** viciar-se; **~se con algo** viciar-se em a. c.

vicio [bi'θjo] *m* vício *m*

vicioso, -a [bi'θjoso, -a] *adj* vicioso, -a

víctima ['biktima] *f* vítima *f*

victoria [bik'torja] *f* vitória *f*

victorioso, -a [bikto'rjoso, -a] *adj* vitorioso, -a

vid [bið] *f* videira *f*

vida [bi'ða] *f* vida *f;* **de por ~** para sempre; **¡mi ~!**, **¡~ mía!** (*tratamiento*) minha vida!; **¿qué es de tu ~?** como vai a vida?; **buscarse la ~** *inf* virar-se

vidente [bi'ðeṇte] *mf* vidente *mf*

vídeo ['biðeo] *m* vídeo *m*

videocámara [biðeo'kamara] *f* videocâmara *f*

videoclub [biðeo'kluβ] *m* videoclube *m*

videojuego [biðeo'xweɣo] *m* video game *m*

vidriera [bi'ðrjera] *f* **1.** vidraça *f;* (*de iglesia*) vitral *m* **2.** *AmL* (*escaparate*) vitrina *f*

vidrio [bi'ðrjo] *m* vidro *m*

viejo, -a ['bjexo, -a] *adj, m, f* velho, -a *m, f*

viento ['bjeṇto] *m* vento *m;* **contra ~ y marea** custe o que custar; **¡vete a tomar ~!** *inf* vai catar coquinho!

vientre ['bjeṇtre] *m* ventre *m;* **hacer de ~** *inf* fazer cocó

viernes ['bjernes] *m inv* sexta-feira *f;* **Viernes Santo** Sexta-feira santa; *v.t.* **lunes**

Vietnam [bjeðˈnan] *m* Vietnã *m*

viga ['biɣa] *f* viga *f*

vigencia [bi'xeṇθja] *f* vigência *f*

vigente [bi'xeṇte] *adj* vigente

vigésimo, -a [bi'xesimo, -a] *adj* vigésimo, -a; *v.t.* **octavo**

vigía [bi'xia] *f* vigia *f*

vigilancia [bixi'laṇθja] *f* vigilância *f*

vigilante [bixi'laṇte] *adj, mf* vigilante *mf*

vigilar [bixi'lar] *vi, vt* vigiar

vigilia [bi'xilja] *f* vigília *f*

vigor [bi'ɣor] *m* vigor *m*

vigoroso, -a [biɣo'roso, -a] *adj* vigoroso, -a

VIH [uβei'atʃe] *m abr de* **virus de in-**

vil [bil] *adj* vil

villa ['biʎa] *f* **1.** (*población*) vila *f* **2.** (*casa*) casa *f* de campo

villano, -a [bi'ʎano, -a] *m, f* vilão, vilã *m, f*

vilo ['bilo] *adv* **en ~** no ar

vinagre [bi'naɣre] *m* vinagre *m*

vinculación [biŋkula'θjon] *f* vinculação *f*

vincular [biŋku'lar] **I.** *vt* vincular **II.** *vr:* **~se** vincular-se

vínculo ['biŋkulo] *m* vínculo *m*

vinilo [bi'nilo] *m* vinil *m*

vino ['bino] *m* vinho *m*; **~ blanco** vinho branco; **~ rosado** vinho rosado; **~ tinto** vinho tinto

viña ['biɲa] *f* vinha *f*

viola ['bjola] *f* MÚS viola *f*

violación [bjola'θjon] *f* violação *f*

violar [bjo'lar] *vt* violar; (*mujer*) violentar

violencia [bjo'lenθja] *f* violência *f*

violento, -a [bjo'lento, -a] *adj* violento, -a

violeta [bjo'leta] *adj, f* violeta *f*

violín [bjo'lin] *m* MÚS violino *m*

viraje [bi'raxe] *m t. fig* virada *f*

virar [bi'rar] *vi, vt* virar

virgen ['birxen] *adj, f* virgem *f*

virginidad [birxini'ðað] *f* virgindade *f*

Virgo ['birɣo] *m* Virgem *f*

virilidad [birili'ðað] *f* virilidade *f*

virtual [birtu'al] *adj* virtual

virtud [bir'tuð] *f* virtude *f*

virtuoso, -a [birtu'oso, -a] *adj, m, f* virtuoso, -a *m, f*

viruela [bi'rwela] *f* MED varíola *f*

virus ['birus] *m inv* vírus *m inv*

viruta [bi'ruta] *f* lasca *f*

visa ['bisa] *f AmL* (*visado*) visto *m*

visado [bi'saðo] *m* visto *m*

visceral [bisθe'ral] *adj* visceral

viscoso, -a [bis'koso, -a] *adj* viscoso, -a

visera [bi'sera] *f* viseira *f*

visible [bi'siβle] *adj* visível

visillo [bi'siʎo] *m* cortina *f*

visión [bi'sjon] *f* visão *f*

visita [bi'sita] *f* visita *f*

visitante [bisi'tante] *adj, mf* visitante *mf*

visitar [bisi'tar] *vt* visitar

vislumbrar [bislum'brar] **I.** *vt* vislumbrar **II.** *vr:* **~se** vislumbrar-se

visón [bi'son] *m* visão *f*

visor [bi'sor] *m* FOTO visor *m*

víspera ['bispera] *f* véspera *f*

vista ['bista] *f*; **a primera ~** à primeira vista; **apartar la ~** desviar os olhos; **con ~s a hacer algo** com o objetivo de fazer a. c.; **pagadero a la ~** COM pagamento à vista; **saltar a la ~** saltar aos olhos; **¡hasta la ~!** até a vista!

vistazo [bis'taθo] *m* olhada *f*

visto, -a ['bisto, -a] **I.** *pp de* **ver** **II.** *adj* visto, -a; **por lo ~** pelo visto

visual [bi'swal] *adj* visual

visualizar [biswali'θar] <z→c> *vt* visualizar

vital [bi'tal] *adj* vital

vitalicio, -a [bita'liθjo, -a] *adj* vitalício, -a

vitalidad [bitali'ðað] *f* vitalidade *f*

vitamina [bita'mina] *f* vitamina *f*

vitorear [bitore'ar] *vt* aclamar

vitrina [bi'trina] *f* **1.** cristaleira *f* **2.** *AmL* vitrina *f*

viudo, -a ['bjuðo, -a] *adj, m, f* viúvo, -a *m, f*

viva ['biβa] *interj* viva; ¡~ **el rey!** viva o rei!

vivacidad [biβaθi'ðað] *f* vivacidade *f*

vivencia [bi'βenθja] *f* vivência *f*

víveres ['biβeres] *mpl* víveres *mpl*

vivero [bi'βero] *m* viveiro *m*

vivienda [bi'βjenda] *f* habitação *f*

vivir [bi'βir] *vi, vt* viver

vivo, -a ['biβo, -a] *adj* vivo, -a; **en ~** MÚS ao vivo; **al rojo ~** em brasa

vocablo [bo'kaβlo] *m* vocábulo *m*

vocabulario [bokaβu'larjo] *m* vocabulário *m*

vocación [boka'θjon] *f* vocação *f*

vocal [bo'kal] *f* vogal *f*

vocerío [boθe'rio] *m* vozerio *m*

vocero [bo'θero] *mf AmL* porta-voz *mf*

vociferar [boθife'rar] *vi* vociferar

vodka ['boðka] *m* vodca *f*

volante [bo'lante] *m* volante *m*

volar [bo'lar] <o→ue> I. *vi* voar II. *vt* explodir

volcán [bol'kan] *m* vulcão *m*

volcar [bol'kar] *irr* I. *vi, vt* entornar; (*vehículo*) virar II. *vr:* ~**se** derramar

voleibol [bolei'βol] *m* DEP voleibol *m*

voltaje [bol'taxe] *m* voltagem *f*

voltear [bolte'ar] *AmL* I. *vi* (*torcer*) virar II. *vt* girar; (*volcar*) entornar III. *vr:* ~**se** (*volcar*) entornar; (*darse la vuelta*) virar-se

voltereta [bolte'reta] *f* pirueta *f*

voltio ['boltjo] *m* volt *m*

volumen [bo'lumen] *m* volume *m*

voluminoso, -a [bolumi'noso, -a] *adj* volumoso, -a

voluntad [bolun'tað] *f* vontade *f;* **última ~** último desejo

voluntario, -a [bolun'tarjo, -a] *adj, m, f* voluntário, -a *m, f*

volver [bol'βer] *irr* I. *vi, vt* virar; (*regresar*) voltar; ~ **a casa** voltar pra casa; ~ **en sí** voltar a si II. *vr:* ~**se** virar-se; ~**se loco** ficar louco

vomitar [bomi'tar] *vi, vt* vomitar

vómito ['bomito] *m* vômito *m*

voraz [bo'raθ] *adj* voraz

vos [bos] *pron pers, AmL* (*tú*) você; **esto es para ~** isto é para você

vosotros, -as [bo'sotros, -as] *pron pers, pl* vocês

votación [bota'θjon] *f* votação *f*

votar [bo'tar] *vi, vt* votar

voto ['boto] *m* voto *m*

voy [boi] *1. pres de* **ir**

voyeur [bwa'jer] *mf* voyeur *mf*

voz [boθ] *f* voz *f;* **dar la ~ de alarma** dar o sinal de alarme

vudú [bu'ðu] *m* vodu *m*

vuelco ['bwelko] *m* virada *f*

vuelo ['bwelo] *m* vôo *m*

vuelta ['bwelta] *f* **1.** volta *f;* **a la ~ de la esquina** na próxima esquina; **darse la ~** voltar-se; **dar una ~** dar uma volta; **dar ~s a algo** pensar incessantemente sobre a. c.; **me da ~s la cabeza** está me revirando na cabeça **2.** (*dinero*) troco *m*

vuelto ['bwelto] *m AmL* (*cambio*) troco *m*

vuelto, -a ['bwelto, -a] *pp de* **volver**
vuestro, -a ['bwestro, -a] **I.** *adj* de vocês; **~ coche** o carro de vocês; **vuestra hija** a filha de vocês **II.** *pron pos* **el ~** o de vocês
vulgar [bul'ɣar] *adj* vulgar
vulgarizar [bulɣari'θar] <z→c> *vt* vulgarizar
vulgo ['bulɣo] *m* vulgo *m*
vulneración [bulnera'θjon] *f* vulneração *f*
vulnerar [bulne'rar] *vt* vulnerar; (*derecho*) ferir
vulva ['bulβa] *f* ANAT vulva *f*

W

W, w ['uβe 'ðoβle] *f* W, w *m*
walkie-talkie ['walki-'talki] *m* walkie-talkie *m*
walkman® ['wokman] *m* walkman *m*
wáter ['bater] *m* vaso *m* sanitário
waterpolo [bater'polo] *m* DEP pólo *m* aquático
web [weβ] **I.** *m* (*sitio*) web *f* **II.** *f* **la Web** a Web
webcam ['weβkam] *f* webcam *f*
western ['western] *m* western *m*
whisky ['wiski] *m* uísque *m*
windsurf [wiɲ^dsurf] *m* windsurfe *m*
windsurfista [wiɲ^dsur'fista] *mf* windsurfista *mf*
WWW *abr de* **World Wide Web** WWW

X

X, x ['ekis] *f* X, x *m*
xenofobia [seno'foβja] *f* xenofobia *f*
xenófobo, -a [se'nofoβo, -a] *adj, m, f* xenófobo, -a *m, f*
xerografía [seroɣra'fia] *f* xerografia *f*
xilófono [si'lofono] *m* MÚS xilofone *m*

Y

Y, y [i 'ɣrjeɣa] *f* Y, y *m*
y [i] *conj* e
ya [ʝa] **I.** *adv* já; **~ verás** você vai ver **II.** *conj* **~ que...** já que...; **~ no... sino también...** não apenas..., mas também...
yacer [ʝa'θer] *irr vi elev* jazer
yacimiento [ʝaθi'mjento] *m* jazida *f*
yanqui ['ʝaŋki] *adj, mf* ianque *mf*
yate ['ʝate] *m* iate *m*
yegua ['ʝeɣwa] *f* égua *f*
yema ['ʝema] *f* gema *f*; (*de dedo*) polpa *f*
yen [ʝen] *m* iene *m*
yendo ['ʝendo] *ger de* **ir**
yermo, -a ['ʝermo, -a] *adj* ermo, -a
yergo ['ʝerɣo] *1. pres de* **erguir**
yerno ['ʝerno] *m* genro *m*
yeso ['ʝeso] *m* gipsita *f*
yo [ʝo] *pron pers* eu
yodo ['ʝoðo] *m* iodo *m*
yoga ['ʝoɣa] *m* ioga *f*

yogur [ˈjoɣur] m iogurte m
yoyó [joˈjo] m ioiô m
yuca [ˈjuka] f iúca f
yudo [ˈjuðo] m judô m
Yugoslavia [juɣosˈlaβja] f Iugoslávia f
yunque [ˈjuŋke] m bigorna f

Z

Z, z [ˈθeta, ˈθeða] f Z, z m
zafarse [θaˈfarse] vr safar-se
zafio, -a [ˈθafjo, -a] adj grosseiro, -a
zafiro [θaˈfiro] m MIN safira f
zaga [ˈθaɣa] f retaguarda f; **ir a la ~ de** inf ir atrás de
zaguán [θaˈɣwan] m saguão m
zaguero, -a [θaˈɣero, -a] m, f zagueiro, -a m, f
zalamero, -a [θalaˈmero, -a] adj bajulador(a)
Zambia [ˈθambja] f Zâmbia f
zambullirse [θambuˈʎirse] <3. pret: se zambulló> vr mergulhar
zamparse [θamˈparse] vr inf entupir-se
zanahoria [θanaˈorja] f cenoura f
zancada [θaŋˈkaða] f passo m largo
zancadilla [θaŋkaˈðiʎa] f **poner la ~ a** passar a perna em
zancudo [θaŋˈkuðo] m AmL ZOOL pernalta m
zángano [ˈθaŋɡano] m ZOOL zangão m
zanja [ˈθaŋxa] f 1. (excavación) vala f 2. AmL (arroyada) arroio m
zanjar [θaŋˈxar] vt resolver
zapallo [θaˈpaʎo] m AmL (calabaza) abóbora f
zapatería [θapateˈria] f sapataria f
zapatero, -a [θapaˈtero, -a] m, f sapateiro, -a m, f
zapatilla [θapaˈtiʎa] f chinelo m; (de deporte) tênis m inv
zapato [θaˈpato] m sapato m
zapear [θapeˈar] vi inf zapear
zar [θar] m czar m
Zaragoza [θaraˈɣoθa] f Saragoça f
zarandear [θaranˈdear] vt sacudir
zarpa [ˈθarpa] f garra f
zarpar [θarˈpar] vi NÁUT zarpar
zarza [ˈθarθa] f sarça f
zigzag [θiɣˈθaɣ] m <zigzagues o zigzags> ziguezague m
zinc [θiŋ] m zinco m
zipear [θipeˈar] vt fam INFOR zipar
zócalo [ˈθokalo] m soco m; (de pared) rodapé m
zodíaco [θoˈðjako] m zodíaco m
zona [ˈθona] f zona f, área f; **~ verde** área verde
zoo [ˈθoo] m zôo m
zoológico [θo(o)ˈloxiko] m zoológico m
zopenco, -a [θoˈpeŋko, -a] adj, m, f inf tonto, -a m, f
zoquete [θoˈkete] adj, mf inf pateta mf
zorra [ˈθorra] f 1. ZOOL raposa f 2. inf (prostituta) puta f
zorro [ˈθorro] m raposa f
zozobrar [θoθoˈβrar] vi t. fig soçobrar
zueco [ˈθweko] m tamanco m

zumbar [θum'bar] *vi* zumbir
zumbido [θum'biðo] *m* zumbido *m*
zumo ['θumo] *m* suco *m*
zurcir [θur'θir] <c→z> *vt* cerzir

zurdo, -a ['θurðo, -a] *adj, m, f* canhoto, -a *m, f*
zurra ['θurra] *f* surra *f*
zurrar [θu'rrar] *vt* surrar

A

A, a [a] *m* A, a *f*

a [a] **I.** *art f* la **II.** *pron pess* (*ela*) la; (*você*) te; **eu ~ vi** la vi **III.** *pron f* la **~ que** la que **IV.** *prep* **1.** (*direção*) a; **ir à escola/ao cinema** ir al colegio/al cine **2.** (*posição*) a; **à direita/esquerda** a la derecha/izquierda **3.** (*tempo*) a; **~ uma hora** a la una; **à noite** por la noche **4.** (*modo*) **~ pé** a pie **5.** (*preço*) a

à [a] = prep a + art a *v.* **a**

abacate [aba'katʃi] *m* aguacate *m*, palta *f CSur*

abacaxi [abaka'ʃi] *m* piña *f*, ananá(s) *m RíoPl*

abafado, -a [aba'fadu, -a] *adj* (*som, choro*) apagado, -a; (*escândalo*) encubierto, -a

abafar [aba'far] *vt* (*notícia*) encubrir

abaixar [abaj'ʃar] **I.** *vi, vt* bajar **II.** *vr:* **~-se** agacharse

abaixo [a'bajʃu] **I.** *adv* abajo **II.** *interj* **~ a ditadura!** ¡abajo la dictadura!

abaixo-assinado [a'bajʃwasi'nadu] *m* petición *f*

abajur [aba'ʒur] *m* lámpara *f*

abalado, -a [aba'ladu, -a] *adj* (*objeto, saúde*) debilitado, -a; (*pessoa*) conmovido, -a

abalar [aba'lar] **I.** *vt* (*saúde*) debilitar; (*pessoa*) conmover **II.** *vr:* **~-se** conmoverse

abalo [a'balu] *m* (*comoção*) conmoción *f*; (*tremor de terra*) temblor *m*

abanar [abã'nar] **I.** *vt* (*cabeça, mão*) agitar **II.** *vr:* **~-se** abanicarse

abandonado, -a [abãdo'nadu, -a] *adj* abandonado, -a

abandonar [abãdo'nar] *vt* abandonar

abandono [abã'donu] *m* abandono *m*

abarcar [abar'kar] <c→qu> *vt* abarcar

abarrotado, -a [abaxo'tadu, -a] *adj* abarrotado, -a

abasteça [abas'tesa] *1., 3. pres subj de* **abastecer**

abastecedor(a) [abastese'dor(a)] <-es> *m(f)* abastecedor(a) *m(f)*

abastecer [abaste'ser] <c→ç> *vt* abastecer; (*carro*) echar gasolina a

abastecimento [abastesi'mẽtu] *m* abastecimiento *m*

abasteço [abas'tesu] *1. pres de* **abastecer**

abatido, -a [aba'tʃidu, -a] *adj* (*cansado*) debilitado, -a; (*deprimido*) abatido, -a

abatimento [abatʃi'mẽtu] *m* (*do preço*) descuento *m*

abdômen [ab'domẽj] <abdomens> *m* abdomen *m*

abdominal <-ais> [abdomi'naw, -'ajs] *adj* abdominal

abelha [a'beʎa] *f* abeja *f*

abelhudo, -a [abe'ʎudu, -a] *adj inf* (*intrometido*) entrometido, -a

abençoado, -a [abẽjsu'adu, -a] *adj* bendecido, -a

abençoar [abẽjsu'ar] <*1. pess pres:* abençôo> *vt* bendecir

aberração <-ões> [abexa'sãw, -õjs] *f* aberrición *f*

aberto, -a [a'bɛrtu, -a] I. *pp de* **abrir** II. *adj* abierto, -a

abertura [aber'tura] *f* (*de porta, orificio*) apertura *f*

abismado, -a [abiz'madu, -a] *adj* asombrado, -a

abismo [a'bizmu] *m* abismo *m*

ABL [abe'ɛʎi] *f abr de* **Academia Brasileira de Letras** *Academia Brasileña de las Letras,* ≈ RAE *f*

abnegado, -a [abne'gadu, -a] *adj* abnegado, -a

abóbada [a'bɔbada] *f* bóveda *f*

abóbora [a'bɔbora] *f* calabaza *f,* zapallo *m CSur*

abobrinha [abɔ'briɲa] *f* BOT calabacín *m,* calabacita *f Méx,* zapallito *m Río-Pl*

abolir [abo'ʎir] *irr vt* abolir

abominar [abomi'nar] *vt* abominar

abominável <-eis> [abomi'navew, -ejs] *adj* abominable

abono [a'bonu] *m* (*subsídio*) complemento *m*

abordagem [abor'daʒẽj] <-ens> *f* enfoque *m*

aborrecer [aboxe'ser] <c→ç> I. *vt* (*irritar*) enfadar; (*enfadar*) aburrir II. *vr:* ~-**se** (*irritar-se*) enfadarse; (*enfadar-se*) aburrirse

aborrecido, -a [aboxe'sidu, -a] *adj* (*livro*) aburrido, -a; (*pessoa*) enfadado, -a

aborrecimento [aboxesi'mẽtu] *m* (*irritação*) enfado *m;* (*tédio*) aburrimiento *m*

aborto [a'bortu] *m* aborto *m*

abotoar [aboto'ar] <*1. pess pres:* abotôo> *vt* abrochar

abraçar [abra'sar] <ç→c> I. *vt* abrazar II. *vr:* ~-**se** abrazarse

abraço [a'brasu] *m* abrazo *m*

abrangência [abrãŋ'ʒẽjsia] *f* amplitud *f*

abranger [abrãŋ'ʒer] <g→j> *vt* (*conter*) contener

abrasador(a) [abraza'dor(a)] <-es> *adj* (*calor, sol*) abrasador(a)

abrasileirar [abrazilej'rar] I. *vt* volver brasileño II. *vr:* ~-**se** volverse brasileño

abreviação <-ões> [abrevia'sãw, -õjs] *f* abreviatura *f*

abreviado, -a [abrevi'adu, -a] *adj* abreviado, -a

abreviar [abrevi'ar] *vt* abreviar

abreviatura [abrevia'tura] *f* abreviatura *f*

abridor [abri'dor] <-es> *m* abridor *m;* ~ **de garrafas** abrebotellas *m inv;* ~ **de latas** abrelatas *m inv*

abrigar [abri'gar] <g→gu> I. *vt* abrigar II. *vr:* ~-**se** (*da chuva*) abrigarse

abrigo [a'brigo] *m* abrigo *m*

abril [a'briw] *m* abril *m; v.tb.* **março**

abrir [a'brir] <*cp:* aberto> I. *vt* abrir II. *vi* (*porta*) abrir; (*sinal*) ponerse verde

abrupto, -a [a'bruptu, -a] *adj* (*repentino*) súbito, -a

abscesso [ab'sɛsu] *m* MED absceso *m*

absolutamente [absoluta'mẽtʃi] *adv* absolutamente

absoluto, -a [abso'lutu, -a] *adj* abso-

absolver [absow'veʁ] *vt* absolver

absolvição <-ões> [absowvi'sãw, -õjs] *f* absolución *f*

absorto, -a [ab'soʁtu, -a] *adj* absorto, -a

absorvente [absoʁ'vẽjtʃi] **I.** *adj* absorbente **II.** *m* absorbente *m*; ~ **higiênica** compresa *f*, toalla *f* higiénica *AmL*

absorver [absoʁ'veʁ] **I.** *vt* absorber **II.** *vr*: ~-**se** concentrarse

abstêmio, -a [abs'temiw, -a] *adj*, *m*, *f* abstemio, -a *m*, *f*

abstenção <-ões> [abstẽj'sãw, -õjs] *f* POL abstención *f*

abstinência [abstʃi'nẽjsia] *f* abstinencia *f*

abstração <-ões> [abstra'sãw, -õjs] *f* abstracción *f*

abstrações [abstra'sõjs] *f pl de* **abstração**

abstraído, -a [abstra'idu, -a] *adj* abstraído, -a

abstrato, -a [abs'tratu, -a] *adj* abstracto, -a

absurdo [ab'suʁdu] *m* absurdo *m*

absurdo, -a [ab'suʁdu, -a] *adj* absurdo, -a

abundância [abũw'dãsia] *f* abundancia *f*

abundante [abũw'dãtʃi] *adj* abundante; ~ **em** abundante en

abusar [abu'zaʁ] *vt* abusar

abuso [a'buzu] *m* abuso *m*

a. C. [a'se] *abr de* **antes de Cristo** a. C.

a/c [a'se] *abr de* **aos cuidados de** a la atención de

acabado, -a [aka'badu, -a] *adj* (*pessoa*) abatido, -a

acabamento [akaba'mẽjtu] *m* acabado *m*

acabar [aka'baʁ] **I.** *vi*, *vt* acabar **II.** *vr*: ~-**se** acabarse

academia [akade'mia] *f* academia *f*; ~ **de ginástica** gimnasio *m*

acadêmico, -a [aka'demiku, -a] *adj*, *m*, *f* académico, -a *m*, *f*

acaju [aka'ʒu] *m* caoba *f*

acalanto [aca'lãtu] *m* canción *f* de cuna

acalentar [akalẽj'taʁ] *vt* (*sonho, paixão*) albergar

acalmar [akaw'maʁ] **I.** *vt* calmar **II.** *vr*: ~-**se** calmarse

acamado, -a [akã'madu, -a] *adj* en cama

acampamento [akãpa'mẽjtu] *m* (*de férias*) camping *m*

acampar [akãŋ'paʁ] *vi* acampar

acanhado, -a [akã'ɲadu, -a] *adj* vergonzoso, -a

acanhamento [akãɲa'mẽjtu] *m* vergüenza *f*

ação <-ões> [a'sãw, -õjs] *f* acción *f*

acarajé [akara'ʒɛ] *m* GASTR buñuelo hecho con aceite de palma y judías negras fritas, con gambas y servido con salsa picante

acariciar [akarisi'aʁ] *vt* acariciar

acaso [a'kazu] *m* casualidad *f*

acatar [aka'taʁ] *vt* acatar

acautelar-se [akawte'laʁsi] *vr* prevenirse

aceitação <-ões> [asejta'sãw, -õjs] *f*

aceptación *f*

aceitar [ajʃej'tar] <*pp:* **aceito** *ou* **aceitado**> *vt* aceptar

aceitável <-eis> [asej'tavew, -ejs] *adj* aceptable

aceleração <-ões> [aselera'sãw, -õjs] *f* aceleración *f*

acelerador [aselera'dor] <-es> *m* acelerador *m*

acelerar [asele'rar] *vi, vt* acelerar

acenar [ase'nar] *vi (com a mão)* saludar

acendedor [asẽjde'dor] <-es> *m* encendedor *m*

acender [asẽj'der] <*pp:* **aceso** *ou* **acendido**> *vt* encender

aceno [a'senu] *m (com a mão)* saludo *m*

acento [a'sẽjtu] *m* acento *m*

acentuação <-ões> [asẽjtwa'sãw, -õjs] *f* acentuación *f*

acentuado, -a [asẽjtu'adu, -a] *adj* acentuado, -a

acentuar [asẽjtu'ar] *vt* acentuar

acerca [a'serka] *prep* ~ **de** acerca de a

acerola [ase'rɔla] *f* acerola *f; v.* **acre**

acertado, -a [aser'tadu, -a] *adj* acertado, -a

acertar [aser'tar] **I.** *vt (atinar com)* acertar; *(ajustar)* ajustar; ~ **o relógio** poner el reloj en hora **II.** *vi* acertar

acerto [a'sertu] *m* acierto *m*

acervo [a'servu] *m* acervo *m*

aceso, -a [a'sezu, -a] **I.** *pp irr de* **acender II.** *adj* encendido, -a

acessar [ase'sar] *vt* INFOR acceder

acessível <-eis> [ase'sivew, -ejs] *adj* accesible

acesso [a'sɛsu] *m tb.* INFOR acceso *m*

acessório [ase'sɔriw] *m* accesorio *m*

acetona [ase'tona] *f* acetona *f*

achado [a'ʃadu] *m* ~**s e perdidos** objetos *mpl* perdidos

achar [a'ʃar] *vt* encontrar; *(descobrir)* hallar; *(julgar)* pensar

acidentado, -a [asidẽj'tadu, -a] *adj* accidentado, -a

acidental <-ais> [asidẽj'taw, -'ajs] *adj* accidental

acidentar-se [asidẽj'tarsi] *vr* tener un accidente

acidente [asi'dẽjtʃi] *m* accidente *m*

acidez [asi'dɛs] *f sem pl* acidez *f*

ácido ['asidu] *m* ácido *m*

ácido, -a ['asidu, -a] *adj* ácido, -a

acima [a'sima] *adv* arriba; ~ **de** por encima de

acinte [a'sĩjtʃi] *m* provocación *f*

acinzentado, -a [asĩjzẽj'tadu, -a] *adj* grisáceo, -a

acionar [asjo'nar] *vt (máquina, motor)* encender

acionista [asjo'nista] *mf* accionista *mf*

aclamação <-ões> [aklãma'sãw, -õjs] *f* aclamación *f*

aclamar [aklã'mar] *vt* aclamar

acne ['akni] *f* MED acné *m*

aço ['asu] *m* acero *m*

ações [a'sõjs] *f pl de* **ação**

acolá [ako'la] *adv* allá

acolchoado [akowʃu'adu] *m* colcha *f*

acolhedor(a) [akoʎe'dor(a)] <-es> *adj* acogedor(a)

acolher [ako'ʎer] *vt* acoger

acolhida [ako'ʎida] *f (de visita, idéia)* acogida *f; (refúgio)* abrigo *m*

acometer [akome'ter] *vt* (*doença*) atacar

acomodação <-ões> [akomoda'sãw, -õjs] *f* alojamiento *m*

acomodado, -a [akomo'dadu, -a] *adj* acomodado, -a

acomodar [akomo'dar] *vt* acomodar

acompanhamento [akõwpãɲa'mẽjtu] *m* acompañamiento *m*

acompanhante [akõwpã'ɲãntʃi] *mf* acompañante *mf*

acompanhar [akõwpã'ɲar] *vt* acompañar

aconchegante [akõwʃe'gãntʃi] *adj* acogedor(a)

aconchegar-se [akõwʃe'garsi] <g→gu> *vr* acurrucarse

aconchego [akõw'ʃegu] *m* abrigo *m*

acondicionar [akõwdʒisjo'nar] *vt* (*embalar*) embalar

aconselhamento [akõwseʎa'mẽjtu] *m* orientación *f*

aconselhar [akõwse'ʎar] I. *vt* aconsejar II. *vr:* ~-se aconsejarse

aconselhável <-eis> [akõwse'ʎavew, -ejs] *adj* aconsejable

acontecer [akõwte'ser] <c→ç> *vi* (*suceder*) ocurrir, pasar

acontecimento [akõwtesi'mẽjtu] *m* acontecimiento *m*

aconteço [akõw'tesu] *1. pres de* **acontecer**

acordado, -a [akor'dadu, -a] *adj* (*desperto*) despierto, -a

acordar [akor'dar] *vt* (*despertar*) despertar

acorde [a'kɔrdʒi] *m* MÚS acorde *m*

acordo [a'kordu] *m* acuerdo *m; assi-*nar um ~ firmar un acuerdo

Açores [a'sɔris] *mpl* **os** ~ las Azores

açoriano, -a [asori'ənu, -a] I. *adj* de las Azores II. *m, f* habitante *mf* de las Azores

acorrentar [akoxẽj'tar] *vt* encadenar

acostamento [akosta'mẽjtu] *m* arcén *m*, berma *f Chile*, acotamiento *m Méx*, banquina *f RíoPl*

acostumado, -a [akustu'madu, -a] *adj* acostumbrado, -a

acostumar [akustu'mar] I. *vt* acostumbrar II. *vr:* ~-se acostumbrarse

acotovelar-se [akotove'larsi] *vr* darse codazos

açougue [a'sowgi] *m* carnicería *f*

acovardar-se [akovar'darsi] *vr* acobardarse

Acre ['akri] *m* Acre *m*

acreditar [akredʒi'tar] *vt* creer

acrescentar [akresẽj'tar] *vt* añadir

acrescer [akre'ser] <c→ç> *vt* añadir

acréscimo [a'krɛsimu] *m* añadido *m*

acrílico [a'kriʎiku] *m* acrílico *m*

acrobacia [akroba'sia] *f* acrobacia *f*

acrobata [akro'bata] *mf* acróbata *mf*

acrobático, -a [akro'batʃiku, -a] *adj* acrobático, -a

açúcar [a'sukar] *m* azúcar *m o f*

açucareiro [asuka'rejru] *m* azucarero *m*

aculturação [akuwtura'sãw] *f* aculturación *f*

acumulação <-ões> [akumula'sãw, -õjs] *f* acumulación *f*

acumulado, -a [akumu'ladu, -a] *adj* acumulado, -a

acumular [akumu'lar] I. *vt* acumular II. *vr*: ~-se acumularse

acúmulo [a'kumulu] *m* acumulación *f*

acupuntura [akupũw'tura] *f* acupuntura *f*

acusação <-ões> [akuza'sãw, -õjs] *f* acusación *f*

acusado, -a [aku'zadu, -a] *m, f* JUR acusado, -a *m, f*

acusar [aku'zar] *vt* JUR, ECON acusar

acústica [a'kustʃika] *f* acústica *f*

adaptação <-ões> [adapta'sãw, -õjs] *f* adaptación *f*

adaptador [adapta'dor] *m* ELETR adaptador *m*

adaptar [adap'tar] I. *vt* adaptar II. *vr*: ~-se adaptarse

adaptável <-eis> [adap'tavew, , -ejs] *adj* adaptable

adega [a'dɛga] *f* bodega *f*

ademais [ade'majs] *adv* además

adentrar [adẽj'trar] *vt* hacer entrar

adepto, -a [a'dɛptu, -a] *m, f* POL adepto, -a *m, f*

adequado, -a [ade'kwadu, -a] *adj* adecuado, -a

adequar [ade'kwar] *vt* adecuar

aderente [ade'rẽjtʃi] *adj* adherente

aderir [ade'rir] *irr como* preferir *vi* adherirse

adesivo, -a [ade'zivu, -a] *adj* adhesivo, -a

adeus [a'dews] *interj* adiós

adiamento [adʒja'mẽjtu] *m* aplazamiento *m*

adiantado, -a [adʒjãn'tadu, -a] *adj* adelantado, -a

adiantado [adʒjãn'tadu] *adv* por adelantado

adiantamento [adʒjãnta'mẽjtu] *m* adelanto *m*

adiantar [adʒjãn'tar] I. *vt* adelantar II. *vi* servir III. *vr*: ~-se adelantarse

adiante [adʒi'ãntʃi] *adv* (direção) adelante

adiar [adʒi'ar] *vt* aplazar

adição <-ões> [ad'sãw, -õjs] *f* MAT adición *f*

adicional <-ais> [adsjo'naw, -'ajs] *adj* adicional

adicionar [adsjo'nar] *vt* MAT adicionar; (acrescentar) añadir

adições [ad'sõjs] *fpl de* **adição**

adido [a'dʒidu] *m* agregado *m*

adira [a'dʒira] *1., 3. pres subj de* **aderir**

adiro [a'dʒiru] *1. pres de* **aderir**

adivinhação <-ões> [adʒiviɲa'sãw, -õjs] *f* adivinación *f*

adivinhar [adʒivi'ɲar] *vt* adivinar

adjacências [adʒa'sẽjsias] *fpl* inmediaciones *fpl*

adjetivo [adʒe'tʃivu] *m* adjetivo *m*

administração <-ões> [adʒiministra'sãw, -õjs] *f* administración *f*

administrador(a) [adʒiministra'dor(a)] <-es> *m(f)* administrador(a) *m(f)*

administrar [adʒiminis'trar] *vt* administrar

administrativo, -a [adʒiministra'tʃivu, -a] *adj* administrativo, -a

admiração <-ões> [adʒimira'sãw, -õjs] *f* admiración *f*

admirado, -a [adʒimi'radu, -a] *adj* ad-

mirado, -a
admirador(a) [adʒimira'dor(a)] <-es> m(f) admirador(a) m(f)
admirar [adʒimi'rar] I. vt admirar II. vr: ~-se admirarse
admirável <-eis> [adʒimi'ravew, -ejs] adj admirable
admissão <-ões> [adʒimi'sãw, -õjs] f admisión f
admissível <-eis> [adʒimi'sivew, -ejs] adj admisible
admissões [adʒimi'sõjs] f pl de **admissão**
admitir [adʒimi'tʃir] vt admitir; (contratar) contratar
adoçante [ado'sãntʃi] m edulcorante m
adoção <-ões> [ado'sãw, -õjs] f adopción f
adoçar [ado'sar] <ç→c> vt endulzar
adocicado, -a [adosi'kadu, -a] adj dulzón, -ona
adoções [ado'sõjs] f pl de **adoção**
adoecer [adoe'ser] <c→ç> vi enfermar
adoentado, -a [adoẽj'tadu, -a] adj enfermo, -a
adoidado [adoj'dadu] adv inf una pasada
adolescência [adole'sẽjsia] f adolescencia f
adolescente [adole'sẽjtʃi] adj, mf adolescente mf
adoração <-ões> [adora'sãw, -õjs] f REL adoración f
adorar [ado'rar] vt adorar
adorável <-eis> [ado'ravew, -ejs] adj adorable
adormecer [adorme'ser] <c→ç> I. vt adormecer II. vi dormirse
adormecido, -a [adorme'sidu, -a] adj adormecido, -a
adornar [ador'nar] vt adornar
adorno [a'dornu] m adorno m
adotar [ado'tar] vt adoptar
adotivo, -a [ado'tʃivu, -a] adj adoptivo, -a
adquirir [adʒiki'rir] vt adquirir
adrenalina [adrena'λina] f adrenalina f
adstringente [adstrĩj'ʒẽjtʃi] adj astringente
aduana [adu'ãna] f aduana f
aduaneiro, -a [aduɜ'nejru, -a] adj, m, f aduanero, -a m, f
adubo [a'dubu] m abono m
adular [adu'lar] vt adular
adulteração <-ões> [aduwtera'sãw, -õjs] f adulteración f
adultério [aduw'tɛriw] m adulterio m
adúltero, -a [a'duwteru, -a] adj, m, f adúltero, -a m, f
adulto, -a [a'duwtu, -a] adj, m, f adulto, -a m, f
adverbial <-ais> [adʒiverbi'aw, -'ajs] adj adverbial
advérbio [adʒi'vɛrbiw] m adverbio m
adversário, -a [adʒiver'sariw, -a] adj, m, f adversario, -a m, f
adversidade [adʒiversi'dadʒi] f adversidad f
adverso, -a [adʒi'vɛrsu, -a] adj adverso, -a
advertência [adʒiver'tẽjsia] f advertencia f
advertido, -a [adʒiver'tʃidu, -a] adj

advertido, -a
advertir [adʒiver'tʃir] *irr como vestir vt* advertir
advir [adʒi'vir] *irr como vir vi* resultar
advocacia [adʒivoka'sia] *f* JUR abogacía *f*
advogado, -a [adʒivo'gadu, -a] *m, f* JUR abogado, -a *m, f*
advogar [adʒivo'gar] <g→gu> *vt* abogar por
aéreo, -a [a'ɛriu, -a] *adj* aéreo, -a
aeróbica [ae'rɔbika] *f* aerobic *m*
aeróbico, -a [ae'rɔbiku, -a] *adj* aeróbico, -a
aerodinâmico, -a [aɛrodʒi'nãmiku, -a] *adj* aerodinámico, -a
aerograma [aɛro'grãma] *m* aerograma *m*
aeromoça [aɛro'mosa] *f* azafata *f*, aeromoza *f AmL*
aeronáutica [aɛro'nawtʃika] *f* aeronáutica *f*
aeronáutico, -a [aɛro'nawtʃiku, -a] *adj* aeronáutico, -a
aeronave [aɛro'navi] *f* aeronave *f*
aeroporto [aɛro'portu] *m* aeropuerto *m*
aerossol <-óis> [aɛro'sɔw, -'ɔjs] *m* aerosol *m*
afã [a'fã] *m* afán *m*
afabilidade [afabiʎi'dadʒi] *f* afabilidad *f*
afagar [afa'gar] <g→gu> *vt* acariciar
afago [a'fagu] *m* caricia *f*
afanar [afã'nar] *vt inf* afanar
afastado, -a [afas'tadu, -a] *adj* alejado, -a
afastamento [afasta'mẽjtu] *m* (*de um partido*) separación *f*; (*distância*) alejamiento *m*
afastar [afas'tar] I. *vt* separar II. *vr*: **~-se** alejarse; (*retirar-se*) apartarse
afável <-eis> [a'favew, -ejs] *adj* afable
Afeganistão [afegãnis'tãw] *m* Afganistán *m*
afeição <-ões> [afej'sãw, -õjs] *f* afecto *m*
afeiçoado, -a [afejso'adu, -a] *adj* encariñado, -a
afeiçoar-se [afejso'arsi] <*l. pess pres:* afeiçôo> *vr* encariñarse
afeições [afej'sõjs] *f pl de* **afeição**
afetar [afe'tar] *vt* afectar
afetivo, -a [afe'tʃivu, -a] *adj* afectivo, -a
afeto [a'fɛtu] *m* afecto *m*
afetuoso, -a [afetu'ozu, -'ɔza] *adj* afectuoso, -a
afiado, -a [afi'adu, -a] *adj* afilado
afiançável <-eis> [afiãn'savew, -ejs] *adj* que puede ser objeto de fianza
afiar [afi'ar] *vt* afilar, tajar *AmL*
aficionado, -a [afisjo'nadu, -a] *adj, m, f* aficionado, -a *m, f*
afigurar-se [afigu'rarsi] *vr* parecer
afilhado, -a [afi'ʎadu, -a] *m, f* ahijado, -a *m, f*
afiliado, -a [afi'ʎiadu, -a] *m, f* afiliado, -a *m, f*
afiliar-se [afi'ʎiarsi] *vr* afiliarse
afim [a'fĩ] <-ins> *mf* similar *mf*; **afins** similares *mpl*
afinado, -a [afi'nadu, -a] *adj* afinado, -a
afinal [afi'naw] *adv* al final
afinar [afi'nar] *vt* TÉC ajustar

afinidade — agradável

afinidade [afini'dadʒi] *f* afinidad *f*

afins [a'fĩjs] *m pl de* **afim**

afirmação <-ões> [afirma'sãw, -õjs] *f* afirmación *f*

afirmar [afir'mar] **I.** *vt* afirmar **II.** *vr:* ~-se afirmarse

afirmativa [afirma'tʃiva] *f* afirmativa *f*

afirmativo, -a [afirma'tʃivu, -a] *adj* afirmativo, -a

afivelar [afive'lar] *vt* abrochar

afixar [afik'sar] *vt* (*cartaz*) fijar

aflição <-ões> [afli'sãw, -õjs] *f* aflicción *f*

afligir [afli'ʒir] <pp: aflito *ou* afligido; g→j> **I.** *vt* afligir **II.** *vr:* ~-se afligirse

aflito, -a [a'flitu, -a] *adj* afligido, -a

afobado, -a [afo'badu, -a] *adj* angustiado, -a

afobar [afo'bar] **I.** *vt* (*pressa*) meter prisa a **II.** *vr:* ~-se apurarse

afogado, -a [afo'gadu, -a] *adj* ahogado, -a

afogador <-es> [afoga'dor(a)] *m* AUTO estárter *m*

afogar [afo'gar] **I.** *vt* ahogar **II.** *vr:* ~-se ahogarse

afoito, -a [a'fojtu, -a] *adj* (*apressado*) precipitado, -a

afônico, -a [a'foniku, -a] *adj* afónico, -a

afresco [a'fresku] *m* fresco *m*

África ['afrika] *f* África *f*; ~ **do Sul** Sudáfrica *f*

africano, -a [afri'kʌnu, -a] *adj, m, f* africano, -a *m, f*

afro-brasileiro, -a [afrobrazi'lejru, -a] *adj, m, f* afrobrasileño, -a *m, f*

afrodisíaco [afro'badu, -a] *m* afrodisíaco *m*

afronta [a'frõwta] *f* afrenta *f*

afrouxar [afrow'ʃar] *vt* (*cinto, regras*) aflojar; (*músculos*) relajar

afundar [afũw'dar] *vt* hundir

agachar-se [aga'ʃarsi] *vr* agacharse

agarrar [aga'xar] *vt* agarrar

agasalhado, -a [agaza'ʎadu, -a] *adj* abrigado, -a

agasalhar [agaza'ʎar] **I.** *vt* abrigar **II.** *vr:* ~-se abrigarse

agasalho [aga'zaʎu] *m* abrigo *m*

agência [a'ʒẽjsia] *f* agencia *f*

agenda [a'ʒẽjda] *f* agenda *f*; ~ **eletrônica** agenda electrónica

agente [a'ẽjtʃi] **I.** *m* agente *m* **II.** *mf* agente *mf*; ~ **de viagens** agente de viajes

agir [aj'ʒir] *vi* actuar, obrar

agitação <-ões> [aʒita'sãw, -õjs] *f* agitación *f*

agitado, -a [aʒi'tadu, -a] *adj* agitado, -a

agitador(a) [a] <-es> *adj, m(f)* agitador(a) *m(f)*

agitar [aʒi'tar] **I.** *vt* agitar; ~ **bem antes de usar** agítese bien antes de usar **II.** *vr:* ~-se agitarse

agonizar [agoni'zar] **I.** *vt* angustiar **II.** *vi* agonizar

agora [a'gɔra] **I.** *adv* ahora **II.** *conj* (*mas*) ahora

agosto [a'gostu] *m* agosto *m; v.* **março**

agradar [agra'dar] *vi, vt* agradar

agradável <-eis> [agra'davew, -ejs] *adj* agradable

agradeça [agrade'sa] *1., 3. pres subj de* **agradecer**

agradecer [agrade'ser] *vt* agradecer

agradecido, -a [agrade'sidu, -a] *adj* agradecido, -a

agradeço [agrade'su] *1. pres de* **agradecer**

agradecimento [agradesi'mẽjtu] *m* agradecimiento *m;* **meus ~s** con agradecimiento

agrado [a'gradu] *m (carícia)* caricia *f*

agravar-se [agra'varsi] *vr* agravarse

agredir [agre'dʒir] *vt* agredir

agremiação <-ões> [agremia'sãw, -õjs] *f* sociedad *f*

agressão <-ões> [agre'sãw, -õjs] *f* agresión *f*

agressivo, -a [agre'sivu, -a] *adj* agresivo, -a

agressões [agre'sõjs] *f pl de* **agressão**

agreste I. [a'grɛstʃi] *adj* agreste II. *m* zona de la región Nordeste de Brasil caracterizada por suelo pedregoso y vegetación escasa y de pequeño tamaño

agrião <-ões> [agri'ãw, õjs] *m* berro *m*

agricultura [agrikuw'tura] *f* agricultura *f*

agrida [a'grida] *1., 3. pres subj de* **agredir**

agride [a'gridi] *3. pres de* **agredir**

agrido [a'gridu] *1. pres de* **agredir**

agrotóxico [agro'tɔksiku] *m* herbicida *m*

agrupamento [agrupa'mẽjtu] *m* agrupamiento *m*

agrupar [agru'par] *vt* agrupar

água ['agwa] *f* agua *f;* **~ mineral com/sem gás** agua mineral con/sin gas

água-de-coco ['agwa-dʒi-'koku] <águas-de-coco> *f* agua *f* de coco

água-marinha ['agwa-ma'rĩɲa] <águas-marinhas> *f* aguamarina *f*

aguardar [agwar'dar] *vi, vt* aguardar

aguardente [agwar'dẽjtʃi] *f* aguardiente *m*

agudo [a'gudu] *m* MÚS agudo *m*

agudo, -a [a'gudu, -a] *adj* agudo, -a

agüentar [agwẽj'tar] *vi, vt* aguantar

águia ['agia] *f* águila *f*

agulha [a'guʎa] *f* aguja *f*

ah ['a] *interj* ah

ai ['aj] *interj* ay; **~ de mim!** ¡ay de mí!

aí [a'i] *adv (lá)* ahí; **e ~?** ¿qué tal?

aidético, -a [aj'dɛtʃiku, -a] *m, f* MED enfermo, -a *m, f* de sida

aids ['ajds] *abr de* **Síndrome da Imunodeficiência Adquirida** sida *m*

ai-jesus ['aj-ʒe'zus] *interj* Dios mío

ainda [a'ĩda] *adv* todavía; **~ mais** todavía más; **~ não** todavía no; **~ por cima** para colmo; **~ que** +*subj* aunque (+ *subj*)

aipim [aj'pĩ] <-ins> *m* mandioca *f*

aipo ['ajpu] *m* apio *m*

airbag [ɛr'bɛgu] *m* airbag *m*

aja ['aʒa] *1., 3. pres subj de* **agir**

ajeitar [aʒej'tar] *vt (a roupa)* arreglar

ajo ['aʒu] *1. pres de* **agir**

ajoelhar-se [aʒueʎarsi] *vr* arrodillarse

ajuda [a'ʒuda] *f* ayuda *f;* **~ de custo** dietas *fpl*

ajudante [aʒu'dãntʃi] *mf* ayudante *mf*

ajudar [aʒu'dar] *vi, vt* ayudar

ajuizado, -a [aʒui'zadu, -a] *adj* sensato, -a

ajuntamento [aʒũwta'mẽjtu] *m* aglomeración *f*

ajuntar [aʒũw'tar] *vt* juntar

ajustado, -a [aʒus'tadu, -a] *adj* (*pessoa*) conforme

ajustável <-eis> [aʒus'tavew, -ejs] *adj* ajustable

ajuste [a'ʒustʃi] *m* (*combinação*) acuerdo *m*; (*liquidação, de máquina*) ajuste *m*

ala ['ala] *f* (*fila*) fila *f*; **abrir ~s** abrir paso

à la carte [a la 'kartʃi] *adv* a la carta

alagado, -a [ala'gadu, -a] *adj* (*encharcado*) inundado, -a; (*molhado*) empapado, -a

alagamento [alaga'mẽjtu] *m* inundación *f*

alagar [ala'gar] <g→gu> *vt* inundar

Alagoas [ala'goas] Alagoas

alameda [ala'meda] *f* alameda *f*

alargar [alar'gar] <g→gu> *vt* (*tornar largo*) ensanchar

alarmante [alar'mãntʃi] *adj* alarmante

alarmar [alar'mar] **I.** *vt* alarmar **II.** *vr:* **~-se** alarmarse

alarme [a'larmi] *m* alarma *f*; **~ de incêndio** alarma contra incendios

Alasca ['laska] *m* Alaska *f*

alastramento [alastra'mẽjtu] *m* propagación *f*

alastrar [alas'trar] **I.** *vt* propagar **II.** *vr:* **~-se** propagarse

alavanca [ala'vãŋka] *f* palanca *f*; **~ de comando** AERO palanca de mando; **puxar a ~ em caso de emergência** tirar de la palanca en caso de emergencia

albanês, -esa [awbã'nes, -'eza] *adj, m, f* albanés, -esa *m, f*

Albânia [aw'bãnia] *f* Albania *f*

albatroz [awba'trɔs] <-es> *m* albatros *m inv*

albergue [aw'bɛrgi] *m* albergue *m*; **~ da juventude** albergue juvenil

álbum ['awbũw] <-uns> *m* álbum *m*

Alca ['awka] *abr de* **Área de Livre Comércio das Américas** ALCA *f*

alça [awsa] *f* (*de roupa*) tirante *m*; (*de mala, de xícara*) asa *f*

alcançar [awkãn'sar] <ç→c> *vt* alcanzar

alcançável <-eis> [awkãn'savew, -ejs] *adj* alcanzable

alcance [aw'kãnsi] *m* alcance *m*

alçar [aw'sar] <ç→c> *vt* (*elevar*) alzar; (*bandeira*) izar

álcool <alcoóis> ['awkow, -'ɔjs] *m* alcohol *m*

alcoólatra [aw'kɔlatra] *mf* alcohólico, -a *m, f*

alcoólico, -a [aw'kɔʎiku, -a] *adj* alcohólico, -a; **bebida alcoólica** bebida alcohólica

alcoolismo [awko'ʎizmu] *m sem pl* alcoholismo *m*

alcoolizado, -a [awkoʎi'zadu, -a] *adj* alcoholizado, -a

alcoolizar-se [awkoʎi'zarsi] *vr* alcoholizarse

aleatório, -a [alea'tɔriw, -a] *adj* aleatorio, -a

alecrim [ale'krĩ] <-ins> m romero m
alegar [ale'gar] <g→gu> vt alegar
alegoria [alego'ria] f alegoría f
alegórico, -a [ale'gɔriku, -a] adj alegórico, -a
alegrar [ale'grar] I. vt alegrar; **alegra-me que...** +subj me alegra que... +subj II. vr: ~-**se** alegrarse
alegre [a'lɛgri] adj alegre
alegria [ale'gria] f alegría f
aleijado, -a [alej'ʒadu, -a] adj, m, f mutilado, -a m, f
aleijar [alej'ʒar] I. vt mutilar II. vr: ~-**se** mutilarse
aleitamento [alejta'mẽtu] m amamantamiento m
além [a'lẽj] I. m más allá m; **ir para o ~** ir al más allá II. adv más allá; (longe) a lo lejos; **mais ~** más allá; **~ disso,...** además,...
alemã [ale'mɐ̃] adj, f v. **alemão**
alemães [ale'mɐ̃js] adj, mf pl de **alemão**
Alemanha [ale'mɐ̃ɲa] f Alemania f; **antiga ~ Ocidental/Oriental** antigua Alemania Occidental/Oriental
alemão, alemã <-ães> [ale'mɐ̃w, -'ɐ̃, -'ɐ̃js] adj, m, f alemán, -ana m, f
alergia [aler'ʒia] f MED alergia f
alérgico, -a [a'lɛrʒiku, -a] adj alérgico, -a
alerta [a'lɛrta] I. m alerta f; **dar o ~** dar la alerta II. adj alerta III. adv alerta
alertar [aler'tar] vt alertar
alfabetizado, -a [awfabet'zadu, -a] adj alfabetizado, -a
alfabetizar [awfabet'zar] I. vt alfabetizar II. vr: ~-**se** aprender a leer y escribir
alfabeto [awfa'bɛtu] m alfabeto m
alface [aw'fasi] f lechuga f
alfândega [aw'fɐ̃dega] f aduana f
alfandegário, -a [awfɐ̃de'gariw, -a] adj aduanero, -a
alfazema [awfa'zema] f espliego m
alfinete [awfi'netʃi] m alfiler m; ~ **de segurança** imperdible m
algarismo [awga'rizmu] m número m
algazarra [awga'zaxa] f barullo m
algo [aw'gu] pron indef algo; **eu gostaria de comer ~** me gustaría comer algo
algodão <-ões> [awgu'dɐ̃w, -õjs] BOT algodón m; **de ~** de algodón
algoz [aw'gɔs] <-es> m verdugo m
alguém [aw'gẽj] pron indef alguien
algum [aw'gũw] pron indef alguno, -a
alheio [a'ʎeju] m **o ~** lo ajeno
alheio, -a [a'ʎeju, -a] adj ajeno, -a
alho [ˈaʎu] m ajo m
alho-poró [ˈaʎu-po'rɔ] <alhos-porós> m puerro m
ali [a'ʎi] adv allí
aliado, -a [aʎi'adu, -a] adj, m, f aliado, -a m, f
aliança [aʎi'ɐ̃sa] f (acordo) alianza f; (anel) alianza f, aro m AmL
aliar [aʎi'ar] I. vt aliar II. vr: ~-**se** aliarse
aliás [aʎi'as] adv (a propósito) por cierto; (além disso) además
álibi [ˈaʎibi] m coartada f
alicate [aʎi'katʃi] m alicates mpl; ~ **de unhas** cortaúñas m inv
alicerce [aʎi'sɛrsi] m cimientos mpl

alienação <-ões> [aʎjena'sãw, -õjs] *f inf* (*indiferença aos problemas*) alienación *f*

alienado, -a [aʎje'nadu, -a] *adj inf* (*pessoa*) alienado, -a

alienável <-eis> [aʎje'navew, -ejs] *adj* ECON enajenable

alimentação <-ões> [aʎimẽjta'sãw, -õjs] *f* alimentación *f*; ~ **de papel** INFOR alimentador *m* de papel

alimentar[1] [aʎimẽj'tar] **I.** *vt* alimentar **II.** *vr:* ~**-se** alimentarse

alimentar[2] [aʎimẽj'tar] *adj* alimentario, -a

alimento [aʎi'mẽjtu] *m* alimento *m*; ~**s** sustento *m*

alinhado, -a [aʎi'ɲadu, -a] *adj* (*competidores*) alineado, -a; (*pessoa*) elegante

alinhar [aʎi'ɲar] **I.** *vt* alinear **II.** *vi* (*em fila*) alinearse

alisar [aʎi'zar] *vt* alisar

aliviado, -a [aʎivi'adu, -a] *adj* aliviado, -a

aliviar [aʎivi'ar] *vi* (*dor*) disminuir

alívio [a'ʎiviw] *m* alivio *m*

alma ['awma] *f* alivio *f*; ~ **penada** alma en pena

almoçar [awmu'sar] <ç→c> *vi* comer, almorzar

almoço [aw'mosu] *m* comida *f*, almuerzo *m*

almofada [awmu'fada] *f* cojín *m*, almohadón *m*

almôndega [aw'mõwdega] *f* GASTR albóndiga *f*

alô [a'lo] *interj* (*ao telefone*) ¿diga?, ¿bueno? *Méx*, ¿holá? *RíoPl*

alojamento [aloʒa'mẽjtu] *m* alojamiento *m*

alojar [alo'ʒar] **I.** *vt* alojar **II.** *vr:* ~**-se** alojarse

alongado, -a [alõw'gadu, -a] *adj* alargado, -a

alongamento [alõwga'mẽjtu] *m* estiramiento *m*; (*em comprimento*) alargamiento *m*

alongar [alõw'gar] <g→gu> **I.** *vt* (*prolongar, atrasar*) alargar; (*estender: o corpo*) estirar **II.** *vr:* ~**-se** (*prolongar-se*) alargarse

alopata [alo'pata] *mf* alópata *mf*

alpargata [awpar'gata] *f* alpargata *f*

alpendre [aw'pẽjdri] *m* tejado *m* saledizo

Alpes ['awps] *mpl* Alpes *mpl*

alpinismo [awpi'nizmu] *m* alpinismo *m*, andinismo *m AmL*

alpinista [awpi'nista] *mf* alpinista *mf*, andinista *mf AmL*

alpino, -a [aw'pinu, -a] *adj* alpino, -a

alta ['awta] *f* (*de preços, cotação*) alza *f*; **dar/receber** ~ dar/recibir el alta

altamente [awta'mẽjtʃi] *adv* altamente

altar [aw'tar] <-es> *m* altar *m*

alta-roda ['awta-ˈxɔda] <altas-rodas> *f* alta sociedad *f*

alteração <-ões> [awtera'sãw, -õjs] *f* (*modificação*) alteración *f*; (*perturbação*) desorden *m*

alterado, -a [awte'radu, -a] *adj* (*modificado, nervoso*) alterado, -a; (*adulterado*) adulterado, -a

alterar [awte'rar] **I.** *vt* (*modificar*) alterar **II.** *vr:* ~**-se** alterarse

altercação <-ões> [awterka'sãw, -'õjs] *f* altercado *m*

alternadamente [awternada'mẽjtʃi] *adv* alternadamente

alternado, -a [awter'nadu, -a] *adj* alternado, -a

alternar [awter'nar] *vt* alternar

alternativa [awterna'tʃiva] *f* alternativa *f*

alternativo, -a [awterna'tʃivu, -a] *adj* alternativo, -a

alteza [aw'teza] *f* alteza *f*; **Sua Alteza** Su Alteza

altitude [awtʃi'tudʒi] *f* altitud *m*

altivez [awtʃi'ves] *f sem pl* altivez *f*

altivo, -a [aw'tʃivu, -a] *adj* altivo, -a

alto ['awtu] **I.** *m (topo)* alto *m*; **do ~** desde lo alto, de arriba **II.** *adv* alto; **por ~** por encima **III.** *interj* **~ (lá)!** ¡alto (ahí)!

alto, -a ['awtu, -a] *adj* alto, -a; *inf (embriagado)* alegre

alto-astral <altos-astrais> [awtwas-'traw, -'ajs] *m inf* buen humor *m*

alto-falante ['awtu-fa'lãntʃi] *m* altavoz *m*, altoparlante *m AmL*

altruísta [awtru'ista] *adj, mf* altruista *mf*

altura [aw'tura] *f* altura *f*; **ter um metro e meio de ~** *(pessoa)* medir un metro y medio de altura

alucinação <-ões> [alusina'sãw, -õjs] *f* alucinación *f*

alucinado, -a [alusi'nadu, -a] *adj* alucinado, -a

alucinante [alusi'nãntʃi] *adj* alucinante

alucinar [alusi'nar] *vt* provocar alucinaciones

aludir [alu'dʒir] *vt* aludir

alugar [alu'gar] <g→gu> *vt* alquilar; **aluga-se** se alquila

aluguel <-éis> [alu'gɛw, -'ɛjs] *m* alquiler *m*

aluno, -a [a'lunu, -a] *m, f* alumno, -a *m, f*

alusão <-ões> [alu'zãw, -õjs] *f* alusión *f*

alusivo, -a [alu'zivu, -a] *adj* alusivo, -a

alusões [alu'zõjs] *f pl de* **alusão**

alvejante [awve'ʒãntʃi] *m* blanqueador *m*

alvo ['awvu] *m* blanco *m*; **acertar no ~** dar en el blanco

alvo, -a ['awvu, -a] *adj* blanco, -a

alvorada [awvo'rada] *f 1 (manhã)* alborada *f*

alvorecer [awvore'ser] <c→ç> *vi* amanecer

alvoroço [awvo'rosu] *m* alboroto *m*

ama ['ɐ̃ma] *f (governanta)* gobernanta *f*

amabilidade [ɐ̃mabiʎi'dadʒi] *f* amabilidad *f*

amabilíssimo, -a [ɐ̃mabi'ʎisimu, -a] *adj superl de* **amável**

amaciante [amasi'ɐ̃ntʃi] *m (de roupas)* suavizante *m*

amaciar [amasi'ar] *vt (a roupa)* suavizar; *(o motor)* hacer el rodaje de

amado, -a [ɐ̃'madu, -a] *adj, m, f* amado, -a *m, f*

amador(a) [ɐ̃ma'dor(a)] <-es> *adj, m(f)* aficionado, -a *m, f*

amadurecer [amadure'ser] <c→ç> **I.** *vt (frutos, uma idéia)* madurar

amadurecimento 15 **âmbito**

II. *vi fig* madurar
amadurecimento [amaduresi'mẽjtu] *m* maduración *f*
âmago ['ɐ̃magu] *m* centro *m*
amaldiçoar [amawdsu'ar] <*1. pess pres:* **amaldiçôo**> *vi, vt* maldecir
amálgama [a'mawgama] *f* amalgama *f*
amamentar [amamẽj'tar] *vt* amamantar
amanhã [amɐ̃'ɲɐ̃] I. *m* mañana *m* II. *adv* mañana; **depois de** ~ pasado mañana
amanhecer [amɐ̃ɲe'ser] I. *m* amanecer *m* II. *vi* <c→ç> amanecer
amansar [amɐ̃'sar] *vt* (*domar*) amansar; (*serenar*) calmar
amante [a'mɐ̃tʃi] *mf* amante *mf*
Amapá [ama'pa] *m* Amapá *m*
amar [a'mar] *vi, vt* amar
amarelado, -a [amare'ladu, -a] *adj* amarillento, -a
amarelar [amare'lar] *vi* volverse amarillo
amarelo [ama'rɛlu] *m* amarillo
amargar [amar'gar] <g→gu> *vt* (*tornar amargo*) amargar; (*sofrer*) sufrir
amargo, -a [a'margu, -a] *adj* amargo, -a
amargurado, -a [amargu'radu, -a] *adj* amargado, -a
amaríssimo, -a [ama'risimu, -a] *adj superl de* **amargo**
amarração <-ões> [amaxa'sɐ̃w, -õjs] *f* infligue *m*
amarrado, -a [ama'xadu, -a] I. *pp de* **amarrar** II. *adj fig, inf* apasionado, -a; **ele está ~ na Paula** está coladito por Paula

amarrar [ama'xar] I. *vt* (*atar*) atar; ~ **a cara** *inf* poner cara de pocos amigos II. *vr:* ~-**se** (*com corda*) atarse; (*a pessoa*) enamorarse
amarrotar [amaxo'tar] *vt* (*tecido*) arrugar
amassado, -a [ama'sadu, -a] *adj* (*chapa*) abollado, -a; (*tecido*) arrugado, -a
amassar [ama'sar] *vt* (*chapa, o carro*) abollar; (*tecido*) arrugar; *inf* (*a cara*) partir
amável <-eis> [a'mavew, -ejs] *adj* amable
Amazonas [ama'zonas] *m* **o** ~ el Amazonas
Amazônia [ama'zonia] *f* Amazonia *f*
amazônico, -a [ama'zoniku, -a] *adj* amazónico, -a
ambição <-ões> [ɐ̃bi'sɐ̃w, -õjs] *f* ambición *f*
ambicioso, -a [ɐ̃bisi'ozu, -'ɔza] *adj* ambicioso, -a
ambições [ɐ̃bi'sõjs] *fpl de* **ambição**
ambiental <-ais> [ɐ̃bjẽj'taw, -'ajs] *adj* ambiental; **preservação** ~ preservación del medio ambiente
ambientar [ɐ̃bjẽj'tar] I. *vt* ambientar II. *vr:* ~-**se** ambientarse
ambiente [ɐ̃bi'ẽjtʃi] I. *adj* (*temperatura*) ambiente; (*poluição*) ambiental II. *m* ambiente *m*; INFOR entorno *m*
ambigüidade [ɐ̃bigwi'dadʒi] *f* ambigüedad *f*
ambíguo, -a [ɐ̃'biguu, -a] *adj* ambiguo, -a
âmbito ['ɐ̃bitu] *m* ámbito *m*

ambos ['ɐ̃bus] *pron indef* ambos

ambrosia [ɐ̃bro'zia] *f* GASTR ambrosía *f*

ambulância [ɐ̃bu'lɐ̃sia] *f* ambulancia *f*

ambulante [ɐ̃bu'lɐ̃tʃi] *adj* ambulante

ambulatório [ɐ̃bula'tɔriw] *m* MED ambulatorio *m*

ameaça [ame'asa] *f* amenaza *f*

ameaçador(a) [ameasa'dor(a)] <-es> *adj* amenazador(a)

ameaçar [amea'sar] <ç→c> *vt* amenazar

ameba [a'mɛba] *f* ZOOL ameba *f*

amedrontar [amedrõ'tar] *vt* amedrentar

ameixa [a'mejʃa] *f* ciruela *f*

ameixa-preta [a'mejʃa-'preta] <ameixas-pretas> *f* ciruela *f* pasa

ameixeira [amej'ʃejra] *f* ciruelo *m*

amém [a'mẽj] *interj* amén

amêndoa [a'mẽjdua] *f* almendra *f*

amendoim [amẽjdu'ĩj] <-ins> *m* cacahuete *m*, maní *m* CSur

amenizar [ameni'zar] *vt* suavizar

ameno, -a [a'menu, -a] *adj* agradable

América [a'mɛrika] *f* América *f*; ~ **Central** América Central; ~ **Latina** América Latina; ~ **do Norte** América del Norte; ~ **do Sul** América del Sur

americanismo [amerikɐ̃'nizmu] *m* americanismo *m*

americano, -a [ameri'kɐnu, -a] *adj, m, f* americano, -a *m, f*

ametista [ame'tʃista] *f* MIN amatista *f*

amicíssimo, -a [ami'sisimu, -a] *adj superl de* **amigo**

amido [a'midu] *m* almidón *m*

amigão <-ões> [ami'gɐ̃w, -õjs] *m* gran amigo *m*

amigável <-eis> [ami'gavew, -ejs] *adj* amigable

amígdala [a'midala] *f* amígdala *f*

amigdalite [amida'ʎitʃi] *f* MED amigdalitis *f*

amigo, -a [ɐ̃'migu, -a] *adj, m, f* amigo, -a *m, f*

amigões [ami'gõjs] *m pl de* **amigão**

amistoso, -a [amis'tozu, -'ɔza] *adj* (*relações, acordo, jogo*) amistoso, -a

amizade [ami'zadʒi] *f* amistad *f*; **fazer ~s** hacer amigos

amnésia [ami'nɛzia] *f* amnesia *f*

amniocentese [amnjosẽj'tɛzi] *f* MED amniocentesis *f*

amolação [amola'sɐ̃w] *f* molestia *f*

amolar [amo'lar] *vt* molestar

amolecer [amole'ser] <c→ç> I. *vt* ablandar II. *vi* ablandarse

amoníaco [amo'niaku] *m* amoniaco *m*, amónico *m*

amontoado [amõwtu'adu] *m* montón *m*

amontoado, -a [amõwtu'adu, -a] *adj* amontonado, -a

amontoar [amõwtu'ar] <*1. pess pres:* amontôo> I. *vt* amontonar II. *vr:* ~-**se** (*pessoas*) amontonarse

amor [a'mor] *m* amor *m*; **meu ~** amor mío

amoroso, -a [amo'rozu, -'ɔza] *adj* amoroso, -a

amor-próprio [a'mor-'prɔpriw] <amores-próprios> *m* amor *m* propio

amortecedor [amortese'dor] <-es> *m* amortiguador *m*

amortecer [amorte'ser] <c→ç> *vt* amortiguar

amortecido, -a [amorte'sidu, -a] *adj* amortiguado, -a

amostra [a'mɔstra] *f* muestra *f*

amparar [ãpa'rar] *vt* amparar

amparo [ã'paru] *m* amparo *m*

ampere [ã'pɛri] *m* FÍS amperio *m*

ampliação <-ões> [ãplia'sãw, -õjs] *f* ampliación *f*

ampliar [ãpli'ar] *vt* ampliar

ampliável <-eis> [ãplia'vew, -ejs] *adj* ampliable

amplificador [ãplifika'dor] <-es> *m* ELETR amplificador *m*

amplificar [ãplifi'kar] <c→qu> *vt* (*som*) amplificar

amplitude [ãpli'tudʒi] *f* amplitud *f*

amplo, -a ['ãplu, -a] *adj* (*geral*) amplio, -a

ampola [ã'pola] *f* MED ampolla *f*

ampulheta [ãpu'ʎeta] *f* reloj *m* de arena

amputação <-ões> [ãputa'sãw, -õjs] *f* MED amputación *f*

amputar [ãpu'tar] *vt* MED amputar

amuado, -a [amu'adu, -a] *adj* malhumorado, -a

amuar-se [amu'arsi] *vr* ponerse de mal humor

amuleto [amu'letu] *m* amuleto *m*

anabolizante [anaboli'zãtʃi] *m* MED anabolizante *m*

anacrônico, -a [ana'kroniku, -a] *adj* anacrónico, -a

anais [ã'najs] *mpl* anales *mpl*

anal <-ais> [ã'naw, -'ajs] *adj* anal

analfabetismo [anawfabe'tʃizmu] *m* analfabetismo *m*

analfabeto, -a [anawfa'bɛtu, -a] *adj, m, f* analfabeto, -a *m, f*

analgésico [anaw'ʒɛziku] *m* MED analgésico *m*

analisar [anaʎi'zar] *vt* analizar

análise [a'naʎizi] *f* análisis *m inv*; **fazer ~** ir al psicólogo

analista [ana'ʎista] *mf* analista *mf*

analítico, -a [ana'ʎitʃiku, -a] *adj* analítico, -a

analogia [analo'ʒia] *f* analogía *f*

analógico, -a [ana'lɔʒiku, -a] *adj* analógico, -a

análogo, -a [a'nalugu, -a] *adj* análogo, -a

anão, anã <-ões, -ãos> [a'nãw, -ã -õjs, -ãw] *adj, m, f* enano, -a *m, f*

anarquia [anar'kia] *f* anarquía *f*

anarquista [anar'kista] *adj, mf* anarquista *mf*

anatomia [anato'mia] *f* anatomía *f*

anca ['ãka] *f* cadera *f*

ancestrais [ãses'trajs] *mpl* ancestros *mpl*

ancestral <-ais> [ãses'traw, -'ajs] *adj* ancestral

âncora ['ãkora] *f* ancla *f*; **levantar ~** levar anclas

ancorado, -a [ãko'radu, -a] *adj* NÁUT anclado, -a

ancorar [ãko'rar] *vi, vt* NÁUT anclar

andamento [ãda'mẽjtu] *m* curso *m*; **dar ~ a a. c.** tramitar algo; **estar em ~** estar en tramitación

andanças [ã'dãsas] *fpl* andanzas *fpl*

andar [ã'dar] **I.** *m* **1.** (*de edifício*)

piso *m;* ~ **térreo** planta baja **2.** (*movimento*) andar ▪ **II.** *vi* **1.** (*movimentar-se*) andar, caminar; ~ **de avião/bicicleta/carro** ir en avión/bicicleta/coche; ~ **a pé** ir a pie; **anda!** ¡venga! **2.** (*funcionar*) andar; **a máquina não anda** la máquina no anda **3.** (*estar*) estar; ~ **triste** estar triste

Andes ['ãndʒs] *mpl* **os** ~ los Andes

andorinha [ãndu'riɲa] *f* golondrina *f*

andrógino, -a [ãŋ'drɔʒinu, -a] *adj, m,* f andrógino, -a *m, f*

anedota [ane'dɔta] *f* chiste *m*

anel <-**éis**> [ʒ'nɛw, -'ɛjs] *m* anillo *m*

anemia [ane'mia] *f* MED anemia *f*

anêmico, -a [a'nemiku, -a] *adj* MED anémico, -a

anestesia [aneste'zia] *f* MED anestesia *f*

anestesiar [anestezi'ar] *vt* MED anestesiar

anestesista [aneste'zista] *mf* anestesista *mf*

anexação <-**ões**> [aneksa'sãw, -õjs] *f* POL anexión *f*

anexar [anek'sar] <*pp:* anexo *ou* anexado> *vt* POL anexionar; (*um documento*) anexar

anexo [a'nɛksu] *m* anexo *m;* **em** ~ anexo

anfiteatro [ãŋfitʃi'atru] *m* anfiteatro *m*

anfitrião, anfitriã <-**ões**> [ãŋfitri'ãw, -ã, -õjs] *m, f* anfitrión, -ona *m, f*

angariar [ãŋgari'ar] *vt* (*dinheiro*) recaudar; (*votos*) solicitar

angelical <-**ais**> [ãʒeʎi'kaw, -'ajs] *adj* angelical

angina [ãŋ'ʒina] *f* MED angina *f*

anglicismo [ãŋgli'sizmu] *m* LING anglicismo *m*

anglo-saxão, anglo-saxã <-**ões**> ['ãŋglu-sak'sãw, -ã, -õjs] *m, f* anglosajón, -ona *m, f*

Angola [ãŋ'gɔla] *f* Angola *f*

angolano, -a [ãŋgo'lãnu, -a] *adj, m, f* angoleño, -a *m, f*

angra ['ãŋgra] *f* ensenada *f*

ângulo ['ãŋgulu] *m* ángulo *m*

angústia [ãŋ'gustʃia] *f* angustia *f*

angustiado, -a [ãŋgustʃi'adu, -a] *adj* angustiado, -a

angustiante [ãŋgustʃi'ãntʃi] *adj* angustiante

angustiar [ãŋgustʃi'ar] **I.** *vt* angustiar **II.** *vr:* **~-se** angustiarse

anil [ʒ'niw] *sem pl adj* (*cor*) añil

animação <-**ões**> [ãnima'sãw, -õjs] *f* animación *f*

animado, -a [ãni'madu, -a] *adj* animado, -a

animador(a) [ãnima'dor(a)] <-**es**> *adj, m(f)* animador(a) *m(f)*

animal <-**ais**> [ãni'maw, -'ajs] *adj, m* animal *m*

animar [ãni'mar] **I.** *vt* animar **II.** *vr:* **~-se** animarse

ânimo ['ãnimu] *m* ánimo *m*

aniquilação [anikila'sãw] *f sem pl* aniquilación *f*

aniquilar [ãniki'lar] *vt* aniquilar

anistia [ãnis'tʃia] *f* amnistía *f*

anistiar [ãnistʃi'ar] *vt* amnistiar

aniversariante [ãniversari'ãntʃi] *mf* persona que cumple años

aniversário [ãniver'sariw] *m* (*de nas-*

cimento) cumpleaños *m inv*; (*de um evento*) aniversario *m*; **faço ~ no dia 14 de junho** cumplo años el 14 de junio

anjo ['ãʒu] *m* ángel *m*; **~ da guarda** ángel de la guardia

ano ['ɐnu] *m* año *m*; **~ corrente** año en curso; **fazer 20 ~s** cumplir 20 años

anões [a'nõjs] *m pl de* **anão**

anoitecer¹ [anojte'ser] *m* anochecer *m*; **ao ~** al anochecer

anoitecer² [anojte'ser] <c→ç> *vi* anochecer

anonimato [anoni'matu] *m* anonimato *m*

anônimo, -a [a'nonimu, -a] *adj* anónimo, -a

ano-novo ['ɐnu-'novu] <anos-novos> *m* año *m* nuevo

anorexia [ɐnorek'sia] *f* MED anorexia *f*

anormal <-ais> [anor'maw, -'ajs] *adj* anormal

anormalidade [anormaʎi'dadʒi] *f* anormalidad *f*

anotação <-ões> [anota'sãw, -õjs] *f* anotación *f*

anotar [ano'tar] *vt* anotar

anseio [ɐ̃'seju] *m* anhelo *m*

ânsia [ɐ̃'sia] *f pl* (*mal-estar*) ansias *fpl*

ansiar [ɐ̃si'ar] *irr como odiar vt* (*afligir*) provocar ansia a

ansiedade [ɐ̃sie'dadʒi] *f* ansiedad *f*

ansioso, -a [ɐ̃si'ozu, -'ɔza] *adj* ansioso, -a

anta ['ɐ̃ta] *mf inf* (*pessoa*) bruto, -a *m, f*

antagonismo [ɐ̃tago'nizmu] *m* antagonismo *m*

antagonizar [ɐ̃tagoni'zar] *vt* antagonizar

antártico, -a [ɐ̃'tartʃiku, -a] *adj* (*pólo*) sur; (*continente*) antártico, -a

Antártida [ɐ̃'tartʃika] *f* Antártida *f*

ante ['ɐ̃tʃi] *prep* (*diante de*) ante

antecedência [ɐ̃tese'dẽjsia] *f* antecedencia *f*

antecedente [ɐ̃tese'dẽjtʃi] *adj* antecedente

antecedentes [ɐ̃tese'dẽjts] *mpl* antecedentes *mpl*; **ter ~ criminais** tener antecedentes (penales)

anteceder [ɐ̃tese'der] **I.** *vt* preceder **II.** *vr:* **~-se** anticiparse

antecessor(a) [ɐ̃tese'sor(a)] <-es> *m(f)* antecesor(a) *m(f)*

antecipação <-ões> [ɐ̃tesipa'sãw, -õjs] *f* anticipación *f*

antecipadamente [ɐ̃tesipada'mẽjtʃi] *adv* anticipadamente

antecipado, -a [ɐ̃tesi'padu, -a] *adj* anticipado, -a

antecipar [ɐ̃tesi'par] **I.** *vt* anticipar **II.** *vr:* **~-se** anticiparse

antemão [ɐ̃te'mãw] *adv* **de ~** de antemano

antena [ɐ̃'tena] *f* antena *f*

anteontem [ɐ̃tʃi'õwtẽj] *adv* anteayer

antepassado, -a [ɐ̃tepa'sadu, -a] *m, f* antepasado, -a *m, f*

antepenúltimo, -a [ɐ̃tepe'nuwtʃimu, -a] *adj* antepenúltimo, -a

anterior [ɐ̃teri'or] <-es> *adj* anterior

anteriormente [ɐ̃terior'mẽjtʃi] *adv* anteriormente

antes ['ɐ̃ts] *adv* (*temporal*) antes; **~**

de antes de
antevéspera [ãntʃi'vɛspera] *f* antevíspera *f*
antiácido [ãntʃi'asidu] *m* antiácido *m*
antiaéreo, -a [ãntʃja'ɛriw, -a] *adj* antiaéreo, -a
antialérgico [ãntʃja'lɛrʒiku] *m* antialérgico *m*
antibiótico [ãntʃibi'ɔtʃiku] *m* MED antibiótico *m*
anticaspa [ãntʃi'kaspa] *adj inv* (*xampu*) anticaspa *f*
anticoncepcional <-ais> [ãntʃikõwsepsjo'naw, -ajs] I. *adj* anticonceptivo, -a II. *m* anticonceptivo *m*
anticorpo [ãntʃi'kɔrpu] *m* anticuerpo *m*
antidepressivo [ãntʃidepre'sivu] *m* antidepresivo *m*
antiderrapante [ãntʃidexa'pãntʃi] *adj* TÉC antideslizante
antídoto [ãn'tʃidotu] *m* MED antídoto *m*
antiespasmódico, -a [ãntʃjespaz'mɔdʒiku, -a] *adj* MED antiespasmódico, -a
antiestético, -a [ãntʃjes'tɛtʃiku, -a] *adj* antiestético, -a
antigamente [ãntʃiga'mẽjtʃi] *adv* antiguamente
antigo, -a [ãn'tʃigu, -a] *adj* antiguo, -a
antiguidade [ãntʃigwi'dadʒi] *f* antigüedad *f*
antiguidades [ãntʃigwi'dads] *fpl* antigüedades *fpl*
anti-higiênico, -a [ˌãntʃi'ʒjeniku, -a] *adj* antihigiénico, -a
anti-horário [ãntʃjo'rariw] *adj* (*sentido*) contrario al de las agujas del reloj
antiinflamatório [ãntʃiĩflãma'tɔriw] *m* antiinflamatorio *m*
antinuclear [ãntʃinukle'ar] <-es> *adj* antinuclear
antioxidante [ãntʃjoksi'dãntʃi] *m* antioxidante *m*
antipatia [ãntʃipa'tʃia] *f* antipatía *f*
antipático, -a [ãntʃi'patʃiku, -a] *adj* antipático, -a
antiquado, -a [ãntʃi'kwadu, -a] *adj* anticuado, -a
antiquário, -a [ãntʃi'kwariw, -a] *m, f* anticuario, -a *m, f*
anti-roubo [ãntʃi'xowbu] *m* antirrobo *m*
anti-rugas [ãntʃi'xugas] *adj inv* antiarrugas *inv*
anti-semita [ãntse'mita] *adj, mf* antisemita *mf*
anti-séptico, -a [ãntʃ'sɛptʃiku, -a] *adj* MED antiséptico, -a
anti-seqüestro [ãntse'kwɛstru] *adj* contra secuestros *inv*, antisecuestros *inv*
antitabagista [ãntʃitaba'ʒista] *adj* (*política*) antitabaco *inv*
antiterrorismo [ãntʃitexo'rizmu] *m sem pl* antiterrorismo *m*
antítese [ãn'tʃitezi] *f* antítesis *f inv*
antiviral <-ais> [ãntʃivi'raw, -ajs] *adj* antiviral
antônimo [ãn'tonimu] *m* antónimo *m*
antropologia [ãntropolo'ʒia] *f sem pl* antropología *f*
anual <-ais> [ãnu'aw, -ajs] *adj* anual
anuário [ãnu'ariw] *m* anuario *m*
anuidade [ãnuj'dadʒi] *f* anualidad *f*

anulação <-ões> [ʒnula'sɐ̃w, -õjs] f anulación mf

anular [ʒnu'lar] vt anular

anunciante [anũwsi'ɜ̃ntʃi] mf anunciante f

anunciar [anũwsi'ar] vt anunciar

anúncio [a'nũwsiw] m anuncio m

ânus ['ɜnus] m inv ano m

anuviar [ʒnuvi'ar] vt (nublar) nublar

anzol <-óis> [ʒn'zɔw, -'ɔjs] m anzuelo m

ao [aw] = **a + o** v. **a**

aonde [a'õwdʒi] adv rel adonde; interrog adónde

apadrinhar [apadriɲ'nar] vt apadrinar

apagado, -a [apa'gadu, -a] adj apagado, -a

apagador [apaga'dor] <-es> m borrador m

apagar [apa'gar] <g→gu> I. vt (fogo, rádio, luz) apagar; (escrita, arquivo) borrar II. vi (motor) calarse III. vr: ~-se apagarse

apaixonado, -a [apajʃo'nadu, -a] adj, m, f enamorado, -a m, f

apaixonar-se [apajʃo'narsi] vr enamorarse, templarse AmS

apalpar [apaw'par] vt palpar

apanhado [apɜ'ɲadu] m resumen m

apanhado, -a [apɜ'ɲadu, -a] adj resumido, -a

apanhar [apɜ'ɲar] vt coger; ~ **sol** tomar el sol

aparafusar [aparafu'zar] vt atornillar

aparecer [apare'ser] <c→ç> vi aparecer

aparelhagem [apare'ʎaʒẽj] <-ens> f (de som) equipo m; (equipamento) aparatos mpl

aparelhar [apare'ʎar] vt (equipar) equipar

aparelho [apa'reʎu] m aparato m; ~ **de barbear** maquinilla f de afeitar; ~ **de jantar** cubiertos mpl; ~ **de som** equipo m de sonido

aparência [apa'rẽjsja] f apariencia f

aparentar [aparẽj'tar] vt aparentar

aparente [apa'rẽjtʃi] adj aparente

aparição <-ões> [apari'sɐ̃w, -õjs] f aparición f

apartamento [aparta'mẽjtu] m apartamento m, piso m, departamento m Arg

apartar [apar'tar] vt (uma briga) apartar

apart-hotel <-éis> [a'partʃjo'tɛw, -'ɛjs] m aparthotel m

apatia [apa'tʃia] f apatía f

apático, -a [a'patʃiku, -a] adj apático, -a

apavorado [apavo'radu] adj aterrorizado, -a

apavorante [apavo'rɜ̃ntʃi] adj aterrorizador(a)

apavorar [apavo'rar] vt aterrorizar

apaziguador(a) [apazigwa'dor(a)] <-es> adj, m(f) apaciguador(a) m(f)

apaziguar [apazi'gwar] irr como averiguar vt apaciguar

apegar-se [ape'garsi] <g→gu> vr apegarse

apego [a'pegu] m apego m

apelação <-ões> [apela'sɐ̃w, -õjs] f inf vulgaridad f

apelar [ape'lar] vi apelar

apelidar [apeʎi'dar] vt apodar

apelido [ape'ʎidu] *m* apodo *m*
apelo [a'pelu] *m* llamada *f*
apenas [a'penas] **I.** *adv* sólo **II.** *conj* apenas
apêndice [a'pẽjdsi] *m* apéndice *m*
apendicite [apẽjd'sitʃi] *f* MED apendicitis *f*
aperceber-se [aperse'bersi] *vr* darse cuenta
aperfeiçoado, -a [aperfejso'adu, -a] *adj* perfeccionado, -a
aperfeiçoamento [aperfejswa'mẽjtu] *m* perfeccionamiento *m*
aperfeiçoar [aperfejsu'ar] <*I. pess pres:* aperfeiçôo> **I.** *vt* perfeccionar **II.** *vr:* **~-se** perfeccionarse
aperitivo [aperi'tʃivu] *m* aperitivo *m*
apertado, -a [aper'tadu, -a] *adj* apretado; (*coração*) en un puño
apertar [aper'tar] **I.** *vt* apretar; **~ o cinto de segurança** abrocharse el cinturón de seguridad **II.** *vi* (*sapatos, chuva*) apretar; (*coração*) encogerse
aperto [a'pertu] *m* (*situação difícil*) aprieto *m*; (*espaço*) lugar *m* apretado
apesar [ape'zar] *adv* **~ de (que)** a pesar de (que)
apetite [ape'tʃitʃi] *m* apetito *m*; **bom ~!** ¡que aproveche!
apetitoso, -a [apetʃi'tozu, -'ɔza] *adj* apetitoso, -a
apiedar-se [apie'darsi] *vr* apiadarse
apimentado, -a [apimẽj'tadu, -a] *adj tb. fig* picante
apimentar [apimẽj'tar] *vt* poner pimienta en
apinhado, -a [api'ɲadu, -a] *adj* abarrotado, -a

apito [a'pitu] *m* (*instrumento*) silbato *m*; (*som*) pitido *m*
aplaudir [aplaw'dʒir] *vi, vt* aplaudir
aplauso [a'plawzu] *m* aplauso *m*
aplicação <-ões> [aplika'sãw, -õjs] *f* aplicación *f*
aplicado, -a [apli'kadu, -a] *adj* aplicado, -a
aplicador [aplika'dor] <-es> *m* aplicador *m*
aplicar [apli'kar] <c→qu> *vt* (*geral*) aplicar; (*injeção*) poner; (*golpe*) dar
aplicativo [aplika'tʃivu] *m* INFOR aplicación *f*, software *m*
aplicável <-eis> [apli'kavew, -ejs] *adj* aplicable
apocalipse [apoka'ʎipsi] *m* apocalipsis *m inv*
apodrecer [apodre'ser] <c→ç> *vi* pudrirse
apodrecimento [apodresi'mẽjtu] *m* putrefacción *f*
apogeu [apo'ʒew] *m* apogeo *m*
apoiado [apoj'adu] *interj* bravo
apoiar [apoj'ar] **I.** *vt* apoyar **II.** *vr:* **~-se** apoyarse
apoio [a'poju] *m* apoyo *m*
apontador [apõwta'dor] <-es> *m* sacapuntas *m inv*
apontar [apõw'tar] **I.** *vt* (*geral*) apuntar; (*um lápis*) sacar punta a; (*indicar*) indicar **II.** *vi* (*com o dedo*) apuntar
aporrinhar [apoxi'ɲar] *vt inf* cabrear
aportuguesar [aportuge'zar] *vt* aportuguesar
após [a'pɔs] **I.** *prep* tras; **ano ~ ano**

aposentado 23 **aproveitável**

año tras año **II.** *adv* después

aposentado, -a [apozēj'tadu, -a] *adj, m, f* jubilado, -a *m, f*

aposentadoria [apozējtado'ria] *f* jubilación *f*

aposentar [apozēj'tar] **I.** *vt* jubilar **II.** *vr*: ~-**se** jubilarse

aposento [apo'zẽjtu] *m* aposento *m*

apossar-se [apo'sarsi] *vr* tomar posesión

aposta [a'pɔsta] *f* apuesta *f*

apostar [apos'tar] *vt* apostar

aprazer [a'prazer] *vi impess* complacer

apreciação <-ões> [apresja'sãw, -õjs] *f* apreciación *f*

apreciador(a) [apresja'dor(a)] <-es> *m(f)* conocedor(a) *m(f)*

apreciar [apresi'ar] *vt* apreciar

apreço [a'presu] *m* aprecio *m*

apreender [apreẽ'der] *vt* aprehender

apreensão <-ões> [apreẽ'sãw, -õjs] *m* (*preocupação*) aprensión *f*; (*de mercadoria*) aprehensión *f*

apreensivo, -a [apreẽj'sivu, -a] *adj* aprensivo, -a

apreensões [apreẽj'sõjs] *f pl de* **apreensão**

aprender [aprẽ'der] *vi, vt* aprender

aprendiz(a) [aprẽ'dʒis, -iza] <-es> *m(f)* aprendiz(a) *m(f)*

aprendizagem [aprẽjdʒa'zɛj] <-ens> *f* aprendizaje *m*

aprendizes [aprɛj'dʒizis] *m pl de* **aprendiz**

apresentação <-ões> [aprezẽjta'sãw, -õjs] *f* (*de pessoas, documentos*) presentación *f*; (*peça de teatro*) representación *f*; (*aparência*) presencia *f*

apresentador(a) [aprezẽjta'dor(a)] <-es> *m(f)* presentador(a) *m(f)*

apresentar [aprezẽj'tar] **I.** *vt* presentar **II.** *vr*: ~-**se** presentarse

apressado, -a [apre'sadu, -a] *adj* apresurado, -a, apurado, -a *AmL*

apressar-se [apre'sarsi] *vr* apresurarse

aprimorar [aprimo'rar] *vt* perfeccionar

aprisionar [aprizjo'nar] *vt* capturar

aprofundamento [aprofũwda'mẽjtu] *m* profundización *f*

aprofundar [aprofũw'dar] **I.** *vt* profundizar **II.** *vr*: ~-**se** sumergirse

aprontar [aprõw'tar] **I.** *vt* preparar **II.** *vr*: ~-**se** prepararse

apropriado, -a [apropri'adu, -a] *adj* apropiado, -a

apropriar-se [apropri'arsi] *vr* apropiarse

aprovação <-ões> [aprova'sãw, -õjs] *f* (*de uma proposta, autorização*) aprobación *f*; (*num exame*) aprobado *m*

aprovado, -a [apro'vadu, -a] *adj* aprobado, -a

aprovar [apro'var] *vt* aprobar

aproveitador(a) [aprovejta'dor(a)] <-es> *m(f)* aprovechado, -a *m, f*

aproveitamento [aprovejta'mẽjtu] *m* aprovechamiento *m*

aproveitar [aprovej'tar] **I.** *vi, vt* aprovechar **II.** *vr*: ~-**se** aprovecharse

aproveitável <-eis> [aprovej'tavew, -ejs] *adj* aprovechable

aproximação <-ões> [aprosima'sãw, -õjs] *f* aproximação *f*

aproximadamente [aprosimada'mẽtʃi] *adv* aproximadamente

aproximar [aprosi'mar] I. *vt* aproximar II. *vr*: ~-**se** aproximarse

aptidão <-ões> [aptʃi'dãw, -õjs] *f* aptitud *f*

apto, -a ['aptu, -a] *adj* apto, -a

apurar [apu'rar] *vt (informações)* investigar; *(sentidos)* refinar; *(o passo)* acelerar

apuro [a'puru] *m (requinte)* elegancia *f*; *(esmero)* esmero *m*

apuros [a'purus] *mpl* apuros *mpl*

aquarela [akwa'rɛla] *f* acuarela *f*

aquariano, -a [akwari'anu, -a] *adj, m, f* Acuario *mf inv*

aquário [a'kwariw] *m* acuario *m*

Aquário [a'kwariw] *m* Acuario *m;* **ser (de)** ~ ser Acuario

aquático, -a [a'kwatʃiku, -a] *adj* acuático, -a

aquecedor [akese'dor] <-es> *m (para quarto)* radiador; *(para água)* calentador *m*

aquecer [ake'ser] <c→ç> I. *vt* calentar II. *vi* ESPORT calentar

aquecimento [akesi'mẽjtu] *m (sistema)* calefacción *f*

aquela [a'kɛla] *pron dem v.* **aquele**

àquela [a'kɛla] = **a + aquela** *v.* **a**

aquele, -a [a'keʎi, a'kɛla] *pron dem* aquel, aquella; ~ **que...** aquel que...

àquele [a'keʎi] = **a + aquele** *v.* **a**

aqui [a'ki] *adv* aquí

aquilo [a'kilu] *pron dem* aquello; ~ **que...** aquello que...

àquilo [a'kilu] = **a + aquilo** *v.* **a**

aquisição <-ões> [akizi'sãw, -õjs] *f* adquisición *f*

ar [ar] *m* aire *m;* **entrar no** ~ TV, RÁDIO salir al aire

árabe ['arabi] *adj, mf* árabe *mf*

árabe-israelense ['arabi-isxae'lẽjsi] <árabe-israelenses> *adj* árabe-israelí

Arábia [a'rabia] *f* Arabia *f;* ~ **Saudita** Arabia Saudita [*o* Saudí]

Aracajú [araka'ʒu] Aracajú

arame [a'rãmi] *m* alambre *m*

aranha [a'rãɲa] *f* ZOOL araña *f*

arbitrariamente [arbitrarja'mẽjtʃi] *adv* arbitrariamente, -a

arborização <-ões> [aboriza'sãw, -õjs] *f* plantación *f* de árboles, arbolización *f AmL*

arborizar [abori'zar] *vt* arbolar

arbusto [ar'bustu] *m* arbusto *m*

arcaico, -a [ar'kajku, -a] *adj* arcaico, -a

arcanjo [ar'kãʒu] *m* arcángel *m*

arcar [ar'kar] <c→qu> *vi* cargar

arcebispo [arse'bispu] *m* arzobispo *m*

arco ['arku] *m* arco *m*

arco-íris [arkw'iris] *m inv* arco *m* iris

ar-condicionado ['ar-kõwdsjo'nadu] <ares-condicionados> *m* aire *m* acondicionado

ardente [ar'dẽjtʃi] *adj* ardiente; *(sol)* abrasador(a)

arder [ar'der] *vi* arder; *(pimenta)* picar

ardor [ar'dor] <-es> *m* ardor *m*

árduo, -a ['arduu, -a] *adj* arduo, -a

área ['aria] *f* área *f*

areia [a'reja] f arena f

arejado, -a [are'ʒadu, -a] adj ventilado, -a

arejar [are'ʒar] vt ventilar

Argélia [ar'ʒɛʎia] f Argelia f

argelino, -a [arʒe'ʎinu, -a] adj, m, f argelino, -a m, f

Argentina [ar'ʒẽjtʃina] f Argentina f

argentino, -a [arʒẽj'tʃinu, -a] adj, m, f argentino, -a m, f

argola [ar'gɔla] f (aro) argolla f; (brinco) aro m

argumentação <-ões> [argumẽjta'sãw, -õjs] f argumentación f

argumentar [argumẽj'tar] vi, vt argumentar

argumento [argu'mẽjtu] m argumento m

ária ['aria] f MÚS aria f

ariano, -a [ari'anu, -a] adj, m, f Aries mf inv

aridez [ari'des] f sem pl aridez f

árido, -a ['aridu, -a] adj árido, -a

Áries ['aries] f Aries m; **ser (de)** ~ ser Aries

aristocracia [aristokra'sia] f aristocracia f

aristocrata [aristo'krata] mf aristócrata mf

aristocrático, -a [aristo'kratʃiku, -a] adj aristocrático, -a

arma ['arma] f arma f

armação <-ões> [arma'sãw, -õjs] f (de óculos) montura f; inf (trapaça) montaje m

armadilha [arma'dʒiʎa] f trampa f

armado, -a [ar'madu, -a] adj (tecido) rígido, -a

armar [ar'mar] I. vt armar; ~ **uma confusão** armar un follón r II. vr: ~-**se** armarse

armário [ar'mariw] m armario m; ~ **embutido** armario empotrado

armazém [arma'zẽj] <-ens> m almacén m

armazenar [armaze'nar] vt almacenar

Armênia [ar'menia] f Armenia f

armênio, -a [ar'meniu, -a] adj, m, f armenio, -a m, f

aroma [a'roma] m aroma m

aromático, -a [aro'matʃiku, -a] adj aromático, -a

aromatizar [aromat'zar] vt GASTR aromatizar

arqueólogo, -a [arke'ɔlogu, -a] m, f arqueólogo, -a m, f

arquipélago [arki'pɛlagu] m archipiélago m

arquitetar [arkite'tar] vt (um plano) orquestar

arquiteto, -a [arki'tɛtu, -a] m, f arquitecto, -a m, f

arquitetônico, -a [arkite'toniku, -a] adj arquitectónico, -a

arquitetura [arkite'tura] f arquitectura f

arquivar [arki'var] vt archivar

arquivo [ar'kivu] m (de documentos, informático) archivo m; (móvel) archivador m

arraigar-se [axaj'garsi] <g→gu> vr arraigarse

arrancar [axãŋ'kar] <c→qu> vi, vt arrancar

arranca-rabo [a'xãŋka-'xabu] m inf pelea f

arranha-céus [a'xɲa-'sɛws] *m* rascacielos *m inv*

arranhão <-ões> [axɲ'nʒw, -õjs] *m* arañazo *m*

arranhar [axɲ'nar] *vt* arañar

arranhões [axɲ'nõjs] *m pl de* **arranhão**

arranjar [axɲ'ʒar] *vt* conseguir; ~ **problemas** buscarse problemas

arranjo [a'xɲʒu] *m* arreglo *m*; ~ **de flores** arreglo de flores

arrasado, -a [axa'zadu, -a] *adj (cidade)* arrasado, -a; *(pessoa)* destrozado, -a

arrasar [axa'zar] *vt (casa, cidade)* arrasar; *(pessoa)* destrozar

arrastão <-ões> [axas'tʃw, -õjs] *m inf: atraco realizado por un grupo numeroso de delincuentes que roban a todos cuantos se encuentran a su paso*

arrastar [axas'tar] **I.** *vt* arrastrar **II.** *vr:* **~-se** *(pessoa)* arrastrarse

arrastões [axas'tõjs] *m pl de* **arrastão**

arrebatador(a) [axebata'dor(a)] <-es> *adj* arrebatador(a)

arrebatar [axeba'tar] *vt* conquistar

arrebitado, -a [axebi'tadu, -a] *adj* respingón, -ona

arrecadação <-ões> [axekada'sʃw, -õjs] *f* recaudación *f*

arrecadar [axeka'dar] *vt (tributos, renda)* recaudar; *(prêmios)* conseguir

arredondado, -a [axedõw'dadu, -a] *adj* redondeado, -a

arredondar [axedõw'dar] *vi* MAT redondear

arredores [axe'dɔris] *mpl* alrededores *mpl*

arregaçar [axega'sar] <ç→c> *vt (calças)* remangar; *(mangas)* subirse

arremedar [axeme'dar] *vt* imitar

arremedo [axe'medu] *m* imitación *f*

arremessar [axeme'sar] *vt* lanzar

arrendar [axẽj'dar] *vt* arrendar

arrepender-se [axepẽj'dersi] *vr* arrepentirse

arrependido, -a [axepẽj'dʒidu, -a] *adj* arrepentido, -a

arrependimento [axepẽjdʒi'mẽjtu] *f* arrepentimiento *m*

arrepiado, -a [axepi'adu, -a] *adj (cabelo)* erizado, -a

arrepio [axe'piw] *m* escalofrío *m*

arriar [axi'ar] *vt (abaixar)* bajar; *(as calças)* bajarse; *(vela, bandeira)* arriar

arriscado, -a [axis'kadu, -a] *adj* arriesgado, -a

arriscar [axis'kar] <c→qu> **I.** *vt* arriesgar **II.** *vr:* **~-se** arriesgarse

arrocho [a'xoʃu] *m* apuro *m*; ~ **salarial** contención salarial

arrogância [axo'gãnsia] *f sem pl* arrogancia *f*

arrogante [axo'gãntʃi] *adj* arrogante

arrojado, -a [axo'ʒadu, -a] *adj (pessoa)* arrojado, -a; *(negócio)* osado, -a

arrombar [axõw'bar] *vt* abrir forzando

arrotar [axo'tar] *vi* eructar; *fig* alardear

arroto [a'xotu] *m* eructo *m*

arroz [a'xos] <-es> *m* arroz *m*

arroz-doce [a'xoz-'dɔsi] <arrozes--doces> *m* GASTR arroz *m* con leche

arruaça [axu'asa] *f* alboroto *m*
arruaceiro, -a [axua'sejru, -a] *m, f* alborotador(a) *m(f)*
arruinado, -a [axuj'nadu, -a] *adj* arruinado, -a
arruinar [axuj'nar] **I.** *vt* arruinar **II.** *vr:* ~-se arruinarse
arrumação <-ões> [axuma'sãw, -õjs] *f (ação de arrumar)* colocación *f; (ordem)* orden *f*
arrumadeira [axuma'dejra] *f* mujer *f* de la limpieza
arrumado, -a [axu'madu, -a] *adj (casa)* ordenado, -a; *(pessoa)* arreglado, -a
arrumar [axu'mar] **I.** *vt* **1.** *(casa)* ordenar **2.** *(emprego)* conseguir **3.** *(carro, televisão)* arreglar **4.** *inf* ~ **um namorado** echarse novio **II.** *vr:* ~-se *(para sair)* arreglarse
arsenal <-ais> [arse'naw, -'ajs] *m* arsenal *m*
arte ['artʃi] *f* arte *m o f*
artéria [ar'tɛria] *f* arteria *f*
arterial <-ais> [arteri'aw, -'ajs] *adj* arterial
artesanal <-ais> [arteza'naw, -'ajs] *adj* artesanal
artesanato [arteza'natu] *m* artesanía *f*
artesão, artesã [arte'zãw, -ã] <-s> *m, f* artesano, -a *m, f*
ártico, -a ['artʃiku, -a] *adj* ártico, -a; **Pólo ~** Polo Norte
articulação <-ões> [artʃikula'sãw, -õjs] *f* articulación *f*
articulado, -a [artʃiku'ladu, -a] *adj* articulado, -a
articular [artʃiku'lar] *vt* articular
artificial <-ais> [artʃifisi'aw, -'ajs] *adj* artificial
artigo [ar'tʃigu] *m* artículo *m*
artista [ar'tʃista] *mf* artista *mf*
artístico, -a [ar'tʃistʃiku, -a] *adj* artístico, -a
árvore ['arvori] *f* BOT árbol *m;* ~ **de Natal** árbol de Navidad
as [as] *art f pl* las *fpl; v.tb.* **os**
ás ['as] *m* as *m*
asa ['aza] *f (de ave, avião)* ala *f; (da xícara)* asa *f*
asa-delta ['aza-'dɛwta] <asas-delta(s)> *f* ala *f* delta
ascendência [asẽj'dẽsia] *f (origem, influência)* ascendencia *f; (subida)* ascensión *f*
ascendente [asẽj'dẽtʃi] *m (astros)* ascendente *m*
ascender [asẽj'der] *vi* ascender
ascensão <-ões> [asẽj'sãw, -õjs] *f* ascensión *f*
ascensorista [asẽjso'rista] *mf* ascensorista *mf*
asco ['asku] *m* asco *m*
asfaltar [asfaw'tar] *vt* asfaltar
asfalto [as'fawtu] *m* asfalto *m*
asfixia [asfik'sia] *f* asfixia *f*
asfixiante [asfiksi'ãntʃi] *adj* asfixiante
Ásia ['azia] *f* Asia *f*
asiático, -a [azi'atʃiku, -a] *adj, m, f* asiático, -a *m, f*
asilo [a'zilu] *m* asilo *m*
asma ['azma] *f* MED asma *f*
asmático, -a [az'matʃiku, -a] *adj, m, f* asmático, -a *m, f*
asneira [az'nejra] *f* burrada *f;* **dizer/fazer ~s** decir/hacer burradas

asno, -a ['aznu, -a] *m, f* ZOOL asno, -a *m, f*; *pej (pessoa)* burro, -a *m, f*
aspargo [as'pargu] *m* espárrago *m*
aspas ['aspas] *fpl* comillas *fpl*
aspecto [as'pɛktu] *m* aspecto *m*
áspero, -a ['asperu, -a] *adj* áspero, -a
aspiração <-ões> [aspira'sãw, -õjs] *f* aspiración *f*
aspirador [aspira'dor] *m* ~ **de pó** aspirador *m*, aspiradora *f*
aspirar [aspi'rar] *vi, vt* aspirar
aspirina® [aspi'rina] *f* MED aspirina® *f*
asqueroso, -a [aske'rozu, -'ɔza] *adj* asqueroso, -a
assadeira [asa'deira] *f* fuente *f* para asar
assado [a'sadu] *m* GASTR asado *m*
assado, -a [a'sadu, -a] *adj* asado, -a; *inf (bebê)* irritado, -a
assadura [asa'dura] *f (de bebê)* irritación *f*
assalariado, -a [asalari'adu, -a] *m, f* asalariado, -a *m, f*
assaltante [asaw'tãntʃi] *mf* atracador(a) *m(f)*, asaltante *mf*
assaltar [asaw'tar] *vt* asaltar
assalto [a'sawtu] *m* atraco *m*, asalto *m*
assanhado, -a [asã'ɲadu, -a] *adj inf* salido, -a
assanhamento [asãɲa'mẽjtu] *m* excitación *f*
assar [a'sar] *vt* asar
assassinar [asasi'nar] *vt* asesinar
assassinato [asasi'natu] *m* asesinato *m*
assassino, -a [asa'sinu, -a] *adj, m, f* asesino, -a *m, f*
assegurado, -a [asegu'radu, -a] *adj (garantido)* asegurado, -a
assegurar [asegu'rar] **I.** *vt* asegurar **II.** *vr:* ~**-se** asegurarse
asseio [a'seju] *m* aseo *m*
assembléia [asẽj'blɛja] *f* asamblea *f*
assemelhar [aseme'ʎar] *vt* asemejar
assentar [asẽj'tar] <*pp:* assente *ou* assentado> **I.** *vt* asentar **II.** *vi* asentarse **III.** *vr:* ~**-se** asentarse
assento [a'sẽjtu] *m (de cadeira)* asiento *m*
asséptico, -a [a'sɛptʃiku, -a] *adj* MED aséptico, -a
assessor(a) [ase'sor(a)] <-es> *m(f)* asesor(a) *m(f)*
assessoramento [asesora'mẽjtu] *m* asesoramiento *m*
assessorar [aseso'rar] *vt* asesorar
assessoria [aseso'ria] *f* asesoría *f*
assexuado, -a [aseksu'adu, -a] *adj* BIO asexuado, -a
assíduo, -a [a'siduu, -a] *adj (constante)* asiduo, -a
assim [a'sĩj] **I.** *adv* así; ~ **que** +*conj* en cuanto; ~ **seja!** ¡así sea!; **como** ~? ¿por qué? **II.** *conj* por eso
assimétrico, -a [asi'mɛtriku, -a] *adj* asimétrico, -a
assimilação <-ões> [asimila'sãw, -õjs] *f* asimilación *f*
assimilar [asimi'lar] *vt* asimilar
assinalar [asina'lar] *vt* señalar
assinante [asi'nãntʃi] *mf (de uma revista)* suscriptor(a) *m(f)*; *(do telefone)* abonado, -a *m, f*
assinar [asi'nar] *vt (documento)* firmar; *(revista)* suscribirse a
assinatura [asina'tura] *f (em docu-*

mento) firma *f*; (*de uma revista*) suscripción *f*
assistência [asis'tẽjsia] *f* (*auxílio*) asistencia *f*; (*público*) asistentes *mpl*
assistencial <-ais> [asistẽjsi'aw, -'ajs] *adj* asistencial
assistente [asis'tẽjtʃi] *adj*, *mf* asistente *mf*
assistir [asis'tʃir] I. *vt* asistir; ~ **televisão** ver la televisión II. *vi* (*um doente*) asistir
assoalho [aso'aʎu] *m* parqué *m*
assoar [asu'ar] <*1. pess pres:* assôo> *vt* (*nariz*) sonarse
assobiar [asubi'ar] *vi*, *vt* silbar
assobio [asu'biw] *m* silbido *m*
associação <-ões> [asosia'sãw, -õjs] *f* asociación *f*
associado, -a [asosi'adu, -a] *adj*, *m*, *f* asociado, -a *m*, *f*
associar [asosi'ar] I. *vt* asociar II. *vr:* ~-**se** asociarse
assombrar [asõw'brar] *vt* asustar
assombroso, -a [asõw'brozu, -'ɔza] *adj* asombroso, -a
assumir [asu'mir] *vt* asumir
assunção [asũw'sãw] *f sem pl* REL asunción *f*
assunto [a'sũwtu] *m* asunto *m*
assustado, -a [asus'tadu, -a] *adj* asustado, -a
assustador(a) [asusta'dor(a)] <-es> *adj* alarmante; (*atemorizante*) aterrador(a)
assustar [asus'tar] I. *vt* asustar II. *vr:* ~-**se** asustarse
astral <-ais> [as'traw, -'ajs] *m* humor *m*
astro ['astru] *m* astro *m*
astrologia [astrolo'ʒia] *f sem pl* astrología *f*
astrólogo, -a [as'trɔlogu, -a] *m*, *f* astrólogo, -a *m*, *f*
astúcia [as'tusia] *f* astucia *f*
ata ['ata] *f* acta *f*; **lavrar uma** ~ levantar acta
atabalhoado, -a [atabaʎo'adu, -a] *adj* (*pessoa*) precipitado, -a
atacadista [ataka'dʒista] *mf* ECON mayorista *mf*
atacado [ata'kadu] *m* ECON comercio *m* mayorista
atacar [ata'kar] <c→qu> *vt* (*geral*) atacar
atado, -a [a'tadu, -a] *adj* atado, -a
atalhar [ata'ʎar] *vt* (*abreviar*) resumir, abreviar
atalho [a'taʎu] *m* atajo *m*
ataque [a'taki] *m* ataque *m*; ~ **do coração** ataque al corazón
atar [a'tar] *vt* atar
atarantado, -a [atarãn'tadu, -a] *adj* aturdido, -a
atarefado, -a [atare'fadu, -a] *adj* atareado, -a
até [a'tɛ] *prep* hasta; ~ **que** +*conj* hasta que +*subj*; ~ **que enfim!** ¡ya era hora!
atear [ate'ar] *conj como passear vt* (*fogo*) prender
ateliê [ateʎi'e] *m* estudio *m*
atemorizar [atemori'zar] *vt* atemorizar
atenção <-ões> [atẽj'sãw, -õjs] I. *f* (*geral*) atención *f* II. *interj* atención
atenciosamente [atẽjsiɔza'mẽjtʃi]

atencioso — **atrair**

adv *(em carta)* atenciosamente
atencioso, -a [atẽjsi'ozu, -'ɔza] *adj* atento, -a
atendente [atẽj'dẽjtʃi] *mf* auxiliar *mf*
atender [atẽj'der] *vt* atender; **o senhor já foi atendido?** ¿le atienden?; **eu atendo!** TEL ¡ya cojo yo!
atendimento [atẽjdʒi'mẽjtu] *m* atención *f*
atentado [atẽj'tadu] *m* atentado *m*; ~ **a bomba** atentando con bomba
atentamente [atẽjta'mẽjtʃi] *adv* atentamente
atento, -a [a'tẽjtu, -a] *adj* atento, -a
atenuar [atenu'ar] *vt* atenuar
aterrar [ate'xar] *vt (vala)* cubrir con tierra
aterrissagem [atexisa'ʒẽj] <-ens> *f* AERO aterrizaje *m*
aterrissar [atexi'sar] *vi* AERO aterrizar
aterro [a'texu] *m* terraplén *m*; *(para lixo)* vertedero *m*
aterrorizar [atexori'zar] *vt* aterrorizar
atestado [ates'tadu] *m* certificado *m*; ~ **médico** certificado médico
atestar [ates'tar] *vt (passar atestado)* certificar
atiçar [at'sar] <ç→c> *vt (fogo, ódio)* atizar; *(pessoa, animal)* azuzar
atingir [atʃĩ'ʒir] <g→j> *vt (objetivos, com tiro)* alcanzar; *(dizer respeito a)* afectar
atirar [atʃi'rar] I. *vt* tirar II. *vi (com arma)* disparar III. *vr:* ~-**se** tirarse
atitude [atʃi'tuʒi] *f* actitud *f*
ativar [atʃi'var] *vt* activar
atividade [atʃivi'dadʒi] *f* actividad *f*
ativista [atʃi'vista] *mf* activista *mf*
ativo, -a [a'tʃivu, -a] *adj* activo, -a
atlântico, -a [a'tlãntʃiku, -a] *adj* atlántico, -a
Atlântico [a'tlãntʃiku] *m* **o (Oceano)** ~ el (Océano) Atlántico
atlas ['atlas] *m inv* atlas *m inv*
atleta [a'tlɛta] *mf* atleta *mf*
atlético, -a [a'tlɛtʃiku, -a] *adj* atlético, -a
atletismo [atle'tʃizmu] *m sem pl* atletismo *m*
atmosfera [atʃmos'fɛra] *f* atmósfera *f*
atmosférico, -a [atʃmos'fɛriku, -a] *adj* atmosférico, -a
ato ['atu] *m* acto *m*
à-toa [a'toa] *adj (pessoa)* despreciable; *(trabalho)* fácil
atolado, -a [ato'ladu, -a] *adj* atascado, -a
atolar [ato'lar] *vr* atascarse
atômico, -a [a'tomiku, -a] *adj* atómico, -a
atônito, -a [a'tonitu, -a] *adj* atónito, -a
ator, atriz [a'tor, a'tris] <-es> *m*, *f* actor, actriz *m, f*
atordoado, -a [atordu'adu, -a] *adj* aturdido, -a
atordoar [atordu'ar] <*1. pess pres:* atrordôo> *vt* aturdir
atormentado, -a [atormẽj'tadu, -a] *adj* atormentado, -a
atormentar [atormẽj'tar] I. *vt* atormentar II. *vr:* ~-**se** atormentarse
atração <-ões> [atra'sãw, -õjs] *f* atracción *f*
atrações [atra'sõjs] *f pl de* **atração**
atraente [atra'ẽjtʃi] *adj* atractivo, -a
atrair [atra'ir] *vt* atraer

atrapalhação <-ões> [atrapaʎa'sɐ̃w, -õjs] f (*confusão*) confusión f; (*acanhamento*) timidez f

atrapalhado, -a [atrapa'ʎadu, -a] adj (*confuso*) confuso, -a; (*embaraçado*) liado, -a

atrapalhar [atrapa'ʎar] I. vt (*estorvar*) estorbar II. vr: ~-se (*confundir-se*) confundirse; (*embaraçar-se*) liarse

atrás [a'tras] adv atrás

atrasado, -a [atra'zadu, -a] adj atrasado, -a

atrasar [atra'zar] I. vt atrasar II. vr: ~-se atrasarse

atraso [a'trazu] m atraso m

atrativo, -a [atra'tʃivu, -a] adj atractivo, -a

atravancar [atravɐ̃ŋ'kar] <c→qu> vt obstruir

através [atra'vɛs] adv a través

atravessado, -a [atrave'sadu, -a] adj atravesado, -a

atravessar [atrave'sar] vt (*geral*) atravesar

atrelar [atre'lar] vt enganchar

atrever-se [atre'versi] vr atreverse

atrevido, -a [atre'vidu, -a] adj atrevido, -a

atrevimento [atrevi'mẽtu] m atrevimiento m

atribuição <-ões> [atribuj'sɐ̃w, -õjs] f atribución f

atribuições [atribuj'sõjs] fpl atribuciones fpl

atribuir [atribu'ir] conj como *incluir* vt (*direitos, prêmio*) conceder

atributo [atri'butu] m atributo m

atrito [a'tritu] m tb. Fís roce m

atriz [a'tris] <-es> f actriz f

atrofiar [atrofi'ar] vi (*órgão, membro*) atrofiar

atropelamento [atropela'mẽtu] m atropello m

atropelar [atrope'lar] vt atropellar

atroz [a'trɔs] <-es> adj atroz

atuação <-ões> [atua'sɐ̃w, -õjs] f actuación f; ~ **ao vivo** actuación en directo

atual <-ais> [atu'aw, -'ajs] adj actual

atualidade [atuaʎi'dadʒi] f actualidad f

atualização <-ões> [atuaʎiza'sɐ̃w, -õjs] f actualización f

atualizar [atuaʎi'zar] I. vt actualizar II. vr: ~-se actualizarse

atualmente [atuaw'mẽtʃi] adv actualmente

atuar [atu'ar] vi actuar; ~ **ao vivo** actuar en directo

atum [a'tũw] <atuns> m atún m

aturar [atu'rar] vt tolerar

aturdido, -a [atur'dʒidu, -a] adj aturdido, -a

aturdimento [aturdʒi'mẽtu] m aturdimiento m

aturdir [atur'dʒir] vt aturdir

audácia [aw'dasia] f audacia f

audaz [aw'das] <-es> adj audaz

audição <-ões> [awdi'sɐ̃w, -õjs] f audición f

audiência [awdʒi'ẽjsia] f tb. JUR audiencia f

audiovisual <-ais> [awdʒjuvizu'aw, -'ajs] adj audiovisual

auditivo, -a [awdʒi'tʃivu, -a] adj audi-

tivo, -a
auditório [awdʒi'tɔriw] *m* auditorio *m;* **programa de** ~ programa con auditorio
auê [aw'e] *m inf* follón *m;* **fazer** |*ou* **armar**| **um** ~ armar un follón
auge ['awʒi] *m* auge *m*
aula ['awla] *f* clase *f*, lección *f;* **dar ~s a/com alguém** dar clases a/con alguien
aumentar [awmẽj'tar] *vi, vt* aumentar
aumento [aw'mẽjtu] *m* aumento *m*
aura ['awra] *f* aura *f*
áureo, -a ['awriw, -a] *adj* áureo, -a
ausência [aw'zẽjsia] *f* ausencia *f*
ausentar-se [awzẽj'tarsi] *vr* ausentarse
ausente [aw'zẽjtʃi] *adj* ausente
austeridade [awsteri'dadʒi] *f sem pl* austeridad *f*
austero, -a [aws'tɛru, -a] *adj* austero, -a
Austrália [aws'traʎia] *f* Australia *f*
australiano, -a [awstraʎi'ɜnu, -a] *adj, m, f* australiano, -a *m, f*
Áustria ['awstria] *f* Austria *f*
austríaco, -a [aws'triaku, -a] *adj, m, f* austriaco, -a *m, f*, austríaco, -a *m, f*
autêntico, -a [aw'tẽjtʃiku, -a] *adj* auténtico, -a
autobiografia [awtubiogra'fia] *f* autobiografía *f*
autobiográfico, -a [awtubio'grafiku, -a] *adj* autobiográfico, -a
autoconfiança [awtukõwfi'ɜ̃nsa] *f sem pl* autoconfianza *f*
autoconhecimento [awtukõɲesi'mẽjtu] *m* autoconocimiento *m*

autocontrole [awtukõw'troʎi] *m* autocontrol *m*
autocrítica [awtu'kritʃika] *f* autocrítica *f*
autodefesa [awtude'feza] *f* autodefensa *f*
autodidata [awtudʒi'data] *mf* autodidacta *mf*
autodomínio [awtudo'miniw] *m* autodominio *m*
autódromo [aw'tɔdrumu] *m* autódromo *m*
auto-escola ['awtwis'kɔla] *f* autoescuela *f*
auto-estima ['awtwis'tʃima] *f* autoestima *f*
auto-estrada ['autwis'trada] *f* autopista *f*
autografar [awtogra'far] *vt* autografiar
autógrafo [aw'tɔgrafu] *m* autógrafo *m*
automaticamente [automatʃika'mẽjtʃi] *adv* automáticamente
automático, -a [awto'matʃiku, -a] *adj* automático, -a
automatização <-ões> [awtomatʃiza'sɜ̃w, -õjs] *f* automatización *f*
autômato [aw'tomatu] *m* autómata *m*
automedicação [awtumedʒika'sɜ̃w] *f sem pl* automedicación *f*
automobilismo [awtomobi'ʎizmu] *m* automovilismo *m*
automóvel <-eis> [awto'mɔvew, -ejs] *m* automóvil *m*
autonomia [awtono'mia] *f* autonomía *f*

autor(a) [aw'tor(a)] <-es> *m(f)* autor(a) *m(f)*

autoral <-ais> [awto'raw, -'ajs] *adj* de autor; **direitos autorais** derechos de autor

autores [aw'toris] *m pl de* **autor**

autoria [awto'ria] *f* autoría *f*

autoridade [awtori'dadʒi] *f* autoridad *f*

autoridades [awtori'dads] *fpl* autoridades *fpl*

autorização <-ões> [awtoriza'sãw, -õjs] *f* autorización *f*

autorizado, -a [awtori'zadu, -a] *adj* (*pessoa*) autorizado, -a

autorizar [awtori'zar] *vt* autorizar

auto-suficiente ['awtu-sufisi'ẽjtʃi] *adj* autosuficiente

auxiliar [awsiʎi'ar] <-es> *adj, mf* auxiliar *mf*

auxílio [aw'siʎiw] *m* auxilio *m*

aval [a'vaw, -'ajs] *m* <-ais> ECON aval *m*

avaliação <-ões> [avaʎia'sãw, -õjs] *f* (*de valor*) tasación *f*; (*de rendimento*) evaluación *f*

avaliar [avaʎi'ar] *vt* (*valor*) tasar; (*calcular, estimar*) evaluar

avalista [ava'ʎista] *mf* ECON avalista *mf*

avalizar [avaʎi'zar] *vt* avalar

avançado, -a [avãn'sadu, -a] *adj* avanzado, -a

avançar [avãn'sar] <ç→c> *vt* (*sinal*) saltarse

avanço [a'vãnsu] *m* avance *m*

avantajar [avãnta'ʒar] *vt* aventajar

avarento, -a [ava'rẽjtu, -a] *adj, m, f* avaro, -a *m, f*

avaria [ava'ria] *f* avería *f*

ave [avi] *f* ave *f*

aveia [a'veja] *f* avena *f*

ave-maria ['avi-ma'ria] *f* REL avemaría *f*

avenida [ave'nida] *f* avenida *f*

avental <-ais> [avẽj'taw, -'ajs] *m* delantal *m*

aventura [avẽj'tura] *f* aventura *f*

aventurar [avẽjtu'rar] I. *vt* aventurar II. *vr*: **~-se** aventurarse

aventureiro, -a [avẽjtu'rejru, -a] *adj, m, f* aventurero, -a *m, f*

averiguar [averi'gwar] *irr vt* averiguar

avermelhado, -a [averme'ʎadu, -a] *adj* rojizo, -a

aversão <-ões> [aver'sãw, -õjs] *f* aversión *f*

avessas [a'vesas] *adv* **às ~** al revés

avesso [a'vesu] *m* revés *m*; **estar do ~** estar al revés; **virar pelo** [*ou* **do**] **~** dar la vuelta

avesso, -a [a'vesu, -a] *adj* contrario, -a

avestruz [aves'trus] <-es> *f* avestruz *m*

aviação [avia'sãw] *sem pl f* aviación *f*

aviador(a) [avia'dor(a)] <-es> *m(f)* aviador(a) *m(f)*

aviamento [avia'mẽjtu] *m* preparación *f*

avião <-ões> [avi'ãw, -õjs] *m* avión *m*

avicultura [avikuw'tura] *f* avicultura *f*

avidez [avi'des] *f sem pl* avidez *f*

ávido, -a ['avidu, -a] *adj* ávido, -a

avinagrado, -a [avina'gradu, -a] *adj* avinagrado, -a

aviões [avi'õjs] *m pl de* **avião**

avisar [avi'zar] *vt* avisar; ~ **de a. c.** avisar de algo

aviso [a'vizu] *m* aviso *m*; ~ **de cobrança** aviso de cobro

avistar [avis'tar] *vt* avistar

avivar [avi'var] *vt* avivar

avô, avó [a'vo, a'vɔ] *m, f* abuelo, -a *m, f*; **os avós** los abuelos

avos ['avus] *mpl* MAT **um doze** ~ un doceavo; **três doze** ~ tres doceavos

avulso, -a [a'vuwsu, -a] *adj* (*solto*) suelto, -a

axé [a'ʃɛ] *m* **1.** REL *la fuerza sagrada de cada divinidad en los cultos afrobrasileños* **2.** MÚS *música faxé* (*ritmo musical propio de Bahía*)

axila [ak'sila] *f* ANAT axila *f*

azar [a'zar] *m* mala suerte *f*

azarado, -a [aza'radu, -a] *adj* desafortunado, -a

azedar [aze'dar] *vt* cortar

azedo, -a [a'zedu, -a] *adj* ácido, -a

azedume [aze'dumi] *m* acidez *f*

azeite [a'zejtʃi] *m* aceite *m* (de oliva)

azeitona [azej'tona] *f* aceituna *f*, oliva *f*

azerbaidjano, -a [azerbaj'dʒɐnu, -a] *adj, m, f* azerbaiyano, -a *m, f*

Azerbaidjão [azerbaj'dʒɐ̃w] *m* Azerbaiyán *m*

azia [a'zia] *f* MED acidez *f*

azul <-uis> [a'zuw, -'ujs] *adj, m* azul *m*

azulado, -a [azu'ladu, -a] *adj* azulado, -a

azular [azu'lar] *vi* volverse azul

azul-celeste [a'zuw-se'lɛstʃi] *adj inv* azul celeste

azulejo [azu'leʒu] *m* azulejo *m*

azul-marinho [a'zuw-ma'riɲu] *adj inv* azul marino, -a

azul-turquesa [a'zuw-tur'keza] *adj inv* azul turquesa

B

B, b ['be] *m* B, b *f*

babá [ba'ba] *f* niñera *f*

bacalhau [baka'ʎaw] *m* ZOOL bacalao *m*

bactéria [bak'tɛria] *f* bacteria *f*

badalar *vt* (*promover*) promover

baderna [ba'dɛrna] *f* follón *m inf*

bagaço [ba'gasu] *m* bagazo *m*; **um** ~ un guiñapo

bagagem [ba'gaʒẽj] *f* <-ens> equipaje *m*

bagatela [baga'tɛla] *f* bagatela *f*

bagunça [ba'gũwsa] *f gíria* follón *m*

bagunçar [bagũw'sar] <ç→c> *vt* desordenar

Bahia [ba'ia] *f* Bahía *f*

baía [ba'ia] *f* GEO bahía *f*

baiano, -a [baj'ɐnu, -a] *m, f habitante de la región de Bahía*

bailar [baj'lar] *vi* bailar

baile ['bajʎi] *m* baile *m*

bairro ['bajxu] *m* barrio *m*

baita ['bajta] *adj* enorme

baixa ['bajʃa] *f* caída *f*; **a** ~ **dos salários** la caída de los salarios; **dar** ~ **em hospital** ingresar en el hospital

baixar [baj'ʃar] **I.** *vt tb.* INFOR bajar;

baixo (*em hospital*) ingresar **II.** *vr:* ~-**se** (*curvar-se*) agacharse
baixo ['bajʃu] **I.** *m* MÚS bajo *m* **II.** *adv* (*voz*) bajo; **falar** ~ hablar bajo
baixo, -a ['bajʃu, -a] *adj* bajo, -a
baixo-astral <baixo(s)-astrais> ['bajʃwas'traw, -'ajs] *m* depresión *f*; **hoje estou num** ~ hoy estoy deprimido
bajular [baʒu'lar] *vt* adular
balança [ba'lãsa] *f tb.* ECON balanza *f*; **colocar** [*ou* **pôr**] **na** ~ sopesar
balanço [ba'lãsu] *m tb.* ECON balance *m*; (*brinquedo*) columpio *m*
balão <-ões> [ba'lãw, -õjs] *m tb.* AERO globo *m*; (*retorno*) cambio *m* de sentido; **fazer o** ~ cambiar de sentido
balbúrdia [baw'burdʒia] *f* bullicio *m*
balcão <-ões> [baw'kãw, -õjs] *m* (*de loja, café*) mostrador *m*
balde ['bawʒi] *m* cubo *m*; ~ **de lixo** cubo de la basura
baldeação [bawdʒja'sãw] *f* transbordo *m*
balé [ba'lɛ] *m* ballet *m*
baleia [ba'leja] *f* ballena *f*
balneário [bawne'ariw] *m* balneario *m*
balões [ba'lõjs] *m pl de* **balão**
balsa ['bawsa] *f* balsa *f*
bálsamo ['bawsãmu] *m* bálsamo *m*
báltico, -a ['bawtʃiku, -a] *adj* báltico, -a; **Mar Báltico** Mar Báltico
bambu [bã'bu] *m* bambú *m*
banal <-ais> [ba'naw, -'ajs] *adj* banal
banalidade [banaʎi'dadʒi] *f* banalidad *f*
banalizar [banaʎi'zar] *vt* banalizar
banana [ba'nãna] *f* BOT plátano *m*, banana *f*
banca ['bãka] *f* (*de jornais*) quiosco *m*
bancar [bã'kar] <c→qu> *vt* financiar
bancário, -a [bã'kariw, -a] *m, f* empleado, -a *m, f* de banco
bancarrota [bãka'xɔta] *f* bancarrota *f*
banco ['bãku] *m* **1.** ECON banco *m*; **Banco Central** Banco Central; **Banco Mundial** Banco Mundial; ~ **virtual** banco virtual **2.** INFOR ~ **de dados** banco *m* de datos
band-aid [bãn'd-ejdʒi] *f* tirita *f*, curita *f AmL*
bandeira [bã'dejra] *f* **1.** (*distintivo*) bandera *f*; ~ **a meio pau** bandera a media asta **2.** (*táxi*) bandera *f*; ~ **dois** tarifa más cara que la normal
bandeja [bã'deʒa] *f* bandeja *f*
bandido [bã'dʒidu] *m* delincuente *m f*
bando ['bãdu] *m* (*de pessoas*) bando *m*; **agir em** ~ actuar en grupo
bangalô [bãga'lo] *m* bungalow *m*
banha ['bãɲa] *f* grasa *f*
banhar-se [bã'ɲarsi] *vr* bañarse
banheiro [bã'ɲejru] *m* baño *m*, cuarto *m* de baño
banhista [bã'ɲista] *mf* bañista *mf*
banho ['bãɲu] *m* baño *m*; **tomar** ~ ducharse; **vai tomar** ~! *inf* ¡vete a paseo!
banqueiro, -a [bã'kejru, -a] *m, f* banquero, -a *m, f*
banquete [bã'ketʃi] *m* banquete *m*
bar ['bar] <-es> *m* bar *m*

> **Cultura** Bar y barzinho son lugares de encuentro muy comunes en Brasil. Algunos son más sofisticados (**barzinhos**), y otros más simples (**bar**), pero todos tienen un ambiente relajado y a menudo cuentan con música en directo, tapas y comidas. Es importante destacar que no todos los bares, ni todos los restaurantes, permiten la entrada de hombres vestidos con pantalones cortos o bermudas.

baralho [baˈraʎu] m baraja f
barata [baˈrata] f cucaracha f
barato, -a [baˈratu, -a] adj barato, -a
barba [ˈbarba] f barba f; **fazer a ~** afeitarse
barbaridade [barbariˈdadʒi] f barbaridad f; **que ~**! ¡qué barbaridad!
barbear-se [barbeˈarsi] conj como passear vr afeitarse
barbeiro [barˈbejru] m barbero m
barca [ˈbarka] f barca f
barco [ˈbarku] m barco m; **~ a remo/à vela** barco de remos/vela; **~ salva-vidas** bote m salvavidas
bares [ˈbares] m pl de **bar**
barganhar [bargãˈɲar] vt regatear
barômetro [baˈrometru] m barómetro m
barra [ˈbaxa] f (de aço, ferro) barra f; (de ouro) lingote m; (da saia) dobladillo m; **uma ~** inf un rollo
barraca [baˈxaka] f (de camping) tienda f de campaña; (de praia) caseta f
barraco [baˈxaku] m chabola f; **armar o maior ~** gíria armar la de San Quintín
barranco [baˈxãŋku] m barranco m
barrar [baˈxar] vt (a passagem) impedir
barreira [baˈxejra] f barrera f
barriga [baˈxiga] f ANAT barriga f; **estar de ~** estar embarazada
barril <-is> [baˈxiw, -ˈis] m barril m
barro [ˈbaxu] m barro m
barroco [baˈxoku] m barroco m
barroco, -a [baˈxoku, -a] adj barroco, -a
barulheira [baruˈʎejra] f barullo m
barulhento, -a [baruˈʎẽjtu, -a] adj ruidoso, -a
barulho [baˈruʎu] m (constante) ruido m; **fazer ~** hacer ruido
barzinho [barˈziɲu] m bar m
base [ˈbazi] f tb. ARQUIT, POL, INFOR base f; **~ de dados** base de datos; **tremer nas ~s** temblar de miedo; **com ~ em** basado en
basear-se [bazeˈarsi] conj como passear vr basarse
básico, -a [ˈbaziku, -a] adj tb. QUÍM básico, -a
basílica [baˈzilika] f basílica f
basta¹ [ˈbasta] f basta f
basta² [ˈbasta] interj basta
bastante [basˈtãtʃi] adj, adv bastante
bastar [basˈtar] vi, vt bastar
bastardo, -a [basˈtardu, -a] adj bastardo, -a
bastidores [bastʃiˈdoris] mpl bastidores mpl; **nos ~** fig entre bastidores
batalha [baˈtaʎa] f batalla f
batalhar [bataˈʎar] vi, vt batallar
batata [baˈtata] f patata f, papa f AmL; **~s fritas** patatas fpl fritas; **vai**

plantar ~! ¡vete a freír espárragos!
bate-boca ['batʃi-'boka] *m* discusión *f*
batedeira [bate'dejra] *f* batidora *f*; **~ elétrica** batidora eléctrica
batelada [bate'lada] *f* montón *m*
batente [ba'tẽtʃi] *m* (*da porta*) batiente *m*; **pegar no ~ inf** comenzar a currar
bate-papo ['batʃi-'papu] *m inf* charla *f*
bater [ba'ter] **I.** *vt* **1.** golpear; **~ palmas** aplaudir; **~ a porta** dar un portazo; **~ um pênalti/uma falta** tirar un penalti/una falta **2.** (*foto*) sacar **II.** *vi* **1.** (*dar pancada*) pegar; **~ à porta** llamar a la puerta **2.** (*ir de encontro a*) chocar **3.** (*palpitar*) latir **4.** (*ondas*) batir
bateria [bate'ria] *f* batería *f*; **carregar as ~s** *fig* cargar las pilas
batida [ba'tʃida] *f* **1.** (*bebida*) batido *m*; **~ policial** batida policial *m* **2.** (*de veículos*) choque *m*
batismo [ba'tʃizmu] *m* bautismo *m*; **~ de fogo** bautismo de fuego
batizado [batʃi'zadu] *m* bautizo *m*
batizar [batʃi'zar] *vt* bautizar
batom [ba'tõw] *m* lápiz *m* de labios
baú [ba'u] *m* baúl *m*
baunilha [baw'niʎa] *f* vainilla *f*
bazar [ba'zar] *m* bazar *m*
bê-á-bá [bea'ba] *m* **aprender o ~** aprender el abecedario
bêbado, -a ['bebadu, -a] *adj*, *m*, *f* borracho, -a *m*, *f*
bebê [be'be] *m* bebé *m*; **~ de proveta** bebé probeta
bebedeira [bebe'dejra] *f* borrachera *f*; **tomar uma ~** emborracharse
bebedouro [bebe'dowru] *m* bebedero *m*
beber [be'ber] *vt* beber; **~ à saúde de alguém** beber a la salud de alguien
bebericar [beberi'kar] <c→qu> *vt* beber a tragos
bebida [be'bida] *f* bebida *f*; **~s alcoólicas** bebidas alcohólicas
bebível <-eis> [be'bivew, -ejs] *adj* bebible
beca ['bɛka] *f* toga *f*
beco ['beku] *m* callejón *m*; **~ sem saída** callejón sin salida
bege ['bɛʒi] *adj*, *m* beige *m*, beis *m*
beijar [bej'ʒar] *vt* besar
beijo ['bejʒu] *m* beso *m*
beira-mar ['bejra-'mar] <beira-mares> *f* orilla *f* del mar
belas-artes ['bɛlaz-'artʃs] *fpl* bellas artes *fpl*
Belém [be'lẽj] Belém
beleza [be'leza] *f* belleza *f*; **é uma ~!** ¡es maravilloso!
belga ['bɛwga] *adj*, *mf* belga *mf*
Bélgica ['bɛwʒika] *f* Bélgica *f*
beliche [be'liʃi] *m* litera *f*
bélico, -a ['bɛliku, -a] *adj* bélico, -a
belo, -a ['bɛlu, -a] *adj* bello, -a
Belo Horizonte [belori'zõwtʃi] *m* Belo Horizonte
bem ['bẽj] **I.** *m* bien *m*; **é para o seu ~!** ¡es por tu bien!; **meu ~** mi amor; **bens de consumo** bienes de consumo **II.** *adv* bien; **~ grande/caro** bien grande/caro; **estar ~** estar bien; **querer ~ a alguém** querer mucho a alguien; **sentir-se ~** sentirse bien; **ainda ~!** ¡menos mal!; **(é) ~ feito!**

¡bien hecho!; **muito** ~! ¡muy bien!; **passe** ~! ¡que te vaya bien! III. *adj* bien; **estar de** ~ **com alguém/a. c.** haber hecho las paces con alguien/algo IV. *conj* ~ **como** así como; **se** ~ **que** si bien, aunque

bem-bom [bẽj'bõw] *m* tranquilidad *f*; **viver no** ~ vivir bien

bem-comportado, -a [bẽjkõwpor'tadu, -a] *adj* educado, -a

bem-educado, -a [bẽnedu'kadu, -a] *adj* educado, -a

bem-estar [bẽnis'tar] *m* bienestar *m*

bem-humorado, -a [bẽnumo'radu, -a] *adj* de buen humor

bem-querer [bɛjke'rer] *m* amistad *f*

bem-sucedido, -a [bẽjsuse'dʒidu, -a] *adj* exitoso, -a

bem-vindo, -a [bẽj'vĩjdu, -a] *adj*, *interj* bienvenido, -a

bem-visto, -a [bẽj'vistu, -a] *adj* bien visto, -a

bênção ['bẽjsãw] <-s> *f* bendición *f*; **dar a** ~ **a alguém** dar la bendición a alguien

bendito, -a [bẽj'dʒitu, -a] *adj* bendito, -a

bendizer [bẽdʒi'zer] *irr como dizer vt* bendecir

beneficiar [benefisi'ar] I. *vt* beneficiar II. *vr*: ~**-se** beneficiarse

benéfico, -a [be'nɛfiku, -a] *adj* benéfico, -a

benevolente [benevo'lẽjtʃi] *adj* benevolente

benfeitor(a) [bẽjfej'tor(a)] *m(f)* benefactor(a) *m(f)*

benigno, -a [be'nignu, -a] *adj* MED benigno, -a

benjamim [bẽjʒa'mĩj] <-ins> *m* ELETR ladrón *m*

benzer-se [bẽ'zersi] *vr* santiguarse

benzina [bẽj'zina] *f* bencina *f*

berço ['bersu] *m* cuna *f*

Berlim [ber'ʎĩj] *f* Berlín *m*

berlinense [berʎi'nẽjsi] *adj*, *mf* berlinés, -esa *m, f*

bermudas [ber'mudas] *fpl* bermudas *fpl*

Berna ['berna] *f* Berna *f*

berrar [be'xar] *vi* chillar; ~ **com alguém** gritar a alguien

berro ['bɛxu] *m* berrido *m*

besouro [be'zowru] *m* abejorro *m*

besta ['besta] *f* bestia *f*; ~ **de carga** bestia de carga

besteira [bes'tejra] *f inf* tontería *f*

bestial <-ais> [bestʃi'aw, -'ajs] *adj* bestial

Bíblia ['biblia] *f* Biblia *f*

bíblico, -a ['bibliku, -a] *adj* bíblico, -a

biblioteca [biblio'tɛka] *f* biblioteca *f*

bicarbonato [bikarbo'natu] *m* ~ **de sódio** bicarbonato de sodio

bicentenário [bisẽjte'nariw] *m* bicentenario *m*

bicha ['biʃa] *f pej, gíria* marica *m*

bicho ['biʃu] *m* bicho *m*

bicicleta [bisi'klɛta] *f* bicicleta *f*; **andar de** ~ ir en bicicleta

bico ['biku] *m* (*de pássaro*) pico *m*; (*ponta*) punta *f*; (*de gás*) espita *f*; **abrir/calar o** ~ *inf* abrir/cerrar el pico

bicolor [biko'lor] *adj* bicolor

bicona [bi'kona] *f v.* **bicão**

BID ['bidʒi] *m abr de* **Banco Interamericano de Desenvolvimento** BID *m*

bidê [bi'de] *m* bidet *m*

Bielo-Rússia [biˈɛlu-ˈrusia] *f* Bielorrusia *f*

bienal <-ais> [bie'naw, -'ajs] *adj, f* bienal *f*

biênio [bi'eniw] *m* bienio *m*

bifurcação <-ões> [bifurka'sãw, -õjs] *f* bifurcación *f*

bigamia [biga'mia] *f sem pl* bigamia *f*

bigode [bi'gɔdʒi] *m* bigote *m*

bijuteria [biʒute'ria] *f* bisutería *f*

bilateral <-ais> [bilate'raw, -'ajs] *adj* bilateral

bilhão <-ões> [bi'ʎãw, -õjs] *m* mil millones *mpl*

bilhar [bi'ʎar] *m* billar *m*

bilhete [bi'ʎetʃi] *m* **1.** (*recado*) nota *f*; **deixar um ~** dejar una nota **2.** (*entrada*) billete *m*, entrada *f*; **~ para a peça de teatro** billete para la obra de teatro **3.** (*de metrô, avião*) billete *m*, boleto *m AmL*; **~ de ida e volta** billete de ida y vuelta

bilheteria [biʎete'ria] *f* taquilla *f*, boletería *f AmL*

bilhões [bi'ʎõjs] *m pl de* **bilhão**

bilíngüe [bi'ʎĩgwi] *adj, mf* bilingüe *mf*

bilionário, -a [biʎjo'nariw, -a] *m, f* billonario, -a *m, f*

bimestral <-ais> [bimes'traw, -'ajs] *adj* bimestral

bimestre [bim'ɛstri] *m* bimestre *m*

bingo ['bĩgu] *m* bingo *m*

biodegradável <-eis> [biodegra'davew, -ejs] *adj* biodegradable

biografia [biogra'fia] *f* biografía *f*

biográfico, -a [bio'grafiku, -a] *adj* biográfico, -a

biógrafo, -a [bi'ɔgrafu, -a] *m, f* biógrafo, -a *m, f*

biologia [biolo'ʒia] *f sem pl* biología *f*

biológico, -a [bio'lɔʒiku, -a] *adj* biológico, -a

biólogo, -a [bi'ɔlugu, -a] *m, f* biólogo, -a *m, f*

biopsia [bi'ɔpsia] *f* biopsia *f*

bioquímica [bio'kimika] *f sem pl* bioquímica *f*

biquíni [bi'kini] *m* biquini *m*

birita [bi'rita] *f reg, inf* copa *f*; **tomar umas ~s** tomar unas copas

bis ['bis] *interj* otra

bisavô, -ó [biza'vo, biza'vɔ] *m, f* bisabuelo, -a *m, f*; **os bisavós** los bisabuelos

biscate [bis'katʃi] *m* chapuza *f*

biscoito [bis'kojtu] *m* galleta *f*

bisneto, -a [biz'nɛtu, -a] *m, f* bisnieto, -a *m, f*

bissexto [bi'sestu] *adj* **ano ~** año bisiesto; **escritor ~** escritor ocasional

bisteca [bis'tɛka] *f* bistec *m*

bite ['bitʃi] *m* INFOR bit *m*

blazer ['blejzer] *m* chaqueta *f*

blecaute [ble'kawtʃi] *m* apagón *m*

blefar [ble'far] *vi* ir de farol

blindado, -a [blĩ'dadu, -a] *adj* blindado, -a

blindar [blĩ'dar] *vt* blindar

bloqueio [blo'keju] *m* bloqueo *m*

BNDES [beenide'ɛsi] *m abr de* **Banco Nacional de Desenvolvimento**

Econômico e Social *banco público brasileño de fomento que otorga importantes préstamos*

boa ['boa] **I.** *f inf* **dizer poucas e ~s** decir de todo; **estar numa ~** estar feliz; **meter-se numa ~** meterse en una buena **II.** *adj inf* **essa é ~!** ¡esa sí que es buena!; *v.* **bom**

boa-fé ['boa-'fɛ] <boas-fés> *f* buena fe *f;* **agir de ~** actuar de buena fe

boas-festas ['boas-'fɛstas] *fpl* (*Natal*) felices fiestas *fpl;* (*Ano-Novo*) feliz Año *m* Nuevo; **cartão de ~** tarjeta de felicitación; **desejar (as) ~ a alguém** desear felices fiestas a alguien

boas-vindas ['boaz-'vĩjdas] *fpl* bienvenida *f;* **dar (as) ~ a alguém** dar la bienvenida a alguien

boato [bu'atu] *m* rumor *m*

Boa Vista ['boa 'vista] Boa Vista

bobagem [boba'ʒẽj] <-ens> *f* tontería *f*

bobo, -a ['bobu, -a] *adj, m, f* bobo, -a *m, f*

boca ['bɔka] *f* **1.** ANAT boca *f;* **bater ~** discutir **2.** (*do fogão*) quemador *m* **3.** (*emprego*) trabajillo *m*

bocado [bo'kadu] *m* momento *m;* **passar por maus ~s** pasar por un mal momento

boçal <-ais> [bo'saw, -'ajs] *adj* (*tosco*) ignorante

bocejar [bose'ʒar] *vi* bostezar

bochecha [bu'ʃeʃa] *f* mejilla *f*

bochechar [boʃe'ʃar] *vi* hacer gárgaras

boda ['boda] *f* boda *f;* **~s de prata/de ouro** bodas de plata/de oro

bode ['bɔdʒi] *m* macho *m* cabrío; **~ expiatório** chivo *m* expiatorio

boemia [boe'mia] *f* bohemia *f*

boêmio, -a [bo'emiw, -a] *adj, m, f* bohemio, -a *m, f*

bofetada [bufe'tada] *f* bofetada *f*

boi ['boj] *m* buey *m*

bóia ['bɔja] *f* NÁUT boya *f*

boicotar [bojko'tar] *vt* boicotear

bola ['bɔla] *f* pelota *f,* balón *m;* (*esfera*) bola *f;* **não bater bem da ~** estar mal del coco; **pisar na ~** *inf* meter la pata; **trocar as ~s** equivocarse

bolada [bo'lada] *f* pelotazo *m*

bolar [bo'lar] *vt inf* (*um plano*) idear

boletim [bole'tʃĩj] *m* boletín *m,* **~ de notas** boletín de evaluación

bolinho [bo'liɲu] *m* GASTR buñuelo *m*

Bolívia [bo'ʎivia] *f* Bolivia *f*

boliviano, -a [boʎivi'ʒnu, -a] *adj, m, f* boliviano, -a *m, f*

bolo ['bolu] *m* GASTR pastel *m;* **dar o ~ (em alguém)** dejar plantado (a alguien); **um ~ de gente** un montón de gente

bolor [bo'lor] *m* moho *m*

bolsa ['bowsa] *f* **1.** (*carteira*) bolso *m,* cartera *f* *RíoPl* **2.** ECON bolsa *f;* **~ de valores** bolsa de valores **3.** (*de estudos*) beca *f*

bolso ['bowsu] *m* bolsillo *m,* bolsa *f Méx*

bom, boa ['bõw, 'boa] *adj* bueno, -a; **~ dia!** ¡buenos días!; **boa noite/tarde!** ¡buenas noches/tardes!; **água boa para beber** agua potable; **ser ~ em matemática** ser bueno en matemáticas; **é um ~ livro** es un buen libro; **ele recebeu um ~ dinheiro** recibió un buen dinero; **que** ~! ¡qué bien!

bomba ['bõwba] *f* **1.** (*máquina*) bomba *f*; ~ **de água** bomba de agua; ~ **de gasolina** surtidor *m*; ~ **de incêndio** autobomba *f* **2.** (*explosivo*) bomba *f*; ~ **atômica** bomba atómica; ~ **de hidrogênio** bomba de hidrógeno

bombeiro [bõw'bejru] *m* bombero *m*

bondade [bõw'dadʒi] *f* bondad *f*

bonde ['bõwdʒi] *m* tranvía *m*

bondoso, -a [bõw'dozu, -'ɔza] *adj* bondadoso, -a

boneca [bu'nɛka] *f* muñeca *f*

bonito, -a [bu'nitu, -a] *adj* (*pessoa*) guapo, -a; (*paisagem, música*) bonito, -a; **bonito** [bu'nitu] *adv* bien; **fazer** ~ hacerlo muy bien; **ele canta** ~ canta bien

bônus ['bonus] *m* gratificación *f*

borboleta [borbo'leta] *f* mariposa *f*

borbotão <-ões> [borbo'tʃãw, -õjs] *m* borbotón *m*; **aos borbotões** a borbotones

bordel <-éis> [bor'dɛw, -'ɛjs] *m* burdel *m*

borra ['bɔxa] *f* poso *m*

borracha [bo'xaʃa] *f* caucho *m*; (*para apagar*) goma *f*

borrar [bo'xar] I. *vt* manchar II. *vr*: ~-**se** *inf* cagarse

Bósnia ['bɔznia] *f* Bosnia *f*

Bósnia-Herzegóvina ['bɔznia-erze-'govina] *f* Bosnia y Herzegovina *f*

bósnio, -a ['bɔzniw, -a] *adj, m, f* bosnio, -a *m, f*

bosque ['bɔski] *m* bosque *m*

bossa ['bɔsa] *f* **1.** (*do camelo*) joroba *f* **2.** MED chichón *m* **3.** (*talento*) talento *m*

Cultura La **bossa nova** es un estilo de música brasileño que se popularizó en Europa y los Estados Unidos a final de los años 50 y comienzos de los 60. Con el disco "Chega de Saudade", de João Gilberto, la **bossa nova** inauguró oficialmente un periodo muy influyente en el desarrollo de la música popular brasileña. Fusión de jazz con un toque de música erudita, la **bossa nova** produjo innumerables éxitos; "Garota de Ipanema" (intérprete: João Gilberto, letra: Vinícius de Moraes y Toquinho) es el ejemplo más famoso.

bosta ['bɔsta] *f chulo* mierda *f*

bota ['bɔta] *f* bota *f*; ~**s de borracha** botas *fpl* de goma

botânico, -a [bo'tʃãniku, -a] *adj* botánico, -a

botar [bo'tar] *vt* poner

bote ['bɔtʃi] *m* NÁUT bote *m*

botequim [butʃi'kĩ] *m* bar *m*

boxe ['bɔksi] *m* boxeo *m*

braçada [bra'sada] *f tb*. ESPORT brazada *f*; **dar uma** ~ dar una brazada

braçal <-ais> [bra'saw, -'ajs] *adj* trabalho ~ trabajo físico

braço [bra'su] *m* ANAT brazo *m*; **de** ~**s cruzados** de brazos cruzados; **de** ~ **dado** del brazo; **não dar o** ~ **a torcer** no dar el brazo a torcer

bradar [bra'dar] *vi* gritar

branco ['brãŋku] *m* blanco *m;* **dar um ~** quedarse en blanco

branco, -a ['brãŋku, -a] *adj (cor, pessoa)* blanco, -a

brasa ['braza] *f* brasa *f;* **churrasquinho na ~** asado a la brasa; **em ~** incandescente

Brasil <-is> [bra'ziw, -'is] *m* Brasil *m*

brasileiro, -a [brazi'lejru, -a] *adj, m, f* brasileño, -a *m, f,* brasilero, -a *m, f RíoPl*

Brasília [bra'ziʎia] *f* Brasilia *f*

bravo, -a ['bravu, -a] **I.** *adj* bravo, -a **II.** *interj* bravo

brecada [bre'kada] *f* frenazo *m;* **dar uma ~** dar un frenazo

brega ['brɛga] *adj* hortera

brejo ['brɛʒu] *m* pantano *m;* **ir para o ~** *fig* irse al garete

breu ['brew] *m* brea *f*

breve ['brɛvi] *adv* en breve; **até ~** hasta pronto; **(dentro) em ~** en breve

briga ['briga] *f* pelea *f*

brigar [bri'gar] <g→gu> *vi* pelearse

brilhar [bri'ʎar] *vi* brillar

brilho ['briʎu] *m* brillo *m*

brincadeira [brĩjka'dejra] *f* **1.** *(gracejo)* broma *f;* **fora de ~** bromas aparte; **de ~** en broma **2.** *(crianças)* juego *m;* **~ de roda** corro *m*

brincar [brĩj'kar] <c→qu> *vi* **1.** *(crianças)* jugar **2.** *(gracejar)* bromear; **dizer a. c. brincando** decir algo en broma

brinco ['brĩjku] *m (jóia)* pendiente *m; (arrumado)* joya *f;* **a casa ficou um ~** la casa quedó como nueva

brindar [brĩj'dar] *vi (com copos)* brindar; **~ a alguém/a. c.** brindar por alguien/algo; **~ à saúde de alguém** brindar a la salud de alguien

brinde ['brĩjdʒi] *m (com copos)* brindis *m inv;* **fazer um ~ a alguém** hacer un brindis por alguien

brinquedo ['brĩj'kedu] *m* juguete *m*

brisa ['briza] *f* brisa *f*

britânico, -a [bri'tãniku, -a] *adj, m, f* británico, -a

bronca ['brõwka] *f inf* bronca *f;* **dar uma ~** echar una bronca

bronze ['brõwzi] *m* bronce *m*

bronzeado [brõwzi'adu] *m* bronceado *m*

brotar [bro'tar] *vi, vt* brotar

broxa ['brɔʃa] *f* brocha *f*

bruços ['brusus] *adv* **de ~** boca abajo

brusco, -a ['brusku, -a] *adj* brusco, -a

brutal <-ais> [bru'taw, -'ajs] *adj* brutal

bruto, -a ['brutu, -a] *adj tb.* ECON bruto, -a; **salário ~** salario bruto

Bruxelas [bru'ʃɛlas] *f* Bruselas *f*

bruxo, -a ['bruʃu, -a] *m, f* brujo, -a *m, f*

budismo [bu'dʒizmu] *m sem pl* budismo *m*

búfalo ['bufalu] *m* ZOOL búfalo *m*

bufê [bu'fe] *m* bufé *m*

bugiganga [buʒi'gãŋga] *f* baratija *f,* **loja de ~s** tienda de baratijas

bule ['buʎi] *m* cafetera *f*

Bulgária [buw'garia] *f* Bulgaria *f*

búlgaro, -a ['buwgaru, -a] *adj, m, f* búlgaro, -a *m, f*

bulir [bu'ʎir] *irr como subir* **I.** *vt* mover **II.** *vi* moverse

bumbum [bũw'bũw] *m inf* trasero *m*

inv inf
buquê [bu'ke] *m* ramo *m;* ~ **de flores** ramo de flores
buraco [bu'raku] *m* agujero *m;* ~ **da fechadura** ojo *m* de la cerradura; ~ **negro** ASTRON agujero *m* negro; **sair do** ~ salir del aprieto
burguesia [burge'zia] *f* burguesía *f*
burla ['burla] *f* fraude *m*
burlar [bur'lar] *vt* defraudar
burocracia [burokra'sia] *f sem pl* burocracia *f*
burrice [bu'xisi] *f* estupidez *f*
burro, -a ['buxu, -a] *adj, m, f* burro, -a *m, f*
busca ['buska] *f* búsqueda *f*
buscador [buska'dor] *m* INFOR buscador *m*
buscar [bus'kar] <c→qu> *vt* buscar; **ir** ~ **a.c./alguém** ir a buscar algo/a alguien
bustiê [bustʃi'e] *m* top *m*
butique [bu'tʃiki] *f* boutique *f*
buzina [bu'zina] *f* bocina *f*

C

C, c ['ce] *m* C, c *f*
cá ['ka] *adv* aquí; *(para* ~*)* para aquí; **vem** ~**!** ¡ven aquí!
cabana [ka'bɐ̃na] *f* cabaña *f*
cabeça [ka'besa] *f* ANAT, TÉC cabeza *f;* **saber a. c. de** ~ saber algo de memoria
cabeleireiro, -a [kabe'lejru, -a] *m, f*

peluquero, -a *m, f*
cabelo [ka'belu] *m* pelo *m*
cabeludo, -a [kabe'ludu, -a] *adj* peludo, -a
caber [ka'ber] *irr vt (objeto, pessoa)* caber; ~ **a alguém** *(tarefa)* tocar a alguien
cabimento [kabi'mẽtu] *m sem pl* plausibilidad *f;* **ter** ~ tener sentido
cabine [ka'bini] *f* cabina *f;* ~ **telefónica** cabina telefónica
cabo ['kabu] *m* **1.** cabo *m; (de faca, vassoura)* mango *m* **2.** ELETR cable *m*
Cabo Verde ['kabu 'verdʒi] *m* Cabo *m* Verde
cabo-verdiano, -a ['kabu-verdʒi'ɐ̃nu, -a] *adj, m, f* caboverdiano, -a *m, f*
cabra ['kabra] *f* cabra *f*
caça ['kasa] *f* caza *f;* **ir à** ~ ir de caza
cacau [ka'kaw] *m* cacao *m*
cachaça [ka'ʃasa] *f* cachaza *f (aguardiente de caña)*

> **Cultura** La **cachaça** es una bebida alcohólica obtenida de la destilación de la caña de azúcar y es la bebida alcohólica brasileña más popular. Tiene numerosos nombres, como **aguardente de cana, branquinha, caninha, pinga,** etc. Es el ingrediente básico de la **caipirinha** y de muchos cócteles con frutas.

cacho ['kaʃu] *m (de fruta)* racimo *m; (de cabelo)* rizo *m*
cachorro, -a [ka'ʃoxu, -a] *m, f (animal)* perro, -a *m, f*
cacique [ka'siki] *m tb. pej* cacique *m*
caçoar [kasu'ar] <*1. pess pres:*

cação> *vi* burlarse; **~ de alguém** burlarse de alguien

cacto ['kaktu] *m* cactus *m inv*

cada ['kada] *pron indef* cada; **~ um** cada uno; **~ vez** cada vez; **a ~ dois dias** cada dos días; **~ vez mais** cada vez más; **um de ~ vez** uno cada vez, uno a uno

cadarço [ka'darsu] *m* cordón *m*

cadáver [ka'daver] *m* cadáver *m*

cadê [ka'de] *adv* = **que é de ~?** *inf* ¿dónde está?

cadeado [kaʤi'adu] *m* candado *m*

cadeia [ka'deja] *f* cadena *f*; (*prisão*) cárcel *f*

cadeira [ka'dejra] *f* **1.** silla *f*; **~ de balanço** mecedora *f*; **~ de rodas** silla de ruedas **2.** (*da universidade*) cátedra *f*

cadela [ka'dɛla] *f* perra *f*

caderneta [kader'neta] *f* libreta *f*; **~ de poupança** libreta de ahorros

caderno [ka'dɛrnu] *m* cuaderno *m*

cadete [ka'detʃi] *m* MIL cadete *m*

caducar [kadu'kar] <c→qu> *vi* caducar

caduco, -a [ka'duku, -a] *adj* (*pessoa, lei*) caduco, -a; (*árvore*) de hoja caduca

cães ['kãjs] *m pl de* **cão**

café [ka'fɛ] *m* (*bebida, local*) café *m*; **~ com leite** café con leche; **~ da manhã** desayuno *m*; **~ preto** café solo

cafeína [kafe'ina] *f sem pl* cafeína *f*

cafeteira [kafe'tejra] *f* cafetera *f*

cafezinho [kafɛ'ziɲu] *m* (tacita *f* de) café *m*

Cultura El **cafezinho** se bebe en tazas pequeñas, y a veces ya viene con azúcar. Se toma después de las comidas y también en varios momentos del día, como en descansos, viajes, reuniones, etc.

cagar [ka'gar] <g→gu> *chulo* **I.** *vi, vt* cagar **II.** *vr*: **~-se** cagarse; (*sair-se mal*) cagarla

caída [ka'ida] *f* caída *f*

caído, -a [ka'idu, -a] *adj* decaído, -a; *inf* enamorado, -a; **estar ~ por alguém** estar colado por alguien

caipirinha [kajpi'riɲa] *f* caipiriña *f*

Cultura La **caipirinha** es una bebida preparada con rodajas de lima machacadas y batidas junto con azúcar, hielo y **cachaça**. La variedad más famosa de la **caipirinha** tradicional es la **caipirosca**, preparada con vodka.

cair [ka'ir] *conj como* **sair** **I.** *vi* **1.** (*avião, preços*) caer **2.** (*cabelo, pessoa*) caerse **3.** (*ligação telefônica*) interrumpirse **II.** *vt* **~ na farra** ir de juerga; **~ em si** volver en sí

cais ['kajs] *m inv* muelle *m*

caixa¹ ['kajʃa] *f* **1.** (*recipiente*) caja *f*; **~ do correio** buzón *m*; **~ postal** apartado *m* de correos **2.** INFOR buzón *m*

caixa² ['kajʃa] *m* ECON cajero *m*; **~ eletrônico** cajero automático

caixa³ ['kajʃa] *mf* cajero, -a *m, f*

caixa-forte ['kajʃa-'fɔrtʃi] <caixas--fortes> *f* caja *f* fuerte

cal ['kaw] f cal f
calado, -a [ka'ladu, -a] adj callado, -a
calafrio [kala'friw] m tb. MED escalofrío m
calamidade [kalami'dadʒi] f calamidad f
calar [ka'lar] I. vt callar; **cala a boca!** inf ¡cierra el pico! II. vr: **~-se** callarse
calça ['kawsa] f v. **calças**
calçada [kaw'sada] f acera f, banqueta f Méx, vereda f RíoPl
calçadão <-ões> [kawsa'dãw, -'õjs] m paseo m; **~ da praia** paseo marítimo
calçadeira [kawsa'dejra] f calzador m
calçado [kaw'sadu] m calzado m
calcanhar [kawkã'ɲar] <-es> m talón m
calção <-ões> [kaw'sãw, -'õjs] m pantalón m corto; **~ de banho** traje m de baño
calçar [kaw'sar] <ç→c> vt (luvas, meias) ponerse; (sapatos) calzarse; (rua) pavimentar
calças ['kawsas] fpl pantalones mpl; **~ compridas** pantalones largos; **~ jeans** pantalones vaqueros
calcinha [kaw'siɲa] f braga f, bombacha f RíoPl, calzón m AmS, Guat, Méx
calções [kaw'sõjs] m pl de **calção**
calculadora [kawkula'dora] f calculadora f
calcular [kawku'lar] vi, vt calcular
cálculo ['kawkulu] m MAT cálculo m
caldas ['kawdas] fpl aguas fpl termales
caldo ['kawdu] m GASTR caldo m
calendário [kalẽj'dariw] m calendario m
calhar [ka'ʎar] vi impess suceder; **~ bem** sentar bien; **quando ~** cuando sea
cálice ['kaʎisi] m (copo) copa f; REL, BOT cáliz m
cálido, -a ['kaʎidu, -a] adj (quente) cálido, -a; (astuto) sagaz
calma ['kawma] f sem pl tb. NÁUT calma f
calmo, -a ['kawmu, -a] adj tranquilo, -a
calor [ka'lor] m calor m; **está ~** hace calor; **estou com ~** tengo calor
caloria [kalo'ria] f caloría f
calvo, -a ['kawvu, -a] adj calvo, -a
cama ['kãma] f cama f; **~ de casal** cama de matrimonio; **cair de ~** caer enfermo; **estar de ~** estar en cama
camada [kã'mada] f capa f
câmara ['kãmara] f (quarto, foto) cámara f; **~ fotográfica** cámara fotográfica
camarão <-ões> [kãma'rãw, -'õjs] m gamba f
cambiar [kãbi'ar] vt (dinheiro) cambiar
câmbio ['kãbiw] m tb. ECON cambio m
camelo [kã'melu] m camello m
camelô [kãme'lo] mf vendedor(a) m(f) ambulante
caminhada [kãmĩ'ɲada] f paseo m
caminhão <-ões> [kãmĩ'ɲãw, -'õjs] m camión m
caminhar [kãmĩ'ɲar] vi caminar

caminho [kɐ̃'miɲu] *m* camino *m*; **cortar ~** atajar; **estar a ~** estar en camino

caminhões [kɐ̃mi'ɲõjs] *m pl de* **caminhão**

camisa [kɐ̃'miza] *f* camisa *f*

camiseta [kɐ̃mi'zeta] *f* camiseta *f*, playera *f Guat, Méx*

camisinha [kɐ̃mi'ziɲa] *f infor* condón *m*

camisola [kɐ̃mi'zɔla] *f* camisón *m*

camomila [kɐ̃mo'mila] *f sem pl* manzanilla *f*

campainha [kɐ̃pɐ̃'iɲa] *f* timbre *m*

campanha [kɐ̃'pɐ̃ɲa] *f tb.* MIL campaña *f*

campeão, campeã <-ões> [kɐ̃pi'ɐ̃w, -'ɐ̃, -'õjs] *m*, *f* campeón, -ona *m*, *f*

campeonato [kɐ̃pjo'natu] *m* campeonato *m*

Campinas [kɐ̃'pinas] Campinas

camping [kɐ̃'pĩʒ] *m* camping *m*; **fazer ~** ir de camping

campo ['kɐ̃pu] *m* (*tb. infor*) campo *m*; **~ de ação** ámbito *m*

Campo Grande ['kɐ̃pu 'grɐ̃dʒi] *m* Campo Grande

camponês, -esa [kɐ̃po'nes, -eza] <-eses> *m*, *f* campesino, -a *m*, *f*

Canadá [kɐ̃na'da] *m* Canadá *m*

canadense [kɐ̃na'dẽjsi] *adj*, *mf* canadiense *mf*

canal <-ais> [kɐ̃'naw, -'ajs] *m* ARQUIT, GEO, TV canal *m*

canalizar [kɐ̃naɫi'zar] *vt* canalizar

canário [kɐ̃'narju] *m* canario *m*

canção <-ões> [kɐ̃'sɐ̃w, -'õjs] *f* canción *f*

cancelar [kɐ̃se'lar] *vt* cancelar

câncer ['kɐ̃ser] *m* MED cáncer *m*

Câncer ['kɐ̃ser] *m* Cáncer *m*; **ser (de) ~** ser Cáncer

canções [kɐ̃'sõjs] *f pl de* **canção**

candidato, -a [kɐ̃dʒi'datu, -a] *m*, *f* candidato, -a

candomblé [kɐ̃dõw'blɛ] *m* REL candomblé *m* (*religión de origen africano*)

> **Cultura** El **candomblé** es una religión animista, originaria de las actuales Nigeria y Benín, y traída a Brasil a principios del siglo XIX por esclavos africanos. En ceremonias, que pueden ser tanto públicas como privadas, sus seguidores escenifican la convivencia con las fuerzas de la naturaleza y con fuerzas ancestrales.

caneca [kɐ̃'nɛka] *f* (*de cerveja*) jarra *f*; (*de leite*) taza *f*

caneta [kɐ̃'neta] *f* pluma *f*; (*esferográfica*) bolígrafo *m*

canguru [kɐ̃ŋgu'ru] *m* canguro *m*

canhão <-ões> [kɐ̃'ɲɐ̃w, -'õjs] *m* MIL cañón *m*

canhoto, -a [kɐ̃'ɲotu, -a] *adj*, *m*, *f* zurdo, -a *m*, *f*

canja ['kɐ̃ʒa] *f* caldo *m*; **dar uma ~** realizar una actuación improvisada

cano ['kɐ̃nu] *m* tubería *f*

canoa [kɐ̃'noa] *f* canoa *f*

cansaço [kɐ̃'sasu] *m* cansancio *m*

cansado, -a [kɐ̃'sadu, -a] *adj* cansado, -a

cansar [kɐ̃'sar] I. *vt* cansar II. *vr*: **~-se** cansarse

cantar [kɐ̃'tar] *vi* cantar

cantiga [kɐ̃'tʃiga] f cântico m; ~ **de ninar** canção f de cuna

canto ['kɐ̃tu] m (da sala) rincón m; (vocal) canto m

cantor(a) [kɐ̃'tor(a)] m(f) cantante mf

cão <cães> ['kɐ̃w, 'kɐ̃js] m perro m

capa ['kapa] f (vestuário) capa f; (de livro) tapa f; ~ **de chuva** impermeable m

capacidade [kapasi'dadʒi] f sem pl capacidad f

capaz [ka'pas] <-es> adj capaz; **ser** ~ **de a.c.** ser capaz de algo; **ser** ~ **ser** probable, ser capaz AmL

capela [ka'pɛla] f capilla f

capital <-ais> [kapi'taw, -'ajs] I. f (de um país) capital f II. m ECON capital m

capitalismo [kapita'lizmu] m sem pl capitalismo m

capítulo [ka'pitulu] m capítulo m

capricho [ka'priʃu] m (vontade súbita) capricho m; (esmero) esmero m

caprichoso, -a [kapri'ʃozu, -ɔza] adj (inconstante) caprichoso, -a; (esmerado) cuidadoso, -a

capricorniano, -a [kaprikɔrni'anu, -a] adj, m, f Capricornio m inv

Capricórnio [kapri'kɔrniw] m Capricornio m; **ser (de)** ~ ser Capricornio

capturar [kaptu'rar] vt capturar

capuz [ka'pus] <-es> m capucha f

cara ['kara] f cara f; **a** ~ **a** ~ cara a cara; **estar na** ~ ser obvio; **é a sua** ~ es clavado a él

caracol <-óis> [kara'kɔw, -'ɔjs] m caracol m

característica [karakte'ristʃika] f característica f

característico, -a [karakte'ristʃiku, -a] adj característico, -a

caramelo [kara'mɛlu] m caramelo m

caranguejo [karɐ̃'geʒu] m cangrejo m

caráter [ka'rater] m carácter m

caravana [kara'vɐna] f caravana f

cárcere ['karseri] m cárcel m

cardápio [kar'dapiw] m menú m

cardeal <-ais> [karʤi'aw, -'ajs] I. m REL cardenal m II. adj cardinal

cardinal <-ais> [karʤi'naw, -'ajs] adj cardinal; **numeral** ~ número cardinal

careca [ka'rɛka] I. f calva f II. adj, mf (pessoa) calvo, -a m, f

carecer [kare'ser] <c→ç> vi carecer; ~ **de a.c.** carecer de algo

carência [ka'rẽjsia] f carencia f

carga ['karga] f carga f

cargo ['kargu] m cargo m

carícia [ka'risia] f caricia f

caridade [kari'dadʒi] f sem pl caridad f

cárie ['kari] f MED caries f inv

carimbo [ka'rĩbu] m sello m

carinho [ka'riɲu] m (sentimento) cariño m; **ter** ~ **por alguém** sentir cariño por alguien

carinhoso, -a [kari'ɲozu, -'ɔza] adj cariñoso, -a; **ser** ~ **com alguém** ser cariñoso con alguien

carioca [kari'ɔka] adj, mf carioca mf

carnaval <-ais> [karna'vaw, -'ajs] m carnaval m

carne ['karni] f carne f

carneiro [kar'nejru] m carnero m

> **Cultura** El carnaval brasileño tiene su origen en una fiesta popular callejera portuguesa, en la que las personas se tiraban agua, harina, huevos, etc. Traído a Brasil en el siglo XVII, la fiesta fue influenciada a partir del siglo XIX por los carnavales de Italia y de Francia. Es en este momento cuando las máscaras, los disfraces y los personajes como la **colombina**, el **pierrô** y el **Rei Momo** entran en la fiesta brasileña. Surgen también las primeras comparsas y los desfiles de carrozas, cada vez con más fuerza, y llegando a todas las regiones del país. El repertorio musical aumenta año tras año, con nuevos ritmos, como las **marchinhas** de carnaval. En 1928 desfila "Deixa Falar", la primera **escola de samba** de Río de Janeiro. La costumbre de las **escolas de samba** se extiende por otras ciudades, sin que desaparezca la tradición del carnaval en la calle.

carnificina [karnifi'sina] f carnicería f
caro ['karu] adv caro
caro, -a ['karu, -a] adj 1. (no preço) caro, -a 2. (querido) querido, -a
carona [ka'rona] f inf **andar de** ~ viajar a dedo; **dar** ~ llevar; **de** ~ (sem pagar) de gorra
carpintaria [karpĩjta'ria] f carpintería f
carregar [kaxe'gar] <g→gu> vt (tb. infor) cargar; ~ **a criança no colo** llevar el niño en el brazo; **arquivos** cargar archivos
carrinho [ka'xĩɲu] m carrito m; ~ **de bebê** cochecito m
carro ['kaxu] m coche m, carro m AmL, auto m CSur; ~ **de aluguel** coche m de alquiler; ~ **de passeio** turismo m
carta ['karta] f carta m; ~ **registrada** carta certificada; ~ **de vinhos** carta de vinos; ~ **de crédito** carta de crédito
cartão <-ões> [kar'tãw, -'õjs] m cartón m; (de instituição) tarjeta f; ~ **de crédito** tarjeta de crédito; ~ **telefônico** tarjeta telefónica
cartão-postal <cartões-postais> [kar'tãw-pos'taw, kar'tõjs-pos'tajs] m tarjeta f postal
cartaz [kar'tas] <-es> m cartel m, afiche m AmL
carteira [kar'tejra] f 1. (para dinheiro) cartera f, billetera f 2. (documento) carnet m, carné m; ~ **de identidade** documento m de identidad; ~ **de motorista** [ou **de habilitação**] carnet m de conducir
carteiro [kar'tejru] m cartero m
cartões [kar'tõjs] m pl de **cartão**
cartório [kar'tɔrju] m notaría f; (registro civil) registro m civil; **casar no** ~ casarse por lo civil
carvão <-ões> [kar'vãw, -'õjs] m carbón m
casa ['kaza] f casa f; ~ **alugada** casa de alquiler; **para** ~ a casa; ~ **noturna** discoteca f
casaco [ka'zaku] m chaqueta f; ~ **de malha** chaqueta de punto
casado, -a [ka'zadu, -a] adj casado, -a
casal <-ais> [ka'zaw, -'ajs] m pareja f

casamento [kaza'mẽjtu] *m* boda *f*

casar [ka'zar] I. *vi* casarse; ~ **na Igreja** casarse por la iglesia II. *vr*: ~-**se** casarse

casca ['kaska] *f* (*de ovo, fruta*) cáscara *f*; (*de batata*) piel *f*

casco ['kasku] *m* (*de navio, de cavalo*) casco *m*; ~ **de refrigerante** casco *m* de refresco

cassete [ka'sɛtʃi] *f* casete *m*

caso ['kazu] I. *m* caso *m*; (*relação amorosa*) affaire *m*; ~ **contrário** en caso contrario; **em** ~ **de dúvida** en caso de duda II. *conj* +*subj* ~ **seja preciso, irei ao seu encontro** si fuera preciso, iría a su encuentro

caspa ['kaspa] *f* caspa *f*

castanha [kas'tãɲa] *f* castaña *f*; ~ **de caju** anacardo *m*; ~ **do pará** nuez *f* de Brasil

castanho, -a [kas'tãɲu, -a] *adj* castaño, -a

castelhano, -a [kastɛ'ʎãnu] *adj, m, f* castellano, -a *m, f*

castelo [kas'tɛlu] *m* castillo *m*

castigar [kastʃi'gar] <g→gu> *vt* castigar

castigo [kas'tʃigu] *m* castigo *m*

casual <-ais> [kazu'aw, -'ajs] *adj* casual

casualidade [kazuaʎi'dadʒi] *f* casualidad *f*

catalisador [kataʎiza'dor] <-es> *m* catalizador *m*

catálogo [ka'talugu] *m* catálogo *m*

catarata [kata'rata] *f tb.* MED catarata *f*

catarro [ka'taxu] *m* catarro *m*

catástrofe [ka'tastrofi] *f* catástrofe *m*

catedral <-ais> [kate'draw, -'ajs] *f* catedral *f*

categoria [katego'ria] *f* categoría *f*

cativar [katʃi'var] *vt* cautivar

católico, -a [ka'tɔʎiku, -a] *adj, m, f* católico, -a *m, f*

catorze [ka'torzi] *num card* catorce

caução <-ões> [kaw'sãw, -'õjs] *f* fianza *f*

causa ['kawza] *f* (*motivo*) causa *f*; **a ~ de a. c.** a causa de algo; **por ~ de** por causa de

causar [kaw'zar] *vt* causar

cautela [kaw'tɛla] *f sem pl* cautela *f*; **com ~** con cautela; **por ~** por precaución

cavaleiro, -a [kava'lejru, -a] *m, f* jinete *mf*

cavalgada [kavaw'gada] *f* (*passeio*) cabalgata *f*

cavalgar [kavaw'gar] <g→gu> *vi* cabalgar

cavalo [ka'valu] *m tb.* FÍS caballo *m*; **andar a ~** ir a caballo

cavar [ka'var] *vt* cavar; **cavou um pênalti** *fig* forzó un penalti

caverna [ka'vɛrna] *f* caverna *f*

Cazaquistão [kazaks'tãw] *m* Kazajistán *m*

CD [se'de] *m abr de* **compact disc** CD *m*

CD-ROM [sede'xõw] *m* CD-ROM *m*

Ceará [sea'ra] *m* Ceará *m*

cearense [sea'rẽjsi] *adj* de Ceará

cebola [se'bola] *f* cebolla *f*

ceder [se'der] *vi, vt* ceder

cedo ['sedu] *adv* temprano; **mais ~ ou mais tarde** tarde o temprano

cédula ['sɛdula] f **1.** (*documento*) cédula f; ~ **eleitoral** papeleta f, boleta f AmL; ~ **de identidade** documento m de identidad **2.** (*de dinheiro*) billete m

cego, -a ['sɛgu, -a] **I.** m, f ciego, -a m, f **II.** adj ciego, -a; **às cegas** a ciegas

cegonha [se'goɲa] f cigüeña f

ceia ['seja] f cena f

celebrar [sele'brar] vt celebrar

célebre ['sɛlebri] <celebérrimo> adj célebre

celebridade [selebri'dadʒi] f celebridad f

celeste [se'lɛstʃi] adj celeste

célula ['sɛlula] f célula f

celular [selu'lar] <-es> m móvil m, celular m AmL

celulite [selu'litʃi] f sem pl celulitis f

cem ['sẽj] num card cien

cemitério [semi'tɛriw] m cementerio m

cena ['sena] f escena f

cenário [se'nariw] m escenario m

cenoura [se'nora] f zanahoria f

censura [sẽj'sura] f censura f

censurar [sẽjsu'rar] vt censurar

centavo [sẽj'tavu] m centavo m

centeio [sẽj'teju] m sem pl centeno m

centena [sẽj'tena] f centena f; **às ~s** centenares

centenário [sẽjte'nariw] m centenario m

centésimo, -a [sẽj'tɛzimu, -a] num ord centésimo, -a

centígrado [sẽj'tʃigradu] adj centígrado, -a

centímetro [sẽj'tʃimetru] m centímetro m

cento ['sẽjtu] m ciento m; **cinco por ~** cinco por ciento

central <-ais> [sẽj'traw, -'ajs] f central f; TEL centralita f

centralizar [sẽjtrali'zar] vt centralizar

centro ['sẽjtru] m tb. POL centro m

CEP ['sɛpi] m abr de **Código de endereçamento postal** CP m

cera ['sera] f cera f

cerâmica [se'rãmika] f cerámica f

cerca ['serka] adv **~ de** cerca de

cercanias [serkã'nias] fpl cercanías fpl

cercar [ser'kar] <c→qu> vt cercar, rodear

cereal <-ais> [sere'aw, -'ajs] m cereal m

cérebro ['sɛrebru] m cerebro m

cereja [se'reʒa] f cereza f

cerimônia [seri'monia] f ceremonia f

cerração <-ões> [sexa'sãw] f cerrazón f

cerrado, -a [se'xadu, -a] adj cerrado, -a

cerrar [se'xar] vt cerrar

certeza [ser'teza] f certeza f; **com ~** por supuesto; **ter (a) ~ (de que...)** estar seguro (de que...)

certidão <-ões> [sertʃi'dãw, -'õjs] f certificado m

certificado [sertʃifi'kadu] m certificado m

certificar [sertʃifi'kar] <c→qu> **I.** vt certificar **II.** vr **~-se de a. c.** asegurarse de algo

certo ['sɛrtu] adv **1.** (*sem dúvida*) ciertamente; **ao ~** exactamente; **por ~**

certo 51 **cheia**

por cierto **2.** (*exato*) bien; **dar ~ salir** bien

certo, -a [ˈsɛrtu, -a] **I.** *adj* **1.** seguro, -a; **estou ~ de que...** estoy seguro de que... **2.** correcto, -a; **está ~!** ¡de acuerdo! **II.** *pron* cierto, -a; **dia certo** cierto día

cerveja [serˈveʒa] *f* cerveza *f*

cervo [ˈsɛrvu] *m* ciervo *m*

cessar [seˈsar] *vi, vt* cesar

cesta [ˈsesta] *f* cesta *f*

céu [ˈsɛw] *m* cielo *m*

chá [ˈʃa] *m* té *m*

chacinar [ʃasiˈnar] *vt* (*animais*) matar; (*pessoas*) asesinar

chacota [ʃaˈkɔta] *f* burla *f*

chafariz [ʃafaˈriʒ] <-es> *m* fuente *f*

chalé [ʃaˈlɛ] *m* chalet *m*

chaleira [ʃaˈlejra] *f* tetera *f*

chama [ˈʃɐma] *f* llama *f*

chamada [ʃɐˈmada] *f* (*telefônica*) llamada *f*

chamar [ʃɐˈmar] **I.** *vt* llamar **II.** *vi* (*telefone*) sonar **III.** *vr*: **~-se** llamarse; **eu me chamo José** me llamo José

chaminé [ʃɐmiˈnɛ] *f* chimenea *f*

champanhe [ʃɐ̃ˈpɐɲi] *m* champán *m*

chanceler [ʃɐ̃ŋseˈlɛr] <-es> *m* POL canciller *m*

chantagem [ʃɐ̃ˈtaʒẽj] <-ens> *f* chantaje *m*; **fazer ~ com alguém** hacer chantaje a alguien

chão [ˈʃɐ̃w, ˈʃɐ̃s] *m* suelo *m*; (*na casa*) piso *m*

chapa [ˈʃapa] *f* AUTO matrícula *f*

chapéu [ʃaˈpɛw] *m* sombrero *m*

charco [ˈʃarku] *m* charco *m*

charme [ˈʃarmi] *m sem pl* encanto *m*

charter [ˈʃarter] *m* chárter *m*

charuto [xaˈrutu] *m* puro *m*

chassi [ʃaˈsi] *m* chasis *m inv*

chateação <-ões> [ʃatʃjaˈsɐ̃w, -ˈõjs] *f* aburrimiento *m*; *inf* lata *f*; **que ~!** ¡qué lata!

chateado, -a [ʃatʃiˈadu, -a] *adj inf* (*zangado*) mosqueado, -a

chatear [ʃatʃiˈar] *conj como passear vt inf* (*irritar*) fastidiar; (*maçar*) mosquear; (*importunar*) molestar

chato, -a [ˈʃatu, -a] *adj* **1.** plano, -a **2.** *inf* (*maçante*) pesado, -a

chave [ˈʃavi] *f* **1.** (*instrumento, eletr*) llave *f*; **~ de fenda** destornillador *m*, atornillador *m* CSur **2.** INFOR (*senha*) clave *f*

chaveiro [ʃaˈvejru] *m* llavero *m*

checar [ʃeˈkar] <c→qu> *vt* comprobar, checar *Méx*

Chechênia [ʃeˈʃenia] *f v.* **Tchetchênia**

chechênio, -a [ʃeˈʃeniw, -a] *adj, m, f v.* **tchecheno**

chefe [ˈʃɛfi] *mf* jefe, -a *m, f*

chefiar [ʃefiˈar] *vt* dirigir

chega [ˈʃega] *interj* basta

chegada [ʃeˈgada] *f* llegada *f*

chegado, -a [ʃeˈgadu, -a] *adj* **1.** (*íntimo*) íntimo, -a **2.** (*propenso*) aficionado, -a

chegar [ʃeˈgar] <g→gu> **I.** *vt* **1.** (*vir, atingir*) llegar; **~ a Santiago** llegar a Santiago **2.** (*ser suficiente*) bastar **II.** *vi* (*vir*) llegar; **cheguei!** ¡ya llegué!

cheia [ˈʃeja] *f* inundación *f*

cheio, -a [ˈʃeju, -a] *adj* **1.** lleno, -a; ~ **de água** lleno de agua **2.** *inf* (*pessoa*) harto, -a

cheirar [ʃejˈrar] *vi, vt* oler

cheiro [ˈʃejru] *m* olor *m*; **ter ~ de** oler a

cheque [ˈʃɛki] *m* cheque *m*; **~ de viagem** cheque de viaje

chiclete [ʃiˈklɛtʃi] *m* chicle *m*

chicória [ʃiˈkɔrja] *f* achicoria *f*

chicote [ʃiˈkɔtʃi] *m* látigo *m*

Chile [ˈʃiʎe] *m* Chile *m*

China [ˈʃina] *f* China *f*

chinelo [ʃiˈnɛlu] *m* chancleta *f*

chinês, -esa [ʃiˈnes, -ˈeza] *adj, m, f* chino, -a *m, f*

chip [ˈʃipi] *m* INFOR chip *m*

Chipre [ˈʃipri] *m* Chipre *m*

chique [ˈʃiki] *adj* chic

chispa [ˈʃispa] *f* chispa *f*

chocante [ʃoˈkãntʃi] *adj* impresionante

chocar [ʃoˈkar] <c→qu> **I.** *vt* **1.** (*ovos*) empollar **2.** (*uma pessoa*) ofender **II.** *vi* (*comida, bebida*) estropearse; **~ em** [*ou* **contra**] **a. c.** chocar contra algo

chocho, -a [ˈʃoʃu, -a] *adj* **1.** (*seco*) seco, -a **2.** (*palavras, tentativa*) vano, -a **3.** (*festa, pessoa*) soso, -a

chocolate [ʃokoˈlatʃi] *m* chocolate *m*

chofer [ʃoˈfɛr] *m* chófer *m*

chope [ˈʃopi] *m* caña *f*, chop *m RíoPl*

choque [ˈʃɔki] *m* **1.** (*colisão, comoção*) choque *m*; **estar em estado de ~** estar en estado de choque **2.** ELETR calambre *m*

chorar [ʃoˈrar] **I.** *vt* **1.** (*lágrimas*) llorar **2.** *inf* (*pechinchar*) regatear; **~ o preço** regatear el precio **II.** *vi* llorar; **~ por alguém/a. c.** llorar por alguien/algo; **é de ~** es lamentable

choro [ˈʃoru] *m* **1.** (*de lágrimas*) lloro *m* **2.** (*lamento, som*) lamento *m* **3.** MÚS género musical popular

chover [ʃoˈver] *vi impess* llover; **~ a cântaros** llover a cántaros

chuchu [ʃuˈʃu] *m* GASTR chayote *m*

chuleta [ʃuˈleta] *f* GASTR chuleta *f*

chulo, -a [ˈʃulu, -a] *adj* vulgar

chumbo [ˈʃũwbu] *m* plomo *m*

chupar [ʃuˈpar] *vt* **1.** (*pessoa*) chupar **2.** (*esponja*) absorber

churrascaria [ʃuxaskaˈria] *f* (*restaurante*) parrilla *f*, asador *m* de carne

> **Cultura** Una **churrascaria** es un restaurante en el que se sirve carne asada, el **churrasco**. En los restaurantes de tipo **rodízio** funciona un sistema de bufé libre, que permite comer, por un precio fijo, los diferentes cortes de carne que los camareros traen a la mesa en grandes espetones. Además, los **rodízios** suelen tener también un bufé libre de ensaladas.

churrasco [ʃuˈxasku] *m* carne *f* asada, churrasco *m RíoPl*

churrasqueira [ʃuxasˈkejra] *f* parrilla *f*

chutar [ʃuˈtar] *vt* (*bola*) chutar

chute [ˈʃutʃi] *m* chut *m*, disparo *m*

chuva [ˈʃuva] *f* lluvia *f*

chuveiro [ʃuˈvejru] *m* ducha *f*, lluvia *f AmL*

cibercafé [siberkaˈfɛ] *m* cibercafé *m*

cicatriz [sika'tris] <-es> f cicatriz f
cicatrizar [sikatri'zar] vi cicatrizar
ciclo ['siklu] m ciclo m
ciclovia [siklo'via] f carril m bici
cidadã [sida'dã] f v. **cidadão**
cidadania [sidadʒ'nia] f ciudadanía f
cidadão, -dã [sida'dãw, -ã] <-s> m, f ciudadano, -a m, f
cidade [si'dadʒi] f ciudad f; (*centro comercial*) centro m
ciência [si'ẽjsia] f ciencia f
ciente [si'ẽjt[i] adj consciente; **estar ~** de ser consciente de
cifra ['sifra] f cifra f
cigarro [si'gaxu] m cigarrillo m
cilada [si'lada] f emboscada f
cílios ['siλiws] mpl pestañas fpl
cima ['sima] f cima f; **de ~** de arriba; **de ~ a baixo** de arriba abajo; **em ~** arriba; **lá em ~** allá encima; **para ~** hacia arriba; **por ~ de** por encima de; **ainda por ~** y además
cimento [si'mẽjtu] m cemento m
cinco ['sĩŋku] num card cinco; v.tb. **dois**
cineasta [sine'asta] mf cineasta mf
cinema [si'nema] m cine m, biógrafo m CSur
cinqüenta [sĩj'kwẽjta] num card cincuenta
cinqüentenário [sĩjkwẽjte'nariw] m cincuentenario m
cinta [si'jta] f **1.** cinta f; (*de aço*) tira f **2.** (*cintura*) cintura f
cinto ['sĩjtu] m cinturón m; **~ de segurança** cinturón de seguridad
cintura [sĩj'tura] f cintura f
cinturão <-ões> [sĩjtu'rãw, -'õjs] m cinturón m
cinza ['sĩjza] **I.** f ceniza f **II.** adj (*cinzento*) gris
cinzeiro [sĩj'zejru] m cenicero m
circo ['sirku] m circo m
circuito [sir'kwitu] m tb. ESPORT, ELETR circuito m
circulação <-ões> [sirkula'sãw, -'õjs] f circulación f
circular [sirku'lar] vi circular
círculo ['sirkulu] m círculo m
circunstância [sirkũws'tãŋsia] f circunstancia f
cirurgia [sirur'ʒia] f cirugía f; **~ plástica** cirugía plástica
cirurgião, -giã <-ões, -ães> [sirurʒi'ãw, -'ã, -'õjs, -'ãjs] m, f cirujano, -a m, f
cismar [siz'mar] vi empeñarse; **~ com a. c.** empeñarse en algo; **andar cismado** estar desconfiado
cisne ['sizni] m cisne m
citação <-ões> [sita'sãw, -'õjs] f **1.** (*de um texto*) cita f **2.** JUR citación f
citar [si'tar] vt tb. JUR citar
ciúme [si'umi] m celos mpl; **ter ~s** tener celos
civil <-is> [si'viw, -'is] adj, mf civil mf
civilização <-ões> [siviλiza'sãw, -'õjs] f civilización f
civis [si'vis] adj, mf pl de **civil**
clandestino, -a [klãjdes'tʃinu, -a] adj clandestino, -a
clara ['klara] f clara f
clarear [klare'ar] conj como passear vi (*céu*) clarear; (*enigma*) aclararse
clareza [kla'reza] f claridad f

clarinete [kariˈnetʃi] *m* clarinete *m*

claro [ˈklaru] **I.** *adv* claro; **passar a noite em** ~ pasar la noche en vela **II.** *interj* claro; ~ **que sim/não!** ¡claro que sí/no!

claro, -a [ˈklaru, -a] *adj* claro, -a

classe [ˈklasi] *f* clase *f*; ~ **dos advogados** clase de los abogados; ~ **média** clase media; ~ **social** clase social; **de segunda** ~ de segunda clase; **viajar em primeira** ~ viajar en primera clase

clássico, -a [ˈklasiku, -a] *adj* clásico, -a

classificação <-ões> [klasifikaˈsãw, -ˈõjs] *f* clasificación *f*

classificar [klasifiˈkar] <c→qu> **I.** *vt* clasificar **II.** *vr:* **~-se** calificarse

clave [ˈklavi] *f* MÚS clave *f*

clichê [kliˈʃe] *m* cliché *m*

cliente [kliˈẽjtʃi] *mf* cliente, -a *m, f*; *(de médico)* paciente *mf*

clima [ˈklima] *m* clima *m*

clímax [ˈklimaks] *m inv* clímax *m inv*

clínica [ˈklinika] *f* clínica *f*

clínico, -a [ˈkliniku, -a] *adj* clínico, -a

clonagem <-ens> [kloˈnaʒẽj] *f* clonación *f*

clonar [kloˈnar] *vt* BIO clonar; *(cartão de crédito)* copiar

cloro [ˈkloru] *m sem pl* cloro *m*

clube [ˈklubi] *m* club *m*

coador [kwaˈdor] <-es> *m* colador *m*

cobaia [koˈbaja] *f tb. fig* cobaya *mf*, conejillo *m* de Indias

coberto [kuˈbɛrtu] *pp de* **cobrir**

cobertor [koberˈtor] <-es> *m* manta *f*, frazada *f AmL*

cobertura [koberˈtura] *f* **1.** *(de proteção)* cubierta *f* **2.** GASTR cobertura *f* **3.** *(em um edifício)* ático *m*

cobra [ˈkɔbra] *f* serpiente *f*

cobrador(a) [kobraˈdor(a)] <-es> *m(f)* cobrador(a) *m(f)*

cobrar [koˈbrar] *vt* cobrar; *(impostos)* recaudar; **a** ~ por cobrar

cobrir [koˈbrir] <*pp:* coberto> *irr como dormir* **I.** *vt* cubrir **II.** *vr:* **~-se** cubrirse

cocaína [kokaˈina] *f sem pl* cocaína *f*

coçar [koˈsar] <ç→c> *vt* rascar

cócegas [ˈkɔsegas] *fpl* cosquillas *fpl*

coceira [koˈsejra] *f* picazón *f*

cochichar [koʃiˈʃar] *vi* cuchichear

cochilar [kuʃiˈlar] *vi* dormitar

cochilo [kuˈʃilu] *m* cabezada *f*; **tirar um** ~ echar una cabezada

cockpit [kɔkˈpitʃi] *m* cabina *f*

coco [ˈkoku] *m* BOT coco *m*

cocô [koˈko] *m inf* caca *f*; **fazer** ~ hacerse caca

cócoras [ˈkɔkoras] *adv* **estar de** ~ estar en cuclillas

código [ˈkɔdʒigu] *m* código *m*; ~ **(de endereçamento) postal** código postal

coelho, -a [koˈeʎu, -a] *m, f* conejo, -a *m, f*

cofre [ˈkɔfri] *m* caja *f* fuerte; **~s públicos** arcas *fpl* públicas

cogitação <-ões> [koʒitaˈsãw, -ˈõjs] *f* consideración *f*; **estar fora de** ~ no ser tomado en consideración

cogitar [koʒiˈtar] *vt* considerar; ~ **as possibilidades** considerar las posibilidades

cogumelo [kogu'mɛlu] *m* seta *f*; ~ **radioativo** hongo atómico
coice ['kojsi] *m* coz *f*
coincidência [kõjsi'dẽjsia] *f* coincidencia *f*; (*acaso*) casualidad *f*
coincidir [kõjsi'dʒir] *vi*, *vt* coincidir
coisa ['kojza] *f* cosa *f*; **alguma** ~ algo; ~ **nenhuma** ninguna cosa
coitado, -a [koj'tadu, -a] *m, f* pobre *mf*
cola ['kɔla] *f* cola *f*
colaboração <-ões> [kolabora'sãw, -õjs] *f* colaboración *f*
colaborar [kolabo'rar] *vt* colaborar
colapso [ko'lapsu] *m* colapso *m*
colar¹ [ko'lar] *m* collar *m*
colar² [ko'lar] *vt tb.* INFOR pegar; *inf* (*em exames*) copiar
colarinho [kola'riɲu] *m* cuello *m*
colchão <-ões> [kow'ʃãw, -õjs] *m* colchón *m*
coleção <-ões> [kole'sãw, -õjs] *f* colección *f*
colecionar [kolesjo'nar] *vt* coleccionar
coleções [kole'sõjs] *f pl de* **coleção**
colega [ko'lɛga] *mf* colega *mf*
colégio [ko'lɛʒiw] *m* colegio *m*, liceo *m AmL*
coleira [ko'lejra] *f* collar *m*
cólera ['kɔlera] *f tb.* MED cólera *f*
colesterol [koleste'rɔw] *m sem pl* colesterol *m*
colete [ko'letʃi] *m* chaleco *m*
coletivo [kole'tʃivu] *m* autobús *m*
colheita [ko'ʎejta] *f* AGR cosecha *f*
colher¹ [ko'ʎer] *vt* recoger
colher² [ko'ʎer] <-es> *f* cuchara *f*; ~ **de café/chá** cuchara de café/té
cólica ['kɔlika] *f* cólico *m*
colidir [koʎi'dʒir] *vi* chocar; ~ **com alguém/a. c.** chocar con alguien/algo
colina [ko'ʎina] *f* colina *f*
colisão <-ões> [koʎi'zãw, -õjs] *f* colisión *f*
collant [ko'lã] *m* leotardos *mpl*
colo ['kɔlu] *m* **1.** regazo *m* **2.** ANAT (*pescoço*) cuello *m*
colocar [kolo'kar] <c→qu> *vt* poner; ~ **uma questão a alguém** plantear una cuestión a alguien
Colômbia [ko'lõwbia] *f* Colombia *f*
colombiano, -a [ko'lõwbi'ãnu, -a] *adj, m, f* colombiano, -a *m, f*
colônia [ko'lonia] *f* colonia *f*
colonial <-ais> [koloni'aw, -'ajs] *adj* colonial
colonizar [koloni'zar] *vt* colonizar
coloquial <-ais> [koloki'aw, -'ajs] *adj* coloquial
colorido, -a [kolo'ridu, -a] *adj* colorido, -a
colorir [kolo'rir] *vt* colorear
coluna [ko'luna] *f* columna *f*; ~ **vertebral** columna vertebral
colunável <-eis> [kolu'navew, -ejs] *mf inf* famoso, -a *m, f*
colunista [kolu'nista] *mf* columnista *mf*
com [kõw] *prep* con; **estar ~ fome/sono** tener hambre/sueño
coma ['koma] *m sem pl* MED coma *m*
comadre [ko'madri] *f tb. pej* comadre *f*
comandante [komã'dãtʃi] *mf* comandante *mf*

comandar [komãn'dar] *vt* (*ordenar*) mandar; (*uma máquina, um navio*) estar al mando de

comando [ko'mãndu] *m* INFOR comando *m*; TÉC mando *m*

combate [kõw'batʃi] *m* lucha *f*; MIL combate *m*; ~ **ao crime** lucha contra el crimen

combater [kõwba'ter] *vt* combatir

combinar [kõwbi'nar] *vt* **1.** combinar; ~ **com** combinar con **2.** (*entrar em acordo*) acordar; **combinado!** ¡de acuerdo!

combustível <-eis> [kõwbus'tʃivew, -ejs] *adj, m* combustible *m*

começar [kome'sar] <ç→c> *vi, vt* empezar, comenzar

começo [ko'mesu] *m sem pl* comienzo *m*

comédia [ko'mɛdʒia] *f* comedia *f*

comemorar [komemo'rar] *vt* conmemorar; (*festejar*) celebrar

comentar [komẽj'tar] *vt* comentar

comentário [komẽj'tariw] *m* comentario *m*

comer [ko'mer] *vi, vt* comer

comercial <-ais> [komersi'aw, -'ajs] **I.** *adj* comercial **II.** *m* anuncio *m*, comercial *m AmL*

comércio [ko'mɛrsiw] *m* comercio *m*

comes ['kɔmis] *mpl* ~ **e bebes** comida *f* y bebida

comestíveis [komes'tʃivejs] *mpl* comestibles *mpl*

cometer [kome'ter] *vt* cometer

comício [ko'misiw] *m* mitin *m*

cômico, -a ['komiku, -a] *adj, m, f* cómico, -a *m, f*

comida [ko'mida] *f* comida *f*; ~ **caseira** comida casera

comigo [ko'migu] = **com + mim** *v.* **com**

comissão <-ões> [komi'sãw, -õjs] *f* comisión *f*

comissário, -a [komi'sariw, -a] *m, f* comisario, -a *m, f*; ~ **de bordo** auxiliar *mf* de vuelo

comissões [komi'sõjs] *f pl de* **comissão**

comitê [komi'te] *m* comité *m*

como ['komu] **I.** *conj* como; **assim** ~ así como; **tanto...** ~ tanto... como; **tão...** ~ tan... como; **ele é** ~ **o pai** es como su padre; ~ **era tarde, ele dormiu aqui** como era tarde, durmió aquí **II.** *adv* cómo; ~ **não?** ¿cómo que no?; ~ **é que funciona?** ¿cómo funciona?; ~ **se diz...?** ¿cómo se dice...?; ~ **se** + *conj* como si + *conj*

cômoda ['komoda] *f* cómoda *f*

cômodo ['komodu] *m* (*de casa*) cuarto *m*, pieza *f AmL*

cômodo, -a ['komodu, -a] *adj* cómodo, -a

comovente [komo'vẽjtʃi] *adj* conmovedor(a)

comover [komo'ver] **I.** *vt* conmover **II.** *vr:* ~-**se** conmoverse

compactar [kõwpak'tar] *vt* INFOR compactar

compadecer [kõwpade'ser] <c→ç> **I.** *vt* compadecer **II.** *vr* ~-**se de alguém** compadecerse de alguien

compadre [kõw'padri] *m* compadre *m*

compaixão <-ões> [kõwpaj'ʃãw, -õjs]

f compasión *f*

companhia [kõwpã'nia] *f* compañía *f;* ~ **limitada** sociedad *f* limitada

comparação <-ões> [kõwpara'sãw, -õjs] *f* comparación *f;* **em** ~ **com** en comparación con

comparar [kõwpa'rar] *vt* comparar

comparecer [kõwpare'ser] <c→ç> *vt* comparecer; ~ **a algum lugar** comparecer en un lugar

comparsa [kõw'parsa] *mf* (*cúmplice*) cómplice *mf;* (*em negócio*) comparsa *mf*

compartilhar [kõwpartʃi'ʎar] **I.** *vt* compartir **II.** *vi* ~ **de a. c.** compartir algo

compasso [kõw'pasu] *m* compás *m*

compatibilidade [kõwpatʃibiʎi'dadʒi] *f tb.* INFOR compatibilidad *f*

compatível <-eis> [kõwpa'tʃivew, -ejs] *adj tb.* INFOR compatible

compatriota [kõwpatri'ɔta] *mf* compatriota *mf*

compensação <-ões> [kõwpẽjsa'sãw, -õjs] *f* compensación *f*

compensar [kõwpẽj'sar] *vt tb.* ECON compensar

competência [kõwpe'tẽjsia] *f* competencia *f*

competente [kõwpe'tẽjtʃi] *adj* competente

competição <-ões> [kõwpetʃi'sãw, -õjs] *f* competición *f*

competir [kõwpe'tʃir] *irr como preferir vi* competir

competitivo, -a [kõwpetʃi'tʃivu, -a] *adj* competitivo, -a

complemento [kõwple'mẽjtu] *m* complemento *m*

completamente [kõwplɛta'mẽjtʃi] *adv* completamente

completar [kõwple'tar] *vt* completar; **ela completou 20 anos** cumplió 20 años

completo, -a [kõw'plɛtu, -a] *adj* completo, -a

complexo [kõw'plɛksu] *m* complejo *m*

complexo, -a [kõw'plɛksu, -a] *adj* complejo, -a

complicado, -a [kõwpli'kadu, -a] *adj* complicado, -a

complicar [kõwpli'kar] <c→qu> *vt* complicar

compor [kõw'por] *irr como pôr vt* componer; (*um texto*) redactar

comportamento [kõwporta'mẽjtu] *m* comportamiento *m*

comportar [kõwpor'tar] **I.** *vt* tener capacidad para **II.** *vr:* ~**-se** comportarse

composição <-ões> [kõwpozi'sãw, -õjs] *f* composición *f;* (*de um texto*) redacción *f*

compositor(a) [kõwpozi'tor(a)] <-es> *m(f)* compositor(a) *m(f)*

composto [kõw'postu] **I.** *pp de* **compor II.** *m* compuesto *m*

compota [kõw'pɔta] *f* compota *f*

compra ['kõwpra] *f* compra *f;* **fazer** ~**s** hacer compras

comprar [kõw'prar] *vt* comprar

compreender [kõwpreẽj'der] *vt* comprender

compreensão [kõwpreẽj'sãw] *f* comprensión *f*

comprido, **-a** [kũw'pridu, -a] *adj* largo, -a; **ao** ~ a lo largo

comprimento [kõwpri'mẽtu] *m* largo *m*; **ter 5 metros de** ~ tener 5 metros de largo

comprimido [kõwpri'midu] *m* comprimido *m*

comprimir [kõwpri'mir] *vt* comprimir

comprometer [kõwprome'ter] **I.** *vt* comprometer **II.** *vr*: ~**-se** comprometerse

comprometido, **-a** [kõwprome'tʃidu, -a] *adj* comprometido, -a

compromisso [kõwpro'misu] *m* compromiso *m*

comprovante [kõwpro'vãntʃi] *m* comprobante *m*

comprovar [kõwpro'var] *vt* comprobar

computador [kõwputa'dor] <-es> *m* ordenador *m*, computadora *f AmL*

computadorizado, **-a** [kõwputadori'zadu, -a] *adj* informatizado, -a, computarizado, -a *AmL*

comum [ko'mũw] <comuns> *adj* común; **ter a. c. em** ~ **com alguém** tener algo en común con alguien

comunhão <-ões> [komũ'ɲãw, -õjs] *f* comunión *f*

comunicação <-ões> [komunika'sãw, -õjs] *f* comunicación *f*

comunicar [komuni'kar] <c→qu> **I.** *vt* comunicar **II.** *vr* ~**-se** comunicarse

comunidade [komuni'dadʒi] *f* comunidad *f*

comunismo [komu'nizmu] *m sem pl* comunismo *m*

comunista [komu'nista] *adj, mf* comunista *mf*

comunitário, **-a** [komuni'tariw, -a] *adj* comunitario, -a

comuns *pl de* **comum**

conceber [kõwse'ber] *vt* concebir

conceder [kõwse'der] *vt* permitir; (*um direito*) conceder

conceito [kõw'sejtu] *m* concepto *m*

conceituado, **-a** [kõwsejtu'adu, -a] *adj* valorado, -a; **ser muito** ~ estar muy bien valorado

concentrado, **-a** [kõwsɛj'tradu, -a] *adj* concentrado, -a; ~ **em a. c.** concentrado en algo

concentrar [kõwsẽj'trar] **I.** *vt* concentrar **II.** *vr*: ~**-se** concentrarse

concepção <-ões> [kõwsep'sãw, -õjs] *f* concepción *f*

concerto [kõw'sertu] *m* concierto *m*

concessão <-ões> [kõwse'sãw, -õjs] *f tb.* ECON concesión *f*

concha ['kõwʃa] *f* **1.** *tb.* ZOOL concha *f* **2.** (*da sopa*) cucharón *m*

concluir [kõwklu'ir] <*pp*: concluso *ou* concluído> *conj como* incluir *vt* concluir

conclusão <-ões> [kõwklu'zãw, -õjs] *f* conclusión *f*

concordância [kõwkor'dãŋsia] *f tb.* LING concordancia *f*

concordar [kõwkor'dar] *vi* estar de acuerdo; ~ **em a. c.** estar de acuerdo con algo

concorrência [kõwko'xejsia] *f* competencia *f*; ~ **pública** concurso público

concorrer [kõwko'xer] *vi* competir;

concretizar 59 **conforme**

~ **a uma vaga** presentarse a una vacante

concretizar [kõwkret'zar] *vt* concretar

concreto, -a [kõw'krɛtu, -a] *adj* concreto, -a

concurso [kõw'kursu] *m* concurso *m*

conde, ssa ['kõwdʒi, kõw'dɛsa] *m, f* conde(sa) *m(f)*

condenado, -a [kõwde'nadu, -a] *adj, m, f* condenado, -a *m, f*

condenar [kõwde'nar] *vt* condenar

condessa *f v.* **conde**

condição <-ões> [kõwd'sãw, -õjs] *f* condición *f*; **sob** [*ou* **com**] **a ~ de...** + *inf* con la condición de que... + *subj*

condicional <-ais> [kõwdsjo'naw, -'ajs] *adj tb.* LING condicional

condições [kõwd'sõjs] *f pl de* **condição**

condimento [kõwdʒi'mẽjtu] *m* condimento *m*

condizer [kõwd'zer] *irr como* **dizer** I. *vt* combinar II. *vi* concordar; **suas atitudes condizem** sus actitudes concuerdan

condolências [kõwdo'lẽjsias] *fpl* condolencias *fpl*

condomínio [kõwdo'miniu] *m* urbanización *f*

condução <-ões> [kõwdu'sãw, -õjs] *f* (*transporte*) medio *m* de transporte

conduta [kõw'duta] *f* conducta *f*

condutor(a) [kõwdu'tor(a)] <-es> *adj* conductor(a)

conduzir [kõwdu'zir] *vt* (*um automóvel*) conducir; (*negócio*) dirigir; (*encaminhar*) conducir

conexão <-ões> [konek'sãw] *f* (*ligação*) conexión *f*

confecção <-ões> [kõwfek'sãw, -õjs] *f* (*vestuário*) ropa *f* de confección; (*fabrico*) confección *f*

confeitaria [kõwfejta'ria] *f* confitería *f*

conferência [kõwfe'rẽjsia] *f* conferencia *f*

conferir [kõwfe'rir] *irr como* **preferir** *vt* verificar

confessar [kõwfe'sar] *vt* confesar

confete [kõw'fɛtʃi] *m* confeti *m*

confiança [kõwfi'ãnsa] *f sem pl* confianza *f*

confiar [kõwfi'ar] *vt* confiar

configuração <-ões> [kõwfigura'sãw, -õjs] *f tb.* INFOR configuración *f*

configurar [kõwfigu'rar] *vt tb.* INFOR configurar

confirmação <-ões> [kõwfirma'sãw, -õjs] *f tb.* REL confirmación *f*

confirmar [kõwfir'mar] *vt tb.* REL confirmar

confiscar [kõwfis'kar] <c→qu> *vt* confiscar

confisco [kõw'fisku] *m* JUR confiscación *f*

confissão <-ões> [kõwfi'sãw, -õjs] *f* confesión *f*

conflito [kõw'flitu] *m* conflicto *m*

conformar-se [kõwfor'marsi] *vr* conformarse

conforme [kõw'fɔrmi] I. *adj* conforme II. *conj* conforme; **~ recebia, já gastava** conforme cobraba, gastaba III. *prep* conforme; **correu tudo ~ o previsto** todo ocurrió conforme

estaba previsto
confortar [kõwfor'tar] *vt* reconfortar
confortável <-eis> [kõwfor'tavew, -ejs] *adj* cómodo, -a, confortable
conforto [kõw'fortu] *m* confort *m*
confrontar [kõwfrõw'tar] *vt* confrontar; *(comparar)* comparar
confronto [kõw'frõwtu] *f* enfrentamiento *m; (comparação)* comparación *f*
confundir [kõwfũw'dʒir] <*pp*: confuso *ou* confundido> I. *vt* confundir II. *vr*: ~-**se** confundirse
confusão <-ões> [kõwfu'zãw, -õjs] *f* confusión *f*
confuso, -a [kõw'fuzu, -a] *adj* confuso, -a
confusões [kõwfu'zõjs] *m pl de* **confusão**
congelado, -a [kõʒe'ladu, -a] *adj* congelado, -a
congelador [kõʒela'dor] <-es> *m* congelador *m*
congelar [kõʒe'lar] *vt tb. fig* congelar
congestionamento [kõʒestʃjona-'mẽtu] *m (do trânsito)* congestión *f*
congestionar [kõʒestʃjo'nar] *vt (trânsito)* atascar
congratulações [kõwgratula'sõjs] *fpl* enhorabuena *f*
congratular [kõwgratu'lar] I. *vt* felicitar II. *vr*: ~-**se** felicitarse
congresso [kõw'grɛsu] *m* congreso *m*
conhaque [kõ'naki] *m* coñac *m*
conhecer [kõɲe'ser] <c→ç> *vt* conocer
conhecido, -a [kõɲe'sidu, -a] *adj, m, f* conocido, -a *m, f*
conhecimento [kõɲesi'mẽtu] *m* conocimiento *m;* **ter ~ de a. c.** saber algo
conjugado [kõʒu'gadu] *m (apartamento)* estudio *m*
conjuntivo [kõʒũw'tʃivu] *m* LING subjuntivo *m*
conjunto [kõw'ʒũtu] *m* conjunto *m*
conjunto, -a [kõw'ʒũtu, -a] *adj* conjunto, -a
conosco [ko'nosku] = **com + nós** *v.* **com**
conquanto [kõw'kwãtu] *conj* aunque
conquista [kõw'kista] *f* conquista *f*
conquistador(a) [kõwkista'dor(a)] <-es> *m(f)* conquistador(a) *m(f)*
conquistar [kõwkis'tar] *vt* conquistar
consciência [kõwsi'ẽjsia] *f tb.* FILOS conciencia *f*
consciente [kõwsi'ẽtʃi] I. *m* conciencia *f* II. *adj* consciente
consecutivo, -a [kõwseku'tʃivu, -a] *adj* consecutivo, -a
conseguir [kõwse'gir] *irr como* seguir *vt* conseguir
conselho [kõw'seʎu] *m* consejo *m*
consentimento [kõwsẽjtʃi'mẽtu] *m* consentimiento *m*
consentir [kõwsẽj'tʃir] *irr como* sentir *vt* consentir
conseqüência [kõwse'kwẽjsia] *f* consecuencia *f;* **em ~ de** a consecuencia de
consertar [kõwser'tar] *vt* arreglar; *(remendar)* reparar
conserto [kõw'sertu] *m* arreglo *m;*

(*remendo*) reparación *f*
conserva [kõw'sɛrva] *f* conserva *f*
conservação <-ões> [kõwserva'sãw, -õjs] *f* conservación *f*
conservador(a) [kõwserva'dor(a)] <-es> *adj, m(f)* conservador(a) *m(f)*
conservante [kõwser'vãntʃi] *m* conservante *m;* **sem ~s** sin conservantes
conservar [kõwser'var] *vt* conservar
consideração <-ões> [kõwsidera'sãw, -õjs] *f* consideración *f*
considerar [kõwside'rar] **I.** *vt* considerar **II.** *vr:* **~-se** considerarse
consigo [kõw'sigu] *pron pess* consigo
consistência [kõwsis'tẽjsia] *f* consistencia *f*
consistente [kõwsis'tẽjtʃi] *adj* consistente; **comer algo ~** comer algo sustancioso
consistir [kõwsis'tʃir] *vi impess* consistir; **~ em a. c.** consistir en algo
consoante [kõwso'ãntʃi] **I.** *f* LING consonante *f* **II.** *prep* **1.** (*segundo*) según **2.** (*conforme*) conforme
consolar [kõwso'lar] **I.** *vt* consolar **II.** *vr:* **~-se** consolarse
consolidar [kõwsoʎi'dar] **I.** *vt* consolidar **II.** *vr:* **~-se** consolidarse
consolo [kõw'solu] *m* consuelo *m*
consórcio [kõw'sɔrsiw] *m* ECON consorcio *m*
conspiração <-ões> [kõwspira'sãw, -õjs] *f* conspiración *f*
conspirar [kõwspi'rar] *vi, vt* conspirar
constante [kõws'tãntʃi] *adj, f* constante *f*
constar [kõws'tar] *vi* **1.** (*dizer-se*) decirse; **consta que...** se dice que... **2.** (*consistir*) constar; **~ de** constar de
constatar [kõwsta'tar] *vt* constatar
consternado, -a [kõwster'nadu, -a] *adj* consternado, -a
consternar [kõwster'nar] *vt* consternar
constipação <-ões> [kõwstʃipa'sãw, -õjs] *f* estreñimiento *m*
constipado, -a [kõwstʃi'padu, -a] *adj* estreñido, -a
constitucional <-ais> [kõwstʃitusjo'naw, -'ajs] *adj* constitucional
constituição <-ões> [kõwstʃituj'sãw] *f tb.* POL constitución *f*
constituir [kõwstʃitu'ir] *conj como incluir vt* constituir
constrangedor(a) [kõwstrãnʒe'dor(a)] <-es> *adj* embarazoso, -a
constranger [kõwstrãŋ'ʒer] <g→j> *vt* constreñir
constrangido, -a [kõwstrãŋ'ʒidu, -a] *adj* constreñido, -a
construção <-ões> [kõwstru'sãw, -õjs] *f* construcción *f*
construir [kõwstru'ir] *irr vt* construir
construtivo, -a [kõwstru'tʃivu, -a] *adj* constructivo, -a
cônsul, consulesa ['kõwsuw, kõwsu'leza] <-es> *m, f* cónsul *mf*
consulado [kõwsu'ladu] *m* consulado *m*
consulado-geral <consulados-gerais> [kõwsu'ladu-ʒe'raw, -'ajs] *m* consulado *m* general
cônsules ['kõwsuʎis] *m pl de* **cônsul**
consulesa [kõwsu'leza] *f v.* **cônsul**

cônsul-geral <cônsules-gerais> ['kõwsuw-ʒe'raw, -'ajs] *m* cónsul *m* general

consulta [kõw'suwta] *f* consulta *f*

consultar [kõwsuw'tar] *vt* consultar

consultório [kõwsuw'tɔriw] *m* consultorio *m*

consumação [kõwsuma'sãw] *f sem pl* consumación *f*

consumar [kõwsu'mar] I. *vt* consumar II. *vr*: ~-**se** consagrarse

consumidor(a) [kõwsumi'dor(a)] <-es> *m(f)* consumidor(a) *m(f)*

consumir [kõwsu'mir] *vt* consumir

consumo [kõw'sumu] *m sem pl* consumo *m*

conta ['kõwta] *f* cuenta *f*; ~ **corrente** cuenta corriente; **a** ~, **por favor** la cuenta, por favor; **por** ~ **própria** por cuenta propia; **tomar** ~ **de alguém** encargarse de alguien

contabilidade [kõwtabiʎi'dadʒi] *f sem pl* contabilidad *f*

contador [kõwta'dor] *m* (*da água, luz, gás*) contador *m*

contagiar [kõwtaʒi'ar] *vt* contagiar; ~ **alguém com a. c.** contagiar algo a alguien

contagioso, -a [kõwtaʒi'ozu, -'ɔza] *adj* contagioso, -a

contanto [kõw'tãntu] *conj* ~ **que** +*subj* con tal de que +*subj*

contar [kõw'tar] I. *vt* contar; ~ **fazer a. c.** contar con hacer algo; ~ **com alguém/a. c.** contar con alguien/algo II. *vi* contar

contatar [kõwta'tar] *vt* contactar

contato [kõw'tatu] *m tb.* ELETR contacto *m;* **entrar em** ~ **com alguém** entrar en contacto con alguien

contemplar [kõwtẽj'plar] *vt* contemplar

contemporâneo, -a [kõwtẽjpo'rãniw, -a] *adj, m, f* contemporáneo, -a *m, f*

contenção [kõwtẽj'sãw] *f sem pl* contención *f*

contentar [kõwtẽj'tar] I. *vt* contentar II. *vr*: ~-**se com a. c.** contentarse con algo; ~-**se com pouco** contentarse con poco

contente [kõw'tẽjtʃi] *adj* contento, -a; **estar** [*ou* **ficar**] ~ **com a. c.** estar contento con algo

conterrâneo, -a [kõwte'xãniw, -a] *m, f* compatriota *mf*

contestação <-ões> [kõwtesta'sãw, -õjs] *f* contestación *f*

contestar [kõwtes'tar] *vi, vt* contestar

conteúdo [kõwte'udu] *m* contenido *m*

contexto [kõw'testu] *m* contexto *m*

contigo [kõw'tʃigu] = **com** + **ti** *v.* **com**

continente [kõwtʃi'nẽjtʃi] *adj, m* continente *m*

continuação <-ões> [kõwtʃinua'sãw, -õjs] *f* continuación *f*

continuar [kõwtʃinu'ar] *vi* continuar

conto ['kõwtu] *m* cuento *m*

contornar [kõwtor'nar] *vt* (*uma praça*) dar la vuelta a; (*uma situação*) solucionar

contorno [kõw'tornu] *m* desvío *m*

contra ['kõwtra] I. *m* contra *m;* **os prós e os** ~**s** los pros y los contras II. *prep* contra; **bater/ir** ~ **a. c.** golpear/ir contra algo; **ele está ~ mim** está contra mí **III.** *adv* en contra

contrabando [kõwtraˈbãŋdu] *m* contrabando *m*

contração <-ões> [kõwtrataˈsãw, -õjs] *f* contracción *f*

contraceptivo [kõwtrasepˈtʃivu] *m* anticonceptivo *m*

contrações [kõwtrataˈsõjs] *f pl de* **contração**

contrafilé [kõwtrafiˈlɛ] *m* GASTR entrecot *m*

contraído, -a [kõwtraˈidu, -a] *adj* contraído, -a

contra-indicação <-ões> [ˈkõwtra-ĩjdʒikaˈsãw] *f* MED contraindicación *f*

contrair [kõwtraˈir] *conj como* **sair** *vt* contraer

contramão [kõwtraˈmãw] *f sem pl* **ir na ~** ir en dirección contraria

contramestre [kõwtraˈmɛstri] *m* NÁUT contramaestre *m*

contrário [kõwˈtrariw] *m* contrario *m*; **ao ~ de** al contrario de

contrário, -a [kõwˈtrariw, -a] *adj* contrario, -a; **do ~** de lo contrario

contraste [kõwˈtrastʃi] *m* contraste *m*

contratar [kõwtraˈtar] *vt* contratar

contrato [kõwˈtratu] *m* contrato *m*

contribuição <-ões> [kõwtribuiˈsãw, -õjs] *f* contribución *f*

contribuir [kõwtribuˈir] *conj como* **incluir** *vt* contribuir; **~ para a. c.** contribuir a algo

controlar [kõwtroˈlar] **I.** *vt* controlar **II.** *vr:* **~-se** controlarse

controle [kõwˈtroʎi] *m* control *m*; **~ de doping** control antidoping; **~ remoto** ELETR control remoto

contudo [kõwˈtudu] *conj* no obstante

convenção <-ões> [kõwvẽjˈsãw, -õjs] *f* convención *f*

convencer [kõwvẽjˈser] <*pp*: convicto *ou* convencido; c→ç> **I.** *vt* convencer **II.** *vr:* **~-se** convencerse

convencido, -a [kõwvẽjˈsidu, -a] *adj* **1.** convencido, -a **2.** *inf (imodesto)* creído, -a

convencional <-ais> [kõwvẽjsjoˈnaw, -ajs] *adj* convencional

convênio [kõwˈveniw] *m* convenio *m*

convergir [kõwverˈʒir] *irr vi* converger

conversa [kõwˈvɛrsa] *f* conversación *f*, plática *f Méx*

conversação <-ões> [kõwversaˈsãw, -õjs] *f* conversación *f*

conversar [kõwverˈsar] *vi* conversar

converter [kõwverˈter] *vt* convertir

convicção <-ões> [kõwvikˈsãw, -õjs] *f* convicción *f*

convidado, -a [kõwviˈdadu, -a] *adj, m, f* invitado *m, a f*

convidar [kõwviˈdar] *vt* invitar

convir [kõwˈvir] *irr como* **vir** *vi (ser vantajoso)* convenir; **não me convém** no me conviene

convite [kõwˈvitʃi] *m* invitación *f*

convivência [koniˈvẽjsia] *f* convivencia *f*

conviver [kõwviˈver] *vi* convivir

convocar [kõwvoˈkar] <c→qu> *vt* convocar

convosco [kõwˈvosku] *pron pess* HIST = **com + vós** con vosotros, con vosotras, con ustedes *AmL*

cooperação <-ões> [koopera'sãw, -õjs] f cooperación f
cooperar [koope'rar] vt cooperar
coordenar [koorde'nar] vt coordinar
copa ['kɔpa] f copa f
cópia ['kɔpja] f copia f
copiar [kopi'ar] vt copiar
copo ['kɔpu] m vaso m
coque ['kɔki] m moño m
coqueluche [koke'luʃi] f sem pl MED tosferina f
coquetel <-éis> [koki'tɛw, -'ɛjs] m cóctel m
cor¹ ['kor] <-es> f color m
cor² ['kɔr] adv de ~ (e salteado) de memoria
coração <-ões> [kora'sãw, -õjs] m corazón m
corado, -a [ko'radu, -a] adj colorado, -a
coragem [ko'raʒẽj] f sem pl coraje m
corajoso, -a [kora'ʒozu, -'ɔza] adj valiente
coral <-ais> [ko'raw, -'ajs] m ZOOL coral m
corante [ko'rãntʃi] m colorante m
corar [ko'rar] I. vt (roupa) colorear II. vi (pessoa) ruborizarse
corcova [kor'kɔva] f joroba f
corda ['kɔrda] f cuerda f, mecate m AmC, Col, Méx, Ven
cordão <-ões> [kor'dãw, -õjs] m 1. (fio) cordón m 2. (jóia) cadena f 3. ELETR cable m
cor-da-pele ['kor-da-'pɛʎi] adj inv color carne inv
cor-de-laranja ['kor-dʒi-la'rãnʒa] adj inv naranja inv

cor-de-rosa ['kor-dʒi-'xɔza] adj inv rosa inv
cordial <-ais> [kordʒi'aw, -'ajs] adj cordial
cordões [kor'dõjs] m pl de **cordão**
coreano, -a [kore'ãnu, -a] adj, m, f coreano, -a m, f
Coréia [ko'rɛja] f Corea f
cores ['koris] f pl de **cor**
corneta [kor'neta] f corneta f
coro ['koru] m coro m
coroa [ko'roa] f (jóia, de dente) corona; (de moeda) cruz f
coroar [koro'ar] <1. pess pres: coroo> vt coronar
coronel <-éis> [koro'nɛw, -'ɛjs] m coronel m
corpo ['korpu] m cuerpo m; ~ **de bombeiros** cuerpo de bomberos
corpulento, -a [korpu'lẽjtu, -a] adj corpulento, -a
correção <-ões> [koxe'sãw, -õjs] f corrección f
corredor [koxe'dor] m pasillo m
correia [ko'xeja] f correa f
correio [ko'xeju] m correo m; (edifício) correos mpl; (**agência dos**) ~**s** correos mpl; ~ **eletrônico** correo electrónico; **pôr uma carta no** ~ echar una carta al correo
corrente [ko'xẽjtʃi] I. f corriente f; (metálica) cadena f II. adj (mês, água, moeda) corriente
correnteza [koxẽj'teza] f corriente f
correr [ko'xer] I. vt recorrer; ~ **um risco** correr un riesgo II. vi correr
correspondência [koxespõw'dẽjsja] f correspondencia f

corresponder [koxespõw'der] *I. vi* corresponder *II. vr* ~**-se com alguém** escribirse con alguien

correto, -a [ko'xɛtu, -a] *adj* correcto, -a

corrida [ko'xida] *f* carrera *f*

corrigir [koxi'ʒir] <g→j> *vt* corregir, regañar

corromper [koxõw'per] *I. vt* corromper *II. vr:* ~**-se** corromperse

corrupção <-ões> [koxup'sãw, -õjs] *f* corrupción *f*

corrupto, -a [ko'xuptu, -a] *adj* corrupto, -a

cortar [kor'tar] *I. vt* cortar; ~ **ao meio** cortar por el medio; ~ **caminho** atajar *II. vr:* ~**-se** cortarse

corte¹ ['kɔrtʃi] *m (de cabelo, de luz)* corte *m; (de faca)* filo *m*

corte² ['kɔrtʃi] *f* 1. *(nobreza)* corte *f* 2. *(justiça)* tribunal *m*

cortês [kor'tes] <-eses> *adj* cortés

cortesia [korte'zia] *f sem pl* cortesía *f*

cortina [kur'tʃina] *f* cortina *f*

corvo ['korvu] *m* cuervo *m*

coser [ko'zer] *vi, vt* coser

cosmético [koz'mɛtʃiku] *m* cosmético *m*

costa ['kɔsta] *f* costa *f*

costa-riquenho, -a ['kɔsta-xi'kẽɲu, -a] *adj, m, f* costarricense *mf*

costas ['kɔstas] *fpl* 1. ANAT espalda *f;* **nas ~** en las espaldas 2. *(da cadeira)* respaldo *m*

costela [kos'tɛla] *f* costilla *f*

costeleta [koste'leta] *f* costilla *f*

costumar [kustu'mar] *vi* ~ **fazer a. c.** soler hacer algo; **costuma fazer calor** suele hacer calor

costume [kus'tume] *m* 1. traje *m* 2. *(hábito)* costumbre *f*

costura [kos'tura] *f* costura *f*

costurar [kostu'rar] *vt (roupa)* coser

costureiro, -a [kostu'rejru, -a] *m, f* costurero, -a *m, f*

cota ['kɔta] *f* cuota *f*

cotação <-ões> [kota'sãw, -õjs] *f* cotización *f*

cotidiano [kotʃidʒi'ãnu] *m* rutina *f*

cotovelo [koto'velu] *m* codo *m*

couro ['kowru] *m* piel *f; (trabalhado)* cuero *m*

couve ['kowvi] *f* col *f*

couve-flor ['kowvi-'flor] <couves--flor(es)> *f* coliflor *f*

couvert [ku'vɛr] *m* cubierto *m*

cova ['kɔva] *f* 1. *(na terra)* hoyo *m* 2. *(caverna)* cueva *f*

covarde [ko'vardʒi] *adj, mf* cobarde *mf*

coxa ['koʃa] *f* muslo *m*

coxear [koʃe'ar] *conj como passear vi* cojear

coxia [ko'ʃia] *f* pasillo *m*

coxo, -a ['koʃu, -a] *adj* cojo, -a

cozer [ko'zer] *vt* cocer

cozido [ku'zidu] *m* cocido *m*

cozinha [ku'ziɲa] *f* cocina *f;* ~ **baiana** cocina de Bahía

cozinhar [kozi'ɲar] *vi, vt* cocinar

cozinheiro, -a [kuzi'ɲejru, -a] *m, f* cocinero, -a *m, f*

CPF [sepe'ɛfi] *m abr de* **Cadastro de Pessoa Física** *documento de identificación fiscal similar al NIF español*

crânio ['krãniw] *m* cráneo *m*

cratera [kra'tɛra] *f* cráter *m*

cravar [kra'var] *vt* clavar
cravo ['kravu] *m* **1.** BOT *(flor)* clavel *m* **2.** *(cravo-da-índia)* clavo *m* **3.** MÚS clave *m*
creche ['krɛʃi] *f* guardería *f*
crediário [kredʒi'ariw] *m* venta *f* a plazos
crédito ['krɛdʒitu] *m tb.* ECON crédito *m*
credo ['krɛdu] *interj* Dios
creme ['kremi] *m* crema *f*; **~ de leite** GASTR nata *f* líquida
cremoso, -a [kre'mozu, -ɔza] *adj* cremoso, -a
crença ['krẽjsa] *f* creencia *f*
crepúsculo [kre'puskulu] *m* crepúsculo *m*
crer ['krer] *irr vi, vt* creer
crescer [kre'ser] <c→ç> *vt* crecer
crescimento [kresi'mẽjtu] *m* crecimiento *m*
cria ['kria] *f* cría *f*
criação <-ões> [kria'sãw, -õjs] *f* creación *f*; *(de crianças)* crianza *f*
criado, -a [kri'adu, -a] *adj, m, f* criado, -a
criador(a) [kria'dor(a)] <-es> *m(f)* criador(a) *m(f)*
criança [kri'ãŋsa] *f* niño, -a *m, f*; **~ de colo** niño pequeño
criar [kri'ar] *vt (inventar, fundar)* crear; *(crianças, flores)* criar
criativo, -a [kria'tʃivu, -a] *adj* creativo, -a
crime ['krimi] *m* crimen *m*; **cometer um ~** cometer un crimen
criminalidade [kiminaʎi'dadʒi] *f sem pl* criminalidad *f*
criminoso, -a [krimi'nozu, -ɔza] *adj m, f* criminal *mf*
crioulo, -a [kri'olu, -a] *adj pej* negro, -a
crise ['krizi] *f* crisis *f inv*
crisma ['krizma] *m* REL confirmación *f*
crismar [kriz'mar] *vt* REL confirmar
cristã [kris'tã] *adj, f v.* **cristão**
cristal [kris'taw] <-ajs> *m* cristal *m*; **de ~** de cristal
cristalino, -a [krista'ʎinu, -a] *adj* cristalino, -a
cristão, -tã [kris'tãw, -ã] *adj, m, f* cristiano, -a *m, f*
cristianismo [kristʃjã'nizmu] *m sem pl* cristianismo *m*
Cristo ['kristu] *m* Cristo *m*
critério [kri'tɛriw] *m* criterio *m*
crítica ['kritʃika] *f* crítica *f*
criticar [kritʃi'kar] <c→qu> *vt* criticar
Croácia [kro'asia] *f* Croacia *f*
croata [kro'ata] *adj, mf* croata *mf*
crocodilo [kroko'dʒilu] *m* cocodrilo *m*
crônica [kronika] *f* crónica *f*
crônico, -a ['kroniku, -a] *adj* crónico, -a
croquete [kro'kɛtʃi] *m* croqueta *f*
crosta ['krosta] *f* costra *f*
cru(a) ['kru(a)] *adj* crudo, -a
cruel <-éis> [kru'ɛw, -'ɛjs] *adj* cruel
cruz ['krus] *f* cruz *f*; **Cruz Vermelha** Cruz Roja
cruzado [kru'zadu] *m (moeda)* cruzado *m*
cruzamento [kruza'mẽjtu] *m tb.* BIO cruce *m*
cruzar [kru'zar] *vt tb.* BIO cruzar; **~ os braços** *tb. fig* cruzar los brazos

cruzeiro [kru'zejru] *m* crucero *m*
cu ['ku] *m chulo* culo *m;* **vai tomar no ~!** ¡vete a tomar por culo!
Cuba ['kuba] *f* Cuba *f*
cubano, -a [ku'banu, -a] *adj, m, f* cubano, -a *m, f*
cúbico, -a ['kubiku, -a] *adj* cúbico, -a
cubo ['kubu] *m* MAT cubo *m*
cuco ['kuku] *m* cuco *m*
cueca [ku'ɛka] *f* calzoncillos *mpl*
Cuiabá [kuja'ba] Cuiabá
cuíca [ku'ika] *f* zambomba *f*
cuidado [kuj'dadu] **I.** *m* cuidado *m;* **ao(s) ~(s) de** al cuidado de; (*em carta*) en el domicilio de; **com ~** con cuidado **II.** *interj* cuidado
cuidadoso, -a [kujda'dozu, -'ɔza] *adj* cuidadoso, -a
cuidar [kuj'dar] **I.** *vi* cuidar; **~ de alguém/a. c.** cuidar de alguien/algo **II.** *vr:* **~-se** cuidarse
cujo, -a ['kuʒu, -a] **I.** *pron rel* cuyo, -a **II.** *m, f inf* tío, -a *m, f;* **o dito ~** el susodicho
culinária [kuli'naria] *f* cocina *f*
culpa ['kuwpa] *f* culpa *f;* **ter (a) ~ de** tener (la) culpa de; **por ~ de** por culpa de
culpar [kuw'par] *vt* culpar; **~ alguém de a. c.** culpar a alguien de algo
culpável <-eis> [kuw'pavew, -ejs] *adj* (*ato*) condenable
cultivar [kuwtʃi'var] *vt* cultivar
culto ['kuwtu] *m* culto *m*
cultura [kuw'tura] *f* cultura *f*
cultural <-ais> [kuwtu'raw, -'ajs] *adj* cultural
cume ['kumi] *m* cumbre *f*

cúmplice ['kũwplisi] *mf* cómplice *mf*
cumprimentar [kũwprimẽj'tar] *vt* saludar; (*felicitar*) felicitar
cumprimento [kũwpri'mẽtu] *m* cumplimiento *m;* **mandar ~s a alguém** mandar saludos a alguien
cumprir [kũw'prir] *vi, vt* cumplir
cúmulo ['kumulu] *m* colmo *m;* **isso é o ~!** ¡eso es el colmo!
cunhado, -a [kũ'ɲadu, -a] *m, f* cuñado, -a *m, f*
cunho ['kũɲu] *m* cuño *m*
cupim [ku'pĩ] <-ins> *m* termita *f*
cupom [ku'põw] <-ons> *m* cupón *m*
cúpula ['kupula] *f* ARQUIT cúpula *f*
cura ['kura] *f* cura *f;* **(não) ter ~** (no) tener cura
curar [ku'rar] **I.** *vt* curar **II.** *vr:* **~-se** curarse
curativo [kura'tʃivu] *m* cura *f;* **fazer um ~** hacer la cura
curiosidade [kuriozi'dadʒi] *f* curiosidad *f*
curioso, -a [kuri'ozu, -'ɔza] *adj* curioso, -a
Curitiba [kuri'tʃiba] Curitiba
curitibano, -a [kuritʃi'bãnu, -a] *adj* de Curitiba
currículo [ku'xikulu] *m* currículo *m*
cursar [kur'sar] *vt* cursar
curso ['kursu] *m* curso *m*
cursor [kur'sor] <-es> *m* INFOR cursor *m*
curtir [kur'tʃir] *vt inf* disfrutar de
curto, -a ['kurtu, -a] *adj* corto, -a
curva ['kurva] *f* curva *f*
curvar [kur'var] **I.** *vt* curvar **II.** *vr:* **~-se** curvarse; **~-se a** [*ou* **ante**] **al-**

guém/a. c. doblegarse ante alguien/algo

cuspir [kus'pir] *irr como subir vt (lançar)* escupir

custar [kus'tar] I. *vt* costar; **quanto custa?** ¿cuánto cuesta? II. *vi* costar

custas ['kustas] *fpl* **à(s)** ~**(s) de** a costa de

custo ['kustu] *m* coste *m*, costo *m*; ~**s** costes; **a todo** ~ a toda costa

custódia [kus'tɔdʒia] *f* custodia *f*

cutelo [ku'tɛlu] *m* cuchillo *m*

cútis ['kutʃis] *f inv* cutis *m inv*

C.V. [ku'xikulũw 'vitɛ] *abr de* **curriculum vitae** C.V.

czar [ki'zar] *m* zar *m*

D

D, d ['de] *m* D, d *f*

D.ª ['dona] *abr de* **Dona** D.ª

da [da] = **de + a** *v.* **de**

dádiva ['dadʒiva] *f* dádiva *f*

dado ['dadu] I. *m* 1. *(de jogo)* dado *m* 2. *(fato)* dato *m*; ~**s pessoais** datos personales II. *conj* ~ **que...** dado que...

daí [da'i] *adv (por isso)* por eso; **e** ~**?** ¿y qué?

dali [da'ʎi] *adv* de allí

dama ['dɐma] *f* dama *f*; **primeira** ~ primera dama

danado, -a [dɐ'nadu, -a] *adj* 1. furioso, -a 2. *inf* travieso, -a 3. *(extraordinário)* increíble

dança [dɐ̃'sa] *f* danza *f*; ~ **de salão** baile *m* de salón

dançar [dɐ̃'sar] <ç→c> *vi, vt* bailar, danzar

danceteria [dɐ̃sete'ria] *f* discoteca *f*

danificar [dɐnifi'kar] <c→qu> *vt* dañar, estropear

dano ['dɐnu] *m* daño *m*; ~ **material** daños materiales

daquele, -a [da'keʎi, -'ɛla] = **de + aquele** *v.* **de**

daqui [da'ki] *adv* de aquí; ~ **a pouco** dentro de poco; ~ **em diante** de aquí en adelante

daquilo [da'kilu] = **de + aquilo** *v.* **de**

dar ['dar] *irr* I. *vt* 1. *(oferecer)* dar; ~ **aulas** dar aulas; ~ **os parabéns a alguém** dar la enhorabuena a alguien; ~ **um passeio** dar un paseo; **dá licença, por favor** con permiso; **dá aqui!** ¡dame eso! 2. *(causar)* dar; ~ **um sorriso** sonreír 3. *(remédio, cartas)* dar II. *vi* 1. poderse; **não dá!** ¡no se puede! 2. *(ser suficiente)* llegar; **a comida não dá para todos** la comida no llega para todos 3. *fig* ~ **certo** salir bien; **não** ~ **em nada** fracasar; **quem me dera!** ¡ojalá! III. *vr:* ~**-se bem com alguém** llevarse bien con alguien

data ['data] *f* fecha *f*; ~ **de validade** fecha de validez

datar [da'tar] *vt* fechar, datar

DDD [dede'de] *abr de* **discagem direta a distância** llamada *f* interurbana

DDI [dede'i] *abr de* **discagem direta**

de [dʒi] *prep* **1.** (*origem*) de; ela é ~ Brasília es de Brasilia **2.** (*material*) de; **um bolo ~ chocolate** un pastel de chocolate **3.** (*posse*) de; **a casa do Manuel** la casa de Manuel **4.** (*temporal*) de; ~... a... de... a...; ~ **dia** de día; ~ **manhã/tarde** por la mañana/tarde; ~ **hoje em diante** de hoy en adelante **5.** (*modo*) de; **estar ~ pé** estar de pie; **estar ~ óculos** llevar gafas; **ir ~ carro/trem** ir en coche/tren **6.** (*descritivo*) **sala ~ jantar** comedor *m*; **um copo ~ água** un vaso de agua **7.** (*distância, de números*) de; ~ **zero a vinte** de cero a veinte; ~ **cá para lá** de un lado para otro **8.** (*comparação*) **mais ~ vinte** más de veinte

debaixo [dʒi'bajʃu] *adv* debajo; ~ **de** debajo de

debate [de'batʃi] *m* debate *m*

debater [deba'ter] I. *vt* debatir II. *vr:* ~-**se** debatirse

débil <-**eis**> ['dɛbiw, -ejs] *adj, mf* débil *mf*

débito ['dɛbitu] *m* débito *m*; (*dívida*) deuda *f*

debochado, -a [debo'ʃadu, -a] *adj* burlón, -ona

debochar [debo'ʃar] *vi* ~ **de a. c./alguém** burlarse de algo/alguien

década ['dɛkada] *f* década *f*

decadência [deka'dẽjsja] *f* decadencia *f*

decair [deka'ir] *conj como sair vi* (*qualidade*) decaer

decente [de'sẽtʃi] *adj* decente

decepção <-**ões**> [desep'sãw, -'õjs] *f* decepción *f*

decepcionado, -a [desepsjo'nadu, -a] *adj* decepcionado, -a; **ficar ~ com a. c./alguém** decepcionarse con algo/alguien

decepcionar [desepsjo'nar] I. *vt* decepcionar II. *vr:* ~-**se com a. c./alguém** decepcionarse con algo/alguien

decidido, -a [desi'dʒidu, -a] *adj* decidido, -a

decidir [desi'dʒir] I. *vi, vt* decidir II. *vr:* ~-**se** decidirse

décimo, -a [ˈdɛsimu, -a] *num ord* décimo, -a; *v.tb.* **segundo**

decisão <-**ões**> [desi'zãw, -'õjs] *f* decisión *f*; ESPORT final *f*

decisivo, -a [desi'zivu, -a] *adj* decisivo, -a

declaração <-**ões**> [deklara'sãw, -'õjs] *f* declaración *f*

declarar [dekla'rar] I. *vt* declarar; **nada a ~** nada a declarar II. *vr:* ~-**se** declararse

declínio [de'klinju] *m* decadencia *f*

declive [de'klivi] *m* declive *m*; **em ~** en declive

decolagem [deko'laʒẽj] <-**ens**> *f* AERO despegue *m*, decolaje *m AmL*

decolar [deko'lar] *vi* AERO despegar, decolar *AmL*

decompor [dekõw'por] *irr como* **pôr** I. *vt* descomponer II. *vr:* ~-**se** descomponerse

decomposição <-**ões**> [dekõwpozi'sãw, -'õjs] *f* descomposición *f*

decoração <-ões> [dekoɾa'sɐ̃w, -'õjs] f decoración f

decorar [deko'ɾar] vt (*ornamentar*) decorar; (*uma matéria*) memorizar

decorrência [deko'xẽjsja] f consecuencia f; **em ~ de...** como consecuencia de...

decorrer¹ [deko'xer] vi **1.** (*realizar-se*) celebrarse **2.** (*acontecimentos*) ocurrir **3.** (*tempo*) transcurrir

decorrer² [deko'xer] m **no ~ de...** en el transcurso de...

decotado, -a [deko'tadu, -a] adj (*vestido*) escotado, -a

decretar [dekɾe'tar] vt decretar

decurso [de'kursu] m curso m

dedão [de'dɐ̃w] m (*do pé*) dedo m gordo

dedetizar [dedetʃi'zar] vt fumigar

dedicação [dedʒika'sɐ̃w] f sem pl dedicación f

dedicar [dedʒi'kar] <c→qu> **I.** vt dedicar **II.** vr: **~-se** dedicarse

dedicatória [dedʒika'tɔɾja] f dedicatoria f

dedo ['dedu] m dedo m; **~ indicador** dedo índice; **~ mínimo** dedo meñique; **~ do pé** dedo del pié; **~ polegar** dedo pulgar

dedução <-ões> [dedu'sɐ̃w, -'sõjs] f deducción f

deduzir [dedu'zir] vt deducir

defeito [de'fejtu] m defecto m

defeituoso, -a [defejtu'ozu, -'ɔza] adj defectuoso, -a

defender [defẽj'der] **I.** vt defender **II.** vr: **~-se** defenderse

defensiva [defẽj'siva] f defensiva f

defensivo, -a [defẽj'sivu, -a] adj defensivo, -a

defensor(a) [defẽj'sor(a)] <-es> m(f) defensor(a) m(f)

deferir [defe'rir] irr *como preferir* v elev aprobar

defesa [de'feza] f defensa f; **~ do ambiente** defensa del medio ambiente; **~ de tese** defensa de la tesis

deficiente [defisi'ẽjtʃi] mf MED deficiente mf

déficit ['dɛfisitʃi] m déficit m

definição <-ões> [defini'sɐ̃w, -'õjs] definición f

definido, -a [defi'nidu, -a] adj LING definido, -a

definir [defi'nir] vt definir

definitivo, -a [defini'tʃivu, -a] adj definitivo, -a; **em ~** definitivamente

deformação <-ões> [deforma'sɐ̃w, -'õjs] f deformación f

deformar [defor'mar] vt deformar

defrontar-se [defrõw'tarsi] vr: **~ com** enfrentarse con

defronte [dʒi'frõwtʃi] adv (*em frente*) enfrente; **~ a** [*ou* **de**] frente a

defumar [defu'mar] vt ahumar

defunto, -a [de'fũwtu, -a] adj, m, f difunto, -a m, f

degelar [deʒe'lar] vi descongelarse

degradante [degra'dɐ̃ntʃi] adj degradante

degrau [de'graw] m escalón m, peldaño m

dei ['dej] *1. pret perf de* **dar**

deitar [dej'tar] **I.** vt (*na cama*) acostar **II.** vr: **~-se** acostarse

deixar [dej'ʃar] **I.** vt dejar; **~ a.** c

com alguém dejar algo con alguien; ~ **saudades** ser echado en falta; **onde foi que deixei os meus óculos?** ¿dónde habré dejado las gafas? II. *vi (desistir)* dejar; ~ **estar** *inf* no preocuparse; **deixa disso!** ¡basta ya!; ~ **para lá** *inf* no preocuparse

dela ['dɛlɐ] = **de + ela** *v.* **de**

delatar [delɐ'tar] *vt* delatar

dele ['deli] = **de + ele** *v.* **de**

delegação <-ões> [delega'sɐ̃w, -'õjs] *f* delegación *f*

delegacia [delega'sia] *f (da polícia)* comisaría *f*

delegado, -a [dele'gadu, -a] *m, f (da polícia)* comisario, -a *m, f*

delegar [dele'gar] <g→gu> *vt* delegar

deletar [dele'tar] *vt* INFOR borrar

delfim <-ins> [dew'fij] *m* delfín *m*

delgado, -a [dew'gadu, -a] *adj* fino, -a

deliberação <-ões> [deliberɐ'sɐ̃w, -'õjs] *f* deliberación *f*

deliberar [delibe'rar] I. *vt* decidir II. *vi* deliberar

delicadeza [delika'deza] *f* delicadeza *f*

delicado, -a [deli'kadu, -a] *adj* delicado, -a

delícia [de'lisja] *f* delicia *f*; **ser uma** ~ ser delicioso

deliciar [delisi'ar] I. *vt* deleitar II. *vr:* ~**-se com a. c.** deleitarse con algo

delicioso, -a [delisi'ozu, -'ɔza] *adj* delicioso, -a

delineador [delineɐ'dor] *m (de olhos)* lápiz *m* de ojos; *(de lábios)* lápiz *m* de labios

delinquência [delĩj'kwẽjsja] *f* delincuencia *f*

delinquente [delĩj'kwẽjtʃi] *mf* delincuente *m/f*

delirar [deli'rar] *vi* delirar

delírio [de'liriw] *m* delirio *m*

delito [de'litu] *m* JUR delito *m*

demais [de'majs] I. *adv* demasiado; **isso já está** ~**!** ¡eso es demasiado!; **isso/ele é** ~**!** *inf* ¡eso/él es demasiado! II. *pron indef* **os** ~ los demás

demasia [dema'zia] *f* exceso *m*; **em** ~ en demasía

demasiadamente [demazjada'mẽjtʃi] *adv* demasiado

demasiado, -a [demazi'adu, -a] *adj* demasiado, -a

demência [de'mẽjsja] *f sem pl* demencia *f*

demente [de'mẽjtʃi] *adj* demente

demissão <-ões> [demi'sɐ̃w, -'õjs] *f* dimisión *f*; *(exoneração)* despido *m*; **pedir** ~ renunciar al cargo

demitir [demi'tʃir] I. *vt* despedir II. *vr:* ~**-se** despedirse

demo ['demu] *m* INFOR demo *f*

democracia [demokrɐ'sia] *f* democracia *f*

democrático, -a [demo'kratʃiku, -a] *adj* democrático, -a

demolição <-ões> [demoli'sɐ̃w, -'õjs] *f* demolición *f*

demolir [demo'ʎir] *irr* como **abolir** *vt tb. fig* demoler

demônio [de'moniw] *m* demonio *m*

demonstração <-ões> [demõwstrɐ'sɐ̃w, -'õjs] *f* demostración *f*

demonstrar [demõws'trar] *vt* demostrar

demora [de'mɔra] *f* (*atraso*) demora *f*; **sem ~** sin demora

demorado, -a [demo'radu, -a] *adj* lento, -a

demorar [demo'rar] I. *vi* tardar; **~ a chegar** tardar en llegar; **(ainda) demora muito?** ¿va a tardar mucho? II. *vr*: **~-se** tardar

denominação <-ões> [denomina'sãw, -'õjs] *f* denominación *f*

densidade [dẽjsi'dadʒi] *f* sem pl densidad *f*

denso, -a ['dẽjsu, -a] *adj* (*compacto*) denso, -a

dentadura [dẽjta'dura] *f* dentadura *f*

dente ['dẽjtʃi] *m* diente *m*; **~ de leite** diente de leche; **~ de siso** muela *f* del juicio; **escovar os ~s** cepillarse los dientes

dentista [dẽj'tʃista] *mf* dentista *mf*

dentre ['dẽjtri] = **de + entre** *v*. **de**

dentro ['dẽjtru] *adv* dentro; **aí ~** ahí dentro; **de ~** de dentro; **~ em pouco** [*ou* **de pouco tempo**] dentro de poco; **vai lá dentro** entra ahí; **~ de cinco dias** dentro de cinco días

denúncia [de'nũwsja] *f* denuncia *f*

denunciar [denũwsi'ar] *vt* denunciar

departamento [departa'mẽjtu] *m* departamento *m*

dependência [depẽj'dẽjsja] *f* dependencia *f*

dependente [depẽj'dẽjtʃi] I. *adj* dependiente; **ser ~ de alguém** depender de alguien II. *mf* dependiente *mf*

depender [depẽj'der] *vt* depender

depilação <-ões> [depila'sãw, -'õjs] *f* depilación *f*; **fazer ~** depilarse

depilar [depi'lar] I. *vt* depilar II. *vr*: **~-se** depilarse

depoimento [depoi'mẽjtu] *m* testimonio *m*

depois [de'pojs] *adv* después; **~ de** después de; **~ de amanhã** pasado mañana; **e ~?** ¿y luego?

depor [de'por] *irr como* **pôr** *vi, vt* JUR declarar

deportação <-ões> [deporta'sãw, -'õjs] *f* deportación *f*

deportar [depor'tar] *vt* deportar

depositar [depozi'tar] *vt* depositar; **~ em dinheiro** ingresar en dinero

depósito [de'pɔzitu] *m* depósito *m*

depreciar [depresi'ar] I. *vt* 1. (*desvalorizar*) depreciar 2. (*menosprezar*) despreciar II. *vr*: **~-se** depreciarse

depredar [depre'dar] *vt* destrozar

depressa [de'prɛsa] *adv* deprisa

depressão <-ões> [depre'sãw, -'õjs] *f* depresión *f*

deprimido, -a [depri'midu, -a] *adj* deprimido, -a

deprimir [depri'mir] I. *vt* deprimir II. *vr*: **~-se** deprimirse

deputado, -a [depu'tadu, -a] *m, f* diputado, -a

deriva [de'riva] *m* deriva *f*; **à ~** a la deriva

derivado [deri'vadu] *m* derivado *m*

derramar [dexa'mar] *vt* derramar

derrame [de'xɐmi] *m* MED derrame *m*

derrapar [dexa'par] *vi* derrapar

derreter [dexe'ter] I. *vi* (*gelo, cora-*

derrota [de'xɔta] *f* derrota *f*

derrotar [dexo'tar] *vt* derrotar

derrubar [dexu'bar] *vt* derribar

desabafar [dʒizaba'far] I. *vi* desahogarse II. *vr*: ~-**se** desahogarse

desabafo [dʒiza'bafu] *m* desahogo *m*; **foi um** ~! ¡estaba desahogándome!

desabar [dʒiza'bar] *vi* 1. (*terra*) desprenderse 2. (*telhado, muro*) derrumbarse 3. (*chuva*) desatarse

desabitado, -a [dʒizabi'tadu, -a] *adj* deshabitado, -a

desabituado, -a [dʒizabitu'adu, -a] *adj* desacostumbrado, -a

desabotoar [dʒizabotu'ar] <*1. pess pres:* desabotôo> *vt* desabotonar

desacato [dʒiza'katu] *m* desacato *m*; ~ **à autoridade** desacato a la autoridad

desacompanhado, -a [dʒizakõwpã'nadu, -a] *adj* solo, -a

desaconselhável <-eis> [dʒizakõwse'ʎavew, -ejs] *adj* desaconsejable

desacordado, -a [dʒizakor'dadu, -a] *adj* inconsciente

desacordo [dʒiza'kordu] *m* desacuerdo *m*; (*divergência*) divergencia *f*

desafiar [dʒizafi'ar] *vt* desafiar

desafinado, -a [dʒizafi'nadu, -a] *adj* desafinado, -a

desafio [dʒiza'fiw] *m* desafío *m*

desaforado, -a [dʒizafo'radu, -a] *adj* insolente

desaforo [dʒiza'foru] *m* insolencia *f*

desafortunado, -a [dʒizafortu'nadu, -a] *adj* desafortunado, -a

desagradar [dʒizagra'dar] *vi* desagradar

desagradável <-eis> [dʒizagra'davew, -ejs] *adj* desagradable

desajeitado, -a [dʒiza3ej'tadu, -a] *adj* torpe

desajuste [dʒiza'3ustʃi] *m* desajuste *m*

desalojar [dʒizalo'3ar] *vt* desalojar

desamarrar [dʒizama'xar] *vt* desatar

desanimado, -a [dʒizani'madu, -a] *adj* desanimado, -a

desanimar [dʒizani'mar] I. *vt* desanimar II. *vi* desanimarse

desânimo [dʒi'zanimu] *m* desánimo *m*

desaparecer [dʒizapare'ser] <c→ç> *vi* desaparecer

desaparecido, -a [dʒizapare'sidu, -a] *adj, m, f* desaparecido, -a *m, f*

desaparecimento [dʒizaparesi'mẽjtu] *m* desaparición *f*

desapontado, -a [dʒizapõw'tadu, -a] *adj* decepcionado, -a

desapontar [dʒizapõw'tar] *vt* decepcionar

desapontamento [dʒizapõwta'mẽjtu] *m* decepción *f*

desarmar [dʒizar'mar] I. *vt* desarmar II. *vi* desarmarse

desarranjar [dʒizaxãŋ'3ar] *vt* desordenar; (*o estômago*) revolver

desarranjo [dʒiza'xãŋ3u] *m* desorden *m*; ~ **intestinal** descomposición *f*

desarrumação <-ões> [dʒizaxuma'sãw, -'õjs] *f* desorden *m*

desarrumar [dʒizaxu'mar] *vt* desordenar

desastrado, -a [dʒizas'tradu, -a] *adj* torpe

desastre [dʒi'zastri] *m* desastre *m*

desatar [dʒiza'tar] *vt* desatar; ~ **a fazer a. c.** romper a hacer algo

desativar [dʒizatʃi'var] *vt* desactivar

desavergonhado, -a [dʒizavergõ'ɲadu, -a] *adj* desvergonzado, -a

desbaratar [dʒizbara'tar] *vt* malgastar

desbravar [dʒizbra'var] *vt* (*terras*) explorar; (*caminho*) limpiar

descabido, -a [dʒiska'bidu, -a] *adj* impropio, -a

descafeinado, -a [dʒiskafei'nadu, -a] *adj* descafeinado, -a

descalçar [dʒiskaw'sar] <ç→c> I. *vt* quitarse; (*rua*) quitar las piedras de II. *vr*: ~-**se** descalzarse

descalço, -a [dʒis'kawsu, -a] *adj* (*sem calçado*) descalzo, -a; **andar** ~ ir descalzo

descansado, -a [dʒiskãn'sadu, -a] *adj* descansado, -a; **fique** ~! ¡no te preocupes!

descansar [dʒiskãn'sar] *vi* descansar

descanso [dʒis'kãnsu] *m* (*repouso*) descanso *m*; (*do telefone*) base *f*

descaramento [dʒiskara'mẽjtu] *m* descaro *m*

descarga [dʒis'karga] *f* **1.** (*de caminhão, disparos*) descarga *f* **2.** (*de vaso sanitário*) cadena *f*; **dar a** ~ tirar de la cadena

descarregar [dʒiskaxe'gar] <g→gu> *vt* descargar

descarrilar [dʒiskaxi'lar] *vi tb. fig* descarrilar

descartável <-eis> [dʒiskar'tavew, -ejs] *adj* desechable

descascar [dʒiskas'kar] <c→qu> I. *vt* (*fruta, batata*) pelar II. *vi* (*pele*) pelarse; (*tinta*) soltarse

descendência [desẽj'dẽsja] *f* descendencia *f*

descendente [desẽj'dẽtʃi] I. *mf* descendiente *mf* II. *adj* **1.** (*decrescente*) decreciente **2.** (*proveniente*) descendiente

descer [de'ser] <c→ç> I. *vt* bajar II. *vi* **1.** (*preço, avião*) descender **2.** (*da bicicleta, do ônibus*) bajarse

descida [de'sida] *f* bajada *f*

descoberta [dʒisko'bɛrta] *f* descubrimiento *m*

descoberto [dʒisko'bɛrtu] *pp de* **descobrir**

descoberto, -a [dʒisko'bɛrtu, -a] *adj* descubierto, -a

descobridor(a) [dʒiskobri'dor(a)] <-es> *m(f)* descubridor(a) *m(f)*

descobrir [dʒisko'brir] *irr como dormir vt* <*pp:* coberto> descubrir

descolar [dʒisko'lar] *vt* despegar; **eles não descolam um do outro** no se despegan el uno del otro

descompactar [dʒiskõwpak'tar] *vt* INFOR descompactar

descompor [dʒiskõw'por] *irr como pôr vt* descomponer; (*censurar*) reñir

descomposto [dʒiskõw'postu] I. *pp de* **descompor** II. *adj* descompuesto, -a

descomprimir [dʒiskõwpri'mir] *vt* descomprimir

descomprometido, -a [dʒiskõwprome'tʃidu, -a] *adj* sin compromiso

desconcertar [dʒiskõwser'tar] *vt* desconcertar

desconectar [dʒiskonek'tar] *vt* desconectar

desconexão <-ões> [dʒiskonek'sãw, -'õjs] *f* desconexión *f*

desconexo, -a [dʒisko'nɛksu, -a] *adj* inconexo, -a

desconfiado, -a [dʒiskõwfi'adu, -a] *adj* desconfiado, -a

desconfiança [dʒiskõwfi'ãnsa] *f* desconfianza *f*

desconfiar [dʒiskõwfi'ar] *vi* desconfiar; ~ **de alguém** desconfiar de alguien; **desconfio que...** sospecho que...

desconfortável <-eis> [dʒiskõwfor'tavew, -ejs] *adj* incómodo, -a

descongelar [dʒiskõwʒe'lar] *vt* descongelar

desconhecer [dʒiskõɲe'ser] <c→ç> *vt* desconocer; (*não reconhecer*) no reconocer

desconhecido, -a [dʒiskõɲe'sidu, -a] *adj, m, f* desconocido, -a *m, f*

descontar [dʒiskõw'tar] *vt* ECON descontar; (*um cheque*) cobrar

descontente [dʒiskõw'tẽtʃi] *adj* descontento, -a

desconto [dʒis'kõwtu] *m* (*dedução*) descuento *m*; ~ **na fonte** descuento en origen

descontraído, -a [dʒiskõwtra'idu, -a] *adj* relajado, -a

descontrair [dʒiskõwtra'ir] *conj como* **sair** I. *vt* relajar II. *vr*: ~-**se** relajarse

descontrolado, -a [dʒiskõwtro'ladu, -a] *adj* descontrolado, -a

descontrolar-se [dʒiskõwtro'larsi] *vr* descontrolarse

descrédito [dʒis'krɛdʒitu] *m* descrédito *m*

descrever [dʒiskre'ver] <*pp*: descrito> *vt* describir

descrição <-ões> [dʒiskri'sãw, -'õjs] *f* descripción *f*

descrito [dʒis'kritu] *pp de* **descrever**

descuidado, -a [dʒiskuj'dadu, -a] *adj* descuidado, -a

descuidar [dʒiskuj'dar] I. *vt* descuidar II. *vr*: ~-**se** descuidar

descuido [dʒis'kujdu] *m* descuido *m*

desculpa [dʒis'kuwpa] *f* disculpa *f*; **pedir** ~(**s**) **a alguém por a. c.** pedir disculpa a alguien por algo

desculpar [dʒiskul'par] I. *vt* disculpar; **desculpe!** ¡perdón! II. *vr*: ~-**se por a. c.** disculparse por algo

desde [dez'dʒi] I. *prep* desde; ~ **então** desde entonces; ~ **há muito** desde hace mucho tiempo; ~ **logo** desde luego II. *conj* **1.** (*temporal*) ~ **que** desde que **2.** (*se*) ~ **que... siempre que...**

desejar [deze'ʒar] *vt* desear; **o que deseja?** ¿qué desea?

desejável <-eis> [deze'ʒavew, -ejs] *adj* deseable

desejo [de'zeʒu] *m* deseo *m*; **ter** ~ **de fazer a. c.** desear hacer algo

desembaraçar [dʒizĩbara'sar] <ç→c> I. *vt* **1.** (*cabelo*) desenmarañar; (*caminho*) despejar **2.** (*livrar*) librar II. *vr*: ~-**se de a. c./alguém** desembarazarse de algo/alguien

desembaraço [dʒizĩba'rasu] *m* desinhibición *f*

desembarcar [dʒizĩbar'kar] <c→qu> *vi* (*do avião, navio*) desembarcar; (*do trem*) bajarse

desembarque [dʒizĩ'barki] *m* desembarque *m*

desembrulhar [dʒizĩbru'ʎar] *vt* desenvolver

desempacotar [dʒizĩpako'tar] *vt* desempaquetar

desempenhar [dʒizĩpẽ'ɲar] *vt* desempeñar

desempenho [dʒizĩ'peɲu] *m* **1.** (*de uma função*) desempeño *m* **2.** (*de uma máquina*) rendimiento *m* **3.** (*atuação*) actuación *f*

desempregado, -a [dʒizĩpre'gadu, -a] *adj, m, f* desempleado *m, f*, cesante *mf Chile, Cuba, Méx*

desemprego [dʒizĩ'pregu] *m* desempleo *m*

desencargo [dʒizĩ'kargu] *m* **por ~ de consciência** para no tener cargo de conciencia

desencontrar-se [dʒizĩkõ'trarsi] *vr* no encontrarse

desencontro [dʒizĩ'kõtru] *m* desencuentro *m*

desencorajar [dʒizĩkora'ʒar] *vt* desanimar

desenganado, -a [dʒizĩgɐ'nadu, -a] *adj* (*doente*) desahuciado, -a

desenganar [dʒizĩgɐ'nar] *vt* (*não dar esperanças*) desahuciar; (*desiludir*) desengañar

desengano [dʒizĩ'gɐnu] *m* desengaño *m*

desenhar [dezẽ'ɲar] *vt* dibujar; (*um plano*) diseñar

desenhista [dezẽ'ɲista] *mf* dibujante *mf*; (*de móveis*) diseñador(a) *m(f)*

desenho [de'zeɲu] *m* dibujo *m*; **~ animado** dibujos animados

desenredar [dʒizĩxe'dar] *vt* desenredar

desenrolar [dʒizĩxo'lar] **I.** *vt* desenrollar **II.** *vr*: **~-se** (*acontecimento*) desencadenarse

desentender-se [dʒizĩtẽdʒi'dersi] *vr*: **~ com alguém** discutir con alguien

desentendimento [dʒizĩtẽdʒidʒi'mẽtu] *m* discusión *f*; **ter um ~ com alguém** discutir con alguien

desentupir [dʒizĩtu'pir] *irr como subir vt* desatascar

desenvolver [dʒizĩvow'ver] **I.** *vt* desarrollar **II.** *vr*: **~-se** desarrollarse

desenvolto, -a [dʒizĩ'vowtu, -a] *adj* desenvuelto, -a

desenvoltura [dʒizĩvow'tura] *f* desenvoltura *f*

desenvolvido, -a [dʒizĩvow'vidu, -a] *adj* desarrollado, -a

desenvolvimento [dʒizĩvowvi'mẽtu] *m* desarrollo *m*

desequilibrado, -a [dʒizikiʎi'bradu, -a] *adj* desequilibrado, -a

desequilibrar [dʒizikiʎi'brar] **I.** *vt* desequilibrar **II.** *vr*: **~-se** desequilibrarse

deserto [de'zɛrtu] *m* desierto *m*

deserto, -a [de'zɛrtu, -a] *adj* desierto, -a

desesperado, -a [dʒizispe'radu, -a] *adj* desesperado, -a

desesperador(a) [dʒizispera'dor(a)] <-es> *adj* desesperante

desesperar [dʒizispe'rar] I. *vi, vt* desesperar II. *vr:* ~-**se** desesperarse

desespero [dʒizis'peru] *m* desesperación *f*

desfalecer [dʒisfale'ser] <c→ç> *vi* desfallecer

desfavorável <-eis> [dʒisfavo'ravew, -ejs] *adj* desfavorable

desfavorecido, -a [dʒisfavore'sidu, -a] *adj* desfavorecido, -a

desfazer [dʒisfa'zer] *irr como* **fazer** I. *vt* deshacer; ~ **as malas** deshacer las maletas II. *vr:* ~-**se** deshacerse

desfeita [dʒis'fejta] *f* desaire *m*

desfeito [dʒis'fejtu] *pp de* **desfazer**

desfilar [dʒisfi'lar] *vi* desfilar

desfile [dʒis'fiʎi] *m* desfile *m*

desflorestamento [dʒisfloresta'mẽjtu] *m* deforestación *f*

desflorestar [dʒisflores'tar] *vt* deforestar

desforra [dʒis'fɔxa] *f* revancha *f*; **tirar** [*ou* **dar**] **a** ~ tomarse la revancha

desfrutar [dʒisfru'tar] *vi* ~ **de a. c.** disfrutar de algo

desgastante [dʒizgas'tãntʃi] *adj* desgastador(a)

desgastar-se [dʒizgas'tarsi] *vr* desgastarse

desgaste [dʒiz'gastʃi] *m* desgaste *m*

desgostar [dʒizgos'tar] *vt* disgustar

desgosto [dʒiz'gostu] *m* **1.** (*desagrado*) tristeza *f* **2.** (*aborrecimiento*) disgusto *m*

desgraça [dʒiz'grasa] *f* desgracia *f*

desgraçado, -a [dʒizgra'sadu, -a] *adj,* *m, f* desgraciado, -a *m, f*

desgrenhado, -a [dʒizgrẽ'ɲadu, -a] *adj* desgreñado, -a

desidratação [dʒizidrata'sãw] *f sem pl* deshidratación *f*

desidratar [dʒizidra'tar] I. *vt* deshidratar II. *vr:* ~-**se** deshidratarse

designar [dezig'nar] *vt* designar; (*determinar*) determinar

designer [dizaj'ner] *mf* diseñador(a) *m(f)*

desigual <-ais> [dʒizi'gwaw, -'ajs] *adj* desigual

desiludido, -a [dʒizilu'dʒidu, -a] *adj* desilusionado, -a

desiludir [dʒizilu'dʒir] I. *vt* desilusionar II. *vr:* ~-**se com alguém** desilusionarse con alguien

desilusão <-ões> [dʒizilu'zãw, -'õjs] *f* desilusión *f*; **ter uma** ~ sufrir una desilusión

desimpedido, -a [dʒizĩpi'dʒidu, -a] *adj* (*tráfego*) despejado, -a

desinfetante [dʒizĩfe'tãntʃi] *adj, m* desinfectante *m*

desinfetar [dʒizĩfe'tar] *vi, vt* desinfectar

desinibido, -a [dʒizini'bidu, -a] *adj* desinhibido

desinteressar-se [dʒizĩtere'sarsi] *vr:* ~ **de a. c.** desinteresarse por algo

desinteresse [dʒizĩte'resi] *m* desinterés *m*

desintoxicação <-ões> [dʒizĩtoksika'sãw, -'õjs] *f* desintoxicación *f*

desintoxicar-se [dʒizĩtoksi'karsi] <c→qu> *vr* desintoxicarse

desistir [dʒizis'tʃir] *vi* desistir; ~ **de**

desleal <-ais> [dʒizle'aw, -'ajs] *adj* desleal

deslealdade [dʒisleaw'dadʒi] *f* deslealtad *f*

desleixado, -a [dʒizlej'ʃadu, -a] *adj* descuidado, -a

desligado, -a [dʒiz/i'gadu, -a] *adj* **1.** (*aparelho*) apagado, -a **2.** *inf* (*pessoa*) distraído, -a; **ele é ~ de tudo!** ¡no se entera de nada!

desligar [dʒiz/i'gar] <g→gu> I. *vt* **1.** (*um aparelho, a luz, o motor*) apagar **2.** TEL colgar; **não desligue!** ¡no cuelgue! II. *vr:* **~-se** desvincularse

deslizamento [dʒiz/iza'mẽjtu] *m* deslizamiento *m*

deslizar [dʒiz/i'zar] *vi* (*mover-se*) deslizarse; (*escorregar*) patinar

deslocado, -a [dʒizlo'kadu, -a] *adj* fuera de lugar

deslocar [dʒizlo'kar] <c→qu> I. *vt* (*um osso, membro*) dislocar II. *vr:* **~-se** desplazarse

deslumbrado, -a [dʒizlũw'bradu, -a] I. *adj* deslumbrado, -a II. *m, f persona que queda deslumbrada fácilmente*

deslumbrar [dʒizlũw'brar] I. *vt* deslumbrar II. *vr:* **~-se** quedarse deslumbrado

desmaiado, -a [dʒizmaj'adu, -a] *adj* desmayado, -a

desmaiar [dʒizmaj'ar] *vi* desmayarse

desmaio [dʒiz'maju] *m* desmayo *m*

desmanchar [dʒizmãn'ʃar] I. *vt* **1.** (*nó, penteado, plano*) deshacer **2.** (*namoro, noivado*) acabar II. *vr:* **~-se** deshacerse

desmarcar [dʒizmar'kar] <c→qu> *vt* cancelar

desmatamento [dʒizmata'mẽjtu] *m* deforestación *m*

desmedido, -a [dʒizme'dʒidu, -a] *adj* desmedido, -a

desmentir [dʒizmĩj'tʃir] *irr como sentir vt* negar; (*contestar*) desmentir

desmerecer [dʒizmere'ser] <c→ç> *vt* menospreciar

desmesurado, -a [dʒizmezu'radu, -a] *adj* desmesurado, -a

desmontar [dʒizmõw'tar] *vt* desmontar

desmoralizado, -a [dʒizmorali'zadu, -a] *adj* desmoralizado, -a

desmoralizar [dʒizmorali'zar] I. *vt* desmoralizar II. *vr:* **~-se** desmoralizarse

desmoronamento [dʒizmorona'mẽjtu] *m* desmoronamiento *m*

desmoronar [dʒizmoro'nar] *vi* desmoronarse

desnatado, -a [dʒizna'tadu, -a] *adj* desnatado, -a

desnecessário, -a [dʒiznese'sariw, -a] *adj* innecesario, -a

desnível <-eis> [dʒiz'nivew, -ejs] *m* desnivel *m*

desnudar [dʒiznu'dar] *vt* desnudar

desnutrição [dʒiznutri'sãw] *f sem pl* desnutrición *f*

desnutrido, -a [dʒiznu'tridu, -a] *adj* desnutrido, -a

desobedecer [dʒizobede'ser] <c→ç> *vi* desobedecer; **~ a uma lei/a alguém** desobedecer una ley/a alguien

desobediência [dʒizobedʒi'ẽjsia] *f* desobediencia *f*

desobediente [dʒizobedʒi'ẽjtʃi] *adj* desobediente

desobstruir [dʒizobstru'ir] *conj como incluir vt* despejar

desocupado, -a [dʒizoku'padu, -a] *adj* desocupado, -a

desocupar [dʒizoku'par] *vt* desocupar

desodorante [dʒizodo'rãntʃi] *m* desodorante *m*

desonestidade [dʒizonestʃi'dadʒi] *f* deshonestidad *f*

desonesto, -a [dʒizo'nɛstu, -a] *adj* deshonesto

desonra [dʒi'zõwxa] *f* deshonra *f*

desonrar [dʒizõw'xar] *vt* deshonrar

desordeiro, -a [dʒizor'dejru, -a] *adj, m, f* camorrista *mf*

desordem [dʒi'zɔrdẽj] <-ens> *f* desorden *m*

desorganização [dʒizorgɐniza'sãw] *f sem pl* desorganización *f*

desorganizado, -a [dʒizorgɐni'zadu, -a] *adj* desorganizado, -a

desorganizar [dʒizorgɐni'zar] *vt* desorganizar

desorientado, -a [dʒizorjẽj'tadu, -a] *adj* desorientado, -a

desorientar [dʒizorjẽj'tar] I. *vt* desorientar II. *vr*: ~-se desorientarse

despachar [dʒispa'ʃar] *vt* despachar

despacho [dʒis'paʃu] *m* (*de mercadoria, do governo*) despacho *m*; (*candomblé*) ofrenda *f*

despedaçar [dʒispeda'sar] <ç→c> *vt* (*um objeto*) despedazar; *fig* (*o coração*) romper

despedida [dʒispi'dʒida] *f* despedida *f*

despedir [dʒispi'dʒir] *irr como pedir* I. *vt* despedir II. *vr*: ~-se despedirse

despeito [dʒis'pejtu] *m* despecho *m*; **a ~ de** a despecho de

despejar [dʒispe'ʒar] *vt* (*um líquido*) verter; (*os inquilinos*) desalojar

despejo [dʒis'peʒu] *m* desalojo *m*

despensa [dʒis'pẽjsa] *f* despensa *f*

despentear [dʒispẽjtʃi'ar] *conj como passear vt* despeinar

desperdiçar [dʒisperdʒi'sar] <ç→c> *vt* desperdiciar

desperdício [dʒisper'dʒisiw] *m* desperdicio *m*

despertador [dʒisperta'dor] <-es> *m* despertador *m*

despertar [dʒisper'tar] I. *vt* despertar II. *vi* despertarse

despesa [dʒis'peza] *f* gasto *m*; **~s de viagem** gastos de viaje

despido, -a [dʒis'pidu, -a] *adj* 1. (*pessoa*) desvestido, -a; **~ de preconceitos** desprovisto de prejuicios 2. (*árvore, sala*) desnudo, -a

despir [dʒis'pir] *irr como preferir* I. *vt* (*roupa*) quitarse II. *vr*: ~-se (*roupas*) desnudarse

despojar [dʒispo'ʒar] I. *vt* (*roubar*) robar; (*privar*) despojar II. *vr* despojarse

despovoado, -a [dʒispovo'adu, -a] *adj* despoblado, -a

desprender [dʒisprẽj'der] I. *vt* desprender; (*desatar*) soltar II. *vr*: ~-se desprenderse

despreocupado, -a [dʒispɾewku'padu, -a] *adj* despreocupado, -a

desprevenido, -a [dʒispɾevi'nidu, -a] *adj* desprevenido, a; *inf (sem dinheiro)* sin blanca

desprezar [dʒispɾe'zaɾ] *vt* despreciar

desprezível <-eis> [dʒispɾe'zivew, -ejs] *adj* despreciable

desprezo [dʒis'pɾezu] *m* desprecio *m*

desprotegido, -a [dʒispɾote'ʒidu, -a] *adj* desprotegido, -a

desprovido, -a [dʒispɾo'vidu, -a] *adj* desprovisto, -a

desqualificar [dʒiskwaʎifi'kaɾ] <c→qu> *vt* ESPORT descalificar

desquite [dʒis'kitʃi] *m* JUR *(separação)* separación *f*

desrespeitar [dʒisʁespej'taɾ] *vt* no respetar

desrespeito [dʒisʁes'pejtu] *m* falta *f* de respeto

dessa ['dɛsa] = de + essa *v. de*
desse ['desi] = de + esse *v. de*
desta ['dɛsta] = de + esta *v. de*

destacar [dʒista'kaɾ] <c→qu> I. *vt (sublinhar)* destacar; *(papel)* separar II. *vr:* ~**-se por** destacarse por

destampar [dʒistãn'paɾ] *vt* destapar

destapar [dʒista'paɾ] *vt* destapar

destaque [dʒis'taki] *m* realce *m*; **de ~** destacado, -a

deste ['destʃi] = de + este *v. de*

desterrar [dʒiste'xaɾ] *vt* desterrar

desterro [dʒis'texu] *m* destierro *m*

destilar [dʒistʃi'laɾ] *vt tb. fig* destilar

destinar [destʃi'naɾ] I. *vt* destinar II. *vr:* ~**-se a a. c.** dedicarse a algo

destinatário, -a [dʒistʃina'taɾiw, -a] *m, f* destinatario, -a *m, f*

destino [dʒis'tʃinu] *m* destino *m*

destituir [dʒistʃitu'iɾ] *conj como incluir vt* destituir

destoar [dʒisto'aɾ] <*1. pess pres:* destôo> *vi* MÚS desentonar; ~ **de a. c.** no concordar con algo

destrancar [dʒistɾãn'kaɾ] <c→qu> *vt* desatrancar

destravar [dʒistɾa'vaɾ] *vt (porta)* abrir; *(língua)* soltar

destreza [des'tɾeza] *f* destreza *f*

destro, -a ['dɛstɾu, -a] *adj* diestro, -a

destroçar [dʒistɾo'saɾ] <ç→c> *vt* destrozar; *(o coração)* romper

destroços [dʒis'tɾɔsus] *mpl* restos *mpl*

destruição <-ões> [dʒistɾuj'sãw, -'õjs] *f* destrucción *f*

destruir [dʒistɾu'iɾ] *conj como incluir vt* destruir

destrutivo, -a [dʒistɾu'tʃivu, -a] *adj* destructivo, -a

desumano, -a [dʒizu'mʌnu, -a] *adj* inhumano, -a

desunião <-ões> [dʒizuni'ãw, -'õjs] *f* desunión *f*

desuso [dʒi'zuzu] *m* desuso *m*; **cair/estar em ~** caer/estar en desuso

desvalorização <-ões> [dʒizvaloriza'sãw, -'õjs] *f* desvalorización *f*

desvalorizar [dʒizvaloɾi'zaɾ] I. *vt* desvalorizar II. *vi* desvalorizarse

desvantagem [dʒizvãn'taʒẽj] <-ens> *f* desventaja *f*

desvão <-s> [dʒiz'vãw] *m* desván *m*

desvelo [dʒiz'velu] *m* desvelo *m*

desvencilhar-se [dʒizvẽjsi'ʎaɾsi] *vr:*

~ **de alguém/a. c.** librarse de alguien/algo

desviar [dʒizvi'ar] **I.** vt desviar **II.** vr: ~**-se** desviarse

desvio [dʒiz'viw] m desvío m

detalhado, -a [deta'ʎadu, -a] adj detallado, -a

detalhe [de'taʎi] m detalle m

detenção <-ões> [detẽj'sãw, -õjs] f JUR detención f; **casa de** ~ cárcel f

deter [de'ter] irr como **ter I.** vt **1.** (fazer parar) detener **2.** (fazer demorar) retener **II.** vr: ~**-se** detenerse

detergente [deter'ʒẽjtʃi] m detergente m; ~ **líquido** detergente líquido; ~ **em pó** detergente en polvo

deteriorar [deterjo'rar] **I.** vt deteriorar **II.** vr: ~**-se** deteriorarse

determinação <-ões> [determina'sãw, -õjs] f determinación f

determinado, -a [determi'nadu, -a] adj determinado, -a

detestar [detes'tar] vt detestar

detestável <-eis> [detes'tavew, -ejs] adj detestable

detetive [dete'tʃivi] mf detective mf

detonação <-ões> [detona'sãw, -õjs] f detonación f

detonar [deto'nar] vi, vt detonar

detrás [de'tras] adv detrás; **por** ~ detrás; ~ **de** detrás de

deturpar [detur'par] vt (a verdade) distorsionar

deus(a) ['dews, 'dewza] m(f) dios(a) m(f); **meu Deus (do céu)!** ¡Dios mío!

devagar [dʒiva'gar] adv despacio

devedor(a) [deve'dor(a)] <-es> m(f) deudor(a) m(f)

dever¹ [de'ver] m deber m; **fazer os** ~**es (de casa)** hacer los deberes

dever² [de'ver] vi, vt deber

deveras [de'vɛras] adv de veras

devidamente [devida'mẽjtʃi] adv debidamente

devido [de'vidu] adv ~ **a** debido a

devido, -a [de'vidu, -a] adj (adequado) debido, -a; **com o** ~ **respeito** con el debido respeto

devoção <-ões> [devo'sãw, -õjs] f devoción f

devolução <-ões> [devolu'sãw, -õjs] f devolución f

devolver [devow'ver] vt devolver

dez ['dɛs] num card diez; v.tb. **dois**

dezembro [de'zẽjbru] m diciembre m; v.tb. **março**

dezena [de'zena] f decena f

dezenove [dʒize'nɔvi] num card diecinueve; v.tb. **dois**

dezesseis [dʒize'sejs] num card dieciséis; v.tb. **dois**

dezessete [dʒize'sɛtʃi] num card diecisiete; v.tb. **dois**

dezoito [de'zojtu] num card dieciocho; v.tb. **dois**

dia ['dʒia] m día m; **de** ~ de día; **bom** ~**!** ¡buenos días!; **estar em** ~ estar al día

diabético, -a [dʒia'bɛtʃiku, -a] adj, m, f diabético, -a m, f

diabo [dʒi'abu] m diablo m; **que** ~**!** ¡qué diablos!

diabólico, -a [dʒia'bɔʎiku, -a] adj diabólico, -a

diagnosticar [dʒiagnostʃi'kar] <c→qu> *vt* diagnosticar

diagnóstico [dʒiag'nɔstʃiku] *m* diagnóstico *m*

diagonal <-ais> [dʒiago'naw, -'ajs] *adj, f* diagonal *f*

diagrama [dʒia'grɐma] *m* diagrama *f*

dialeto [dʒia'lɛtu] *m* dialecto *m*

dialogar [dʒialo'gar] <g→gu> *vi* dialogar

diálogo [dʒi'alugu] *m* diálogo *m*

diamante [dʒia'mɐ̃ntʃi] *m* diamante *m*

diante [dʒi'ɐ̃ntʃi] I. *adv* adelante; **de hoje em ~** de hoy en adelante; **e assim por ~** y así en adelante II. *prep* **~ de 1.** (*local*) delante de **2.** (*perante*) frente a

dianteira [dʒiɐ̃n'tejra] *f* delantera *f*

dianteiro, -a [dʒiɐ̃n'tejru, -a] *adj* delantero, -a

diária [dʒi'aria] *f* (*de hotel*) precio *m* por día; (*de trabalhador*) salario *m*

diário [dʒi'ariw] *m* diario *m*

diário, -a [dʒi'ariw, -a] *adj* diario, -a

diarréia [dʒia'xeja] *f* diarrea *f*

dica ['dʒika] *f inf* consejo *m*

dicionário [dʒisjo'nariw] *m* diccionario *m*

didático, -a [dʒi'datʃiku, -a] *adj* didáctico, -a

diesel ['dʒizew] *m* <sem pl> diésel *m*

dieta [dʒi'ɛta] *f* dieta *f*; **estar de ~** estar a dieta

dietético, -a [dʒie'tɛtʃiku, -a] *adj* dietético, -a

difamar [dʒifa'mar] *vt* difamar

diferença [dʒife'rẽjsa] *f* diferencia *f*

diferente [dʒife'rẽjtʃi] *adj* diferente;

ela está muito ~ está muy cambiada

difícil <-eis> [dʒi'fisiw, -ejs] *adj* difícil

dificílimo [dʒifi'siʎimu] *superl de* **difícil**

dificuldade [dʒifikuw'dadʒi] *f* dificultad *f*

difundir [dʒifũw'dʒir] I. *vt* difundir II. *vr:* **~-se** difundirse

difuso, -a [dʒi'fuzu, -a] *adj* difuso, -a

digerir [dʒiʒe'rir] *irr como preferir vt tb. fig* digerir

digestão [dʒiʒes'tɐ̃w] *f sem pl* digestión *f*; **(não) fazer a ~** (no) hacer la digestión

digital <-ais> [dʒiʒi'taw, -ajs] *adj* digital

digitalizar [dʒiʒitaʎi'zar] *vt* INFOR digitalizar

digitar [dʒiʒi'tar] *vt* (*telefone*) marcar; (*computador*) teclear

dígito ['dʒiʒitu] *m* dígito *m*

dignidade [dʒigni'dadʒi] *f* dignidad *f*

digno, -a [dʒ'ignu, -a] *adj* digno, -a

dilatar [dʒila'tar] *vi* dilatar

dilema [dʒi'lema] *m* dilema *m*

diligência [dʒiʎi'ʒẽjsia] *f* diligencia *f*

diligente [dʒiʎi'ʒẽjtʃi] *adj* diligente

diluir [dʒilu'ir] *conj como incluir vt* (*substância*) disolver

dilúvio [dʒi'luviw] *m tb. fig* diluvio *m*

dimensão <-ões> [dʒimẽj'sɐ̃w, -'õjs] *f* dimensión *f*

diminuição <-ões> [dʒiminuj'sɐ̃w, -'õjs] *f* disminución *f*

diminuir [dʒiminu'ir] *conj como incluir vt* **1.** (*as despesas*) disminuir **2.** (*subtrair*) restar **3.** (*preços*) reducir

Dinamarca [dʒina'marka] f Dinamarca f

dinamarquês, -esa [dʒinamar'kes, -'eza] adj, m, f danés, -esa m, f

dinâmico, -a [dʒi'nɔmiku, -a] adj dinámico, -a

dinamismo [dʒinɜ'mizmu] m sem pl dinamismo m

dinamite [dʒinɜ'mitʃi] m dinamita f

dinheirão [dʒiɲej'rɐ̃w] m sem pl **um ~** inf un dineral

dinheiro [dʒi'ɲejru] m dinero m, plata f AmL; **~ miúdo** calderilla f; **~ trocado** cambio m

dinossauro [dʒino'sawru] m dinosaurio m

diploma [dʒi'ploma] m diploma m

diplomado, -a [dʒiplo'madu, -a] adj diplomado, -a

diplomata [dʒiplo'mata] mf diplomático, -a m, f

direção <-ões> [dʒire'sɐ̃w, -'õjs] f dirección f; **em ~ a** con [o en] dirección a

direita [dʒi'rejta] f derecha f; **à ~** a la derecha

direitinho [dʒirej'tʃiɲu] adv bien; **o vestido serviu ~** el vestido le sentó bien

direito [dʒi'rejtu] **I.** m derecho m; **ter ~ a a. c.** tener derecho a algo **II.** adv correctamente

direito, -a [dʒi'rejtu, -a] adj **1.** (lado, em linha reta) derecho, -a; **mão direita** mano derecha **2.** (pessoa) honrado, -a; **isso não está ~** (justo) eso no es justo

direto, -a [dʒi'rɛtu, -a] adj (eleição, caminho, contato) directo, -a; **transmitir en ~** TV transmitir en directo **II.** adv directo; **ir ~ ao assunto** ir directo al asunto

diretor(a) [dʒire'tor(a)] <-es> m(f) director(a) m(f)

diretório [dʒire'tɔriw] m INFOR directorio m

dirigente [dʒiri'ʒẽjtʃi] mf dirigente mf

dirigir [dʒiri'ʒir] <g→j> **I.** vt **1.** (um negócio, a atenção) dirigir **2.** (um veículo) conducir, manejar AmL **II.** vi conducir, manejar AmL **III.** vr: **~-se** dirigirse

discagem [dʒis'kaʒẽj] <-ens> f TEL llamada f

discar [dʒis'kar] <c→qu> vt TEL marcar

disciplina [dʒisi'plina] f disciplina f; **~ obrigatória** asignatura f obligatoria

discípulo [dʒi'sipulu] m discípulo, -a m, f

disc-jóquei ['dʒiski-'ʒɔkej] mf disc-jockey mf

disco ['dʒisku] m disco m; **~ a laser** disco láser; **~ rígido** disco duro; **~ voador** platillo m volante

discordar [dʒiskor'dar] vi discordar; **~ de alguém** discordar de alguien

discórdia [dʒis'kɔrdʒia] f discordia f

discoteca [dʒisko'tɛka] f discoteca f

discreto, -a [dʒis'krɛtu, -a] adj discreto, -a

discrição [dʒiskri'sɐ̃w] f sem pl discreción f; **fazer a. c. com ~** hacer algo con discreción

discriminação <-ões> [dʒiskrimina'sɐ̃w, -'õjs] f discriminación f

discriminado, -a [dʒiskrimi'nadu, -a] *adj* detallado, -a

discriminar [dʒiskrimi'nar] *vt* discriminar

discurso [dʒis'kursu] *m* discurso *m*

discussão <-ões> [dʒisku'sãw, -'õjs] *f* discusión *f*

discutir [dʒisku'tʃir] *vi, vt* discutir

disfarçar [dʒisfar'sar] <c→ç> I. *vt* disfrazar II. *vi* disfrazarse III. *vr:* ~**-se de a. c.** disfrazarse de algo

disfarce [dʒis'farsi] *m* disfraz *m*

disparado [dʒispa'radu] *adv* disparado; **ele ganhou** ~ ganó por mucho

disparar [dʒispa'rar] *vi, vt* disparar

disparate [dʒispa'ratʃi] *m* disparate *m*

dispensar [dʒispẽj'sar] *vt* prescindir de; *(de um dever)* dispensar; *(demitir)* despedir

dispensável <-eis> [dʒispẽj'savew, -ejs] *adj* dispensable

dispersar [dʒisper'sar] I. *vt* dispersar II. *vi* dispersarse III. *vr:* ~**-se** distraerse

disperso, -a [dʒis'pεrsu, -a] *adj* disperso, -a

disponibilidade [dʒisponibiʎi'dadʒi] *f* disponibilidad *f*

disponível <-eis> [dʒispo'nivew, -ejs] *adj* disponible

dispor¹ [dʒis'por] *m sem pl* disposición *f*; **estar ao ~ de alguém** estar a disposición de alguien

dispor² [dʒis'por] *irr como* pôr *vi* ~ **de** disponer de; **disponha!** ¡a su servicio!

disposição [dʒispozi'sãw] *f* disposición *f*

dispositivo [dʒispozi'tʃivu] *m* dispositivo *m*

disposto [dʒis'postu] *pp de* **dispor**

disposto, -a [dʒis'postu, -a] *adj* dispuesto, -a; **ela está disposta a ajudar** está dispuesta a ayudar; **estar bem/mal ~** estar bien/mal dispuesto

disputa [dʒis'puta] *f* disputa *f*

disputar [dʒispu'tar] *vt* disputar

disquete [dʒis'kεtʃi] *m* INFOR disquete *m*

disse ['dʒisi] *1. pret perf de* **dizer**

dissecar [dʒise'kar] <c→qu> *vt* disecar

dissertação <-ões> [dʒiserta'sãw, -'õjs] *f* disertación *f*

dissimular [dʒisimu'lar] *vi, vt* disimular

dissipar [dʒisi'par] I. *vt* disipar II. *vr:* ~**-se** disiparse

disso ['dʒisu] = **de + isso** *v.* **de**

dissolver [dʒisow'ver] *vt* disolver

distância [dʒis'tãnsia] *f* distancia *f*

distante [dʒis'tãntʃi] I. *adj* distante II. *adv* lejos

distinção <-ões> [dʒistʃĩ'sãw, -'õjs] *f* distinción *f*

distinguir [dʒistʃĩ'gir] I. *vt* distinguir II. *vr:* ~**-se de** distinguirse de

distinto, -a [dʒis'tʃĩtu, -a] *adj (diferente)* distinto, -a; *(educado)* distinguido, -a

disto ['dʒistu] = **de + isto** *v.* **de**

distração <-ões> [dʒistra'sãw, -'õjs] *f* distracción *f*

distraído, -a [dʒistra'idu, -a] *adj* distraído, -a

distrair [dʒistra'ir] *conj como sair* **I.** *vt* distraer **II.** *vr:* ~-**se** distraerse

distribuição <-ões> [dʒistribui'sãw, -'õjs] *f* distribución *f*

distribuidor(a) [dʒistribui'dor(a)] <-es> *m(f)* distribuidor(a) *m(f)*

distribuir [dʒistribu'ir] *conj como incluir* *vt* distribuir

distrito [dʒis'tritu] *m* distrito *m;* **Distrito Federal** *(no Brasil)* Brasilia *f*

distúrbio [dʒis'turbiw] *m* disturbio *m*

ditado [dʒi'tadu] *m (na escola)* dictado *m;* ~ **popular** dicho popular

ditador(a) [dʒita'dor(a)] <-es> *m(f)* dictador(a) *m(f)*

ditadura [dʒita'dura] *f* dictadura *f*

ditar [dʒi'tar] *vt* dictar

dito ['dʒitu] *pp de* **dizer;** ~ **e feito** dicho y hecho

diurno, -a [dʒi'urnu, -a] *adj* diurno, -a

divã [dʒi'vã] *m* diván *m*

divagar [dʒiva'gar] <g→gu> *vi* divagar

divergir [dʒiver'ʒir] *irr como convergir* *vi* divergir

diversão <-ões> [dʒiver'sãw, -'õjs] *f* diversión *f*

diverso, -a [dʒi'vɛrsu, -a] *adj* diverso, -a

diversões *f pl de* **diversão**

divertido, -a [dʒiver'tʃidu, -a] *adj (pessoa, festa, filme)* divertido, -a

divertimento [dʒivertʃi'mẽjtu] *m* diversión *f*

divertir [dʒiver'tʃir] *irr como vestir* **I.** *vt* divertir **II.** *vr:* ~-**se** divertirse

dívida ['dʒivida] *f* deuda *f*

dividido, -a [dʒivi'dʒidu, -a] *adj* dividido, -a

dividir [dʒivi'dʒir] *vt* dividir

divino, -a [dʒi'vinu, -a] *adj* divino, -a

divisa [dʒi'viza] *f* **1.** *(lema)* divisa *f* **2.** *pl* ECON divisas *fpl* **3.** *(fronteira)* frontera *f*

divisão <-ões> [dʒivi'zãw, -'õjs] *f* división *f*

divorciado, -a [dʒivorsi'adu, -a] *adj* divorciado, -a

divorciar-se [dʒivorsi'arsi] *vr* divorciarse

divórcio [dʒi'vɔrsiw] *m* divorcio *m*

divulgar [dʒivuw'gar] <g→gu> *vt* divulgar

dizer [dʒi'zer] *irr* **I.** *vt* decir; ~ **adeus a** *[ou* **para]** **alguém** decir adiós a alguien; **como se diz isso em inglês?** ¿cómo se dice eso en inglés? **II.** *vi (falar)* decir; **dizem que...** dicen que...; **quer** ~ es decir; ~ **respeito a** tener que ver con

do [du] = **de + o** *v.* **de**

dó ['dɔ] *m* **1.** lástima *f* **2.** MÚS do *m*

doação <-ões> [doa'sãw, -'õjs] *f* donación *f*

doador(a) [doa'dor(a)] <-es> *m(f)* donante *mf;* ~ **de órgãos/sangue** donante de órganos/sangre

doar [do'ar] <*1. pess pres:* **dôo**> *vt* donar

dobrar [do'brar] *vi, vt* doblar

dobro ['dobru] *m* doble *m*

doce ['dosi] *adj, m* dulce *m*

dócil <-eis> ['dɔsiw, -ejs] *adj* dócil

documentação <-ões> [dokumẽjta'sãw, -'õjs] *f* documentación *f*

documento [doku'mẽjtu] *m* documento *m*

doença [du'ẽjsa] *f* MED enfermedad *f*

doente [du'ẽjtʃi] *adj, mf* enfermo, -a *m, f*

doer [du'er] *irr vi* doler

doidão, -ona <-ões> [doj'dɜ̃w, -'ona, -'õjs] *adj gíria* colocado, -a

doido, -a ['dojdu, -a] *adj, m, f* loco, -a *m, f*

dois, duas ['dojs, 'duas] *num card* dos *m*; **a ~** de dos en dos; **são duas (horas)** son las dos; **às duas horas** a las dos; **às duas e meia/e quinze** a las dos y media/y cuarto; **de duas em duas horas** cada dos horas; **o dia ~ de maio** el dos de mayo; **ela tem/faz ~ anos** tiene/cumple dos años

dois-quartos ['dojs-'kwartus] *m inv (apartamento)* piso *m* con dos dormitorios

dólar ['dɔlar] *m* dólar *m*

doleiro, -a [do'lejru, -a] *m, f* cambista *mf* de dólares

dolorido, -a [dolo'ridu, -a] *adj* dolorido, -a

domesticar [domestʃi'kar] <c→qu> *vt* domesticar

doméstico, -a [do'mɛstʃiku, -a] I. *m, f* empleado, -a *m, f* del hogar II. *adj* doméstico, -a

domicílio [domi'siʎiw] *m* domicilio *m*; **entrega em ~** entrega a domicilio

dominar [domi'nar] *vi, vt* dominar

domingo [du'mĩŋgu] *m* domingo *m*; *v.tb.* **segunda-feira**

domínio [do'miniw] *m* dominio *m*

dona ['dona] *f* doña *f*; **~ de casa** ama *f* de casa; **~ Ana** doña Ana

donatário, -a [dona'tariw, -a] *m, f* donatario, -a *m, f*

dono, -a ['donu, -a] *m, f* dueño, -a *m, f*

dopar [do'par] I. *vt* dopar II. *vr*: **~-se** doparse

doping ['dɔpĩj] *m* ESPORT doping *m*

dor ['dor] *f* dolor *m*; **~ de dente** dolor de muelas

dorminhoco, -a [durmi'ɲoku, -'ɔka] *m, f* dormilón, -ona *m, f*

dormir [dur'mir] *irr vi* dormir

dormitório [durmi'tɔriw] *m* dormitorio *m*, recámara *f Chile, Méx, Pan*

dorso ['dorsu] *m* dorso *m*

dosagem [do'zaʒẽj] <-ens> *f* dosificación *f*

dose ['dɔzi] *f* dosis *f inv*

dou ['dow] *1. pres de* **dar**

dourado, -a [dow'radu, -a] *adj* dorado, -a

doutor(a) [dow'tor(a)] <-es> *m(f)* doctor(a) *m(f)*

doutorado [dowto'radu] *m* doctorado *m*

doutorando, -a [dowto'rɜ̃ndu, -a] *m, f* doctorando, -a *m, f*

doutrina [dow'trina] *f* doctrina *f*

download [daw'lowdʒi] *m* INFOR descarga *f*; **fazer um ~** hacer una descarga

doze ['dozi] *num card* doce; *v.tb.* **dois**

Dr. [dow'tor] *abr de* **doutor** Dr.

Dra. [dow'tora] *abr de* **doutora** Dra.

drágea ['draʒia] *f* MED gragea *f*

drama ['drɐmɐ] *m tb. fig* drama *m*

dramático, -a [drɐ'matʃiku, -a] *adj* dramático, -a

dramatizar [drɐmatʃi'zar] *vt* dramatizar

drástico, -a ['drastʃiku, -a] *adj* drástico, -a

driblar [dri'blar] *vt* ESPORT driblar; (*enganar*) esquivar

drinque ['driŋki] *m* copa *f*

drive ['drajvi] *m* INFOR unidad *f*

droga ['drɔga] *f* droga *f*

drogado, -a [dro'gadu, -a] *adj, m, f* drogado, -a *m, f*

drogar-se [dro'garsi] <g→gu> *vr* drogarse

drogaria [droga'ria] *f* droguería *f*

duas ['duas] *num card v.tb.* **dois**

ducha ['duʃa] *f* ducha *f;* **tomar uma ~** ducharse

duelo [du'ɛlu] *m* duelo *m*

dulcíssimo [duw'sisimu] *superl de* **doce**

dum [dũw] = **de + um** *v.* **de**

duma ['dumɐ] = **de + uma** *v.* **de**

dupla ['dupla] *f* MÚS pareja *f*

duplicar [dupli'kar] <c→qu> **I.** *vt* duplicar **II.** *vi* duplicarse

duplo, -a ['duplu, -a] *adj* doble

duque, sa ['duki, du'kezɐ] *m, f* duque(sa) *m(f)*

durabilidade [durabiʎi'dadʒi] *f sem pl* durabilidad *f*

duração [dura'sãw] *f sem pl* duración *f*

duradouro, -a [dura'dowru, -a] *adj* duradero, -a

durante [du'ãntʃi] *prep* durante

durar [du'rar] *vi* durar

durex® [du'rɛks] *m* cinta *f* adhesiva; **a fita ~** la cinta adhesiva

dureza [du'reza] *f* dureza *f*

duro, -a ['duru, -a] *adj* duro, -a

duty-free shop ['dɐtʃi-fri-ʃõpi] *m* duty-free *m inv*

dúvida ['duvida] *f* duda *f*

duvidar [duvi'dar] *vi* dudar

duvidoso, -a [duvi'dozu, -'ɔza] *adj* dudoso, -a

duzentos, -as [du'zẽjtus] *num card* doscientos, -as

dúzia ['duzia] *f* docena *f;* **meia ~ (de)** media docena (de)

DVD [deve'de] *m* DVD *m*

E

E, e ['e] *m* E, e *f*

e [i] *conj* **1.** (*mais*) y **2.** (*mas*) pero

é [i] **3.** *pres de* **ser**

ébrio, -a ['ɛbriw, -a] *adj, m, f* borracho, -a *m, f*

ebulição <-ões> [ebuli'sãw, -'õjs] *f* ebullición *f*

eclesiástico, -a [eklezi'astʃiku, -a] *adj* eclesiástico, -a

eclipse [e'klipsi] *m* eclipse *m*

eco ['ɛku] *m* eco

ecografia [ekogra'fia] *f* ecografía *f*

ecologia [ekolo'ʒia] *f sem pl* ecología *f*

ecológico, -a [eko'lɔʒiku, -a] *adj* ecológico, -a

economia [ekono'mia] *f* economía *f*

economias [ekono'mias] *fpl* ahorros *mpl*

econômico, -a [eko'nomiko, -a] *adj* económico, -a

economista [ekono'mista] *mf* economista *mf*

economizar [ekonomi'zar] *vi, vt* ahorrar

ecossistema [εkosis'tema] *m* ecosistema *m*

eczema [ek'zema] *m* eccema *m*

edição <-ões> [edʒi'sãw, -'õjs] *f* edición *f*

edifício [edʒi'fisiw] *m* edificio *m*

editar [edʒi'tar] *vt* editar

editor [edʒi'tor] *m* INFOR editor *m*

editor(a) [edʒi'tor(a)] **I.** *adj* editorial **II.** *m(f)* editor(a) *m(f)*

editora [edʒi'tora] *f* (*empresa*) editorial *m*

editorial <-ais> [edʒitori'aw, -'ajs] *adj, m* editorial *m*

edredom [edre'dõw] <-ns> *m* edredón *m*

educação <-ões> [eduka'sãw] *sem pl f* educación *f*

educado, -a [edu'kadu, -a] *adj* educado, -a

educar [edu'kar] <c → qu> *vt* educar

educativo, -a [eduka'tʃivu, -a] *adj* educativo, -a

efeito [e'fejtu] *m* efecto *m*

efervescente [eferve'sẽjtʃi] *adj* efervescente; *fig* agitado, -a

efetivamente [efetʃiva'mẽjtʃi] *adv* efectivamente

efetivar [efetʃi'var] *vt* (*efetuar*) realizar

efetivo, -a [efe'tʃivu, -a] *adj* (*real*) efectivo, -a

efetuar [efetu'ar] *vt* efectuar; ~ **buscas** efectuar búsquedas

eficaz [efi'kas] *adj* eficaz

eficiente [efisi'ẽjtʃi] *adj* eficiente

egípcio, -a [e'ʒipsiw, -a] *adj, m, f* egipcio, -a *m, f*

Egito [e'ʒitu] *m* Egipto *m*

egoísmo [ego'izmu] *m* egoísmo *m*

egoísta [ego'ista] *adj, mf* egoísta *mf*

égua ['εgwa] *f* yegua *f*

ei ['ej] *interj* eh

ei-lo, -a ['ej-lu, -a] = **eis** + **o** *v.* **eis**

eis ['ejs] *adv* aquí está; **ei-lo** aquí está

eixo ['ejʃu] *m* eje *m*

ejacular [eʒaku'lar] **I.** *vt* (*líquido*) expulsar **II.** *vi* eyacular

ela ['εla] <elas> *pron pess* ella; ~ **foi embora** se ha ido; **saí com** ~ salí con ella; **para** ~ para ella

elaboração <-ões> [elabora'sãw, -õjs] *f* elaboración *f*

elaborar [elabo'rar] *vt* elaborar

elas ['εlas] *pron pess pl v.* **ela**

elástico [e'lastʃiku] *m* goma *f* elástica

ele ['eλi] <eles> *pron pess* él; ~ **foi embora** se ha ido; **saí com** ~ salí con él; **para** ~ para él

elefante [ele'fãntʃi] *m* elefante *m*

elegância [ele'gãnsia] *f* elegancia *f*

elegante [ele'gãntʃi] *adj* elegante

eleger [ele'ʒer] <*pp*: **eleito** *ou* **elegido**; g→j> *vt* elegir

eleição <-ões> [elej'sãw, -'õjs] *f* elección *f*

eleito [e'lejtu] *pp irr de* **eleger**

eleitor(a) [elej'tor(a)] *m(f)* elector(a) *m(f)*
elemento [ele'mẽjtu] *m* elemento *m*
elenco [e'lẽjku] *m* elenco *m*
eles ['eʎis] *pron pess pl v.* **ele**
eletricidade [eletrisi'dadʒi] *f* electricidad *f*
eletricista [eletri'sista] *mf* electricista *mf*
elétrico, -a [e'lɛtriku, -a] *adj* eléctrico, -a
eletrodo [ele'trodu] *m* electrodo *m*
eletrodoméstico [elɛtrodo'mɛstʃiku] *m* electrodoméstico *m*
eletrônica [ele'tronika] *f sem pl* electrónica *f*
eletrônico, -a [ele'tronika, -a] *adj* electrónico, -a
elevado [ele'vadu] *m* vía *f* elevada
elevador [eleva'dor] <-es> *m* ascensor *m*, elevador *m AmC*
elevar [ele'var] *vt* elevar; *(exaltar)* elogiar
eliminar [eʎimi'nar] *vt* eliminar
elipse [e'ʎipsi] *f* **1.** LING elipsis *f inv* **2.** MAT elipse *f*
elite [e'ʎitʃi] *f* élite *f*
elogiar [eloʒi'ar] *vt* elogiar
elogio [elo'ʒiw] *m* elogio *m*
eloquência [elo'kwẽjsia] *f sem pl* elocuencia *f*
eloquente [elo'kwẽjtʃi] *adj* elocuente
em [ĩj] *prep* **1.** *(local)* en; **estar na gaveta/no bolso** estar en el cajón/en el bolsillo; **entrar no avião/no ônibus** entrar en el avión/en el autobús; ~ **casa** en casa; **no Brasil** en Brasil; ~ **cima** encima **2.** *(temporal)* en; ~ **dois dias** en dos días; ~ **março** en marzo **3.** *(modo)* ~ **português** en portugués; **estar** ~ **pé** estar de pie; ~ **silêncio** en silencio; ~ **forma** en forma **4.** *(diferença)* en; **aumentar/diminuir** ~ **5%** aumentar/disminuir en un 5%
emagrecer [emagre'ser] <c→ç> *vi* adelgazar
e-mail [e'meiw] *m* correo *m* electrónico
emanar [emɜ'nar] *vi* emanar
emancipado, -a [emɜ̃nsi'padu, -a] *adj* emancipado, -a
emancipar [emɜ̃nsi'par] **I.** *vt* emancipar **II.** *vr:* **~-se** emanciparse
embaixada [ĩjbaj'ʃada] *f* embajada *f*
embaixador(a) [ĩjbajʃa'dor(a)] *m(f)* embajador(a) *m(f)*
embaixatriz [ĩjbajʃa'tris] *f* embajadora *f*
embaixo [ĩj'bajʃu] **I.** *adv* debajo **II.** *prep* ~ **de** debajo de; ~ **da escada** debajo de la escalera
embalado [ĩjba'ladu] *adv* **ir** ~ ir embalado
embalagem [ĩjbala'ʒẽj] <-ens> *f* envoltorio *m*
embalar [ĩjba'lar] *vt* **1.** *(uma encomenda)* empaquetar, envolver **2.** *(uma criança)* arrullar
embaraçar [ĩjbara'sar] <ç→c> **I.** *vt* **1.** *(constranger)* avergonzar **2.** *(emaranhar)* enredar; *(obstruir)* obstruir **II.** *vr:* **~-se** enredarse
embaraço [ĩjba'rasu] *m* **1.** *(constrangimento)* vergüenza *f* **2.** *(obstáculo)* obstáculo *m*

embaraçoso, -a [ĩbara'sozu, -'ɔza] *adj* embarazoso, -a

embarcação <-ões> [ĩbarkaˈsãw, -'õjs] *f* embarcación *f*

embarcar [ĩbarˈkar] <c→qu> *vi, vt* embarcar

embargo [ĩ'bargu] *m* embargo *m*

embarque [ĩ'barki] *m* embarque *m*

embebedar [ĩbebeˈdar] I. *vi, vt* emborrachar II. *vr:* ~**-se** emborracharse, jalarse *AmL*

embelezar [ĩbeleˈzar] *vt* embellecer

emblema [ĩˈblema] *m* emblema *m*

embora [ĩ'bɔra] I. *adv* **ir(-se)** ~ marcharse; **vá** ~**!** ¡vete!; **não vá** ~**!** ¡no te vayas!; **mandar alguém** ~ echar a alguien II. *conj* +*subj* aunque; **vamos passear,** ~ **esteja chovendo** vamos a pasear, aunque esté lloviendo

embreagem [ĩbreˈaʒẽj] <-ns> *f* embrague *m*

embriagado, -a [ĩbriaˈgadu, -a] *adj* embriagado, -a

embriagar-se [ĩbriaˈgarsi] <g→gu> *vr* embriagarse, tomársela *AmL*

embrião <-ões> [ĩbriˈãw, -'õjs] *m* embrión *m*

embromar [ĩbroˈmar] *inf* I. *vt* (*adiar por meio de embustes*) dar largas a; (*enganar*) engañar II. *vi* (*contar falsidades de si mesmo*) vanagloriarse; (*enrolar*) dar largas

embrulhar [ĩbruˈʎar] *vt* (*um objeto*) envolver; ~ **para presente** envolver para regalo

embrulho [ĩˈbruʎu] *m* envoltorio *m*

embuste [ĩˈbustʃi] *m* (*ardil*) engaño *m*; (*mentira*) embuste *m*

embutir [ĩbuˈtʃir] *vt* (*armário*) empotrar; *fig* meter

emenda [iˈmẽjda] *f* 1. (*correção*) ajuste *m* 2. (*remendo*) arreglo *m* 3. JUR enmienda *f*

emendar [imẽjˈdar] I. *vt* 1. (*um erro*) enmendar 2. (*ajuntar*) juntar II. *vr:* ~**-se** enmendarse

emergência [emerˈʒẽjsia] *f* emergencia *f*; **em caso de** ~ en caso de emergencia

emergir [emerˈʒir] <*pp:* emerso *ou* emergido; g→j> *vi* emerger

emigração <-ões> [emigraˈsãw, -'õjs] *f* emigración *f*

emigrante [emiˈgrãtʃi] *mf* emigrante *mf*

emigrar [emiˈgrar] *vi* emigrar

eminência [emiˈnẽjsia] *f* 1. (*título*) eminencia *f* 2. (*saliência*) protuberancia *f*

eminente [emiˈnẽjtʃi] *adj* 1. (*superior*) eminente 2. (*elevado*) protuberante

emissão <-ões> [emiˈsãw, -'õjs] *f* emisión *f*

emissora [emiˈsora] *f* emisora *f*

emitir [emiˈtʃir] *vt* emitir

emoção <-ões> [emoˈsãw, -'õjs] *f* emoción *f*

emocional <-ais> [emosjoˈnaw, -ajs] *adj* emocional

emocionante [emosjoˈnãtʃi] *adj* emocionante

emocionar [emosjoˈnar] I. *vi, vt* emocionar II. *vr:* ~**-se** emocionarse

emoções [emoˈsõjs] *f pl de* **emoção**

empacotar [ĩpako'tar] *vt* empaquetar

empada [ĩ'pada] *f* GASTR empanadilla *f*

empadão <-ões> [ĩpa'dãw, -'õjs] *m* GASTR empanada *f*

empalidecer [ĩpaʎide'ser] <c→ç> *vi* palidecer

empatar [ĩpa'tar] *vi* ESPORT empatar

empate [ĩ'patʃi] *m* empate *m*

empecilho [ĩpe'siʎu] *m* estorbo *m*

empenhado, -a [ĩpe'ɲadu, -a] *adj* empeñado, -a

empenhar [ĩpẽ'ɲar] I. *vt* empeñar II. *vr*: **~-se** empeñarse

empenho [ĩ'peɲu] *m* empeño *m*

empinado, -a [ĩpi'nadu, -a] *adj* levantado, -a

empinar [ĩpi'nar] *vt* (*erguer*) levantar; (*papagaio*) hacer volar

empobrecer [ĩpobre'ser] <c→ç> *vt* empobrecer

empolgar [ĩpow'gar] <g→gu> I. *vt* emocionar II. *vr*: **~-se** emocionarse

empório [ĩ'pɔriw] *m* (*comercial*) ultramarinos *m inv*

empreendedor(a) [ĩpriẽjde'dor(a)] *adj, m(f)* emprendedor(a) *m(f)*

empreender [ĩpriẽj'der] *vt* emprender

empreendimento [ĩpriẽjdʒi'mẽjtu] *m* proyecto *m;* ECON empresa *f*

empregado, -a [ĩpre'gadu, -a] I. *adj* 1. (*na empresa*) empleado, -a 2. (*aplicado*) invertido, -a II. *m, f* empleado, -a *m, f*

empregar [ĩpre'gar] <g→gu> I. *vt* emplear; (*dinheiro*) invertir II. *vr*: **~-se** emplearse

emprego [ĩ'pregu] *m* empleo *m*

empresa [ĩ'preza] *f* empresa *f*; **~ pontocom** ECON, INFOR (empresa *f*) puntocom *f*

empresário, -a [ĩpre'zariw, -a] *m, f* 1. ECON empresario, -a *m, f* 2. (*de atriz, tenista*) agente *mf*

emprestado, -a [ĩpres'tadu, -a] *adj* prestado, -a

emprestar [ĩpres'tar] *vt* prestar

empréstimo [ĩ'prɛstʃimu] *m* préstamo *m*

empurrão <-ões> [ĩpu'xãw, -'õjs] *m* empujón *m*

empurrar [ĩpu'xar] *vt* empujar

emudecer [emude'ser] <c→ç> *vi, vt* enmudecer

enamorado, -a [enamo'radu, -a] *adj* enamorado, -a

encabulado, -a [ĩkabu'ladu, -a] *adj* avergonzado, -a

encabular [ĩkabu'lar] I. *vt* avergonzar II. *vr*: **~-se** avergonzarse

encaixar [ĩkaj'ʃar] *vi, vt* encajar

encaixotar [ĩkajʃo'tar] *vt* colocar en cajas

encalço [ĩ'kawsu] *m inv* rastro *m*

encaminhar [ĩkami'ɲar] I. *vt* encaminar II. *vr*: **~-se** encaminarse

encanado, -a [ĩka'nadu, -a] *adj* (*água, gás*) canalizado, -a; (*vento*) concentrado, -a

encanador(a) [ĩkana'dor(a)] *m(f)* fontanero, -a *m, f*, plomero, -a *m, f AmL*

encanamento [ĩkana'mẽjtu] *m* cañerías *fpl*

encantado, -a [ĩkãn'tadu, -a] *adj* encantado, -a

encantador(a) [ĩkɐ̃ntaˈdor(a)] *adj*, *m(f)* encantador(a) *m(f)*
encantar [ĩkɐ̃nˈtar] I. *vt* encantar II. *vr*: ~-**se** entusiasmarse
encanto [ĩˈkɐ̃ntu] *m* encanto *m*
encaracolado, -a [ĩkɐracoˈladu, -a] *adj* rizado, -a
encarar [ĩkaˈrar] *vt* encarar
encardido, -a [ĩkarˈdʒidu, -a] *adj* mugriento, -a
encarecer [ĩkareˈser] <c→ç> *vt* (*preço*) encarecer
encarnação <-ões> [ĩkarnaˈsɐ̃w, -ˈõjs] *f* encarnación *f*
encarnado, -a [ĩkarˈnadu, -a] *adj* encarnado, -a
encarnar [ĩkarˈnar] *vt* encarnar
encarregado, -a [ĩkaxeˈgadu, -a] *m*, *f* encargado, -a *m, f*
encarregar [ĩkaxeˈgar] <*pp*: encarregue *ou* encarregado; g→gu> I. *vt* encargar; ~ **alguém de a. c.** encargar algo a alguien II. *vr*: ~-**se** encargarse
encenação <-ões> [ĩsenaˈsɐ̃w, -ˈõjs] *f* TEAT escenificación *f*
encenar [ĩseˈnar] *vt* TEAT escenificar
encerrado, -a [ĩseˈxadu, -a] *adj* (*assunto, reunião*) cerrado, -a
encerrar [ĩseˈxar] I. *vt* (*uma reunião, conta*) cerrar II. *vr*: ~-**se** encerrarse
encharcado, -a [ĩʃarˈkadu, -a] *adj* (*pano, roupa*) empapado, -a; (*terreno*) encharcado, -a
encharcar [ĩʃarˈkar] <c→qu> I. *vt* encharcar II. *vr*: ~-**se** encharcarse
enchente [ĩˈʃẽjtʃi] *f* inundación *f*
encher [ĩˈʃer] I. *vt* 1. (*um recipiente, uma sala*) llenar; (*um pneu, um balão*) inflar; ~ **o tanque** llenar el depósito 2. *fig, inf* (*aborrecer*) hartar; ~ **a cara** emborracharse II. *vr*: ~-**se** 1. (*pessoa, sala*) llenarse 2. *inf* (*cansar-se*) hartarse
enciclopédia [ĩsikloˈpɛdʒia] *f* enciclopedia *f*
encoberto [ĩkuˈbɛrtu] I. *pp de* **encobrir** II. *adj* (*céu*) cubierto, -a
encobrir [ĩkuˈbrir] *irr como dormir vt* 1. (*ocultar*) encubrir 2. (*uma pessoa*) esconder
encolher [ĩkoˈʎer] *vi, vt* encoger
encomenda [ĩkoˈmẽjda] *f* pedido *m*; **sob** ~ por encargo
encomendar [ĩkomẽjˈdar] *vt* encargar
encontrar [ĩkõwˈtrar] I. *vt* encontrar II. *vr*: ~-**se** encontrarse
encontro [ĩˈkõwtru] *m* encuentro *m*
encorajar [ĩkoraˈʒar] *vt* animar
encosta [ĩˈkɔsta] *f* ladera *f*
encostar [ĩkosˈtar] I. *vt* (*um objeto*) juntar; (*a porta*) entornar II. *vr*: ~-**se** apoyarse
encosto [ĩˈkostu] *m* 1. (*da cadeira*) respaldo *m* 2. (*amparo, proteção*) protección *f*
encrenca [ĩˈkrẽjka] *f inf* follón *m*
encrencar [ĩkrẽjˈkar] <c→qu> *inf* I. *vt* (*uma pessoa*) meter en un follón a; (*uma situação*) complicar; ~ **com alguém** meterse con alguien II. *vi* (*situação*) meterse en follones
encurtar [ĩkurˈtar] *vt* acortar
endereçar [ĩdereˈsar] <ç→c> I. *vt* dirigir II. *vr*: ~-**se** dirigirse

endereço [ĩdeˈresu] *m* dirección *f*; ~ **de e-mail** dirección de correo electrónico

endividar-se [ĩdʒiviˈdarsi] *vr* endeudarse

endossar [ĩdoˈsar] *vt* apoyar; ECON endosar

endosso [ĩˈdosu] *m* ECON endoso *m*

endurecer [ĩdureˈser] <c→ç> **I.** *vt* endurecer **II.** *vi* endurecerse

energético [enerˈʒɛtʃiku] *m* bebida *f* isotónica

energia [enerˈʒia] *f* energía *f*

enérgico, -a [eˈnɛrʒiku, -a] *adj* enérgico, -a

enfartar [ĩfarˈtar] *vi* MED sufrir un infarto, infartarse

enfarte [ĩˈfartʃi] *m* MED infarto *m*

enfado [ĩˈfadu] *m* enfado *m*

enfaixar [ĩfajˈʃar] *vt* vendar

ênfase [ˈẽfazi] *m* énfasis *m inv*

enfático, -a [ĩˈfatʃiku, -a] *adj* enfático, -a

enfatizar [ĩfatʃiˈzar] *vt* enfatizar

enfeitar [ĩfejˈtar] *vt* adornar

enfeite [ĩˈfejtʃi] *m* adorno *m*

enfeitiçar [ĩfejtʃiˈsar] <ç→c> *vt* hechizar

enfermagem [ĩferˈmaʒẽj] *f sem pl* enfermería *f*

enfermeiro, -a [ĩferˈmejru, -a] *m, f* enfermero, -a *m, f*

enfermidade [ĩfermiˈdadʒi] *f* enfermedad *f*

enfermo, -a [ĩˈfermu, -a] *adj* enfermo, -a

enferrujar [ĩfexuˈʒar] **I.** *vi* oxidarse **II.** *vt* oxidar

enfiar [ĩfiˈar] *vt* meter

enfim [ĩˈfĩj] *adv* finalmente; **até que ~!** ¡por fin!; **~!** ¡finalmente!

enforcar [ĩforˈkar] <c→qu> **I.** *vt* ahorcar **II.** *vr*: ~**-se** ahorcarse

enfraquecer [ĩfrakeˈser] <c→ç> **I.** *vt* debilitar **II.** *vi* debilitarse

enfrentar [ĩfrẽjˈtar] *vt* (*uma situação*) enfrentar; (*uma pessoa*) enfrentarse a

enfurecer [ĩfureˈser] <c→ç> **I.** *vt* enfurecer **II.** *vr*: ~**-se** enfurecerse

enfurecido, -a [ĩfureˈsidu, -a] *adj* enfurecido, -a

enganar [ĩgaˈnar] **I.** *vi, vt* engañar **II.** *vr*: ~**-se** equivocarse

engano [ĩˈganu] *m* error *m,* equivocación *f*; (*ilusão*) engaño *m*; **é ~** TEL se ha equivocado

engarrafamento [ĩgaxafaˈmẽjtu] *m* embotellamiento *m*

engasgar [ĩgazˈgar] <g→gu> **I.** *vi* atragantarse **II.** *vr*: ~**-se** atragantarse

engatar [ĩgaˈtar] *vt* (*enganchar*) enganchar; (*marcha*) meter

engatinhar [ĩgatʃiˈɲar] *vi* (*bebê*) gatear

engendrar [ĩʒẽˈdrar] *vt* engendrar

engenharia [ĩʒẽɲaˈria] *f* ingeniería *f*

engenheiro, -a [ĩʒẽˈɲejru, -a] *m, f* ingeniero, -a *m, f*

engenho [ĩˈʒẽɲu] *m* ingenio *m*

engenhoso, -a [ĩʒẽˈɲozu, -ˈɔza] *adj* ingenioso, -a

engessar [ĩʒeˈsar] *vt* enyesar; **~ um braço** escayolar un brazo

engodo [ĩˈgodu] *m fig* trampa *f*

engolir [ĩguˈʎir] *irr como dormir vt*

engonço [ĩ'jgõwsu] *m* bisagra *f*
engordar [ĩjgor'dar] *vi* engordar
engordurar [ĩjgordu'rar] *vt* llenar de grasa
engraçado, -a [ĩjgra'sadu, -a] *adj* gracioso, -a
engrandecer [ĩjgrãnde'ser] <c→ç> *vt* engrandecer
engravidar [ĩjgravi'dar] I. *vt* dejar embarazada a II. *vi* quedarse embarazada
engraxar [ĩjgra'ʃar] *vt* lustrar
engraxate [ĩjgra'ʃatʃi] *mf* (*de sapatos*) limpiabotas *mf inv*, lustrabotas *mf inv*
engrenagem <-ns> [ĩjgre'naʒẽj] *f* engranaje *m*
engrenar [ĩjgre'nar] I. *vt* 1. TÉC engranar 2. (*conversa*) entablar II. *vi* prepararse
engrossar [ĩjgro'sar] I. *vt* (*líquido*) espesar; *inf* volverse grosero, -a II. *vi* (*pessoa*) ser grosero, -a
enguia [ẽj'gia] *f* anguila *f*
enguiçar [ĩjgi'sar] <ç→c> *vi* estropearse
enigma [e'nigma] *m* enigma *m*
enjeitar [ĩjʒej'tar] *vt* rechazar
enjoar [ĩjʒu'ar] <*l. pess pres:* **enjôo**> I. *vt* (*comida, cheiro*) marear; (*enfastiar*) hartar II. *vi* (*em viagem*) marearse; ~ **de a. c.** hartarse de algo
enjôo [ĩ'ʒow] *m* mareo *m*
enlaçar [ĩjla'sar] <ç→c> I. *vt* (*atar, unir*) enlazar; (*prender*) abrazar II. *vr*: ~-**se** abrazarse
enlatado [ĩjla'tadu] *m* (*alimento*) comida *f* en lata
enlouquecer [ĩjlowke'ser] <c→ç> *vi*, *vt* enloquecer
enojado, -a [eno'ʒadu, -a] *adj* mareado, -a
enojar [eno'ʒar] I. *vt* dar náuseas II. *vr*: ~-**se** marearse
enorme [e'nɔrmi] *adj* enorme
enquanto [ĩj'kwãntu] *conj* 1. (*temporal*) mientras; ~ **isso** mientras tanto; **por** ~ por ahora 2. (*ao passo que*) ~ (**que**)... mientras (que)... 3. como; ~ **professor** como profesor
enquete [ĩj'kεtʃi] *f* encuesta *f*
enraivecer [ĩjxajve'ser] <c→ç> *vt* llenar de rabia *m*
enraizar [ĩjxaj'zar] I. *vt* fijar por la raíz II. *vr*: ~-**se** enraizarse
enrascada [ĩjxas'kada] *f* apuro *m*
enredo [ĩj'xedu] *m* (*de um livro*) argumento *m*
enriquecer [ĩjxike'ser] <c→ç> I. *vt* enriquecer II. *vi* enriquecerse
enrolar [ĩjxo'lar] *vt* 1. (*papel, fio*) enrollar 2. *inf* (*uma pessoa*) camelar
enroscar [ĩjxos'kar] <c→qu> I. *vt* enredar II. *vr*: ~-**se** enredarse
enrubescer [ĩjrube'ser] <c→ç> *elev* I. *vt* enrojecer II. *vi* ruborizarse
enrugar [ĩjxu'gar] <g→gu> I. *vt* arrugar II. *vr*: ~-**se** arrugarse
ensaiar [ĩjsaj'ar] *vt* ensayar
ensaio [ĩj'saju] *m* ensayo *m*
ensangüentado, -a [ĩjsãngwẽj'tadu, -a] *adj* ensangrentado, -a
ensejo [ĩj'seʒu] *m* ocasión *f*
ensinamento [ĩjsina'mẽjtu] *m* en-

señanza *f*
ensinar [ĩjsi'nar] *vt* enseñar
ensino [ĩj'sinu] *m* enseñanza *f*; **~ fundamental** enseñanza primaria
ensopado [ĩjso'padu] *m* GASTR guisado *m*
ensopar [ĩjso'par] *vt* empapar
ensurdecer [ĩjsurde'ser] <c→ç> *vi, vt* ensordecer
entalado, -a [ĩjta'ladu, -a] *adj (preso)* atascado, -a
então [ĩj'tãw] I. *adv* entonces; **até ~** hasta entonces II. *interj* entonces; **~, tudo bem?** *inf* ¿entonces está todo bien?
entardecer [ĩjtarde'ser] *m* atardecer *m*; **ao ~** al atardecer
ente ['ẽjti] *m* ser *m*
enteado, -a [ĩjte'adu, -a] *m, f* hijastro, -a *m, f*
entediarse [ĩjtedʒi'arsi] *vr* aburrirse
entender [ĩjtẽj'der] *vt* entender
entendido [ĩjtẽj'dʒidu] *m gíria* gay *m*
entendimento [ĩjtẽjdʒi'mẽjtu] *m* entendimiento *m*
enternecer [ĩjterne'ser] <c→ç> I. *vt* enternecer II. *vr:* **~-se** enternecerse
enterrar [ĩjte'xar] *vt* enterrar
enterro [ĩj'texu] *m* entierro *m*
entidade [ẽjtʃi'dadʒi] *f* 1. *(ser)* ser *m* 2. *(corporação)* entidad *f*
entoar [ĩjto'ar] <*I. pess pres:* entôo> *vt* entonar
entonação <-ões> [ĩjtona'sãw, -'õjs] *f* entonación *f*
entorpecente [ĩjtorpe'sẽjtʃi] *m* estupefaciente *m*
entorpecer [ĩjtorpe'ser] <c→ç> I. *vt*
debilitar II. *vi* debilitarse
entorse [ĩj'tɔrsi] *f* esguince *m*
entortar [ĩjtor'tar] I. *vt* torcer II. *vi* torcerse
entrada [ĩj'trada] *f (geral)* entrada *f*; **dar ~ no hospital** ser ingresado en el hospital
entradas [ĩj'tradas] *fpl* 1. *(no cabelo)* entradas *fpl* 2. *(ano novo)* año *m* nuevo; **Boas Entradas!** ¡Feliz Año Nuevo!
entrar [ĩj'trar] *vi* entrar; **mandar ~ alguém** hacer entrar a alguien
entravar [ĩjtra'var] *vt* obstaculizar
entrave [ĩj'travi] *m* obstáculo *m*
entre ['ẽjtri] *prep* entre; **sentou-se ~ o professor e a diretora** se sentó entre el profesor y la directora; **~ parêntesis/aspas** entre paréntesis/comillas; **~ si** entre sí
entreaberto, -a [ẽjtrea'bɛrtu, -a] I. *pp de* **entreabrir** II. *adj* entreabierto, -a
entreabrir [ẽjtrea'brir] <entreaberto> *pp: vt* entreabrir
entrega [ĩj'trɛga] *f* entrega *f*
entregar [ĩjtre'gar] <*pp:* entregue *ou* entregado; g→gu> I. *vt* entregar II. *vr:* **~-se** entregarse
entregue [ẽjtʃ'trɛgi] I. *pp de* **entregar** II. *adj* entregado, -a
entrelaçar [ẽjtrela'sar] <ç→c> I. *vt* entrelazar II. *vr:* **~-se** entrelazarse
entremeio [ẽjtre'meju] *m* medio *m*
entrementes [ẽjtre'mẽjts] *adv* mientras
entretanto [ẽjtre'tãtu] I. *m* intervalo *m*; **no ~** mientras tanto II. *adv*

mientras III. *conj* sin embargo

entretenimento [ĩjtreteni'mẽjtu] *m* entretenimiento *m*

entreter [ĩjtre'ter] *irr como* ter I. *vi, vt* entretener II. *vr:* ~-**se** entretenerse

entrevista [ĩjtre'vista] *f* entrevista *f*

entrevistar [ĩjtrevis'tar] *vt* entrevistar

entristecer [ĩjtriste'ser] <c→ç> I. *vi* entristecerse II. *vr:* ~-**se** entristecerse

entroncamento [ĩjtrõwka'mẽjtu] *m* empalme *m*

entrosado, -a [ĩjtro'zadu, -a] *adj* integrado, -a

entulhar [ĩjtu'ʎar] *vt* abarrotar

entulho [ĩj'tuʎu] *m* escombros *mpl*

entupido, -a [ĩju'pidu, -a] *adj (cano, nariz)* taponado, -a

entupir [ĩju'pir] *irr como* subir I. *vt* obstruir II. *vi (cano, nariz)* taponarse; *(vaso sanguíneo)* obstruirse

enturmar-se [ĩjtur'marsi] *vr* integrarse

entusiasmado, -a [ĩjtuzjaz'madu, -a] *adj* entusiasmado, -a

entusiasmar [ĩjtuzjaz'mar] I. *vt* entusiasmar II. *vr:* ~-**se** entusiasmarse

entusiasmo [ĩjtuzi'azmu] *m* entusiasmo *m*

entusiasta [ĩjtuzi'asta] *adj, mf* entusiasta *mf*

enumerar [enume'rar] *vt* enumerar

envaidecer [ĩjvajde'ser] <c→ç> *vt* envanecer

envelhecer [ĩjveʎe'ser] <c→ç> *vi, vt* envejecer

envelhecimento [ĩjveʎesi'mẽjtu] *m sem pl* envejecimiento *m*

envelope [ĩjve'lɔpi] *m* sobre *m*

envenenamento [ĩjvenena'mẽjtu] *m* envenenamiento *m*

envenenar [ĩjvene'nar] I. *vt* envenenar II. *vr:* ~-**se** envenenarse

envergadura [ĩjverga'dura] *f* envergadura *f*

envergonhado, -a [ĩjvergõ'ɲadu, -a] *adj* avergonzado, -a; *(embaraçado, tímido)* vergonzoso, -a

envergonhar [ĩjvergõ'ɲar] I. *vt* avergonzar II. *vr:* ~-**se** avergonzarse

enviado, -a [ĩjvi'adu, -a] *m, f* enviado, -a *m, f*

enviar [ĩjvi'ar] *vt* enviar

envidraçado, -a [ĩjvidra'sadu, -a] *adj* acristalado, -a

envio [ĩj'viw] *m* envío *m*

envolto, -a [ĩj'vowtu, -a] *adj* envuelto, -a

envolver [ĩjvow'ver] <*pp:* envolto *ou* envolvido> I. *vt (embrulhar)* envolver; *(comprometer)* meter II. *vr:* ~-**se** *(numa situação)* involucrarse; *(com uma pessoa)* liarse

envolvimento [ĩjvowvi'mẽjtu] *m* participación *f;* ~ **amoroso** aventura *f* amorosa

enxaguar [ĩʃa'gwar] *vt* enjuagar

exame [ĩ'ʒmi] *m* enjambre *m*

enxaqueca [ĩʃa'keka] *f* jaqueca *f*

enxergar [ĩʃer'gar] <g→gu> *vi, vt* ver

enxofre [ĩ'ʃofri] *m* azufre *m*

enxugar [ĩʃu'gar] <*pp:* enxuto *ou* enxugado; g→gu> *irr* I. *vt* secar II. *vr:* ~-**se** secarse

enxurrada [ĩʃu'xada] *f* torrente *m*

enxuto, -a [ĩ'ʃutu, -a] I. *pp de* en-

xugar II. *adj (indivíduo, estilo)* seco, -a

épico ['ɛpiku] *m* clásico *m*

epidemia [epide'mia] *f* MED epidemia *f*

episódio [epi'zɔdʒiw] *m* episodio *m*

época ['ɛpuka] *f* época *f*

equação <-ões> [ekwa'sãw, -'õjs] *f* ecuación *f*

equador [ekwa'dor] *m* ecuador *m*

Equador [ekwa'dor] *m* Ecuador *m*

equatorial <-ais> [ekwatori'aw, -'ajs] *adj* ecuatorial

equatoriano, -a [ekwatori'ɐnu, -a] *adj, m, f* ecuatoriano, -a *m, f*

equilibrar [ekiʎi'brar] I. *vt* equilibrar II. *vr*: ~-**se** mantenerse en equilibrio

equilíbrio [eki'ʎibriw] *m* equilibrio *m*

equipamento [ekipa'mẽjtu] *m* equipamiento

equipar [eki'par] I. *vt* equipar II. *vr*: ~-**se** equiparse

equiparar [ekipa'rar] I. *vt* equiparar II. *vr* ~-**se a alguém** equipararse a alguien

equipe [e'kipi] *f* equipo *m*

equitação [ekita'sãw] *f sem pl* equitación *f*

equivalente [ekiva'lẽjtʃi] *adj, m* equivalente *m*

equivaler [ekiva'ler] *irr como* valer *vi* equivaler

equivocado, -a [ekivo'kadu, -a] *adj* equivocado, -a

equivocar-se [ekivo'karsi] <c→qu> *vr* equivocarse

equívoco [e'kivoku] *m* **1.** (*mal-entendido*) equívoco *m* **2.** (*erro*) error *m*

era ['ɛra] I. *imp de* **ser** II. *f* era *f*

ereção <-ões> [ere'sãw, -'õjs] *f* erección *f*

eremita [ere'mita] *mf* eremita *mf*

ereto, -a [e'rɛtu, -a] *adj* erecto, -a

erguer [er'ger] *vt* levantar

erosão <-ões> [ero'zãw, -'õjs] *f* erosión *f*

erótico, -a [e'rɔtʃiku, -a] *adj* erótico, -a

erotismo [ero'tʃizmu] *m* erotismo *m*

erradicar [exadʒi'kar] <c→qu> *vt* erradicar

errado, -a [e'xadu, -a] *adj* equivocado, -a

errante [e'xãtʃi] *adj* errante

errar [e'xar] I. *vt* (*o caminho, uma pergunta*) errar II. *vi* (*enganar-se*) equivocarse

erro ['exu] *m* error *m*

erudição <-ões> [erudʒi'sãw, -'õjs] *f* erudición *f*

erudito, -a [eru'dʒitu, -a] *adj, m, f* erudito, -a *m, f*

erupção <-ões> [erup'sãw, -'õjs] *f* GEO, MED erupción *f*

erva ['ɛrva] *f* **1.** BOT hierba *f* **2.** *inf* (*droga*) hierba *f*

ervilha [er'viʎa] *f* guisante *m*, chícharo *m Méx*, arveja *f CSur*

és ['ɛs] *pres de* **ser**

esbarrar [izba'xar] *vi* toparse

esbelto, -a [iz'bɛwtu, -a] *adj* esbelto, -a

esboçar [izbo'sar] <ç→c> *vt* esbozar

esboço [iz'bosu] *m* esbozo *m*

esbofetear [izbofetʃi'ar] *conj como* passear *vt* abofetear

esburacado, -a [izbura'kadu, -a] *adj* (*rua*) lleno, -a de baches; (*parede, roupa*) lleno, -a de agujeros

escada [is'kada] *f* escalera *f*; ~ **rolante** escalera mecánica

escadaria [iskada'ria] *f* escalinata *f*

escala [is'kala] *f* escala *f*; **fazer** ~ AERO hacer escala

escalada [iska'lada] *f* escalada *f*

escalão <-ões> [iska'lãw, -'õjs] *m* escalafón *m*

escalar [iska'lar] **I.** *vt* escalar **II.** *vi* hacer escala

escaldante [iskaw'dãntʃi] *adj* de justicia; **sol** ~ sol de justicia

escaldar [iskaw'dar] **I.** *vt* escaldar **II.** *vr*: ~**-se** escaldarse

escama [is'kɐma] *f* escama *f*

escamar [iskɐ'mar] *vt* escamar

escancarado, -a [iskãŋka'radu, -a] *adj* abierto, -a de par en par

escandalizar [iskãndaʎi'zar] **I.** *vt* escandalizar **II.** *vr*: ~**-se** escandalizarse

escândalo [is'kãndalu] *m* escándalo *m*

escandaloso, -a [iskãnda'lozu, -'ɔza] *adj* escandaloso, -a

Escandinávia [iskãndʒi'navia] *f* Escandinavia *f*

escandinavo, -a [iskãndʒi'navu, -a] *adj, m, f* escandinavo, -a *m, f*

escanear [iskɐni'ar] *conj como passear vt* escanear

escanteio [iskãn'teju] *m* FvT córner *m*

escapada [iska'pada] *f* (*fuga*) escapada *f*; **dar uma** ~ (*amorosa*) tener una aventura

escapamento [iskapa'mẽntu] *m* escape *m*

escapar [iska'par] *vi* escapar; ~ **por um triz** escapar por los pelos

escaravelho [iskara'veʎu] *m* escarabajo *m*

escarlate [iskar'latʃi] *adj, m* (*cor*) escarlata *m*

escárnio [is'karniw] *m* desprecio *m*

escarrar [iska'xar] *vi, vt* escupir

escassear [iskasi'ar] *conj como passear vi* escasear

escassez [iska'ses] *f* escasez *f*

escasso, -a [is'kasu, -a] *adj* escaso, -a; **dinheiro** ~ poco dinero

escavar [iska'var] *vt* (*um buraco, ruínas*) excavar

esclarecedor(a) [isklarese'dor(a)] <-**es**> *adj* esclarecedor(a)

esclarecer [isklare'ser] <c→ç> *vt*
1. (*um problema*) esclarecer
2. (*explicar*) aclarar

esclarecido, -a [isklare'sidu, -a] *adj* (*pessoa*) informado, -a

esclarecimento [isklaresi'mẽntu] *m*
1. (*de um problema*) esclarecimiento *m*; (*de uma dúvida*) aclaración *f*
2. (*explicação*) explicación *f*

escoadouro [iskoa'dowru] *m* desagüe *m*

escoar [isko'ar] <*1. pess pres:* **escôo**> *vt* (*um líquido*) desaguar; (*mercadoria*) dar salida a

escocês, -esa [isko'ses, -'eza] *adj, m, f* escocés, -esa *m, f*

Escócia [is'kɔsia] *f* Escocia *f*

escola [is'kɔla] *f* escuela *f*; ~ **de samba** escuela de samba

> **Cultura** Las **escolas de samba** tienen su origen en una asociación carnavalesca surgida en 1928 en Río de Janeiro con "Deixa Falar" (más tarde: "Estácio de Sá"), creada por el sambista Ismael Silva. Contrario a lo que sugiere el nombre, las **escolas de samba** no ofrecen clases de samba propiamente dichas. Cada escuela organiza su desfile anual, y en su sede hay fiestas y presentaciones de la escuela durante todo el año. Muchas de estas escuelas participan activamente en la comunidad y realizan proyectos sociales.

escolar [isko'lar] <-es> *adj* escolar *m*
escolaridade [iskolari'dadʒi] *f* escolaridad *f*; **grau de** ~ nivel de escolaridad
escolha [is'koʎa] *f* elección *f*; **à** ~ a elección
escolher [isko'ʎer] *vt* escoger
escolho [is'koʎu] *m* escollo *m*
escolta [is'kɔwta] *f* escolta *f*
escoltar [iskow'tar] *vt* escoltar
escombros [is'kõbrus] *mpl* escombros *mpl*
esconde-esconde [is'kõdʒis'kõdʒi] *m inv* escondite *m*
esconder [iskõ'der] I. *vt* esconder II. *vr*: ~-**se** esconderse
esconderijo [iskõde'riʒu] *m* escondrijo *m*
escondidas [iskõ'dʒidas] *fpl* escondite *m*; **às** ~ a escondidas
escondido, -a [iskõ'dʒidu, -a] *adj* escondido, -a
esconjurar [iskõʒu'rar] I. *vt* 1. (*exorcizar*) conjurar 2. (*amaldiçoar*) maldecir II. *vr*: ~-**se** lamentarse
escora [is'kɔra] *f* 1. (*apoio*) apoyo *m* 2. (*cilada*) emboscada *f*
escorpiano, -a [iskorpi'ɐnu, -a] *adj, m, f* Escorpio *mf inv*
escorpião <-ões> [iskorpi'ɐ̃w, -'ɔjs] *m* escorpión *m*
Escorpião [iskorpi'ɐ̃w] *m* Escorpio *m*; **ser (de)** ~ ser Escorpio
escorpiões [iskorpi'õjs] *m pl de* **escorpião**
escorraçar [iskuxa'sar] <ç→c> *vt* echar
escorredor [iskoxe'dor] <-es> *m* escurridor *m*
escorregadio, -a [iskoxega'dʒiw, -a] *adj* resbaladizo, -a
escorregão <-ões> [iskoxe'gɐ̃w, -'õjs] *m* resbalón *m*
escorregar [iskoxe'gar] <g→gu> *vi* resbalar; *fig* patinar
escorrer [isko'xer] *vi, vt* escurrir
escoteiro, -a [isko'tejru, -a] *m, f* escultista *mf*
escova [is'kova] *f* cepillo *m*
escova [is'kova] *f* cepillo *m*; ~ **de dentes** cepillo de dientes
escovar [isko'var] *vt* cepillar
escravidão <-ões> [iskravi'dɐ̃w, -'õjs] *f* esclavitud *f*
escravizar [iskravi'zar] *vt* esclavizar
escravo, -a [is'kravu, -a] *adj, m, f* esclavo, -a *m, f*
escrever [iskre'ver] <*pp*: escrito> *vi, vt* escribir
escrita [is'krita] *f* (*letra*) escritura *f*
escrito, -a [is'kritu, -a] I. *pp de* **es-**

crever II. *adj* escrito, -a; **por ~ por escrito**

escritor(a) [iskri'tor(a)] <-es> *m(f)* escritor(a) *m(f)*

escritório [iskri'tɔriw] *m* oficina *f*; *(de advogado, em casa)* despacho *m*

escritura [iskri'tura] *f* escritura *f*

escrivão, escrivã <-ães> [eskri'vãw, -ã, -ãjs] *m*, *f* notario, -a *m*, *f*

escrúpulo [is'krupulu] *m* cuidado *m*

escrupuloso, -a [iskrupu'lozu, -'ɔza] *adj* escrupuloso, -a

escrutínio [iskru'tʃiniw] *m* voto *m*

escudo [is'kudu] *m* (arma, moeda) escudo *m*

esculpir [iskuw'pir] *vt* (em pedra, madeira) esculpir

escultor(a) [iskuw'tor(a)] <-es> *m(f)* escultor(a) *m(f)*

escultura [iskuw'tura] *f* escultura *f*

escuras [is'kuras] *adv* **às ~** (sem luz) a oscuras

escurecer [iskure'ser] <c→ç> *vi*, *vt* oscurecer

escuridão [iskuri'dãw] *f* oscuridad *f*

escuro [is'kuru] *m* oscuridad *f*

escuro, -a [is'kuru, -a] *adj* oscuro, -a

escusa [is'kuza] *f* excusa *f*

escusar [isku'zar] I. *vt* (perdoar) excusar; (dispensar) hacer innecesario II. *vi* no ser necesario; **isso escusa de ser traduzido** no hace falta traducir eso

escuta [is'kuta] *f* escucha *f*

escutar [isku'tar] I. *vt* (ouvir) oír; (com atenção) escuchar II. *vi* escuchar

esfaquear [isfaki'ar] *conj como passear* *vt* apuñalar

esfarelar [isfare'lar] I. *vi* deshacerse II. *vt* deshacer III. *vr*: **~-se** deshacerse

esfarrapado, -a [isfaxa'padu, -a] *adj* 1. (pessoa, tecido) desharrapado, -a 2. (desculpa) sin sentido

esfera [is'fɛra] *f* 1. (corpo redondo) esfera *f* 2. (área) ámbito *m*

esferográfica [isfero'grafika] *f* bolígrafo *m*, pluma *f Méx*, birome *m RíoPl*

esfolar [isfo'lar] I. *vt* arañar II. *vr*: **~-se** hacerse un arañazo

esfomeado, -a [isfomi'adu, -a] *adj* famélico, -a

esforçado, -a [isfor'sadu, -a] *adj* esforzado, -a

esforçar-se [isfor'sarsi] <ç→c> *vr* esforzarse

esforço [is'forsu] *m* esfuerzo *m*; **sem ~** sin esfuerzo

esfregar [isfre'gar] <g→gu> *vt* (para limpar) fregar; (friccionar) frotarse

esfriar [isfri'ar] I. *vt* enfriar II. *vi* enfriarse

esganado, -a [izgɜ'nadu, -a] *adj* glotón, -ona

esganar [izgɜ'nar] *vt* estrangular

esgotado, -a [izgo'tadu, -a] *adj* (bilhetes, livro, pessoa) agotado, -a

esgotamento [izgota'mẽjtu] *m* agotamiento *m*

esgotar [izgo'tar] I. *vt* agotar II. *vi* (mercadoria) agotarse III. *vr*: **~-se** agotarse

esgoto [iz'gotu] *m* alcantarillado *m*

esgrima [iz'grima] *f sem pl* esgrima *f*

esgrimir [izgri'mir] *vi* practicar la esgrima

esguichar [izgi'ʃar] *vt* lanzar

esguicho [iz'giʃu] *m* **1.** (*jato*) chorro *m* **2.** (*instrumento*) boquilla *f*

esguio, -a [iz'giw, -a] *adj* esbelto, -a

eslavo, -a [iz'lavu, -a] *adj, m, f* eslavo, -a *m, f*

Eslavônia [izla'vonia] *f* Eslavonia *f*

eslovaco, -a [izlo'vaku, -a] *adj, m, f* eslovaco, -a *m, f*

Eslováquia [izlo'vakia] *f* Eslovaquia *f*

Eslovênia [izlo'venia] *f* Eslovenia *f*

esloveno, -a [izlo'venu, -a] *adj, m, f* esloveno, -a *m, f*

esmagado, -a [izma'gadu, -a] *adj* aplastado, -a

esmagador(a) [izmaga'dor(a)] <-es> *adj* (*irrefutável*) aplastante

esmagar [izma'gar] <g→gu> *vt* aplastar

esmalte [iz'mawtʃi] *m* esmalte *m*

esmeralda [izme'rawda] *f* esmeralda *f*

esmerar-se [izme'rarsi] *vr* esmerarse

esmero [iz'meru] *m* esmero *m*

esmigalhar [izmiga'ʎar] *vt* desmigajar

esmo ['ezmu] *adv* **a ~** sin rumbo

esmola [iz'mɔla] *f* limosna *f*

esmorecer [izmore'ser] <c→ç> *vi* debilitarse

esmurrar [izmu'xar] *vt* dar un puñetazo a

esnobar [izno'bar] *vt* menospreciar

esnobe [iz'nɔbi] *adj* esnob

esôfago [e'zofagu] *m* esófago *m*

esotérico, -a [ezo'tɛriku, -a] *adj* esotérico, -a

espacial <-ais> [ispasi'aw, -'ajs] *adj* espacial

espaço [is'pasu] *m* espacio *m*

espaçoso, -a [ispa'sozu, -'ɔza] *adj* espacioso, -a

espada [is'pada] *f* espada *f*

espadarte [ispa'dartʃi] *m* pez *m* espada

espaguete [ispa'getʃi] *m* GASTR espagueti *m*

espairecer [ispajre'ser] <c→ç> *vi* despejarse

espaldar [ispaw'dar] *m* respaldo *m*

espalhar [ispa'ʎar] **I.** *vt* esparcir **II.** *vr*: **~-se** (*notícia, doença*) esparcirse

espancar [ispãŋ'kar] <c→qu> *vt* dar una paliza a

Espanha [is'paɲa] *f* España *f*

espanhol(a) <-óis> [ispã'ɲɔw, -la, -ɔjs] *adj, m(f)* español(a) *m(f)*

espantado, -a [ispãn'tadu, -a] *adj* **1.** (*admirado*) impresionado, -a **2.** (*assustado*) espantado, -a

espantalho [ispãn'taʎu] *m* espantapájaros *m inv*

espantar [ispãn'tar] **I.** *vt* **1.** (*admirar*) impresionar **2.** (*afugentar*) espantar **II.** *vr*: **~-se** impresionarse

espanto [is'pãntu] *m* impresión *f*

espantoso, -a [ispãn'tozu, -'ɔza] *adj* impresionante

esparadrapo [ispara'drapu] *m* esparadrapo *m*

esparramar [ispaxa'mar] *vt* (*objetos*) desparramar; (*líquidos*) derramar

espasmo [is'pazmu] *m* espasmo *m*

espatifar [ispatʃi'far] *vt* hacer pedazos

especial [ispesi'aw, -'ajs] *adj* especial

especialidade [ispesjaʎi'dadʒi] *f* especialidad *f*

especialista [ispesja'ʎista] *mf* especialista *mf*

especializado, -a [ispesjaʎi'zadu, -a] *adj* especializado, -a

especializar-se [ispesjaʎi'zarsi] *vr* especializarse

especialmente [ispesjaw'mẽjtʃi] *adv* especialmente

especiaria [ispesja'ria] *f* especia *f*

espécie [is'pɛsii] *f* especie *f*

especificar [ispesifi'kar] <c→qu> *vt* especificar

específico, -a [ispe'sifiku, -a] *adj* específico, -a

espécime [is'pɛsimi] *m* espécimen *m*

espectador(a) [ispekta'dor(a)] *m(f)* espectador(a) *m(f)*

espectro [is'pɛktru] *m* espectro *m*

especulação <-ões> [ispekula'sãw, -'õjs] *f* especulación *f*; ~ **na Bolsa** especulación bursátil

especular [ispeku'lar] *vi* especular

espelho [is'peʎu] *m* espejo *m*

espelunca [ispe'lũwka] *f* cuchitril *m*

espera [is'pɛra] *f* espera *f*

esperança [ispe'rãsa] *f* esperanza *f*

esperançoso, -a [isperãn'sozu, -'ɔza] *adj* esperanzado, -a

esperar [ispe'rar] *vi, vt* esperar

esperma [is'pɛrma] *m* esperma *m*

espermatozóide [ispermato'zɔjdʒi] *m* espermatozoide *m*

esperto, -a [is'pɛrtu, -a] *adj* inteligente

espesso, -a [is'pesu, -a] *adj* 1. (*líqui-do, tecido*) espeso, -a 2. (*livro*) grueso, -a

espessura [ispe'sura] *f* espesura *f*

espetacular [ispetaku'lar] *adj* espectacular

espetáculo [ispe'takulu] *m* espectáculo *m*

espezinhar [ispezĩ'ɲar] *vt* (*humilhar*) pisotear

espiada [ispi'ada] *f* vistazo *m*

espião, espiã <-ões> [ispi'ãw, ispi'ã, -õjs] *m, f* espía *mf*

espiar [ispi'ar] *vt* espiar

espiga [is'piga] *f* (*de milho*) espiga *f*, elote *m AmC*

espinafre [ispi'nafri] *m* espinaca *f*

espingarda [ispĩ'garda] *f* escopeta *f*

espinha [is'piɲa] *f* 1. (*do peixe*) espina *f*; ~ **dorsal** espina dorsal 2. (*pele*) espinilla *f*

espinho [is'pĩɲu] *m* 1. (*de planta*) espina *f* 2. (*dificuldade*) problema *m*

espiões [ispi'õjs] *m pl de* **espião**

espionagem [ispio'naʒẽj] *f* espionaje *m*

espionar [ispio'nar] *vi, vt* espiar

espiral [ispi'raw] *adj, f* <-ais> espiral *f*

espírita [is'pirita] *adj, mf* espiritista *mf*

espírito [is'piritu] *m* espíritu *m;* **o Espírito Santo** el Espíritu Santo

espiritual <-ais> [ispiritu'aw, -'ajs] *adj* espiritual

espiritualidade [ispiritwʎi'dadʒi] *f* espiritualidad *f*

espirituoso, -a [ispiritu'ozu, -'ɔza] *adj* 1. (*pessoa*) divertido, -a 2. (*bebida*) alcohólico, -a

espirrar [ispi'xar] *vi* estornudar

espirro [is'pixu] *m* estornudo *m*; **dar um ~** soltar un estornudo

esplanada [ispla'nada] *f* explanada *f*

esplêndido, -a [is'plẽjdʒidu, -a] *adj* espléndido, -a

esplendor [isplẽj'doɾ] *m* esplendor *m*

esplendoroso, -a [isplẽjdo'rozu, -'ɔza] *adj* esplêndido, -a

espólio [is'pɔʎiw] *m* **1.** (*herança*) herencia *f* **2.** (*de guerra*) resto *m*

esponja [is'põʒa] *f tb.* ZOOL esponja *f*

espontaneidade [ispõwtanej'dadʒi] *f* espontaneidad *f*

espontâneo, -a [ispõw'taniw, -a] *adj* espontáneo, -a

esporte [is'pɔɾtʃi] *m* deporte *m*

esportista [ispoɾ'tʃista] *mf* deportista *mf*

esportivo, -a [ispoɾ'tʃivu, -a] *adj* deportivo, -a

esposo, -a [is'pozu, -a] *m*, *f* esposo, -a *m*, *f*

espreguiçar-se [ispregi'saɾsi] <ç→c> *vr* estirarse

espreita [is'prejta] *f* acecho *m*

espreitar [isprej'taɾ] *vt* acechar

espremedor [ispreme'doɾ] *m* exprimidor *m*

espremer [ispre'meɾ] *vt* (*com espremedor*) exprimir; (*uma esponja, espinha*) apretar

espuma [is'puma] *f* espuma *f*

espumante [ispu'mãntʃi] *m* espumoso *m*

espumar [ispu'maɾ] *vi* espumar

esq. [is'keɾdu] *abr de* **esquerdo** izqdo.

esquadra [is'kwadra] *f* escuadra *f*

esquadrão <-ões> [iskwa'drãw, -õjs] *m* escuadrón *m*

esquálido, -a [is'kwaʎidu, -a] *adj* **1.** (*sujo*) sucio, -a **2.** (*desnutrido*) escuálido, -a

esquecer [iske'seɾ] <c→ç> **I.** *vt* olvidar **II.** *vr* **~-se de a. c.** olvidarse de algo

esquecido, -a [iske'sidu, -a] *adj* olvidado, -a

esquecimento [iskesi'mẽjtu] *m* olvido *m*

esqueleto [iske'letu] *m* esqueleto *m*

esquema [is'kema] *m* esquema *m*

esquemático, -a [iske'matʃiku, -a] *adj* esquemático, -a

esquematizar [iskematʃi'zaɾ] *vt* esquematizar

esquentado, -a [iskẽj'tadu, -a] *adj* caliente

esquentar [iskẽj'taɾ] **I.** *vt* calentar **II.** *vi* calentarse

esquerda [is'keɾda] *f* POL izquierda *f*; **virar à ~** dar un giro a la izquierda

esquerdista [iskeɾ'dʒista] *mf* izquierdista *mf*

esquerdo, -a [is'keɾdu, -a] *adj* izquierdo, -a

esqui [is'ki] *m* esquí *m*

esquiador(a) [iskia'doɾ(a)] *m(f)* esquiador(a) *m(f)*

esquiar [iski'aɾ] *vi* esquiar

esquilo [is'kilu] *m* ardilla *f*

esquimó [iski'mɔ] *adj, mf* esquimal *mf*

esquina [is'kina] *f* esquina *f*

esquisito, -a [iski'zitu, -a] *adj* (*estra-*

nho, raro] raro, -a
esquivar-se [iski'varsi] *vr* esquivar
esquizofrênico, -a [iskizo'freniku, -a] *adj, m, f* esquizofrénico, -a *m, f*
esse, -a ['esi, 'ɛsa] *pron dem* ese, -a; ~ **livro/vinho** ese libro/vino; **essa senhora** esa señora; **essa agora!** ¡lo que faltaba!; **essa é boa!** ¡qué bueno!
essência [e'sẽjsia] *f* esencia *f*
essencial <-ais> [esẽjsi'aw] *adj, m* esencial *m*
esta *pron dem f de* **este**
estabelecer [istabele'ser] <c→ç> *vt* establecer
estabelecimento [istabelesi'mẽjtu] *m* establecimiento *m*
estabilidade [istabiʎi'dadʒi] *f* estabilidad *f*
estabilizar [istabiʎi'zar] I. *vt* (*situação, moeda*) estabilizar II. *vr:* ~**-se** estabilizar
estábulo [is'tabulu] *m* establo *m*
estação <-ões> [ista'sãw, -'õjs] *f* 1. (*de trens, ônibus, do ano*) estación *f* 2. (*de rádio, televisão*) emisora *f* 3. (*de águas*) balneario *m*
estacionado, -a [istasjo'nadu, -a] *adj* aparcado, -a
estacionamento [istasjona'mẽjtu] *m* aparcamiento *m*
estacionar [istasjo'nar] I. *vt* (*o carro*) aparcar II. *vi* (*com o carro*) aparcar; **não** ~ prohibido aparcar
estacionário, -a [istasjo'nariw, -a] *adj* estacionario, -a
estações [ista'sõjs] *f pl de* **estação**
estádio [is'tadʒiw] *m* estadio *m*
estadista [ista'dʒista] *mf* estadista *mf*

estado [is'tadu] *m* (*condição*) estado *m;* POL estado *m*
estadual <-ais> [istadu'aw, -'ais] *adj* estatal
estafa [is'tafa] *f* (*fadiga*) agotamiento *m*
estafado, -a [ista'fadu, -a] *adj* agotado, -a
estagiar [istaʒi'ar] *vi* hacer prácticas
estagiário, -a [istaʒi'ariw, -a] *m, f* aprendiz(a) *m(f)*
estágio [is'taʒiw] *m* 1. (*aprendizagem*) prácticas *fpl* 2. (*fase*) etapa *f*
estagnado, -a [istag'nadu, -a] *adj* estancado, -a
estagnar [istag'nar] *vi* estancarse
estalagem [ista'laʒẽj] *f* posada *f*
estalar [ista'lar] I. *vt* chasquear II. *vi* 1. (*fender*) rajarse 2. (*dar estalos*) crepitar; (*com dor*) estallar
estaleiro [ista'lejru] *m* astillero *m*
estalido [ista'ʎidu] *m* estallido *m;* (*com a boca, os dedos*) chasquido *m;* (*da lenha*) crepitación *f*
estalo [is'talu] *m* (*som*) estallido *m*
estampa [is'tãpa] *f* (*em tecido*) estampado *m*
estampado [istãŋ'padu] *m* estampado *m*
estampado, -a [istãŋ'padu, -a] *adj* 1. (*tecido*) estampado, -a 2. (*evidente*) reflejado, -a
estampar [istãŋ'par] *vt* estampar
estancar [istãŋ'kar] <c→qu> I. *vt* (*o sangue*) detener; (*a água*) estancar II. *vi* (*sangue*) parar
estância [is'tãsia] *f* (*local*) estación *f;* ~ **balneária** balneario *m*

estandarte [istɐ̃n'dartʃi] m estandarte m

estande [is'tɐ̃ndʒi] m stand m; **~ de exposição** stand de feria

estante [is'tɐ̃ntʃi] f estantería f

estar [is'tar] *irr vi* **1.** (*encontrar-se*) estar; **~ em casa** estar en casa; **quem está aí?** ¿quién está ahí? **2.** (*modo*) estar; **~ de óculos** llevar gafas; **~ sem dinheiro** no tener dinero; **~ doente** estar enfermo; **~ de férias** estar de vacaciones; **~ com fome/sede** tener hambre/sed; **~ de pé** estar de pie; **como está?** ¿cómo está?; **está bem!** ¡de acuerdo! **3.** (*ação contínua*) estar; **~ fazendo a. c.** estar haciendo algo **4.** (*temperatura*) hacer; **está frio/calor** hace frío/calor; **estou com frio/calor** tengo frío/calor

estardalhaço [istarda'ʎasu] m *inf* alboroto m

estarrecer [istaxe'ser] <c→ç> vi horrorizar

estarrecido, -a [istaxe'sidu, -a] *adj* horrorizado, -a

estatal [ista'taw] *adj* estatal

estatelar-se [istate'larsi] vr caerse de bruces

estática [is'tatʃika] f estática f

estático, -a [is'tatʃiku, -a] *adj* estático, -a

estatística [ista'tʃistʃika] f estadística f

estátua [is'tatwa] f estatua f

estatura [ista'tura] f estatura f

estatuto [ista'tutu] m estatuto m

estável <-eis> [is'tavew, -ejs] *adj* estable; (*funcionário*) fijo, -a

este ['εstʃi] m este m

este, -a ['estʃi, 'εsta] *pron dem* este, -a; **~ livro/vinho** este libro/vino; **esta senhora** esta señora; **esta noite** esta noche

esteio [is'teju] m sustento m

esteira [is'tejra] f **1.** (*tapete*) estera f; (*tapete rolante*) cinta f transportadora **2.** (*vestígio*) rastro m; (*caminho*) camino m

estelionato [isteʎio'natu] m estafa f

estender [istẽj'der] I. vt extender; (*a roupa*) tender II. vr: **~-se** extenderse

estenografia [istenogra'fia] f *sem pl* taquigrafía f

estepe [is'tεpi] m (*pneu*) rueda f de recambio [o repuesto]

esterco [is'terku] m estiércol m

estereofônico, -a [istεrjo'foniku, -a] *adj* estereofónico, -a

estereótipo [isteri'ɔtʃipu] m estereotipo m

estéril <-eis> [is'tεriw, -ejs] *adj* estéril

esterilizar [isteriʎi'zar] vt (*pessoa, animal, objeto*) esterilizar

esterlino, -a [ister'ʎinu, -a] *adj* esterlino, -a; **libra esterlina** libra esterlina

estética [is'tεtʃika] f estética f

estético, -a [is'tεtʃiku, -a] *adj* estético, -a

estetoscópio [istetos'kɔpiw] m estetoscopio m

estiagem [istʃi'aʒẽj] f sequía f

estibordo [istʃi'bɔrdu] m estribor m

esticar [istʃi'kar] <c→qu> I. vt estirar II. vr: **~-se** estirarse

estigma [is'tʃigma] m estigma m

estigmatizar [istʃigmatʃi'zar] vt estigmatizar

estilista [istʃi'ʎista] mf (*moda*) estilista mf

estilístico, -a [istʃi'ʎistʃiku, -a] adj estilístico, -a

estilo [is'tʃilu] m estilo m

estima [is'tʃima] f estima f

estimação <-ões> [istʃima'sãw, -'õjs] f estimación f; **de ~** preferido, -a

estimado, -a [istʃi'madu, -a] adj estimado, -a

estimar [istʃi'mar] vt estimar; **estimo-lhe as melhoras** que se mejore

estimativa [istʃima'tʃiva] f estimación f

estimulante [istʃimu'lãntʃi] adj, m estimulante m

estimular [istʃimu'lar] vt estimular

estímulo [is'tʃimulu] m estímulo m

estipular [istʃipu'lar] vt estipular

estirar [istʃi'rar] vt estirar

estofado [isto'fadu] m tresillo m tapizado

estofamento [istofa'mẽjtu] m tapicería f; (*estofo*) acolchado m

estofar [isto'far] vt (*móveis*) tapizar; (*acolchoar*) acolchar

estofo [is'tofu] m tapizado m; (*estofamento*) relleno m

estóico, -a [is'tɔjku, -a] adj, m, f estoico, -a m, f

estojo [is'toʒu] m (*de óculos*) funda f; (*de lápis*) estuche m; **~ de primeiros socorros** botiquín m de primeros auxilios

estola [is'tɔla] f estola f

estomacal <-ais> [istoma'kaw, -'ajs] adj estomacal

estômago [is'tomagu] m estómago m

Estônia [is'tonia] f Estonia f

estônio, -a [is'tonio, -a] adj, m, f estonio, -a m, f

estonteante [istõwtʃi'ãntʃi] adj deslumbrante

estoque [is'tɔki] m existencias fpl

estorno [is'tornu] m reembolso m

estorvar [istor'var] vt (*incomodar*) molestar; (*dificultar*) estorbar

estorvo [is'torvu] m (*incômodo*) molestia f; (*obstáculo*) estorbo m

estourar [istow'rar] I. vt (*rebentar*) estallar II. vi estallar

estouro [is'towru] m (*estrondo*) estallido m

estrabismo [istra'bizmu] m estrabismo m

estraçalhar [istrasa'ʎar] vt destrozar

estrada [is'trada] f (*rua*) carretera f; **~ de ferro** ferrocarril m; (*caminho*) camino m

estrado [is'tradu] m **1.** (*palanque, tablado*) estrado m **2.** (*de cama*) somier m

estragado, -a [istra'gadu, -a] adj estropeado, -a

estragar [istra'gar] <g→gu> vt (*uma máquina, os planos*) estropear; (*a saúde, a reputação*) dañar

estrago [is'tragu] m estragos mpl

estrangeiro [istrãn'ʒejru] m extranjero m; **ir para o ~** ir al extranjero

estrangeiro, -a [istrãn'ʒejru, -a] adj, m, f extranjero, -a m, f

estrangular [istrãngu'lar] vt estrangular

estranhar [iʃtrɐˈɲar] vt 1. (achar estranho) extrañarse de; (o clima, um ambiente) no adaptarse a 2. (admirar-se com) extrañar

estranho, -a [iʃˈtrɐɲu, -a] adj, m, f extraño, -a m, f

estranja [iʃˈtrɐ̃ʒa] f inf extranjero m

estratégia [iʃtraˈtɛʒia] f estrategia f

estratégico, -a [iʃtraˈtɛʒiku, -a] adj estratégico, -a

estrato [iʃˈtratu] m estrato m

estrear [iʃtreˈar] conj como passear I. vt estrenar II. vi (filme, peça) estrenarse

estréia [iʃˈtrɛja] f (de filme, peça, ator) estreno m

estreitar [iʃtrejˈtar] vt estrechar

estreito, -a [iʃˈtrejtu, -a] adj estrecho, -a

estrela [iʃˈtrela] f estrella f

estrelado, -a [iʃtreˈladu, -a] adj (céu) estrellado, -a; **ovo ~** GASTR huevo frito

estrela-do-mar [iʃtrela-duˈmar] <estrelas-do-mar> f estrella f de mar

estrelar [iʃtreˈlar] vt CINE, TEAT protagonizar; (um ovo) freír

estremecer [iʃtremeˈser] <c→ç> vi estremecer

estrepar-se [iʃtreˈparsi] vr inf (dar-se mal) **se estrepou** le salió mal

estressado, -a [iʃtreˈsadu, -a] adj estresado, -a

estressante [iʃtreˈsɐ̃tʃi] adj estresante

estresse [iʃˈtrɛsi] m estrés m

estribeira [iʃtriˈbejra] f estribo m

estribo [iʃˈtribu] m estribo m

estridente [iʃtriˈdẽjtʃi] adj estridente

estritamente [iʃtritaˈmẽjtʃi] adv estrictamente; **~ proibido** estrictamente prohibido

estrito, -a [iʃˈtritu, -a] adj estricto, -a

estrofe [iʃˈtrɔfi] f estrofa f

estrondo [iʃˈtrõwdu] m estruendo m

estrondoso, -a [iʃtrõwˈdozu, -a] adj (ruidoso) estruendoso, -a; (espetacular) espectacular

estrume [iʃˈtrumi] m estiércol m

estrutura [iʃtruˈtura] f estructura f

estruturar [iʃtrutuˈrar] I. vt estructurar II. vr: **~-se** organizarse

estudante [iʃtuˈdɐ̃tʃi] mf estudiante mf

estudantil <-is> [iʃtudɐ̃ˈtʃiʃ, -ˈis] adj estudiantil

estudar [iʃtuˈdar] vi, vt estudiar

estúdio [iʃˈtudiw] m estudio m

estudioso, -a [iʃtudiˈozu, -ˈɔza] adj estudioso, -a

estudo [iʃˈtudu] m estudio m; **terminar os ~s** terminar los estudios

estufa [iʃˈtufa] f invernadero m

estufar [iʃtuˈfar] vt (inchar) sacar

estupefação <-ões> [iʃtupefaˈsɐ̃w, -ˈõjs] f estupefacción f

estupefato, -a [iʃtupeˈfatu, -a] adj estupefacto, -a

estupendo, -a [iʃtuˈpẽjdu, -a] adj estupendo, -a

estupidez [iʃtupiˈdes] f estupidez f

estúpido, -a [iʃˈtupidu, -a] adj, m, f estúpido, -a m, f

estuprar [iʃtuˈprar] vt violar

estupro [iʃˈtupru] m violación f

esvair-se [izva'irsi] *conj como sair vr* desvanecerse; ~ **em sangue** desangrarse

esvaziar [izvazi'ar] **I.** *vt* vaciar **II.** *vr:* ~**-se** vaciarse

esverdeado, -a [izverdʒi'adu, -a] *adj* verdoso, -a

etapa [e'tapa] *f* etapa *f*

etc. [et'setera] *abr de* **et cetera** etc.

etéreo, -a [e'tɛriw, -ea] *adj* etéreo *m*

eternidade [eterni'dadʒi] *f* eternidad *f*

eternizar [eterni'zar] *vt* eternizar

eterno, -a [e'tɛrnu, -a] *adj* eterno, -a

ética ['ɛtʃika] *f sem pl* ética *f*

etíope [e'tʃiwpi] *adj, mf* etíope *mf*

Etiópia [etʃi'ɔpia] *f* Etiopía *f*

etiqueta [etʃi'keta] *f* etiqueta *f*

etiquetar [etʃike'tar] *vt* etiquetar

etnia [etʃi'nia] *f* etnia *f*

étnico, -a ['ɛtʃiniku, -a] *adj* étnico, -a

eu ['ew] **I.** *m* yo *m* **II.** *pron pess* yo; **sou ~!** ¡soy yo!

EUA [is'tadu͡z u'nidus] *mpl abr de* **Estados Unidos da América** EE.UU. *mpl*

eucalipto [ewka'ʎiptu] *m* eucalipto *m*

eucaristia [ewkaris'tʃia] *f sem pl* eucaristía *f*

euforia [ewfo'ria] *f* euforia *f*

eufórico, -a [ew'fɔriku, -a] *adj* eufórico, -a

euro ['ewru] *m* euro *m*

Europa [ew'rɔpa] *f* Europa *f*; ~ **Oriental/Ocidental** Europa Oriental/Occidental

europeu, européia [ewro'pew, ewro'pεja] *adj, m, f* europeo, -a *m, f*

evacuação <-ões> [evakwa'sãw, -'õjs] *f* evacuación *f*

evacuar [evaku'ar] *vi, vt tb.* BIO evacuar

evangelho [evɑ̃'ʒeʎu] *m* evangelio *m*

evaporação <-ões> [evapora'sãw, -'õjs] *f* evaporación *f*

evaporar [evapo'rar] **I.** *vi* evaporarse **II.** *vr:* ~**-se** evaporarse

evasão <-ões> [eva'zãw, 'õjs] *f* evasión *f*

evasiva [eva'ziva] *f* evasiva *f*

evasivo, -a [eva'zivu, -a] *adj* evasivo, -a

evasões [eva'zõjs] *f pl de* **evasão**

evento [e'vẽtu] *m* evento *m*

eventual <-ais> [evẽtu'aw, 'ajs] *adj* eventual

eventualidade [evẽjtwaʎi'dadʒi] *f* eventualidad *f*

evidência [evi'dẽjsia] *f* evidencia *f*

evidente [evi'dẽjtʃi] *adj* evidente

evidentemente [evidẽjtʃi'mẽjtʃi] *adv* evidentemente

evitar [evi'tar] *vt* evitar

evocar [evo'kar] <c → qu> *vt* (*um espírito*) invocar; (*uma lembrança*) evocar

evolução <-ões> [evolu'sãw, -'õjs] *f* evolución *f*

evoluir [evolu'ir] *conj como incluir vi* evolucionar

Ex.ª [ese'lẽjsia] *abr de* **Excelência** Exc. **exagerado, -a** [ezaʒe'radu, -a] *adj, m, f* exagerado, -a *m, f*

exagerar [ezaʒe'rar] *vi, vt* exagerar

exagero [eza'ʒeru] *m* exageración *f*; **que ~!** ¡qué exageración!

exaltado, -a [ezaw'tadu, -a] *adj* exaltado, -a

exaltar [ezaw'tar] **I.** *vt* exaltar **II.** *vr:* **~-se** exaltarse

exame [e'zɐmi] *m* (*proba*) examen *m;* MED control *m;* **~ de sangue** análisis *m inv* de sangre

examinar [izɐmi'nar] *vt* examinar

exasperar [ezaspe'rar] *vt* exasperar

exatamente [ezata'mẽjtʃi] *adv* exactamente; **~!** ¡exacto!

exatidão <-ões> [izatʃi'dãw, -'õjs] *f* exactitud *f*

exato, -a [e'zatu, -a] *adj* exacto, -a

exaustão <-ões> [ezaws'tãw, -'õjs] *f* agotamiento *m*

exaustivo, -a [ezaws'tʃivu, -a] *adj* exhaustivo, -a

exausto, -a [e'zawstu, -a] *adj* exhausto, -a

exaustor [ezaws'tor] *m* extractor *m*

exceção <-ões> [ese'sãw, -'õjs] *f* excepción *f*

excedente [ese'dẽjtʃi] *adj, m* excedente *m*

exceder-se [ese'dersi] *vr* (*descomedir-se*) excederse

excelência [ese'lẽjsja] *f* excelencia *f;* **Sua/Vossa Excelência** Su Excelencia

excelente [ese'lẽjtʃi] *adj* excelente

excêntrico, -a [e'sẽjtriku, -a] *adj* excéntrico, -a

excepcional <-ais> [esepsjo'naw, -'ajs] *adj* (*de exceção*) excepcional; (*portador de deficiência*) discapacitado, -a

excepcionalmente [esepsjonaw'mẽjtʃi] *adv* excepcionalmente

excerto [e'sertu] *m* fragmento *m*

excessivamente [esesiva'mẽjtʃi] *adv* excesivamente

excessivo, -a [ese'sivu, -a] *adj* excesivo, -a

excesso [e'sɛsu] *m* **1.** (*falta de moderação*) exceso *m* **2.** (*excedente*) sobras *fpl*

exceto [e'sɛtu] *prep* excepto, -a; **vieram todos ~ ele** vinieron todos excepto él

excitante [esi'tãtʃi] *adj, m* excitante *m*

excitação <-ões> [esita'sãw, -'õjs] *f* excitación *f*

excitado, -a [esi'tadu, -a] *adj* excitado, -a

excitar [esi'tar] **I.** *vt* excitar **II.** *vr:* **~-se** excitarse

exclamação <-ões> [isklɐma'sãw, -'õjs] *f* exclamación *f;* **ponto de ~** signo de exclamación

exclamar [iskla'mar] *vt* exclamar

excluir [isklu'ir] *conj como incluir vt* excluir

exclusão <-ões> [isklu'zãw, -'õjs] *f* exclusión *m*

exclusivamente [iskluziva'mẽjtʃi] *adv* exclusivamente

exclusividade [iskluzivi'dadʒi] *f* exclusividad *f*

exclusivo, -a [esklu'zivu, -a] *adj* exclusivo, -a

excomungar [iskomũw'gar] <g→gu> *vt* excomulgar

excremento [iskre'mẽjtu] *m* excremento *m*

excursão <-ões> [iskur'sãw, -'õjs] *f* excursión *f*

execução <-ões> [ezeku'sãw, -'õjs] *f* ejecución *f*

executar [ezeku'tar] *vt* ejecutar

executivo, -a [ezeku'tʃivu, -a] *adj, m, f* ejecutivo, -a *m, f*

executor(a) [ezekutor(a)] *m(f)* ejecutor(a) *m(f)*

exemplar [ezẽj'plar] *adj, m* ejemplar *m*

exemplificar [ezẽjplifi'kar] <c→qu> *vt* ejemplificar

exemplo [e'zẽjplu] *m* ejemplo *m*; **por ~** por ejemplo

exercer [ezer'ser] <c→ç> *vt* ejercer

exercício [ezer'sisiw] *m* ejercicio *m*

exercitar [ezersi'tar] *vt* ejercitar

exército [e'zɛrsitu] *m* ejército *m*

exibição <-ões> [ezibi'sãw, -'õjs] *f* exhibición *f*; **estar em ~** estar en cartelera

exibir [ezi'bir] **I.** *vt* exhibir **II.** *vr*: **~-se** exhibirse

exigência [ezi'ʒẽjsia] *f* exigencia *f*

exigente [ezi'ʒẽjtʃi] *adj* exigente

exigir [ezi'ʒir] <g→j> *vt* exigir

exilado, -a [ezi'ladu, -a] *adj, m, f* exiliado, -a *m, f*

exilar [ezi'lar] **I.** *vt* exiliar **II.** *vr*: **~-se** exiliarse

exílio [e'ziliw] *m* exilio *m*

existência [ezis'tẽjsia] *f* existencia *f*

existencial [ezistẽjsi'aw] *adj* existencial

existir [ezis'tʃir] *vi* existir

êxito ['ezitu] *m* éxito *m*

Exmo. [eselẽj'tʃisimu] *abr de* Excelentíssimo Excmo.

êxodo ['ezodu] *m* éxodo *m*

exorbitância [ezorbi'tãɲsia] *f* exageración *f*

exorcismo [ezor'sizmu] *m* exorcismo *m*

exorcista [ezor'sista] *mf* exorcista *mf*

exótico, -a [e'zɔtʃiku, -a] *adj* exótico, -a

expandir [ispãn'dʒir] **I.** *vt* expandir **II.** *vr*: **~-se** expandirse

expansão <-ões> [ispãn'sãw, -'õjs] *f* expansión *f*; **~ econômica** expansión económica

expansivo, -a [ispãn'sivu, -a] *adj* (*pessoa*) expansivo, -a

expatriar [espatri'ar] *vt* expatriar

expectativa [ispekta'tʃiva] *f* expectativa *m*

expedição <-ões> [ispedʒi'sãw, -'õjs] *f* expedición *f*

expediente [ispedʒi'ẽjtʃi] *m* (*de escritório*) jornada *f* laboral

expedir [ispe'dʒir] *irr como pedir vt* expedir; (*um telegrama*) mandar

expelir [ispe'ʎir] <pp: expulso *ou* expelido> *irr como preferir vt* expulsar

experiência [isperi'ẽjsia] *f* experiencia *f*

experiente [isperi'ẽjtʃi] *adj* experimentado, -a

experimental <-ais> [isperimẽj'taw, -'ajs] *adj* experimental

experimentar [isperimẽj'tar] *vt* **1.** (*comida, uma atividade*) probar **2.** (*roupa*) probarse **3.** (*passar por*) experimentar

expirar [ispi'rar] *vi* (*respiração*) exha-

explicação 111 **exteriorizar**

lar; (*prazo*) expirar
explicação <-ões> [isplika'sãw, -'õjs] *f* explicación *f*
explicar [ispli'kar] *vt* explicar
explícito, -a [is'plisitu, -a] *adj* explícito, -a
explodir [isplo'dʒir] *vi* explotar
exploração <-ões> [isplora'sãw, -'õjs] *f* (*investigação*) exploración *f*; (*de pessoas*) explotación *f*
explorador(a) [isplora'dor(a)] *m(f)* (*investigador*) explorador(a) *m(f)*; (*de pessoas*) explotador(a) *m(f)*
explorar [isplo'rar] *vt* (*um terreno*) explorar; (*uma pessoa*) explotar
explosão <-ões> [isplo'zãw, -'õjs] *f* (*de uma bomba*) explosión *f*
explosivo [isplo'zivu] *m* explosivo *m*
explosivo, -a [isplo'zivo, -a] *adj* **1.** (*material*) explosivo, -a **2.** (*pessoa*) impulsivo, -a
explosões [isplo'zõjs] *f pl de* **explosão**
expor [is'por] *irr como* pôr **I.** *vt* exponer **II.** *vr:* ~-**se** exponerse
exportação <-ões> [isporta'sãw, -'õjs] *f* exportación *f*
exportador(a) [isporta'dor(a)] *m(f)* exportador(a) *m(f)*
exportar [ispor'tar] *vt* exportar
exposição <-ões> [ispozi'sãw, -'õjs] *f* exposición *f*
exposto, -a [is'postu, -ɔsta] **I.** *pp irr de* **expor** **II.** *adj* expuesto, -a
expressão <-ões> [ispre'sãw, -'õjs] *f* expresión *f*
expressar [ispre'sar] <*pp:* expresso *ou* expressado> **I.** *vt* expresar **II.** *vr:* ~-**se** expresarse
expressivo, -a [ispre'sivu -a] *adj* expresivo, -a
expresso [is'prɛsu] *m* (*trem*) expreso *m*
expresso, -a [is'prɛsu, -a] **I.** *pp irr de* **exprimir** **II.** *adj* expreso, -a; **café** ~ café expreso; **correio** ~ correo urgente
expressões [ispre'sõjs] *f pl de* **expressão**
exprimir [ispri'mir] <*pp:* expresso *ou* exprimido> *vt* expresar
expulsão <-ões> [ispuw'sãw, -'õjs] *f* expulsión *f*
expulsar [ispuw'sar] <*pp:* expulso *ou* expulsado> *vt* expulsar, botar *AmL*
expulso [is'puwsu] *pp irr de* **expulsar**
expulsões [ispuw'sõjs] *f pl de* **expulsão**
êxtase ['estazi] *m* éxtasis *m inv*
extensão <-ões> [istẽj'sãw, -'õjs] *f* extensión *f*
extensivo, -a [istẽj'sivu, -a] *adj* extensivo, -a
extenso, -a [is'tẽjsu, -a] *adj* extenso, -a
extensões [istẽj'sõjs] *f pl de* **extensão**
extenuar [istenu'ar] **I.** *vt* extenuar **II.** *vr:* ~-**se** extenuarse
exterior [isteri'or] *m* **1.** (*parte de fora*) exterior *m* **2.** (*estrangeiro*) extranjero *m*
exteriorizar [isterjori'zar] *vt* exteriorizar

exteriormente [isterjor'mějtʃi] *adv* exteriormente

exterminar [istermi'nar] *vt* exterminar

externo, -a [is'tεrnu, -a] *adj* externo, -a; **para uso ~** MED de uso externo

extinção <-ões> [istʃĩ'sãw, -'õjs] *f* extinción *f*

extinguir [istʃĩ'gir] <*pp*: extinto *ou* extinguido; gu→g> I. *vt* extinguir II. *vr*: **~-se** extinguirse

extinto, -a [is'tʃĩtu, -a] *adj* extinto, -a

extintor [istʃĩ'tor] *m* extintor *m*

extra ['estra] *adj inv, f* extra *m*

extração <-ões> [istra'sãw, -'õjs] *f* **1.** (*da loteria*) sorteo *m* **2.** (*de dente, minério*) extracción *f*

extrair [istra'ir] *conj como sair vt* extraer

extraordinário, -a [istraordʒi'nariw, -a] *adj* extraordinario, -a

extrato [is'tratu] *m* extracto *m*

extravagância [istrava'gãnsia] *f* extravagancia *f*

extravagante [istrava'gãntʃi] *adj* extravagante

extraviar-se [istravi'arsi] *vr* extraviarse

extravio [istra'viw] *m* (*de uma carta, perda*) extravío *m*

extremidade [istremi'dadʒi] *f* extremidad *f*

extremo [is'tremu] *m* extremo *m*

extrovertido, -a [istrover'tʃidu, -a] *adj* extrovertido, -a

exuberante [ezube'rãntʃi] *adj* exuberante

exumar [ezu'mar] *vt* exhumar

F

F, f ['εfi] *m* F, f *f*

fã ['fã] *mf* fan *mf*

fábrica ['fabrika] *f* fábrica *f*

fabricação <-ões> [fabrika'sãw, -'õjs] *f* fabricación *f*

fabricante [fabri'kãntʃi] *mf* fabricante *mf*

fabricar [fabri'kar] <c→qu> *vt* fabricar

fábula ['fabula] *f* fábula *f*

fabuloso, -a [fabu'lozu, -'ɔza] *adj* fabuloso, -a

faca ['faka] *f* cuchillo *m*; **~ de dois gumes** *fig* arma de doble filo

facada [fa'kada] *f* cuchillada *f*

façanha [fa'sãna] *f* hazaña *f*

face ['fasi] *f* **1.** (*rosto*) cara *f* **2.** (*bochecha*) mejilla *f*; **~ a ~** cara a cara **3.** (*superfície*) faz *f*

fáceis ['fasejs] *adj pl de* **fácil**

fachada [fa'ʃada] *f* fachada *f*; **de ~** *fig* falso, -a

fácil <-eis> ['fasiw, -ejs] *adj, adv* fácil

facilidade [fasiλi'dadʒi] *f sem pl* facilidad *f*

facilitar [fasiλi'tar] *vt* facilitar

faculdade [fakuw'dadʒi] *f tb.* UNIV facultad *f*

facultativo, -a [fakuwta'tʃivu, -a] *adj* facultativo, -a

fada ['fada] *f* hada *f*

fadiga [fa'dʒiga] *f* fatiga *f*

faisão <-ões *ou* -ães> [faj'zãw, -õjs, -ãjs] *m* faisán *m*

faísca [fa'iska] *f* chispa *f*

faisões [fai'sõjs] *m pl de* **faisão**

faixa ['fajʃa] *f* **1.** (*de tecido*) banda *f*; (*cinto*) faja *f*; (*atadura*) vendaje *m* **2.** (*na estrada*) carril *m*; ~ **de pedestres** paso *m* de cebra

fala ['fala] *f* habla *f*; (*discurso*) discurso *m*

falar [fa'lar] *vi, vt* hablar

falecer [fale'ser] <c→ç> *vi* fallecer

falecido, -a [fale'sidu, -a] *adj, m, f* fallecido, -a *m, f*

falecimento [falesi'mẽjtu] *m* fallecimiento *m*

falência [fa'lẽjsia] *f* quiebra *f*

falha ['faʎa] *f* (*erro*) fallo *m*; (*defeito*) defecto *m*

falhar [fa'ʎar] *vi* fallar; (*na vida*) fracasar

falido, -a [fa'ʎidu, -a] *adj* ECON en quiebra

falir [fa'ʎir] *irr como* abolir *vi* ECON quebrar

falsidade [fawsi'dadʒi] *f* falsedad *f*

falsificação <-ões> [fawsifika'sãw, -õjs] *f* falsificación *f*

falsificar [fawsifi'kar] <c→qu> *vt* falsificar

falso, -a ['fawsu, -a] *adj* falso, -a

falta ['fawta] *f* falta *f*

faltar [faw'tar] *vi, vt* faltar

fama ['fama] *f sem pl* fama *f*

família [fa'miʎia] *f* familia *f*

familiar [famiʎi'ar] <-es> *adj, mf* familiar *mf*

familiarizar [famiʎijari'zar] **I.** *vt* familiarizar **II.** *vr:* ~-**se** familiarizarse

faminto, -a [fa'mĩjtu, -a] *adj* hambriento, -a

famoso, -a [fa'mozu, -'ɔza] *adj* famoso, -a

fanático, -a [fa'natʃiku, -a] *adj, m, f* fanático, -a

fanatismo [fana'tʃizmu] *m* fanatismo *m*

faniquito [fani'kitu] *m inf* patatús *m inv*

fantasia [fãjta'zia] *f* **1.** (*imaginação*) fantasía *f* **2.** (*traje*) disfraz *m*

fantasma [fãj'tazma] *m* fantasma *m*

fantástico, -a [fãj'tastʃiku, -a] *adj* fantástico, -a

farda ['farda] *f* uniforme *m*

farejar [fare'ʒar] *vi* husmear; *fig* olfatear

farinha [fa'riɲa] *f* harina *f*; ~ **de mandioca** harina de mandioca

farmacêutico, -a [farma'sewtʃiku, -a] *adj, m, f* farmacéutico, -a *m, f*

farmácia [far'masia] *f* farmacia *f*

faro ['faru] *m* olfato *m*; *fig* intuición *f*

farol <-óis> [fa'rɔw, -'ɔjs] *m* **1.** (*torre*) faro *m* **2.** (*de automóvel*) luz *f*

farolete [faro'letʃi] *m* faro *m* pequeño

farra ['faxa] *f* juerga *f*

farrapo [fa'xapu] *m* harapo *m*

farsa ['farsa] *f* farsa *f*

fartar [far'tar] **I.** *vt* hartar; (*fome, sede, desejos*) saciar **II.** *vr:* ~-**se** hartarse

farto, -a ['fartu, -a] *adj* **1.** (*pessoa*) harto, -a **2.** (*refeição*) abundante

fartura [far'tura] *f* (*abundância*) abundancia *f*

fascinante [fasi'nãjtʃi] *adj* fascinante

fascinar [fasi'nar] *vt* fascinar

fascínio [fa'siniw] *m* fascinación *f*

fase ['fazi] f fase f
fatal <-ais> [fa'taw, -'ajs] adj fatal
fatalidade [fataʎi'dadʒi] f fatalidad f
fatia [fa'tʃia] f 1. (de pão) rebanada f 2. (parcela) parte f
fatigante [fatʃi'gãntʃi] adj (que cansa) fatigante; (que chateia) pesado, -a
fato ['fatu] I. m hecho m II. adv **de ~ de** hecho
fator [fa'tor] <-es> m factor m
faturar [fatu'rar] vt 1. (mercadoria) facturar 2. (dinheiro) ganar; **~ alto** ganar mucho
fauna ['fawna] f fauna f
favela [fa'vɛla] f favela f

Cultura   La **favela** es un conjunto de casas populares construidas con materiales improvisados, ocupando un terreno de propiedad ajena (pública o particular) dentro de una zona urbana. La carencia de servicios públicos esenciales es una de las características de este tipo de asentamiento, en el que viven personas con pocos ingresos.

favelado, -a [fave'ladu, -a] m, f habitante mf de una favela
favor [fa'vor] <-es> m favor m
favorável <-eis> [favo'ravew, -ejs] adj favorable
favorecer [favore'ser] <c→ç> I. vt favorecer II. vr: **~-se** favorecerse
favores [fa'vores] m pl de **favor**
favorito, -a [favo'ritu, -a] adj, m, f favorito, -a m, f
faxina [fa'ʃina] f limpieza f; **fazer uma ~ na casa** hacer limpieza general en casa
faxineiro, -a [faʃi'nejru, -a] m, f limpiador(a) m(f)
fazenda [fa'zẽjda] f 1. (grande propriedade rural) hacienda f 2. (pano) tela f 3. ECON hacienda f
fazendeiro, -a [fazẽj'dejru, -a] m, f hacendado, -a m, f
fazer [fa'zer] irr I. vt 1. (executar, produzir) hacer 2. (estudar: medicina) hacer 3. (anos de vida) cumplir; **~ aniversário** cumplir años II. vi impess 1. METEO **faz frio** hace frío 2. (temporal) **faz hoje um ano que me casei** hoy hace un año que me casé 3. (locução) **não faz mal!** ¡no ha sido nada!; **tanto faz** me da igual
fé [fɛ] f sem pl fe f
FEBEM [fe'bẽj] f sem pl POL abr de **Fundação Estadual do Bem-Estar do Menor** red estatal de reformatorios
febre ['fɛbri] f sem pl fiebre f
fechado, -a [fe'ʃadu, -a] adj 1. cerrado, -a 2. inf (sinal) en rojo
fechadura [feʃa'dura] f cerradura f, chapa f AmL
fechar [fe'ʃar] I. vi, vt cerrar II. vr: **~-se** cerrarse
fecho [fe'ʃu] m cremallera f, cierre m AmL
fecundar [fekũw'dar] vt fecundar
feder [fe'der] vi apestar
federação <-ões> [federa'sãw, -'õjs] f federación f
federal [fede'raw] adj federal
fedor [fe'dor] <-es> m hedor m
feição <-ões> [fej'sãw, -õjs] f (apa-

rência, índole) carácter m; (*maneira*) manera f

feijão <-ões> [fej'ʒãw, -õjs] m alubia f, frijol m AmL

> **Cultura** La **feijoada** es el plato nacional brasileño, preparado con alubias negritas condimentadas con ajo y cebolla, y cocido con diferentes cortes salados del cerdo (chorizo, carne seca, tocino, etc.). En algunas regiones se sirve con legumbres. La **feijoada** se come con arroz blanco, **farofa**, berza, salsa picante, y naranjas o piña.

feio, -a ['feju, -a] *adj* feo, -a
feira ['fejra] f **1.** (*mercado*) mercado m **2.** (*exposição*) feria f
feirante [fej'rãntʃi] *mf* vendedor(a) m(f)
feiticeiro, -a [fejtʃi'sejru, -a] m, f hechicero, -a m, f
feitiço [fej'tʃisu] m hechizo m
feitio [fej'tʃiw] m **1.** (*forma*) tipo m; (*de roupa*) forma f **2.** (*temperamento*) carácter m
feito ['fejtu] **I.** *pp de* fazer **II.** m hazaña f **III.** *conj* como; **chorou ~ criança** lloró como un niño
felicidade [feλisi'dadʒi] f sem pl felicidad f
felicitar [feλisi'tar] *vt* felicitar
feliz [fe'λis] <-es> *adj* feliz
felpudo, -a [few'pudu, -a] *adj* afelpado, -a
fêmea ['femia] f tb. TÉC hembra f
feminino, -a [femi'ninu, -a] *adj* femenino, -a

fenda ['fẽjda] f grieta f
feno ['fenu] m sem pl heno m
fenômeno [fe'nomenu] m fenómeno m
fera ['fɛra] f fiera f
feriado [feri'adu] m festivo m
férias ['fɛrias] *fpl* vacaciones *fpl*; **tirar ~** tomarse vacaciones
ferida [fe'rida] f herida f
ferido, -a [fe'ridu, -a] *adj, m, f* herido, -a m, f
ferimento [feri'mẽjtu] m herida f
ferir [fe'rir] *irr como* preferir **I.** *vt* **1.** MED herir **2.** (*contrariar*) ir contra **II.** *vr*: **~-se** hacerse una herida
fermentação <-ões> [fermẽjta'sãw, -õjs] f fermentación f
fermentar [fermẽj'tar] *vi* fermentar
fermento [fer'mẽjtu] m sem pl fermento m; (*de pão*) levadura f
feroz [fe'rɔs] <-es> *adj* feroz
ferradura [fexa'dura] f cerradura f
ferramenta [fexa'mẽjta] f herramienta f
ferrão <-ões> [fe'xãw, -õjs] m aguijón m
ferro ['fɛxu] m sem pl (*metal*) hierro m; **~ de passar** plancha f
ferrões [fe'xõjs] m pl de **ferrão**
ferro-velho ['fɛxu-'vɛλu] m sem pl chatarra f
ferrovia [fexo'via] f vía f férrea
ferroviário, -a [fexovi'ariw, -a] *adj, m, f* ferroviario, -a m, f
ferrugem [fe'xuʒẽj] <-ens> f herrumbre f
fértil <-eis> ['fɛrtʃiw, -ejs] *adj* fértil
fertilidade [fertʃiλi'dadʒi] f sem pl fer-

fertilizante 116 **Filipinas**

tilidad *f*

fertilizante [fertʃiʎi'zãŋtʃi] *m* fertilizante *m*

ferver [fer'ver] *vi, vt* hervir

festa ['fɛsta] *f* fiesta *f*; **Boas Festas!** ¡Felices Fiestas!

festança [fes'tãŋsa] *f* gran fiesta *f*

festejar [feste'ʒar] *vt* festejar

festejo [fes'teʒu] *m* festejo *m*

festival <-ais> [festʃi'vaw, -'ajs] *m* festival *m*

festividade [festʃivi'dadʒi] *f* festividad *f*

feto ['fɛtu] *m* (*embrião*) feto *m*

fevereiro [feve'rejru] *m* febrero *m*; *v.tb.* **março**

fez ['fes] *3. pret de* **fazer**

fezes ['fɛzis] *fpl* heces *fpl*

fiado [fi'adu] *adv* al fiado; **vender ~** vender al fiado

fiador(a) [fja'dor(a)] <-es> *m(f)* fiador(a) *m(f)*

fiança [fi'ãŋsa] *f* fianza *f*

fibra ['fibra] *f* **1.** BIO (*têxtil*) fibra *f* **2.** (*personalidade*) garra *f*

ficar [fi'kar] <c→qu> *vt* **1.** (*permanecer*) quedarse; **~ na mesma** quedarse igual; **~ na sua** *gíria* no meterse **2.** (*sobrar*) quedar **3.** (*estar situado*) quedar; **a loja fica no centro** la tienda queda en el centro **4.** (*tornar-se*) ponerse; **~ com frio** enfriarse **5.** (*guardar*) **isso fica (só) entre nós** eso queda entre nosotros dos **6.** (*roupa, cor*) sentar; **isso não fica bem!** ¡eso no queda bien! **7.** (*ser adiado*) **isso fica para amanhã** eso queda para mañana **8.** (*acordo*) **ele ficou** de telefonar quedó en telefonear **9.** (*constantemente*) **fiquei falando sozinho** me quedé hablando sólo **10.** *gíria* (*namorar*) ligar

ficção <-ões> [fik'sãw, -'õjs] *f* ficción *f*

ficha ['fiʃa] *f* **1.** (*peça, de arquivo, formulário*) ficha *f* **2.** (*antecedentes*) expediente *m*; **ter ~ limpa** *inf* estar bien considerado

fichário [fi'ʃarju] *m* **1.** (*caixa*) fichero *m* **2.** (*caderno, pasta*) libreta *f*

fictício, -a [fik'tʃisiw, -a] *adj* ficticio, -a

fidelidade [fideʎi'dadʒi] *f sem pl* fidelidad *f*

fiel <-éis> [fi'ɛw, -'ɛjs] *adj, mf* fiel *mf*

figa ['figa] *f* **fazer ~s** cruzar los dedos

fígado ['figadu] *m* hígado *m*

figo ['figu] *m* higo *m*

figueira [fi'gejra] *f* higuera *f*

figura [fi'gura] *f* figura *f*

figurar [figu'rar] *vi* figurar

fila ['fila] *f* fila *f*; **furar ~** saltarse la cola

filé [fi'lɛ] *m* filete *m*; **~ mignon** solomillo *m*

fileira [fi'lejra] *f* hilera *f*

filha ['fiʎa] *f v.* **filho**

filharada [fiʎa'rada] *f* hijos *mpl*

filho, -a ['fiʎu, -a] *m, f* hijo, -a *m, f*; **~ de criação** hijo de tutela; **~ de peixe, peixinho é** *prov* de tal palo, tal astilla *prov*

filhote [fi'ʎɔtʃi] *m* cría *f*

filiação <-ões> [fiʎia'sãw, -'õjs] *f* **1.** (*país*) filiación *f* **2.** (*entidade*) afiliación *f*

filial <-ais> [fiʎi'aw, -'ajs] *f* filial *f*

Filipinas [fiʎi'pinas] *fpl* Filipinas *fpl*

filmagem [fiw'maʒēj] <-ens> f filmación f

filmar [fiw'mar] vt filmar

filme ['fiwmi] m película f

filtrar [fiw'trar] vt filtrar

filtro ['fiwtru] m filtro m

fim [fīj] <fins> m (final, objetivo) fin m; ~ **de semana** fin de semana; **ao** ~ **da tarde** al final de la tarde; **estar a** ~ **de fazer a. c.** gíria tener ganas de hacer algo; **é o** ~ (**da picada**) es el colmo; **que** ~ **levou ele?** ¿qué fue de él?

finado, -a [fi'nadu, -a] adj, m, f difunto, -a m, f

final <-ais> [fi'naw, -'ajs] adj, m tb. ESPORT final m

finalidade [finaʎi'dadʒi] f finalidad f

finanças [fi'nãnsas] fpl finanzas fpl

financeiro, -a [finãn'sejru, -a] adj financiero, -a

financiamento [finãnsja'mējtu] m financiamiento m

financiar [finãnsi'ar] vt financiar

fingido, -a [fīj'ʒidu, -a] adj (pessoa) falso, -a; (sentimento) fingido, -a

fingimento [fīʒi'mējtu] m fingimiento m

fingir [fīj'ʒir] <g→j> I. vi, vt fingir II. vr: ~-se fingirse

finlandês, -esa [fījlãŋ'des, -'eza] adj, m, f finlandés, -esa m, f

Finlândia [fīj'lãndʒia] f Finlandia f

fino, -a ['finu, -a] adj 1. (delgado, educado, requintado) fino, -a 2. (voz) agudo, -a

fins [fījs] m pl de **fim**

fio ['fiw] m 1. (têxtil) hilo m; **horas a** ~ horas ininterrumpidas; **perder o** ~ **da meada** perder el hilo de la conversación; **de** ~ **a pavio** de comienzo a fin 2. ELETR, TEL cable m 3. (da faca) filo m

firma ['firma] f firma f

firme ['firmi] adj firme

firmeza [fir'meza] f sem pl firmeza f

fiscal <-ais> [fis'kaw, -ajs] I. adj 1. (de impostos) fiscal 2. (de fiscalização) de inspección; **conselho** ~ consejo de inspección II. mf inspector(a) m(f)

fiscalização <-ões> [fiskaʎiza'sãw, -'õjs] f inspección f

fiscalizar [fiskaʎi'zar] vt inspeccionar

física ['fizika] f sem pl física f

físico ['fiziku] m físico m

físico, -a ['fiziku, -a] adj, m, f físico, -a m, f

fisioterapia [fizjotera'pia] f fisioterapia f

fita ['fita] f 1. (de tecido, cassete) cinta f 2. (fingimento) teatro m; **fazer** ~ hacer teatro

fivela [fi'vɛla] f hebilla f

fixar [fik'sar] <pp: fixo ou fixado> I. vt fijar II. vr: ~-se establecerse

fixo, -a ['fiksu, -a] adj fijo, -a

fiz ['fis] 1. pret de **fazer**

flagrante [fla'grãntʃi] I. adj 1. (ardente) ardiente 2. (evidente) flagrante II. m **pegar alguém em** ~ coger a alguien en flagrante

Flandres ['flãndris] f Flandes m

flanela [fla'nɛla] f franela f

flash ['flɛʃ] <-es> m FOTO flash m

flauta ['flawta] f flauta f

flecha ['flɛʃa] *f* flecha *f*

flertar [flɛr'tar] *vi, vt* flirtear

flerte ['flɛrtʃi] *m* flirteo *m*

flexibilidade [fleksibiʎi'dadʒi] *f sem pl, tb. fig* flexibilidad *f*

flexível <-eis> [flek'sivew, -ejs] *adj* flexible

flor ['flor] <-es> *f* flor *f*; **estar na ~ da idade** estar en la flor de la edad; **ter os nervos à ~ da pele** tener los nervios a flor de piel

florescer [flore'ser] <c→ç> *vi* florecer

floresta [flo'rɛsta] *f* selva *f*

florestal <-ais> [flores'taw, -ajs] *adj* forestal

Florianópolis [floriaˈnɔpuʎis] Florianópolis

florido, -a [flo'ridu, -a] *adj* florido, -a

fluente [flu'ẽjtʃi] *adj* fluido, -a; **...~ em espanhol/inglês** ...con soltura en español/inglés

fluminense [flumi'nẽjsi] I. *adj* del estado de Río de Janeiro II. *mf* persona *f* del estado de Río de Janeiro

fluorescente [fluore'sẽjtʃi] *adj* fluorescente

flutuação <-ões> [flutua'sãw, -'õjs] *f* 1. (*ação de flutuar*) flotación *f* 2. (*instabilidade*) vacilación *f* 3. ECON fluctuación *f*

flutuante [flutu'ãtʃi] *adj* 1. (*que flutua*) flotante 2. (*oscilante*) fluctuante; **bandeira ~** bandera ondeante

flutuar [flutu'ar] *vi* 1. (*barco*) flotar 2. (*variar*) fluctuar 3. (*ao vento*) ondear; **a pipa flutua** la cometa se agita

fluvial <-ais> [fluvi'aw, -ajs] *adj* fluvial

fluxo ['fluksu] *m* flujo *m*

fobia [fo'bia] *f* fobia *f*

foca ['fɔka] *f* ZOOL foca *f*

focalizar [fokaʎi'zar] *vt*, **focar** [fo'kar] <c→qu> *vt tb.* FOTO enfocar

focinho [fu'siɲu] *m* hocico *m*

foco ['fɔku] *m* foco *m*

foder [fo'der] *chulo* I. *vi* follar II. *vr* **~-se** joderse; **foda-se!** ¡jódete!

fofo, -a ['fofu, -a] *adj* 1. (*material*) blando, -a 2. *inf* (*pessoa*) mono, -a; **menino ~** ricura *f*

fofoca [fo'fɔka] *f inf* cotilleo *m*

fofoqueiro, -a [fofo'kejru, -a] *m, f inf* cotilla *mf*

fogão <-ões> [fo'gãw, -'õjs] *m* cocina *f*

fogareiro [foga'rejru] *m* hornillo *m*

fogo ['fogu, 'fɔgus] *m* 1. *tb.* MIL fuego *m* 2. *fig, gíria* **estar de ~** estar como una cuba; **é ~!** ¡qué difícil!

fogões [fo'gõjs] *m pl de* **fogão**

fogueira [fo'gejra] *f* hoguera *f*

foguete [fo'getʃi] *m* cohete *m*

foi ['foj] 3. *pret de* **ir, ser**

folclore [fow'klɔri] *m* folclore *m*

folga ['fɔwga] *f* 1. (*do trabalho*) descanso *m*; **estar de ~** estar descansando 2. (*atrevimento*) descaro *m*; **é muita ~ me tratar dessa maneira!** ¡es mucho descaro tratarme así! 3. (*alívio*) respiro *m*; **já chega, me dá uma ~!** ¡ya vale, ¡dame un respiro!

folgado, -a [fow'gadu, -a] *adj* 1. (*roupa*) holgado, -a 2. (*vida*) desahogado, -a 3. *inf* (*atrevido*) descarado, -a

folgar [fow'gar] <g→gu> vi 1. (*descansar*) descansar 2. (*divertir-se*) pasarlo bien 3. *inf* (*atrever-se*) pasarse; **ele está folgando muito** se está pasando

folha ['foʎa] *f* 1. *tb.* BOT hoja *f*; **~ de pagamento** ECON nómina *f* 2. INFOR **~ de cálculo** hoja *f* de cálculo

folhagem [fo'ʎaʒẽj] <-ens> *f* follaje *m*

folhear [foʎi'ar] *conj como passear vt* hojear

folheto [fo'ʎetu] *m* folleto *m*

folhinha [fo'ʎiɲa] *f* calendario *m*

fome ['fɔmi] *f sem pl* hambre *f*

fominha [fɔ'miɲa] *adj, mf* tacaño, -a *m, f*

fonte ['fõwtʃi] *f* fuente *f*

for ['for] *1., 3. fut subj de* **ir**, **ser**

fora ['fɔra] I. *m* metedura *f* de pata; (*erro*) equivocación *f*; **dar o ~** (*fugir*) largarse; **dar o ~ em alguém** acabar con alguien; **dar um ~** equivocarse; (*cometer gafe*) meter la pata II. *adv* (*exteriormente*) fuera; **pagar a. c. por ~** pagar algo bajo mano; **vender comida para ~** vender comida para otros III. *prep* 1. (*no exterior, longe*) fuera; **~ de mão** lejos; **~ de moda** pasado de moda 2. (*exceto*) con excepción de; **~ Maria, todos chegaram** con excepción de Maria, llegaron todos 3. (*além de*) además de; **~ isso** además de eso IV. *interj* fuera

forasteiro, -a [foras'tejru, -a] *adj, m, f* forastero, -a *m, f*

força ['fɔrsa] *f* 1. (*energia*) fuerza *f*;

dar uma ~ a alguém *inf* echar una mano a alguien 2. MIL **~ aérea** fuerza *f* aérea 3. ELETR **luz** *f*; **acabou a ~** se fue la luz

forçado, -a [for'sadu, -a] *adj* forzado, -a

forçar [for'sar] <ç→c> *vt* forzar

forjar [for'ʒar] *vt* 1. (*metal*) forjar 2. (*inventar*) inventar

forma ['fɔrma] *f* forma *f*

fôrma ['forma] *f* 1. (*para bolos*) molde *m* 2. (*de sapatos*) horma *f*

formação <-ões> [forma'sãw, -'õjs] *f* formación *f*

formado, -a [for'madu, -a] *adj* 1. UNIV licenciado, -a; **ela é formada em medicina** es licenciada en medicina 2. (*constituído*) formado, -a

formalidade [formaʎi'dadʒi] *f* formalidad *f*

formar [for'mar] I. *vi, vt* formar II. *vr*: **~-se** 1. (*surgir*) formarse 2. UNIV licenciarse

formatar [forma'tar] *vt* INFOR formatear

formato [for'matu] *m tb.* INFOR formato *m*

formidável <-eis> [formi'davew, -ejs] *adj* formidable

formiga [fur'miga] *f* hormiga *f*

formigueiro [furmi'gejru] *m tb. fig* hormiguero *m*

formoso, -a [for'mozu, -'ɔza] *adj* hermoso, -a

fórmula ['fɔrmula] *f tb.* MAT fórmula *f*

formular [formu'lar] *vt* formular

formulário [formu'lariw] *m* formulario *m*

fornecedor(a) [fornese'dor(a)] <-es> *m(f)* proveedor(a) *m(f)*

fornecimento [fornesi'mẽjtu] *m* suministro *m*

forno ['fornu] *m* horno *m*; **é cozinheira de ~ e fogão** cocina a las mil maravillas; **está um ~ aqui!** *fig* ¡esto es un horno!

forrar [fo'xar] *vt* forrar

forro ['foxu] *m* forro *m*

fortalecer [fortale'ser] <c→ç> *vt* tb. *fig* fortalecer

fortaleza [forta'leza] *f* tb. *fig* fortaleza *f*

Fortaleza [forta'leza] *f* Fortaleza

forte ['fɔrtʃi] *adj, adv, m* tb. MIL fuerte

fortuna [fur'tuna] *f* fortuna *f*

fórum ['fɔrũw] <-uns> *m* tribunal *m*

fósforo ['fɔsfuru] *m* fósforo *m*

fossa ['fɔsa] *f* 1. tb. ANAT, GEO fosa *f* 2. *inf* (*depressão*) depre *f*

fosse [fosi] *1., 3. imperf subj. de* **ir, ser**

foto ['fɔtu] *f* foto *f*

fotocópia [foto'kɔpia] *f* fotocopia *f*; **tirar uma ~** hacer una fotocopia

fotogênico, -a [foto'ʒeniku, -a] *adj* fotogénico, -a

fotografar [fotogra'far] *vt* fotografiar

fotografia [fotogra'fia] *f* fotografía *f*

fotográfico, -a [foto'grafiku, -a] *adj* fotográfico, -a

fotógrafo, -a [fo'tɔgrafu, -a] *m, f* fotógrafo, -a *m, f*

foz ['fɔs] <fozes> *f* desembocadura *f*

fração <-ões> [fra'sãw, -õjs] *f* fracción *f*

fracassar [fraka'sar] *vi* fracasar

fracasso [fra'kasu] *m* fracaso *m*

fraco, -a ['fraku, -a] *adj, m, f* débil *mf*

frações [fra'sõjs] *f pl de* **fração**

frade ['fradʒi] *m* REL fraile *m*

frágil <-eis> ['fraʒiw, -ejs] *adj* frágil

fragilidade [fraʒiʎi'dadʒi] *f sem pl* fragilidad *f*

fragmento [frag'mẽtu] *m* fragmento

fragrância [fra'grãsia] *f* fragancia *f*

fralda ['frawda] *f* pañal *m*

framboesa [frãbo'eza] *f* frambuesa *f*

França ['frãsa] *f* Francia *f*

francês, -esa [frã'ses, -'eza] *adj, m, f* francés, -esa *m, f*

franco, -a ['frãku, -a] *adj* 1. (*sincero*) franco, -a 2. (*isento de pagamento*) libre; **entrada franca** entrada libre 3. (*direito alfandegário*) franco, -a; **zona franca** zona franca

frango ['frãgu] *m* pollo *m*

franja ['frãʒa] *f* 1. (*de tecido*) fleco *m*; 2. (*de cabelo*) flequillo *m*, cerquillo *m* *RíoPl*

franquear [frãki'ar] *vt* 1. (*isentar de imposto*) librar de impuestos 2. (*conceder franquia*) conceder una franquicia

franqueza [frã'keza] *f sem pl* franqueza *f*

franquia [frã'kia] *f* 1. (*liberdade de direitos*) exención *f* 2. ECON franquicia *f*

franzino, -a [frã'zinu, -a] *adj* delgado, -a

franzir [frãŋ'zir] vt fruncir
fraquejar [frake'ʒar] vi 1. *(enfraquecer)* flaquear 2. *(desanimar)* desanimarse
fraqueza [fra'keza] f flaqueza f
frasco ['frasku] m frasco m
frase ['frazi] f frase f
fraternal <-ais> [frater'naw, -'ajs] adj fraternal
fraternidade [fraterni'dadʒi] f sem pl fraternidad f
fratura [fra'tura] f MED fractura f
fraturar [fratu'rar] vt MED fracturar
fraude ['frawdʒi] f fraude m
fraudulento, -a [frawdu'lẽjtu, -a] adj fraudulento, -a
freada [fre'ada] f frenazo m; **dar uma ~** dar un frenazo
frear [fre'ar] *conj como passear* vt frenar
freguês, -esa [fre'ges, -'eza] <-eses> m, f cliente, -a m, f
freguesia [frege'zia] f clientela f
frei ['frej] m fray m
freio ['freju] m freno m; **~ de mão** freno de mano
freira ['frejra] f REL monja f
frente ['frẽtʃi] f 1. *(lado frontal)* parte f frontal; *(de prédio)* fachada f; **sair da ~** quitarse de en medio; **sempre em ~** siempre adelante 2. *(dianteira)* delantera f 3. METEO frente m
freqüência [fre'kwẽsja] f 1. *(repetição)* frecuencia f 2. *(ação de freqüentar)* asistencia f
freqüentador(a) [frekwẽta'dor(a)] <-es> m(f) cliente, -a m, f
freqüentar [frekwẽ'tar] vt *(uma aula)* asistir a; *(um restaurante)* frecuentar
freqüente [fre'kwẽtʃi] adj frecuente
frescão <-ões> [fres'kãw, -'õjs] m autobús m con aire acondicionado
fresco, -a [fresku, -a] adj 1. *(pão, ar, roupa)* fresco, -a 2. *inf (maricas)* mariquita
frescões [fres'kõjs] m pl de **frescão**
frescura [fes'kura] f 1. sem pl *(temperatura)* frescor m 2. *inf (pieguice)* remilgo m; **não gosto de ~s** no me gustan los remilgos 3. *inf (efeminação)* afeminamiento m
fretar [fre'tar] vt fletar
frete ['frɛtʃi] m flete m; **fazer ~** transportar mercancías
fria [fria] f sem pl, inf **entrar numa ~** meterse en un lío
frigideira [friʒi'dejra] f sartén f
frígido, -a ['friʒidu, -a] adj 1. *(temperatura, pessoa)* frío, -a 2. *(sem desejo sexual)* frígido, -a
frio ['friw] m sem pl frío m
frio, -a ['friw, -a] adj 1. *(temperatura, pessoa)* frío, -a; **está ~** hace frío 2. *(falso)* falso, -a; **nota fria** billete falso
friorento, -a [frio'rẽjtu, -a] adj friolero, -a, friolento, -a AmL
frios ['friws] mpl embutidos mpl
frisar [fri'zar] vt 1. *(o cabelo)* rizar 2. *(salientar)* destacar
fritar [fri'tar] <pp: frito *ou* fritado> vt freír
frito, -a ['fritu, -a] I. pp de **fritar** II. adj 1. *(alimento)* frito, -a 2. *inf (pessoa)* perdido, -a; **estou ~!** ¡estoy perdido!

fritura [fri'tura] *f* GASTR fritura *f*

fronha ['frõɲa] *f* funda *f*

frontal <-ais> [frõw'taw, -ajs] *adj* frontal

fronte ['frõwtʃi] *f* frente *f*

fronteira [frõw'tejra] *f* frontera *f*

frota ['frɔta] *f* flota *f*

frouxo, -a ['froʃu, -a] *adj* **1.** (*músculo, corda*) flojo, -a **2.** (*fraco*) débil

frustrado, -a [frus'tradu, -a] *adj* frustrado, -a

fruta ['fruta] *f* fruta *f*

frutífero, -a [fru'tʃiferu, -a] *adj* **1.** (*planta*) frutal **2.** *fig* fructífero, -a

fruto ['frutu] *m* fruto *m*; **~s do mar** marisco *m*

fubá [fu'ba] *m sem pl* harina de maíz o de arroz

fuga ['fuga] *f* fuga *f*

fugir [fu'ʒir] *irr vi, vt* huir

fugitivo, -a [fuʒi'tʃivu, -a] *adj, m, f* fugitivo, -a *m, f*

fui ['fuj] *1. pret de* **ir, ser**

fulano, -a [fu'lanu, -a] *m, f* fulano, -a *m, f*; **~ e sicrano** fulano y mengano

fulminante [fuwmi'nãŋtʃi] *adj* fulminante

fumaça [fu'masa] *f* humo *m*

fumante [fu'mãŋtʃi] *mf* fumador(a) *m(f)*

fumar [fu'mar] *vi* fumar

fumo ['fumu] *m* tabaco *m*

função <-ões> [fũw'sãw, -'õjs] *f tb.* TEAT, ADMIN, MAT función *f*

funcionalismo [fũwsjona'lizmu] *m sem pl* ADMIN **~ público** funcionariado *m*

funcionamento [fũwsjona'mẽjtu] *m* funcionamiento *m*

funcionar [fũwsjo'nar] *vi* funcionar

funcionário, -a [fũwsjo'narju, -a] *m, f* (*de empresa*) empleado, -a *m, f*; POL funcionario, -a *m, f*

funções [fũw'sõjs] *f pl de* **função**

fundação <-ões> [fũwda'sãw, -'õjs] *f* **1.** (*instituição*) fundación *f* **2.** ARQUIT cimientos *mpl*

fundador(a) [funda'dor(a)] <-es> *adj, m(f)* fundador(a) *m(f)*

fundamental <-ais> [fũwdamẽj'taw, -ajs] *adj* fundamental

fundamento [fũwda'mẽjtu] *m* fundamento *m*; **sem ~** sin fundamento

fundar [fũw'dar] *vt* fundar

fundir [fũw'dʒir] *vt* fundir

fundo ['fũwdu] *m* fondo *m*; **~ musical** música de fondo; **no ~** en el fondo; **é ali ao** [*ou* **no**] **~** está ahí al fondo; **um barulho de ~** un ruido de fondo

fundo, -a ['fũwdu, -a] **I.** *adj* profundo, -a **II.** *adv* hondo; **ir ~** *inf* seguir hasta el fondo

fundos ['fũwdus] *mpl* **1.** ECON fondos *mpl* **2.** (*da casa*) fondo *m*

fúnebre ['funebri] *adj* fúnebre

funeral <-ais> [fune'raw, -ajs] *m* funeral *m*

fungo ['fũwgu] *m* BOT hongo *m*

funil <-is> [fu'niw, -'is] *m* embudo *m*

furacão <-ões> [fura'kãw, -'õjs] *m* **1.** METEO huracán *m* **2.** (*ímpeto*) torbellino *m*

furadeira [fura'dejra] *f* taladro *m*

furar [fu'rar] *vt* agujerear, perforar

furgão <-ões> [furˈgãw, -ˈõjs] *m* furgón *m*

fúria [ˈfurja] *f sem pl* (*raiva*) furia *f*

furioso, -a [furiˈozu, -ˈɔza] *adj* furioso, -a

furo [ˈfuru] *m* agujero *m*

furtar [furˈtar] *vi, vt* hurtar

furto [ˈfurtu] *m* hurto *m*

fusão <-ões> [fuˈzãw, -ˈõjs] *f* fusión *f*

fusível <-eis> [fuˈzivew, -ejs] *m* fusible *m*; **queimar o ~** fundir los fusibles

fuso [ˈfuzu] *m* huso *m*

fusões [fuˈzõjs] *f pl de* **fusão**

futebol [futʃiˈbɔw] *m sem pl* fútbol *m*; **~ de salão** fútbol sala; **time de ~** equipo de fútbol

fútil <-eis> [ˈfutʃiw, -ejs] *adj* (*pessoa, discussão*) fútil

futilidade [futʃiliˈdadʒi] *f* 1. *sem pl* futilidad *f* 2. (*ninharia*) tontería *f*

futuro [fuˈturu] *m sem pl* futuro *m*

futuro, -a [fuˈturu, -a] *adj* futuro, -a

fuzil <-is> [fuˈziw, -is] *m* fusil *m*

fuzilar [fuziˈlar] *vt* fusilar

G

G, g [ˈʒe] *m* G, g *f*

gabar [gaˈbar] I. *vt* elogiar II. *vr* **~-se de a. c.** jactarse de algo

gabinete [gabiˈnetʃi] *m* POL gabinete *m*

gado [ˈgadu] *m* ganado *m*

gafanhoto [gafɐˈɲotu] *m* saltamontes *m inv*

gafe [ˈgafi] *f* metedura *f* de pata

gagá [gaˈga] *adj* gagá

gago, -a [ˈgagu, -a] *adj, m, f* tartamudo, -a *m, f*

gaguejar [gageˈʒar] *vi* tartamudear

gaiato, -a [gaˈjatu, -a] *adj, m, f* travieso, -a *m, f*

gaiola [gajˈɔla] *f* (*para aves*) jaula *f*; (*para pessoas*) cárcel *f*

gaita [ˈgajta] *f* armónica *f*

gaivota [gajˈvɔta] *f* gaviota *f*

gala [ˈgala] *f* gala *f*

galã [gaˈlã] *m* galán *m*

galante [gaˈlãntʃi] *adj* galante

galão <-ões> [gaˈlãw, -ˈõjs] *m* galón *m*

galera [gaˈlɛra] *f inf* (*pessoas*) panda *f*

galeria [galeˈria] *f* galería *f*

Gales [ˈgaʎis] **País de ~** País *m* de Gales

galeto [gaˈletu] *m* pollo *m*

galheteiro [gaʎeˈtejru] *m* vinagreras *fpl*

galho [ˈgaʎu] *m* 1. (*de árvore*) rama *f* 2. *inf* (*complicação*) follón *m*

galinha [gaˈʎiɲa] *f* 1. ZOOL gallina *f* 2. *fig, inf* (*homem*) mujeriego *m*; (*mulher*) mujer *f* fácil

galo [ˈgalu] *m* 1. ZOOL gallo *m*; **cantar de ~** *inf* mandar 2. *inf* (*na cabeça*) chichón *m*

galocha [gaˈlɔʃa] *f* bota *f* de agua

galões [gaˈlõjs] *m pl de* **galão**

galope [gaˈlɔpi] *m* galope *m*

galpão <-ões> [gawˈpãw, -ˈõjs] *m* almacén *m*, galpón *m AmL*

gambá [gãnˈba] *m* ZOOL zarigüeya *f*

Gana [ˈgɐna] *m* Ghana *m*

ganância [gɐ'nɐ̃sia] f avaricia f
ganancioso, -a [gɐnɐ̃si'ozu, -'ɔza] adj avaricioso, -a
gancho ['gɐ̃ʃu] m gancho m
gangorra [gɐ̃'goxa] f subibaja m
gangrena [gɐ̃'grena] f MED gangrena f
gangue ['gɐ̃gi] f banda f; inf (grupo de jovens) pandilla f, barra f AmL
ganha-pão <ganha-pães> ['gɐ̃na-'pɐ̃w, 'gɐ̃na-pɐ̃js] m sustento m
ganhar [gɐ̃'nar] <pp: ganho ou ganhado> vi, vt ganar
ganho ['gɐ̃nu] m ganancia f
ganho, -a ['gɐ̃nu, -a] pp de **ganhar**
ganir [gɐ̃'nir] vi aullar
ganso ['gɐ̃nsu] m ganso m
garagem [ga'raʒẽj] <-ens> f garaje m
garantia [garɐ̃n'tʃia] f garantía f; ~ **bancária** aval m bancario
garantir [garɐ̃n'tʃir] vt garantizar
garçom, garçonete [gar'sõw, garso-'nɛtʃi] <-ons> m, f camarero, -a m, f, mesero, -a m, f Méx, mozo, -a m, f RíoPl
garfo ['garfu] m tenedor m
gargalhada [garga'ʎada] f carcajada f
garganta [gar'gɐ̃nta] f garganta f
gargarejo [garga're3u] m **1.** (ação) gárgaras fpl **2.** (líqüido) gargarismo m
garoa [ga'roa] f llovizna f, garúa f RíoPl
garoar [garo'ar] <1. pess pres: garôo> vi lloviznar, garuar RíoPl
garotada [garo'tada] f chiquillería f
garotão <-ões> [garo'tɐ̃w, -'õjs] m inf crío m

garoto, -a [ga'rotu, -a] m, f niño, -a m, f, pibe, -a m, f Arg
garotões [garo'tõjs] m pl de **garotão**
garra ['gaxa] f garra f
garrafa [ga'xafa] f botella f; ~ **térmica** termo m
garrafão <-ões> [gaxa'fɐ̃w, -'õjs] m bidón m
garrancho [ga'xɐ̃ɲʃu] m garabato m
gás ['gas] m gas m
gases ['gazis] mpl gases mpl
gasolina [gazo'ʎina] f gasolina, bencina f Chile, nafta f RíoPl
gastador, gastadeira, gastadora [gasta'dor, -dejra, -dora] <-es> adj gastador(a)
gastar [gas'tar] <pp: gasto ou gastado> vt gastar
gasto, -a ['gastu, -a] I. pp de **gastar** II. adj (objeto, piso, roupa) gastado, -a
gastos ['gastus] mpl gastos mpl
gástrico, -a ['gastriku, -a] adj gástrico, -a
gastronomia [gastrono'mia] f gastronomía f
gato, -a ['gatu, -a] m, f **1.** (espécie) gato, -a m, f **2.** inf (pessoa atraente) guaperas mf inv
gaúcho, -a [ga'uʃu, -a] adj del estado de Río Grande del Sur
gaveta [ga'veta] f cajón m
gavião <-ões> [gavi'ɐ̃w, -'õjs] m ZOOL gavilán m
gaze ['gazi] f gasa f
geada [ʒe'ada] f helada f
gel <géis ou geles> ['ʒɛw, 'ʒɛjs, 'ʒɛʎis] m gel m

geladeira [ʒela'dejra] f frigorífico m, nevera f, heladera f RíoPl, refrigeradora f Perú

gelado, -a [ʒe'ladu, -a] adj helado, -a

gelar [ʒe'lar] I. vi congelarse; (tornar gelado) congelar II. vt congelar; (tornar frio) enfriar

gelatina [ʒela'tʃina] f gelatina f

geléia [ʒe'lɛja] f mermelada f

gelo ['ʒelu] m hielo m; **quebrar o ~** romper el hielo

gema [ʒema] f **1.** (do ovo, planta) yema f **2.** (pedra preciosa) gema f

gêmeo, -a ['ʒemiw, -a] adj, m, f gemelo, -a m, f

Gêmeos ['ʒemiws] mpl Géminis m; **ser (de)** ~ ser Géminis

gemer [ʒe'mer] vi gemir

gemido [ʒe'midu] m gemido m

gene [ʒeni] m BIO gen m

generalizar [ʒeneraʎi'zar] I. vi, vt generalizar II. vr: ~-se generalizarse

gênero ['ʒeneru] m género m

gêneros ['ʒeneruʃ] mpl géneros mpl; **~ alimentícios** productos alimenticios

generosidade [ʒenerozi'dadʒi] f sem pl generosidad f

generoso, -a [ʒene'rozu, -'ɔza] adj generoso, -a

genética [ʒe'nɛtʃika] f genética f

genético, -a [ʒe'nɛtʃiku, -a] adj genético, -a

jengibre [ʒẽj'ʒibri] m BOT jengibre m

gengiva [ʒĩj'ʒiva] f encía f

genial <-ais> [ʒeni'aw, -ajs] adj genial

gênio ['ʒeniw] m genio m; **ter bom/mau ~** tener buen/mal genio

genioso, -a [ʒeni'ozu, -'ɔza] adj malhumorado, -a

genital <-ais> [ʒeni'taw, -ajs] adj genital

genro ['ʒẽxu] m yerno m

gente ['ʒẽjtʃi] f **1.** (pessoas) gente f; **~ grande** mayores mpl; **virar ~** hacerse mayor; **tem ~!** ¡hay cada uno! **2.** inf **a ~** (nós) nosotros; (impessoal) se; **a ~ vai embora** nos vamos

gentil <-is> [ʒẽj'tʃiw, -'is] adj gentil

gentileza [ʒẽjʃi'leza] f gentileza f

gentis [ʒẽj'tʃis] adj pl de **gentil**

genuíno, -a [ʒenu'inu, -a] adj genuino, -a

geografia [ʒeogra'fia] f geografía f

geração <-ões> [ʒera'sãw, -'õjs] f generación f

gerador [ʒera'dor] <-es> m TÉC generador m

geral¹ <-ais> [ʒe'raw, -ajs] I. adj general; **de um modo ~** por lo general II. m **no ~** en general

geral² <-ais> [ʒe'raw, -ajs] f **1.** (nos estádios) general f de pie **2.** (revisão) revisión f; (da polícia) batida f; **dar uma ~** inf hacer limpieza general

gerente [ʒe'rẽjtʃi] mf gerente mf

germânico, -a [ʒer'mɜniku, -a] adj germánico, -a

germe ['ʒɛrmi] m germen m

gesso ['ʒesu] m yeso m

gestação <-ões> [ʒesta'sãw, -'õjs] f gestación f

gestante [ʒes'tãntʃi] f gestante f

gestão <-ões> [ʒes'tãw, -'õjs] f gestión f

gesticular [ʒestʃiku'lar] vi gesticular

gesto ['ʒɛstu] m gesto m

gestões [ʒes'tõjs] f pl de **gestão**

gigante [ʒi'gãntʃi] adj, mf gigante mf

gigantesco, -a [ʒigãn'tesku, -a] adj gigantesco, -a

gigolô [ʒigo'lo] m gigoló m

gilete [ʒi'lɛtʃi] f cuchilla f (de afeitar)

ginásio [ʒi'naziw] m ESPORT gimnasio m

ginástica [ʒi'nastʃika] f gimnasia f

ginecologista [ʒinekolo'ʒista] mf ginecólogo, -a m, f

girafa [ʒi'rafa] f jirafa f

girar [ʒi'rar] vi girar

girassol <-óis> [ʒira'sɔw, -'ɔjs] m girasol m

giratório, -a [ʒira'tɔriw, -a] adj giratorio, -a

gíria ['ʒiria] f jerga f

giz ['ʒis] <-es> m tiza f, gis m Méx

glândula ['glãndula] f ANAT glándula f

global <-ais> [glo'baw, -'ajs] adj global

globalização [globaliza'sãw] f sem pl globalización f

globo ['globu] m globo m

glóbulo ['glɔbulu] m glóbulo m

glorificar [glorifi'kar] <c→qu> vt glorificar

glorioso, -a [glori'ozu, -'ɔza] adj glorioso, -a

goela [gu'ɛla] f ANAT garganta f

goiaba [goj'aba] f BOT guayaba f

goiano, -a [goj'ʒnu, -a] adj del estado de Goiás

Cultura La **goiabada** es un dulce de **goiaba** en pasta o con una consistencia dura para ser cortado en rodajas. La **goiabada** se come normalmente con queso blanco, formando así una especialidad llamada **Romeu e Julieta**.

Goiás [goj'as] m Goiás m

gol ['gow] m gol m

gola ['gɔla] f (de roupa) cuello m

gole ['gɔʎi] m trago m; **dar um** ~ dar un trago

goleiro, -a [go'lejru, -a] m, f FUT portero m, arquero m AmL

golfe ['gowfi] m ESPORT golf m

golfinho [gow'fiɲu] m ZOOL delfín m

golfo ['gowfu] m golfo m

golpe ['gɔwpi] m 1. (pancada, desgraça) golpe m 2. (manobra desonesta) estafa f

gorar [go'rar] I. vt estropear II. vi (plano) fracasar

gordo, -a ['gordu, -a] adj, m, f gordo, -a m, f

gordura [gor'dura] f 1. GASTR, ANAT grasa f 2. (de uma pessoa) gordura f

gordurento, -a [gordu'rẽjtu, -a] adj, **gorduroso, -a** [gordu'rozu, -'ɔza] adj grasiento, -a

gorjeta [gur'ʒeta] f propina f

gorro ['goxu] m gorro m

gosmento, -a [goz'mẽjtu, -a] adj pegajoso, -a

gostar [gos'tar] I. vt **eu gosto de...** me gusta...; **gosto deste livro** me gusta este libro; **gostou do filme?** ¿te gustó la película? II. vr: ~-**se** gustarse

gosto ['gostu] *m* gusto *m*

gostoso, -a [gos'tozu, -'ɔza] *adj* **1.** (*comida*) rico, -a **2.** (*ambiente*) agradable **3.** *inf* (*pessoa: atraente*) muy bueno, -a; (*presunçoso*) creído, -a

gota ['gota] *f tb.* MED gota *f*

goteira [go'tejra] *f* gotera *f*

governador(a) [governa'dor(a)] <-es> *m(f)* gobernador(a) *m(f)*

governanta [gover'nãnta] *f* gobernanta *f*

governante [gover'nãntʃi] *mf* gobernante *mf*

governar [gover'nar] *vt* gobernar

governo [go'vernu] *m* gobierno *m*

gozação <-ões> [goza'sãw, -'õjs] *f* guasa *f*

gozador(a) [goza'dor(a)] <-es> *m(f)* guasón, -ona *m, f*

gozar [go'zar] **I.** *vt* (*desfrutar*) disfrutar **II.** *vi* **1.** (*divertir-se*) gozar **2.** (*zombar*) burlarse; ~ **da cara de alguém** burlarse de alguien

Grã-Bretanha [grã-bre'taɲa] *f* Gran Bretaña *f*

graça ['grasa] *f* gracia *f*; **o menino é uma** ~ el niño es divino; **de** ~ (*gratuitamente*) gratis *inv*; (*sem motivo*) sin motivo; (*muito barato*) tirado, -a

graças ['grasas] *fpl* gracias *fpl*; ~ **a Deus!** ¡gracias a Dios!

gracioso, -a [grasi'ozu, -'ɔza] *adj* gracioso, -a

grade ['gradʒi] *f* reja *f*

grado ['gradu] *m* grado *m*; **de bom/mau** ~ de buen/mal grado

graduação <-ões> [gradwa'sãw, -'õjs] *f* graduación *f*

graduado, -a [gradu'adu, -a] *adj tb.* UNIV graduado, -a; (*conceituado*) eminente

grafia [gra'fia] *f* grafía *f*

grã-fino, -a [grã-fi'no, -a] *m, f* pijo, -a *m, f*

grama¹ ['grama] *m* (*peso*) gramo *m*

grama² ['grama] *f* BOT hierba *f*

gramado [gra'madu] **I.** *adj* con césped **II.** *m* césped *m*

gramática [gra'matʃika] *f* gramática *f*

gramatical <-ais> [gramatʃi'kaw, -'ajs] *adj* gramatical

grampeador [grãnpja'dor] <-es> *m* grapadora *f*, engrapadora *f Méx*, abrochadora *f RíoPl*

grampear [grãnpi'ar] *conj como passear vt* grapar, engrapar *Méx*, abrochar *RíoPl*

grande ['grãndʒi] *adj* grande, gran; **uma cidade** ~ una ciudad grande; **um** ~ **coração** un gran corazón

granizo [gra'nizu] *m* granizo *m*

granja ['grãnʒa] *f* **1.** (*sítio*) granja *f* **2.** (*celeiro*) granero *m*

grão [grãw] <-s> *m* grano *m*

grão-de-bico ['grãw-dʒi-'biku] <grãos-de-bico> *m* BOT garbanzo *m*

gratidão [gratʃi'dãw] *f sem pl* gratitud *f*; **ter** [*ou* **sentir**] ~ **por alguém** estar agradecido a alguien

gratificação <-ões> [gratʃifika'sãw, -'õjs] *f* gratificación *f*

gratificante [gratʃifi'kãntʃi] *adj* gratificante

grátis ['gratis] *adv* gratis

grato, -a ['gratu, -a] *adj* agradecido, -a

gratuito, -a [gra'tujtu, -a] *adj* gratuito, -a

grau ['graw] *m* grado *m;* **óculos de ~** gafas *fpl* graduadas

graúdo, -a [gra'udu, -a] *adj* **1.** *(coisa)* grande **2.** *(pessoa)* crecido, -a

gravação <-ões> [grava'sɐ̃w, -'õjs] *f* **1.** *(em CD, disco, cassete)* grabación *f* **2.** *(em metal, madeira, pedra)* grabado *m*

gravador [grava'dor] <-es> *m* grabador *m*

gravar [gra'var] *vt* grabar

gravata [gra'vata] *f* corbata *f*

grave ['gravi] *adj* grave

grávida ['gravida] *adj, f* embarazada *f*

gravidez [gravi'des] <-es> *f* embarazo *m*

gravura [gra'vura] *f* grabado *m*

graxa ['graʃa] *f* *(para sapatos)* betún *m,* lustre *m AmL; (para automóveis)* grasa *f*

Grécia ['grɛsia] *f* Grecia *f*

grego, -a ['gregu, -a] *adj, m, f* griego, -a *m, f*

grelhado, -a [gre'ʎadu, -a] *adj* a la parrilla

grelhar [gre'ʎar] *vt* asar a la parrilla

grêmio ['gremiw] *m* gremio *m; (comissão)* comisión *f*

greve ['grɛvi] *f* huelga *f*

grifar [gri'far] *vt* subrayar

grife ['grifi] *f* marca *f* de prestigio; **produtos de ~** productos de marca

grilo ['grilu] *m* grillo *m*

grinalda [gri'nawda] *f* guirnalda *f*

gringo, -a ['grĩgu, -a] *m, f pej* guiri *mf,* gringo, -a *m, f AmL*

gripado, -a [gri'padu, -a] *adj* griposo, -a; **estar ~** estar con gripe

gripar [gri'par] **I.** *vt* dejar con gripe a **II.** *vr* **~-se** coger la gripe

gripe ['gripi] *f* gripe *f*

grisalho, -a [gri'zaʎu, -a] *adj* entrecano, -a

gritar [gri'tar] *vi, vt* gritar

gritaria [grita'ria] *f* griterío *m*

grito ['gritu] *m* grito *m*

Groelândia [groe'lɐ̃dʒja] *f* Groenlandia *f*

grogue ['grɔgi] **I.** *adj (bêbado)* borracho, -a **II.** *m* grog *m*

grosseirão, -ona <-ões> [grosej'rɐ̃w, -'ona, -'õjs] *adj, m, f* grosero, -a *m, f*

grosseiro, -a [gro'sejru, -a] *adj* **1.** *(pessoa, modos, pano)* grosero, -a **2.** *(piada)* verde

grosseirões [grosej'rõjs] *adj, m pl de* **grosseirão**

grosseirona [grosej'rona] *f v.* **grosseirão**

grosseria [grose'ria] *f* grosería *f*

grosso, -a ['grosu, 'grɔsa] *adj* **1.** *(livro, papel, madeira)* grueso, -a; *(líquido)* espeso, -a; *(pele)* áspero, -a **2.** *(voz)* grave **3.** *(pessoa)* grosero, -a

grossura [gro'sura] *f* **1.** *(espessura, corpulência)* grosor *m* **2.** *inf (grosseria)* grosería *f*

grudar [gru'dar] *vt* pegar

grude ['grudʒi] *m (cola)* engrudo *m*

grupo ['grupu] *m* grupo *m*

gruta ['gruta] *f* gruta *f*

guaraná [gwara'na] *m* guaraná *m*

> **Cultura** El **guaraná** es el refresco brasileño más popular. Transformadas en pasta, en rama o en polvo, las semillas de ese arbusto amazónico tienen usos medicinales, especialmente como tónico y excitante.

guarda¹ ['gwarda] f **1.** (pessoas, defesa) guardia f **2.** (custódia) custodia f
guarda² ['gwarda] mf guardia mf
guarda-chuva ['gwarda-'ʃuva] m paraguas m inv
guarda-costas¹ ['gwarda-'kɔstas] m inv NÁUT guardacostas m inv
guarda-costas² ['gwarda-'kɔstas] mf inv (pessoa) guardaespaldas mf inv
guardanapo [gwardɜ'napu] m servilleta f
guarda-noturno, -a ['gwarda-no'turnu, -a] <guardas-noturnos, guardas-noturnas> m, f vigilante nocturno, -a
guardar [gwar'dar] I. vt **1.** (conservar) guardar; ~ **um segredo** guardar un secreto **2.** (memorizar) recordar II. vr: ~-**se** (abster-se) guardarse
guarda-roupa ['gwarda-'xopa] m guardarropa m
guarda-sol <guarda-sóis> ['gwarda-'sɔw, -'ɔjs] m sombrilla f
Guatemala [gwate'mala] f Guatemala f
guatemalense [gwatema'lẽsi] adj, mf, **guatemalteco, -a** [gwatemaw'tɛku, -a] adj, m, f guatemalteco, -a m, f
gude ['gudʒi] m **bolinha de** ~ canica f

guerra ['gɛxa] f guerra f
guerrear [gexi'ar] conj como passear vi guerrear
guerreiro, -a [ge'xejru, -a] adj, m, f guerrero, -a m, f
guia¹ ['gia] m (livro, manual) guía f
guia² ['gia] f **1.** ECON (documento) formulario m **2.** (meio-fio) bordillo m, cordón m (de la vereda) RíoPl
guia³ ['gia] mf (pessoa) guía m
guiar [gi'ar] I. vt (uma pessoa) guiar; (um automóvel) conducir, manejar AmL II. vr: ~-**se por alguém/a. c.** guiarse por alguien/algo
guichê [gi'ʃe] m ventanilla f
guimba ['gĩjba] f inf colilla f
guinchar [gĩj'ʃar] vt (automóvel) remolcar
guincho ['gĩjʃu] m **1.** (som) chillido m **2.** (máquina, reboque) grúa f
guindaste [gĩj'dastʃi] m grúa f
Guiné [gi'nɛ] f Guinea f
Guiné-Bissau [gi'nɛ-bi'saw] f Guinea-Bissau f
guisado [gi'zadu] m GASTR guisado m
guitarra [gi'taxa] f guitarra f
guitarrista [gita'xista] mf guitarrista mf
gula ['gula] f gula f
gulodice [gulo'dʒisi] f **1.** (de uma pessoa) gula f **2.** (comida) golosina f
guloso, -a [gu'lozu, -'ɔza] adj, m, f glotón, -ona m, f
gume ['gumi] m filo m
guri(a) [gu'ri, gu'ria] m(f) niño, -a m, f

H

H, h [a'ga] *m* H, h *f*
há ['a] *3. pres de* **haver**
hábil <-eis> ['abiw, -'ejs] *adj* hábil
habilidade [abiʎi'dadʒi] *f* habilidad *f*
habilidoso, -a [abiʎi'dozu, -'ɔza] *adj* habilidoso, -a
habitação <-ões> [abita'sãw, -'õjs] *f* vivienda *f*
habitante [abi'tãntʃi] *mf* habitante *mf*
habitar [abi'tar] *vi, vt* habitar
habitável <-eis> [abi'tavew, -ejs] *adj* habitable
hábito ['abitu] *m tb.* REL hábito *m*
habitual <-ais> [abitu'aw, -'ajs] *adj* habitual
habituar [abitu'ar] **I.** *vt* habituar **II.** *vr*: ~-**se a fazer a. c.** habituarse a hacer algo
hacker ['xaker] *mf* INFOR hacker *mf*
Haiti [ai'tʃi] *m* Haití *m*
haitiano, -a [aitʃi'ɜnu, -a] *adj, m, f* haitiano, -a *m, f*
hálito ['aʎitu] *m* aliento *m*
halogênico, -a [alo'ʒeniku, -a] *adj* halógeno, -a
haltere [aw'tɛri] *m* pesa *f*
hambúrguer [ɜŋ'burger] *m* hamburguesa *f*
handebol [xɜ̃jdʒi'bɔw] *m sem pl* balonmano *m*
hangar [ɜŋ'gar] *m* hangar *m*
hardware ['xardʒiwɛr] *m* INFOR hardware *m*
harém [a'rɛ̃j] *m* harén *m*
harmonia [armo'nia] *f tb.* MÚS armonía *f*
harmonioso, -a [armoni'ozu, -'ɔza] *adj* armonioso, -a
harmonizar [armoni'zar] *vt tb.* MÚS armonizar
harpa ['arpa] *f* arpa *f*
haste ['astʃi] *f* **1.** *(de bandeira)* asta *f* **2.** BOT tallo *m* **3.** *(dos óculos)* patilla *f*
Havaí [ava'i] *m* Hawai *m*
haver [a'ver] *irr* **I.** *vt* **1.** *impess (existir)* haber; **há muitos alunos nessa escola** hay muchos alumnos en ese colegio **2.** *(acontecer)* haber; **houve um acidente** hubo un accidente; **haja o que houver** pase lo que pase **3.** *(duração)* hacer; **vi o Pedro há três dias** vi a Pedro hace tres días; **há anos que não a vejo** hace años que no la veo **II.** *vi* ~ **de** tener que; **eu hei de vencer!** ¡tengo que vencer! **III.** *vr*: ~-**se com alguém** habérselas con alguien **IV.** *aux* haber; **ele havia comprado uma casa nova** había comprado una casa nueva
hebraico [e'brajku] *m* hebreo *m*
hebraico, -a [e'brajku, -a] *adj* hebraico, -a
hectare [ek'tari] *m* hectárea *f*
hei ['ej] *1. pres de* **haver**
hélice ['ɛʎisi] *f* hélice *f*
helicóptero [eʎi'kɔpteru] *m* helicóptero *m*
heliporto [eʎi'portu] *m* helipuerto *m*
hem ['ɛ̃j] *interj* eh
hematoma [ema'tɔma] *m* hematoma *m*

hemisfério [emisˈfɛriw] m hemisferio m
hemorragia [emoxaˈʒia] f hemorragia f
hemorróidas [emoˈxɔjdas] fpl hemorroides fpl
hepatite [epaˈtʃitʃi] f hepatitis f
herança [eˈrɑ̃sa] f herencia f
herdar [erˈdar] vt heredar
herdeiro, -a [erˈdejru, -a] m, f heredero, -a m, f
hereditário, -a [eredʒiˈtariw, -a] adj hereditario, -a
hérnia [ˈɛrnia] f MED hernia f
herói, heroína [eˈrɔj, eroˈina] m, f héroe, heroína m, f
heroico, -a [eˈrɔjku, -a] adj heroico, -a
heroína [eroˈina] f v. **herói**
hesitação <-ões> [ezitaˈsɑ̃w, -ˈõjs] f vacilación f
hesitar [eziˈtar] vi vacilar; **não ~ em fazer a. c.** no vacilar en hacer algo
heterogêneo, -a [eteroˈʒeniw, -a] adj heterogéneo, -a
heterossexual <-ais> [eteruseksuˈaw, -ˈajs] adj, mf heterosexual mf
hidratante [idraˈtɑ̃ntʃi] adj hidratante
hidrelétrica [idreˈlɛtrika] f central f hidroeléctrica
hierarquia [ierarˈkia] f jerarquía f
hierárquico, -a [ieˈrarkiku, -a] adj jerárquico, -a
hífen [ˈifẽj] <hifens> m guión m
higiene [iʒiˈeni] f higiene f
higiênico, -a [iʒiˈeniku, -a] adj higiénico, -a; **absorvente ~** compresa f, toalla f higiénica AmL
hilário, -a [iˈlariw, -a] adj muy divertido, -a

hímen [ˈimẽj] <himens> m himen m
hindu [ĩjˈdu] adj, mf hindú mf
hino [ˈinu] m himno m
hipermercado [ipermerˈkadu] m hipermercado m
hipersensível <-eis> [ipersẽjˈsivew, -ejs] adj hipersensible
hípico, -a [ˈipiku, -a] adj hípico, -a
hipismo [iˈpizmu] m sem pl hípica f
hipnotizar [ipnotʃiˈzar] vt hipnotizar
hipocondríaco, -a [ipokõwˈdriaku, -a] adj, m, f hipocondriaco, -a m, f
hipocrisia [ipokriˈzia] f hipocresía f
hipócrita [iˈpɔkrita] adj, mf hipócrita mf
hipódromo [iˈpɔdromu] m hipódromo m
hipopótamo [ipoˈpɔtɐmu] m hipopótamo m
hipotecar <c→qu> [ipoteˈkar] vt hipotecar
hipótese [iˈpɔtezi] f hipótesis f inv
hispânico, -a [isˈpɐniku, -a] adj hispánico, -a
histérico, -a [isˈtɛriku, -a] adj histérico, -a
história [isˈtɔria] f historia f; **~ da carochinha** cuento m de hadas; **~ em quadrinhos** tira f cómica; **~ para boi dormir** cuento m chino; **isso é outra ~!** ¡eso es otra historia!
histórico, -a [isˈtɔriku, -a] adj histórico, -a
hoje [ˈoʒi] adv hoy; **~ à tarde** hoy por la tarde
Holanda [oˈlɑ̃nda] f Holanda f

holandês, -esa [olɐ̃'des, -'eza] *adj. m, f* holandés, -esa *m, f*

holofote [olo'fɔtʃi] *m* foco *m*

homem ['ɔmẽj] <-ens> *m* hombre *m*; **~ de bem** hombre de bien; **~ de negócios** hombre de negocios

homenagear [omenaʒi'ar] *conj como passear vt* homenajear

homenagem [ome'naʒẽj] <-ens> *f* homenaje *m*; **prestar ~ a alguém** rendir homenaje a alguien

homens ['ɔmẽjs] *m pl de* **homem**

homeopatia [omewpa'tʃia] *f sem pl* homeopatía *f*

homepage ['xowmi'pejʒi] *f INFOR* página *f* inicial

homicídio [omi'sidʒiw] *m* homicidio *m*

homogêneo, -a [omo'ʒeniw, -a] *adj* homogéneo, -a

homologar <g→gu> [omolo'gar] *vt* homologar

homossexual <-ais> [omoseksu'aw, -'ajs] *adj, mf* homosexual *mf*

homossexualidade [omosekswaʎi'dadʒi] *f sem pl* homosexualidad *f*

Honduras [õw'duras] *f* Honduras *f*

hondurenho, -a [õwdu'reɲu, -a] *adj, m, f* hondureño, -a *m, f*

honestidade [onestʃi'dadʒi] *f sem pl* honestidad *f*

honesto, -a [o'nɛstu, -a] *adj* honesto, -a

honorário, -a [ono'rariw, -a] *adj* honorario, -a

honorários [ono'rariws] *mpl* honorarios *mpl*

honra ['õwxa] *f* honor *m*

honrar [õw'xar] *vt* cumplir; **~ com seus compromissos** cumplir sus compromisos

hóquei ['hɔkej] *m* hockey *m*

hora ['ɔra] *f* **1.** *(60 minutos)* hora *f*; **de ~ em ~** a cada hora **2.** *(momento)* hora *f*; **na ~ do almoço/jantar** a la hora de la comida/cena; **~ do rush** hora punta, hora pico *AmL*; **às dez ~s** a las diez; **na ~** en el acto; **marcar uma ~** pedir hora

horário [o'rariw] *m* horario *m*; **~ de expediente** horario de trabajo

horizonte [ori'zõwtʃi] *m* horizonte *m*

hormônio [or'moniw] *m* hormona *f*

horóscopo [o'rɔskopu] *m* horóscopo *m*

horrível <-eis> [o'xivew, -ejs] *adj* horrible

horror [o'xor] *m* horror *m*; **que ~!** ¡qué horror!; **tem ~ as baratas** le dan terror las cucarachas

horroroso, -a [oxo'rozu, -'ɔza] *adj* horroroso, -a

horta ['ɔrta] *f* huerta *f*

hortelã [orte'lɐ̃] *f* menta *f*

hospedar [ospe'dar] **I.** *vt* hospedar **II.** *vr:* **~-se em um hotel** hospedarse en un hotel

hóspede ['ɔspedʒi] *mf* huésped *mf*

hospício [os'pisiw] *m* hospicio *m*

hospital <-ais> [ospi'taw, -'ajs] *m* hospital *m*

hospitalidade [ospitaʎi'dadʒi] *f sem pl* hospitalidad *f*

hospitalizado, -a [ospitaʎi'zadu, -a] *adj* **estar ~** estar hospitalizado

hospitalizar [ospitaʎi'zar] *vt* hospitalizar

hóstia ['ɔstʃia] *f* hostia *f*

hostil <-is> [os'tʃiw, -'is] *adj* hostil

hotel <-éis> [o'tɛw, -'ɛjs] *m* hotel *m*

houve ['ouvi] *3. pret de* **haver**

humanidade [umɜni'dadʒi] *f* humanidad *f*

humanitário, -a [umɜni'tariw, -a] *adj* humanitario, -a

humano, -a [u'mɜnu, -a] *adj* humano, -a

humanos [u'mɜnus] *mpl* **os** ~ los humanos

humildade [umiw'dadʒi] *f sem pl* humildad *f*

humilde [u'miwdʒi] *adj* humilde

humilhação <-ões> [umiʎa'sɜ̃w, -'õjs] *f* humillación *f*

humilhante [umi'ʎɜ̃tʃi] *adj* humillante

humilhar [umi'ʎar] **I.** *vt* humillar **II.** *vr:* ~**-se** humillarse

humor [u'mor] *m* humor *m;* **estar de bom/mau** ~ estar de buen/mal humor; **ter senso de** ~ tener sentido del humor

humorista [umo'rista] *mf* humorista *mf*

humorístico, -a [umo'ristʃiku, -a] *adj* humorístico, -a

húngaro, -a ['ũwgaru, -a] *adj, m, f* húngaro, -a *m, f*

Hungria [ũw'gria] *f* Hungría *f*

I

I, i ['i] *m* I, i *f*

iate [i'atʃi] *m* NÁUT yate *m*

ibérico, -a [i'bɛriku, -a] *adj* ibérico, -a

ibero-americano, -a [i'bɛru-ameri'kɜnu, -a] *adj* iberoamericano, -a

ICMS [iseemi'ɛsi] *m abr de* **Imposto sobre Circulação de Mercadorias e Serviços** *impuesto parecido al IVA que se aplica sobre mercancías y servicios*

ícone ['ikoni] *m tb.* INFOR icono *m*

ida ['ida] *f* ida *f*

idade [i'dadʒi] *f* edad *f*

ideal <-ais> [ide'aw, -'ajs] *adj, m* ideal *m*

idealismo [idea'lizmu] *m* idealismo *m*

idealista [idea'ʎista] *adj, mf* idealista *mf*

idéia [i'dɛja] *f* idea *f*

idem ['idẽj] *adv* ídem

identidade [idẽjtʃi'dadʒi] *f* identidad *f*

idêntico, -a [i'dẽjtʃiku, -a] *adj* idéntico, -a

identidade [idẽjtʃi'dadʒi] *f* identidad *f*

identificar [idẽjtʃifi'kar] <c→qu> **I.** *vt* identificar **II.** *vr:* ~**-se com alguém/a. c.** identificarse con alguien/algo

ideologia [ideolo'ʒia] *f* ideología *f*

ideológico, -a [ideo'lɔʒiku, -a] *adj* ideológico, -a

idílico, -a [i'dʒiʎiku, -a] *adj* idílico, -a

idioma [idʒi'oma] *m* idioma *m*

idiota [idʒi'ɔta] *adj, mf* idiota *mf,* co-

judo, -a *m, f AmS*
idiotice [idʒio'tʃisi] *f* idiotez *f*
ídolo ['idulu] *m* ídolo *m*
idôneo, -a [i'doniw, -a] *adj* idóneo, -a
idoso, -a [i'dozu, -'ɔza] **I.** *adj* mayor **II.** *m, f* anciano, -a *m, f*
lêmen ['jemēj] *m* Yemen *m*
iene ['jeni] *m* yen *m*
ignorância [igno'rãnsia] *f* ignorancia *f*; **apelar** [*ou* **partir**] **para a ~** *gíria* recurrir a la violencia
ignorante [igno'rãntʃi] *adj, mf* ignorante *mf*
ignorar [igno'rar] *vt* ignorar
igreja [i'greʒa] *f* iglesia *f*
igual <-ais> [i'gwaw, -'ajs] **I.** *adj, adv* igual **II.** *conj* igual que
igualar [igwa'lar] **I.** *vt* igualar **II.** *vr* **~-se a alguém** igualarse a alguien
igualdade [igwaw'dadʒi] *f* igualdad *f*
igualmente [igwaw'mẽjtʃi] *adv* igualmente
ilegal <-ais> [ile'gaw, -'ajs] *adj* ilegal
ilegítimo, -a [ile'ʒitʃimu, -a] *adj* ilegítimo, -a
ilha [ˈiʎa] *f* isla *f*
ilícito, -a [i'ʎisitu, -a] *adj* ilícito, -a
ilógico, -a [i'lɔʒiku, -a] *adj* ilógico, -a
iludir [ilu'dʒir] **I.** *vt* engañar **II.** *vr* **~-se com alguém/a. c.** engañarse con alguien/algo
iluminação <-ões> [ilumina'sãw, -'õjs] *f* iluminación *f*
iluminar [ilumi'nar] *vt* iluminar
ilusão <-ões> [ilu'zãw, -'õjs] *f* ilusión *f*
ilustração <-ões> [ilustra'sãw, -'õjs] *f* ilustración *f*
ilustrado, -a [ilus'tradu, -a] *adj* ilustrado, -a
ilustrar [ilus'trar] *vt* ilustrar
ilustre [i'lustri] *adj* ilustre
imã [i'mã] *m*, **ímã** ['imã] *m* imán *m*
imagem [i'maʒẽj] <-ens> *f* imagen *f*
imaginação <-ões> [imaʒina'sãw, -'õjs] *f* imaginación *f*
imaginar [imaʒi'nar] **I.** *vt* imaginar **II.** *vr*: **~-se** imaginarse
imaturo, -a [ima'turu, -a] *adj* inmaduro, -a
imbecil <-is> [ĩjbe'siw, -'is] *adj, mf* imbécil *mf*
imediações [imedʒia'sõjs] *fpl* **nas ~** en las inmediaciones
imediatamente [imedʒiata'mẽjtʃi] *adv* inmediatamente
imediato, -a [ime'dʒiatu, -a] *adj* inmediato, -a
imensidão <-ões> [imẽjsi'dãw, -'õjs] *f* inmensidad *f*
imenso, -a [i'mẽjsu, -a] *adj* inmenso, -a
imergir [imer'ʒir] <*pp:* imerso *ou* imergido; g→j> *vi* hundirse
imigração <-ões> [imigra'sãw, -'õjs] *f* inmigración *f*
imigrante [imi'grãntʃi] *mf* inmigrante *mf*
imigrar [imi'grar] *vi* inmigrar
imitação <-ões> [imita'sãw, -'õjs] *f* imitación *f*
imitar [imi'tar] *vt* imitar
imobiliária [imobiʎi'aria] *f* inmobiliaria *f*
imobilizar [imobiʎi'zar] *vt* inmovilizar

imoral <-ais> [imo'raw, -'ajs] *adj* inmoral

imortal <-ais> [imor'taw, -'ajs] *adj, mf* inmortal *mf*

imóvel <-eis> [i'mɔvew, -ejs] **I.** *adj* inmóvil **II.** *m* inmueble *m*

impaciente [ĩpasi'ẽjtʃi] *adj* impaciente

impacto [ĩ'paktu] *m* impacto *m*

impagável <-eis> [ĩpa'gavew, -ejs] *adj* impagable

ímpar ['ĩpar] <-es> *adj* impar

imparcial <-ais> [ĩparsi'aw, -'ajs] *adj* imparcial

impecável <-eis> [ĩpe'kavew, -ejs] *adj* impecable

impedido, -a [ĩpi'dʒidu, -a] *adj* **1.** (*pessoa*) imposibilitado, -a **2.** (*rua*) obstruido, -a

impedimento [ĩpedʒi'mẽjtu] *m* impedimento *m*; FUT fuera *m* de juego

impedir [ĩpi'dʒir] *irr como pedir vt* impedir; ~ **alguém de fazer a. c.** impedir que alguien haga algo; ~ **a passagem** impedir el paso

impensável <-eis> [ĩpẽj'savew, -ejs] *adj* impensable

imperador [ĩpera'dor] *m* emperador *m*

imperativo [ĩpera'tʃivu] *m* LING imperativo *m*

imperatriz [ĩpera'tris] *f* emperatriz *f*

imperceptível <-eis> [ĩpersep'tʃivew, -ejs] *adj* imperceptible

imperdoável <-eis> [ĩperdo'avew, -ejs] *adj* imperdonable

imperfeição <-ões> [ĩperfej'sãw, -'õjs] *f* imperfección *f*

imperfeito [ĩper'fejtu] *m* LING imperfecto *m*

imperial <-ais> [ĩperi'aw, -ajs] *adj* imperial

império [ĩ'pεriw] *m* imperio *m*

impermeável <-eis> [ĩpermi'avew, -ejs] *adj* impermeable

impertinente [ĩpertʃi'nẽjtʃi] *adj* impertinente

imperturbável <-eis> [ĩpertur'bavew, -ejs] *adj* imperturbable

impessoal <-ais> [ĩpesu'aw, -'ajs] *adj* impersonal

ímpeto ['ĩpetu] *m* ímpetu *m*

impetuoso, -a [ĩpetu'ozu, -'ɔza] *adj* impetuoso, -a

impiedade [ĩpje'dadʒi] *f* falta *f* de piedad

implacável <-eis> [ĩpla'kavew, -ejs] *adj* implacable

implantação <-ões> [ĩplãŋta'sãw, -'õjs] *f* (*de um sistema*) implantación *f*; MED implante *m*

implantar [ĩplãŋ'tar] **I.** *vt tb.* MED implantar **II.** *vr:* ~**-se** implantarse

implicar [ĩpli'kar] <c → qu> **I.** *vt* implicar **II.** *vi* meterse

implícito, -a [ĩ'plisitu, -a] *adj* implícito, -a

implorar [ĩplo'rar] *vt* implorar

impontualidade [ĩpõwtwaʎi'dadʒi] *f* impuntualidad *f*

impopular [ĩpopu'lar] <-es> *adj* impopular

impor [ĩ'por] *irr como pôr* **I.** *vt* imponer **II.** *vr:* ~**-se** imponerse

importação <-ões> [ĩporta'sãw, -'õjs] *f* importación *f*

importância [ĩjpor'tãnsia] *f* 1. (*qualidade de importante*) importancia *f* 2. (*quantia*) suma *f*

importante [ĩjpor'tãntʃi] *adj* importante

importar [ĩjpor'tar] I. *vi, vt* ECON, INFOR importar II. *vr:* ~-**se** importar; ~-**se com a c./alguém** preocuparse de algo/alguien; **não me importa** no me importa

importunar [ĩjportu'nar] *vt* importunar

importuno, -a [ĩjpor'tunu, -a] *adj* inoportuno, -a

impossibilidade [ĩjposibiʎi'dadʒi] *f* imposibilidad *f*

impossível <-eis> [ĩjpo'sivew, -ejs] *adj, m* imposible *m*

imposto, -a [ĩj'postu] I. *pp de* **impor** II. *m* impuesto *m*

impostor(a) [ĩjpos'tor(a)] *m(f)* impostor(a) *m(f)*

impotência [ĩjpo'tẽjsia] *f* impotencia *f*

impotente [ĩjpo'tẽjtʃi] *adj tb.* MED impotente

impraticável <-eis> [ĩjpratʃi'kavew, -ejs] *adj* imposible

impreciso, -a [ĩjpre'sizu, -a] *adj* impreciso, -a

impregnar [ĩjpreg'nar] *vt* impregnar

imprensa [ĩj'prẽjsa] *f* prensa *f*

imprensar [ĩjprẽj'sar] *vt* prensar; (*constranger*) presionar

imprescindível <-eis> [ĩjpresĩj'dʒivew, -ejs] *adj* imprescindible

impressão <-ões> [ĩjpre'sãw, -'õjs] *f tb.* TIPO impresión *f;* ~ **digital** huella *f* digital

impressionante [ĩjpresjo'nãntʃi] *adj* impresionante

impressionar [ĩjpresjo'nar] I. *vt* impresionar II. *vr:* ~-**se** impresionarse

impressionista [ĩjpresjo'nista] *mf* impresionista *mf*

impresso, -a [ĩj'prɛsu, -a] *adj* impreso, -a

impressões [ĩjpre'sõjs] *f pl de* **impressão**

impressora [ĩjpre'sora] *f* impresora *f*

imprestável <-eis> [ĩjpres'tavew, -ejs] *adj* inútil

imprevisível <-eis> [ĩjprevi'zivew, -ejs] *adj* imprevisible

imprevisto, -a [ĩjpre'vistu, -a] *adj, m, f* imprevisto, -a *m, f*

imprimir [ĩjpri'mir] <*pp:* impresso *ou* imprimido> *vt tb.* INFOR imprimir

improdutivo, -a [ĩjprodu'tʃivu, -a] *adj* improductivo, -a

impróprio, -a [ĩj'prɔpriw, -a] *adj* impropio, -a

improvável <-eis> [ĩjpro'vavew, -ejs] *adj* improbable

improvisar [ĩjprovi'zar] *vt* improvisar

improviso [ĩjpro'vizu] *m* improvisación *f*

imprudência [ĩjpru'dẽjsia] *f* imprudencia *f*

imprudente [ĩjpru'dẽjtʃi] *adj* imprudente

impulsivo, -a [ĩjpuw'sivu, -a] *adj* impulsivo, -a

impulso [ĩj'puwsu] *m* impulso *m*

impuro, -a [ĩj'puru, -a] *adj* impuro, -a

imundície [imũw'dʒisii] *f* inmundicia *f*

imundo, -a [i'mūwdu, -a] *adj* inmundo, -a

imune [i'muni] *adj tb. fig* inmune

imunidade [imuni'dadʒi] *f* MED, JUR inmunidad *f*

inábil <-eis> [i'nabiw, -ejs] *adj* incapaz

inabilidade [inabiʎi'dadʒi] *f* incapacidad *f*

inabitado, -a [inabi'tadu, -a] *adj* deshabitado, -a

inabitável <-eis> [inabi'tavew, -ejs] *adj* inhabitable

inacabado, -a [inaka'badu, -a] *adj* inacabado, -a

inaceitável <-eis> [inasej'tavew, -ejs] *adj* inaceptable

inacessível <-eis> [inase'sivew, -ejs] *adj* inaccesible

inacreditável <-eis> [inakredʒi'tavew, -ejs] *adj* increíble

inadequado, -a [inade'kwadu, -a] *adj* inadecuado, -a

inadiável <-eis> [inadʒi'avew, -ejs] *adj* inaplazable

inadvertido, -a [inadʒiver'tʃidu, -a] *adj* inadvertido, -a

inalação <-ões> [inala'sãw, -'õjs] *f* inhalación *f*

inalar [ina'lar] *vt* inhalar

inalcançável <-eis> [inawkãn'savew, -ejs] *adj* inalcanzable

inalterado, -a [inawte'radu, -a] *adj* inalterado, -a

inalterável <-eis> [inawte'ravew, -ejs] *adj* inalterable

inanimado, -a [inani'madu, -a] *adj* (*ser*) inanimado, -a

inapto, -a [in'apto, -a] *adj* incapacitado, -a

inatingível <-eis> [inatʃi'ʒivew, -ejs] *adj* **1.** (*inalcançável*) inalcanzable **2.** (*incompreensível*) inasequible

inativo, -a [ina'tʃivu, -a] *adj* inactivo, -a

inauguração <-ões> [inawgura'sãw, -'õjs] *f* (*de loja, exposição, monumento*) inauguración *f*; (*começo*) comienzo *m*

inaugurar [inawgu'rar] **I.** *vt* inaugurar **II.** *vi* inaugurarse

inca ['ĩka] *mf* inca *mf*

incansável <-eis> [ĩkãn'savew, -ejs] *adj* incansable

incapacitado, -a [ĩkapasi'tadu, -a] *adj* incapacitado, -a

incapaz [ĩka'pas] *adj, mf* incapaz *mf*

incendiar [ĩsẽdʒi'ar] *irr como odiar* **I.** *vt* incendiar; (*ânimos*) encender **II.** *vr:* ~**-se** incendiarse

incêndio [ĩ'sẽdʒiw] *m* incendio *m*

incenso [ĩ'sẽjsu] *m* incienso *m*

incentivar [ĩsẽtʃi'var] *vt* incentivar

incentivo [ĩsẽ'tʃivu] *m* incentivo *m*

incerteza [ĩser'teza] *f* incertidumbre *f*

incerto, -a [ĩ'sɛrtu, -a] *adj* incierto, -a

incessante [ĩse'sãntʃi] *adj* incesante

incesto [ĩ'sestu] *m* incesto *m*

inchaço [ĩ'ʃasu] *m* hinchazón *f*

inchado, -a [ĩ'ʃadu, -a] *adj tb. fig* hinchado, -a

inchar [ĩ'ʃar] *vi* MED hincharse

incidente [ĩsi'dẽjtʃi] *m* incidente *m*

incineração <-ões> [ĩsinera'sãw, -'õjs] *f* (*de lixo*) incineración *f*

incitar [ĩsi'tar] *vt* incitar

inclinação <-ões> [ĩjklina'sãw, -'õjs] f 1. (*tendência, desvio*) inclinación f; **ter ~ para a. c.** tener inclinación por algo 2. (*interesse amoroso*) atracción f; **ter ~ por alguém** sentir atracción por alguien

inclinado, -a [ĩjkli'nadu, -a] *adj* inclinado, -a

inclinar [ĩjkli'nar] I. *vt* inclinar II. *vi* inclinarse III. *vr*: **~-se** inclinarse

incluir [ĩjklu'ir] <*pp*: incluso *ou* incluído> *irr* I. *vt* incluir II. *vr* **~-se em a. c.** incluirse en algo

inclusão <-ões> [ĩjklu'zãw, -'õjs] f inclusión f

inclusive [ĩjklu'zivi] *adv* inclusive

incluso, -a [ĩj'kluzu, -a] *adj* 1. incluido, -a 2. (*dente*) que no ha salido

inclusões [ĩjklu'zõjs] f pl de **inclusão**

incoerente [ĩjkoe'rẽjtʃi] *adj* incoherente

incógnito, -a [ĩj'kɔgnitu, -a] *adj, m, f* desconocido, -a *m, f*

incolor [ĩjko'lor] *adj* incoloro, -a

incomodar [ĩjkomo'dar] I. *vt* molestar II. *vr* **~-se com a. c.** molestarse por algo

incômodo, -a [ĩj'komudu, -a] *adj* incómodo, -a

incomparável <-eis> [ĩjkõwpa'ravew, -ejs] *adj* incomparable

incompatibilidade [ĩjkõwpatʃibiʎi'dadʒi] f incompatibilidad f

incompatível <-eis> [ĩjkõwpa'tʃivew, -ejs] *adj* incompatible

incompetência [ĩjkõwpe'tẽsia] f incompetencia f

incompetente [ĩjkõwpe'tẽjtʃi] *adj, mf* incompetente *mf*

incompleto, -a [ĩjkõw'plɛtu, -a] *adj* incompleto, -a

incompreensível <-eis> [ĩjkõwprẽj'sivew, -ejs] *adj* incomprensible

incomum [ĩjko'mũw] <-uns> *adj* fuera de lo común

incomunicável <-eis> [ĩjkomuni'kavew, -ejs] *adj* 1. (*pensamentos*) inexpresable 2. (*preso*) incomunicado, -a

inconcebível <-eis> [ĩjkõwse'bivew, -ejs] *adj* inconcebible

inconformado, -a [ĩjkõwfor'madu, -a] *adj* insatisfecho, -a

inconfundível <-eis> [ĩjkõwfũw'dʒivew, -ejs] *adj* inconfundible

inconsciência [ĩjkõwsi'ẽjsia] f sem pl tb. MED inconsciencia f

inconsciente [ĩjkõwsi'ẽjtʃi] *adj* inconsciente

inconseqüente [ĩjkõwse'kwẽjtʃi] *adj* inconsecuente

inconsistente [ĩjkõwsis'tẽjtʃi] *adj* inconsistente

inconsolável <-eis> [ĩjkõwso'lavew, -ejs] *adj* inconsolable

inconstante [ĩjkõws'tãtʃi] *adj* 1. (*tempo*) cambiante 2. (*pessoa*) inconstante

incontável <-eis> [ĩjkõw'tavew, -ejs] *adj* incontable

incontinência [ĩjkõwtʃi'nẽjsia] f incontinencia f

incontrolável <-eis> [ĩjkõwtro'lavew, -ejs] *adj* incontrolable

inconveniência [ĩjkõwveni'ẽjsia] f in-

inconveniente [ĩkõwveni'ẽjtʃi] *adj, m* inconveniente *m*

incorporar [ĩkorpo'rar] *vt* incorporar

incorreto, -a [ĩko'xɛtu, -a] *adj* incorrecto, -a

incorrigível <-eis> [ĩkoxi'ʒivew, -ejs] *adj* incorregible

incrementar [ĩkreme'ĩ'tar] *vt* incrementar; (*a economia*) desarrollar

incremento [ĩkre'mẽtu] *m* incremento *m*; (*desenvolvimento*) desarrollo *m*

incrível <-eis> [ĩ'krivew, -ejs] *adj* increíble; **por ~ que pareça** aunque parezca increíble

inculto, -a [ĩ'kuwtu, -a] *adj* inculto, -a

incumbência [ĩkũw'bẽjsia] *f* **1.** incumbencia *f* **2.** (*encargo*) tarea *f*; **ter a ~ de fazer a. c.** estar encargado de hacer algo

incumbir [ĩkũw'bir] **I.** *vt* encargar; **~ alguém de a. c.** encargar algo a alguien **II.** *vr*: **~-se** encargarse; **~-se de a. c.** encargarse de algo

incurável <-eis> [ĩku'ravew, -ejs] *adj* incurable

indagar [ĩda'gar] <g→gu> *vt* indagar

indecente [ĩde'sẽjtʃi] *adj* indecente

indeciso, -a [ĩde'sizu, -a] *adj* indeciso, -a

indefeso, -a [ĩde'fezu, -a] *adj* indefenso, -a

indefinido, -a [ĩdefi'nidu, -a] *adj* LING indefinido, -a

indelicado, -a [ĩdeʎi'kadu, -a] *adj* descortés

indenização <-ões> [ĩdeniza'sãw, -'õjs] *f* indemnización *f*

indenizar [ĩdeni'zar] *vt* indemnizar

independência [ĩdepẽj'dẽjsia] *f sem pl* independencia *f*

independente [ĩdepẽj'dẽjtʃi] *adj* independiente

indesculpável <-eis> [ĩdeskuw'pavew, -ejs] *adj* imperdonable

indesejável <-eis> [ĩdeze'ʒavew, -ejs] *adj* indeseable

indestrutível <-eis> [ĩdestru'tʃivew, -ejs] *adj* indestructible

indeterminado, -a [ĩdetermi'nadu, -a] *adj* indeterminado, -a

indevido, -a [ĩde'vidu, -a] *adj* indebido, -a

Índia [ˈĩdʒia] *f* India *f*

indianista [ĩdʒjaˈnista] *mf* indigenista *mf*

indiano, -a [ĩˈdʒjanu, -a] *adj, m, f* indio, -a *m, f*

indicação <-ões> [ĩdʒika'sãw, -'õjs] *f* indicación *f*

indicado, -a [ĩdʒiˈkadu, -a] *adj* indicado, -a

indicador [ĩdʒikaˈdor] **I.** *m* (*ponteiro*) puntero *m*; (*dedo*) índice *m* **II.** *adj* indicativo, -a

indicar [ĩdʒiˈkar] <c→qu> *vt* **1.** (*referir*) indicar **2.** (*sugerir*) recomendar **3.** (*para um cargo*) nominar

indicativo [ĩdʒiˈkatʃivu] *m sem pl* indicativo *m*

índice [ˈĩdʒisi] *m* índice *m*

indício [ĩˈdʒisiw] *m* indicio *m*

indiferença [ĩdʒifeˈrẽjsa] *f* indiferencia *f*

indiferente [ĩdʒifeˈrẽjtʃi] *adj* indi-

ferente

indígena [ĩj'dʒiʒena] *adj, mf* indígena *mf*

indigestão <-ões> [ĩjdʒiʒes'tãw, -õjs] *f* indigestión *f*

indigesto, -a [ĩjdʒi'ʒɛstu, -a] *adj tb. fig* indigesto, -a

indigestões [ĩjdʒiʒes'tõjs] *f pl de* **indigestão**

indignado, -a [ĩjdʒig'nadu, -a] *adj (pessoa)* indignado, -a; **ficar ~ com alguém/a. c.** indignarse con alguien/algo

indignar [ĩjdʒig'nar] **I.** *vt* indignar **II.** *vr:* **~-se** indignarse

indignidade [ĩjdʒigni'dadʒi] *f* indignidad *f*

indigno, -a [ĩj'dʒignu, -a] *adj* indigno, -a

índio, -a [ˈĩdʒiw, -a] *m, f* indio, -a *m, f*

indireta [ĩjdʒi'rɛta] *f inf* indirecta *f*; **dar** [*ou* **soltar**] **~s para alguém** lanzar una indirecta a alguien

indireto, -a [ĩjdʒi'rɛtu, -a] *adj* indirecto, -a

indisciplinado, -a [ĩjdʒisipli'nadu, -a] *adj* indisciplinado, -a

indiscreto, -a [ĩjdʒis'krɛtu, -a] *adj* indiscreto, -a

indiscrição <-ões> [ĩjdʒiskri'sãw, -õjs] *f* indiscreción *f*

indiscutível <-eis> [ĩjdʒisku'tʃivew, -ejs] *adj* indiscutible

indispensável <-eis> [ĩjdʒispẽj'savew, -ejs] *adj* indispensable; (*habitual*) inseparable

indispor [ĩjdʒis'por] *irr como* **pôr I.** *vt* indisponer **II.** *vr:* **~-se** indisponerse

indisposição <-ões> [ĩjdʒispozi'sãw, -õjs] *f* indisposición *f*

indisposto, -a [ĩjdʒis'postu, -'ɔsta] **I.** *pp de* **indispor II.** *adj* indispuesto, -a; **estar ~** estar indispuesto

indissolúvel <-eis> [ĩjdʒiso'luvew, -ejs] *adj* indisoluble

indistinto, -a [ĩjdʒis'tʃĩtu, -a] *adj* indistinto, -a

individual <-ais> [ĩjdʒividu'aw, -'ajs] *adj* individual

indivíduo [ĩjdʒi'viduu] *m* individuo *m*

indóceis [ĩj'dɔsejs] *adj pl de* **indócil**

Indochina [ĩjdo'ʃina] *f* Indochina *f*

indócil <-eis> [ĩj'dɔsiw, -ejs] *adj* indomable; (*irritado*) nervioso, -a

índole [ˈĩduʎi] *f* **1.** (*temperamento*) carácter *m*; **de boa ~** afable; **de má ~** malhumorado, -a **2.** (*natureza*) índole *f*; **colabora em trabalhos de ~ social** colabora en trabajos de índice social

indolência [ĩjdo'lẽjsia] *f* indolencia *f*

indolente [ĩjdo'lẽjtʃi] *adj* indolente

indomável <-eis> [ĩjdo'mavew, -ejs] *adj* indomable

Indonésia [ĩjdo'nɛzia] *f* Indonesia *f*

indonésio, -a [ĩjdo'nɛziw, -a] *adj, m, f* indonesio, -a *m, f*

indulgência [ĩjduw'ʒẽjsia] *f* indulgencia *f*

indulgente [ĩjduw'ʒẽjtʃi] *adj* indulgente

indústria [ĩj'dustria] *f* industria *f*

industrial <-ais> [ĩjdustri'aw, -'ajs] *adj, mf* industrial *mf*

industrializar [ĩjdustriaʎi'zar] *vt* industrializar

inédito, -a [i'nɛdʒitu, -a] *adj* inédito, -a
ineficaz [inefi'kas] <-es> *adj* ineficaz
ineficiente [inefisi'ẽjtʃi] *adj* ineficiente
inegável <-eis> [ine'gavew, -ejs] *adj* innegable
inércia [i'nɛrsia] *f* inercia *f*
inerente [ine'rẽjtʃi] *adj* inherente
inesgotável <-eis> [inesgo'tavew, -ejs] *adj* inagotable
inesperado, -a [inespe'radu, -a] *adj* inesperado, -a
inesquecível <-eis> [ineske'sivew, -ejs] *adj* inolvidable
inestimável <-eis> [inestʃi'mavew, -ejs] *adj* inestimable
inevitável <-eis> [inevi'tavew, -ejs] *adj* inevitable
inexato, -a [ine'zatu, -a] *adj* inexacto, -a
inexistente [inezis'tẽjtʃi] *adj* inexistente
inexorável <-eis> [inezo'ravew, -ejs] *adj* **1.** inflexible **2.** (*destino*) inexorable
inexperiência [inesperi'ẽjsia] *f* inexperiencia *f*
inexperiente [inesperi'ẽjtʃi] *adj* **1.** inexperto, -a **2.** (*ingênuo*) ingenuo, -a
inexplicável <-eis> [inespli'kavew, -ejs] *adj* inexplicable
inexpressivo, -a [inespre'sivu, -a] *adj* **1.** inexpresivo, -a **2.** (*sem importância*) insignificante
infalível <-eis> [ĩfa'ʎivew, -ejs] *adj* infalible

infâmia [ĩ'fɜmia] *f* infamia *f*
infância [ĩ'fɜ̃sia] *f* infancia *f*
infantaria [ĩfɜ̃ta'ria] *f* infantería *f*
infantil <-is> [ĩfɜ̃'tʃiw, -'is] *adj* infantil
infatigável <-eis> [ĩfatʃi'gavew, -ejs] *adj* infatigable
infecção <-ões> [ĩfek'sɜ̃w, -'õjs] *f* **1.** (*em ferida*) infección *f* **2.** (*contágio*) contagio *m*
infeccionar [ĩfeksjo'nar] **I.** *vt* infectar **II.** *vi* infectarse
infecções [ĩfek'sõjs] *f pl de* **infecção**
infelicidade [ĩfeʎisi'dadʒi] *f* infelicidad *f*
infeliz [ĩfe'ʎis] <-es> *adj, mf* infeliz *mf*
infelizmente [ĩfeʎiz'mẽjtʃi] *adv* desgraciadamente
inferior [ĩferi'or] *adj* inferior
inferioridade [ĩferjori'dadʒi] *f* inferioridad *f*
infernal <-ais> [ĩfer'naw, -'ajs] *adj* infernal
inferno [ĩ'fɛrnu] *m* infierno *m*
infértil <-eis> [ĩ'fɛrtʃiw, -ejs] *adj* infértil
infestar [ĩfes'tar] *vt* infestar
infidelidade [ĩfideʎi'dadʒi] *f* infidelidad *f*
infiel <-éis> [ĩfi'ɛw, -'ɛjs] *adj, mf tb.* REL infiel *mf*
infiltrar-se [ĩfiw'trarsi] *vr tb. fig* infiltrarse; **a água infiltrou-se pela parede da sala** el agua se infiltró por la pared del salón
infinitivo [ĩfini'tʃivu] *m* infinitivo *m*
infinito, -a [ĩfi'nitu, -a] *adj, m,* ƒ infi-

inflação <-ões> [ĩfla'sãw, -õjs] *f* ECON inflación *f*

inflacionário, -a [ĩflasjo'narjw, -a] *adj* inflacionario, -a

inflamação <-ões> [ĩflama'sãw, 'õjs] *f* inflamación *f*

inflamado, -a [ĩflɜ'madu, -a] *adj* inflamado, -a

inflamar [ĩflɜ'mar] *vi* inflamarse

inflamável <-eis> [ĩflɜ'mavew, -ejs] *adj* inflamable

inflar [ĩ'flar] *irr como refletir vt* inflar

inflexível <-eis> [ĩflek'sivew, -ejs] *adj* inflexible

influência [ĩflu'ẽjsia] *f* influencia *f*

influenciar [ĩfluẽjsi'ar] I. *vt* influir II. *vr*: ~-se influir; **deixou ~-se demais pelo professor** se dejó influir demasiado por el profesor

influente [ĩflu'ẽjtʃi] *adj* influyente

influir [ĩflu'ir] *conj como incluir* I. *vt* ~ **em** [*ou* **sobre**] influir en II. *vi* influir

informação <-ões> [ĩforma'sãw, -'õjs] *f* información *f*

informal [ĩfor'maw, -ajs] *adj* informal

informar [ĩfor'mar] I. *vt* informar II. *vr*: ~-**se sobre a. c.** informarse sobre algo

informática [ĩfor'matʃika] *f sem pl* informática *f*

informativo, -a [ĩforma'tʃivu, -a] *adj* informativo, -a

informatizar [ĩformartʃi'zar] *vt* informatizar

informe [ĩ'fɔrmi] *m* informe *m*

infração <-ões> [ĩfra'sãw, -'õjs] *f (de lei, regra)* infracción *f*; *(de contrato)* incumplimiento *m*

infra-estrutura [ĩfrajstru'tura] *f* infraestructura *f*

infravermelho, -a [ĩfraver'meʎu, -a] *adj* infrarrojo, -a

ingenuidade [ĩʒenuj'dadʒi] *f* ingenuidad *f*

ingênuo, -a [ĩ'ʒenuu, -a] *adj* ingenuo, -a

ingerir [ĩʒe'rir] *irr como preferir* I. *vt* ingerir II. *vr*: ~-**se** entrometerse

Inglaterra [ĩgla'tɛxa] *f* Inglaterra *f*

inglês, -esa [ĩ'gles, -'eza] *adj, m, f* inglés, -esa *m, f*

ingratidão <-ões> [ĩgratʃi'dãw, -'õjs] *f* ingratitud *f*

ingrato, -a [ĩ'gratu, -a] *adj, m, f* ingrato, -a *m, f*

ingrediente [ĩgredʒi'ẽjtʃi] *m tb. fig* ingrediente *m*

ingressar [ĩgre'sar] *vi* ingresar

ingresso [ĩ'gresu] *m* 1. *(ação de ingressar)* ingreso *m*; **o ~ em uma instituição** el ingreso en una institución 2. *(bilhete)* entrada *f*

inibir [ini'bir] *vt* inhibir

iniciação <-ões> [inisia'sãw, -'õjs] *f* iniciación *f*

inicial <-ais> [inisi'aw, -'ajs] *adj, f* inicial *f*

iniciar [inisi'ar] *vt* iniciar

iniciativa [inisia'tʃiva] *f* iniciativa *f*

início [i'nisiw] *m* comienzo *m*, inicio *m*; **no ~** al comienzo

inimigo, -a [ini'migu, -a] *adj, m, f* enemigo, -a *m, f*

inimizade [inimi'zadʒi] f enemistad f
ininterrupto, -a [inĩjte'xuptu, -a] adj ininterrumpido, -a
injeção <-ões> [ĩʒe'sãw, -'õjs] f tb. fig inyección f; **dar/levar uma ~** - poner/recibir una inyección
injetar [ĩʒe'tar] I. vt inyectar II. vr: **~-se** inyectarse
injúria [ĩ'ʒuria] f injuria f
injustiça [ĩʒus'tʃisa] f injusticia f
injusto, -a [ĩ'ʒustu, -a] adj injusto, -a
inocência [ino'sẽjsia] f inocencia f
inocente [ino'sẽjtʃi] adj, mf inocente mf
inofensivo, -a [inofẽj'sivu, -a] adj inofensivo, -a
inoportuno, -a [inopor'tunu, -a] adj inoportuno, -a
inovação <-ões> [inova'sãw, -õjs] f innovación f
inovador(a) [inova'dor(a)] adj innovador(a)
inoxidável <-eis> [inoksi'davew, -ejs] adj inoxidable
INPC [jenipe'se] m sem pl abr de **Índice Nacional de Preços ao Consumidor** IPC m
inquérito [ĩ'kεritu] m investigación f
inquietação <-ões> [ĩkjeta'sãw, -'õjs] f inquietud f
inquietante [ĩkje'tãtʃi] adj inquietante
inquietar [ĩkje'tar] I. vt inquietar II. vr: **~-se** inquietarse
inquieto, -a [ĩ'kjεtu, -a] adj inquieto, -a
inquilino, -a [ĩki'ʎinu, -a] m, f inquilino, -a m, f

Inquisição [ĩkizi'sãw] f HIST Inquisición f
insaciável <-eis> [ĩsasi'avew, -ejs] adj insaciable
insalubre [ĩsa'lubri] adj insalubre
insanidade [ĩsani'dadʒi] f demencia f
insano, -a [ĩ'sanu, -a] adj demente
insatisfação <-ões> [ĩsatsfa'sãw, -'õjs] f insatisfacción f
insatisfatório, -a [ĩsatsfa'tɔriw, -a] adj insatisfactorio, -a
insatisfeito, -a [ĩsats'fejtu, -a] adj insatisfecho, -a
inscrever [ĩskre'ver] <pp: inscrito> I. vt inscribir II. vr **~-se em a. c.** inscribirse en algo
inscrição <-ões> [ĩskri'sãw, -õjs] f inscripción f
inscrito [ĩjs'kritu] I. pp de **inscrever** II. adj inscrito, -a
insegurança [ĩjsegu'rãsa] f inseguridad f
inseguro, -a [ĩjsi'guru, -a] adj inseguro, -a
inseminação <-ões> [ĩjsemina'sãw, -'õjs] f inseminación f
insensato, -a [ĩjsẽj'satu, -a] adj insensato, -a
insensibilidade [ĩjsẽjsibiʎi'dadʒi] f insensibilidad f
insensível <-eis> [ĩjsẽj'sivew, -ejs] adj insensible
inseparável <-eis> [ĩjsepa'ravew, -ejs] adj inseparable
inserir [ĩjse'rir] <pp: inserto ou inserido> irr como preferir I. vt insertar II. vr **~-se em um grupo** insertarse en un grupo

inseticida [ĩjsetʃi'sida] m inseticida m
inseto [ĩj'sɛtu] m insecto m
insígnia [ĩj'signia] f insignia f
insignificância [ĩjsignifi'kãŋsia] f insignificancia f
insignificante [ĩjsignifi'kãŋtʃi] adj insignificante
insincero, -a [ĩjsĩj'sɛru, -a] adj insincero, -a
insinuação <-ões> [ĩjsinwa'sãw, -'õjs] f insinuación f
insinuar [ĩjsinu'ar] I. vt insinuar II. vr: ~-se insinuarse
insípido, -a [ĩj'sipidu, -a] adj insípido, -a
insistência [ĩjsis'tẽjsia] f insistencia f
insistente [ĩjsis'tẽjtʃi] adj insistente
insistir [ĩjsis'tʃir] vt insistir
insolação <-ões> [ĩjsola'sãw, -'õjs] f sem pl insolación f; **ter uma ~** coger una insolación
insolente [ĩjso'lẽjtʃi] adj insolente
insólito, -a [ĩj'sɔʎitu, -a] adj insólito, -a
insolúvel <-eis> [ĩjso'luvew, -ejs] adj **1.** (substância, problema) insoluble **2.** (dívida) incobrable
insolvente [ĩjsow'vẽjtʃi] adj insolvente
insônia [ĩj'sonia] f insomnio m
insosso, -a [ĩj'sosu, -a] adj soso, -a
inspeção <-ões> [ĩjspe'sãw, -'õjs] f inspección f
inspecionar [ĩjspesjo'nar] vt inspeccionar
inspetor(a) [ĩjspe'tor(a)] m(f) inspector(a) m(f)
inspiração <-ões> [ĩjspira'sãw, -'õjs] f inspiración f
inspirar [ĩjspi'rar] I. vi, vt inspirar II. vr: ~-se inspirarse
instabilidade [ĩjstabiʎi'dadʒi] f sem pl inestabilidad f
instalação <-ões> [ĩjstala'sãw, -'õjs] f instalación f
instalar [ĩjsta'lar] I. vt tb. INFOR instalar II. vr: ~-se instalarse
instância [ĩjs'tãŋsia] f tb. JUR instancia f
instantâneo, -a [ĩjstãŋ'tɜniw, -a] adj instantáneo, -a
instante [ĩjs'tãŋtʃi] m instante m
instar [ĩjs'tar] elev I. vt instar; ~ **contra a. c.** cuestionar algo II. vi ~ **(com) alguém** instar a alguien
instauração <-ões> [ĩjstawra'sãw, -'õjs] f instauración f
instaurar [ĩjstaw'rar] vt instaurar
instável <-eis> [ĩjs'tavew, -ejs] adj inestable
instintivo, -a [ĩjstʃĩj'tʃivu, -a] adj instintivo, -a
instinto [ĩjs'tʃĩjtu] m instinto m
instituição <-ões> [ĩjstʃitui'sãw, -'õjs] f institución f
instituto [ĩjstʃi'tutu] m instituto m
instrução <-ões> [ĩjstru'sãw, -'õjs] f instrucción f
instruído, -a [ĩjstru'idu, -a] adj instruido, -a
instruir [ĩjstru'ir] conj como incluir vt **1.** tb. JUR instruir **2.** (dar instruções) dar instrucciones a **3.** (informar) informar
instrumental <-ais> [ĩjstrumẽj'taw, -'ajs] adj instrumental

instrumento [ĩjstru'mẽjtu] *m* instrumento *m*

instructivo, -a [ĩjstru'tʃivu, -a] *adj* instructivo, -a

instrutor(a) [ĩjstru'tor(a)] *m(f)* **1.** ESPORT preparador(a) *m(f)* **2.** MIL instructor(a) *m(f)* **3.** (*de auto-escola*) profesor(a) *m(f)*

insucesso [ĩjsu'sɛsu] *m* fracaso *m*

insuficiente [ĩjsufisi'ẽjtʃi] *adj* insuficiente

insulina [ĩjsu'ʎina] *f* insulina *f*

insultar [ĩjsuw'tar] *vt* insultar

insulto [ĩj'suwtu] *m* insulto *m*

insuperável <-eis> [ĩjsupe'ravew, -ejs] *adj* insuperable

insuportável <-eis> [ĩjsupor'tavew, -ejs] *adj* insoportable

insurreição <-ões> [ĩjsuxej'sãw, -'õjs] *f* insurrección *f*

intato [ĩj'tatu] *adj* intacto, -a

íntegra ['ĩjtegra] *adv* **na ~** integralmente

integração <-ões> [ĩjtegra'sãw, -'õjs] *f* integración *f*

integral <-ais> [ĩjte'graw, -'ajs] *adj* integral

integrar [ĩjte'grar] **I.** *vt* integrar; **~ algo em a. c.** integrar algo en algo **II.** *vr* **~-se em** [*ou* **a**| **a. c.** integrarse en algo

integridade [ĩjtegri'dadʒi] *f sem pl* integridad *f*

íntegro, -a ['ĩjtegru, -a] *adj* íntegro, -a

inteiramente [ĩjtejra'mẽjtʃi] *adv* totalmente

inteirar [ĩjtej'rar] **I.** *vt* enterar; **~ alguém de a. c.** enterar a alguien de algo **II.** *vr* **~-se de a. c.** enterarse de algo

inteiro, -a [ĩj'tejru, -a] *adj* entero, -a; **dar ~ apoio a alguém** dar todo su apoyo a alguien; **o dentista arrancou o dente por ~** el dentista le arrancó todo el diente

intelecto [ĩjte'lɛktu] *m* intelecto *m*

intelectual <-ais> [ĩjtelektu'aw, -'ajs] *adj, mf* intelectual *mf*

inteligência [ĩjteʎi'ʒẽjsia] *f sem pl* inteligencia *f*

inteligente [ĩjteʎi'ʒẽjtʃi] *adj* inteligente

inteligível <-eis> [ĩjteʎi'ʒivew, -ejs] *adj* inteligible

intenção <-ões> [ĩjtẽ'sãw, -'õjs] *f* intención *f*

intencionado, -a [ĩjtẽjsjo'nadu, -a] *adj* intencionado, -a

intencional <-ais> [ĩjtẽjsjo'naw, -'ajs] *adj* intencional

intencionar [ĩjtẽjsjo'nar] *vt* tener la intención de

intensidade [ĩjtẽjsi'dadʒi] *f sem pl* intensidad *f*

intensificar [ĩjtẽjsifi'kar] <c→qu> **I.** *vt* intensificar **II.** *vr:* **~-se** intensificarse

intensivo, -a [ĩjtẽj'sivu, -a] *adj* intensivo, -a

intenso, -a [ĩj'tẽjsu, -a] *adj* intenso, -a

intercalar [ĩjterka'lar] *vt* intercalar

intercâmbio [ĩjter'kãŋbiw] *m* intercambio *m*

interceder [ĩjterse'der] *vi* interceder

interditar [ĩjterdʒi'tar] *vt* prohibir; **~ a. c. a** [*ou* **para**] **alguém** prohibir algo a alguien; ~ **uma área ao acesso do público** cerrar un área al público

interessado, -a [ĩjtere'sadu, -a] *adj, m, f* interesado, -a *m, f*

interessante [ĩjtere'sɐ̃ntʃi] *adj* interesante

interessar [ĩjtere'sar] I. *vt* interesar II. *vr* **~-se por alguém/a. c.** interesarse por alguien/algo

interesse [ĩjte'resi] *m* interés *m*

interesseiro, -a [ĩjtere'sejru, -a] *adj* interesado, -a

interface [ĩjter'fasi] *f* interfaz *f*

interferência [ĩjterfe'rẽjsja] *f* (*ruído*) interferencia *f*

interferir [ĩjterfe'rir] *irr como* preferir *vi* interferir

interfone [ĩjter'foni] *m* portero *m* electrónico

interino, -a [ĩjte'rinu, -a] *adj* POL interino, -a

interior [ĩjteri'or] *adj, m* interior *m*

interiorano, -a [ĩjterjo'rɐnu, -a] *adj* del interior

interjeição <-ões> [ĩjterʒej'sɐ̃w, -'õjs] *f* interjección *f*

interlocutor(a) [ĩjterloku'tor(a)] *m(f)* interlocutor(a) *m(f)*

intermediário, -a [ĩjtermedʒi'arju, -a] I. *m, f* intermediario, -a *m, f* II. *adj* intermedio, -a; **nível** ~ nivel intermedio

intermédio [ĩjter'mɛdʒiw] *m* **por ~ de alguém** por intermedio de alguien

interminável <-eis> [ĩjtermi'navew, -ejs] *adj* interminable

intermitente [ĩjtermi'tẽjtʃi] *adj* intermitente

internação <-ões> [ĩjterna'sɐ̃w, -'õjs] *f* **1.** (*em hospital*) ingreso *m* **2.** (*em hospício*) internamiento *m*

internacional <-ais> [ĩjternasjo'naw, -'ajs] *adj* internacional

internar [ĩjter'nar] I. *vt* **1.** (*em hospital*) ingresar **2.** (*em colégio, hospício*) internar II. *vr:* **~-se** ingresar

internato [ĩjter'natu] *m* (*escola*) internado *m*

internauta [ĩjter'nawta] *mf* INFOR internauta *mf*

Internet [ĩjter'nɛtʃi] *f* Internet *f*; **navegar na ~** navegar por Internet

interno, -a [ĩj'tɛrnu, -a] *adj* interno, -a

interpretação <-ões> [ĩjterpreta'sɐ̃w, -'õjs] *f* interpretación *f*

interpretar [ĩjterpre'tar] *vt* interpretar

intérprete [ĩj'tɛrpretʃi] *mf* intérprete *mf*

interrogação <-ões> [ĩjtexoga'sɐ̃w, -'õjs] *f* interrogación *f*

interrogar [ĩjtexo'gar] <g→gu> *vt* interrogar

interrogatório [ĩjtexoga'tɔrjw] *m* interrogatorio *m*

interromper [ĩjtexõw'per] *vt* interrumpir

interrupção <-ões> [ĩjtexup's ɐ̃w, -'õjs] *f* interrupción *f*

interruptor [ĩjtexup'tor] *m* ELETR interruptor *m*

interurbano, -a [ĩjterur'bɐnu, -a] *adj* TEL interurbano, -a; **chamada** [*ou* **ligação**] **interurbana** llamada interurbana

intervalo [ĩjter'valu] *m* intervalo *m*

intestino [ĩjtes'tʃinu] *m* intestino *m*
intimação <-ões> [ĩjtʃima'sãw, -'õjs] *f* notificación *f*; JUR citación *f*
intimidade [ĩjtʃimi'dadʒi] *f* intimidad *f*
intimidar [ĩjtʃimi'dar] **I.** *vt* intimidar **II.** *vr:* ~**-se com a. c.** intimidarse ante algo
íntimo, -a ['ĩjtʃimu, -a] *adj, m, f* íntimo, -a *m, f*
intocável <-eis> [ĩjto'kavew, -ejs] *adj* intocable
intolerância [ĩjtole'rãnsia] *f* intolerancia *f*
intolerante [ĩjtole'rãntʃi] *adj* intolerante
intolerável <-eis> [ĩjtole'ravew, -ejs] *adj* intolerable
intoxicação <-ões> [ĩjtoksika'sãw, -'õjs] *f* intoxicación *f*
intoxicar [ĩjtoksi'kar] <c→qu> **I.** *vt* intoxicar **II.** *vr:* ~**-se** intoxicarse
intraduzível <-eis> [ĩjtradu'zivew, -ejs] *adj* intraducible
intranquilo, -a [ĩjtrãŋ'kwilu, -a] *adj* intranquilo, -a
intransitável <-eis> [ĩjtrãnzi'tavew, -ejs] *adj* intransitable
intransitivo, -a [ĩjtrãnzi'tʃivu] *adj* LING intransitivo, -a
intratável <-eis> [ĩjtra'tavew, -ejs] *adj* intratable
intravenoso, -a [ĩjtrave'nozu, -'ɔza] *adj* intravenoso, -a
intriga [ĩj'triga] *f* **1.** (*mexerico*) intriga *f* **2.** (*desavença*) desavenencia *f*
intrigante [ĩjtri'gãntʃi] *adj, mf* intrigante *mf*
intrigar [ĩjtri'gar] <g→gu> **I.** *vt* intrigar **II.** *vr:* ~**-se** quedar intrigado, -a
introdução <-ões> [ĩjtrodu'sãw, -'õjs] *f* introducción *f*
introduzir [ĩjtrodu'zir] *vt* introducir
intrometer-se [ĩjtrome'tersi] *vr* entrometerse
intrometido, -a [ĩjtrome'tʃidu, -a] *adj* entrometido, -a
intromissão <-ões> [ĩjtromi'sãw, -'õjs] *f* intromisión *f*
introvertido, -a [ĩjtrover'tʃidu, -a] *adj* introvertido, -a
intruso, -a [ĩj'truzu, -a] *m, f* intruso, -a *m, f*
intuição <-ões> [ĩjtuj'sãw] *f* intuición *f*
intuitivo, -a [ĩjtuj'tʃivu, -a] *adj* intuitivo, -a
intuito [ĩj'tujtu] *m* **1.** (*intenção*) intención *f* **2.** (*propósito*) objetivo *m*
inumano, -a [inu'mʌnu, -a] *adj* inhumano, -a
inundação <-ões> [inũwda'sãw, -'õjs] *f* (*de água*) inundación *f*
inundar [inũw'dar] **I.** *vt* inundar **II.** *vi* desbordarse **III.** *vr:* ~**-se** inundarse
inútil <-eis> [i'nutʃiw, -ejs] *adj* inútil
invadir [ĩjva'dʒir] *vt* invadir
inválido, -a [ĩj'vaʎidu, -a] *adj, m, f* inválido, -a *m, f*
invariável <-eis> [ĩjvari'avew, -ejs] *adj* invariable
invasão <-ões> [ĩjva'zãw, -'õjs] *f* invasión *f*
invasor(a) [ĩjva'zor(a)] *m(f)* invasor(a) *m(f)*
inveja [ĩj'vɛʒa] *f* envidia *f*; **ter ~ de alguém** tener envidia de alguien

invejar [ĩjve'ʒar] *vt* envidiar

invejável <-eis> [ĩjve'ʒavew, -ejs] *adj* envidiable

invejoso, -a [ĩjve'ʒozu, -'ɔza] *adj, m, f* envidioso, -a *m, f*

invenção <-ões> [ĩjvẽj'sãw, -'õjs] *f* invención *f*

invencível <-eis> [ĩjvẽj'sivew, -ejs] *adj* 1. (*inimigo*) invencible 2. (*obstáculo*) insuperable

invenções [ĩjvẽj'sõjs] *f pl de* **invenção**

inventar [ĩjvẽj'tar] *vt* inventar

inventário [ĩjvẽj'tariw] *m* inventario *m*

inventor(a) [ĩjvẽj'tor(a)] *m(f)* inventor(a) *m(f)*

inverno [ĩ'vɛrnu] *m* invierno *m*

inverossímil <-eis> [ĩjvero'simiw, -ejs] *adj* inverosímil

inversão <-ões> [ĩjver'sãw, -'õjs] *f* inversión *f*

inverso [ĩ'vɛrsu] *m* contrario *m*

inverso, -a [ĩ'vɛrsu, -a] *adj* inverso, -a

inversões [ĩjver'sõjs] *f pl de* **inversão**

inverter [ĩjver'ter] *vt* invertir

invés [ĩ'vɛs] *adv* **ao ~ de** al contrario de

investidor(a) [ĩjvestʃi'dor(a)] *m(f)* inversor(a) *m(f)*

investigação <-ões> [ĩjvestʃiga'sãw, -'õjs] *f* investigación *f*

investigar [ĩjvestʃi'gar] <g→gu> *vt* investigar

investimento [ĩjvestʃi'mẽtu] *m* inversión *f*

investir [ĩjves'tʃir] *irr como* **vestir** I. *vt* invertir II. *vi* embestir; **~ contra** embestir contra III. *vr*: **~-se** armar-

se; **~-se de coragem** armarse de valor

inviável <-eis> [ĩjvi'avew, -ejs] *adj* inviable

invicto, -a [ĩ'viktu, -a] *adj* invicto, -a

invisível <-eis> [ĩjvi'zivew, -ejs] *adj* invisible

invocado, -a [ĩjvo'kadu, -a] *adj* 1. (*cismado*) desconfiado, -a 2. (*irritado*) enfadado, -a

invocar [ĩjvo'kar] <c→qu> I. *vt* invocar II. *vi* **~ com alguém** meterse con alguien

invólucro [ĩ'vɔlukru] *m* envoltorio *m*

involuntário, -a [ĩjvolũ'tariw, -a] *adj* involuntario, -a

iodo ['jodu] *m sem pl* yodo *m*

ioga [i'oga] *f sem pl* yoga *m*

iogurte [jo'gurtʃi] *m* yogur *m*

ioiô [jo'jo] *m* yoyó *m*

íon [iõw] <-es> *m* ión *m*

ipê [i'pe] *m* BOT *árbol que es considerado símbolo del Brasil*

ípsilon ['ipsilõw] *m* y *f* griega

ir ['ir] *irr* I. *vi* 1. (*a pé, geral*) ir; **~ de avião** ir en avión; **~ embora** irse 2. (*dirigir-se*) ir; **~ à escola** ir al colegio 3. (*estar, passar*) ir; **como vai?** ¿cómo te va? 4. (*futuro*) **~ fazer a. c.** ir a hacer algo; **vou sair** voy a salir 5. (*+ gerúndio*) **~ fazendo a. c.** ir haciendo algo II. *vr*: **~-se** (**embora**) irse

IR [ĩ'postu dʒi 'xẽjda] *m abr de* **Imposto de Renda** Impuesto *m* sobre la Renta

Irã [i'rã] *m* Irán *m*

irado, -a [i'radu, -a] *adj* furioso, -a

iraniano, -a [irɜni'ɜnu, -a] *adj, m, f* iraní *mf*

Iraque [i'raki] *m* Irak *m*

iraquiano, -a [iraki'ɜnu, -a] *adj, m, f* iraquí *mf*

ir-e-vir <ires-e-vires> ['ir i 'vir, 'iriz-i-'viris] *m* libertad *f* de movimientos

íris ['iris] *f inv* ANAT iris *m*

Irlanda [ir'lɐ̃da] *f* Irlanda *f*

irlandês, -esa [irlɐ̃n'des, -'eza] *adj, m,* firlandés, -esa *m, f*

irmã [ir'mɐ̃] <-s> *f* hermana *f*; ~ **gêmea** hermana gemela

irmão <-s> [ir'mɐ̃w, -s] *m* hermano *m*

ironia [iro'nia] *f* ironía *f*

irônico, -a [i'roniku, -a] *adj* irónico, -a

irracional <-ais> [ixasjo'naw, -'ajs] *adj* irracional

irradiar [ixadʒi'ar] *vt* irradiar

irreal <-ais> [ixe'aw, -'ajs] *adj* irreal

irreconciliável <-eis> [ixekõwsiʎi-'avew, -ejs] *adj* irreconciliable

irreconhecível <-eis> [ixekõɲe'si-vew, -ejs] *adj* irreconocible

irregular [ixegu'lar] *adj* irregular

irregularidade [ixegulari'dadʒi] *f* irregularidad *f*

irrelevante [ixele'vɐ̃tʃi] *adj* irrelevante

irremediável <-eis> [ixemedʒi'avew, -ejs] *adj* irremediable

irrequieto, -a [ixi'kjɛtu, -a] *adj* inquieto, -a

irresistível <-eis> [ixezis'tʃivew, -ejs] *adj* irresistible

irresponsável <-eis> [ixespõw-'savew, -ejs] *adj* irresponsable

irrigação <-ões> [ixiga'sɐ̃w, -'õjs] *f* irrigación *f*

irrigar [ixi'gar] <g→gu> *vt* irrigar

irrisório, -a [ixi'zɔriw, -a] *adj* irrisorio, -a

irritação <-ões> [ixita'sɐ̃w, -'õjs] *f* irritación *f*

irritadiço, -a [ixita'dʒisu, -a] *adj* irritable

irritado, -a [ixi'tadu, -a] *adj* irritado, -a

irritante [ixi'tɐ̃tʃi] *adj* irritante

irritar [ixi'tar] I. *vt* irritar II. *vr:* ~-**se** irritarse

isca ['iska] *f* cebo *m;* **morder a** ~ *fig* morder el anzuelo

isenção <-ões> [izẽj'sɐ̃w, -'õjs] *f* exención *f*

isento, -a [i'zẽjtu, -a] *adj* exento, -a; ~ **de impostos/taxas** exento de impuestos/tasas

Islã [iz'lɐ̃] *m* islam *m*

islâmico, -a [iz'lɜmiku, -a] *adj* islámico, -a

islamismo [izlɐ'mizmu] *m sem pl* islamismo *m*

islandês, -esa [izlɐ̃n'des, -'eza] *adj, m,* fislandés, -esa *m, f*

Islândia [iz'lɐ̃ndʒia] *f* Islandia *f*

isolamento [izola'mẽjtu] *m* aislamiento *m*

isolar [izo'lar] I. *vt* aislar II. *vr:* ~-**se** aislarse; ~-**se de tudo** aislarse completamente

isopor [izo'por] <-es> *m* corcho *m* (blanco)

isqueiro [is'kejru] *m* encendedor *m*, mechero *m*

Israel [isxa'ɛw] *m* Israel *m*

israelense [isxae'lẽjsi] *adj, mf* israelí *mf*

israelita [isxae'ʎita] *adj, mf* israelita *mf*

isso ['isu] *pron dem* eso *m;* **o que é ~?** ¿qué es eso?; **~ mesmo!** ¡eso mismo!

isto ['istu] *pron dem* esto *m;* **~ é** esto es

Itália [i'taʎja] *f* Italia *f*

italiano, -a [ita'ʎjɜnu, -a] *adj, m, f* italiano, -a *m, f*

itálico [i'taʎiku] *m* cursiva *f;* **escrever a. c. em ~** escribir algo en cursiva

item [itẽj] <-ens> *m* ítem *m*

itinerário [itʃine'rariw] *m* itinerario *m*

iugoslávia [juguz'lavja] *f* Yugoslavia *f*

iugoslavo, -a [juguz'lavu, -a] *adj, m, f* yugoslavo, -a *m, f*

J

J, j ['ʒɔta] *m* J, j *f*

já [ʒa] **I.** *adv* ya; **~ chega!** ¡ya va!; **~ vou!** ¡ya voy!; **até ~!** ¡hasta ahora!
II. *conj (por outro lado)* ahora; **~ que** ya que; **desde ~** de antemano

jabuticaba [ʒabutʃi'kaba] *f* BOT *fruto de la jabuticabeira, de color negro, con pulpa blanca suculenta y dulce*

jacaré [ʒaka'rɛ] *m* ZOOL yacaré *f*

jaguar [ʒa'gwar] <-es> *m* ZOOL jaguar *m*, tigre *m AmL*

jaguatirica [ʒagwatʃi'rika] *f* ZOOL ocelote *m*

jagunço [ʒa'gũwsu] *m* guardaespaldas *m inv*, gorila *m inf*

Jamaica [ʒa'majka] *f* **a ~** Jamaica

jamaicano, -a [ʒamaj'kɜnu, -a] *adj, m, f* jamaicano, -a *m, f*

jamais [ʒa'majs] *adv* jamás

janeiro [ʒɜ'nejru] *m* enero *m; v.tb.* **março**

janela [ʒɜ'nɛla] *f tb.* INFOR ventana *f*

jangada [ʒɜ̃'gada] *f* balsa *f*

jantar¹ [ʒɜ̃'tar] *m* cena *f*

jantar² [ʒɜ̃'tar] *vi* cenar

Japão [ʒa'pɜ̃w] *m* Japón *m*

japonês, -esa [ʒapo'nes, -'eza] <-eses> *adj, m, f* japonés, -esa *m, f*

jaqueta [ʒa'keta] *f* chaqueta *f*

jararaca [ʒara'raka] *f* ZOOL yarará *f*

jardim <-ins> [ʒar'dʒĩ] *m* jardín *m*

jardim-de-infância [ʒar'dʒĩj-dʒĩ-'fɜ̃sja] <jardins-de-infância> *m* jardín *m* de infancia, kindergarten *m inv AmL*

jardineiro, -a [ʒardʒi'nejru, -a] *m, f* jardinero, -a *m, f*

jardins [ʒar'dʒĩjs] *m pl de* **jardim**

jarra ['ʒaxa] *f* **1.** (*de água*) jarra *f* **2.** (*de flores*) jarrón *m*

jarro ['ʒaxu] *m* **1.** (*de água*) jarro *m* **2.** (*de flores*) jarrón *m*

jasmim [ʒaz'mĩj] <-ins> *m* jazmín *m*

jato ['ʒatu] *m* **1.** (*de água*) chorro *m* **2.** AERO reacción *f*

jaula [ʒawla] *f* jaula *f*

Java ['ʒava] *f* Java *f*

javali, na [ʒava'ʎi(na)] *m, f* jabalí, -ina *m, f*

javanês, -esa [ʒavɜ'nes, -eza]

<-eses> *adj, m, f* javanés, -esa *m, f*
jaz [ʒaz] <3. *pess pres:* jaz> *vi* yacer
jazida [ʒa'zida] *f* yacimiento *m*
jazigo [ʒa'zigu] *m* sepultura *f*
jazz ['dʒɛs] *m sem pl* MÚS jazz *m*
jeca ['ʒɛka] **I.** *adj* **1.** (*caipira*) pueblerino, -a **2.** (*cafona*) hortera **II.** *mf* pueblerino, -a *m, f*
jegue ['ʒɛgi] *m reg* **1.** ZOOL asno *m* **2.** *pej* (*pessoa*) burro *m*
jeito ['ʒejtu] *m sem pl* **1.** (*aptidão, destreza*) habilidad *f*; **ter** [*ou* **levar**] **~ para (fazer) a. c.** tener habilidad para (hacer) algo **2.** (*de uma pessoa*) forma *f* de ser; **ele tem um ~ brincalhão** es muy bromista **3.** (*maneira*) forma *f*; **de ~ nenhum!** ¡de ninguna forma!; (**falar**) **com ~** (hablar) con cuidado **4.** (*arranjo*) arreglo *m*; **dar um ~ em a. c.** (*situação*) encontrar un arreglo para algo; **isso não tem ~!** ¡eso no tiene arreglo! **5.** (*torcedura*) torcedura *f*; **dar um (mau) ~ no pé** torcerse el pie
jeitoso, -a [ʒej'tozu, -a] *adj* **1.** (*pessoa: habilidoso*) habilidoso, -a **2.** (*casa sofá*) funcional **3.** (*aparência*) cuidado, -a
jejuar [ʒeʒu'ar] *vi* ayunar
jejum <-uns> [ʒe'ʒũw] *m* ayuno *m*
jenipapo [ʒeni'papu] *m* BOT *fruto del jenipapeiro, con pulpa aromática y comestible*
jerico [ʒi'riku] *m* ZOOL asno *m*
jesuíta [ʒezu'ita] *adj, m* jesuita *m*
Jesus [ʒe'zus] *m* Jesús *m*; **~!** ¡Jesús!
jibóia [ʒi'bɔja] *f* ZOOL boa *f*
jiló [ʒi'lɔ] *m* BOT *planta herbácea anual de sabor amargo, muy cultivada en Brasil*
joalheiro, -a [ʒua'ʎejru, -a] *adj, m, f* joyero, -a *m, f*
joalheria [ʒuaʎe'ria] *f* joyería *f*
joanete [ʒua'netʃi] *m* MED juanete *m*
joaninha [ʒua'niɲa] *f* ZOOL mariquita *f*
joão-ninguém <joões-ninguém> [ʒu'ãw-nĩ'gẽj, ʒu'õjs-] *m* don nadie *m*
João Pessoa [ʒu'ãw pe'soa] João Pessoa
joça ['ʒɔsa] *f gíria* **para que serve esta ~?** ¿para qué sirve este chisme?
joelho [ʒu'eʎu] *m* rodilla *f*
jogada [ʒo'gada] *f* jugada *f*; **estar fora da ~** *fig* no estar metido
jogador(a) [ʒoga'dor(a)] <-es> *m(f)* jugador(a) *m(f)*
jogar [ʒo'gar] <g→gu> **I.** *vt* **1.** (*um jogo*) jugar **2.** (*atirar*) tirar; **~ fora** tirar **II.** *vr*: **~-se** tirarse
jogging ['ʒɔgĩʒ] *m* jogging *m*; **fazer ~** hacer jogging
jogo ['ʒogu] *m* juego *m*; **Jogos Olímpicos** Juegos Olímpicos; **abrir o ~** *fig* poner las cartas sobre la mesa; **entregar o ~** tirar la toalla
joguete [ʒo'getʃi] *m* (*pessoa*) juguete *m fig*
jóia ['ʒɔja] *f* joya *f*; **~, vamos juntos na festa!** *gíria* ¡guay, vamos juntos a la fiesta!
jóquei ['ʒɔkej] *m* ESPORT jockey *m*
Jordânia [ʒor'dɜnia] *f* Jordania *f*
jornada [ʒor'nada] *f* jornada *f*; **~ integral** jornada completa
jornal <-ais> [ʒor'naw, -'ajs] *m*

jornaleiro [ʒorna'lejru] *m* quiosco *m*

jornalismo [ʒorna'ʎizmu] *m* periodismo *m*

jornalista [ʒorna'ʎista] *mf* periodista *mf*

jorrar [ʒo'xar] *vi* brotar

jorro ['ʒoxu] *m* chorro *m*

jovem ['ʒɔvẽj] <-ens> *adj, mf* joven *mf*

jovial <-ais> [ʒovi'aw, -'ajs] *adj* jovial

juba ['ʒuba] *f* melena *f*

jubilado, -a [ʒubi'ladu, -a] *adj* (*professor*) jubilado, -a; (*aluno*) expulsado, -a

judaico, -a [ʒu'dajku, -a] *adj* judaico, -a

judaísmo [ʒuda'izmu] *m sem pl* judaísmo *m*

judeu, judia [ʒu'dew, ʒu'dʒia] *m, f* judío, -a *m, f*

judiação <-ões> [ʒudʒja'sãw, -'õjs] *f* maltrato *m*

judiar [ʒudʒi'ar] *vi* maltratar; **~ de alguém** maltratar a alguien

judicial <-ais> [ʒudʒisi'aw, -'ajs] *adj* judicial

judiciário, -a [ʒudʒisiu'ariw, -a] *adj* judicial; **poder ~** poder judicial

judô [ʒu'do] *m* judo *m*

juiz, juíza [ʒu'iz, ʒu'iza] <-es> *m, f*
1. JUR juez(a) *m(f)*; **~ de paz** juez de paz 2. ESPORT árbitro, -a *m, f*

juizado [ʒuj'zadu] *m* juzgado *m*; **~ de menores** juzgado de menores

juízes [ʒu'izes] *m pl de* **juiz**

juízo [ʒu'izu] *m* juicio *m*; **não ter ~** ser un insensato; **tomar ~** actuar con prudencia; **~!** ¡mucho cuidado!

julgamento [ʒuwga'mẽjtu] *m* juicio *m*

julgar [ʒuw'gar] <g→gu> I. *vi, vt tb.* JUR juzgar II. *vr:* **~-se** juzgarse

julho ['ʒuʎu] *m* julio *m*; *v.tb.* **março**

jumento, -a [ʒu'mẽtu, -a] *m, f* ZOOL jumento, -a *m, f*

junção <-ões> [ʒũw'sãw, -'õjs] *f* unión *f*

junho ['ʒuɲu] *m* junio *m*; *v.tb.* **março**

júnior <juniores> ['ʒunjor, ʒu'njoris] I. *adj* principiante II. *m* júnior *m*

junta ['ʒũwta] *f* 1. (*no corpo*) juntura *f* 2. (*corporação, comissão*) junta *f*; **~ comercial** cámara *f* de comercio; **~ médica** junta médica

juntar [ʒũw'tar] <*pp:* junto *ou* juntado> I. *vt* juntar II. *vr:* **~-se** juntarse

junto, -a ['ʒũwtu, -a] *adj* junto, -a

junto ['ʒũwtu] *adv* junto

jurado, -a [ʒu'radu, -a] I. *adj* (*de morte*) amenazado, -a II. *m, f* JUR jurado, -a *m, f*

juramentado, -a [ʒuramẽj'tadu, -a] *adj* jurado, -a

juramento [ʒura'mẽjtu] *m* juramento *m*

jurar [ʒu'rar] I. *vt* jurar II. *vi* jurar; **eu juro** lo juro

júri ['ʒuri] *m* jurado *m*

jurídico, -a [ʒu'ridʒiku, -a] *adj* jurídico, -a

jurista [ʒu'rista] *mf* JUR jurista *mf*

juro ['ʒuru] *m* ECON interés *m*; **taxa de ~s** tasa de interés

jururu [ʒuru'ru] *adj inf* tristón, -ona

jus ['ʒus] *m sem pl* **fazer ~ a a. c./alguém** merecer algo/a alguien

justamente [ʒusta'mējtʃi] *adv* justamente

justapor [ʒusta'por] *irr como* **pôr** *vt* yuxtaponer

justiça [ʒus'tʃisa] *f* justicia *f*

justificação <-ões> [ʒustʃifika'sãw, -'ũks] *f* justificación *f*; **~ para** [*ou* **de**] **a. c.** justificación de algo

justificar <c→qu> [ʒustʃifi'kar] I. *vt* justificar II. *vr:* **~-se** justificarse

justificativa [ʒustʃifika'tʃiva] *f* justificante *m*; **~ para** [*ou* **de**] **a. c.** justificante de algo

justo ['ʒustu] *adv* justo

justo, -a ['ʒustu, -a] *adj, m, f* justo, -a *m, f*

juvenil <-is> [ʒuve'niw, -is] *adj* juvenil

juventude [ʒuvẽj'tudʒi] *f* juventud *f*

K

K, k ['ka] *m* K, k *f*

karaokê [karao'ke] *m* karaoke *m*

Kb [kilo'bitʃi] *abr de* **kilobit** Kb

KB [ka'be] *abr de* **kilobyte** KB

kcal [kilokalo'ria] *abr de* **quilocaloria** kcal

ketchup [kɛtʃi'ʃupi] *m* ketchup *m*

kg [kilo'grama] *abr de* **quilograma** kg

kit ['kitʃi] *m* kit *m*

kitchenette [kitʃi'nɛtʃi] *f* estudio *m*

kiwi [kiw'i] *m* kiwi *m*

km [ki'lometru] *abr de* **quilômetro** km

kuwaitiano, -a [kwajtʃi'ɔnu, -a] *adj, m, f* kuwaití *mf*

L

L, l ['ɛʎi] *m* L, l *f*

-la [la] *pron f* -la; **esta mesa está barata; você não quer comprá~?** está mesa es barata; ¿no quieres comprarla?

lá ['la] I. *m* MÚS la *m* II. *adv* ahí, allí; **~ em casa** ahí en casa; **~ pelas 4 horas** allá por las cuatro; **até ~** hasta entonces; **sei ~!** ¡yo que sé!

lã ['lã] *f* lana *f*

lábio ['labiw] *m* labio *m*

labirinto [labi'rĩtu] *m* laberinto *m*

laboratório [labora'tɔriw] *m* laboratorio *m*

labuta [la'buta] *f* trabajo *m*

laço ['lasu] *m* lazo *m*

lacrar [la'krar] *vt* lacrar

lacrimejar [lakrime'ʒar] *vi* lagrimear

lactose [lak'tɔzi] *f* lactosa *f*

lacuna [la'kuna] *f* laguna *f*; **preencher uma ~** rellenar un hueco

ladeira [la'dejra] *f* cuesta *f*

lado ['ladu] *m* lado *m*; **ao ~ (de)** al lado (de); **de um ~ para o outro** de un lado a otro; **para os ~s de** en dirección a; **pelo meu ~** por mi parte; **olhar de ~ para alguém** mirar de lado a alguien

ladrão, ladra <-ões> [la'drãw, 'ladra, -'õjs] *m, f* ladrón, -ona *m, f*
ladrilho [la'driʎu] *m* baldosa *f*
ladrões [la'drõjs] *m pl de* **ladrão**
lagarta [la'garta] *f* ZOOL, TÉC oruga *f*
lagartixa [lagar'tʃiʃa] *f* lagartija *f*
lagarto [la'gartu] *m* lagarto *m*
lago ['lagu] *m* lago *m*
lagoa [la'goa] *f* laguna *f*
lagosta [la'gosta] *f* langosta *f*
lágrima ['lagrima] *f* lágrima *f*
laje ['laʒi] *f* losa *f*
lajota [la'ʒɔta] *f* baldosa *f*
lama ['lama] *f* barro *m*
lamaçal <-ais> [lama'saw, -'ajs] *m* barrizal *m*
lambança [lãn'bãnsa] *f* porquería *f*; **fazer uma** ~ hacer una chapuza
lamber [lãn'ber] I. *vt* lamer II. *vr*: ~-se lamerse
lambida [lãn'bida] *f* lamida *f*
lambuja [lãn'buʒa] *f*, **lambujem** [lãn'buʒẽj] *f* ventaja *f*
lambuzar [lãnbu'zar] I. *vt* pringar II. *vr*: ~-se pringarse
lamentar [lamẽj'tar] I. *vt* lamentar II. *vr*: ~-se **de a. c.** lamentarse de algo
lamentável <-eis> [lamẽj'tavew, -ejs] *adj* lamentable
lamento [la'mẽjtu] *m* lamento *m*
lâmina ['lamina] *f* 1. (*cortante*) hoja *f*; ~ **de barbear** cuchilla *f* de afeitar 2. (*de metal*) lámina *f*
lâmpada ['lãnpada] *f* lámpara *f*; (*elétrica*) bombilla *f*, foco *m AmL*
lamparina [lãnpa'rina] *f* (*de óleo, querosene*) candil *m*

lamuriar-se [lamuri'arsi] *vr* lamentarse
lançamento [lãnsa'mẽjtu] *m* lanzamiento *m*
lançar [lãn'sar] <ç→c> I. *vt* lanzar; (*uma moda*) comenzar; (*um boato*) hacer correr II. *vr*: ~-se lanzarse
lance ['lãnsi] *m* 1. (*arremesso*) lanzamiento *m* 2. (*fato*) jugada *f*; **um ~ legal** *gíria* una jugada genial 3. (*de estrada*) trecho *m*; (*de casas*) hilera *f* 4. ESPORT tiro *m*
lancha ['lãnʃa] *f* lancha *f*
lanchar [lãn'ʃar] *vi, vt* merendar
lanche ['lãnʃi] *m* merienda *f*
lanchonete [lãnʃo'netʃi] *f* cafetería *f*
lanterna [lãn'tɛrna] *f* linterna *f*
lapidação <-ões> [lapida'sãw, -'õjs] *f* lapidación *f*
lapidar [lapi'dar] *vt* (*pedras preciosas*) tallar; (*aperfeiçoar*) pulir
lápis ['lapis] *m inv* lápiz *m*
lapiseira [lapi'zejra] *f* portaminas *f inv*
Lapônia [la'ponia] *f* Laponia *f*
lapso ['lapsu] *m* lapsus *m inv*; ~ **de memória** olvido *m*
laptop [lɛp'tɔpi] *m* ordenador *m* portátil, computadora *f* portátil *AmL*
laquê [la'ke] *f* laca *f*
lar [lar] <-es> *m* hogar *m*
laranja [la'rãnʒa] I. *adj inv* naranja *inv* II. *f* naranja *f*
laranjada [larãn'ʒada] *f* naranjada *f*
larápio [la'rapiw] *m* ratero *m*
lareira [la'rejra] *f* chimenea *f*, hogar *m*
lares ['laris] *m pl de* **lar**

largada [lar'gada] *f* salida *f*, largada *f RíoPl*

largado, -a [lar'gado, -a] *adj* abandonado, -a

largar [lar'gar] <g→gu> **I.** *vt* **1.** *(soltar)* soltar; **não largava os filhos um segundo** no soltaba a los hijos ni un instante **2.** *(abandonar, parar)* dejar; **largou o trabalho pela metade** dejó el trabajo por la mitad **II.** *vi* **1.** ESPORT salir **2.** NÁUT zarpar

largo ['largu] *m (praça)* plaza *f*; NÁUT alta mar *f*; **passar ao ~** *fig* pasar de largo

largo, -a ['largu, -a] *adj (no espaço)* ancho, -a; *(extenso)* amplio, -a

largura [lar'gura] *f* anchura *f*; **ter um metro de ~** tener un metro de ancho

laringe [la'rĩʒi] *f* laringe *f*

laringite [larĩ'ʒitʃi] *f* MED laringitis *f*

-las [las] *pron fpl* -las; **para fechá-~** para cerrarlas

lasanha [la'zɐ̃ɲa] *f* GASTR lasaña *f*

laser ['lejzer] *m* láser *m*

lástima ['lastʃima] *f* lástima *f*

lastimar [lastʃi'mar] **I.** *vt* lamentar **II.** *vr:* **~-se** lamentarse

lastimável <-eis> [lastʃi'mavew, -ejs] *adj* lamentable

lata ['lata] *f* lata *f*; **~ de conservas** lata de conserva; **~ de lixo** cubo *m* de la basura; **na ~** sin rodeos

lataria [lata'ria] *f* **1.** *(enlatados)* latas *fpl* **2.** *(automóvel)* carrocería *f*

latejar [late'ʒar] *vi* palpitar

latente [la'tẽtʃi] *adj* latente

lateral <-ais> [late'raw, -'ajs] *adj, mf* *tb.* ESPORT lateral *mf*

laticínio [latʃi'siniw] *m* producto *m* lácteo

latido [la'tʃidu] *m* ladrido *m*

latifundiário, -a [latʃifũwdʒi'ariw, -a] *m, f* latifundista *m, f*

latifúndio [latʃi'fũwdʒiw] *m* latifundio *m*

latim [la'tʃĩj] *m* latín *m*; **gastar o seu ~** perder el tiempo

latino, -a [la'tʃinu, -a] *adj, m, f* latino, -a *m, f*

latino-americano, -a [la'tʃinu-ameri'kɐnu, -a] *adj, m, f* latinoamericano, -a *m, f*

latir [la'tʃir] *vi* ladrar

latitude [latʃi'tudʒi] *f* GEO latitud *f*

laudo ['lawdu] *m* JUR, MED **médico ~** informe médico

lava ['lava] *f* lava *f*

lavabo [la'vabu] *m* lavabo *m*

lavadeira [lava'dejra] *f* lavandera *f*

lavado, -a [la'vadu, -a] *adj* lavado, -a

lavadora [lava'dora] *f* lavadora *f*

lavagem [la'vaʒẽj] <-ens> *f* lavado *m*

lava-louças ['lava-'losas] *f inv* lavavajillas *m inv*

lavanda [la'vɐ̃da] *f* lavanda *f*

lavanderia [lavɐ̃de'ria] *f (loja)* lavandería *f*

lavar [la'var] **I.** *vt* lavar **II.** *vr:* **~-se** lavarse

lavatório [lava'tɔriw] *m* lavabo *m*

lavoura [la'vora] *f* AGR labranza *f*

lavrador, -eira [lavra'dor, -'ejra] *m, f* labrador(a) *m(f)*

lavrar [la'vrar] *vt* **1.** *(a terra)* labrar **2.** *(um documento)* redactar

laxante [la'ʃɐ̃ntʃi] *m* MED laxante *m*
lazer [la'zer] *m* ocio *m*
leal <-ais> [le'aw, -'ajs] *adj* leal
lealdade [leaw'dadʒi] *f* lealtad *f*
leão, leoa <-ões> [ʎi'ɐ̃w, le'oa, -'õjs] *m*, *f* león, -ona *m*, *f*
Leão [ʎi'ɐ̃w] *m* Leo *m*; **ser (de) ~** ser Leo
lebre ['lɛbɾi] *f* liebre *f*
lecionar [lesjo'nar] *vi* dar clases
legal <-ais> [le'gaw, -'ajs] *adj* **1.** *(relativo à lei)* legal **2.** *inf (pessoa, local, roupa)* majo, -a; **(es)tá ~!** ¡vale!
legalidade [legali'dadʒi] *f sem pl* legalidad *f*
legalização <-ões> [legaliza'sɐ̃w, -'õjs] *f* legalización *f*
legalizar [legali'zar] *vt* legalizar
legenda [le'ʒẽjda] *f* leyenda *f*; *(de filme)* subtítulo *m*
legião <-ões> [leʒi'ɐ̃w, -'õjs] *f* legión *f*
legislação <-ões> [leʒizla'sɐ̃w, -'õjs] *f* legislación *f*
legislativo, -a [leʒizla'tʃivu, -a] *adj* legislativo, -a; **assembléia legislativa** asamblea legislativa; **o poder ~** el poder legislativo
legislatura [leʒizla'tura] *f* legislatura *f*
legítimo, -a [le'ʒitʃimu, -a] *adj* legítimo, -a
legível <-eis> [le'ʒivew, -ejs] *adj* legible
légua ['lɛgwa] *f* legua *f*
legume [le'gumi] *m* legumbre *f*
lei ['lej] *f* ley *f*
leigo, -a ['lejgu, -a] *adj*, *m*, *f* lego, -a *m*, *f*

leilão <-ões> [lej'lɐ̃w, -'õjs] *m* subasta *f*, remate *m* *RíoPl*
leiloar [lejlo'ar] <*1. pess pres:* leilôo> *vt* subastar, rematar *RíoPl*
leiloeiro, -a [lejlo'ejru, -a] *m*, *f* subastador(a) *m(f)*, rematista *mf RíoPl*
leilões [lej'lõjs] *m pl de* **leilão**
leitão, leitoa <-ões> [lej'tɐ̃w, -'oa, -'õjs] *m*, flechón, -ona *m*, *f*
leite ['lejtʃi] *m* leche *f*
leito ['lejtu] *m* lecho *m*

> **Cultura** **Leito** es el nombre de los autobuses interurbanos, mucho más espaciosos que los autobuses normales, porque tienen menos asientos y ofrecen mucha más comodidad. Los **ônibus-leito** son una excelente alternativa para el que tiene que recorrer grandes distancias.

leitoa [lej'toa] *f v.* **leitão**
leitões [lej'tõjs] *m pl de* **leitão**
leitor(a) [lej'tor(a)] <-es> *m(f)* lector(a) *m(f)*
leitura [lej'tura] *f* lectura *f*
lema ['lema] *m* lema *m*
lembrança [lẽj'brɐ̃sa] *f* recuerdo *m*; **mandar ~s a alguém** dar recuerdos a alguien
lembrar [lẽj'brar] **I.** *vt* recordar **II.** *vr:* **~-se de a. c.** acordarse de algo
leme ['lemi] *m* timón *m*
lenço ['lẽjsu] *m* pañuelo *m*
lençol <-óis> [lẽj'sɔw, -'ɔjs] *m* sábana *f*
lenda ['lẽjda] *f* leyenda *f*
lêndea ['lẽjdʒja] *f* liendre *f*

lenha ['lẽɲa] f leña f
lente ['lẽtʃi] f lente f; (dos óculos) cristal m
lentidão [lẽtʃi'dãw] f sem pl lentitud f
lentilha [lẽ'tʃiʎa] f lenteja f
lento, -a ['lẽtu, -a] adj lento, -a
leoa [le'oa] f v. **leão**
leões [ʎi'õjs] m pl de **leão**
leopardo [leo'paɾdu] m leopardo m
lépido, -a ['lɛpidu, -a] adj ágil
lepra ['lɛpɾa] f MED lepra f
leque ['lɛki] m tb. fig abanico m
ler ['leɾ] irr vi leer
lerdo, -a ['lɛɾdu, -a] adj lento, -a
lesão <-ões> [le'zãw, -'õjs] f 1. (dano) perjuicio m 2. MED lesión f
lesar [le'zaɾ] vt 1. (danar) perjudicar 2. MED lesionar
lésbica ['lɛzbika] f lesbiana f
lesma ['lezma] f 1. ZOOL babosa f 2. pej (pessoa) tortuga f
lesões [le'zõjs] f pl de **lesão**
leste ['lɛstʃi] m este m
letal <-ais> [le'taw, -'ajs] adj letal
Letônia [le'tonia] f Letonia f
letra ['letɾa] f tb. ECON letra f; **ao pé da** ~ al pie de la letra
letrado, -a [le'tɾadu, -a] m, f letrado, -a m, f
letreiro [le'tɾejɾu] m letrero m
léu ['lɛw] adv **ao** ~ al aire; **ficar ao** ~ estar sin rumbo
leucemia [lewse'mia] f sem pl MED leucemia f
levado, -a [le'vadu, -a] adj (travesso) travieso, -a
levantamento [levãta'mẽtu] m 1. (ação de levantar) levantamiento m 2. (de dinheiro) cálculo m
levantar [levã'taɾ] I. vt 1. (um objeto, uma pessoa) levantar 2. (soma de dinheiro) reunir II. vr: ~**-se** levantarse
levar [le'vaɾ] I. vt 1. (objeto, pessoa) llevar; ~ **alguém para casa** llevar a alguien a casa 2. (bofetada, injeção) recibir II. vi cobrar; **ele provocou e acabou levando do irmão** le provocó y su hermano acabó pegándole
leve ['lɛvi] I. adj leve II. adv **de** ~ suavemente; **tocar em a. c. de** ~ tocar superficialmente en algo
leveza [le'veza] f sem pl levedad f
leviandade [levjãn'dadʒi] f imprudencia f
leviano, -a [levi'anu, -a] adj imprudente
lhe [ʎi] pron le
lhes [ʎis] pron pl les pl
libanês, -esa [ʎiba'nes, -'eza] adj, m, f libanés, -esa m, f
Líbano ['ʎibanu] m Líbano m
libélula [ʎi'bɛlula] f ZOOL libélula f
liberação [ʎibeɾa'sãw] f sem pl liberación f; COM liberalización f
liberado, -a [ʎibe'ɾadu, -a] adj liberado, -a; (dispensado) exento, -a
liberal <-ais> [ʎibe'ɾaw, -'ajs] adj, mf POL liberal mf
liberalizar [ʎibeɾaʎi'zaɾ] vt liberalizar
liberar [ʎibe'ɾaɾ] I. vt liberar; **liberou geral** gíria fue jauja II. vr: ~**-se** liberarse de
liberdade [ʎibeɾ'dadʒi] f libertad f
Libéria [ʎi'bɛɾia] f Liberia f
liberiano, -a [ʎibeɾi'anu, -a] adj, m, f

liberiano, -a *m, f*
libertação <-ões> [ʎiberta'sãw -'õjs] *f* liberación *f*
libertar [ʎiber'tar] I. *vt* (*da prisão*) liberar II. *vr:* **~-se de a. c./alguém** librarse de algo/alguien
Líbia ['ʎibia] *f* Libia *f*
líbio, -a ['ʎibiw, -a] *adj, m, f* libio, -a *m, f*
libra ['ʎibra] *f* libra *f*; **~ esterlina** libra esterlina
Libra ['ʎibra] *f* Libra *f*; **ser (de) ~** ser Libra
lição <-ões> [ʎi'sãw, -'õjs] *f* lección *f*
licença [ʎi'sẽjsa] *f* **1.** (*permissão*) permiso *m*; **com ~!** ¡con permiso!; **dá ~?** ¿me permite? **2.** (*autorização oficial*) licencia *f* **3.** (*do trabalho*) baja *f*; **estar de ~** estar de baja
licenciar-se [ʎisẽjsi'arse] *vr:* **~ em** licenciarse en
licitação <-ões> [ʎisita'sãw, -'õjs] *f* licitación *f*
lições [ʎi'sõjs] *f pl de* **lição**
licor [ʎi'kor] *m* licor *m*
lidar [ʎi'dar] *vt* **~ com a. c./alguém** lidiar con algo/alguien
líder ['ʎider] <-es> *mf* líder *mf*
liderança [ʎide'rãsa] *f* liderazgo *m*
liderar [ʎide'rar] *vt* liderar
líderes ['ʎideres] *mf pl de* **líder**
lido ['ʎidu] *pp de* **ler**
liga ['ʎiga] *f tb.* ESPORT liga *f*
ligação <-ões> [ʎiga'sãw, -'õjs] *f* **1.** TEL llamada *f* **2.** (*entre pessoas*) relación *f* **3.** (*entre acontecimentos*) conexión *f* **4.** ELETR conexión *f*
ligado, -a [ʎi'gadu, -a] *adj* **1.** (*luz, aparelho*) encendido, -a **2.** *gíria* (*pessoa*) colocado, -a **3.** (*unido*) relacionado, -a
ligar [ʎi'gar] <g→gu> I. *vt* **1.** (*unir*) unir **2.** (*um aparelho, a luz, o carro*) encender **3.** (*à corrente, à internet*) conectar **4.** (*telefonar*) llamar II. *vr:* **~-se** relacionarse
ligeiro, -a [ʎi'ʒejru, -a] *adj* ligero, -a
lilás [ʎi'las] <lilases> *adj*, *m* lila *m*
lima ['ʎima] *f* lima *f*
limão <-ões> [ʎi'mãw, -õjs] *m* lima *f*
limão-galego <limões-galegos> [ʎi'mãw-ga'legu, li'mõjs-] *m* limón *m*
limitação <-ões> [ʎimita'sãw, -'õjs] *f* limitación *f*
limitado, -a [ʎimi'tadu, -a] *adj* limitado, -a
limitar [ʎimi'tar] I. *vt* limitar II. *vr:* **~-se com** (*região, país*) limitar con; **~-se a fazer a. c.** limitarse a hacer algo
limite [ʎi'mitʃi] *m* límite *m*
limões [ʎi'mõjs] *m pl de* **limão**
limonada [ʎimo'nada] *f* limonada *f*
limpador [ʎĩpa'dor] *m* **~ de pára-brisas** limpiaparabrisas *m inv*
limpar [ʎĩ'par] <*pp:* limpo *ou* limpado> *vt* limpiar
limpeza [ʎĩ'peza] *f* limpieza *f*
limpo, -a ['ʎĩpu, -a] I. *pp irr de* **limpar** II. *adj* limpio, -a
lince ['ʎĩsi] *m* lince *m*
linchamento [ʎĩʃa'mẽjtu] *m* linchamiento *m*
lindo, -a ['ʎĩjdu, -a] *adj* bonito, -a, lindo, -a *AmL*
língua ['ʎĩjgwa] *f tb.* ANAT lengua *f*

linguado [lĩj'gwadu] *m* ZOOL lenguado *m*

linguagem [ʎĩj'gwaʒẽj] <-ens> *f tb.* INFOR lenguaje *m*

lingüiça [ʎĩ'gwisa] *f* chorizo *m*; **encher ~** *inf* meter paja

linha ['liɲa] *f* **1.** (*traço, de texto*) línea *f* **2.** (*fila*) fila *f*; **~ de montagem** cadena *f* de montaje **3.** (*de costurar, de pesca*) hilo *m* **4.** TEL línea *f* **5.** (*de trem*) línea *f*; **é o fim da ~** *fig* es el colmo **6.** (*de comportamento*) **perder a ~** pasarse de la raya

linho ['liɲu] *m* lino *m*

link ['lĩjki] *m* INFOR enlace *m*

liquidação <-ões> [ʎikida'sãw, -'õjs] *f* liquidación *f*

liquidar [ʎiki'dar] *vt* liquidar

liquidificador [ʎikidʒifika'dor] *m* licuadora *f*

líquido, -a ['ʎikidu, -a] *adj, m, f* líquido, -a *m, f*

lírio ['ʎiriw] *m* lirio *m*

Lisboa [ʎiz'bowa] *f* Lisboa *f*

lisboeta [ʎizbo'eta] *adj, mf* lisboeta *mf*

liso, -a ['ʎizu, -a] *adj* liso, -a

lista ['ʎista] *f* lista *f*

listado, -a [ʎis'tadu, -a] *adj* listado, -a

listra ['ʎistra] *f* lista *f*

listrado, -a [ʎis'tradu, -a] *adj* listado, -a

literal <-ais> [ʎite'raw, -'ajs] *adj* literal

literário, -a [ʎite'rariw, -a] *adj* literario, -a

literatura [ʎitera'tura] *f* literatura *f*

litoral <-ais> [ʎito'raw, -'ajs] *adj, m* litoral *m*

litorâneo, -a [ʎito'rɜniw, -a] *adj* litoral

litro ['litru] *m* litro *m*

Lituânia [ʎitu'ɜnia] *f* Lituania *f*

lituano, -a [ʎitu'ɜnu, -a] *adj, m, f* lituano, -a *m, f*

liturgia [ʎitur'ʒia] *f* liturgia *f*

livrar [ʎi'vrar] **I.** *vt* librar; **Deus me livre!** ¡Dios me libre! **II.** *vr:* **~-se** librarse

livraria [ʎivra'ria] *f* librería *f*

livre ['ʎivri] *adj* libre

livro ['livru] *m* libro *m*

lixa ['ʎiʃa] *f* (*material*) lima *f*

lixar [ʎi'ʃar] *vt* limar

lixeira [ʎi'ʃejra] *f* cubo *m* de basura

lixeiro [ʎi'ʃejru] *m* basurero *m*

lixo ['liʃu] *m* basura *f*

-lo [lu] *pron m* -lo; **o sítio é da família; não devemos vendê~** la finca es de la familia; no debemos venderla

lobisomem [lobi'zɔmẽj] <-ens> *m* hombre *m* lobo

lobo, -a ['lobu, -a] *m, f* ZOOL lobo, -a *m, f*

lobo-do-mar ['lobu-du-'mar] <lobos-do-mar> *m* lobo *m* de mar

locação <-ões> [loka'sãw, -'õjs] *f* **1.** alquiler *m* **2.** CINE exteriores *mpl*

locadora [loka'dora] *f* **1.** (*de carro*) agencia *f* de alquiler **2.** (*de fitas de vídeo*) videoclub *m*

local <-ais> [lo'kaw, -'ajs] *adj, m* local *m*

localidade [lokaʎi'dadʒi] *f* localidad *f*

localização <-ões> [lokaʎiza'sãw, -'õjs] *f* localización *f*

localizado, -a [lokaʎi'zadu, -a] *adj* localizado, -a; **estar bem/mal ~** estar bien/mal localizado

localizar [lokaʎi'zar] *vt* localizar

loção <-ões> [lo'sɐ̃w, -'õjs] *f* loción *f*

locatário, -a [loka'tariw, -a] *m, f* inquilino, -a *m, f*

loções [lo'sõjs] *fpl de* loção

locomoção [lokomo'sɐ̃w] *f sem pl* traslado *m*

locomotiva [lokomo'tʃiva] *f* locomotora *f*

locução <-ões> [loku'sɐ̃w, -'õjs] *f* locución *f*

locutor(a) [loku'tor(a)] <-es> *m(f)* locutor(a) *m(f)*

lodo ['lodu] *m* lodo *m*

lógico, -a ['lɔʒiku, -a] *adj* lógico, -a

logo ['lɔgu] **I.** *adv* **1.** (*em seguida*) en seguida; **~ a seguir** en seguida **2.** (*mais tarde*) **até ~!** ¡hasta luego! **3.** (*justamente*) **~ agora** justo ahora **II.** *conj* luego; **~ que** +*conj* en cuanto +*subj*; **~ que seja possível** en cuanto sea posible

lograr [lo'grar] **I.** *vt* **1.** (*alcançar*) lograr **2.** (*enganar*) engañar **II.** *vi* surtir efecto

logro ['logru] *m* (*engano*) engaño *m*

loiro, -a ['lojru, -a] *adj, m, f v.* **louro, -a**

loja ['lɔʒa] *f* tienda *f*

lombada [lõw'bada] *f* **1.** (*de livro*) lomo *m* **2.** (*na rua*) badén *m* (*resalto en la carretera para obligar a reducir la velocidad del tráfico*), lomo *m* de burro *RíoPl,* tope *m Méx*

lombinho [lõw'biɲu] *m* GASTR solomillo *m*

lombo ['lõwbu] *m* lomo *m*

lombriga [lũw'briga] *f* lombriz *f*

lona ['lona] *f* lona *f*

Londres ['lõwdris] *f* Londres *f*

londrino, -a [lõw'drinu, -a] *adj, m, f* londinense *mf*

longa-metragem ['lõwga-me'traʒẽj] <longas-metragens> *f* CINE largometraje *m*

longe ['lõwʒi] **I.** *adv* lejos **II.** *adj* lejano, -a

longo, -a ['lõwgu, -a] *adj* largo, -a

lorota [lo'rɔta] *f* trola *f*

losango [lo'zãngu] *m* rombo *m*

lotação <-ões> [lota'sɐ̃w, -'õjs] *f* (*de recinto, ônibus*) capacidad *f*; **com a ~ esgotada** con las localidades agotadas

lotado, -a [lo'tadu, -a] *adj* (*cinema, teatro*) abarrotado, -a

lotar [lo'tar] *vt* abarrotar

lote ['lɔtʃi] *m* **1.** (*de terreno*) parcela *f* **2.** (*de mercadoria*) lote *m*

loteamento [lotʃja'mẽjtu] *m* parcelación *f*

lotear [lotʃi'ar] *conj como passear vt* (*um terreno*) parcelar

loteria [lote'ria] *f* lotería *f*

loto ['lɔtu] *m* (*loteria*) loto *f*

louça ['lowsa] *f* (*de cozinha*) vajilla *f*

louco, -a ['loku, -a] *adj, m, f* loco, -a *m, f*

loucura [low'kura] *f* locura *f*

louro [lo'ru] *m* BOT laurel *m*

louro, -a ['loru, -a] *adj, m, f* rubio, -a *m, f,* güero, -a *m, f Méx*

lousa ['loza] *f* pizarra *f*

louvar [low'var] *vt* alabar

Ltda. [ʎimi'tada] *abr de* **limitada** Lt-

lua ['lua] f luna f

lua-de-mel ['lua-dʒi-'mɛw] <luas-de-mel> f luna f de miel

luar [lu'ar] m sem pl luz f de luna

lubrificação <-ões> [lubrifika'sãw, -'õjs] f lubricación f

lubrificante [lubrifi'kãtʃi] adj, m lubricante m

lubrificar [lubrifi'kar] <c→qu> vt lubricar

lucidez [lusi'des] f lucidez m

lúcido, -a ['lusidu, -a] adj lúcido, -a

lucrar [lu'krar] vi, vt ganar

lucrativo, -a [lukra'tʃivu, -a] adj 1. (financeiramente) lucrativo, -a 2. (vantajoso) provechoso, -a

lucro ['lukru] m beneficio m; **dar ~** dar beneficios

ludibriar [ludʒibri'ar] vt engañar

lugar [lu'gar] <-es> m lugar m; **em [ou no] ~ de** en lugar de; **em primeiro ~** en primer lugar; **no seu ~,...** yo en tu lugar...; **ponha-se no meu ~** ponte en mi lugar

lugarejo [luga'reʒu] m aldea f

lugares [lu'gares] m pl de **lugar**

lula ['lula] f calamar m

lume ['lumi] m lumbre f

luminária [lumi'naria] f lámpara f

luminosidade [luminozi'dadʒi] f sem pl luminosidad f

luminoso, -a [lumi'nozu, -'ɔza] adj luminoso, -a

lunar [lu'nar] <-es> adj lunar

lunático, -a [lu'natʃiku, -a] adj, m, f lunático, -a m, f

luneta [lu'neta] f telescopio m

lupa ['lupa] f lupa f

lusitano, -a [luzi'tanu, -a] adj, m, f lusitano, -a m, f

luso, -a ['luzu, -a] adj luso, -a

luso-brasileiro, -a ['luzu-brazi'leiru, -a] adj lusobrasileño, -a

lustrar [lus'trar] vt (móveis, sapatos) lustrar

lustre ['lustri] m 1. (brilho) lustre m; **dar ~ a a. c.** dar lustre a algo 2. (iluminação elétrica) araña f

luta ['luta] f lucha f

lutador(a) [luta'dor(a)] m(f) luchador(a) m(f)

lutar [lu'tar] vi, vt luchar

luto ['lutu] m luto m

luva ['luva] f guante m

luxação <-ões> [luʃa'sãw, -'õjs] f MED luxación f

Luxemburgo [luʃẽj'burgu] m Luxemburgo m

luxemburguês, -esa [luʃẽjbur'ges, -'eza] adj, m, f luxemburgués, -esa m, f

luxo ['luʃu] m lujo m

luxuoso, -a [luʃu'ozu, -'ɔza] adj lujoso, -a

luz ['lus] f luz f

luzir [lu'zir] vi relucir

lycra® ['lajkra] f lycra® f

M

M, m ['emi] m M, m f

má ['ma] adj f de **mau**

maca ['maka] f camilla f

maçã [ma'sã] f manzana f

macacão <-ões> [maka'kãw, -'õjs] m mono m, overol m AmL

macaco, -a [ma'kaku, -a] m, f ZOOL mono, -a m, f

macacões [maka'kõjs] m pl de **macacão**

maçaneta [masa'neta] f (de porta) pomo m

Macapá [maka'pa] Macapá

macarrão <-ões> [maka'xãw] m pasta f

macarronada [makaxo'nada] f macarrones mpl con tomate

Macau [ma'kaw] m Macao m

Macedônia [mase'donia] f Macedonia f

Maceió [masej'ɔ] Maceió

macete [ma'setʃi] m inf (artifício) truco m

machado [ma'ʃadu] m hacha f

machão <-ões> [ma'ʃãw, -'õjs] m inf macho m

machista [ma'ʃista] adj, m machista m

macho ['maʃu] adj, m macho m

machões [ma'ʃõjs] m pl de **machão**

machucado [maʃu'kadu] m magulladura f

machucado, -a [maʃu'kadu, -a] adj (ferido) magullado, -a; (magoado) herido, -a

machucar [maʃu'kar] <c→qu> I. vt 1. (ferir) magullar 2. (magoar) herir II. vr: ~-se 1. (ferir-se) magullarse 2. (magoar-se) resultar herido

maciço, -a [ma'sisu, -a] adj 1. (compacto) macizo, -a 2. (em grande quantidade) masivo, -a

macio, -a [ma'siw, -a] adj (tecido, pele) suave; (carne) tierno, -a

maço ['masu] m 1. (de cigarros) paquete m 2. (de notas, folhas) mazo m

maconha [ma'kɔna] f marihuana f

maconheiro, -a [makõ'nejru] m, f pej fumador(a) m(f) de marihuana

má-criação <má(s)-criações> ['makria'sãw, -'õjs] f falta f de educación

macumba [ma'kũwba] f REL macumba f; **fazer uma** ~ hacer un ritual de macumba

macumbeiro, -a [makũw'bejru, -a] m, f 1. (praticante da macumba) practicante de la macumba 2. (feiticeiro) hechicero, -a m, f

madeira [ma'dejra] f madera f

madeixa [ma'dejʃa] f mechón m

madrasta [ma'drasta] f madrastra f

madre [madri] f REL madre f; ~ **superiora** madre superiora

madrinha [ma'drĩɲa] f madrina f

madrugada [madru'gada] f madrugada f

madrugar [madru'gar] <g→gu> vi madrugar

maduro, -a [ma'duru, -a] adj maduro, -a

mãe ['mãj] f madre f

mãe-de-santo ['mãj-dʒi-'sãntu] <mães-de-santo> f en los ritos afrobrasileños, mujer responsable del culto a los dioses

maestro, -ina [ma'estru, -'ina] m, f MÚS director(a) m(f) de orquesta

máfia ['mafia] f mafia f

magazine [maga'zini] *m* tienda *f*

mágica ['maʒika] *f* magia *f*

mágico, -a ['maʒiku, -a] **I.** *adj* mágico, -a **II.** *m, f* mago *m, a m, f*

magistério [maʒis'tɛrju] *m* **1.** (*profissão*) magisterio *m* **2.** (*professorado*) profesorado *m*

magistrado [maʒis'tradu] *m* magistrado *m*

mago ['magu] *m* mago *m*

mágoa ['magwa] *f* disgusto *m*

magoado, -a [magu'adu, -a] *adj* dolido, -a

magoar [magu'ar] <*1. pess pres*: magôo> **I.** *vi* doler **II.** *vt* herir **III.** *vr*: ~-**se** ofenderse

magreza [ma'greza] *f sem pl* flacura *f*

magro, -a ['magru, -a] *adj* **1.** (*pessoa*) delgado, -a **2.** (*carne*) magro, -a; (*queijo*) sin grasa; (*iogurte*) desnatado, -a; **salário** ~ salario escaso

maio ['maju] *m* mayo *m*; *v.tb.* **março**

maiô [maj'o] *m* bañador *m*, malla *f AmL*

maionese [majo'nɛzi] *f* mayonesa *f*

maior [maj'ɔr] <-es> *adj* **1.** (*comp de grande*) mayor, más grande; ~ **de idade** mayor de edad **2.** (*superl de grande*) mayor, más grande; **o/a** ~ el/la mayor

maioria [majo'ria] *f* mayoría *f*

maioridade [majori'dadʒi] *f sem pl* mayoría *f*

mais ['majs] **I.** *m* o ~ (*o resto*) lo demás; (*a maior quantidade*) la mayoría **II.** *adv* **1.** (*comparativo*) más; ~ **triste (do) que...** más triste que... **2.** (*superlativo*) más; **o** ~ **tardar** a más tardar **3.** (*intensidade*) más; ~ **de dez** más de diez **4.** (*adicional*) más; ~ **alguma coisa?** ¿algo más? **5.** (*negativa*) más; **nunca** ~ nunca más; **não quero** ~ no quiero más **6.** (*de sobra*) **ter a. c. a** ~ tener algo de más **7.** (*de preferência*) más; **gosto** ~ **de ler** me gusta más leer **8.** MAT más; **dois** ~ **dois são quatro** dos más dos son cuatro **9.** (*concessivo*) **por** ~ **que tente** por más que lo intente **III.** *conj* más

maisena [maj'zena] *f* maicena *f*

maiúscula [maj'uskula] *f* mayúscula *f*

maiúsculo, -a [maj'uskulu, -a] *adj* mayúsculo, -a; **escrever a. c. com** [*ou* **em**] **letra maiúscula** escribir algo con letra mayúscula

majestade [maʒes'tadʒi] *f* majestad *f*

majestoso, -a [maʒes'tozu, -'ɔza] *adj* majestuoso, -a

major [ma'ʒɔr] <-es> *m* MIL mayor *m*

mal <-es> ['maw, 'maʎis] **I.** *m* mal *m* **II.** *adv* mal; **isso está** ~ **feito** eso está mal hecho; **falar** ~ **de alguém** hablar mal de alguien; **fazer** ~ **a alguém** hacer mal a alguien; **ir de** ~ **a pior** ir de mal en peor; **ele está** ~ está mal **III.** *conj* apenas; ~ **você saiu, tocou o telefone** apenas saliste, sonó el teléfono

mala ['mala] *f* maleta *f*, valija *f RíoPl*

malandragem <-ens> [malã'draʒẽj] *f* **1.** (*vigarice*) canallada *f* **2.** (*vadiagem*) holgazanería *f*

malandro, -a [ma'lãdru, -a] *adj, m, f* **1.** (*maroto*) pillo, -a *m, f* **2.** (*preguiçoso*) holgazán, -ana *m, f*

malária [ma'laria] *f* malaria *f*

Malásia [ma'lazia] *f* Malasia *f*

malcriado, -a [mawkri'adu, -a] *adj, m, f* malcriado, -a *m, f*

maldade [maw'dadʒi] *f* maldad *f*

maldito, -a [maw'dʒitu, -a] I. *pp de* **maldizer** II. *adj* maldito, -a

maldizer [mawdʒi'zer] *irr como* **dizer** *vt* maldecir

maldoso, -a [maw'dozu, -'ɔza] *adj* malo, -a

mal-educado, -a [mawedu'kadu, -a] *adj* maleducado, -a

mal-entendido [mawĩtẽj'dʒidu] *m* malentendido *m*; **esclarecer um ~** aclarar un malentendido

mal-estar [maw-is'tar] <mal-estares> *m* malestar *m*

maleta [ma'leta] *f* maletín *m*

malfeito, -a [maw'fejtu, -a] *adj* mal hecho, -a

malha [ˈmaʎa] *f* 1. *(fio, da rede)* malla *f* 2. *reg (suéter)* jersey *m*

malhado, -a [ma'ʎadu, -a] *adj* manchado, -a

malhar [ma'ʎar] *vt* 1. *(ferro)* martillear 2. *(espancar)* pegar 3. *(criticar)* criticar

malharia [maʎa'ria] *f* fábrica *f* de jerseys

malícia [ma'lisia] *f* malicia *f*

malicioso, -a [maʎisi'ozu, -'ɔza] *adj (maldoso, manhoso)* malicioso, -a

maligno, -a [ma'ʎignu, -a] *adj* maligno, -a

malograr [malo'grar] I. *vt* malograr II. *vr:* **~-se** malograrse

malpassado, -a [mawpa'sadu, -a] *adj*

GASTR poco hecho, -a

Malta [ˈmawta] *f* Malta *f*

maltratar [mawtra'tar] *vt* maltratar

maluco, -a [ma'luku, -a] *adj, m, f* loco, -a *m, f*

maluquice [malu'kisi] *f* locura *f*

malvado, -a [maw'vadu, -a] *adj, m, f* malvado, -a *m, f*

malvisto, -a [maw'vistu, -a] *adj* **ficar ~** quedar malvisto

mama [ˈmɐma] *f* mama *f*

mamadeira [mɐma'dejra] *f* biberón *m*, mamadera *f CSur*

mamãe [mɐ'mɐ̃j] *f* mamá *f*

mamão <-ões> [ma'mɐ̃w, -ujs] *m* BOT papaya *f*

mamar [mɐ'mar] *vt (leite)* mamar

mameluco, -a [mame'luku, -a] *m, f* mestizo, -a *m, f*

mamífero [mɐ'miferu] *m* mamífero *m*

mamilo [mɐ'milu] *m* pezón *m*

maminha [mɐ'miɲa] *f* corte del cuarto trasero de la vaca

mamões [ma'mujs] *m pl de* **mamão**

manada [mɐ'nada] *f* manada *f*

manancial <-ais> [mɐnɐ̃nsi'aw, -'ajs] *m* manantial *m*

Manaus [mɐ'naws] Manaus

mancada [mɐ̃ŋ'kada] *f inf* metedura *f* de pata; **dar uma ~** meter la pata

mancar [mɐ̃ŋ'kar] <c→qu> I. *vi* cojear II. *vr:* **~-se** *gíria* darse cuenta

mancha [ˈmɐ̃ʃa] *f tb. fig* mancha *f*

Mancha [ˈmɐ̃ʃa] *f* **Canal da ~** Canal *m* de la Mancha

manchado, -a [mɐ̃ʃadu, -a] *adj* manchado, -a

manchar [mɐ̃ʃar] *vt* manchar

manchete [mɑ̃n'ʃɛtʃi] f PREN titular m
manco, -a ['mɑ̃ŋku, -a] m, f **1.** (pessoa sem mão, pé) manco, -a m, f **2.** (coxo) cojo, -a m, f
mandar [mɑ̃n'dar] **I.** vi, vt mandar **II.** vr: ~-se inf largarse
mandato [mɑ̃n'datu] m POL mandato m; **cumprir um** ~ cumplir un mandato
mandíbula [mɑ̃n'dʒibula] f mandíbula f
mandioca [mɑ̃ndʒi'ɔka] f mandioca f

Cultura La **mandioca** es la herencia culinaria más importante de los indios brasileños. Después de extraer su veneno, la raíz puede ser cocida, frita o molida. La harina de mandioca es la base de la **farofa**, acompañamiento básico de la **feijoada**.

maneira [ma'ejra] f manera f
maneiras [mɑ̃'nejras] fpl modales mpl
maneiro, -a [mɑ̃'nejru, -a] adj inf guay inv
manejar [mɑ̃ne'ʒar] vt manejar
manejável <-eis> [mɑ̃ne'ʒavew, -ejs] adj manejable
manejo [mɑ̃'neʒu] m manejo m
manequim¹ <-ins> [mɑ̃ni'kĩj] m **1.** (de vitrine) maniquí m **2.** (medida para roupas) talla f
manequim² <-ins> [mɑ̃ni'kĩj] mf (pessoa) modelo mf
manga ['mɑ̃ŋga] f **1.** (roupa) manga f **2.** BOT mango m
mangue ['mɑ̃ŋge] m GEO manglar m
mangueira [mɑ̃ŋ'gejra] f **1.** (tubo) manguera f **2.** BOT (árvore) mango m
manha ['mɑ̃ɲa] f **1.** (astúcia) maña f; **ter** ~ tener maña **2.** (birra) rabieta f; **fazer** ~ coger una rabieta
manhã [ma'ɲɑ̃] f mañana f
manhoso, -a [mɑ̃'ɲozu, -ɔza] adj mañoso, -a
mania [mɑ̃'nia] f manía f
maníaco, -a [mɑ̃'niaku, -a] **I.** adj maniaco, -a; **ser** ~ estar loco **II.** m, f maniaco, -a m, f
manicure [mɑ̃ni'kuri] f manicura f
manifestação <-ões> [mɑ̃nifesta'sɑ̃w, -'õjs] f manifestación f
manifestante [mɑ̃nifes'tɑ̃ntʃi] mf manifestante
manifestar [mɑ̃nifes'tar] **I.** vt manifestar **II.** vr: ~-se manifestarse
manipulação <-ões> [mɑ̃nipula'sɑ̃w, -'õjs] f manipulación f
manipular [mɑ̃nipu'lar] vt manipular
manivela [mɑ̃ni'vɛla] f manivela f
mano, -a ['mɑ̃nu, -a] m, f **1.** (irmão) hermano, -a m, f **2.** inf (amigo) colega mf
manobra [mɑ̃'nɔbra] f maniobra f
manobrar [mɑ̃no'brar] vt maniobrar
manobrista [mɑ̃no'brista] mf aparcacoches mf inv
mansão <-ões> [mɑ̃n'sɑ̃w, -'õjs] f mansión f
manso, -a ['mɑ̃nsu, -a] adj manso, -a
mansões [mɑ̃n'sõjs] fpl de **mansão**
manta ['mɑ̃nta] f manta f, frazada f AmL
manteiga [mɑ̃n'tega] f mantequilla f, manteca f RíoPl
manteigueira [mɑ̃nte'gera] f mantei-

quilleira *f*, mantequera *f RíoPl*

manter [mãŋ'ter] *irr como* ter **I.** *vt* mantener **II.** *vr:* ~-se mantenerse

mantimentos [mãŋtʃi'mẽjtus] *mpl* víveres *mpl*

manto ['mãŋtu] *m* manto *m*

manual <-ais> [mɔnu'aw, -'ajs] *adj*, *m* manual *m*

manufatura [mɔnufa'tura] *f* manufactura *f*

manufatura [mɔnufa'tura] *f* manufactura *f*

manuscrito, -a [mɔnus'kritu, -a] *adj*, *m*, *f* manuscrito, -a *m*, *f*

manuseio [mɔnu'zeju] *m* manejo *m*

manutenção <-ões> [mɔnutẽj'sãw, -'õjs] *f* mantenimiento *m*

mão <-s> ['mãw] *f* **1.** ANAT mano *f*; **de ~s dadas** de la mano; **dar uma ~ a alguém** echar una mano a alguien **2.** (*no trânsito*) sentido *m*; **~ única** sentido único

mão-de-obra ['mãw-dʒi-'ɔbra] <mãos-de-obra> *f* mano *f* de obra

mapa ['mapa] *m* mapa *m*

maquiagem [maki'aʒẽj] <-ens> *f* maquillaje *f*

maquiar [maki'ar] **I.** *vt* maquillar **II.** *vr:* ~-se maquillarse

máquina ['makina] *f* máquina *f*; **~ de barbear** máquina de afeitar

mar <-es> ['mar] *m* mar *m o f*

maracujá [maraku'ʒa] *m* maracuyá *m*

marajoara [maraʒu'ara] *mf* persona de la isla de Marajó, en el estado de Pará

Maranhão [marɐ̃'ɲãw] *m* Maranhão *m*

maranhense [marɐ̃'ɲẽjsi] *mf* persona del estado de Maranhão

maravilha [mara'viʎa] *f* maravilla *f*

maravilhado, -a [maravi'ʎadu, -a] *adj* maravillado, -a

maravilhoso, -a [maravi'ʎozu, -'ɔza] *adj* maravilloso, -a

marca ['marka] *f* marca *f*

marcado, -a [mar'kadu, -a] *adj* (*lugar*) reservado, -a

marcador <-es> [marka'dor] *m* **1.** (*caneta*) rotulador *m* **2.** ESPORT (*quadro*) marcador *m* **3.** (*páginas*) marcapáginas *m inv*

marcante [mar'kãŋtʃi] *adj* impactante

marcar [mar'kar] <c→qu> *vt* **1.** (*assinalar*) marcar **2.** (*um lugar*) reservar **3.** (*uma data, um prazo*) establecer; (*hora*) marcar **4.** ESPORT (*um gol*) marcar

marceneiro, -a [marse'nejru, -a] *m*, *f* ebanista *mf*

marcha ['marʃa] *f* marcha *f*

marco ['marku] *m* **1.** (*em terreno*) señal *f* **2.** HIST (*moeda*) marco *m*

março ['marsu] *m* marzo *m*; **em ~** en marzo; **no mês de ~** en el mes de marzo; **o dia 5 de ~** el (día) 5 de marzo; **no dia 10 de ~** en el (día) 10 de marzo; **hoje são 20 de ~** hoy es 20 de marzo; **no início/final de ~** al principio/final de marzo; **Rio de Janeiro, 30 de ~ de 2005** Río de Janeiro, 30 de marzo de 2005

maré [ma'rɛ] *f* marea *f*

marechal <-ais> [mare'ʃaw, -'ajs] *m* mariscal *m*

maremoto [mare'motu] *m* maremoto *m*

maresia [mare'zia] *f* olor *m* a mar
marfim <-ins> [mar'fĩj] *m* marfil *m*
margarida [marga'ridɐ] *f* margarita *f*
margarina [marga'rinɐ] *f* margarina *f*
margem <-ens> ['marʒẽj] *f tb.* ECON margen *m o f*
marginal <-ais> [marʒi'naw, -'ajs] I. *adj* marginal II. *mf* delincuente *mf*
marginalizado, -a [marʒinaliˈzadu, -ɐ] *adj* marginado, -a
marginalizar [marʒinali'zar] *vt* marginar
marido [ma'ridu] *m* marido *m*
marimbondo [marĩj'bõwdu] *m* avispón *m*
marina [ma'rinɐ] *f* puerto *m* deportivo
marinha [ma'riɲɐ] *f* marina *f*
marinheiro [mari'ɲejru] *m* marinero *m*
marinho, -a [ma'riɲu, -ɐ] *adj* marino, -a
marionete [mario'nɛtʃi] *f* marioneta *f*
mariposa [mari'pozɐ] *f* mariposa *f* nocturna
marisco [ma'risku] *m* marisco *m*
marítimo, -a [ma'ritʃimu, -ɐ] *adj* marítimo, -a
marketing ['marketʃĩj] *m sem pl* marketing *m*
marmelada [marme'ladɐ] *f* GASTR dulce *m* de membrillo
marmelo [mar'mɛlu] *m* membrillo *m*
marmita [mar'mitɐ] *f* marmita *f*
mármore ['marmuri] *m* mármol *m*
marola [ma'rɔlɐ] *f* ola *f*
maroto, -a [ma'rotu, -ɐ] *adj, m, f* pícaro, -a *m, f*

marquês, -esa [mar'kes, -'ezɐ] <-eses> *m, f* marqués, -esa *m, f*
marqueteiro, -a [marke'tejru, -ɐ] *m, f* publicista *mf*
marquise [mar'kizi] *f* marquesina *f*
marra ['maxɐ] *f inf* **na** ~ a la fuerza
Marrocos [ma'xɔkus] *m* Marruecos *m*
marrom <-ons> [ma'xõw] I. *adj* marrón; **imprensa** ~ prensa amarilla II. *m* marrón *m*
marroquino, -a [maxo'kinu, -ɐ] *adj, m, f* marroquí *mf*
Marte ['martʃi] *m* ASTRON Marte *m*
martelar [marte'lar] *vi* martillear
martelo [mar'tɛlu] *m* martillo *m*
mártir <-es> ['martʃir] *mf* mártir *mf*
martírio [mar'tʃiriw] *m* martirio *m*
marujo [ma'ruʒu] *m* marinero *m*
marzipã [marzi'pã] *m* mazapán *m*
mas [mas] I. *conj* pero; *(mas sim)* sino; **não só... ~ também** no sólo... sino también II. *m* pero *m*
máscara ['maskɐrɐ] *f* máscara *f*
mascarado, -a [maska'radu, -ɐ] *adj* 1. *(com máscara)* enmascarado, -a 2. *(fantasiado)* disfrazado, -a
mascarar [maska'rar] I. *vt* enmascarar II. *vr:* ~**-se** enmascararse
mascavo [mas'kavu] *adj (açúcar)* moreno, -a
mascote [mas'kɔtʃi] *f* mascota *f*
masculino, -a [masku'ʎinu, -ɐ] *adj* masculino, -a
másculo, -a ['maskulu, -ɐ] *adj* viril
masoquista [mazo'kistɐ] *adj* masoquista
massa ['masɐ] *f* 1. *(para bolos, de betume)* masa *f* 2. *(macarrão)* pasta *f*

3. (*quantidade*) masa *f*; **cultura de ~** cultura de masas

massacrar [masa'krar] *vt* masacrar

massacre [ma'sakri] *m* masacre *f*

massagear [masaʒi'ar] *conj como passear vt* masajear

massagem <-ens> [ma'saʒẽj] *f* masaje *m*

massagista [masa'ʒista] *mf* masajista *mf*

mastigar [mastʃi'gar] <g→gu> *vt* masticar

mastro ['mastru] *m* mástil *m*

mata ['mata] *f* selva *f*; **~ virgem** selva virgen

matadouro [mata'dowru] *m* matadero *m*

matagal <-ais> [mata'gaw, -ajs] *m* matorral *m*

matança [ma'tãnsa] *f* matanza *f*

matar [ma'tar] **I.** *vt* **1.** (*uma pessoa, a fome*) matar **2.** (*uma charada*) adivinar **3.** *gíria* (*uma aula*) fumarse **II.** *vr*: **~-se** matarse

mate[1] ['matʃi] *m* (*infusão*) mate *m*

mate[2] ['matʃi] *adj, m* (*no xadrez*) mate *m*

matemática [mate'matʃika] *f* matemática(s) *f(pl)*

matemático, -a [mate'matʃiku, -a] *adj, m, f* matemático, -a *m, f*

matéria [ma'tɛria] *f* **1.** (*substância*) materia *f* **2.** (*assunto*) artículo *m* **3.** (*da escola*) asignatura *f*

material <-ais> [materi'aw, -ajs] *adj, m* material *m*

materialista [materja'lista] *adj, mf* materialista *mf*

maternal <-ais> [mater'naw, -'ajs] **I.** *adj* maternal; **amor ~** amor materno **II.** *m* ENS guardería *f*

maternidade [materni'dadʒi] *f* maternidad *f*

materno, -a [ma'tɛrnu, -a] *adj* materno, -a

matinê [matʃi'ne] *f* sesión *f* de tarde

matiz <-es> [ma'tʃis] *m* matiz *m*

mato ['matu] *m* matorral *m*

mato-grossense [matugro'sẽjsi] *m* habitante *del* Mato Grosso

Mato Grosso do Norte ['matu 'grosu du 'nɔrtʃi] *m* Mato Grosso do Norte *m*

Mato Grosso do Sul ['matu 'grosu du 'suw] *m* Mato Grosso do Sul *m*

matrícula [ma'trikula] *f* **1.** ENS, UNIV matrícula *f* **2.** (*registro*) registro *m*

matricular [matriku'lar] **I.** *vt* matricular **II.** *vr*: **~-se** matricularse

matrimonial <-ais> [matrimoni'aw] *adj* matrimonial

matrimônio [matri'moniw] *m* matrimonio *m*

matriz <-es> [ma'tris] **I.** *adj* **1.** (*principal*) principal; **igreja ~** iglesia mayor **2.** (*origem*) original **II.** *f* **1.** *tb.* MAT matriz *f* **2.** (*sede*) oficina *f* central

matrona [ma'trona] *f* matrona *f*

maturidade [maturi'dadʒi] *f sem p* madurez *f*

matutar [matu'tar] *vi* meditar; **~ em uma proposta** meditar una propuesta

matutino, -a [matu'tʃinu, -a] *adj* **1.** (*frio*) matutino, -a **2.** (*pessoa*

matuto 169 **meia-volta**

mañanero, -a

matuto, -a [ma'tutu, -a] *adj, m, f* provinciano, -a *m, f*

mau, má ['maw, 'ma] *adj, m, f* malo, -a *m, f*

mau-caráter ['maw-ka'rater] <maus--caracteres> *m* sinvergüenza *mf*

maus-tratos ['maws-'tratus] *mpl* malos tratos *mpl*

máximo ['masimu] *m* máximo *m;* **ao ~** al máximo; **no ~** como máximo

máximo, -a ['masimu, -a] *adj superl de* **grande** máximo, -a

me [mi] *pron pess* me

meado [me'adu] *m* **em ~s de janeiro** a mediados de enero

mecânico, -a [me'kɐniku, -a] *adj, m, f* mecánico, -a *m, f*

mecanismo [mekɐ'nizmu] *m* mecanismo *m*

mecha ['mɛʃa] *f* **1.** (*pavio, rastilho*) mecha *f* **2.** (*de cabelo*) mechón *m* **3.** (*gaze*) gasa *f*

meço ['mɛsu] *1. pres de* **medir**

medalha [me'daʎa] *f* medalla *f*

medalhão <-ões> [medaˈʎɐ̃w, -' õjs] *m tb.* GASTR medallón *m*

média ['mɛdʒia] *f* **1.** (*valor médio*) media *f* **2.** *inf* (*café*) café *m* con leche

mediano, -a [medʒi'ɐnu, -a] *adj* **1.** (*regular*) medio, -a **2.** (*em tamanho*) mediano, -a

mediante [medʒi'ɐ̃tʃi] *prep* mediante

medicação <-ões> [medʒika'sɐ̃w, -'õjs] *f* medicación *f*

medicamento [medʒika'mẽtu] *m* medicamento *m*

medicar [medʒi'kar] <c→qu> **I.** *vt* recetar **II.** *vr:* **~-se** medicarse

medicina [medʒi'sina] *f sem pl* medicina *f*

médico, -a ['mɛdʒiku, -a] *adj, m, f* médico, -a *m, f*

medida [mi'dʒida] *f* medida *f;* **à ~ que...** a medida que...; **feito sob ~** hecho a medida

médio, -a ['mɛdʒiw, -a] *adj* medio, -a; **dedo ~** dedo corazón

mediocre [me'dʒiwkri] *adj* mediocre

medir [mi'dʒir] *irr como* **pedir I.** *vt* medir **II.** *vr:* **~-se** (*rivalizar*) medirse

meditar [medʒi'tar] *vi* meditar

mediterrâneo, -a [medʒite'xɐniw, -a] *adj* mediterráneo, -a

Mediterrâneo [medʒite'xɐniw] *m* Mediterráneo *m*

medo ['medu] *m* miedo *m*

medonho, -a [me'doɲu, -a] *adj* horrible

medroso, -a [me'drozu, -'ɔza] *adj* miedoso, -a

medula [me'dula] *f* ANAT médula *f*

megabit [mɛga'bitʃi] *m* INFOR megabyte *f*

meia[1] ['meja] *f* media *f;* (*curta*) calcetín *m,* media *f AmL*

meia[2] ['meja] *num card* seis; **cinco quatro meia** cinco seis cuatro

meia-calça ['meja-'kawsa] <meias--calças> *f* panty *m,* cancán *m RíoPl*

meia-noite ['meja-'nojtʃi] <meias--noites> *f* medianoche *f;* **à ~** a medianoche

meia-volta ['meja-'vɔwta] <meias-

-voltas> *f* media vuelta *f*; **dar ~** dar media vuelta

meigo, -a ['mejgu, -a] *adj* tierno, -a

meio ['meju] **I.** *m* **1.** (*centro*) medio *m*; **no ~** en el medio de **2.** (*metade*) mitad *f*; **dividir a. c. a ~** dividir algo por la mitad **3.** (*instrumento, método*) medio *m*; **~ ambiente** medio ambiente; **~s de comunicação** medios de comunicación; **~ de transporte** medio de transporte **II.** *adv* medio; **estar ~ cansado** estar medio cansado

meio, -a ['meju, -a] *adj* medio, -a; **meia dúzia** media docena; **às três e meia** a las tres y media

meio-dia ['meju-'dʒia] <meios-dias> *m* mediodía *f*; **~ e meia** doce y media de la tarde; **ao ~** al mediodía

meio-fio ['meju-'fiw] <meios-fios> *m* bordillo *m*, cordón *m* (de la vereda) *RíoPl*

meios ['mejus] *mpl tb.* FIN medios *mpl*

meio-termo ['meju-'termu] *m* término *m* medio

mel <méis, meles> ['mɛw, 'mɛjs, 'mɛʎes] *m* miel *f*

melado, -a [me'ladu, -a] *adj* (*pegajoso*) pegajoso, -a

melancia [melãn'sia] *f* sandía *f*

melancolia [melãŋko'ʎia] *f* melancolía *f*

melancólico, -a [melãŋ'kɔʎiku, -a] *adj* melancólico, -a

melão <-ões> [me'lãw, -'õjs] *m* melón *m*

melar [me'lar] **I.** *vt* pringar **II.** *vr:* **~-se** pringarse

meleca [me'lɛka] *f inf* moco *m*; (*ruim*) porquería *f*

melhor¹ [me'ʎɔr] **I.** *adj* <-es> mejor; **o/a ~** el/la mejor; **tanto ~!** ¡tanto mejor! **II.** *m* <-es> **o ~** lo mejor; **no ~ da festa** en el mejor momento; **faz er o ~ possível** hacer las cosas lo mejor posible **III.** *adv* mejor

melhor² [me'ʎɔr] <-es> *f* **levar a ~** llevarse la mejor parte

melhora [me'ʎɔra] *f* mejoría *f*

melhorado, -a [meʎo'radu, -a] *adj* mejorado, -a

melhoramento [meʎora'mẽjtu] *m* mejora *f*

melhorar [meʎo'rar] *vi, vt* mejorar

melindrar [melĩj'drar] **I.** *vt* ofender **II.** *vr:* **~-se** ofenderse

melindroso, -a [melĩj'drozu, -'ɔza] *adj* **1.** (*pessoa*) melindroso, -a **2.** (*situação*) complicado, -a

melodia [melo'dʒia] *f* melodía *f*

melodioso, -a [melodʒi'ozu, -'ɔza] *adj* melodioso, -a

melodrama [melo'drama] *m* melodrama *m*

melões [me'lõjs] *m pl de* **melão**

meloso, -a [me'lozu, -'ɔza] *adj* meloso, -a

membro ['mẽjbru] *m* miembro *m*

memória [me'mɔria] *f* memoria *f*

memorizar [memori'zar] *vt* memorizar

menção <-ões> [mẽj'sãw, -'õjs] *f* mención *f*

mencionar [mẽjsjo'nar] *vt* mencionar

mendigar [mẽjdʒi'gar] <g→gu> *vi, vt*

mendigar

mendigo, -a [mẽj'dʒigu, -a] *m, f* mendigo, -a *m, f*

menina [mi'nina] *f* (*criança*) niña *f*; (*mocinha*) chica *f*

meninada [mini'nada] *f sem pl* chiquillería *f*

meningite [mixĩj'ʒitʃi] *f* MED meningitis *f*

menino [mi'ninu] *m* (*criança*) niño *m*, chamaco, -a *m, f Méx*; (*mocinho*) chico *m*

menopausa [meno'pawza] *f* menopausia *f*

menor [me'nɔr] **I.** *mf* menor *mf*; **proibida a entrada de** [*ou* **para**] **~es** prohibida la entrada a menores **II.** *adj* menor, más pequeño; **não faço a ~ idéia** no tengo la menor idea

menoridade [menori'dadʒi] *f sem pl* minoría *f* de edad

menos ['menus] **I.** *m* **o ~** (*mínimo*) lo menos **II.** *pron indef* menos; **~ dinheiro** menos dinero **III.** *adv* menos; **pelo** [*ou* **ao**] **~** por lo menos; **isso é o de ~!** ¡eso es lo de menos! **IV.** *prep* (*exceto*) menos; **todos ~ eu** todos menos yo **V.** *conj* **a ~ que** +*subj* a menos que +*subj*

menosprezar [menospre'zar] *vt* menospreciar

menosprezo [menos'prezu] *m* menosprecio *m*

mensageiro, -a [mẽjsa'ʒejru, -a] *adj, m, f* mensajero, -a *m, f*

mensagem <-ens> [mẽj'saʒẽj] *f* mensaje *m*

mensal <-ais> [mẽj'saw, -'ajs] *adj* mensual

mensalidade [mẽjsaʎi'dadʒi] *f* mensualidad *f*

menstruação <-ões> [mẽjstrua'sãw, -'õjs] *f* menstruación *f*

menstruar [mẽjstru'ar] *vi* menstruar

menta ['mẽjta] *f* menta *f*

mental <-ais> [mẽj'taw, 'ajs] *adj* mental

mentalidade [mẽjtaʎi'dadʒi] *f* mentalidad *f*

mente ['mẽjtʃi] *f* mente *f*

mentir [mĩj'tʃir] *irr como sentir vi* mentir

mentira [mĩj'tʃira] *f* mentira *f*

mentiroso, -a [mĩjtʃi'rozu, -'ɔza] *adj, m, f* mentiroso, -a *m, f*

menu [me'nu] *m* GASTR, INFOR menú *m*

mercado [mer'kadu] *m* mercado *m*

mercadoria [merkado'ria] *f* mercancía *f*

mercearia [mersea'ria] *f* tienda *f* de comestibles, pulpería *f AmL*, pulquería *f AmC*, *Méx*

Mercosul [merko'suw] *m abr de* **Mercado Comum do Sul** Mercosur *m*

Mercúrio [mer'kuriw] *m* ASTRON Mercurio *m*

merda ['mɛrda] *f chulo* mierda *f*

merecer [mere'ser] <c→ç> *vt* merecer

merenda [me'rẽjda] *f* merienda *f*

merengue [me'rẽjgi] *m* GASTR merengue *m*

mergulhador(a) [merguʎa'dor(a)]

<-es> m(f) buceador(a) m(f)
mergulhar [mergu'ʎar] I. vt sumergir II. vi sumergirse
mergulho [mer'guʎu] m zambullida f
mérito ['mɛritu] m mérito m
mero, -a ['mɛru, -a] adj mero, -a
mês ['mes] <meses> m mes m
mesa ['meza] f mesa f
mesada [me'zada] f paga f
mescla ['mɛskla] f mezcla f
mesclar ['mɛsklar] vi, vt mezclar
mesmo ['mezmu] adv 1. (ênfase) mismo, -a; **por isso** ~ por eso mismo 2. (temporal) mismo; **ela chegou agora** ~ llegó ahora mismo 3. (concessivo) ~ **que eu queira** aunque yo quiera 4. (exatamente) mismo; **(é) isso** ~! ¡eso mismo!; **é** ~? ¿de verdad?
mesmo, -a ['mezmu, -a] I. adj mismo, -a; **ao** ~ **tempo** al mismo tiempo II. m, f o ~ = el mismo; **a mesma** la misma; **vai dar no** ~ va a dar lo mismo
mesquinho, -a [mes'kiɲu, -a] adj mezquino, -a
mestiço, -a [mes'tʃisu, -a] adj, m, f mestizo, -a m, f
mestrado [mes'tradu] m máster m
mestre, -a ['mɛstri, -a] adj, m, f maestro, -a m, f
meta ['mɛta] f meta f
metabolismo [metabo'ʎizmu] m BIO metabolismo m
metade [me'tadʒi] f mitad f
metáfora [me'tafoɾa] f metáfora f
metal <-ais> [me'taw, -'ajs] m metal m

metálico, -a [me'taʎiku, -a] adj metálico, -a
metástase [me'tastazi] f MED metástasis f
meteorito [meteo'ritu] m meteorito m
meteoro [mete'ɔɾu] m meteoro m
meteorologia [meteoɾolo'ʒia] f sem pl meteorología f
meteorológico, -a [meteoɾo'lɔʒiku, -a] adj meteorológico, -a
meter [me'ter] I. vt meter II. vr ~-se meterse
metido, -a [me'tʃidu, -a] adj 1. (envolvido) metido, -a 2. (intrometido) entrometido, -a 3. inf (petulante) creído, -a
metódico, -a [me'tɔdʒiku, -a] adj metódico, -a
método ['mɛtodu] m método m
metragem <-ens> [me'traʒẽj] f metraje m
metralhadora [metraʎa'doɾa] f ametralladora f
metro ['mɛtɾu] m metro m
metrô [me'tɾo] m metro m, subte f RíoPl
metrópole [me'tɾɔpoʎi] f metrópolis inv
meu ['mew] pron poss mío
mexer [me'ʃer] I. vt 1. (a sopa, bebida) mezclar; (a cabeça, um braço) mover 2. inf (comover) conmover; **essa história mexeu comigo** esa historia me conmovió 3. (caçoar) meterse; **estou só mexendo com você!** ¡estoy tomándote el pelo! 4. (trabalhar) trabajar; **seu irmã**

mexe com o quê? ¿en qué trabaja tu hermano? **II.** *vi* moverse **III.** *vr:* **~-se** moverse

mexerica [meʃiˈʀika] *f reg* BOT mandarina *f*

mexericos [meʃiˈʀikus] *mpl* chismorreos *mpl*

mexicano, -a [meʃiˈkʌnu, -a] *adj, m, f* mejicano, -a *m, f*, mexicano, -a *m, f*

México [ˈmɛʃiku] *m* México *m*

mexido [meˈʃidu] *m* GASTR revuelto *m*

mexilhão <-ões> [meʃiˈʎɐ̃w, -ˈõjs] *m* mejillón *m*

mi [ˈmi] *m* MÚS mi *m*

miar [miˈaʀ] *vi* maullar

mico [ˈmiku] *m* ZOOL mico *m*

micróbio [miˈkʀɔbiw] *m* BIO microbio *m*

microchip [mikʀoˈʃipi] *m* ELETR microchip *m*

microcomputador <-es> [mikʀokõwputaˈdoʀ] *m* ordenador *m*, computadora *f AmL*

microempresa [mikʀwĩˈpʀeza] *f* microempresa *f*

microfone [mikʀoˈfoni] *m* micrófono *m*

microondas [mikʀoˈõwdas] *m inv* (*forno*) microondas *m inv*

microônibus [mikʀoˈonibus] *m inv* microbús *m*

microprocessador [mikʀopʀosesaˈdoʀ] <-es> *m* INFOR microprocesador *m*

microscópio [mikʀosˈkɔpiw] *m* microscopio *m*

mídia [ˈmidʒia] *f* medios *mpl* de comunicación

migalha [miˈgaʎa] *f* migaja *f*

mijar [miˈʒaʀ] *vi inf* mear

mil [ˈmiw] *num card* mil

milagre [miˈlagʀi] *m* milagro *m*

milagroso, -a [milaˈgʀozu, -a] *adj* milagroso, -a

Milão [miˈlɐ̃w] *f* Milán *f*

milênio [miˈleniw] *m* milenio *m*

milésimo, -a [miˈlɛzimu, -a] *num ord* milésimo, -a

milha [ˈmiʎa] *f* milla *f*

milhão <-ões> [miˈʎɐ̃w, -ˈõjs] *m* millón *m*

milho [ˈmiʎu] *m* maíz *m*, choclo *m RíoPl*

milhões [miˈʎõjs] *m pl de* **milhão**

milionário, -a [miʎjoˈnaʀiw, -a] *adj, m, f* millonario, -a *m, f*

militar [miʎiˈtaʀ] <-es> *adj, m* militar *m*

mim [ˈmĩj] *pron pess* mí; **para ~** para mí

mimado, -a [miˈmadu, -a] *adj* mimado, -a

mimar [miˈmaʀ] *vt* mimar

mímica [ˈmimika] *f* mímica *f*

mimo [ˈmimu] *m* mimo *m;* **ser cheio de ~s** ser un mimado

mimoso, -a [miˈmozu, -ˈɔza] *adj* **1.** (*delicado*) delicado, -a **2.** (*meigo*) mimoso, -a

mina [ˈmina] *f tb.* MIL mina *f*

Minas Gerais [minaʒeˈʀajs] *fpl* Minas Gerais

mineiro, -a¹ [miˈnejʀu, -a] *adj, m, f* minero, -a *m, f*

mineiro, -a² [miˈnejʀu, -a] *m, f* persona del estado de Minas Gerais

mineração <-ões> [minera'sãw, -'õjs] f minería f

mineral <-ais> [mine'raw, -'ajs] adj, m mineral m

minério [mi'nɛriw] m mineral m

mingau [mĩj'gaw] m papilla f

míngua ['mĩjgwa] f escasez f

minguar [mĩj'gwar] vi 1. (escassear) escasear 2. (diminuir) menguar

minha ['mĩɲa] pron poss mía

minhoca [mi'ɲɔka] f 1. ZOOL lombriz f 2. pl (bobagens) tonterías fpl

miniatura [minja'tura] f miniatura f

mínimo ['minimu] m mínimo m

mínimo, -a ['minimu,-a] adj superl de pequeno mínimo, -a; **dedo ~** meñique m; **salário ~** salario mínimo

minissaia [mini'saja] f minifalda f

ministério [minis'tɛriw] m ministerio m

ministro, -a [mi'nistru, -a] m, f ministro, -a m, f

minoria [mino'ria] f minoría f

minta ['mĩjta] 1., 3. pres subj de **mentir**

minto ['mĩjtu] 1. pres de **mentir**

minúcia [mi'nusia] f minucia f

minucioso, -a [minusi'ozu, -a] adj minucioso, -a

minúscula [mi'nuskula] f minúscula f

minúsculo, -a [mi'nuskulu, -a] adj minúsculo, -a

minuto [mi'nutu] m minuto m

miolo [mi'olu] m 1. (de pão) miga f 2. inf (cérebro) coco m

míope ['miwpi] adj, mf miope mf

mira ['mira] f (de arma) mira f

miragem <-ens> [mi'raʒẽj] f espejismo m

mirante [mi'rãntʃi] m mirador m

mirar [mi'rar] I. vt 1. (olhar) mirar 2. (a arma) apuntar II. vr: **~-se** mirarse

miscelânea [mise'lɜnia] f miscelánea f

miscigenação <-ões> [misiʒena'sãw, -'õjs] f **~ racial** mestizaje m

miserável <-eis> [mize'ravew, -ejs] adj, mf miserable mf

miséria [mi'zɛria] f miseria f

misericórdia [mizeri'kɔrdʒia] f misericordia f

missa ['misa] f misa f

missão <-ões> [mi'sãw, -'õjs] f REL, POL misión f

míssil <-eis> ['misiw, -ejs] m MIL misil m

missionário, -a [misjo'nariw, -a] m, f misionero, -a m, f

missões [mi'sõjs] fpl de **missão**

mistério [mis'tɛriw] m misterio m

misterioso, -a [misteri'ozu, -'ɔza] adj misterioso, -a

místico, -a ['mistʃiku, -a] adj místico, -a

mistificar [mistʃifi'kar] <c→qu> vt mistificar

misto, -a ['mistu, -a] adj mixto m

misto-quente ['mistu-'kẽjtʃi] <mistos-quentes> m mixto m

mistura [mis'tura] f mezcla f

misturada [mistu'rada] f mezcla f

misturado, -a [mistu'radu, -a] adj mezclado, -a

misturar [mistu'rar] I. vt mezclar II. vr: **~-se** mezclarse

mitigar [mitʃi'gar] <g→gu> vt mitigar

ito ['mitu] *m* mito *m*
miúdos [mi'udus] *mpl* GASTR menudos *mpl*
mobília [mo'biʎia] *f* mobiliario *m*
mobiliar [mobiʎi'ar] *vt* amueblar
moca ['mɔka] *m* (*café*) moca *m o f*
moçambicano, -a [mosɐ̃ŋbi'kanu, -a] *adj, m, f* mozambiqueño, -a *m, f*
Moçambique [mosɐ̃ŋ'biki] *m* Mozambique *m*
mochila [mu'ʃila] *f* mochila *f*
moço, -a ['mosu, -a] **I.** *adj* joven **II.** *m, f* (*criança*) chico, -a *m, f*, pibe, -a *m, f Arg, Bol, Urug;* (*jovem*) joven *mf*
moda ['mɔda] *f* moda *f*
modalidade [modaʎi'dadʒi] *f* modalidad *f*
modelar [mode'lar] *vt* moldear
modelo¹ [mo'delu] *m* modelo *m*
modelo² [mo'delu] *mf* (*pessoa*) modelo *mf;* ~ **fotográfico** modelo fotográfico
modem <-ens> ['mɔdẽj] *m* INFOR módem *m*
moderado, -a [mode'radu, -a] *adj* moderado, -a
moderador(a) [modera'dor(a)] <-es> *adj, m(f)* moderador(a) *m(f)*
moderar [mode'rar] **I.** *vt* moderar **II.** *vr:* ~**-se** moderarse
moderno, -a [mo'dɛrnu, -a] *adj* moderno, -a
modéstia [mo'dɛstʃia] *f* modestia *f*
modesto, -a [mo'dɛstu, -a] *adj* modesto, -a
modificação <-ões> [modʒifika'sɐ̃w, -'õjs] *f* modificación *f*
modificar [modʒifi'kar] <c→qu> **I.** *vt* modificar **II.** *vr:* ~**-se** modificarse
modista [mo'dʒista] *f* modista *f*
modo ['mɔdu] *m* modo *m*
módulo ['mɔdulu] *m* módulo *m*
moeda [mo'ɛda] *f* moneda *f*
moedor <-es> [moe'dor] *m* ~ **de café** molinillo *m* de café; ~ **de carne** picadora *f* de carne
moer [mu'er] *conj como roer vt* (*café, milho*) moler
mofar [mo'far] *vi* enmohecerse
mofo ['mofu] *m* moho *m*
mogno ['mɔgnu] *m* caoba *f*
moído, -a [mu'idu, -a] *adj* **1.** (*café, milho, pessoa*) molido, -a **2.** (*carne*) picado, -a
moinho [mu'iɲu] *m* molino *m*
moita ['mojta] *f* matorral *m*
mola ['mɔla] *f* muelle *m*
molar <-es> [mo'lar] *m* molar *m*
moldar [mow'dar] **I.** *vt* moldear **II.** *vr:* ~**-se** amoldarse
Moldávia [mow'davia] *f* Moldavia *f*
molde ['mɔwdʒi] *m* molde *m*
moldura [mow'dura] *f* marco *m*
mole ['mɔʎi] *adj* **1.** (*objeto*) blando, -a **2.** (*sem energia*) débil
moleca [mu'lɛka] *f* **1.** (*adolescente*) chica *f* **2.** (*brincalhona*) juguetona *f*
molecagem <-ens> [mule'kaʒẽj] *f* (*ação*) chiquillada *f*
molécula [mo'lɛkula] *f* molécula *f*
moleque [mu'lɛki] *m* **1.** (*adolescente*) chico *m* **2.** (*de rua*) niño *m* **3.** (*brincalhão*) juguetón *m*
molestar [moles'tar] *vt* molestar
moléstia [mo'lɛstʃia] *f* molestia *f*

moletom <-ons> [mole'tõw] *m* chándal *m*

moleza [mo'leza] *f* debilidad *f*; **ser ~** *inf* ser pan comido

molhado, -a [mo'ʎadu, -a] *adj* mojado, -a

molhar [mo'ʎar] **I.** *vt* mojar **II.** *vr:* **~-se** mojarse

molho ['moʎu] *m* GASTR salsa *f*

momentâneo, -a [momẽj'tɜniw, -a] *adj* momentáneo, -a

momento [mo'mẽjtu] *m* momento *m*

Mônaco ['monaku] *m* Mónaco *m*

monarca [mo'narka] *mf* monarca *mf*

monarquia [monar'kia] *f* monarquía *f*

monetário, -a [mone'tariw, -a] *adj* monetario, -a

monge ['mõʒi] *m* monje *m*

Mongólia [mõw'gɔʎia] *f* Mongolia *f*

monitor [moni'tor] <-es> *m* INFOR monitor *m*

monja ['mõʒa] *f* monja *f*

monopólio [mono'pɔʎiw] *m* monopolio *m*

monopolizar [monopoʎi'zar] *vt* monopolizar

monotonia [monoto'nia] *f* monotonía *f*

monótono, -a [mo'nɔtonu, -a] *adj* monótono, -a

monóxido [mo'nɔksidu] *m* monóxido *m*

monstro ['mõwstru] *m* monstruo *m*

monstruoso, -a [mõwstru'osu, -ɔza] *adj* monstruoso, -a

montagem <-ens> [mõw'taʒẽj] *f* montaje *m*

montanha [mõw'tɜɲa] *f* montaña *f*

montanha-russa [mõw'tɜɲa-'rusa] <montanhas-russas> *f* montaña rusa

montanhismo [mõwtɜ'ɲizmu] *m* se *pl* montañismo *m*, alpinismo *m*, andinismo *m AmL*

montanhoso, -a [mõwtɜ'ɲozu, -ɔza] *adj* montañoso, -a

montar [mõw'tar] **I.** *vt* **1.** *tb.* CIN montar **2.** *(subir para)* montar **3.** *(cavalgar)* montar en; **~ uma motocicleta** montar en una moto **II.** montarse

monte ['mõwtʃi] *m* **1.** *(em terren*) monte *m* **2.** *(pilha)* montón *m*

morador(a) [mora'dor(a)] <-es> *m*, habitante *mf*

moral¹ [mo'raw] *f sem pl* (*princípio*) moral *f*

moral² [mo'raw] *m* (*ânimo*) moral *f*

moral³ <-ais> [mo'raw, -'ajs] *adj* moral

morango [mo'rɜngu] *m* fresa *f*, frutilla *f CSur*

morar [mo'rar] *vi* vivir

morcego [mor'segu] *m* murciélago *m*

mordaça [mor'dasa] *f* mordaza *f*

morder [mor'der] **I.** *vi, vt* mord **II.** *vr:* **~-se** consumirse; **~-se de ra** va consumirse de rabia

mordida [mor'dʒida] *f* mordisco *m*

mordomia [mordo'mia] *f* privilegio *m*

mordomo [mor'domu] *m* mayordomo *m*

moreno, -a [mo'renu, -a] *adj*, *m*, *f* moreno, -a *m, f*

mormaço [mor'masu] *m* bochorno *m*

morno, -a ['mornu, 'mɔrna] *adj* ten

morrer [mo'xer] vi morir

morro ['moxu] m loma f

mortadela [morta'dɛla] f mortadela f

mortal <-ais> [mor'taw, -'ajs] adj, mf mortal mf

mortalidade [mortaʎi'dadʒi] f sem pl mortalidad f

morte ['mɔrtʃi] f muerte f

morto, -a ['mortu, 'mɔrta] I. pp irr de **matar** II. adj, m, f muerto, -a m, f

mosca ['moska] f mosca f; **acertar na ~** dar en el clavo; **andar** [ou **estar**] **às ~s** estar vacío

Moscou [mos'kow] m Moscú m

moscovita [mosko'vita] adj, mf moscovita mf

mosquiteiro [moski'tejru] m mosquitero m

mostarda [mus'tarda] f mostaza f

mosteiro [mos'tejru] m monasterio m

mostra ['mɔstra] f muestra f

mostrador [mostra'dor] <-es> m (de relógio) esfera f

mostrar [mos'trar] I. vt mostrar II. vr: **~-se** mostrarse

motel <-éis> [mo'tɛw, -'ɛjs] m casa f de citas, albergue m transitorio Arg

motivar [motʃi'var] vt motivar

motivo [mo'tʃivu] m motivo m

moto ['mɔtu] f abr de **motocicleta** moto f

motocicleta [motosi'klɛta] f motocicleta f

motociclista [motosi'klista] mf motociclista mf, motorista mf

motoqueiro, -a [moto'kejru, -a] m, f inf v. **motocicleta**

motor <-es> [mo'tor] m motor m

motorista [moto'rista] mf conductor(a) m(f), chofer mf AmL

motorizado, -a [motori'zadu, -a] adj motorizado, -a

mouse ['mawzi] m INFOR ratón m, mouse m AmL

móvel <-eis> ['mɔvew, -ejs] I. m 1. (causa) móvil m 2. (peça de mobília) mueble m II. adj móvil

mover [mo'ver] I. vt mover; (um processo) emprender II. vr: **~-se** moverse

movimentação <-ões> [movimẽjta'sãw, -'õjs] f movimiento m

movimentar [movimẽj'tar] I. vt mover II. vr: **~-se** moverse

movimento [movi'mẽjtu] m movimiento m

MST [emjɛsi'te] m abr de **Movimento dos Trabalhadores Rurais sem Terra** movimiento de los trabajadores sin tierra brasileños

muamba [mu'ãnba] f contrabando m

muçulmano, -a [musuw'mɐnu, -a] adj, m, f musulmán, -ana m, f

muda ['muda] f 1. BOT esqueje m 2. (peças) muda f; **uma ~ de roupa** una muda

mudança [mu'dãnsa] f 1. (alteração, transformação) cambio m; **~ de tempo** cambio de tiempo 2. (troca) mudanza f

mudar [mu'dar] I. vi, vt cambiar II. vr: **~-se** (casa) mudarse

mudez [mu'des] f sem pl mudez f

mudo, -a ['mudu, -a] adj, m, f mudo, -a m, f

mugir [muˈʒir] *vi* mugir

muito [ˈmũjtu] **I.** *m* **o** ~ lo mucho **II.** *adv* muy; ~ **bem!** ¡muy bien!

muito, -a [ˈmũjtu, -a] **I.** *adj* mucho, -a **II.** *pron indef* mucho, -a; **tenho ~ que fazer** tengo mucho que hacer

mula [ˈmula] *f* mula *f*

mulato, -a [muˈlatu, -a] *adj, m, f* mulato, -a *m, f*; moreno, -a *m, f Cuba*

muleta [muˈleta] *f* muleta *f*

mulher <-es> [muˈʎɛr] *f* mujer *f*

mulherengo, -a [muʎeˈreẽjgu, -a] *adj* mujeriego, -a

multa [ˈmuwta] *f* multa *f*

multar [muwˈtar] *vt* multar

multidão <-ões> [muwtʃiˈdãw, -ˈõjs] *f* multitud *f*

multimídia [muwtʃiˈmidʒia] *adj, f* multimedia *m*

multimilionário, -a [muwtʃimiʎjoˈnariw, -a] *adj, m, f* multimillonario, -a *m, f*

multinacional <-ais> [muwtʃinasjoˈnaw, -ˈajs] *adj, f* multinacional *f*

multiplicar [muwtʃipliˈkar] <c→qu> **I.** *vt* multiplicar **II.** *vr:* **~-se** multiplicarse

múltiplo, -a [ˈmuwtʃiplu, -a] *adj* **1.** múltiple **2.** MAT múltiplo, -a

múmia [ˈmumia] *f* momia *f*

mundial <-ais> [mũwdʒiˈaw, -ˈajs] *adj, m* ESPORT mundial *m*

mundo [ˈmũwdu] *m* mundo *m*

munição <-ões> [muniˈsãw, -ˈõjs] *f* munición *f*

municipal <-ais> [munisiˈpaw, -ˈajs] *adj* municipal

município [muniˈsipiw] *m* municipio *m*

munições [muniˈsõjs] *f pl de* **munição**

mural <-ais> [muˈraw, -ˈajs] *m* mural *m*

muralha [muˈraʎa] *f* muralla *f*

murchar [murˈʃar] *vi (flor)* marchitars

murcho, -a [ˈmurʃu, -a] *adj* **1.** *(flo* marchitado, -a **2.** *(pessoa)* desar mado, -a

murmúrio [murˈmuriw] *m* murmull *m*

muro [ˈmuru] *m* muro *m*

murro [ˈmuxu] *m* puñetazo *m*

musa [ˈmuza] *f* musa *f*

musculação <-ões> [muskulaˈsãw -ˈõjs] *f* musculación *f*

músculo [ˈmuskulu] *m* músculo *m*

musculoso, -a [muskuˈlozu, -ˈɔza] *a* musculoso, -a

museu [muˈzew] *m* museo *m*

música [ˈuzika] *f* **1.** *(geral)* música **2.** *(canção)* canción *f*

músico, -a [ˈmuziku, -a] *adj, m, f* música -a *m, f*

mutilação <-ões> [mutʃilaˈsãw, -ˈõj *f* mutilación *f*

mutilar [mutʃiˈlar] *vt* mutilar

mútuo, -a [ˈmutuw, -a] *adj* mutuo, -

N

N, n [ˈeni] *m* N, n *f*

na [na] = **em + a** *v.* **em**

nação <-ões> [naˈsãw, -ˈõjs] *f* n ción *f*

nacional <-ais> [nasjo'naw, -'ajs] *adj* nacional

nacionalidade [nasjonaʎi'dadʒi] *f* nacionalidad *f*

nacionalista [nasjona'ʎista] *adj, mf* nacionalista *mf*

nações [na'sõjs] *f pl de* **nação**

nada ['nada] **I.** *pron indef* nada; ~ **disso** de eso nada; ~ **feito** ni hablar; **não sei de** ~ no sé nada; **obrigada – de** ~ gracias – de nada **II.** *adv* nada; **não é** ~ **fácil** no es nada fácil; ~ **menos (que)** nada menos (que)

nadadeira [nada'dejra] *f* aleta *f*

nadar [na'dar] *vi* nadar; **nem tudo que nada é peixe** *prov* no todo el monte es orégano *prov*

nádegas ['nadegas] *fpl* nalgas *fpl*

nado ['nadu] **I.** *m* natación *f* **II.** *adv* **a** ~ a nado

naipe ['najpi] *m* palo *m*

namorado, -a [namo'radu, -a] *m, f* novio, -a *m, f*

namorar [namo'rar] **I.** *vt* ser el novio de **II.** *vi* ~ **com alguém** ser novio de alguien

não [nãw] **I.** *m sem pl* no *m*; **recebeu um sonoro** ~ se llevó un sonoro no **II.** *adv* no; **ele vem?** – ~ ¿(él) va a venir? – no

não-fumante ['nãw-fu'mãntʃi] *mf* no fumador(a) *m(f)*

Nápoles ['napoʎis] *f* Nápoles *m*

napolitano, -a [napoʎi'tɜnu, -a] *adj* napolitano, -a

naquele, -a [na'keʎi, na'kɛla] = **em + aquele** *v.* **aquele**

naquilo [na'kilu] = **em + aquilo** *v.* **aquilo**

nariz [na'ris] <-es> *m* nariz *f*; **colocar o dedo no** ~ *fig* amenazar con el dedo; **dar com o** ~ **na porta** *fig* encontrarse con que no hay nadie; **meter o** ~ **onde não é chamado** meter las narices donde no le llaman; **torcer o** ~ torcer el gesto

narração <-ões> [naxa'sãw, -'õjs] *f* narración *f*

narrar [na'xar] *vt* narrar

nas [nas] = **em + as** *v.* **em**

nascer [na'ser] <c→ç> **I.** *m* ~ **do sol** salida *f* del sol **II.** *vi* nacer; ~ **para ser médico/cantor** nacer para ser médico/cantante; **nasci em abril/em 1989** nací en abril/en 1989

nascimento [nasi'mẽjtu] *m* nacimiento *m*; **data de** ~ fecha de nacimiento

nata ['nata] *f* nata *f*

natação [nata'sãw] *f sem pl* natación *f*

natal <-ais> [na'taw, -'ajs] *adj* natal

Natal [na'taw] *m* Navidad *f*; **Feliz ~!** ¡Feliz Navidad!

nativo, -a [na'tʃivu, -a] *adj, m, f* nativo, -a *m, f*

natural <-ais> [natu'raw, -'ajs] *adj, mf* natural *mf*

natureza [natu'reza] *f sem pl* naturaleza *f*

naufragar [nawfra'gar] <g→gu> *vi* naufragar

naufrágio [naw'fraʒiw] *m* naufragio *m*

náusea ['nawzia] *f* náusea *f*

nausear [nawzi'ar] *conj como passear* **I.** *vt* marear **II.** *vr:* ~-**se** marearse

náutico, -a ['nawtʃiku, -a] *adj* náutico, -a

naval <-ais> [na'vaw, -'ajs] *adj* naval

navalha [na'vaʎa] *f* navaja *f*

nave ['navi] *f* nave *f*

navegação <-ões> [navega'sãw, -'õjs] *f* NÁUT, INFOR navegación *f*

navegador(a) [navega'dor(a)] <-es> *m(f)* navegante *mf*

navegar [nave'gar] <g→gu> *vi, vt* navegar

navio [na'viw] *m* navío *m*, buque *m*; ~ **de carga** navío de carga

nazista [na'zista] *adj, mf* nazi *mf*

NE [nor'dɛstʃi] *abr de* **nordeste** NE

neblina [ne'blina] *f* neblina *f*

nebuloso, -a [nebu'lozu, -'ɔza] *adj* (*dia, idéia*) nebuloso, -a

necessário, -a [nese'sariw, -a] *adj* necesario, -a; **não é ~ que você ajude** no es necesario que ayudes

necessidade [nesesi'dadʒi] *f* necesidad *f*; **passar** ~ pasar necesidades; **é de grande ~ que...** +*subj* hace falta que... +*subj*; **não há ~ de...** +*infin* no hace falta que... +*subj*

necessitar [nesesi'tar] I. *vt* necesitar II. *vi* ~ **de** necesitar de

necrotério [nekro'tɛriw] *m* depósito *m* de cadáveres

néctar ['nɛktar] <-es> *m* néctar

nectarina [nekta'rina] *f* nectarina *f*

negação <-ões> [nega'sãw, -'õjs] *f* negación *f*

negar [ne'gar] <g→gu> I. *vi, vt* negar II. *vr* ~**-se a fazer a. c.** negarse a hacer algo

negativo, -a [nega'tʃivu, -a] *adj, m, f* negativo, -a *m, f*

negligência [negli'ʒẽjsia] *f* negligencia *f*

negligente [negli'ʒẽjtʃi] *adj* negligente

negociação <-ões> [negosja'sãw, -'õjs] *f* negociación *f*

negócio [ne'gɔsiw] *m* COM negocio *m*; ~ **de ocasião** ocasión *f*; **homem/mulher de ~s** hombre/mujer de negocios; **não quero ~ com você** *inf* no quiero tener nada que ver contigo

negrito [ne'gritu] *m* TIPO negrita *f*

negro, -a ['negru, -a] *adj, m, f* negro, -a *m, f*

nele, -a ['neʎi, 'nɛla] = **em + ele** *v.* **em**

nem [nẽj] I. *adv* ni; ~ **sempre** no siempre; ~**...** ~**...** ni... ni... II. *conj* ~ **que** +*subj* aunque

nenê [ne'ne] *mf*, **neném** [ne'nẽj] <-ens> *mf inf* bebé *m*

nenhum(a) [nẽ'nũw, -'numa] <-uns> *pron indef* ninguno, -a

neozelandês, -esa [nɛwzelã'des, -'eza] <-eses> *adj, m, f* neozelandés, -esa *m, f*

nepalês, -esa [nepa'les, -'eza] <-eses> *adj, m, f* nepalés, -esa *m, f*, nepalí *mf*

nervo ['nervu] *m* nervio *m*; **dar nos ~s de alguém** atacar los nervios de alguien; **estar com os ~s à flor da pele** estar con los nervios a flor de piel; **ter ~s de aço** tener nervios de acero

nervoso, -a [ner'vozu,-'ɔza] *adj* nervioso, -a

nesse ['nesi, 'nɛsa] = **em + esse** v. **esse**

neste, -a ['nestʃi, 'nɛsta] = **em + este** v. **este²**

neto, -a ['nɛtu, -a] m, f neto, -a m, f

neurose [new'rɔzi] f MED neurosis f inv

neurótico, -a [new'rɔtʃiku, -a] adj, m, f neurótico, -a m, f

neutralizar [newtraʎi'zar] vt neutralizar

neutro, -a ['newtru, -a] adj neutro, -a

nevar [ne'var] vi impess nevar

neve ['nɛvi] f nieve f

névoa ['nɛvua] f niebla f

Nicarágua [nika'ragwa] f Nicaragua f

nicaragüense [nikara'gwẽjsi] adj, mf nicaragüense mf

nicho ['niʃu] m nicho m; **~ de mercado** ECON nicho de mercado

nicotina [niko'tʃina] f sem pl nicotina f

Nigéria [ni'ʒɛria] f Nigeria f

Nilo ['nilu] m Nilo m

ninar [ni'nar] vt arrullar

ninguém [nĩj'gẽj] pron indef nadie; **mais ~** nadie más; **~ sabe** nadie sabe

ninho ['nĩɲu] m nido m

níquel <-eis> ['nikew, -ejs] m níquel m

nisso ['nisu] = **em + isso** v. **isso**

nisto ['nistu] = **em + isto** v. **isto**

nitidez [nitʃi'des] f sem pl nitidez f

nítido, -a ['nitʃidu, -a] adj nítido, -a

nitrato [ni'tratu] m QUÍM nitrato m

nível <-eis> ['nivew, -ejs] m nivel m; **~ do mar** nivel del mar

nivelar [nive'lar] I. vt nivelar, igualar II. vr: **~-se** igualarse

no [nu] = **em + o** v. **em**

nº ['numeru] abr de **número** nº

nó ['nɔ] m nudo m

nobre ['nɔbri] adj, mf noble m

noção <-ões> [no'sãw, -'õjs] f noción f

nocivo, -a [no'sivu, -a] adj nocivo, -a

noções [no'sõjs] f pl de **noção**

nódoa ['nɔdua] f mancha f

nogueira [no'gejra] f nogal m

noite ['nojtʃi] f noche f; **~ e dia** noche y día; **~ de Natal** Nochebuena f; **à ~** por la noche; **da ~ para o dia** de la noche a la mañana; **boa ~!** ¡buenas noches!; **de ~ todos os gatos são pardos** prov de noche todos los gatos son pardos prov

noivado [noj'vadu] m compromiso m

noivo, -a ['nojvu, -a] m, f novio, -a m, f

nojento, -a [no'ʒẽjtu, -a] adj asqueroso, -a

nojo ['nɔʒu] m asco m

nômade ['nomadʒi] adj, mf nómada mf

nome ['nɔmi] m nombre m; **em ~ de** en nombre de; **conhecer a. c./alguém de ~** conocer algo/a alguien de nombre; **qual é o seu ~?** ¿cómo te llamas?

nomear [nomi'ar] conj como passear vt nombrar

nomenclatura [nomẽjkla'tura] f nomenclatura f

nonagésimo, -a [nona'ʒɛzimu, -a] num ord nonagésimo, -a

nono, -a ['nonu, -a] num ord noveno,

-a; v.tb. **segundo**
nora ['nɔra] f nuera f
nordeste [nor'dɛstʃi] m nordeste m
norma ['nɔrma] f norma f
normal <-ais> [nor'maw, -ajs] adj, m normal m
normalizar [normaʎi'zar] I. vt normalizar II. vr: ~-se normalizarse
noroeste [noro'ɛstʃi] m sem pl noroeste; **a ~ de** al noroeste de
norte ['nɔrtʃi] m sem pl norte m
norte-americano, -a [nɔrtʃiameri'kɐnu, -a] adj, m, f norteamericano, -a m, f
Noruega [noru'ɛga] f Noruega f
norueguês, -esa [norwe'ges, -'eza] <-eses> adj, m, f noruego, -a m, f
nos [nus] I. pron nos; **nosso filho ~ dá muita alegria!** ¡nuestro hijo nos alegra mucho! II. = **em + os** v. **em**
nós ['nɔs] pron pess nosotros, -as; **isso é para ~?** ¿eso es para nosotros/nosotras?
nosso, -a ['nɔsu, -a] pron poss nuestro, -a; **~ amigo** nuestro amigo
nostalgia [nostaw'ʒia] f nostalgia f
notícia [no'tʃisia] f noticia f; **mandar ~s** enviar noticias; **ter ~s de alguém** tener noticias de alguien
noticiar [notʃisi'ar] vt informar de
noticiário [notʃisi'ariw] m noticiario m
notificar [notʃifi'kar] <c→qu> vt notificar
notoriedade [notorje'dadʒi] f sem pl notoriedad f
notório, -a [no'tɔriw, -a] adj notorio, -a

noturno, -a [no'turnu, -a] adj nocturno, -a; **trabalho ~** trabajo nocturno
noutro, -a ['nowtru, -a] = **em + outro** v. **outro**
nova ['nɔva] f nueva f; **tenho boas ~s** tengo buenas nuevas
Nova Iorque ['nɔva 'jɔrki] f Nueva York f
nova-iorquino, -a [nɔvajor'kinu, -a] adj, m, f neoyorquino, -a m, f
Nova Zelândia ['nɔva ze'lɐ̃dʒia] Nueva Zelanda f
nove ['nɔvi] num card nueve; v.tb. **dois**
novecentos, -as [nɔvi'sẽjtus, -as] num card novecientos, -as
novela [no'vɛla] f **1.** LIT novela f **2.** (de televisão) telenovela f
novelista [nove'ʎista] mf guionista mf
novelo [no'velu] m ovillo m
novembro [no'vẽjbru] m noviembre m; v.tb. **março**
noventa [no'vẽjta] num card noventa
novidade [novi'dadʒi] f novedad f; **há ~s?** ¿hay novedades?; **isso para mim é ~** eso para mí es nuevo
novo, -a ['novu, 'nɔva] adj nuevo, -a
noz ['nɔs] <-es> f nuez f
nu(a) ['nu, 'nua] adj desnudo, -a
nublado, -a [nu'bladu, -a] adj nublado, -a
nublar [nu'blar] vt tb. fig nublar
nuca ['nuka] f nuca f
nuclear [nukle'ar] adj nuclear
núcleo ['nukliw] m núcleo m; **~ atômico** núcleo atómico
nudez [nu'des] <-es> f desnudez f
nudismo [nu'dʒizmu] m sem pl nu-

dismo *m*

num(a) [nũw, 'numa] <nuns> = **em + um** *v.* **em**

numeração <-ões> [numera'sãw, -'õjs] *f* numeración *f*

numerar [nume'rar] *vt* numerar

número ['numeru] *m* número *m*; ~ **de telefone** número de teléfono; **sem** ~ innumerable; **um grande** ~ **de** un gran número de

nunca ['nũwka] *adv* nunca; ~ **mais** nunca más; **até** ~ **mais** hasta nunca; **mais (do) que** ~ más que nunca

nuns [nũws] *pl de* **num**

núpcias ['nupsias] *fpl* nupcias *fpl*

nutrir [nu'trir] I. *vt* nutrir II. *vr:* **~-se** nutrirse

nuvem ['nuvẽj] <-ens> *f* nube *f*

O

O, o ['o] *m* O, o *f*

o [u] I. *art m* el *m*; ~ **homem** el hombre II. *pron pess (ele, você)* lo; **conheço-~ bem** lo conozco bien

OAB [ɔa'be] *f abr de* **Ordem dos Advogados do Brasil** colegio de abogados de Brasil

oásis [o'azis] *m inv* oasis *m inv*

oba ['oba] *interj* 1. *(alegria)* viva 2. *inf (saudação)* hola

obedecer [obede'ser] <c→ç> *vi,* obedecer

obesidade [obezi'dadʒi] *f sem pl* obesidad *f*

obeso, -a [o'bezu, -a] *adj* obeso, -a

óbito ['ɔbitu] *m* óbito *m*; **certidão de** ~ certificado de defunción

objeção <-ões> [obʒe'sãw, -'õjs] *f* objeción *m*

objetividade [obʒetʃivi'dadʒi] *f sem pl* objetividad *f*

objetivo, -a [obʒe'tʃivu, -a] *adj, m, f* objetivo, -a *m, f*

objeto [ob'ʒɛtu] *m* objeto *m*

oblíquo, -a [o'blikwo, -a] *adj* oblicuo, -a

obra ['ɔbra] *f* obra *f*

obrigado, -a [obri'gadu, -a] I. *adj* obligado, -a II. *interj* gracias; **muito** ~! ¡muchas gracias!

obrigar [obri'gar] <g→gu> I. *vt* obligar II. *vr:* **~-se** obligarse

obrigatório, -a [obriga'tɔriw, -a] *adj* obligatorio, -a

obs. [observa'sãw] *abr de* **observações** obs.

obscurecer [obskure'ser] <c→ç> *vt* oscurecer

obscuridade [obskuri'dadʒi] *f sem pl* oscuridad *f*

obscuro, -a [obs'kuru, -a] *adj* oscuro, -a

observação <-ões> [observa'sãw, -'õjs] *f* observación *f*

observador(a) [observa'dor(a)] *adj, m(f)* observador(a) *m(f)*

observar [obser'var] *vt* observar

observatório [observa'tɔriw] *m (edifício)* observatorio *m; (mirante)* mirador *m*

obsessão <-ões> [obse'sãw, -'õjs] *f* obsesión *f*

obstáculo [obs'takulu] *m* obstáculo *m*

obstante [obs'tãntʃi] *conj* **não** ~ no obstante

obstetra [obs'tɛtra] *mf* obstetra *mf*

obstinação <-ões> [obstʃina'sãw, -'õjs] *f* obstinación *f*

obstrução <-ões> [obstru'sãw, -'õjs] *f* obstrucción *f*

obstruir [obstru'ir] *conj como incluir vt* obstruir

obter [ob'ter] *irr como ter vt* obtener

obturar [obtu'rar] *vt* 1. (*fechar, obstruir*) obturar 2. (*um dente*) empastar

óbvio, -a ['ɔbviw, -a] *adj* obvio, -a

ocasião <-ões> [okazi'ãw, -'õjs] *f* ocasión *f*

ocasional <-ais> [okazjo'naw, -'ajs] *adj* ocasional

ocasionar [okazjo'nar] *vt* ocasionar

Oceania [osea'nia] *f* Oceanía *f*

oceano [osi'anu] *m* océano *m*

ocidente [osi'dẽjtʃi] *m sem pl* occidente *m*

ócio ['ɔsiw] *m* ocio *m*

oco, -a ['oku, -a] *adj* hueco, -a

ocorrência [oko'xẽjsia] *f* 1. (*acontecimento*) acontecimiento *m* 2. (*incidente*) suceso *m*

ocorrer [oko'xer] *vi* ocurrir

ocre ['ɔkri] *m sem pl* ocre *m*

octogenário, -a [oktoʒe'nariw, -a] *adj, m, f* octogenario, -a *m, f*

octogésimo, -a [okto'ʒɛzimu, -a] *num ord* octogésimo, -a

ocular [oku'lar] *adj, f* ocular *m*

oculista [oku'ʎista] *mf* oculista *mf*

óculos ['ɔkulus] *mpl* gafas *fpl*, lentes *mpl AmL*, anteojos *mpl AmL*; ~ **escuros/de sol** gafas oscuras/de sol

ocultar [okuw'tar] I. *vt* ocultar II. *vr*: ~-**se** ocultarse

oculto, -a [o'kuwtu, -a] *adj* oculto, -a

ocupação <-ões> [okupa'sãw, -'õjs] *f* ocupación *f*

ocupado, -a [oku'padu, -a] *adj* ocupado, -a

ocupar [oku'par] I. *vt* ocupar II. *vr*: ~-**se** ocuparse

odiar [odʒi'ar] *irr irr vt* odiar

ódio ['ɔdʒiw] *m* odio *m*

odor [o'dor] *m* olor *m*

oeste [o'ɛstʃi] *m sem pl* oeste *m*

ofegante [ofe'gãntʃi] *adj* jadeante

ofegar [ofe'gar] <g→gu> *vi* jadear

ofender [ofẽj'der] I. *vt* ofender II. *vr* ~-**se com a. c.** ofenderse por algo

ofendido, -a [ofẽj'dʒidu, -a] *adj* ofendido, -a

oferecer [ofere'ser] <c→ç> I. *vt* ofrecer II. *vr*: ~-**se** ofrecerse

oferta [o'fɛrta] *f* ofrecimiento *m*

office-boy ['ɔfisi-'bɔj] *m* chico *m* de los recados

oficial <-ais> [ofisi'aw, -'ajs] *adj, mf* oficial *mf*

oficina [ofi'sina] *f* taller *m*

oftalmologista [oftawmolo'ʒista] *mf* oftalmólogo, -a *m, f*

ofuscar [ofus'kar] <c→qu> *vt* ofuscar

oi ['oj] *interj* hola

oitavo, -a [oi'tavu, -a] *num ord* octavo, -a; *v.tb.* **segundo**

oitenta [oj'tẽjta] *num card* ochenta

oito ['ojtu] *num card* ocho; **~ dias** ocho días; *v.tb.* **dois**

oitocentos, -as [ojtu'sẽjtus, -as] *num card* ochocientos, -as

olá [o'la] *interj* hola

olaria [ola'ria] *f* alfarería *f*

olé [o'lɛ] I. *m* drible *m* II. *interj* olé

óleo ['ɔljiw] *m* aceite *m*

oleoso, -a [o'ʎi'ozu, -'ɔza] *adj* graso, -a

olfato [ow'fatu] *m sem pl* olfato *m*

olhada [o'ʎada] *f* vistazo *m*

olhar¹ [o'ʎar] <-es> *m* mirada *f*

olhar² [o'ʎar] *vi, vt* mirar; **olha!** ¡mira!

olheiras [o'ʎejras] *fpl* ojeras *fpl*

olho ['oʎu] *m* ojo *m*

olimpíadas [o'ʎĩ'piadas] *fpl* olimpiadas *fpl*

olímpico, -a [o'ʎĩpiku, -a] *adj* olímpico, -a

oliveira [o'ʎi'vejra] *f* olivo *m*

ombro ['õwbru] *m* hombro *m*

omelete [ome'lɛtʃi] *m ou f* tortilla *f*, omelet *m AmL*

omissão <-ões> [omi'sãw, -'õjs] *f* omisión *f*

omitir [omi'tʃir] I. *vt* omitir II. *vr:* **~-se** no manifestarse

OMS [ɔemi'ɛsi] *f abr de* **Organização Mundial de Saúde** OMS *f*

onça ['õwsa] *f* 1. *(medida de peso)* onza *f* 2. ZOOL jaguar *m*

onça-parda [õwsa-'pardu] <onças--pardas> *f* puma *m*, león *m AmL*

onda ['õwda] *f* 1. ola *f*; **~ de calor** ola de calor 2. *inf (moda)* moda *f*; **estar na ~** estar de moda

onde ['õwdʒi] *adv* 1. *rel* donde; **~ quer que seja** donde sea 2. *interrog* dónde; **~ você está?** ¿dónde estás?

ondulado, -a [õwdu'ladu, -a] *adj* ondulado, -a

onerar [one'rar] *vt (dívida)* endeudar; *(pessoa, produto)* gravar

oneroso, -a [one'rozu, -'ɔza] *adj* oneroso, -a

ONG ['õwgi] *abr de* **organização não-governamental** ONG *f*

ônibus ['onibus] *inv m* autobús *m*, camión *m Méx*, colectivo *m Arg*, guagua *f Cuba*, ómnibus *m Urug*

onipotente [onipo'tẽjtʃi] *adj* omnipotente

on-line [õw'lajni] *inv adj* on-line

ontem ['õwtẽj] *adv* ayer

ONU ['ɔnu] *abr de* **Organização das Nações Unidas** ONU *f*

ônus ['onus] *inv m sem pl* obligación *f*

onze ['õwzi] *num card* once; *v.tb.* **dois**

opaco, -a [o'paku, -a] *adj* opaco, -a

opção <-ões> [op'sãw, -'õjs] *f* opción *f*

Opep [o'pɛpi] *abr de* **Organização dos Países Exportadores de Petróleo** OPEP *f*

ópera ['ɔpera] *f* ópera *f*

operação <-ões> [opera'sãw, -'õjs] *f* operación *f*, huelga *f* de brazos caídos

operador(a) [opera'dor(a)] *m(f)* operador(a) *m(f)*

operar [ope'rar] I. *vi, vt* operar II. *vr:* **~-se** operarse

operário, -a [ope'rariw, -a] *m*, *f* obrero, -a *m, f*

opereta [ope'reta] *f* MÚS opereta *f*

opinar [opi'nar] *vi* opinar; ~ **sobre a. c.** opinar sobre algo

ópio ['ɔpiw] *m sem pl* opio *m*

oponente [opo'nẽjtʃi] I. *mf* oponente *mf* II. *adj* opuesto, -a

opor [o'por] *irr como* **pôr** I. *vt* oponer II. *vr:* ~**-se** oponerse

oportunidade [oportuni'dadʒi] *f* oportunidad *f*

oposto [o'postu] I. *pp de* **opor** II. *m* o ~ lo opuesto, los extremos se tocan III. *adj* opuesto, -a

oprimir [opri'mir] <*pp:* **opresso** *ou* **oprimido**> *vt* oprimir

optar [op'tar] *vi* optar; ~ **por a. c.** optar por algo

óptica ['ɔtʃika] *f* óptica *f*

ora ['ɔra] I. *adv* ahora; **por** ~ por ahora; ~**...,** ~**...** ora..., ora... II. *conj* ahora bien

oração <-ões> [ora'sãw, -'õjs] *f* oración *f*

oral <-ais> [o'raw, -'ajs] *adj, f* oral *m*

orangotango [orãŋgu'tãŋgu] *m* orangután *m*

oratória [ora'tɔria] *f* oratoria *f*

órbita ['ɔrbita] *f* órbita *f*

orçamento [orsa'mẽjtu] *m* presupuesto *m*

orçar [or'sar] <ç→c> *vt* presupuestar

ordem ['ɔrdẽj] <-ens> *f* orden *f*; **sempre às ordens!** ¡a sus órdenes!

ordenado [orde'nadu] *m* salario *m*

ordenado, -a [orde'nadu, -a] *adj* ordenado, -a

ordenhar [ordẽ'nar] *vt* ordeñar

ordens ['ɔrdẽjs] *f pl de* **ordem**

ordinário, -a [ordʒi'nariw, -a] *adj* ordinario, -a

orégano [o'rɛganu] *m sem pl* orégano *m*

orelha [o'reʎa] *f* oreja *f*

orelhão <-ões> [ore'ʎãw, -'õjs] *m* cabina *f* (telefónica)

orfanato [orfa'natu] *m* orfanato *m*

órfão, órfã ['ɔrfãw, -'ã] <-ãos> *m, f* huérfano, -a *m, f*

orgânico, -a [or'gãniku, -a] *adj* orgánico, -a

organização <-ões> [organiza'sãw, -'õjs] *f* organización *f*

organizado, -a [organi'zadu, -a] *adj* organizado, -a

organizar [organi'zar] *vt* organizar

órgão <-s> ['ɔrgãw] *m* órgano *m*

orgasmo [or'gazmu] *m* orgasmo *m*

orgia [or'ʒia] *f* orgía *f*

orgulhar [orgu'ʎar] I. *vt* enorgullecer II. *vr:* ~**-se** enorgullecerse

orgulho [or'guʎu] *m sem pl* orgullo *m*

orgulhoso, -a [orgu'ʎozu, -'ɔza] *adj* orgulloso, -a

orientar [oriẽj'tar] I. *vt* orientar II. *vr:* ~**-se** orientarse

original <-ais> [oriʒi'naw, -'ajs] *adj, m* original *m*

originar [oriʒi'nar] I. *vt* originar II. *vr:* ~**-se** originarse

orla ['ɔrla] *f* franja *f*; ~ **marítima** orilla *f*

ornamento [orna'mẽjtu] *m* ornamento *m*

orquestra [or'kɛstra] *f* orquesta *f*

orquídea [or'kidʒia] *f* orquídea *f*

ortografia [ortogra'fia] *f* ortografía *f*

ortopedista [ortope'dʒista] *mf* orto-

pedista *mf*
orvalho [or'vaʎu] *m* rocío *m*
os, as [us, as] I. *art mf pl* los *mpl*, las *fpl* II. *pron pess pl* os, les *AmL*
oscilação <-ões> [osila'sãw, -'õjs] *f* oscilación *f*
osso ['osu] *m* hueso *m*
ostensivo, -a [ostẽj'sivu, -a] *adj* ostensivo, -a
ostentar [ostẽj'tar] *vt* ostentar
ostra ['ostra] *f* ZOOL ostra *f*
OTAN [o'tã] *f abr de* **Organização do Tratado do Atlântico Norte** OTAN *f*
ótico, -a ['ɔtʃiku, -a] *adj* óptico, -a
otimismo [otʃi'mizmu] *m* optimismo *m*
ótimo, -a ['ɔtʃimu, -a] *adj superl de* **bom** óptimo, -a
otorrinolaringologista [otoxinolaɾĩgolo'ʒista] *mf* otorrinolaringólogo, -a *m, f*
ou [o] *conj* o; ~... ~... o... o...; ~ **seja** o sea
ouriço [ow'risu] *m* erizo *m*
ouriço-do-mar [ow'risu-du-'mar] <ouriços-do-mar> *m* erizo *m* de mar
ouro ['oru] *m* oro *m*
ousar [ow'zar] *vt* osar
outdoor [awtʃi'dɔr] *m* valla *f* publicitaria
outono [ow'tonu] *m* otoño *m*
outrem ['owtrẽj] <-ens> *pron indef* otro(s) (*pl*)
outro, -a ['otru, -a] I. *pron indef* otro, -a; **o** ~ el otro; **um** ~ otro; **a outra** la otra; **uma outra** otra; **um ao** ~ uno a otro II. *adj* otro, -a; (**no**) ~ **dia** el otro día

outrossim [owtro'sĩj] *adv* igualmente
outubro [ow'tubru] *m* octubre *m*; *v. tb.* **março**
ouvido [o'vidu] *m* oído *m*; **ser todo** ~**s** ser todo oídos
ouvir [o'vir] *irr vt* oír, escuchar
ova ['ɔva] *f* hueva *f*
ovação <-ões> [ova'sãw, -'õjs] *f* ovación *f*
oval <-ais> [o'vaw, -'ajs] *adj* oval
ovário [o'variw] *m* ovario *m*
ovelha [o'veʎa] *f* oveja *f*
óvni ['ɔvini] *f abr de* **objeto voador não identificado** ovni *m*
ovo ['ovu] *m* huevo *m*; ~ **cozido** huevo duro; ~ **frito** huevo frito; ~**s mexidos** huevos revueltos
oxidar [oksi'dar] I. *vt* oxidar II. *vi* oxidarse
oxigênio [ɔksi'ʒeniw] *m sem pl* oxígeno *m*
ozônio [o'zoniw] *m sem pl* ozono *m*

P

P, p ['pe] *m* P, p *f*
p. ['paʒina] *abr de* **página** p.
pá ['pa] *f* pala *f*; ~ **do lixo** recogedor *m*
paca ['paka] *f* ZOOL paca *f*
pacato, -a [pa'katu, -a] *adj* (*pessoa*) pacato, -a; (*lugar*) apático, -a
paciência [pasi'ẽjsia] *f* paciencia *f*
paciente [pasi'ẽjtʃi] *adj, mf* paciente *mf*

pacífico, -a [pa'sifiku, -a] *adj* pacífico, -a

pacifista [pasi'fista] *adj, mf* pacifista *mf*

pacote [pa'kɔtʃi] *m* paquete *m*; *(de leite)* tetrabrik *m*

pacto ['paktu] *m* pacto *m*

padaria [pada'ria] *f* panadería *f*

padeça [pa'desa] *1., 3. pres subj de* **padecer**

padecer [pade'ser] <c→ç> *vi, vt* padecer

padeço [pa'desu] *1. pres de* **padecer**

padeiro, -a [pa'dejru, -a] *m, f* panadero, -a *m, f*

padrão <-ões> [pa'drãw, -'õjs] *m (de medida)* patrón *m*

padrasto [pa'drastu] *m* padrastro *m*

padre ['padri] *m* sacerdote *m*

padrinho [pa'drĩɲu] *m* padrino *m*

padrões [pa'drõjs] *m pl de* **padrão**

padronização <-ões> [padroniza'sãw, -'õjs] *f* estandarización *f*

padronizar [padroni'zar] *vt* estandarizar

paelha [pa'eʎa] *f* GASTR paella *f*

pães ['pãjs] *m pl de* **pão**

pãezinhos [pãj'zĩɲus] *m pl de* **pãozinho**

pagamento [paga'mẽjtu] *m* pago *m*

pagão, pagã <pagãos> [pa'gãw, -'ã, -'õjs] *adj, m, f* pagano, -a *m, f*

pagar [pa'gar] <*pp:* pago *ou* pagado; g→gu> *vi, vt* pagar; ~ **no cartão de crédito** pagar con tarjeta de crédito

pager ['pejʒer] *m* busca *m*

página [pa'ʒina] *f* página *f*; ~**s amarelas** páginas amarillas

pago, -a ['pagu, -a] **I.** *pp de* **pagar II.** *adj* pagado, -a

pai ['paj] *m* padre *m*; *(como tratamento)* papá *m*

painel <-éis> [paj'nɛw, -'ɛjs] *m* panel *m*; *(arte)* cuadro *m*

pai-nosso ['paj-'nɔsu] <pais-nossos> *m* REL padrenuestro *m*

paio [paju] *m tipo de chorizo*

paiol <-óis> [paj'ɔw, -'ɔjs] *m* polvorín *m*

pais ['pajs] *mpl* padres *mpl*

país [pa'is] *m* país *m*

paisagem [paj'zaʒẽj] <-ens> *f* paisaje *m*

Países Baixos [pa'iziz 'bajʃus] *mpl* Países *mpl* Bajos

paixão <-ões> [paj'ʃãw, -'õjs] *f* pasión *f*

pajem ['paʒẽj] *f reg (babá)* niñera *f*

palácio [pa'lasiw] *m* palacio *m*

paladar [pala'dar] <-es> *m* paladar *m*

palavra [pa'lavra] *f* palabra *f*

palavrão <-ões> [pala'vrãw, -'õjs] *m* **1.** *(calão)* palabrota *f* **2.** *(palavra difícil)* palabreja *f*

palavreado [palavri'adu] *m* palabrería *f*

palavrões [pala'vrõjs] *m pl de* **palavrão**

palco ['pawku] *m* escenario *m*

palerma [pa'lɛrma] *adj, mf* imbécil *mf*

Palestina [pales'tʃina] *f* Palestina *f*

palestino, -a [pales'tʃino, -a] *adj, m, f* palestino, -a *m, f*

palestra [pa'lɛstra] *f* conferencia *f*

paleta [pa'leta] *f (para tinta)* paleta *f*

paletó [pale'tɔ] *m* chaqueta *f*
palha ['paʎa] *f* paja *f*
palhaço, -a [pa'ʎasu, -a] *m, f tb. inf* payaso, -a *m, f*
palheiro [pa'ʎejru] *m* pajar *m*
paliativo, -a [paʎja'tʃivu, -a] *adj* paliativo, -a
pálido, -a ['paʎidu, -a] *adj* pálido, -a
palito [pa'ʎitu] *m* palillo *m*
palmada [paw'mada] *f* azote *m*
palmas ['pawmas] *fpl* palmas *fpl*; **bater ~ para alguém/a. c.** aplaudir a alguien/algo
Palmas ['pawmas] Palmas
palmatória [pawma'tɔrja] *f* palmeta *f*; **dar a mão à ~** *inf* darse por vencido
palmeira [paw'mejra] *f* palmera *f*
palmilha [paw'miʎa] *f* plantilla *f*
palmito [paw'mitu] *m* palmito *m*
palmtop [pawmi'tɔpi] *m* asistente *m* personal
palpável <-eis> [pal'pavew, -ejs] *adj* palpable
pálpebra ['pawpebra] *f* párpado *m*
palpitação <-ões> [pawpita'sãw, -'õjs] *f* palpitación *f*
palpitar [pawpi'tar] **I.** *vt* (*opinião*) opinar **II.** *vi* (*coração*) palpitar
palpite [paw'pitʃi] *m* corazonada *f*
pampa ['pãpa] *m* ou *f* GEO pampa *f*
Panamá [pɜna'ma] *m* Panamá *m*
panamenho, -a [pɜna'mẽɲu, -a] *adj, m, f* panameño, -a *m, f*
pança ['pãsa] *f* panza *f*
pancada [pɜŋ'kada] *f* golpe *m*; **uma ~ de chuva** *inf* un chaparrón
pâncreas ['pãkreas] *m inv* páncreas *m inv*

panda ['pãda] *m* panda *m*
pandeiro [pɜŋ'dejru] *m* pandero *m*
pane ['pɜni] *f* AUTO, AERO avería *f*
panela [pɜ'nɛla] *f* olla *f*, cacerola *f*
panfleto [pɜŋ'fletu] *m* panfleto *m*
pânico ['pɜniku] *m* pánico *m*
pano ['pɜnu] *m* **1.** (*tecido*) paño *m* **2.** (*trapo*) trapo *m*; **~ de pó** trapo del polvo
panorama [pɜno'rɜma] *m* panorama *m*
panqueca [pɜŋ'kɛka] *f* GASTR crepe *m* o *f*, crepa *f Méx*, panqueque *m RíoPl*
pantanal <-ais> [pɜ̃ta'naw, -'ajs] *m* pantanal *m*
pântano ['pɜ̃tɜnu] *m* pantano *m*
pantera [pɜ̃'tɛra] *f* ZOOL pantera *f*
pantomima [pɜ̃to'mima] *f* pantomima *f*
pantufa [pɜ̃'tufa] *f* pantufla *f*
pão <pães> ['pɜ̃w, 'pɜ̃js] *m* pan *m*; **~ de queijo** panecillo que se come como aperitivo

Cultura El **pão de queijo** es un panecillo cuya masa se prepara con **polvilho** (harina muy fina, obtenida de la **mandioca**), queso rallado, aceite, leche y huevos, y que se puede comer sin nada o con algún relleno (dulce de leche, **goiabada**, embutidos, queso, etc.). Se vende en panaderías, cafeterías, bares y supermercados.

pão-de-ló <pães-de-ló> ['pɜ̃w-de-'lɔ, 'pɜ̃js-] *m* GASTR bizcocho *m*
pão-duro <pães-duros> [pɜ̃w'duru, 'pɜ̃js-] *adj, mf inf* rácano, -a *m, f*

pãozinho <pãezinhos> [pãw'zĩɲu, pãj'zĩɲus] *m* panecillo *m*
papa¹ ['papa] *m* REL papa *m*
papa² ['papa] *f inf (para bebê)* papilla *f*
papagaio [papa'gaju] *m* 1. ZOOL papagayo *m* 2. *(de papel)* cometa *f*, volantín *m Chile*, papalote *m Méx*, barrilete *m RíoPl*
papai [pa'paj] *m* papá *m*
paparicar [papari'kar] <c→qu> *vt* mimar
paparico [papa'riku] *m* mimo *m*
papel <-éis> [pa'pɛw, -'ɛjs] *m* 1. papel *m* 2. TEAT, CINE papel *m* 3. *pl (documentos)* papeles *mpl*
papelão [pape'lãw] *m* cartón *m*
papelaria [papela'ria] *f* papelería *f*
papel-moeda <papéis-moeda(s)> [pa'pɛw-mu'ɛda, -ɛjs-] *m* papel *m* moneda
papo ['papu] *m* 1. *(de ave)* buche *m* 2. *inf (de pessoa)* barriga *f*; **ficar de ~ para o ar** quedarse sin hacer nada 3. *inf (conversa)* charla *f*; **~ furado** cuento *m* chino
papoula [pa'powla] *f* amapola *f*
páprica ['paprika] *f* pimentón *m*
papudo, -a [pa'pudu, -a] *adj (bravateador)* fanfarrón, -ona
paquerar [pake'rar] *gíria* I. *vt* intentar ligar con II. *vi* intentar ligar
paquistanês, -esa [pakista'nes, -'eza] *adj, m, f* pakistaní *m*, paquistaní *mf*
Paquistão [pakis'tãw] *m* Pakistán *m*, Paquistán *m*
par ['par] I. *m* 1. *(dois)* par *m* 2. *(de dança)* pareja *f* 3. ECON **ao ~** a la par II. *adj (número)* par

para [pra] *prep* 1. *(direção)* hacia a; **~ baixo** hacia abajo; **~ cima** hacia arriba 2. *(finalidade)* para; **~ quê?** ¿para qué? 3. *(a fim de)* para; **~ que** +*subj* para que +*subj*; **~ sempre** para siempre 4. *(sentimento, atitude)* **~ com** para con 5. *(proporcionalidade)* a; **à escala de 10 ~ 1** a una escala de 10 a 1
Pará [pa'ra] *m* Pará
parabéns [para'bẽjs] *mpl* felicidades *fpl*; (**meus**) **~!** ¡felicidades!
pára-brisa [para-'briza] *m* parabrisas *m inv*
pára-choque ['para-'ʃɔki] *m* parachoques *m inv*
parada [pa'rada] *f* 1. desfile *m* 2. *inf (situação difícil)* problema *m*; **agüentar a ~** capear el temporal
paradeiro [para'dejru] *m* paradero *m*
parado, -a [pa'radu, -a] *adj* parado, -a
paradoxo [para'dɔksu] *m* paradoja *f*
parafina [para'fina] *f* parafina *f*
parafusar [parafu'zar] *vt* atornillar
parafuso [para'fuzu] *m* tornillo *m*
paragem [pa'raʒẽj] *f* parada *f*
parágrafo [pa'ragrafu] *m* párrafo *m*
Paraguai [para'gwaj] *m* Paraguay *m*
paraguaio, -a [para'gwaju, -a] *adj, m, f* paraguayo, -a *m, f*
Paraíba [para'iba] *f* Paraíba *f*
paraíso [para'izu] *m* paraíso *m*
pára-lama ['para-'lɐma] *m* guardabarros *m inv*
paralelepípedo [paralele'pipedu] *m* adoquín *m*
paralelo, -a [para'lɛlu, -a] *adj, m, f* paralelo, -a *m, f*

paralisar [paraʎi'zar] I. *vt* paralizar II. *vi* paralizarse

paralisia [paraʎi'zia] *f* MED parálisis *f inv*

paralítico, -a [para'ʎitʃiku, -a] *adj*, *m*, *f* paralítico, -a *m*, *f*

paramédico, -a [para'mɛdʒiku, -a] I. *adj* paramédico, -a II. *m*, *f* auxiliar *mf* sanitario, -a

parâmetro [pa'rɜmetru] *m* parámetro *m*

Paraná [parɜ'na] *m* Paraná *m*

paraninfo, -a [para'nĩfu, -a] *m*, *f* padrino *m*, madrina *f*

paranóia [para'nɔja] *f* paranoia *f*

paranóico, -a [para'nɔjku, -a] *adj*, *m*, *f* paranoico, -a *m*, *f*

paraplégico, -a [para'plɛʒiku, -a] *adj*, *m*, *f* parapléjico, -a *m*, *f*

pára-quedas ['para-'kɛdas] *m inv* paracaídas *m inv*

pára-quedista [parake'dʒista] *mf* paracaidista *mf*

parar [pa'rar] *vi*, *vt* parar

pára-raios ['para-'xajus] *m inv* pararrayos *m inv*

parasita [para'zita] *adj*, *mf* parásito, -a *m*, *f*

parceiro, -a [par'sejru, -a] *m*, *f* **1.** compañero, -a *m*, *f* **2.** (*de negócios*) socio, -a *m*, *f*

parcela [par'sɛla] *f* **1.** (*em soma*) sumando *m* **2.** (*dos lucros*) parte *f* **3.** (*de pagamento*) plazo *m*

parcelado, -a [parse'ladu, -a] *adj* a plazos

parcelar [parse'lar] *vt* pagar a plazos

parceria [parse'ria] *f* colaboración *f*; ECON sociedad *f*

parcial <-ais> [parsi'aw, -'ajs] *adj* parcial

pardal <-ais> [par'daw, -'ajs] *m* gorrión *m*

pardo, -a ['pardu, -a] *adj* **1.** (*pessoa*) mulato, -a **2.** (*papel*) de estraza

pareça [pa'resa] *1.*, *3. pres subj de* **parecer²**

parecer¹ [pare'ser] *m* **1.** opinión *f* **2.** (*escrito*) dictamen *m*

parecer² [pare'ser] <c→ç> I. *vi*, *vt* parecer II. *vr:* **~-se** parecerse

parecido, -a [pa're'sidu, -a] *adj* parecido, -a

pareço [pa'resu] *1. pres de* **parecer²**

parede [pa'redʒi] *f* pared *f*

parente [pa'rẽtʃi] *mf* pariente *mf*

parentesco [parẽ'tesku] *m* parentesco *m*

parêntese [pa'rẽtezi] *m* paréntesis *m inv*

páreo ['pariw] *m* carrera *f*

pária ['paria] *m fig* paria *mf*

Paris [pa'ris] *f* París *m*

parisiense [parizi'ẽjsi] *adj*, *mf* parisiense *mf*

parlamento [parla'mẽjtu] *m* parlamento *m*

parmesão, parmesã [parme'zɐ̃w, -'ʒɐ̃] *adj* parmesano, -a

pároco ['paruku] *m* párroco *m*

paródia [pa'rɔdʒia] *f* parodia *f*

parodiar [parodʒi'ar] *vt* parodiar

paróquia [pa'rɔkia] *f* parroquia *f*

par-ou-ímpar [parow'ĩpar] <pares--ou-ímpares> *m* pares *mpl* o nones

parque ['parki] *m* parque *m*
parreira [pa'xejɾa] *f* parral *m*
parte ['paɾtʃi] *f* parte *f*; **dar ~ de alguém (à polícia)** denunciar a alguien (a la policía)
parteira [paɾ'tejɾa] *f* partera *f*
participação <-ões> [paɾtʃisipa'sãw, -'õjs] *f* participación *f*
participante [paɾtʃisi'pãntʃi] *mf* participante *m*
participar [paɾtʃisi'paɾ] I. *vt* participar, notificar; **(à polícia)** denunciar II. *vi* participar; ~ **(com alguém) de** [*ou* **em**] **a. c.** participar (con alguien) en algo
particípio [paɾtʃi'sipiw] *m* LING participio *m*
partícula [paɾ'tʃikula] *f* partícula *f*
particular [paɾtʃiku'laɾ] *adj, mf* particular *mf*
particulares [paɾtʃiku'laɾis] *mpl* pormenores *mpl*
particularmente [paɾtʃikulaɾ'mẽjtʃi] *adv* particularmente
partida [paɾ'tʃida] *f* 1. *(viagem)* partida *f*; *(de avião, de trem)* salida *f* 2. ESPORT *(largada)* salida *f*
partidário, -a [paɔtʃi'daɾiw, -a] *adj, m, f* partidario, -a *m, f*
partido [paɾ'tʃidu] *m* partido *m*
partido, -a [paɾ'tʃidu, -a] I. *pp de* **partir** II. *adj* partido, -a
partidões [paɾtʃi'dõjs] *m pl de* **partidão**
partir [paɾ'tʃiɾ] I. *vt* partir II. *vi* 1. partir; *(avião, trem)* salir; **a ~ de...** a partir de... 2. *(quebrar-se)* partirse

parto ['paɾtu] *m* parto *m*
parturiente [paɾtuɾi'ẽjtʃi] *adj, f* parturienta *f*
Páscoa ['paskwa] *f* Pascua *f*
pasmaceira [pazma'sejɾa] *f* apatía *f*
pasmado, -a [paz'madu, -a] *adj* pasmado, -a
pasmar [paz'maɾ] I. *vi* pasmarse II. *vr*: **~-se** pasmarse
pasmo ['pazmu] *m* pasmo *m*
paspalho [pas'paʎu] *m* memo, -a *m, f*
passa ['pasa] *f* pasa *f*
passado [pa'sadu] *m* pasado *m*
passado, -a [pa'sadu, -a] *adj* 1. *(temporal)* pasado, -a 2. GASTR **bem/mal ~** *(carne)* muy/poco hecho
passageiro, -a [pasa'ʒejɾu, -a] *adj, m, f* pasajero, -a *m, f*
passagem [pa'saʒẽj] <-ens> *f* 1. *(travessia)* paso *m* 2. *(bilhete)* billete *m*, pasaje *m AmL* 3. *(em livro)* pasaje *m*
passaporte [pasa'pɔɾtʃi] *m* pasaporte *m*
passar [pa'saɾ] I. *vt* 1. *(geral)* pasar 2. *(exceder)* sobrepasar 3. *(a roupa)* planchar 4. *(um cheque, recibo)* emitir 5. *(música)* ensayar 6. *(mostrar)* ~ **um filme** pasar una película 7. GASTR *(carne)* asar; *(um café)* colar 8. *(enviar)* enviar II. *vi* pasar; *(ser aprovado)* aprobar; **como tem passado?** ¿cómo se siente? III. *vr*: **~-se** pasar

passarela [pasa'ɾɛla] *f* pasarela *f*
pássaro ['pasaɾu] *m* pájaro *m*
passatempo [pasa'tẽjpu] *m* pasatiempo *m*

passe ['pasi] *m* **1.** (*cartão*) billete *m* **2.** (*autorização*) permiso *m* **3.** ESPORT (*jogada*) pase *m*

passear [pasi'ar] *irr vi, vt* pasear

passeata [pasi'ata] *f* marcha *f*

passeio [pa'seju] *m* paseo *m*

passional <-ais> [pasjo'naw, -'ajs] *adj* pasional

passividade [pasivi'dadʒi] *f sem pl* pasividad *f*

passivo, -a [pa'sivu, -a] *adj, m, f* pasivo, -a *m, f*

passo ['pasu] *m* paso *m*

pasta ['pasta] *f* **1.** (*substância*) pasta *f* **2.** (*para documentos*) carpeta *f*

pastar [pas'tar] *vi, vt* pastar

pastel <-éis> [pas'tɛw, -'ɛjs] *m* empanada *f*; (*bolo*) pastel *m*

pastelaria [pastela'ria] *f* pastelería *f*

pasteurizado, -a [pastewri'zadu, -a] *adj* pasteurizado, -a

pastilha [pas'tʃiʎa] *f* pastilla *f*

pasto ['pastu] *m* pasto *m*

pastor [pas'tor] <-es> *m* pastor *m*

pastoral <-ais> [pasto'raw, -'ajs] *adj* pastoral

pata ['pata] *f* pata *f*

patada [pa'tada] *f* patada *f*

patê [pa'te] *m* paté *m*

patente [pa'tẽtʃi] *adj, f* patente *f*

paternal <-ais> [pater'naw, -'ajs] *adj* paternal

paternidade [paterni'dadʒi] *f* paternidad *f*

paterno, -a [pa'tɛrnu] *adj* paterno, -a

patético, -a [pa'tɛtʃiku, -a] *adj* patético, -a

patife [pa'tʃifi] *m* canalla *m*

patim [pa'tʃĩ] <-ins> *m* patín *m*

patinação <-ões> [patʃina'sãw, -'õjs] *f* (*no gelo*) patinaje *m*

patinar [patʃi'nar] *vi* (*com patins*) patinar

patinete [patʃi'nɛtʃi] *m* patinete *m*

patins [pa'tʃĩs] *m pl de* **patim**

pátio ['patʃiw] *m* patio *m*

pato, -a ['patu, -a] *m, f* pato, -a *m, f*

patologia [patolo'ʒia] *f* patología *f*

patológico, -a [pato'lɔʒiku, -a] *adj* patológico, -a

patrão, patroa <-ões> [pa'trãw, -'oa, -'õjs] *m, f* (*chefe*) jefe, -a *m, f*; (*dono da casa*) señor(a) *m(f)*

pátria [pa'tria] *f* patria *f*

patrimônio [patri'moniw] *m* patrimonio *m*

patriotismo [patrio'tʃizmu] *m* patriotismo *m*

patroa [pa'troa] *f v.* **patrão**

patrocinador(a) [patrosina'dor(a)] <-es> *m(f)* patrocinador(a) *m(f)*

patrocinar [patrosi'nar] *vt* patrocinar

patrocínio [patro'siniw] *m* patrocinio *m*

patrões [pa'trõjs] *m pl de* **patrão**

pau ['paw] *m* **1.** (*de madeira*) palo *m* **2.** (*briga*) pelea *f*

patrono, -a [pa'tronu, -a] *m, f* patrón, -ona *m, f*

patrulha [pa'truʎa] *f* patrulla *f*

patrulhar [patru'ʎar] *vi, vt* patrullar

paulada [paw'lada] *f* garrotazo *m*

pausa ['pawza] *f* pausa *f*

pauta ['pawta] *f* **1.** MÚS pentagrama *m* **2.** (*lista*) lista *f*; (*agenda*) orden *m* del día **3.** (*linhas*) pauta *f*

pavão, pavoa <-ões> [pa'vɐ̃w, -'oa, -'õjs] *m, f* pavo *m* real

pavilhão <-ões> [pavi'ʎɐ̃w, -'õjs] *m* pabellón *m*

pavimento [pavi'mẽjtu] *m* pavimento *m*

pavoa [pa'voa] *f v.* **pavão**

pavor [pa'vor] <-es> *m* pavor *m*

pavoroso, -a [pavo'rozu, -'ɔza] *adj* pavoroso, -a

paz ['pas] <-es> *f* paz *f*; **me deixa em ~!** ¡déjame en paz!

PC [pe'se] *m abr de* **personal computer** PC *m*

Pça. ['prasa] *abr de* **praça** Pza.

Pe. ['padri] *abr de* **padre** P.

pé ['pɛ] *m* **1.** (*de pessoa*) pie *m* **2.** (*de planta*) tallo *m* **3.** (*de mobília*) pata *f*

pebolim [pebo'lĩj] <-ins> *m* futbolín *m*

peça¹ ['pɛsa] *f* pieza *f*; **~ de roupa** prenda *f*

peça² ['pɛsa] *1., 3. pres subj de* **pedir**

pecado [pe'kadu] *m* pecado *m*

pecar [pe'kar] <c→qu> *vi* pecar

pechincha [pi'ʃĩʃa] *f* ganga *f*

peço ['pɛsu] *1. pres de* **pedir**

peçonhento, -a [pesõ'ɲẽjtu -a] *adj* venenoso, -a

pecuária [peku'aria] *f* ganadería *f*

peculiar [pekuʎi'ar] <-es> *adj* peculiar

pedaço [pe'dasu] *m* (*parte*) pedazo *m*

pedágio [pe'daʒiw] *m* peaje *m*

pedal <-ais> [pe'daw, -'ajs] *m* pedal *m*

pedante [pe'dɐ̃tʃi] *adj, mf* pedante *mf*

pedalar [peda'lar] *vi* pedalear

pé-de-chinelo ['pɛ-dʒi-ʃi'nɛlu] <pés--de-chinelo> *m inf* pobre *m*

pé-de-galinha ['pɛ-dʒi-ga'ʎĩɲa] <pés--de-galinha> *m* (*rugas*) pata *f* de gallo

pé-de-meia ['pɛ-dʒi-'meja] <pés--de-meia> *m* ahorros *mpl*

pedestre [pe'dɛstri] *mf* peatón, -ona *m, f*

pediatra [pedʒi'atra] *mf* pediatra *mf*

pediatria [pedʒja'tria] *f sem pl* pediatría *f*

pedicuro, -a [pedʒi'kuru, -a] *m, f* pedicuro, -a *m, f*, callista *mf*

pedido [pi'dʒidu] *m* **1.** (*informal*) petición *m;* (*apelo*) llamamiento *m* **2.** (*encomenda*) pedido *m*

pedido, -a [pi'dʒidu, -a] **I.** *pp de* **pedir II.** *adj* pedido, -a

pedigree [pedʒi'gri] *m* ZOOL pedigrí *m*

pedinte [pi'dʒĩtʃi] *mf* mendigo, -a *m, f*

pedir [pi'dʒir] *irr vi, vt* pedir

pedra ['pɛdra] *f* **1.** piedra *f* **2.** (*de gelo*) cubito *m* **3.** (*de jogo*) pieza *f*

pedrada [pe'drada] *f* pedrada *f*

pedra-sabão <pedras-sabões, pedras-sabão> ['pɛdra-sa'bɐ̃w, -'õjs] *f* esteatita *f*

pedreiro [pe'drejru] *m* albañil *m*

pegada [pe'gada] *f* pisada *f*

pegado, -a [pe'gadu, -a] *adj* pegado, -a

pegajoso, -a [pega'ʒozu, -'ɔza] *adj* pegajoso, -a

pegar [pe'gar] <g→gu> **I.** *vt* **1.** (*objetos*) coger, agarrar *AmL* **2.** (*o avião*) coger, tomar *AmL*

pego 195 **penitenciário**

3. (*surpreender*) coger, pescar *AmL* **4.** (*apanhar*) recoger **II.** *vi* ~ **em** coger, agarrar *AmL*; ~ **no sono** caer dormido **III.** *vr*: ~-**se** *1.* (*doença*) contagiarse *2.* (*pessoas*) pegarse
pego, -a ['pɛgu, -a] *pp irr de* **pegar**
pegue ['pɛgi] *1., 3. pres subj de* **pegar**
peguei [pe'gei] *1. pret perf de* **pegar**
peidar [pej'dar] *vi chulo* tirarse pedos
peido ['pejdu] *m chulo* pedo *m*
peito ['pejtu] *m* **1.** ANAT pecho *m*; ~ **de galinha** pechuga *f*; ~ **do pé** empeine *m* **2.** *fig* (*coragem*) valor *m*
peixada [pej'ʃada] *f* GASTR pescado *m* cocido
peixaria [pejʃa'ria] *f* pescadería *f*
peixe ['pejʃi] *m* pez *m*
peixe-boi ['peʃi-'boj] <peixes--boi(s)> *m* manatí *m*
peixe-espada ['peʃis'pada] <peixes--espada(s)> *m* pez *m* espada
Peixes ['pejʃis] *mpl* Piscis *m inv*; **ser (de)** ~ ser Piscis
pejorativo, -a [peʒora'tʃivu, -a] *adj* peyorativo, -a
pela ['pela] = **por + a** *v.* **por**
pelado, -a [pe'ladu, -a] *adj* pelado, -a
pelar [pe'lar] **I.** *vt* pelar **II.** *vi* arder
pele ['pɛli] *f* piel *f*
pelicano [peʎi'kanu] *m* pelícano *m*
película [pe'ʎikula] *f* película *f*
pelo ['pelu] = **por + o** *v.* **por**
pêlo ['pelu] *m* (*de pessoa*) vello *m*; (*de animal*) pelo *m*; (*de tecido, de tapete*) pelusa *f*
pelúcia [pe'lusia] *f* peluche *m*
peludo, -a [pe'ludu, -a] *adj* (*pessoa*)

velludo, -a; (*animal*) peludo, -a
pena ['pena] *f* **1.** (*de ave*) pluma *f* **2.** JUR pena *f* **3.** (*piedade*) pena *f*; **eu tenho** |*ou* **sinto**| ~ **dele** me da pena
penal <-ais> [pe'naw, -'ajs] *adj* penal
penalidade [penaʎi'dadʒi] *f* pena *f*
pênalti ['penawtʃi] *m* FUT penalti *m*, penal *m AmL*
penar [pe'nar] *vi* penar
penca ['peŋka] *f* **1.** BOT racimo *m* **2.** (*quantidade*) puñado *m*
pendência [peŋ'dẽjsia] *f* litigio *m*
pendente [peŋ'dẽtʃi] *adj* **1.** (*pendurado*) colgado, -a **2.** (*assunto*) pendiente
pender [peŋ'der] *vi* colgar; ~ **de** colgar de; ~ **para** inclinarse hacia
pêndulo ['peŋdulu] *m* péndulo *m*
pendurar [peŋdu'rar] *vt* colgar
peneira [pe'nejra] *f* **1.** (*objeto*) colador *m* **2.** *fig* (*crivo*) filtro *m*
penetrante [pene'trãtʃi] *adj* penetrante
penetrar [pene'trar] *vi, vt* penetrar
penhor [pɛ'ɲor] *m* empeño *m*
penhorado, -a [peɲo'radu, -a] *adj* empeñado, -a
penhorar [peɲo'rar] *vt* (*Estado, banco*) embargar; (*indivíduo*) empeñar
penicilina [pinisi'ʎina] *f* penicilina *f*
península [pe'nĩsula] *f* península *f*
pênis ['penis] *m inv* pene *m*
penitência [peni'tẽsia] *f* penitencia *f*
penitenciária [penitẽjsi'aria] *f* penitenciaría *f*
penitenciário, -a [penitẽjsi'ariw, -a] **I.** *adj* penitenciario, -a **II.** *m, f* pre-

penoso so, -a *m, f*

penoso, -a [pe'nozu, -'ɔza] *adj* penoso, -a

pensado, -a [pẽj'sadu, -a] *adj* pensado, -a

pensamento [pẽjsa'mẽtu] *m* pensamiento *m*

pensão <-ões> [pẽj'sãw, -'õjs] *f* pensión *f*; ~ **alimentícia** [*ou* **alimentar**] pago *m* de alimentos

pensar [pẽj'sar] *vi, vt* pensar

pensativo, -a [pẽjsa'tʃivu, -a] *adj* pensativo, -a

pênsil ['pẽjsiw] *adj* (*ponte*) colgante

pensionista [pẽjsjo'nista] *mf* pensionista *mf*

pensões [pẽj'sõjs] *f pl de* **pensão**

pente ['pẽjtʃi] *m* peine *m*; ~ **de balas** cargador *m*

penteado, -a [pẽjtʃi'adu, -a] *adj, m, f* peinado, -a *m, f*

pentear [pẽjtʃi'ar] *conj como* **passear I.** *vt* peinar **II.** *vr*: **~-se** peinarse

Pentecostes [pẽjte'kɔsts] *m* Pentecostés *m*

pentelhar [pẽjte'ʎar] *vt chulo* dar el coñazo a

penugem [pe'nuʒẽj] <-ens> *f* pelusa *f*

penúltimo, -a [pe'nuwtʃimu, -a] *adj* penúltimo, -a

penumbra [pe'nũwbra] *f* penumbra *f*

penúria [pi'nuria] *f* penuria *f*

pepino [pi'pinu] *m* pepino *m*

pequeno, -a [pi'kenu, -a] *adj, m, f* pequeño, -a *m, f*, chico, -a *m, f AmL*

pé-quente ['pɛ-'kẽjtʃi] <pés-quentes> *m* suertudo, -a *m, f*

Pequim [pe'kĩj] *f* Pekín *m*

pêra ['pera] *f* pera *f*

peralta [pe'rawta] *mf* diablillo, -a *m, f*

perambular [perãnbu'lar] *vi* deambular

perante [pe'rãntʃi] *prep* **1.** (*diante de*) ante **2.** (*na presença de*) delante de

perca ['perka] *1., 3. pres subj de* **perder**

percalço [per'kawsu] *m* percance *m*

perceber [perse'ber] *vt* **1.** (*entender*) entender **2.** (*distinguir*) darse cuenta de

percentagem [persẽj'taʒẽj] <-ens> *f*, **percentual** <-ais> [persẽjtu'aw, -'ajs] *m* porcentaje *m*

percepção <-ões> [persep'sãw, -'õjs] *f* percepción *f*

perceptível <-eis> [persep'tʃivew, -ejs] *adj* perceptible

perceptivo, -a [persep'tʃivu, -a] *adj* perceptivo, -a

percevejo [perse'veʒu] *m* **1.** (*inseto*) chinche *m* **2.** (*pequeno prego*) chincheta *f*

perco ['perku] *1. pres de* **perder**

percorrer [perko'xer] *vt* recorrer

percurso [per'kursu] *m* recorrido *m*

percussão <-ões> [perku'sãw, -'õjs] *f* percusión *f*

percussionista [perkusjo'nista] *mf* percusionista *mf*

percussões [perku'sõjs] *f pl de* **percussão**

perda ['perda] *f* pérdida *f*

perdão <-ões> [per'dãw, -'õjs] *m* perdón *m*

perdedor(a) [perde'dor(a)] <-es> m(f) perdedor(a) m(f)
perder [per'der] irr I. vi, vt perder II. vr: ~-se perderse
perdição <-ões> [perdʒi'sɐ̃w, -'õjs] f perdición f
perdido, -a [per'dʒidu, -a] adj perdido, -a
perdigão <-ões> [perdʒi'gɐ̃w, -'õjs] m ZOOL perdigón m
perdiz [per'dʒis] <-es> f perdiz f
perdoar [perdu'ar] <1. pess pres: perdôo> vi, vt perdonar
perdoável <-eis> [perdu'avew, -ejs] adj perdonable
perdões [per'dõjs] m pl de **perdão**
perdurar [perdu'rar] vi perdurar
pereça [pe'resa] 1., 3. pres subj de **perecer**
perecer [pere'ser] <c→ç> vi perecer
perecível <-eis> [pere'sivew, -ejs] adj perecedero, -a
pereço [pe'resu] 1. pres de **perecer**
peregrinação <-ões> [peregrina'sɐ̃w, -'õjs] f peregrinación f
peregrino, -a [pere'grinu, -a] m, f peregrino m
pereira [pe'rejra] f peral m
perene [pe'reni] adj perenne
perfazer [perfa'zer] irr como fazer vt (uma quantia) alcanzar
perfeição <-ões> [perfej'sɐ̃w, -'õjs] f perfección f
perfeitamente [perfejta'mẽjtʃi] I. adv perfectamente II. interj claro que sí
perfeito, -a [per'fejtu, -a] I. pp de **perfazer** II. adj perfecto, -a
perfil <-is> [per'fiw, -'is] m perfil m

perfilar [perfi'lar] I. vt trazar el perfil de II. vr: ~-se alinearse
perfis [per'fis] m pl de **perfil**
perfumado, -a [perfu'madu, -a] adj perfumado, -a
perfumar [perfu'mar] I. vt perfumar II. vr: ~-se perfumarse
perfumaria [perfuma'ria] f perfumería f
perfume [per'fumi] m perfume m
perfurar [perfu'rar] vt perforar
pergunta [per'gũwta] f pregunta f
perguntar [pergũw'tar] I. vi, vt preguntar II. vr: ~-se preguntarse
periferia [perife'ria] f periferia f
periférico, -a [peri'fɛriku, -a] adj periférico, -a
perigo [pi'rigu] m peligro m
perigoso, -a [piri'gozu, -'ɔza] adj peligroso, -a
perímetro [pe'rimetru] m perímetro m; ~ **urbano** perímetro urbano
período [pe'riwdu] m tb. LING periodo m, período m
perito, -a [pe'ritu, -a] m, f perito, -a m, f
permaneça [permɜ'nesa] 1., 3. pres subj de **permanecer**
permanecer [permɜne'ser] <c→ç> vi permanecer
permaneço [permɜ'nesu] 1. pres de **permanecer**
permanência [permɜ'nẽjsia] f permanencia f
permanente [permɜ'nẽjtʃi] I. f 1. (documento) pase m 2. (nos cabelos) permanente f II. adj permanente

permissão <-ões> [permi'sãw, -'õjs] *f* permiso *m*

permissível <-eis> [permi'sivew, -ejs] *adj* permisible

permissivo, -a [permi'sivu, -a] *adj* permisivo, -a

permissões [permi'sõjs] *f pl de* **permissão**

permitir [permi'tʃir] **I.** *vt* permitir **II.** *vr:* ~-**se** permitirse

permuta [per'muta] *f* intercambio *m*

perna ['pɛrna] *f* (*de pessoa*) pierna *f*; (*de mesa*) pata *f*

perna-de-pau ['pɛrna-dʒi-'paw] <pernas-de-pau> *mf pej* **1.** (*perneta*) cojo, -a *m, f* **2.** FUT (*no futebol*) maleta *mf*

Pernambuco [pernãn'buku] Pernambuco

pernil <-is> [per'niw, -'is] *m* pernil *m*

pernilongo [perni'lõwgu] *m* **1.** (*ave*) cigüeñuela *f* **2.** (*mosquito*) mosquito *m*, zancudo *m* AmL

pernis [per'nis] *m pl de* **pernil**

pernoitar [pernoj'tar] *vi* pernoctar

pérola ['pɛrula] *f* perla *f*

perpendicular [perpẽndʒiku'lar] *adj, f* perpendicular *f*

perpetuar [perpetu'ar] **I.** *vt* perpetuar **II.** *vr:* ~-**se** perpetuarse

perpétuo, -a [per'pɛtuu, -a] *adj* perpetuo, -a

perplexo, -a [per'plɛksu, -a] *adj* perplejo, -a

persa ['pɛrsa] *adj, mf* persa *mf*

perseguição <-ões> [persegi'sãw, -'õjs] *f* persecución *f*

perseguir [perse'gir] *irr como* **seguir** *vt* perseguir

perseverança [perseve'rãnsa] *f* perseverancia *f*

perseverante [perseve'rãntʃi] *adj* perseverante

perseverar [perseve'rar] *vt* perseverar

Pérsia ['pɛrsia] *f* Persia *f*

persiana [persi'ɜna] *f* persiana *f*

pérsico ['pɛrsiku] *adj* pérsico, -a

persiga [per'siga] *1., 3. pres subj de* **perseguir**

persigo [per'sigu] *1. pres de* **perseguir**

persistente [persis'tẽjtʃi] *adj* persistente

persistir [persis'tʃir] *vi* persistir

personagem [perso'naʒẽj] <-ens> *m ou f* personaje *m*

personalidade [personaʎi'dadʒi] *f* personalidad *f*

personalizar [personaʎi'zar] *vt* personalizar

perspectiva [perspek'tʃiva] *f* perspectiva *f*

perspicácia [perspi'kasia] *f* perspicacia *f*

perspicaz [perspi'kas] <-es> *adj* perspicaz

persuadir [persua'dʒir] **I.** *vt* persuadir **II.** *vr:* ~-**se** persuadirse

persuasivo, -a [persua'zivu, -a] *adj* persuasivo, -a

pertencente [pertẽj'sẽjtʃi] *adj* perteneciente

pertencer [pertẽj'ser] <c→ç> *vi* pertenecer

pertinente [pertʃi'nẽjtʃi] *adj* pertinente

perto ['pɛrtu] *adv* cerca; ~ **de** cerca de; **de** ~ de cerca

perto, -a ['pɛrtu, -a] *adj* cercano, -a

perturbado, -a [pertur'badu, -a] *adj* perturbado, -a

perturbar [pertur'bar] I. *vt* perturbar II. *vr*: **~-se** alterarse

peru(a) [pi'ru(a)] *m(f)* pavo, -a *m, f*

Peru [pe'ru] *m* Perú

perua [pi'rua] *f* microbús *m*

peruano, -a [piru'ɜnu, -a] *adj, m, f* peruano, -a *m, f*

peruca [pi'ruka] *f* peluca *f*

perverso, -a [per'vɛrsu, -a] *adj* perverso, -a

perverter [perver'ter] *vt* pervertir

pervertido, -a [perver'tʃidu, -a] *adj, m, f* pervertido, -a *m, f*

pesadelo [peza'delu] *m* pesadilla *f*

pesado, -a [pe'zadu, -a] *adj* pesado, -a

pêsames ['pezɜmis] *mpl* pésame *m*

pesar¹ [pe'zar] *m* <-es> pesar *m*

pesar² [pe'zar] *vi, vt* pesar

pesca ['pɛska] *f* pesca *f*

pescada [pes'kada] *f* pescadilla *f*

pescado [pes'kadu] *m* pescado *m*

pescador(a) [peska'dor(a)] <-es> *m(f)* pescador(a) *m(f)*

pescar [pes'kar] <c→qu> *vi, vt* pescar

pescaria [peska'ria] *f* pesca *f*

pescoço [pes'kosu] *m* cuello *m*

peso ['pezu] *m* peso *m*

pesquisa [pes'kiza] *f* investigación *f*

pesquisar [peski'zar] *vt* investigar

pêssego ['pesegu] *m* melocotón *m*, durazno *m AmL*

pessimista [pesi'mista] *adj, mf* pesimista *mf*

péssimo, -a ['pɛsimu, -a] *superl de* **mau**

pessoa [pe'sowa] *f* persona *f*

pessoal [pesu'aw] <-ais> *adj, m* personal *m*

pestana [pes'tɜna] *f* pestaña *f*

pestanejar [pestane'ʒar] *vi* pestañear

peste ['pɛstʃi] *f* peste *f*

pesticida [pestʃi'sida] *m* pesticida *m*

pétala ['pɛtala] *f* pétalo *m*

petição <-ões> [petʃi'sɜ̃w, -'õjs] *f (pedido, documento)* petición *f*

petisco [pe'tisku] *m* aperitivo *m*

petroleiro [petro'lejru] *m* NÁUT petrolero *m*

p. ex. [pore'zẽjplu] *abr de* **por exemplo** p. ej.

pia [pia] *f* pila *f*

piada [pi'ada] *f* chiste *m*

pianista [pia'nista] *mf* pianista *mf*

Piauí [piaw'i] *m* Piauí *m*

picada [pi'kada] *f (de inseto)* picadura *f*

picante [pi'kɜ̃tʃi] *adj* picante

pica-pau ['pika-'paw] *m* pájaro *m* carpintero

picar [pi'kar] <c→qu> I. *vi, vt* picar II. *vr*: **~-se** pincharse

picareta [pika'reta] *mf inf* sinvergüenza *mf*

pichação <-ões> [piʃa'sɜ̃w, -'õjs] *f* 1. pintada *f* 2. *(crítica)* crítica *f*

pichar [pi'ʃar] *vt* hacer una pintada en; *inf* poner a parir

pico ['piku] *m* pico *m*

picolé [piko'lɛ] *m* polo *m*

picotar [piko'tar] *vt* perforar

piedade [pie'dadʒi] *f sem pl* piedad *f*
piedoso, -a [pie'dozu, -'ɔza] *adj* piadoso, -a
píer ['pier] <-es> *m* muelle *m*
piercing [pir'sĩj] *m* piercing *m*
pigmento [pig'mẽjtu] *m* pigmento *m*
pijama [pi'ʒama] *m* pijama *m*
pilantra [pi'lãntra] *mf inf* granuja *mf*
pilão <-ões> [pi'lãw, -'õjs] *m* mortero *m*
pilar [pi'lar] <-es> *m* ARQUIT pilar *m*
pileque [pi'lɛki] *m inf* colocón *m;* **estar de ~** ir cocido
pilha ['piʎa] *f* pila *f*
pilhar [pi'ʎar] *vt* saquear
pilões [pi'lõjs] *m pl de* **pilão**
pilotar [pilo'tar] *vt* pilotar
piloto [pi'lotu] I. *mf* piloto *mf* II. *adj inv* piloto
pílula ['pilula] *f* píldora *f*
pimenta [pi'mẽjta] *f* 1. *(fruto)* guindilla *f*, ají *m RíoPl* 2. *(condimento)* picante *m*
pimentão <-ões> [pimẽj'tãw, -'õjs] *m* pimiento *m*
pimentões [pimẽj'tõjs] *m pl de* **pimentão**
pinça ['pĩsa] *f* pinzas *fpl*
pinga ['pĩga] *f inf (cachaça)* aguardiente *m* de caña
pingar [pĩ'gar] <g→gu> I. *vt* salpicar II. *vi* gotear
pingo ['pĩgu] *m* gota *f; (porção ínfima)* pizca *f*
pingue ['pĩgi] *1., 3. pres subj de* **pingar**
pingue-pongue ['pĩgi-'põwgi] *m* ping-pong *m*

pinhão <-ões> [pi'ɲãw, -'õjs] *m fruto de la araucaria*
pinheiro [pi'ɲejru] *m* pino *m*
pinhões [pi'ɲõjs] *m pl de* **pinhão**
pinta ['pĩjta] *f* pinta *f*
pintado, -a [pĩj'tadu, -a] *adj* pintado, -a
pintar [pĩj'tar] I. *vi, vt* pintar II. *vr:* **~-se** pintarse
pinto ['pĩjtu] *m* pollito *m*
pintor(a) [pĩj'tor(a)] <-es> *m(f)* pintor(a) *m(f)*
pintura [pĩj'tura] *f* pintura *f*
piolho [pi'oʎu] *m* piojo *m*
pior [pi'ɔr] I. *adj, adv* peor II. *m o* ~ lo peor
piorar [pio'rar] *vi, vt* empeorar
pipa ['pipa] *f* 1. *(vasilha)* barril *m* 2. *(papagaio)* cometa *f,* volantín *m Chile*, papalote *m Méx*, barrilete *m RíoPl*
pipi [pi'pi] *m inf* pipí *m*
pipoca [pi'pɔka] *f* palomitas *fpl*, pochoclo *m Arg*
pique¹ ['piki] *m* 1. *(corte)* pequeño corte *m* 2. *fig* **a ~** verticalmente
pique² ['piki] *1., 3. pres subj de* **picar**
piquenique [piki'niki] *m* picnic *m*
pirâmide [pi'ramidʒi] *f* pirámide *f*
piranha [pi'raɲa] *f* piraña *f*
pirar [pi'rar] *vi inf (enlouquecer)* volverse loco, -a
pirata [pi'rata] I. *mf* pirata *mf* II. *adj inv* pirata *inv*
piratear [piratʃi'ar] *conj como* **passear** *vt* piratear
pires ['piris] *m inv* platillo *m*
Pirineus [piri'news] *mpl* Pirineos *mpl*

pirraça [pi'xasa] f berrinche m

pirralho [pi'xaʎu] m renacuajo m

pirueta [piru'eta] f pirueta f

pirulito [piru'ʎitu] m piruleta f

pisada [pi'zada] f pisada f

pisão <-ões> [pi'zãw, -'õjs] m pisotón m

pisar [pi'zar] vi, vt pisar

pisca-pisca ['piska-'piska] <pisca(s)-piscas> m intermitente m

piscar [pis'kar] vi, vt guiñar

pisciano, -a [pisi'anu, -a] adj, m, f Piscis mf inv; **ser ~** ser Piscis

piscina [pi'sina] f piscina f, pileta f RíoPl

piso ['pizu] m piso m; **~ salarial** ECON salario m mínimo

pisões [pi'zõjs] m pl de **pisão**

pista ['pista] f 1. tb. fig pista f 2. (de rodovia) carril m

pistola [pis'tɔla] f pistola f

pitada [pi'tada] f pizca f

pitoresco, -a [pito'resku, -a] adj pintoresco, -a

pivete [pi'vɛtʃi] m (criança) crío m; inf (menino ladrão) ladronzuelo m

pizza ['pitsa] f pizza f

placa ['plaka] f 1. (bacteriana) placa f 2. (de sinalização) señal f; (de carro) matrícula f 3. INFOR placa f; **~ de memória** tarjeta f de memoria

placa-mãe ['plaka-'mãj] <placas--mãe(s)> f INFOR placa f madre

placar [pla'kar] <-es> m ESPORT marcador m; **~ eleitoral** resultado m electoral

plácido, -a ['plasidu, -a] adj plácido, -a

plagiar [plaʒi'ar] vt plagiar

plágio ['plaʒiw] m plagio m

planador [plana'dor] <-es> m planeador m

planalto [pla'nawtu] m altiplano m

planejamento [planeʒa'mẽtu] m planificación f

planejar [plane'ʒar] vt planear

planeta [pla'neta] m planeta m

planetário, -a [plane'tariw, -a] adj, m, f planetario, -a m, f

planície [pla'nisii] f planicie f

planilha [pla'niʎa] f planilla f

plano ['planu] m plan m

plano, -a ['planu, -a] adj plano, -a

planta ['plãta] f planta f

plantação <-ões> [plãta'sãw, -'õjs] f plantación f

plantado, -a [plã'tadu, -a] I. pp de **plantar** II. adj inf plantado, -a

plantão <-ões> [plã'tãw, -'õjs] m guardia f

plantar [plã'tar] I. vt plantar; (idéias) sembrar II. vr: **~-se** plantarse

plantões [plã'tõjs] m pl de **plantão**

plaqueta [pla'keta] f 1. plaqueta f 2. AUTO pequeña placa en la matrícula como comprobante de haber pagado el permiso de circulación anual

plástica ['plastʃika] f cirugía f plástica

plástico, -a ['plastʃiku, -a] adj, m, f plástico, -a m, f

plataforma [plata'fɔrma] f 1. (de estação) andén m 2. (de edifício) plataforma f 3. POL (de um partido) programa m

platéia [pla'tɛja] f platea f

plausível <-eis> [plaw'zivew, -ejs]

playback [plejˈbɛki] m MÚS play-back m; **cantar com ~** cantar en play-back
plebeu, plebéia [pleˈbew, -ˈɛja] adj, m, f HIST plebeyo, -a m, f
pleitear [plejtʃiˈar] conj como passear vt (requerer) disputar
pleito [ˈplejtu] m pleito m
plenamente [plenaˈmẽjtʃi] adv plenamente
pleno, -a [ˈplenu, -a] adj pleno, -a
plugue [ˈplugi] m enchufe m
plumagem [pluˈmaʒẽj] f plumaje m
plural <-ais> [pluˈraw, -ˈajs] m plural m
Plutão [pluˈtãw] m ASTRON Plutón m
pneu [peˈnew] m neumático m, llanta f AmL, caucho m Col, Ven
pneumonia [penewmoˈnia] f neumonía f
pó [ˈpɔ] m polvo m
pobre [ˈpɔbri] adj, mf pobre mf
pobreza [poˈbreza] f pobreza f
poça [ˈpɔsa] f charco m
poção <-ões> [poˈsãw, -ˈõjs] f poción f
pocilga [poˈsiwga] f pocilga f
poço [ˈposu] m pozo m
poções [poˈsõjs] f pl de **poção**
podar [poˈdar] vt podar
pôde [ˈpodʒi] 3. pret perf de **poder**
poder¹ [poˈder] m poder m
poder² [poˈder] irr vi poder
poderoso, -a [podeˈrozu, -ˈɔza] adj poderoso, -a
podre [ˈpodri] I. adj podrido, -a II. m podredumbre f
podridão <-ões> [podriˈdãw, -ˈõjs] f podredumbre f
poeira [poˈejra] f polvo m
poema [poˈema] m poema m
poente [poˈẽjtʃi] adj, m poniente m
poesia [poeˈzia] f poesía f
poeta, poetisa [poˈɛta, poeˈtʃiza] m, f poeta m, poetisa f
poético, -a [poˈɛtʃiku, -a] adj poético, -a
poetisa [poeˈtʃiza] f v. **poeta**
pois [ˈpojs] I. conj pues; (portanto) por (lo) tanto; **~ não?** ¿dígame? II. adv entonces
polar [poˈlar] <-es> adj polar
polegada [poleˈgada] f pulgada f
polegar [poleˈgar] <-es> m pulgar m
poleiro [poˈlejru] m palo m
polem [ˈpõlẽj] m v. **pólen**
polêmica [poˈlemika] f polémica f
polêmico, -a [poˈlemiku, -a] adj polémico, -a
pólen [ˈpɔlẽj] <polens> m BOT polen m
polenta [poˈlẽjta] f polenta f
polícia¹ [puˈʎisia] f policía f
polícia² [puˈʎisia] mf (membros) policía m f
policial <-ais> [puʎisiˈaw, -ˈajs] adj, mf policía mf
policiar [puʎisiˈar] I. vt vigilar II. vr: **~-se** controlarse
policlínica [pɔʎiˈklinika] f policlínica f
polidez [poʎiˈdes] f gentileza f
polido, -a [poˈʎidu, -a] adj 1. (superfície) pulido, -a 2. (comportamento) gentil
poliéster [poʎiˈɛster] <-es> m poliéster m

oliglota [poʎi'glɔta] *adj, mf* políglota *mf*

olimento [poʎi'mẽjtu] *m* **1.** *(de superfície)* pulimento *m* **2.** *(cortesia)* educación *f*

olinésia [poʎi'nɛzia] *f* Polinesia *f*

oliomielite [pɔʎiwmie'ʎitʃi] *f* MED poliomielitis *f*

olir [pu'ʎir] *irr vt* pulir

olitécnico, -a [poʎi'tɛkniku, -a] *adj* politécnico, -a

olítica [pu'ʎitʃika] *f* política *f*

olítico, -a [po'ʎitʃiku, -a] *adj, m, f* político, -a *m, f*

ólo ['pɔlu] *m* **1.** FÍS, GEO, ESPORT polo *m*; **~ aquático** waterpolo *m* **2.** *(assunto)* extremo *m*

olonês, -esa [polo'nes, -'eza] *adj, m, f* polaco, -a *m, f*

olônia [po'lonia] *f* Polonia *f*

olpa ['powpa] *f* pulpa *f*

oltrona [pow'trona] *f* poltrona *f*; *(em teatro)* butaca *f*; *(em avião)* asiento *m*

oluente [polu'ẽjtʃi] *adj* contaminante

oluição <-ões> [polui'sãw, -'õjs] *f* contaminación *f*

oluir [polu'ir] *conj como* incluir *vt* contaminar

olvilhar [powvi'ʎar] *vt* espolvorear

olvo ['powvu] *m* pulpo *m*

ólvora ['pɔwvura] *f* pólvora *f*

omada [po'mada] *f* pomada *f*

omar [po'mar] <-es> *m* huerto *m*

ombo, -a ['põwbu, -a] *m, f* palomo, -a *m, f*

omposo, -a [põ'pozu, -'ɔza] *adj* pomposo, -a

poncho ['põʃw] *m* poncho *m*

ponderar [põwde'rar] **I.** *vt* ponderar **II.** *vi* **~ sobre a. c.** meditar sobre [*o* en] algo

pônei ['ponej] *m* poni *m*

ponha ['põɲa] *I., 3. pres subj de* pôr

ponho ['põɲu] *I. pres de* pôr

ponta ['põwta] *f* **1.** punta *f*; **~ de cigarro** colilla *f*; **até a ~ dos cabelos** *fig* hasta el cuello **2.** *(pouco)* pizca *f*

ponta-cabeça ['põwta-ka'besa] <pontas-cabeça(s)> *f* **de ~** de cabeza

pontada [põw'tada] *f (dor)* punzada *f*

ponta-direita ['põwta-dʒi'rejta] <pontas-direitas> *mf* FUT extremo, -a *m*, *f* derecho, -a

ponta-esquerda ['põwta-is'kerda] <pontas-esquerdas> *mf* FUT extremo, -a *m*, *f* izquierdo, -a

pontapé [põwta'pɛ] *m* patada *f*, puntapié *m*

pontaria [põwta'ria] *f* puntería *f*

ponte ['põwtʃi] *f* puente *m*

ponteiro [põw'tejru] *m* puntero *m*; **~ do relógio** aguja *f* del reloj

pontiagudo, -a [põtʃia'gudu, -a] *adj* puntiagudo, -a

pontífice [põ'tʃifisi] *m* REL pontífice *m*

pontilhado, -a [põwtʃi'ʎadu, -a] *adj* punteado, -a

ponto ['põwtu] *m* **1.** *(geral)* punto *m*; **entregar os ~s** *gíria* tirar la toalla **2.** *(de ônibus)* parada *f*; **dormir no ~** *inf* despistarse

ponto-e-vírgula ['põwtu-i-'virgula] <ponto(s)-e-vírgulas> *m* punto *m* y coma

pontuação <-ões> [põwtua'sãw, -'õjs] *f* puntuación *f*

pontual <-ais> [põwtu'aw, -'ajs] *adj* puntual

pop ['pɔpi] *m* MÚS pop *m*

popa ['popa] *f* NÁUT popa *f*

população <-ões> [popula'sãw, -'õjs] *f* población *f*

populacional <-ais> [populasjo'naw, -'ajs] *adj* poblacional

populações [popula'sõjs] *f pl de* **população**

popularidade [populari'dadʒi] *f sem pl* popularidad *f*

pôquer ['poker] <-es> *m* póquer *m*

por [pur] *prep* **1.** (*local*) por; ~ **dentro/fora** por dentro/fuera **2.** (*durante*) por; **pelo dia 20 de maio** en torno al día 20 de mayo **3.** (*motivo*) por; ~ **acaso** por casualidad **4.** MAT por; **dividir** ~ **dez** dividir entre diez **5.** (*modo*) por; ~ **escrito** por escrito **6.** (*concessivo*) por; ~ (**mais**) **fácil que pareça** por más fácil que parezca **7.** + *infin* **isso** (**ainda**) **está** ~ **fazer** todavía hay que hacer eso **8.** (*para*) **ter amizade** ~ **alguém** ser amigo de alguien

pôr¹ ['por] *irr* **I.** *vt* **1.** (*geral*) poner **2.** (*roupa*) ponerse **II.** *vr*: ~-**se** ponerse; ~-**se à vontade** ponerse cómodo

pôr² ['por] *m* puesta *f*; **o** ~ **do sol** la puesta del sol

porcalhão, -ona <-ões> [porka'ʎãw, -'ona, -'õjs] *adj, m, f* cochino, -a *m, f*

porção <-ões> [por'sãw, -'õjs] *f* porción *f*

porcaria [porka'ria] *f* porquería *f*

porcelana [porse'lɐna] *f* porcelana *f*

porcentagem [porsẽj'taʒẽj] <-ens> porcentaje *m*

porco, -a ['porku, -a] **I.** *adj* (*pessoa, lugar*) sucio, -a **II.** *m, f* ZOOL cerdo -a *m, f*, chancho, -a *m, f* AmL

porções [por'sõjs] *f pl de* **porção**

pôr-do-sol [por-du-'sɔw] <pôres-do-sol> *m* puesta *f* de sol; **ao** ~ ponerse el sol

porém [po'rẽj] *conj* sin embargo

pormenor [porme'nɔr] <-es> *m* detalle *m*; **em** ~ en detalle

pornografia [pornogra'fia] *f* pornografía *f*

pornográfico, -a [porno'grafiku, -a] *adj* pornográfico, -a

poro ['pɔru] *m* poro *m*

porquanto [por'kwãtu] *conj* dado que

porque [pur'ke] *conj* porque

porquê [pur'ke] *m* porqué *m*

porre ['pɔxi] *m inf* **1.** (*bebedeira*) pedal *m* **2.** (*chato*) rollo *m*

porrete [po'xetʃi] *m* porra *f*

porta ['pɔrta] *f* puerta *f*

porta-aviões ['pɔrta-avi'õjs] *m* portaaviones *m inv*

porta-jóias ['pɔrta-'ʒɔjas] *m inv* joyero *m*

porta-luvas ['pɔrta-'luvas] *m inv* guantera *f*

porta-malas ['pɔrta-'malas] *m inv* (*automóvel*) maletero *m*, cajuela

Méx, maletera *f Col, Méx*, baúl *m RíoPl*

porta-moedas ['pɔrta-mu'ɛdas] *m inv* portamonedas *m inv*

portanto [por'tãntu] *conj* por (lo) tanto

portão <-ões> [por'tãw, -'õjs] *m* portón *m*

portar [por'tar] **I.** *vt* llevar **II.** *vr*: ~-**se** portarse

portaria [porta'ria] *f* portería *f*

portátil <-eis> [por'tatʃiw, -ejs] *adj* portátil

porta-voz ['pɔrta-vɔs] <-es> *mf* portavoz *mf*, vocero *mf AmL*

porte ['pɔrtʃi] *m* porte *m*; ~ **pago** portes pagados

porteiro, -a [por'tejru, -a] *m, f* portero, -a *m, f*

pórtico ['pɔrtʃiku] *m* ARQUIT pórtico *m*

porto ['portu] *m* puerto *m*

Porto Alegre ['portu a'lɛgri] *m* Porto Alegre *m*

portões [por'tõjs] *m pl de* **portão**

Porto Rico ['portu 'xiku] *m* Puerto Rico *m*

porto-riquenho, -a [portuxi'kẽɲu, -a] *adj, m, f* portorriqueño, -a *m, f*

Porto Velho ['portu 'vɛʎu] *m* Porto Velho *m*

Portugal [purtu'gaw] *m* Portugal *m*

português, -esa [purtu'ges, -'eza] *adj, m, f* portugués, -esa *m, f*

porventura [purvẽj'tura] *adv* **1.** (*por acaso*) por casualidad **2.** (*talvez*) acaso

pós-escrito [pɔz-is'kritu] *m* posdata *f*

pós-graduação <-ões> [pɔzgradwa-'sãw, -'õjs] *f* pos(t)grado *m*

pós-graduado, -a [pɔzgradu'adu, -a] *m, f* pos(t)graduado, -a *m, f*

posição <-ões> [pozi'sãw, -'õjs] *f* posición *f*

posicionar [pozisjo'nar] *vt* colocar

posições [pozi'sõjs] *f pl de* **posição**

positivo, -a [pozi'tʃivu, -a] *adj, m, f* positivo, -a *m, f*

possa ['pɔsa] *1., 3. pres subj de* **poder**

posse ['pɔsi] *f* posesión *f*

posses ['pɔsis] *fpl* bienes *mpl*

possessivo, -a [pose'sivu, -a] *adj* posesivo, -a

possibilidade [posibiʎi'dadʒi] *f* posibilidad *f*

possível <-eis> [po'sivew, -ejs] **I.** *adj* posible; **é ~ que...** +*conj* es posible que... +*subj* **II.** *m* **o ~** lo posible

posso ['pɔsu] *1. pres de* **poder**

possuído, -a [posu'idu, -a] *adj* poseído, -a

possuidor(a) [posui'dor(a)] <-es> *m(f)* poseedor(a) *m(f)*

possuir [posu'ir] *conj como incluir vt* poseer

postal <-ais> [pos'taw, -'ajs] *adj* postal

pôster ['poster] <-es> *m* póster *m*, afiche *m AmL*

posterior [posteri'or] <-es> *adj* posterior

posteriormente [posterior'mẽjtʃi] *adv* posteriormente

postiço, -a [pus'tʃisu, -a] *adj* postizo, -a

posto ['pɔstu] *m* puesto *m;* ~ **de gasolina** gasolinera *f,* grifo *m* Perú, Ecua, Bol

posto, -a ['pɔstu, pɔsta] **I.** *pp de* **pôr II.** *adj* (*óculos, chapéu*) puesto, -a **III.** *conj* ~ **que** puesto que

póstumo, -a ['pɔstumu, -a] *adj* póstumo, -a

postura [pos'tura] *f* postura *f*

potável <-eis> [po'tavew, -ejs] *adj* potable

pote ['pɔtʃi] *m* tarro *m*

potência [po'tẽsia] *f* potencia *f*

potencial <-ais> [potẽjsi'aw, -'ajs] *adj, m* potencial *m*

potente [po'tẽjtʃi] *adj* potente

potro ['potru] *m* potro *m*

pouco ['poku] **I.** *m* **um ~ mais/menos** un poco más/menos; **um ~ de** un poco de; **aos ~s** poco a poco **II.** *adv* poco; **custar ~** costar poco; **~ a ~** poco a poco

pouco, -a ['poku, -a] *pron indef* poco, a

poupança [pow'pãwsa] *f* ahorro *m*

poupar [pow'par] **I.** *vt* **1.** (*dinheiro*) ahorrar **2.** (*coisa desagradável*) posponer **3.** (*perdoar*) perdonar **II.** *vi* ahorrar

pousada [pow'zada] *f* posada *f*

pousar [pow'zar] **I.** *vt* posar **II.** *vi* (*avião*) aterrizar; (*ave*) posarse

povo ['povu] *m* pueblo *m*

povoação <-ões> [povoa'sãw, -'õjs] *f* población *f*

povoado, -a [povo'adu, -a] *adj* poblado, -a

povoar [povo'ar] <*l. pess pres:* povôo> *vt* poblar

pra [pra] *prep inf v.* **para**

praça¹ ['prasa] *f* **1.** plaza *f* **2.** (*mercado*) mercado *m*

praça² ['prasa] *mf* (*soldado de polícia*) agente *mf*

prado ['pradu] *m* prado *m*

praga ['praga] *f* **1.** (*peste*) plaga *f* **2.** (*maldição, pessoa*) peste *f*

pragmático, -a [prag'matʃiku, -a] *adj* pragmático, -a

praguejar [prage'ʒar] *vi* echar pestes

praia ['praja] *f* playa *f*

prancha ['prãʃa] *f* plancha *f*

pranto ['prãtu] *m* llanto *m*

prata ['prata] *f* plata *f*

prateado, -a [prate'adu, -a] *adj* plateado, -a

prateleira [pratʃi'lejra] *f* estante *f*

prática ['pratʃika] *f* práctica *f*

praticante [pratʃi'kãtʃi] *adj, mf* practicante *mf*

praticar [pratʃi'kar] <c→qu> *vi, vt* practicar

praticável <-eis> [pratʃi'kavew, -'ejs] *adj* practicable

prático, -a ['pratʃiku, -a] **I.** *adj* práctico, -a **II.** *m, f* experto, -a *m, f*

prato ['pratu] *m* **1.** (*vaso*) plato *m;* ~ **comercial** [*ou* **feito**] [*ou* **do dia**] plato combinado **2.** MÚS platillo *m*

praxe ['praʃi] *f* costumbre *f*

prazer [pra'zer] *m* placer *m*

prazo ['prazu] *m* plazo *m*

precaução <-ões> [prekaw'sãw, -'õjs] *f* precaución *f*

precaver [preka'ver] **I.** *vt* precaver **II.** *vr:* ~**-se** precaverse

recavido, -a [prekaˈvidu, -a] *adj* precavido, -a

rece [ˈprɛsi] *f* súplica *f*

recedência [preseˈdẽjsia] *f* precedencia *f*

recedente [preseˈdẽjtʃi] *adj, m* precedente *m*

receder [preseˈder] *vt* preceder

recioso, -a [presiˈozu, -ˈɔza] *adj* precioso, -a

recipício [presiˈpisiw] *m* precipicio *m*

recipitado, -a [presipiˈtadu, -a] *adj* precipitado, -a

recipitar [presipiˈtar] **I.** *vt* precipitar **II.** *vr:* ~-**se** precipitarse

recisar [presiˈzar] **I.** *vt* precisar **II.** *vi* ser necesario

reciso, -a [preˈsizu, -a] *adj* (*exato*) preciso, -a; (*necessário*) necesario, -a

reço [ˈpresu] *m* precio *m*

recoce [preˈkɔsi] *adj* precoz

reconceito [prekõwˈsejtu] *m* prejuicio *m*

ré-cozido, -a [prɛkuˈzidu, -a] *adj* precocinado, -a

redestinar [predestʃiˈnar] *vt* predestinar

redição <-ões> [predʒiˈsãw, -ˈõjs] *f* redicción *f*

redicativo, -a [predʒikaˈtʃivu, -a] *adj, m, f* predicativo, -a *m, f*

redileto, -a [predʒiˈlɛtu, -a] **I.** *m, f* preferido, -a *m, f* **II.** *adj* predilecto, -a

rédio [ˈprɛdʒiw] *m* edificio *m*

redispor [predʒisˈpor] *irr como* pôr **I.** *vi, vt* predisponer **II.** *vr* ~-**se a a.** **c.** predisponerse a algo

predisposição <-ões> [predʒispoziˈsãw, -ˈõjs] *f* predisposición *f*

predizer [predʒiˈzer] *irr como* dizer *vt* predecir

predominância [predomiˈnãnsia] *f* predominio *m*

predominante [predomiˈnãntʃi] *adj* predominante

predominar [predomiˈnar] *vi* predominar

preencher [preẽjˈʃer] *vt* **1.** (*um impresso*) rellenar **2.** (*uma vaga*) ocupar **3.** (*um requisito*) cumplir

pré-escola [prɛisˈkɔla] *f* jardín *m* de infancia

prefácio [preˈfasiw] *m* prefacio *m*

prefeito, -a [preˈfejtu, -a] *m, f* alcalde(sa) *m(f)*, intendente *mf RíoPl*

prefeitura [prefejˈtura] *f* alcaldía *f*, intendencia *f RíoPl*

preferência [prefeˈrẽjsia] *f* preferencia *f*

preferido, -a [prefeˈridu, -a] *adj* preferido, -a

preferir [prefeˈrir] *irr vt* preferir

prefira [preˈfira] *1., 3. pres subj de* **preferir**

prefiro [preˈfiru] *1. pres de* **preferir**

prefixo [preˈfiksu] *m* prefijo *m*

prega [ˈprega] *f* pliegue *m*

pregado, -a [preˈgadu, -a] *adj* clavado, -a

pregador [pregaˈdor] <-es> *m* broche *m*

pregador(a) [pregaˈdor(a)] <-es> *m(f)* predicador(a) *m(f)*

pregar¹ [preˈgar] <g→gu> *vt* **1.** (*um*

prego) clavar **2.** (*um botão*) coser

pregar² [prɛ'gar] *vi* predicar

prego ['prɛgu] *m* **1.** (*de metal*) clavo *m* **2.** *inf* (*casa de penhores*) casa *f* de empeño

preguiça [pri'gisa] *f* pereza *f*

preguiçoso, -a [prigi'sozu, -'ɔza] *adj, m, f* perezoso, -a *m, f*

prejudicado, -a [prɛʒudʒi'kadu, -a] *adj* perjudicado, -a

prejudicar [prɛʒudʒi'kar] <c→qu>
I. *vt* perjudicar II. *vr*: ~-**se** causarse perjuicio

prejuízo [prɛʒu'izu] *m* perjuicio *m*

prematuro, -a [prɛma'turu, -a] *adj* prematuro, -a

premeditar [prɛmedʒi'tar] *vt* premeditar

premiação <-ões> [premia'sɐ̃w, -'õjs] *f* entrega *f* de premios

premiado, -a [prɛmi'adu, -a] *adj, m, f* premiado, -a *m, f*

premiar [prɛmi'ar] *vt* premiar

prêmio ['prɛmiw] *m* (*geral*) premio *m*

premissa [prɛ'misa] *f* premisa *f*

pré-natal <-ais> [prɛna'taw, -'ajs] *adj* prenatal

prenda ['prẽjda] *f* **1.** regalo *m* **2.** (*em jogos*) prenda *f*; ~**s domésticas** labores *fpl* domésticas

prendado, -a [prẽj'dadu, -a] *adj* dotado, -a

prendedor [prẽjde'dor] <-es> *m* pinza *f*

prender [prẽj'der] <pp: preso *ou* prendido> I. *vt* **1.** (*fixar*) colgar **2.** (*atar*) atar; (*o cabelo*) sujetar **3.** (*um ladrão*) prender **4.** (*numa sala*) retener **5.** (*unir*) atar **6.** (*cativa*) capturar II. *vr*: ~-**se 1.** (*compr* misso*) comprometerse **2.** (*entrav* entretenerse

prensado, -a [prẽj'sadu, -a] *adj* pre sado, -a

prensar [prẽj'sar] *vt* prensar

prenúncio [prɛ'nũwsiw] *m* anunc *m*

preocupação <-ões> [preokupa'sɐ̃ -'õjs] *f* preocupación *f*

preocupar [prɛoku'par] I. *vt* preoc par II. *vr*: ~-**se** preocuparse

preparar [prepa'rar] I. *vt* prepar II. *vr*: ~-**se** prepararse

preposição <-ões> [prepozi'sɐ̃ -'õjs] *f* LING preposición *f*

preposicional <-ais> [prepozisj 'naw, -'ajs] *adj* LING preposicional

preposições [prepozi'sõjs] *f pl* **preposição**

pré-primário [prɛpri'mariw] *m* pre colar *m*

pré-requisito [prɛrɛki'zitu] *m* prer quisito *m*

prescrever [preskre'ver] *vi, vt* presc bir

prescrição [preskri'sɐ̃w] *f* prescr ción *f*

prescrito, -a [pres'kritu, -a] I. *pp* **prescrever** II. *adj* JUR prescrito, -a

presença [prɛ'zẽjsa] *f* presencia *f*

presenciar [prɛzẽjsi'ar] *vt* presenci

presente [prɛ'zẽjtʃi] I. *adj* presen II. *m* **1.** (*temporal*) presente *m* **2.** (*regalo*) regalo *m*

presentear [prezẽjtʃi'ar] *conj co* passear *vt* ~ **alguém com a. c.**

algo de regalo a alguien
resépio [preˈzɛpiw] *m* pesebre *m*
reservação <-ões> [prezerˈvasãw, -ˈõjs] *f* preservación *f*
reservar [prezerˈvar] *vt* preservar
reservativo [prezerˈvatʃivu] *m* **1.** (*camisinha*) preservativo *m* **2.** (*em comida*) conservante *m*
residência [preziˈdẽjsia] *f* presidencia *f*
residente [preziˈdẽtʃi] *mf* presidente, -a *m, f*
residiário, -a [prezidʒiˈariw, -a] *m, f* presidiario, -a *m, f*
residio [preˈzidʒiw] *m* presidio *m*
residir [preziˈdʒir] *vi* presidir
resilha [preˈziʎa] *f* horquilla *f*
reso, -a [ˈprezu, -a] *adj, m, f* preso, -a *m, f*
ressa [ˈprɛsa] *f* prisa *f*; **ter ~** tener prisa
ressão <-ões> [preˈsãw, -ˈõjs] *f* presión *f*; **~ alta/baixa** presión alta/baja
ressentimento [presẽjtʃiˈmẽjtu] *m* presentimiento *m*
ressentir [presẽjˈtʃir] *irr como* **sentir** *vt* presentir
ressinta [preˈsĩta] *1., 3. pres subj de* **pressentir**
ressinto [preˈsĩtu] *1. pres de* **pressentir**
ressionar [presjoˈnar] *vt* presionar
ressões [preˈsõjs] *f pl de* **pressão**
ressupor [presuˈpor] *irr como* **pôr** *vt* presuponer
ressuposição <-ões> [presupoziˈsãw, -ˈõjs] *f* presuposición *f*

pressuposto, -a [preˈsupostu, -ˈɔsta] **I.** *pp de* **pressupor II.** *adj* presupuesto, -a
prestação <-ões> [prestaˈsãw, -ˈõjs] *f* **1.** (*quantia*) plazo *m* **2.** (*de um serviço*) prestación *f* **3.** (*de contas*) rendición *f*
prestar [presˈtar] **I.** *vt* (*ajuda*) prestar; (*contas*) rendir **II.** *vi* servir; **não ~** no servir **III.** *vr:* **~-se** prestarse
prestigiar [prestʃiʒiˈar] *vt* dar prestigio a
prestígio [presˈtʃiʒiw] *m* prestigio *m*
presumir [prezuˈmir] *vt* presumir, suponer
presunção <-ões> [prezũwˈsãw, -ˈõjs] *f* presunción *f*
presunçoso, -a [prezũwˈsozu, -ˈɔza] *adj* presuntuoso, -a
presunto [preˈzũwtu] *m* jamón *m*; **virar ~** *gíria* palmarla
pretendente [pretẽjˈdɛtʃi] *mf* pretendiente *mf*
pretender [pretẽjˈdɛr] *vt* pretender
pretensão <-ões> [pretẽjˈsãw, -ˈõjs] *f* pretensión *f*
pretensioso, -a [pretẽjsiˈozu, -ˈɔza] *adj* pretencioso, -a
pretensões [pretẽjˈsõjs] *f pl de* **pretensão**
preterir [preteˈrir] *irr como* **preferir** *vt* despreciar
pretérito [preˈtɛritu] *m* LING pretérito *m*
pretexto [preˈtestu] *m* pretexto *m*
preto, -a [ˈpretu, -a] *adj, m, f* negro, -a *m, f*
preto-e-branco [ˈpretu-i-ˈbrãŋku] *adj*

blanco y negro
prevalecer [prevale'ser] <c→ç> *vi* prevalecer
prevenção <-ões> [prevẽj'sãw, -'õjs] *f* prevención *f*
prevenido, -a [previ'nidu, -a] *adj* prevenido, -a
prevenir [previ'nir] *irr* I. *vt* prevenir II. *vr*: **~-se** prevenirse
preventivo, -a [prevẽj'tʃivu, -a] *adj* preventivo, -a
prever [pre'ver] *irr como ver vt* prever
previdência [previ'dẽjsia] *f* previsión *f*; **~ social** Seguridad *f* Social
previdente [previ'dẽjtʃi] *adj* previsor(a)
prévio, -a ['prɛviw, -a] *adj* previo, -a
previsão <-ões> [previ'zãw, -'õjs] *f* previsión *f*
previsível <-eis> [previ'zivew, -ejs] *adj* previsible
previsões [previ'zõjs] *f pl de* **previsão**
previsto, -a [pre'vistu, -a] I. *pp de* **prever** II. *adj* previsto, -a
prezado, -a [pre'zadu, -a] *adj* estimado, -a
prezar [pre'zar] I. *vt* apreciar II. *vr*: **~-se** preciarse
primário [pri'mariw] *m* ENS primaria *f*
primário, -a [pri'mariw, -a] *adj* primario, -a
primata [pri'mata] *m* primate *m*
primavera [prima'vɛra] *f* primavera *f*
primeiro [pri'mejru] *adv* primero
primeiro, -a [pri'mejru, -a] *num ord* primero, -a; *v.tb.* **segundo**
primitivo, -a [primi'tʃivu, -a] *adj* primitivo, -a
primo, -a ['primu, -a] *adj, m, f* primo -a *m, f*
primogênito, -a [primo'ʒenitu, - *adj, m, f* primogénito, -a *m, f*
primordial <-ais> [primordʒi'av -'ajs] *adj* primordial
princesa [prĩ'seza] *f* princesa *f*
principado [prĩsi'padu] *m* principad *m*
principal <-ais> [prĩsi'paw, -'a I. *m* o **-é...** lo principal es. II. *adj* principal
príncipe ['prĩsipi] *m* príncipe *m*
principiante [prĩsipi'ãntʃi] *mf* prine piante *mf*
princípio [prĩ'sipiw] *m* principio *m*
prioridade [priori'dadʒi] *f* prioridad
prioritário, -a [priori'tariw, -a] *adj* p oritario, -a
priorizar [priori'zar] *vt* priorizar
prisão <-ões> [pri'zãw, -'õjs] *f* prisió *f*; **~ perpétua** cadena perpetua; **~** **ventre** MED estreñimiento *m*
prisioneiro, -a [prizjo'nejru, -a] *m,* prisionero, -a *m, f*
prisões [pri'zõjs] *f pl de* **prisão**
privação <-ões> [priva'sãw, -'õjs] privación *f*
privada [pri'vada] *f* retrete *m*
privado, -a [pri'vadu, -a] *adj* priv do, -a
privar [pri'var] I. *vt* privar II. **~-se** privarse
privativo, -a [priva'tʃivu, -a] *adj* priv tivo, -a
privatização <-ões> [privatʃiza'sã -'õjs] *f* ECON privatización *f*

privatizar [privatʃi'zar] *vt* ECON privatizar

privilegiado, -a [privileʒi'adu, -a] *adj, m, f* privilegiado, -a *m, f*

privilegiar [privileʒi'ar] *vt* privilegiar

privilégio [privi'lɛʒiw] *m* privilegio *m*

pró ['prɔ] I. *m* pro *m* II. *adv* a favor

probabilidade [probabiʎi'dadʒi] *f* probabilidad *f*

problema [pro'blema] *m* problema *m*; ~ **seu!** ¡problema tuyo!

problemático, -a [proble'matʃiku, -a] *adj* problemático, -a

procedência [prose'dẽjsia] *f* procedencia *f*

proceder [prose'der] *vi* proceder

procedimento [prosedʒi'mẽjtu] *m* procedimiento *m*

processador [prosesa'dor] <-es> *m;* INFOR procesador *m;* ~ **de texto** procesador de textos

processamento [prosesa'mẽjtu] *m* procesamiento *m;* ~ **de texto** procesamiento de textos

processar [prose'sar] *vt* procesar

processo [pro'sɛsu] *m* proceso *m*

processual <-ais> [prosesu'aw, -'ajs] *adj* procesal

procissão <-ões> [prosi'sãw, -'õjs] *f* procesión *f*

proclamação <-ões> [prokla̍ma'sãw, -'õjs] *f* proclamación *f*

proclamar [prokla'mar] *vt* proclamar

procriação <-ões> [prokria'sãw, -'õjs] *f* procreación *f*

procriar [prokri'ar] *vi* procrear

procura [pru'kura] *f* **1.** (*busca*) búsqueda *f* **2.** ECON demanda *f*

procuração <-ões> [prokura'sãw, -'õjs] *f* poder *m;* **passar uma ~ a alguém** dar poderes a alguien

procurador(a) [prokura'dor(a)] <-es> *m(f)* apoderado, -a *m, f*

procuradoria [prokurado'ria] *f* procuraduría *f*

procurar [proku'rar] *vt* **1.** (*buscar*) buscar **2.** (*esforçar-se*) procurar

prodígio [pro'dʒiʒiw] *m* prodigio *m*

produção <-ões> [produ'sãw, -'õjs] *f* producción *f*

produtividade [produtʃivi'dadʒi] *f* ECON productividad *f*

produtivo, -a [produ'tʃivu, -a] *adj* productivo, -a

produto [pro'dutu] *m* producto *m*

produzido, -a [produ'zidu, -a] *adj inf* (*pessoa*) arreglado, -a

produzir [produ'zir] I. *vt* producir II. *vr:* **--se** *inf* (*pessoa*) arreglarse

proeminente [proemi'nẽjtʃi] *adj* prominente

proeza [pro'eza] *f* proeza *f*

profano, -a [pro'fanu, -a] *adj* profano, -a

profecia [profe'sia] *f* profecía *f*

preferir [profe'rir] *irr como* preferir *vt* **1.** (*uma palavra*) proferir **2.** (*um discurso*) pronunciar

professor(a) [profe'sor(a)] <-es> *m(f)* profesor(a) *m(f)*

profeta, profetisa [pro'feta, profe'tʃiza] *m, f* profeta, -isa *m, f*

profético, -a [pro'fɛtʃiku, -a] *adj* profético, -a

profetizar [profetʃi'zar] *vt* profetizar

proficiente [pɾofisiˈẽjtʃi] *adj* competente

profilaxia [pɾofilakˈsia] *f* MED profilaxis *f inv*

profissão <-ões> [pɾofiˈsãw, -ˈõjs] *f* profesión *f*

profissional <-ais> [pɾofisjoˈnaw, -ˈajs] *adj, mf* profesional

profissionalismo [pɾofisjonaˈlizmu] *m sem pl* profesionalismo *m*

profissionalizante [pɾofisjonaʎiˈzãntʃi] *adj* profesional

profissionalizar [pɾofisjonaʎiˈzar] I. *vt* profesionalizar II. *vr*: ~-**se** profesionalizarse

profissões [pɾofiˈsõjs] *f pl de* **profissão**

profundo, -a [pɾoˈfũwdu, -a] *adj* profundo, -a

prognóstico [pɾogˈnɔstʃiku] *m* pronóstico *m*

programa [pɾoˈgɾama] *m* programa *m*

programação <-ões> [pɾogɾamaˈsãw, -ˈõjs] *f* programación *f*

programador(a) [pɾogɾamaˈdor(a)] <-es> *m(f)* INFOR programador(a) *m(f)*

programar [pɾogɾaˈmar] *vt* programar

progredir [pɾogɾeˈdʒir] *irr como* **prevenir** *vi* progresar

progressão <-ões> [pɾogɾeˈsãw, -ˈõjs] *f* progresión *f*

progressista [pɾogɾeˈsista] *adj* progresista

progresso [pɾoˈgɾɛsu] *m* progreso *m*

progressões [pɾogɾeˈsõjs] *f pl de* **progressão**

progrida [pɾoˈsiga] *1., 3. pres subj de*

progredir

proibição <-ões> [pɾoibiˈsãw, -ˈõjs] *f* prohibición *f*

proibido, -a [pɾoiˈbidu, -a] *adj* prohibido, -a

proibir [pɾoiˈbir] <i→í> *vt* prohibir

próis [ˈpɾɔis] *m pl de* **prol**

projeção <-ões> [pɾoʒeˈsãw, -ˈõjs] *f* proyección *f*

projecionista [pɾoʒesjoˈnista] *mf* proyeccionista *mf*

projeções [pɾoʒeˈsõjs] *f pl de* **projeção**

projetar [pɾoʒeˈtar] *vt* proyectar

projétil <-eis> [pɾoˈʒɛtʃiw, -ejs] *m* proyectil *m*

projeto [pɾoˈʒɛtu] *m* proyecto *m*

projetor [pɾoʒeˈtor] <-es> *m* proyector *m*

prol <-óis> [ˈpɾɔw, ˈpɾɔis] *m* **em** ~ **de** en pro de

proletariado [pɾoletaɾiˈadu] *m* proletariado *m*

proletário, -a [pɾoleˈtaɾiw, -a] *adj, m, f* proletario, -a *m, f*

proliferação <-ões> [pɾoʎifeɾaˈsãw, -ˈõjs] *f* proliferación *f*

proliferar [pɾoʎifeˈrar] *vi* proliferar

prolixo, -a [pɾoˈʎiksu, -a] *adj* prolijo, -a

prólogo [ˈpɾɔlogu] *m* prólogo *m*

prolongado, -a [pɾolõwˈgadu, -a] *adj* prolongado, -a

prolongar [pɾolõwˈgar] <g→gu> I. *vt* prolongar II. *vr*: ~-**se** prolongarse

promessa [pɾoˈmɛsa] *f* promesa *f*

prometer [pɾomeˈter] *vi, vt* prometer

prometido, -a [prome'tʃidu, -a] *adj, m, f* prometido, -a *m, f*
promiscuidade [promiskuj'dadʒi] *f* promiscuidad *f*
promíscuo, -a [pro'miskuu, -a] *adj* promiscuo, -a
promissória [promi'sɔrja] *f* pagaré *f*
promoção <-ões> [promo'sãw, -'õjs] *f* promoción *f*
promocional <-ais> [promosjo'naw, -'ajs] *adj* promocional
promoções [promo'sõjs] *f pl de* **promoção**
promotor(a) [promo'tor(a)] <-es> *m(f)* promotor(a) *m(f)*; **~ público** fiscal *m*
promotoria [promoto'ria] *f* fiscalía *f*
promover [promo'ver] I. *vt* promover II. *vr:* **~-se** (*autopromover-se*) promocionarse
pronome [pro'nɔmi] *m* LING pronombre *m*
pronto ['prõwtu] I. *adj* 1. listo, -a; **está ~!** ¡listo! 2. (*resposta*) rápido, -a II. *interj inf* ya está
pronto-socorro ['prõwtu-so'koxu] <prontos-socorros> *m* urgencias *fpl*
pronúncia [pro'nũwsia] *f* pronunciación *f*
pronunciar [pronũwsi'ar] I. *vt* pronunciar II. *vr:* **~-se** pronunciarse
propaganda [propa'gãŋda] *f* propaganda *f*
propagar [propa'gar] <g→gu> I. *vt* propagar II. *vr:* **~-se** propagarse
propiciar [propisi'ar] *vt* propiciar
propício, -a [pro'pisiw, -a] *adj* propicio, -a

propina [pro'pina] *f* propina *f*
propor [pro'por] *irr como* pôr I. *vt* proponer; **~ a. c. a alguém** proponer algo a alguien II. *vr:* **~-se** proponerse; **~-se a fazer a. c.** proponerse hacer algo
proporção <-ões> [propor'sãw, -'õjs] *f* proporción *f*
proporcional <-ais> [proporsjo'naw, -ajs] *adj* proporcional; **~ a** proporcional a
proporcionar [proporsjo'nar] *vt* proporcionar
proporções [propor'sõjs] *fpl de v.* **proporção**
proposição <-ões> [propozi'sãw, -'õjs] *f* proposición *f*
propositado, -a [propozi'tadu, -a] *adj,* **proposital** <-ais> [propozi'taw, -'ajs] *adj* intencional
propósito [pro'pɔzitu] *m* propósito *m*
proposta [pro'pɔsta] *f* propuesta *f*
proposto, -a [pro'postu, -'ɔsta] I. *pp de* **propor** II. *adj* propuesto, -a
propriamente [propria'mẽjtʃi] *adv* propiamente
propriedade [proprie'dadʒi] *f* propiedad *f*
proprietário, -a [proprie'tariw, -a] *m, f* propietario, -a *m, f*
próprio, -a ['prɔpriw, -a] *adj* 1. apropiado, -a; **~ para** apropiado para 2. (*mesmo*) mismo, -a; **eu ~** yo mismo 3. (*posse*) propio, -a; **o meu ~ filho** mi propio hijo 4. (*oportuno*) oportuno, -a; **no momento ~** en el momento oportuno
prorrogação <-ões> [proxoga'sãw,

-'õjs] *f* prórroga *f*

prorrogar [proxo'gar] <g→gu> *vt* prorrogar

prosa ['prɔza] *f* **1.** LIT prosa *f* **2.** (*conversa*) conversación *f*

proscrito, -a [prɔs'kritu, -a] *adj* proscrito, -a

prospecção <-ões> [prɔspek'sãw, -'õjs] *f* GEO prospección *f*

prospecto [prɔs'pɛktu] *m* prospecto *m*

prosperar [prɔspe'rar] *vi* prosperar

prosperidade [prɔsperi'dadʒi] *f* prosperidad *f*

próspero, -a ['prɔsperu, -a] *adj* próspero, -a

prosseguir [prose'gir] *irr como* seguir **I.** *vt* proseguir **II.** *vi* ~ **com** proseguir con

prossiga [pro'siga] *1., 3. pres subj de* **prosseguir**

prossigo [pro'sigu] *1. pres de* **prosseguir**

prostíbulo [prɔs'tʃibulu] *m* prostíbulo *m*

prostituição <-ões> [prɔstʃitui'sãw, -'õjs] *f* prostitución *f*

prostituir-se [prɔstʃitu'irsi] *conj como* **incluir** *vr* prostituirse

prostituto, -a [prɔstʃi'tutu, -a] *m, f* prostituto, -a *m, f*

protagonista [prɔtago'nista] *mf* protagonista *mf*

protagonizar [prɔtagoni'zar] *vt* protagonizar

proteção <-ões> [prɔte'sãw, -'õjs] *f* protección *f*

protecionismo [prɔtesjo'nizmu] *m* ECON proteccionismo *m*

proteções [prɔte'sõjs] *f pl de* **proteção**

proteger [prɔte'ʒer] <g→j> **I.** *vt* proteger **II.** *vr:* ~-**se** protegerse

protegido, -a [prɔte'ʒidu, -a] *adj, m f* protegido, -a *m, f*

proteína [prɔte'ina] *f* proteína *f*

proteja [prɔ'teʒa] *1., 3. pres subj de* **proteger**

protejo [prɔ'teʒu] *1. pres de* **proteger**

protelar [prɔte'lar] *vt* postergar

prótese ['prɔtezi] *f* LING, MED prótesis *f inv*

protestante [prɔtes'tãntʃi] *adj, m* protestante *mf*

protestar [prɔtes'tar] *vi, vt* protestar

protesto [prɔ'tɛstu] *m* protesta *f*

protetor [prɔte'tor] <-es> *m* ~ **solar** filtro *m* solar; ~ **de tela** INFOR salva pantallas *m inv*

protetor(a) [prɔte'tor(a)] <-es> *adj, m(f)* protector(a) *m(f)*

protetorado [prɔteto'radu] *m* protectorado *m*

protocolo [prɔto'kɔlu] *m* protocolo *m*

protótipo [prɔ'tɔtʃipu] *m* prototipo *m*

protuberância [prɔtube'rãnsia] *f* protuberancia *f*

prova ['prɔva] *f* **1.** (*geral*) prueba *f* **2.** (*de comida*) degustación *f*

provador [prɔva'dor] *m* probador *m*

provar [prɔ'var] *vt* probar; ~ **fome** pasar hambre

provável <-eis> [prɔ'vavew, -ejs] *adj* probable

provedor [prɔve'dor] <-es> *m* prove

provedor edor *m*; **~ de acesso à Internet** proveedor de acceso a Internet
provedor(a) [prove'dor(a)] <-es> *m(f)* proveedor(a) *m(f)*
proveito [pro'vejtu] *m* provecho *m*; **bom ~!** ¡buen provecho!
proveitoso, -a [provej'ozu, -'ɔza] *adj* provechoso, -a
proveniência [proveni'ẽjsia] *f* procedencia *f*
proveniente [proveni'ẽjtʃi] *adj* **~ de** proveniente de
prover [pro'ver] *irr como ver* vt proveer; **~ de** proveer de
provérbio [pro'vɛrbiw] *m* proverbio *m*
proveta [pro'veta] *f* probeta *f*; **bebê de ~** bebé probeta
providência [provi'dẽjsia] *f* providencia *f*
providenciar [providẽjsi'ar] *vt* proveer; **~ para que a. c. aconteça** tomar providencias para que ocurra algo
provido, -a [pro'vidu, -a] **I.** *pp de* **provir II.** *adj* provisto -a
província [pro'vĩjsia] *f* provincia *f*
provinciano, -a [provĩjsi'ɐnu, -a] *adj, m, f* provinciano, -a *m, f*
provir [pro'vir] *irr como vir* vi **~ de** provenir de
provisões [provi'zõjs] *fpl* provisiones *fpl*
provisório, -a [provi'zɔriw, -a] *adj* provisional
provocação <-ões> [provoka'sɐ̃w, -'õjs] *f* provocación *f*
provocante [provo'kɐ̃tʃi] *adj* provocador(a)
provocar [provo'kar] <c→qu> *vt* provocar
próxima ['prɔsima] *f* (*vez*) próxima vez *f*; **até à ~!** ¡hasta pronto!
proximidade [prosimi'dadʒi] *f* proximidad *f*
próximo ['prɔsimu] **I.** *m* prójimo *m* **II.** *adv* cerca
próximo, -a ['prɔsimu, -a] *adj* próximo, -a; **~ de** próximo a
prudência [pru'dẽjsia] *f* prudencia *f*
prudente [pru'dẽjtʃi] *adj* prudente
prurido [pru'ridu] *m* MED prurito *m*
P.S. [pe'ɛsi] *abr de* **post-scriptum** PS, PD
pseudônimo [psew'donimu] *m* (p)seudónimo *m*
psicanálise [psikɐ'naʎizi] *f* psicoanálisis *m inv*
psicanalista [psikɐna'ʎista] *mf* psicoanalista *mf*
psicologia [psikolo'ʒia] *f* psicología *f*
psicológico, -a [psiko'lɔʒiku, -a] *adj* psicológico, -a
psicólogo, -a [psi'kɔlogu, -a] *m, f* psicólogo, -a *m, f*
psicopata [psiko'pata] *mf* psicópata *mf*
psicotécnico, -a [psiko'tɛkniku, -a] *adj* psicotécnico, -a
psique ['psiki] *f* psique *f*
psiquiatra [psiki'atra] *mf* psiquiatra *mf*
puberdade [puber'dadʒi] *f* pubertad *f*
publicação <-ões> [publika'sɐ̃w, -'õjs] *f* publicación *f*
publicar [publi'kar] <c→qu> *vt* publicar

publicidade [publisi'dadʒi] *f* publicidad *f*

publicitário, -a [publisi'tariw, -a] *adj, m, f* publicitario, -a *m, f*

público, -a ['publiku, -a] *adj, m, f* público, -a *m, f*

pude ['pudʒi] *1. pret perf de* **poder²**

pudera [pu'dɛra] *interj* claro

pudim [pu'dʒĩ] <-ins> *m* pudin *m*, pudín *m*

pufe ['pufi] *m (para sentar-se)* puf *m*

pugilismo [puʒi'ʎizmu] *m sem pl* pugilismo *m*

pugilista [puʒi'ʎista] *mf* púgil *mf*

puído, -a [pu'idu, -a] *adj* desgastado, -a

pular [pu'lar] *vt (um muro)* saltar; *(uma página)* saltarse

pulga ['puwga] *f* pulga *f*

pulgueiro [puw'gejru] *m* cine *m* cutre

pulha ['puʎa] *m pej* sinvergüenza *mf*

pulmão <-ões> [puw'mãw, -'õjs] *m* pulmón *m*

pulmonar [puwmo'nar] <-es> *adj* pulmonar

pulo ['pulu] *m* salto *m;* **dar um ~ a** *inf* pasar por

pulôver [pu'lover] <-es> *m* jersey *m*

pulsação <-ões> [puwsa'sãw, -'õjs] *f (do pulso)* pulso *m; (do coração)* pulsación *f*

pulseira [puw'sejra] *f* pulsera *f;* **~ de relógio** correa *f* de reloj

pulso ['puwsu] *m* **1.** ANAT muñeca *f* **2.** MED pulso *m* **3.** *(força)* fuerza *f*

puma ['puma] *m* puma *m*, león *m* AmL

punha ['puɲa] *1., 3. pret imperf de* **pôr¹**

punhado [pũ'ɲadu] *m* puñado *m*

punhalada [pũɲa'lada] *f* puñalada *f*

punho ['puɲu] *m* puño *m*

punição <-ões> [puni'sãw, -'õjs] *f* castigo *m*

punir [pu'nir] *vt* castigar

pupila [pu'pila] *f* ANAT pupila *f*

purê [pu're] *m* puré *m*

pureza [pu'reza] *f* pureza *f*

purgatório [purga'tɔriw] *m* REL purgatorio *m*

purgante [pur'gãntʃi] *adj,* MED purgante *m*

purificação <-ões> [purifika'sãw, -'õjs] *f* purificación *f*

purificador [purifika'dor] <-es> *m* purificador *m;* **~ de ar** purificador de aire

purificar [purifi'kar] <c→qu> *vt* purificar

puro, -a ['puru, -a] *adj* puro, -a

púrpura ['purpura] *f* púrpura *m*

pus¹ ['pus] *m* pus *m*

pus² ['pus] *1. pres de* **pôr¹**

puta ['puta] *f chulo* puta *f*

puto ['putu] *m chulo (homossexual)* puto *m*

puto, -a ['putu, -a] *adj inf (furioso)* cabreado, -a; *(enorme)* tremendo, -a

putrefação <-ões> [putrefa'sãw, -'õjs] *f* putrefacción *f*

putrefato, -a [putre'fatu, -a] *adj,* **pútrido, -a** ['putridu, -a] *adj* putrefacto, -a

puxa ['puʃa] *interj inf* ostras

puxado, -a [pu'ʃadu, -a] *adj* **1.** *(difícil)* difícil **2.** *(caro)* caro, -a

puxador [puʃa'dor] <-es> *m (de por-*

ta) tirador *m*

puxão <-ões> [pu'ʃɐ̃w, -'õjs] *m* tirón *m*

puxar [pu'ʃar] I. *vt* 1. (*uma porta*) tirar de 2. (*um assunto*) introducir 3. (*revólver*) sacar II. *vi* ~ **por a. c./alguém** parecerse a algo/alguien; ~ **ao pai** salir al padre

puxa-saco ['puʃa-'saku] *mf inf* pelota *mf*

puxões [pu'ʃõjs] *m pl de* **puxão**

Q

Q, q ['ke] *m* Q, q *f*

QI [ke'i] *abr de* **quociente de inteligência** cociente *m* intelectual

quadra ['kwadra] *f* 1. (*quarteirão*) manzana *f*, cuadra *f AmL* 2. (*de esportes*) pista *f*, cancha *f AmL*

quadrado, -a [kwa'dradu, -a] *adj*, *m*, *f* 1. cuadrado, -a *m*, *f* 2. *inf* (*pessoa*) carca *mf*

quadragésimo, -a [kwadra'ʒεzimu, -a] *num ord* cuadragésimo, -a

quadril <-is> [kwa'driw, -'is] *m* cadera *f*

quadrilha [kwa'driʎa] *f* 1. (*ladrões*) cuadrilla *f* 2. (*dança*) cuadrilla *f* (*baile de origen francés*)

quadrinhos [kwa'driɲus] *mpl* história em ~ tira *f* cómica

quadris [kwa'dris] *m pl de* **quadril**

quadro ['kwadru] *m* 1. (*pintura*) cuadro *m* 2. (*em empresa*) plantilla *f* 3. (*panorama*) panorama *m*

quadro-negro ['kwadru-'negru] <quadros-negros> *m* pizarra *f*

quadruplicar [kwadrupli'kar] <c→qu> I. *vt* cuadruplicar II. *vi* cuadriplicarse

quaisquer [kwais'kεr] *pron indef pl de* **qualquer**

qual <-is> ['kwal, 'kwais] I. *pron interrog* cuál II. *pron rel* **o/a** ~ el/la cual III. *pron indef* cual IV. *conj* cual

qualidade [kwaʎi'dadʒi] *f* 1. (*de um produto*) calidad *f* 2. (*de uma pessoa*) cualidad *f*

qualificação <-ões> [kwaʎifika'sɐ̃w, -'õjs] *f* cualificación *f*

qualificar [kwaʎifi'kar] <c→qu> I. *vt* calificar II. *vr:* **~-se para a. c.** cualificarse para algo

qualquer <quaisquer> [kwaw'kεr, kwais'kεr] I. *pron indef* cualquiera; ~ **coisa** cualquier cosa; ~ **um** cualquiera II. *mf* cualquier(a) *m(f)*

quando ['kwɐ̃du] I. *adv* 1. *rel* cuando 2. *interrog* cuándo II. *conj* 1. (*temporal*) cuando; ~ **muito** como mucho 2. (*à medida que*) conforme 3. (*sempre que*) siempre que

quantidade [kwɐ̃tʃi'dadʒi] *f* cantidad *f*

quanto ['kwɐ̃tu] I. *adv* como; (o) ~ **antes** cuanto antes II. *conj* ~ **mais cedo, melhor** cuanto antes, mejor; ~ **mais trabalha, mais ganha** cuanto más trabaja, más gana

quanto, -a ['kwɐ̃tu, -a] I. *pron interrog* cuánto; ~ **custa?** ¿cuánto

quarenta [kwa'rẽjta] *num card* cuarenta

quarta ['kwarta] *f*, **quarta-feira** <quartas-feiras> ['kwarta-'fejra, 'kwartas-] *f* miércoles *m inv; v.tb.* **segunda-feira**

quarteirão <-ões> [kwartej'rãw, -'õjs] *m (de casas)* manzana *f*, cuadra *f AmL*

quartel <-éis> [kwar'tɛw, -'ɛjs] *m* cuartel *m*

quarteto [kwar'tetu] *m* MÚS cuarteto *m*

quarto ['kwartu] *m* 1. *(de dormir)* habitación *f*, cuarto *m* 2. *(quarta parte)* cuarto *m*

quarto, -a ['kwartu] *num ord* cuarto, -a; *v.tb.* **segundo**

quartzo ['kwartzu] *m* cuarzo *m*

quase ['kwazi] *adv* casi

quatorze [ka'torzi] *num card* catorce; *v.tb.* **dois**

quatro ['kwatru] I. *num card* cuatro; *v.tb.* **dois** II. *adv* **ficar de ~** quedarse pasmado

quatrocentos, -as [kwatru'sẽjtus, -as] *num card* cuatrocientos, -as

que [ki] I. *pron rel* que; **o ~ eu disse** lo que yo dije II. *pron interrog* qué; (**o**) **~ ele quer?** ¿qué quiere? III. *conj* que IV. *adv* qué; **~ pena!** ¡qué pena!

quê ['ke] I. *m* 1. *(alguma coisa)* **um ~ de** un algo de 2. *(dificuldade)* quid *m*; **aí está o ~ da questão** ahí está el quid de la cuestión II. *pron interrog* **por ~?** ¿por qué? III. *interj* **~!** **você está louco?** ¡qué! ¿estás loco?

quebra ['kɛbra] *f* 1. *(ruptura)* rotura *f*; *(interrupção)* corte *m* 2. *(redução)* caída *f* 3. COM quiebra *f* 4. *(transgressão)* **~ do protocolo** ruptura *f* del protocolo

quebra-cabeça ['kɛbra-ka'besa] *m tb. fig* rompecabezas *m inv*

quebradiço, -a [kebra'dʒisu, -a] *adj* quebradizo, -a

quebrado, -a [ke'bradu, -a] *adj* 1. roto, -a 2. *inf* sin un centavo

quebra-galho ['kɛbra-'gaʎu] *m inf* apaño *m*

quebra-molas ['kɛbra-'mɔlas] *m inv, inf* badén *m*

quebra-nozes ['kɛbra-'nɔzis] *m inv* cascanueces *m inv*

quebra-pau ['kɛbra-'paw] *m inf*, **quebra-quebra** ['kɛbra-'kɛbra] *m* pelea *f*

quebrar [ke'brar] I. *vt* 1. *(copo)* romper 2. *inf (bater em)* destrozar II. *vi* 1. *(romper-se)* romperse 2. *(carro)* estropearse 3. COM ir a la quiebra 4. *(ondas)* romper

queda ['kɛda] *f* 1. caída *f* 2. *(inclinação)* inclinación *f* 3. *(de energia)* corte *m*

queijo ['kejʒu] *m* queso *m*

queima ['kejma] *f* quema *f*

queimado, -a [kej'madu, -a] *adj, m, f* quemado, -a *m, f*

queimadura [kejma'dura] *f* quemadura *f*

queimar [kej'mar] I. *vt* quemar II. *vi* 1. *(sol, fogo)* quemar; *(objeto)*

quemarse 2. (*aparelho*) fundirse **III.** *vr:* **~-se** quemarse

queixar-se [kejˈʃarsi] *vr* quejarse

queixo [ˈkeʃu] *m* barbilla *f*

queixoso, -a [kejˈʃozu, -ˈɔza] *adj* quejoso, -a; JUR querellante

quem [ˈkẽj] **I.** *pron interrog* quién **II.** *pron rel* quien **III.** *pron indef* quien; (*aquele que*) el que; **~ dera!** ¡ojalá!

Quênia [ˈkenia] *m* Kenia *f*

queniano, -a [keniˈɜnu, -a] *adj, m, f* keniata *mf*

quente [ˈkẽjtʃi] *adj* (*água, comida*) caliente; (*tempo*) caluroso, -a

quer [ˈkɛr] *conj* **~ ..., ~ ...** ya..., ya...; **~ ele venha, ~ não** venga o no venga; **o que ~ que seja** lo que quiera que sea

querer [keˈrer] *irr* **I.** *vi* querer; **~ bem/mal a alguém** desear el bien/el mal a alguien **II.** *vt* querer; **sem ~** sin querer; **~ dizer...** querer decir...; **quer dizer...** es decir...

querido, -a [kiˈridu, -a] *adj, m, f* querido, -a

querosene [keroˈzeni] *m sem pl* queroseno *m*

quesito [keˈzitu] *m* requisito *m*

questão <-ões> [kesˈtɐ̃w, -ˈõjs] *f* cuestión *f*

questionar [kestʃjoˈnar] **I.** *vt* cuestionar **II.** *vr:* **~-se** cuestionarse

questionário [kestʃjoˈnariw] *m* cuestionario *m*

questões [kesˈtõjs] *f pl de* **questão**

quieto, -a [kiˈɛtu, -a] *adj* quieto, -a

quilate [kiˈlatʃi] *m* quilate *f*

quilo [ˈkilu] *m* kilo *m*

quilobite [kiloˈbitʃi] *m* INFOR kilobit *m*

quilograma [kiloˈgrɐma] *m* kilogramo *m*

quilômetro [kiˈlometru] *m* kilómetro *m*

quilowatt [kiloˈvatʃi] *m* kilovatio *m*

química [ˈkimika] *f* química *f*

químico, -a [ˈkimiku, -a] *adj, m, f* químico, -a *m, f*

quina [ˈkina] *f* **1.** (*canto*) esquina *f* **2.** (*loteria*) serie de cinco números de la misma línea

quindim <-ins> [kĩjˈdʒĩj] *m* dulce hecho con yema de huevo, coco y azúcar

quinhão <-ões> [kiˈɲɐ̃w, -ˈõjs] *m* parte *f*

quinhentos, -as [kiˈɲẽjtus] *num card* quinientos, -as

qüinquagésimo, -a [kĩjkwaˈʒɛzimu, -a] *num ord* quincuagésimo, -a

quinta-feira [ˈkĩjtaˈfejra] *f* jueves *m inv; v.tb.* **segunda-feira**

quintal <-ais> [kĩjˈtaw, -ˈajs] *m* **1.** (*jardim*) jardín *m;* (*horta*) huerto *m* **2.** (*pátio*) patio *m*

quinteto [kĩjˈtetu] *m* MÚS quinteto *m*

quinto, -a [ˈkĩjtu, -a] *num ord* quinto, -a; *v.tb.* **segundo**

quíntuplo, -a [ˈkĩjtuplu, -a] *adj, m, f* quíntuplo, -a *m, f*

quinze [ˈkĩjzi] *num card* quince; *v.tb.* **dois**

quiosque [kiˈɔski] *m* quiosco *m*

quis [kis] *vi, vt* 3. *pret perf de* **querer**

quiser [kiˈzɛr] *vi, vt* 1. *fut imperf subj de* **querer**

quitanda [ki'tɐ̃ndɐ] f verdulería f
quitar [ki'tar] vt liquidar
quite ['kitʃi] adj **estar ~** estar en paz
quociente [kosi'ẽjtʃi] m MAT cociente m
quota ['kwɔtɐ] f cuota f

R

R, r ['ɛxi] m R, r f
R. ['xuɐ] abr de **rua** c/
rã ['xɐ̃] f rana f
rabino [xa'binu] m rabino m
rabo ['xabu] m cola f
rabugento, -a [xabu'ʒẽjtu, -a] adj cascarrabias inv
raça ['xasɐ] f raza f
ração <-ões> [xa'sɐ̃w, -'õjs] f ración f
racha ['xaʃɐ] f grieta f
rachadura [xaʃa'durɐ] f grieta f
rachar [xa'ʃar] vt **1.** (a cabeça) abrir **2.** (lenha) cortar
racial <-ais> [xasi'aw, -'ajs] adj racial
raciocínio [xasjo'siniw] m raciocinio m
racional <-ais> [xasjo'naw, -'ajs] adj racional
racionalizar [xasjonaʎi'zar] vt racionalizar
racionamento [xasjona'mẽjtu] m razonamiento m
racionar [xasjo'nar] vt racionar
racismo [xa'sizmu] m sem pl racismo m
racista [xa'sistɐ] adj, mf racista mf

rações [xa'sõjs] f pl de **ração**
radar [xa'dar] <-es> m radar m
radiador [xadʒja'dor] <-es> m radiador m
radiante [xadʒi'ɐ̃ntʃi] adj radiante
radical <-ais> [xadʒi'kaw, -'ajs] adj, mf radical mf
rádio ['xadʒiw] m **1.** radio f; **ouvir ~** oír la radio **2.** ANAT, QUÍM radio m
radioatividade [xadʒiwatʃivi'dadʒi] f radioactividad f
radioativo, -a [xadʒiwa'tʃivu, -a] adj radioactivo, -a
radiografia [xadʒjogra'fia] f radiografía f
radiogravador [xadʒiwgrava'dor] <-es> m radiograbador m
radiotáxi [xadʒjo'taksi] m radiotaxi m
radioterapia [xadʒiwtera'pia] f radioterapia f
raia ['xajɐ] f **1.** ZOOL raya f **2.** ESPORT calle f **3.** (traço) raya f **4.** fig (limite) límite m
raiar [xaj'ar] vi rayar
rainha [xa'iɲɐ] f reina f
raio ['xaju] m **1.** tb. FÍS rayo m **2.** (de roda) radio m
raiva ['xajvɐ] f rabia f
raivoso, -a [xaj'vozu, -'ɔza] adj rabioso, -a
raiz [xa'is] f raíz f
rajada [xa'ʒadɐ] f ráfaga f
ralado, -a [xa'ladu, -a] adj rallado, -a
ralar [xa'lar] vt (comida) rallar; (o braço) arañar
ralé [xa'lɛ] f plebe f
ralhar [xa'ʎar] vi reñir; **~ com alguém** reñir a alguien

rali [xa'ʎi] *m* rally *m*

ralo ['xalu] *m* (*de lavatório*) desagüe *m*

ralo, -a ['xalu, -a] *adj* **1.** (*cabelo*) ralo, -a **2.** (*sopa*) aguado, -a

ramal <-ais> [xɜ'maw, -'ajs] *m* TEL extensión *f*, interno *m* RíoPl

ramalhete [xɜmaˈʎetʃi] *m* ramillete *m*

ramo ['xɜmu] *m* **1.** (*de árvore*) rama *f* **2.** (*de flores*) ramo *m*

rampa ['xɜ̃pa] *f* rampa *f*

rancor [xɜ̃'kor] <-es> *m* rencor *m*

rancoroso, -a [xɜ̃koˈrozu, -ˈɔza] *adj* rencoroso, -a

rançoso, -a [xɜ̃ˈsozu, -ˈɔza] *adj* rancio, -a

ranger [xɜ̃'ʒer] <g→j> *vt, vi* rechinar

rangido [xɜ̃'ʒidu] *m* chirrido *m*

ranhura [xɜ̃'ɲura] *f* ranura *f*

ranzinza [xɜ̃'zĩʒa] *adj* gruñón, -ona

rapar [xa'par] *vt* **1.** (*raspar*) rallar **2.** (*o cabelo*) rapar

rapariga [xapa'riga] *f* moza *f*

rapaz [xa'pas] *m* muchacho *m*

rapé [xa'pɛ] *m* rapé *m*

rapidez [xapi'des] *f sem pl* rapidez *f*

rápido ['xapidu] *adv* rápido, -a

rápido, -a ['xapidu, -a] *adj* rápido, -a

raposo, -a [xa'pozu, -a] *m*, *f* zorro, -a *m*, *f*

raptar [xap'tar] *vt* raptar

rapto ['xaptu] *m* rapto *m*

raquete [xa'kɛtʃi] *f* raqueta *f*

raquítico, -a [xa'kitʃiku, -a] *adj tb.* MED raquítico, -a

raramente [xaraˈmẽtʃi] *adv* raramente

rarefeito, -a [xare'fejtu, -a] **I.** *pp de* **rarefazer** **II.** *adj* (*ar*) enrarecido, -a

raridade [xari'dadʒi] *f* rareza *f*

raro, -a ['xaru, -a] *adj* raro, -a

rascunho [xas'kuɲu] *m* borrador *m*

rasgado, -a [xaz'gadu, -a] *adj* **1.** (*tecido*) rasgado, -a **2.** (*elogios*) abierto, -a

rasgão <-ões> [xaz'gãw, -'õjs] *m* rasgón *m*

rasgar [xaz'gar] <g→gu> *vt* abrir; (*papel, tecido*) rasgar

rasgo ['xazgu] *m* rasgón *m*

rasgões [xaz'gõjs] *m pl de* **rasgão**

raso ['xazu] *m* planicie *f*

raspão <-ões> [xas'pãw, 'õjs] *m* arañazo *m*

raspar [xas'par] **I.** *vt* (*uma superfície*) raspar; (*arranhar*) arañar; (*ralar*) rallar **II.** *vi* rozar; ~ **em a. c.** rozar algo

raspões [xas'põjs] *m pl de* **raspão**

rasteiro, -a [xas'tejru, -a] *adj* rastrero, -a

rastejar [xaste'ʒar] *vi* arrastrarse

rastreamento [xastriaˈmẽtu] *m* rastreo *m*

rastrear [xastri'ar] *conj como* **passear** *vt* rastrear

rastro ['xastru] *m* rastro *m*; (*de navio*) estela *f*

ratear [xatʃi'ar] *conj como* **passear** **I.** *vt* (*um prêmio*) dividir **II.** *vi* (*motor, coração*) fallar

rateio [xa'teju] *m* ECON prorrateo *m*

ratificar [xatʃifiˈkar] <c→qu> *vt* ratificar

rato ['xatu] *m* ratón *m*

ratoeira [xatu'ejra] *f* ratonera *f*

razão <-ões> [xa'zãw, -'õjs] *f* razón *f*

razoável <-eis> [xazu'avew, -ejs] *adj* razonable

razões [xa'zõjs] *f pl de* **razão**

ré¹ ['xɛ] *f v.* **réu**

ré² ['xɛ] *f* AUTO marcha *f* atrás

reabastecer [xeabaste'ser] <c→ç> I. *vt* reabastecer II. *vr*: ~**-se de a.c.** volver a abastecerse de algo

reaberto [xea'bɛrtu] *pp de* **reabrir**

reabilitação <-ões> [xeabiʎita'sãw, -'õjs] *f* MED rehabilitación *f*

reabrir [rea'brir] *vi* reabrir

reação <-ões> [xea'sãw, -'õjs] *f* reacción *f*

reacionário, -a [xeasjo'narjw, -a] *adj, m, f* reaccionario, -a *m, f*

reações [xea'sõjs] *f pl de* **reação**

reagir [xea'ʒir] <g→j> *vi* reaccionar

real <-ais> [xe'aw, -'ajs] I. *adj* real II. *m* ECON real *m*

Cultura El **Real** (plural: **Reais**) es desde julio de 1994 la moneda oficial brasileña. El real se divide en centavos. Así, R$1,20 = un real y veinte centavos.

realidade [xeaʎi'dadʒi] *f* realidad *f*

realista [xea'ʎista] *adj, mf* realista *mf*

realização <-ões> [xeaʎiza'sãw, -'õjs] *f* realización *f*

realizar [xeaʎi'zar] I. *vt* realizar II. *vr*: ~**-se** realizarse

reator [xea'tor] <-es> *m* reactor *m*

reaver [xea'ver] *irr vt* recuperar

rebaixar [xebaj'ʃar] I. *vt* rebajar II. *vr*: ~**-se** rebajarse

rebanho [xe'bãɲu] *m* rebaño *m*

rebater [xeba'ter] *vt* 1. (*golpe*) repeler 2. (*argumento, acusação, injúria*) rebatir

rebelar-se [xebe'larsi] *vr* rebelarse

rebelde [xe'bɛwdʒi] *adj, mf* rebelde *mf*

rebeldia [xebew'dʒia] *f* rebeldía *f*

rebelião <-ões> [xebeʎi'ãw, -'õjs] *f* rebelión *f*

rebentar [xebẽj'tar] I. *vt* reventar II. *vi* 1. (*balão, veia, cano, corda*) reventar 2. (*bomba, guerra*) estallar

rebocar [xebo'kar] <c→qu> *vt* 1. (*automóvel*) remolcar 2. (*parede*) revocar

rebolar [xebo'lar] *vi* contonearse

reboque [xe'bɔki] *m* remolque *m*; **chamar o** ~ llamar a la grúa

recado [xe'kadu] *m* recado *m*

recanto [xe'kãŋtu] *m* rincón *m*

recapeamento [xekapea'mẽjtu] *m* asfaltado *m*

recapitular [xekapitu'lar] *vt* recapitular

recarga [xe'karga] *f* recambio *m*

recarregar [xekaxe'gar] *vt* recargar

recauchutar [xekawʃu'tar] *vt* recauchutar

recear [xese'ar] *conj como passear vt* temer

receber [xese'ber] *vi, vt* recibir

recebimento [xesebi'mẽjtu] *m* recibo *m*

receio [xe'seju] *m* temor *m*

receita [xe'sejta] *f* 1. (*culinária, médica*) receta *f* 2. ECON hacienda *f* 3. *pl* COM ingresos *mpl*

receitar [xesej'tar] *vt* recetar

recém-nascido, -a [xe'sẽj-na'sidu, -a]

adj, m, f recién nacido, -a *m, f*
recenseamento [xeseɨjsja'mẽjtu] *m* censo *m*
recente [xe'sẽjtʃi] *adj* reciente
recentemente [xesẽjtʃi'mẽjtʃi] *adv* recientemente
receoso, -a [xese'ozu, -'ɔza] *adj* receloso, -a
recepção <-ões> [xesep'sãw, -'õjs] *f* recepción *f*
recepcionar [xesepsjo'nar] *vt* recibir
recepcionista [xesepsjo'nista] *mf* recepcionista *mf*
recepções [xesep'sõjs] *f pl de* **recepção**
receptador(a) [xesepta'dor(a)] <-es> *m(f)* perista *mf*
receptivo, -a [xesep'tʃivu, -a] *adj* receptivo, -a
receptor [xesep'tor] <-es> *m* receptor *m*
recessão <-ões> [xese'sãw, -'õjs] *f* recesión *f*
recessivo, -a [xese'sivu, -a] *adj* recesivo, -a
recessões [xese'sõjs] *f pl de* **recessão**
recheado, -a [xeʃe'adu, -a] *adj* GASTR relleno, -a
rechear [xeʃe'ar] *conj como* passear *vt* GASTR rellenar
recheio [xe'ʃeju] *m* GASTR relleno *m*
recibo [xe'sibu] *m* recibo *m*
reciclar [xesi'klar] I. *vt* reciclar II. *vr:* **~-se** reciclarse
recife [xe'sifi] *m* arrecife *m*
Recife [xe'sifi] Recife
recinto [xe'sĩtu] *m* recinto *m*

recipiente [xesipi'ẽjtʃi] *m* recipiente *m*
recitar [xesi'tar] *vt* recitar
reclamação <-ões> [xeklɜma'sãw, -'õjs] *f* reclamación *f*
reclamar [xeklɜ'mar] *vi, vt* reclamar
reclame [xe'klɜmi] *m* anuncio *m*
recoberto, -a [xeko'bɛrtu, -a] I. *pp de* **recobrir** II. *adj* recubierto, -a
recobrir [xeku'brir] *irr como* dormir *vt* recubrir
recolher [xeko'ʎer] I. *vt* recoger II. *vr:* **~-se** recogerse
recomeçar [xekome'sar] <ç→c> *vi* recomenzar
recomendação <-ões> [xekomẽjda'sãw, -'õjs] *f* 1. recomendación *f* 2. *pl (cumprimentos)* saludos *mpl*
recomendar [xekomẽj'dar] *vt* recomendar
recompensa [xekõw'pẽjsa] *f* recompensa *f*
recompensar [xekõwpẽj'sar] *vt* recompensar
reconciliação <-ões> [xekõwsiʎia'sãw, -'õjs] *f* reconciliación *f*
reconciliar [xekõwsiʎi'ar] I. *vt* reconciliar II. *vr:* **~-se** reconciliarse
reconhecer [xekõɲe'ser] <c→ç> *vt* reconocer
reconhecido, -a [xekõɲe'sidu, -a] *adj* 1. *(grato)* agradecido, -a 2. *(conceituado)* reconocido, -a
reconhecimento [xekõɲesi'mẽjtu] *m* reconocimiento *m*
reconsiderar [xekõwside'rar] I. *vt* reconsiderar II. *vi* cambiar de idea
reconstruir [xekõwstru'ir] *conj como*

incluir vt reconstruir

recordação <-ões> [xekorda'sãw, -'õjs] *f* recuerdo *m*

recordar [xekor'dar] I. *vt* recordar II. *vr:* ~-**se** acordarse

recorde [xe'kɔrdʒi] *adj, m* récord *m*

recorrer [xeko'xer] *vi* recurrir; ~ **a a. c.** recurrir a algo

recortar [xekor'tar] *vt* recortar

recorte [xe'kɔrtʃi] *m* recorte *m*

recreação <-ões> [xekrea'sãw, -'õjs] *f* recreación *f*

recreativo, -a [xekea'tʃivu, -a] *adj* recreativo, -a

recreio [xe'kreju] *m* recreo *m*

recriminar [xekrimi'nar] *vt* recriminar

recrutamento [xekruta'mẽtu] *m* reclutamiento *m*

recrutar [xekru'tar] *vt* reclutar

recuar [xeku'ar] *vi* retroceder

recuperação <-ões> [xekupera'sãw, -'õjs] *f* recuperación *f*

recuperar [xekupe'rar] I. *vt* recuperar II. *vr:* ~-**se** recuperarse

recurso [xe'kursu] *m* recurso *m*

recusa [xe'kuza] *f* 1. (*proposta*) rechazo *m* 2. (*negação*) negativa *f*

recusar [xeku'zar] I. *vt* rechazar II. *vr:* ~-**se** negarse

redação <-ões> [xeda'sãw, -'õjs] *f* redacción *f*

redator(a) [xeda'tor(a)] <-es> *m(f)* redactor(a) *m(f)*

rede ['xedʒi] *f* 1. red *f* 2. (*para descansar*) hamaca *f*

rédea ['xɛdʒia] *f* rienda *f*

redentor(a) [xedẽj'tor(a)] <-es> *m(f)* redentor(a) *m(f)*

redigir [xedʒi'ʒir] <g→j> *vt* redactar

redirecionar [xedʒiresjo'nar] *vt* INFOR redireccionar

redobrar [xedo'brar] *vt* redoblar

redondamente [xedõwda'mẽtʃi] *adv* rotundamente

redondezas [xedõw'dezas] *fpl* cercanías *fpl*

redondo, -a [xe'dõwdu, -a] *adj* redondo, -a

redor [xe'dɔr] *adv* ao [*ou* em] ~ **de alguém/a. c.** alrededor de alguien/ algo

redução <-ões> [xedu'sãw, -'õjs] *f* reducción *f*

reduzir [xedu'zir] I. *vt, vi* reducir II. *vr:* ~-**se a a. c.** reducirse a algo

reeleição <-ões> [xeelej'sãw, -'õjs] *f* reelección *f*

reembolsar [xeẽjbow'sar] *vt* reembolsar

reembolso [xeẽj'bowsu] *m* reembolso *m*

reencontrar [xeẽjkõw'trar] *vt* reencontrar

reencontro [xeẽj'kõwtru] *m* reencuentro *m*

reestruturar [xeistrutu'rar] *vt* reestructurar

ref^a [xefe'rẽjsia] *abr de* **referência** ref.

refazer [xefa'zer] *irr como fazer* I. *vt* rehacer II. *vr:* ~-**se** rehacerse

refeição <-ões> [xefej'sãw, -'õjs] *f* comida *f*

refeito [xe'fejtu] *pp de* **refazer**

refeitório [xefej'tɔriw] *m* comedor *m*

refém <-éns> [xe'fẽj] *mf* rehén *mf*

referência [xefe'rẽjsia] *f* referencia *f*

referendo [xefe'rẽjdu] *m* referéndum *m*

referente [xefe'rẽjtʃi] *adj* ~ **a** referente a

referido, -a [xefi'ridu, -a] *adj* referido, -a

referir [xefi'rir] *irr como* **preferir** I. *vt* referir II. *vr*: **~-se a** referirse a

refil <-is> [xe'fiw, -'is] *m* recambio *m*

refinar [xefi'nar] *vt* refinar

refinaria [xefina'ria] *f* refinería *f*

refis [xe'fis] *m pl de* **refil**

refletir [xefle'tʃir] *irr* I. *vt* reflejar; ~ **sobre a. c.** reflexionar sobre algo II. *vi* reflexionar III. *vr*: **~-se** reflejarse

reflexão <-ões> [xeflek'sãw, -'õjs] *f* reflexión *f*

reflexivo, -a [xeflek'sivu, -a] *adj* LING reflexivo, -a

reflexo, -a [xe'flɛksu, -a] *adj, m, f* reflejo, -a *m, f*

reflexões [xeflek'sõjs] *f pl de* **reflexão**

refogado [xefo'gadu] *m* sofrito *m*

reforçar [xefor'sar] <ç→c> *vt* reforzar

reforma [xe'fɔrma] *f* reforma *f*

reformado, -a [xefor'madu, -a] *adj* reformado, -a II. *m, f* MIL retirado, -a *m, f*

reformar [xefor'mar] *vt* reformar

refrão <-ões> [xe'frãw, -'õjs] *m* **1.** (*provérbio*) refrán *m* **2.** (*estribilho*) estribillo *m*

refrescante [xefres'kãtʃi] *adj* refrescante

refrescar [xefres'kar] <c→qu> I. *vt* refrescar II. *vr*: **~-se** refrescarse

refresco [xe'fresku] *m* zumo *m*

refrigerador [xefriʒera'dor] <-es> *m* refrigerador *m*

refrigerante [xefriʒe'rãtʃi] I. *adj* refrigerante II. *m* refresco *m*

refrões [xe'frõjs] *m pl de* **refrão**

refugiado, -a [xefuʒi'adu, -a] *adj, m, f* refugiado, -a *m, f*

refugiar-se [xefuʒi'arsi] *vr* refugiarse

refúgio [xe'fuʒiw] *m* refugio *m*

refugo [xe'fugu] *m* restos *mpl*

regaço [xe'gasu] *m* regazo *m*

regador [xega'dor] <-es> *m* regadera *f*

regalo [xe'galu] *m* **1.** (*prazer*) placer *m* **2.** (*comodidade*) comodidad *f*

regar [xe'gar] <g→gu> *vt* regar

regata [xe'gata] *f* regata *f*

regatear [xegatʃi'ar] *conj como* **passear** *vi, vt* regatear

regeneração <-ões> [xeʒenera'sãw] *f* regeneración *f*

regenerar [xeʒene'rar] I. *vt* regenerar II. *vr*: **~-se** regenerarse

regente [xe'ʒẽjtʃi] *mf* (*de orquestra*) director(a) *m(f)*

reger [xe'ʒer] <g→j> *vt* (*uma orquestra*) dirigir

região <-ões> [xeʒi'ãw, -'õjs] *f* región *f*

regime [xe'ʒimi] *m* régimen *m*

regimento [xeʒi'mẽjtu] *m* regimiento *m*

regiões [xeʒi'õjs] *f pl de* **região**

regional <-ais> [xeʒio'naw, -ajs] *adj* regional

regionalismo [xeʒiona'ʎizmu] *m* POL, LING regionalismo *m*

registrado, -a [xeʒis'tradu, -a] *adj* re-

gistrado, -a; *(carta)* certificado, -a
registrar [xeʒiʃ'tar] *vt* registrar
registro [xe'ʒistru] *m* registro *m*; ~ **civil** registro civil
regra ['xɛgra] *f* regla *f*; **via de ~,** ... por regla general, ...
regredir [xegre'dʒir] *irr como* preferir *vi* retroceder
regressar [xegre'sar] *vi* regresar
regresso [xe'grɛsu] *m* regreso *m*
régua ['xɛgwa] *f* regla *f*
regulamentação <-ões> [xegulamẽjta'sãw, -'õjs] *f* reglamentación *f*
regulamentar¹ [xegulamẽj'tar] *vt* reglamentar
regulamentar² [xegulamẽj'tar] <-es> *adj* reglamentario, -a
regulamento [xegula'mẽtu] *m* reglamento *m*
regular¹ [xegu'lar] I. *vt* regular II. *vi inf (pessoa, cabeça)* funcionar
regular² [xegu'lar] <-es> *adj* regular
regularidade [xegulari'dadʒi] *f* regularidad *f*
regularização <-ões> [xegulariza'sãw, -'õjs] *f* regularización *f*
regularizar [xeguları'zar] I. *vt* regularizar II. *vr:* **~-se** regularizarse
rei ['xej] *m* rey *m*
reinado [xej'nadu] *m* reinado *m*
reinar [xej'nar] *vi* reinar
reino ['xejnu] *m* reino *m*
reintegrar [xẽjte'grar] I. *vt* reintegrar II. *vr:* **~-se** reintegrarse
reiterar [xejte'rar] *vt* reiterar
reitor(a) [xej'tor(a)] <-es> *m(f)* rector(a) *m(f)*
reitoria [xejto'ria] *f* rectorado *m*

reivindicação <-ões> [xejvĩjdʒika'sãw, -'õjs] *f* reivindicación *f*
reivindicar [xejvĩjdʒi'kar] <c→qu> *vt* reivindicar
rejeição <-ões> [xeʒej'sãw, -'õjs] *f* rechazo *m*
rejeitar [xeʒej'tar] *vt* rechazar
relação <-ões> [xela'sãw, -'õjs] *f* relación *f*
relacionamento [xelasjona'mẽtu] *m* relación *f*
relacionar [xelasjo'nar] I. *vt* relacionar II. *vr:* **~-se com alguém** relacionarse con alguien
relações [xela'sõjs] *f pl de* **relação**
relâmpago [xe'lãpagu] *m* relámpago *m*
relampejar [xelãpe'ʒar] *vi impess* relampaguear
relance [xe'lãsi] *adv* **de ~** de reojo
relapso, -a [xe'lapsu, -a] *adj* negligente
relatar [xela'tar] *vt* relatar
relativo, -a [xela'tʃivu, -a] *adj* relativo, -a
relatório [xela'tɔriw] *m* informe *m*
relaxado, -a [xela'ʃadu, -a] *adj* relajado, -a; *(desleixado)* descuidado, -a
relaxamento [xelaʃa'mẽtu] *m* relajación *f*
relaxante [xela'ʃɑ̃tʃi] *adj, m* relajante *m*
relaxar [xela'ʃar] I. *vt* relajar II. *vi* relajarse
relembrar [xelẽj'brar] *vt* recordar
relevante [xele'vɑ̃tʃi] *adj* relevante
relevar [xele'var] *vt (salientar)* destacar; *(erros)* perdonar

relevo [xe'levu] *m* relieve *m*

religião <-ões> [xeʎiʒi'ãw, -'õjs] *f* religión *f*

religioso, -a [xeʎiʒi'ozu, -'ɔza] *adj, m, f* religioso, -a *m, f*

relíquia [xe'ʎikia] *f* reliquia *f*

relógio [xe'lɔʒiw] *m* reloj *m*; (*de consumo de água*) contador *m*

relojoeiro, -a [xeloʒu'ejru, -a] *m, f* relojero, -a *m, f*

relutar [xelu'tar] I. *vt* resistirse II. *vi* resistirse

reluzir [xelu'zir] *vi* 1. (*móvel*) relucir 2. (*estrela*) brillar

relva ['xɛwva] *f* hierba *f*

remar [xe'mar] *vi* remar; ~ **contra a maré** *fig* nadar contra corriente

rematar [xema'tar] I. *vt* rematar II. *vi* concluir

remate [xe'matʃi] *m* remate *m*

remediar [xemedʒi'ar] *irr como odiar* I. *vt* remediar II. *vr*: ~**-se com a. c.** arreglárselas con algo

remédio [xe'mɛdʒiw] *m* medicina *m*; (*para situação*) remedio *m*

remendar [xemẽj'dar] *vt* 1. (*pneu*) arreglar 2. (*roupa*) remendar

remendo [xe'mẽjdu] *m* remiendo *m*

remessa [xe'mɛsa] *f* 1. (*envio*) envío *m* 2. (*o que foi enviado*) remesa *f*

remetente [xeme'tẽjtʃi] *mf* remitente *mf*

remeter [xeme'ter] I. *vt* remitir II. *vr*: ~**-se** (*referir-se*) remitirse

remexer [xeme'ʃer] *vt* rebuscar

remissivo, -a [xemi'sivu, -a] *adj* remisorio, -a

remo ['xemu] *m* remo *m*

remoção <-ões> [xemo'sãw, -'õjs] *f* 1. (*eliminação*) retirada *f* 2. (*extração*) extracción *f*

remoçar [xemo'sar] <ç→c> *vt* rejuvenecer

remoções [xemo'sõjs] *f pl de* **remoção**

remorso [xe'mɔrsu] *m* remordimiento *m*

remoto, -a [xe'mɔtu, -a] *adj* remoto, -a

removedor [xemove'dor] <-es> *m* quitamanchas *m inv*

remover [xemo'ver] *vt* 1. (*eliminar*) quitar 2. (*deslocar*) transferir

removível <-eis> [xemo'vivew, -ejs] *adj* de quita y pon

remuneração <-ões> [xemunera'sãw, -'õjs] *f* remuneración *f*

rena ['xena] *f* reno *m*

renal <-ais> [xe'naw, -ajs] *adj* renal

renascer [xena'ser] <c→ç> *vi* renacer

renascimento [xenasi'mẽjtu] *m* renacimiento *m*

Renascimento [xenasi'mẽjtu] *m sem pl* HIST Renacimiento *m*

renda ['xẽjda] *f* 1. (*em vestuário*) encaje *m* 2. (*rendimento*) renta *f* 3. (*espetáculo*) ingresos *mpl*

render [xẽj'der] I. *vt* 1. (*juros*) rendir 2. (*a guarda*) cambiar II. *vi* rendir III. *vr*: ~**-se** rendirse

rendição <-ões> [xẽjdʒi'sãw, -'õjs] *f* rendición *f*

rendimento [xẽjdʒi'mẽjtu] *m* rendimiento *m*

renegado, -a [xene'gadu, -a] *adj* renegado, -a

renegar [xene'gar] <g→gu> vt renegar de

renegociação <-ões> [xenegosja'sãw, -'õjs] f renegociación f

renegociar [xenegosi'ar] vt (uma dívida) renegociar

renomado, -a [xeno'madu, -a] adj renombrado, -a

renovação <-ões> [xenova'sãw, -'õjs] f renovación f

renovar [xeno'var] vt renovar

rentabilidade [xẽjtabiʎi'dadʒi] f sem pl rentabilidad f

rentável <-eis> [xẽj'tavew, -ejs] adj rentable

renúncia [xe'nũwsia] f renuncia f

renunciar [xenũwsi'ar] vi, vt renunciar

reocupação <-ões> [xeokupa'sãw, -'õjs] f reocupación f

reorganizar [xeorganiˈzar] vt reorganizar

reparação <-ões> [xepara'sãw, -'õjs] f reparación f

reparar [xepa'rar] vi, vt reparar

repartição <-ões> [xepartʃi'sãw, -'õjs] f sección f; ~ **pública** servicio m público

repartir [xepar'tʃir] vt repartir

repassar [xepa'sar] vt (uma lição) repasar

repensar [xepẽj'sar] vi, vt repensar

repente [xe'pẽjtʃi] m repente m; **de ~** de repente

repentino, -a [xepẽj'tʃinu, -a] adj repentino, -a

repercussão <-ões> [xeperku'sãw, -'õjs] f repercusión f

repercutir [xeperku'tʃir] I. vt (som) reflejar II. vi tener repercusiones III. vr: **~-se** 1. (som) reflejarse 2. (ter efeito) repercutir

repertório [xeper'tɔriw] m repertorio m

repetição <-ões> [xepetʃi'sãw, -'õjs] f repetición f

repetir [xepi'tʃir] irr como preferir I. vi, vt repetir II. vr: **~-se** repetirse

repleto, -a [xe'plɛtu, -a] adj repleto, -a

réplica ['xɛplika] f réplica f

replicar [xepli'kar] <c→qu> vi replicar

repolho [xe'poʎu] m repollo m

repor [xe'por] irr como pôr I. vt volver a poner; (dinheiro) reponer II. vr: **~-se de a. c.** reponerse de algo

reportagem [xepor'taʒẽj] <-ens> f reportaje m

reportar-se [xepor'tarsi] vr: **~ a alguém/a. c.** referirse a alguien/algo

repórter [xe'pɔrter] <-es> mf reportero, -a m, f

reposto [xe'postu] pp de **repor**

repousar [xepow'zar] vi, vt reposar

repouso [xe'powzu] m reposo m

repreender [xepreẽj'der] vt reprender

repreensão <-ões> [xepreẽj'sãw, -'õjs] f reprensión f

represa [xe'preza] f pantano m

represálias [xepre'zaʎias] fpl represalias fpl

representação <-ões> [xeprezẽjta'sãw, -'õjs] f representación f

representante [xeprezẽj'tãntʃi] mf representante mf

representar [xeprezēj'tar] *vt* representar

repressão <-ões> [xepre'sãw, -'õjs] *f* represión *f*

repressivo, -a [xepre'sivu, -a] *adj* represivo, -a

repressões [xepre'sõjs] *f pl de* **repressão**

reprimir [xepri'mir] **I.** *vt* reprimir **II.** *vr*: **~-se** reprimirse

reprodução <-ões> [xeprodu'sãw, -'õjs] *f* reproducción *f*

reprodutor, reprodutriz [xeprodu'tor, -'triz] <-es> *adj* BIO reproductor(a)

reproduzir [xeprodu'zir] **I.** *vt* reproducir **II.** *vr*: **~-se** reproducirse

reprogramar [xeprogrə'mar] *vt* volver a programar

reprovação <-ões> [xeprova'sãw, -'õjs] *f* **1.** *(de atitude)* reprobación *f* **2.** *(em exame)* suspenso *m*, reprobado *m AmL*

reprovar [xepro'var] **I.** *vt* **1.** *(atitude)* reprobar **2.** *(aluno)* suspender, reprobar *AmL* **II.** *vi* suspender, reprobar *AmL*

réptil <-eis> ['xɛptʃiw, -ejs] *m* reptil *m*

república [xe'publika] *f* república *f*

repudiar [xepudʒi'ar] *vt* repudiar

repúdio [xe'pudʒiw] *m* repudio *m*

repugnância [xepug'nãnsia] *f* repugnancia *f*

repugnante [xepug'nãntʃi] *adj* repugnante

repugnar [xepug'nar] *vi* repugnar

repulsa [xe'puwsa] *f* repulsa *f*

repulsivo, -a [xepuw'sivu, -a] *adj* repulsivo, -a

reputação <-ões> [xeputa'sãw, -'õjs] *f* reputación *f*

repuxar [xepu'ʃar] *vi (pele, roupa)* estirar

requeijão <-ões> [xeke'ʒãw, -'õjs] *m* queso *m* para untar

requentado, -a [xekẽj'tadu, -a] *adj* recalentado, -a

requentar [xekẽj'tar] *vt* recalentar

requerente [xeke'rẽjtʃi] *mf* solicitante *mf*

requerer [xeke'rer] *irr como querer vt* requerir; *(um emprego)* solicitar

requerimento [xekeri'mẽjtu] *m* solicitud *f*

requintado, -a [xekĩj'tadu, -a] *adj* refinado, -a

requinte [xe'kĩjtʃi] *m* refinamiento *m*

requisição <-ões> [xekizi'sãw, -'õjs] *f* solicitud *f*

requisitado, -a [xekizi'tadu, -a] *adj* solicitado, -a

requisitar [xekizi'tar] *vt* solicitar

requisito [xeki'zitu] *m* requisito *m*

reserva¹ [xe'zɛrva] *f* reserva *f*; **~ florestal** reserva forestal

reserva² [xe'zɛrva] *mf* ESPORT reserva *mf*

reservado, -a [xezer'vadu, -a] *adj* reservado, -a

reservar [xezer'var] **I.** *vt* reservar **II.** *vr*: **~-se** reservarse

reservatório [xezerva'tɔriw] *m* depósito *m*

resfriado, -a [xesfri'adu, -a] *adj, m, f*

resfriado, -a *m, f*
resfriar [xesfri'ar] I. *vt* enfriar II. *vr*: ~-se resfriarse
resgatar [xezga'tar] *vt* 1. (*hipoteca*) amortizar; (*dívida*) saldar 2. (*refém*) rescatar 3. (*dinheiro*) recuperar
resgate [xez'gatʃi] *m* 1. (*de hipoteca*) amortización *f*; (*de dívida*) saldo *m* 2. (*de réfem*) rescate *m* 3. (*dinheiro*) recuperación *f*
residência [xezi'dẽjsia] *f* residencia *f*
residencial <-ais> [xezidẽjsi'aw, -'ajs] *adj* residencial
residir [xezi'dʒir] *vi* residir
resíduo [xe'ziduu] *m* residuo *m*
resignação <-ões> [xezigna'sãw] *f* resignación *f*
resignar-se [xezig'narsi] *vr*: ~ com a. c. resignarse a algo
resina [xe'zina] *f* resina *f*
resistência [xezis'tẽjsia] *f* resistencia *f*
resistente [xezis'tẽjtʃi] *adj* resistente
resistir [xezis'tʃir] *vi* resistir
resmungão, -ona <-ões> [xezmũw'gãw, -'ona, -õjs] *adj, m, f* refunfuñón, -ona *m, f*
resmungar [xezmũw'gar] <g→gu> *vi* refunfuñar
resmungões [xezmũw'gõjs] *m pl de* **resmungão**
resolução <-ões> [xezolu'sãw, -'õjs] *f* resolución *f*
resoluto, -a [xezo'lutu, -a] *adj* resuelto, -a
resolver [xezow'ver] I. *vt, vi* resolver II. *vr*: ~-se resolverse
resolvido, -a [xezow'vidu, -a] *adj* resuelto, -a

respectivo, -a [xespek'tʃivu, -a] *adj* respectivo, -a
respeitado, -a [xespej'tadu, -a] *adj* respetado, -a
respeitador(a) [xespejta'dor(a)] <-es> *adj* que respeta
respeitar [xespej'tar] I. *vt* respetar II. *vr*: ~-se hacerse respetar
respeito [xes'pejtu] *m* 1. (*consideração*) respeto *m*; **a ~ de** a respecto de 2. *pl* (*cumprimentos*) respetos *mpl*; **os meus ~s** mis respetos
respingar [xespĩ'gar] <g→gu> *vi* salpicar
respiração <-ões> [xespira'sãw] *f* respiración *f*
respirar [xespi'rar] *vi, vt* respirar
respiratório, -a [xespira'tɔriw, -a] *adj* respiratorio, -a
respiro [xes'piru] *m* respiración *f*
resplandecente [xesplãnde'sẽjtʃi] *adj* resplandeciente
resplandecer [xesplãnde'ser] <c→ç> *vi* resplandecer
resplendor [xesplẽj'dor] <-es> *m* resplandor *m*
responder [xespõw'der] *vi, vt* responder
responsabilizar [xespõwsabili'zar] I. *vt* responsabilizar; ~ **alguém por a. c.** responsabilizar a alguien de algo II. *vr*: ~-se **por alguém/a. c.** responsabilizarse de alguien/algo
responsável <-eis> [xespõw'savew, -ejs] *adj, mf* responsable *mf*
resposta [xes'pɔsta] *f* respuesta *f*
ressaca [xe'saka] *f inf* resaca *f*
ressaltar [xesaw'tar] *vt, vi* resaltar

essalva [eˈsawva] *f* observación *f*

essarcimento [esarsiˈmẽjtu] *m* resarcimiento *m*

essarcir [esarˈsir] *vt* resarcir

essecamento [esekaˈmẽjtu] *m* resecamiento *m*

essecar [eseˈkar] <c→qu> *vi* resecarse

essentimento [esẽjtʃiˈmẽjtu] *m* resentimiento *m*

essentir-se [esẽjˈtʃirsi] *irr como sentir vr* resentirse

essoar [xesoˈar] <*1. pess pres:* ressôo> *vi* resonar

essonar [esoˈnar] *vi* resonar

essurgimento [xesurʒiˈmẽjtu] *m* resurgimiento *m*

essurreição <-ões> [xesuxejˈsãw, -ˈõjs] *f* resurrección *f*

essuscitar [xesusiˈtar] *vi, vt* resucitar

estabelecer [xestabeleˈser] <c→ç> I. *vt* restablecer II. *vr:* ~-se restablecerse

estabelecimento [xestabelesiˈmẽjtu] *m* restablecimiento *m*

estante [xesˈtãtʃi] I. *adj* restante II. *m* resto *m*

estar [xesˈtar] *vi* quedar

estauração <-ões> [xestawraˈsãw, -ˈõjs] *f* restauración *f*

estaurante [xestawˈrãtʃi] *m* restaurante *m*

estaurar [xestawˈrar] *vt* restaurar

éstia [ˈxɛstʃia] *f* 1. (*de luz*) haz *m* 2. (*vislumbre*) atisbo *m* 3. (*de cebola, alho*) ristra *f*

estituição <-ões> [xestʃituiˈsãw, -ˈõjs] *f* (*de bens*) restitución *f*; (*do imposto de renda*) devolución *f*

restituir [xestʃituˈir] *conj como incluir vt* (*bens*) restituir; (*dinheiro*) devolver

resto [ˈxɛstu] *m* resto *m;* **de** ~ (*aliás*) por lo demás

restrição <-ões> [xestriˈsãw, -ˈõjs] *f* restricción *f*

restringir [xestrĩˈʒir] <g→j> I. *vt* restringir II. *vr:* ~-se a a. c. limitarse a algo

restrito, -a [xesˈtritu, -a] *adj* restringido, -a

resultado [xezuwˈtadu] *m* resultado *m*

resultante [xezuwˈtãtʃi] *adj* resultante

resultar [xezuwˈtar] *vi* resultar

resumir [xezuˈmir] I. *vt* resumir II. *vr:* ~-se resumirse

resumo [xeˈzumu] *m* resumen *m*

reta [ˈxeta] *f* recta *f*

retalho [xeˈtaʎu] *m* retazo *m*

retaliação <-ões> [xetaʎiaˈsãw, -ˈõjs] *f* MIL represalia *f*; (*revide*) venganza *f*

retaliar [xetaʎiˈar] *vi* MIL tomar represalias

retângulo, -a [xeˈtãgulu, -a] *adj, m, f* rectángulo, -a *m, f*

retardado, -a [xetarˈdadu, -a] *adj* retrasado, -a

retardar [xetarˈdar] *vt* retardar

retenção <-ões> [xetẽjˈsãw] *f* retención *f*

reter [xeˈter] *irr como ter vt* retener; (*lágrimas*) contener

reticências [xetʃiˈsẽjsias] *fpl* puntos *mpl* suspensivos

reticente [xetʃi'sējtʃi] *adj* reticente

retidão <-ões> [xetʃi'dãw, -õjs] *f* rectitud *f*

retido, -a [xe'tʃidu, -a] *adj* retenido, -a

retificar [xetʃifi'kar] <c→qu> *vt* rectificar

retirada [xetʃi'rada] *f* retirada *f*

retirado, -a [xetʃi'radu, -a] *adj* retirado, -a

retirar [xetʃi'rar] I. *vt* retirar II. *vr*: ~-**se** retirarse

retiro [xe'tʃiru] *m* retiro *m*

reto, -a ['xεtu, -a] *adj, m,* frecto, -a *m, f*

retomar [xeto'mar] *vt* 1. (*atividade*) retomar 2. (*lugar*) recuperar

retoque [xe'tɔki] *m* retoque *m*

retorcer [xetor'ser] <c→ç> I. *vt* retorcer II. *vr*: ~-**se** retorcerse

retórica [xe'tɔrika] *f* retórica *f*

retornar [xetor'nar] *vi* retornar

retórico, -a [xe'tɔriku, -a] *adj* retórico, -a

retorno [xe'tornu] *m* retorno *m*

retraído, -a [xetra'idu, -a] *adj* (*pessoa*) retraído, -a

retrair [xetra'ir] *conj como sair* I. *vt* (*membro*) retraer II. *vr*: ~-**se** retraerse

retrasado, -a [xetra'zadu, -a] *adj* pasado, -a

retrato [xe'tratu] *m* retrato *m*; ~ **falado** retrato robot [*o* hablado *AmL*]

retribuição <-ões> [xetribui'sãw, -õjs] *f* 1. (*de um favor*) devolución *f* 2. (*recompensa*) retribución *f*

retribuir [xetribu'ir] *conj como incluir* *vt* 1. (*visita*) devolver 2. (*recompensar*) retribuir

retroativo, -a [xetroa'tʃivu, -a] *adj* retroactivo, -a

retroceder [xetrose'der] *vi* retroceder

retrocesso [xetro'sεssu] *m* retroceso *m*

retrospectiva [xetrospek'tʃiva] *f* retrospectiva *f*

retrovisor [xetrovi'zor] <-es> *m* (*espelho*) retrovisor *m*

retrucar [xetru'kar] <c→qu> *vt* responder

réu, ré ['xεw, 'xε] *m, f* reo, -a *m, f*

reumatismo [xewma'tʃizmu] *m sem pl* reumatismo *m*

reumatologista [xewmatolo'ʒista] *mf* reumatólogo, -a *m, f*

reunião <-ões> [xeuni'ãw, -'õjs] *f* reunión *f*

reunificar [xeunifi'kar] <c→qu> *vt* reunificar

reunir [xeu'nir] *vt* reunir

revalidação <-ões> [xevaʎida'sãw, -'õjs] *f* convalidación *f*

revalidar [xevaʎi'dar] *vt* convalidar

revanche [xe'vãnʃi] *f* revancha *f*

réveillon [xevej'õw] *m* fin *m* de año

revelação <-ões> [xevela'sãw, -'õjs] *f* 1. (*de segredo, escândalo*) revelación *f* 2. foto revelado *m*

revelar [xeve'lar] I. *vt* revelar II. *vr*: ~-**se** revelarse

revelia [xeve'ʎia] *adv* JUR **à** ~ en rebeldía

revenda [xe'vẽjda] *f* reventa *f*

revendedor(a) [xevẽjde'dor(a), -es>] *m(f)* concesionario, -a *m, f*

revender [xevẽj'der] *vt* (*automóveis*) vender

rever [xe'ver] *irr como ver* *vt* **1.** (*tornar a ver*) volver a ver **2.** (*para corrigir*) revisar **3.** (*a matéria*) repasar

reverência [xeve'rẽsja] *f* reverencia *f*

reversível <-eis> [xever'sivew, -ejs] *adj* reversible

reverso [xe'vɛrsu] *m* reverso *m*

reverter [xever'ter] *vi* volver

revés [xe'vɛs] <-es> *m* revés *m*; **ao ~** al revés

revestir [xevis'tʃir] *irr como vestir* *vt* revestir

revezamento [xeveza'mẽjtu] *m* ESPORT relevo *m*

revezar [xeve'zar] **I.** *vt* relevar **II.** *vr:* **~-se** relevarse

revidar [xevi'dar] *vt* responder

revirado, -a [xevi'radu, -a] *adj* revuelto, -a

revirar [xevi'rar] **I.** *vt* **1.** (*os olhos*) dar vueltas a **2.** (*casa, estômago*) revolver **II.** *vr:* **~-se** revolverse

reviravolta [xevira'vɔwta] *f* **1.** (*cambalhota*) voltereta *f* **2.** *fig* vuelco *m*

revisão <-ões> [xevi'zãw, -'õjs] *f* revisión *f*

revisar [xevi'zar] *vt* revisar

revisões [xevi'zõjs] *f pl de* **revisão**

revisor(a) [xevi'zor(a)] <-es> *m(f)* (*em editora*) corrector(a) *m(f)*

revista [xe'vista] *f* **1.** PREN revista *f* **2.** (*busca, inspeção*) registro *m*

revistar [xevis'tar] *vt* registrar

revisto [xe'vistu] *pp de* **rever**

revoada [xevu'ada] *f* bandada *f*

revogação <-ões> [xevoga'sãw, -'õjs] *f* (*de lei*) revocación *f*; (*de ordem*) anulación *f*

revogar [xevo'gar] <g→gu> *vt* (*uma lei*) revocar; (*uma ordem*) anular

revolta [xe'vɔwta] *f* **1.** (*popular*) revuelta *f* **2.** (*moral*) indignación *f*

revoltado, -a [xevow'tadu, -a] *adj* **1.** indignado, -a **2.** *inf* (*inconformado*) inconforme

revoltar [xevow'tar] **I.** *vt* indignar **II.** *vr:* **~-se** rebelarse

revolto, -a [xe'vowtu, -a] *adj* revuelto, -a

revolução <-ões> [xevolu'sãw, -'õjs] *f* revolución *f*

revolucionar [xevolusjo'nar] *vt* revolucionar

revolucionário, -a [xevolusjo'nariu, -a] *adj, m, f* revolucionario, -a *m, f*

revoluções [xevolu'sõjs] *f pl de* **revolução**

revolver [xevow'ver] *vt* revolver

revólver [xe'vɔwver] <-es> *m* revólver *m*

reza ['xɛza] *f* rezo *m*

rezar [xe'zar] *vi, vt* rezar

riacho [xi'aʃu] *m* riachuelo *m*

ribeirão <-ões> [xibej'rãw, -'õjs] *m* arroyo *m*

ribeirinho, -a [xibej'riɲu, -a] *adj* ribereño, -a

ribeiro [xi'bejru] *m* riachuelo *m*

ribeirões [xibej'rõjs] *m pl de* **ribeirão**

rícino [xi'sinu] *m* ricino *m*

rico, -a [xiku, -a] *adj, m, f* rico, -a *m, f*

ricota [xi'kɔta] *f* queso *m* ricotta

ridicularizar [xidʒikulari'zar] *vt* ridiculizar

ridículo, -a [xi'dʒikulu, -a] *adj, m, f* ridículo, -a *m, f*
rifa ['xifa] *f* rifa *f*
rifle ['xifli] *m* rifle *m*
rigidez [xiʒi'des] <-es> *f* rigidez *f*
rigido, -a ['xiʒidu, -a] *adj* rígido, -a
rigor [xi'gor] <-es> *m* rigor *m;* **a ~ en** realidad
rigoroso, -a [xigo'rozu, -'ɔza] *adj* riguroso, -a
rijo, -a ['xiʒu, -a] *adj* **1.** (*material*) rígido, -a **2.** (*carne*) duro, -a
rim ['xĩj] <rins> *m* riñón *m*
rima ['xima] *f* rima *f*
rimar [xi'mar] *vi* rimar
rímel <-eis> ['ximew, -ejs] *m* rímel *m*
rincão <-ões> [xĩj'kãw, -'õjs] *m* rincón *m*
rinite [xi'nitʃi] *f* MED rinitis *f*
rinoceronte [xinose'rõwtʃi] *m* rinoceronte *m*
rins ['xĩjs] *m pl de* **rim**
rio ['xiw] *m* río *m*
Rio Branco ['xiw 'brãŋku] *m* Rio Branco *m*
Rio de Janeiro ['xiw dʒi ʒa'nejru] *m* Rio de Janeiro *m*
Rio Grande do Norte ['xiw'grãndʒi du 'nɔrtʃi] *m* Rio Grande do Norte *m*
Rio Grande do Sul ['xiw 'grãndʒi du 'suw] *m* Rio Grande do Sul *m*
riqueza [xi'keza] *f* riqueza *f*
rir ['xir] *irr* **I.** *vi* reír **II.** *vr:* **~-se** reírse
risada [xi'zada] *f* carcajada *f*
risca ['xiska] *f* raya *f*
riscar [xis'kar] <c→qu> *vt* **1.** (*um papel*) rayar; (*uma palavra*) tachar **2.** (*de uma lista*) borrar
risco ['xisku] *m* **1.** (*traço*) raya *f* **2.** (*perigo*) riesgo *m*
riso ['xizu] *m* risa *f*
risonho, -a [xi'zõɲu, -a] *adj* risueño, -a
ríspido, -a [xispidu, -a] *adj* rudo, -a
ritmo ['xitʃmu] *m* ritmo *m*
rito ['xitu] *m* rito *m*
ritual <-ais> [xitu'aw, -'ajs] *adj, m* ritual
rival <-ais> [xi'vaw, -'ajs] *mf* rival *mf*
rivalidade [xivaʎi'dadʒi] *f* rivalidad *f*
rivalizar [xivaʎi'zar] *vt* rivalizar
rixa ['xiʃa] *f* pelea *f*
robô [xo'bo] *m* robot *m*
robusto, -a [xo'bustu, -a] *adj* robusto, -a
rocambole [xokãŋ'bɔʎi] *m* brazo *m* de gitano
roçar [xo'sar] <ç→c> **I.** *vt* (*tocar*) rozar; (*roupa*) arrastrar **II.** *vr:* **~-se** restregarse
rocha ['xɔʃa] *f tb. fig* roca *f*; (*rochedo*) peñasco *m*
rochedo [xo'ʃedu] *m* peñasco *m*
roda ['xɔda] *f* **1.** (*objeto*) rueda *f* **2.** (*círculo*) corro *m* **3.** (*grupo*) círculo *m*
rodada [xo'dada] *f* **1.** (*automóvel*) vuelta *f* **2.** (*bebida*) ronda *f*
roda-gigante [xɔda-ʒi'gãntʃi] <rodas-gigantes> *f* noria *f*, vuelta *f* al mundo *Arg*, rueda *f* de la fortuna *Méx*
rodamoinho [xɔdamu'iɲu] *m* remolino *m*
rodapé [xɔda'pɛ] *m* **1.** ARQUIT zócalo *m* **2.** (*de folha*) pie *m* de página

rodar [xo'dar] **I.** *vt* **1.** (*um botão, a chave*) girar **2.** (*viajar*) rodar por **3.** (*um filme*) rodar **II.** *vi* **1.** (*girar*) girar **2.** *inf* (*num exame*) suspender; (*no emprego*) perder el trabajo

rodear [xodʒi'ar] *conj como passear vt* rodear

rodeios [xo'dejus] *mpl* rodeos *mpl*; **fazer** ~ ir con rodeos

rodela [xo'dɛla] *f* rodaja *f*

rodízio [xo'dʒiziw] *m* **1.** (*de automóveis*) prohibición *de* la circulación *de* vehículos por el centro de la ciudad en función del número de la matrícula y del día de la semana **2.** **restaurante** ~ buffet *m* libre

rodo ['xodu] *m* cepillo *m*; **a** ~ mucho

rodopiar [xodopi'ar] *vi* arremolinarse

rodopio [xodo'piw] *m* remolino *m*

rodovia [xodo'via] *f* carretera *f*

rodoviária [xodovi'aria] *f* estación *f* de autobuses

rodoviário, -a [xodovi'ariw, -a] *adj* (*de estrada*) de la carretera; (*de trânsito*) rodado, -a; (*de transporte*) por carretera

roer [xo'er] *irr* **I.** *vt, vi* roer **II.** *vr*: ~-**se de a. c.** consumirse de algo

rogar [xo'gar] <g→gu> *vt* rogar

rojão <-ões> [xo'ʒãw, -'õjs] *m* cohete *m*

rolar [xo'lar] **I.** *vi, vt* rodar **II.** *vr*: ~-**se de rir** desternillarse de risa

roldana [xow'dana] *f* roldana *f*

roleta [xo'leta] *f* ruleta *f*

rolha ['xoʎa] *f* corcho *m*

rolo ['xolu] *m* **1.** (*geral*) rollo *m* **2.** *inf* (*confusão*) lío *m* **3.** *fig* (*transação comercial*) negocio *m*

romã [xo'mã] *f* granada *f*

romance [xo'mãnsi] *m* **1.** LIT novela *f* **2.** (*amoroso*) romance *m*

romancista [xomãn'sista] *mf* novelista *mf*

romano, -a [xo'mãnu, -a] *adj, m, f* romano, -a *m, f*

romântico, -a [xo'mãntʃiku, -a] *adj, m, f* romántico, -a *m, f*

rombo ['xõwbu] *m* agujero *m*

Romênia [xo'menia] *f* Rumania *f*

romeno, -a [xo'menu, -a] *adj, m, f* rumano, -a *m, f*

romper [xõw'per] <*pp*: roto *ou* rompido> **I.** *vi, vt* romper **II.** *vr*: ~-**se** romperse

rompimento [xõwpi'mẽtu] *m* ruptura *f*

roncar [xõw'kar] <c→qu> *vi* roncar

ronda ['xõwda] *f* ronda *f*

rondar [xõw'dar] *vt* (*uma casa*) dar la vuelta a; (*para vigiar*) rondar

Rondônia [xõw'donia] Rondônia

Roraima [xo'rajma] Roraima

rosa ['xɔza] *adj inv, f* rosa *f*

rosado, -a [xo'zadu, -a] *adj* rosado, -a

rosário [xo'zariw] *m* rosario *m*

rosbife [xoz'bifi] *m* rosbif *m*

rosca ['xoska] *f* rosca *f*

roseira [xo'zejra] *f* rosal *m*

rosnar [xoz'nar] *vi* gruñir

rosto ['xostu] *m* cara *f*, rostro *m*

rota ['xɔta] *f* ruta *f*

rotatória [xota'tɔria] *f* (*no tráfego*) rotonda *f*

roteirista [xotej'rista] *mf* guionista *mf*

roteiro [xo'tejru] *m* (*de uma viagem*)

itinerario *m*; *(para discussão)* programa *m*; CINE, TV guión *m*
rotina [xo'tʃina] *f* rutina *f*
rotineiro, -a [xotʃi'nejru, -a] *adj* rutinario, -a
roto, -a ['xotu, -a] *adj* roto, -a
roubar [xo'bar] *vt, vi* robar
roubo ['xowbu] *m* robo *m*
rouco ['xoku, -a] *adj* ronco, -a
roupa ['xopa] *f* ropa *f*; ~ **de cama** ropa de cama, tendido *m* Col, Méx
roupão <-ões> [xo'pãwm -'õjs] *m* bata *f*; *(de banho)* albornoz *m*
roupeiro [xo'pejru] *m* ropero *m*
roupões [xo'põjs] *m pl de* **roupão**
rouxinol <-óis> [xowʃi'nɔw, -'ɔjs] *m* ruiseñor *m*
roxo, -a ['xoʃu, -a] *adj* morado, -a
rua ['xua] I. *f* calle *f* II. *interj* largo
rubéola [xu'bɛwla] *f* MED rubeola *f*
rubi [xu'bi] *m* rubí *m*
rubor [xu'bor] <-es> *m* rubor *m*
ruborizar-se [xubori'zarsi] *vr elev* ruborizarse
rubrica [xu'brika] *f (assinatura)* rúbrica *f*
ruço ['xusu] *adj* 1. *(cor)* descolorido, -a 2. *(roupa)* desgastado, -a 3. *(pessoa, cabelo)* grisáceo, -a
rude [xudʒi] *adj* rudo, -a
rudimentar [xudʒimẽj'tar] <-es> *adj* rudimentario, -a
ruela [xu'ɛla] *f* callejón *m*
ruga ['xuga] *f* arruga *f*
rugby ['xɔgbi] *m* rugby *m*
ruge ['xuʒi] *m* colorete *m*
rugido [xu'ʒidu] *m* rugido *m*
rugir [xu'ʒir] <g→j> *vi* rugir

ruído [xu'idu] *m* ruido *m*
ruidoso, -a [xui'dozu, -'ɔza] *adj* ruidoso, -a
ruim ['xuĩj] <-ins> *adj* malo, -a
ruína [xu'ina] *f* ruina *f*
ruir [xu'ir] *conj como* incluir *vi* desmoronarse
ruivo, -a ['xujvu, -a] *adj, m, f* pelirrojo, -a *m, f*
rum ['xũw] *m sem pl* ron *m*
rumar [xu'mar] *vi* 1. *(navio)* poner rumbo 2. *(pessoa)* dirigirse
rumba ['xũwba] *f* rumba *f*
ruminante [xumi'nãntʃi] *m* rumiante *m*
ruminar [xumi'nar] *vi* rumiar
rumo ['xumu] *m* rumbo *m*
rumor [xu'mor] <-es> *m* rumor *m*
ruptura [xup'tura] *f* ruptura *f*
Rússia ['xusja] *f* Rusia *f*
russo, -a ['xusu, -a] *adj, m, f* ruso, -a *m, f*
rústico, -a ['xustʃiku, -a] *adj* rústico, -a

S

S, s ['ɛsi] *m* S, s *f*
S. ['sãw] *abr de* **São** S.
sábado ['sabadu] *m* sábado *m*; *v.tb* **segunda-feira**
sabão <-ões> [sa'bãw, -'õjs] *m* jabón *m*
sabedoria [sabedo'ria] *f* sabiduría *f*
saber [sa'ber] *irr vi, vt* saber
sabido, -a [sa'bidu, -a] *adj* listo, -a
sábio, -a ['sabiw, -a] *adj, m, f* sabio, -a *m, f*

sabões [sa'bõjs] *m pl de* **sabão**
sabonete [sabo'netʃi] *m* jabón *m*
sabor [sa'bor] <-es> *m* sabor *m*
saborear [sabore'ar] *conj como passear vt* saborear
saboroso, -a [sabo'rozu, -'ɔza] *adj* sabroso, -a
sabotagem [sabo'taʒẽj] <-ens> *f* sabotaje *m*
sacada [sa'kada] *f* balcón *m*
sacar [sa'kar] <c→qu> **I.** *vt* sacar; (*uma informação*) arrancar **II.** *vi* ~ **de a.c.** sacar algo
saca-rolhas ['saka-'ʁoʎas] *m inv* sacacorchos *m inv*
sacerdote, sacerdotisa [saser'dotʃi, saserdo'tʃiza] *m, f* sacerdote, sacerdotisa *m, f*
saciar [sasi'ar] *vt* saciar
saco ['saku] *m* saco *m*
sacode [sa'kɔdʒi] *3. pres de* **sacudir**
sacola [sa'kɔla] *f* bolsa *f*
sacramento [sakra'mẽjtu] *m* REL sacramento *m*
sacrificar [sakrifi'kar] <c→qu> *vt* sacrificar
sacrifício [sakri'fisiw] *m* sacrificio *m*
sacudida [saku'dʒida] *f* sacudida *f*
sacudir [saku'dʒir] *irr como subir vt* sacudir
sádico, -a ['sadʒiku, -a] *adj, m, f* sádico, -a *m, f*
sadio, -a [sa'dʒiw, -a] *adj* saludable
sadismo [sa'dʒizmu] *m* sadismo *m*
sadomasoquista [sadomazo'kista] *mf* sadomasoquista *mf*
safado, -a [sa'fadu, -a] *adj, m, f* sinvergüenza *mf*

safanão <-ões> [safɜ'nãw, -'õjs] *m* tirón *m*
safar-se [sa'farsi] *vr (salvar-se)* librarse
safári [sa'fari] *m* safari *m*
safira [sa'fira] *f* zafiro *m*
safra ['safra] *f* cosecha *f*
sagacidade [sagasi'dadʒi] *f* sagacidad *f*
sagaz [sa'gas] <-es> *adj* sagaz
sagitariano, -a [saʒitari'anu, -a] *adj, m, f* Sagitario *mf inv*
Sagitário [saʒi'tariw] *m* Sagitario *m*
sagrado, -a [sa'gradu, -a] *adj* sagrado, -a
saguão <-ões> [sa'gwãw, -'õjs] *m* vestíbulo *m*
saia ['saja] *f* falda *f*, pollera *f AmL*
saia-calça ['saja-'kawsa] <saias-calças> *f* falda *f* pantalón, pollera *f* pantalón *AmL*
saiba ['sajba] *1., 3. pres subj de* **saber**
saída [sa'ida] *f* salida *f*
saída-de-banho [sa'ida-dʒi-'bɐ̃ɲu] <saídas-de-banho> *f* bata *f* de playa
sair [sa'ir] *irr vi* salir
sal <-ais> ['saw, 'sajs] *m (substância)* sal *f*
sala ['sala] *f* sala *f*
salada [sa'lada] *f tb. fig* ensalada *f*
sala-e-quarto ['sala-i-'kwartu] <sala(s)-e-quartos> *m* piso *m* con un salón y un dormitorio
salame [sa'lɐmi] *m* salami *m*
salão <-ões> [sa'lãw, -'õjs] *m* salón *m*
salarial <-ais> [salari'aw, -'ajs] *adj* salarial

salário [sa'lariw] *m* salario *m*

saldar [saw'dar] *vt* saldar

saldo ['sawdu] *m* saldo *m*

saleiro [sa'leȷru] *m* salero *m*

salgadinhos [sawga'dʒĩnus] *mpl* aperitivos *mpl* salados

salgado, -a [saw'gadu, -a] *adj* salado

salgados [saw'gadus] *mpl* aperitivos *mpl* salados

salientar [saʎiẽj'tar] *vt* destacar

saliente [saʎi'ẽjtʃi] *adj* saliente

salina [sa'ʎina] *f* salina *f*

saliva [sa'ʎiva] *f* saliva *f*

salmão <-ões> [saw'mãw, -'õjs] *m* salmón *m*

salmonela [sawmo'nɛla] *f* MED salmonella *f*

salões [sa'lõjs] *m pl de* **salão**

salpicão <-ões> [sawpi'kãw, -'õjs] *m* GASTR salpicón *m*

salpicar [sawpi'kar] <c→qu> *vt* salpicar

salpicões [sawpi'kõjs] *m pl de* **salpicão**

salsa ['sawsa] *f* MÚS salsa *f*

salsicha [saw'siʃa] *f* salchicha *f*

salsichão <-ões> [sawsi'ʃãw, -'õjs] *m* salchichón *m*

saltar [saw'tar] *vt* (*lançar-se*) tirarse

saltimbanco [sawtʃĩ'bãŋku] *mf* saltimbanqui *mf*

salto ['sawtu] *m* (*movimento*) salto *m*; (*de calçado*) tacón *m*, taco *m* CSur

salutar [salu'tar] *adj tb. fig* saludable

salvação <-ões> [sawva'sãw, -'õjs] *f* salvación *f*

salvamento [sawva'mẽjtu] *m* salvamento *m*

salvar [saw'var] <*pp*: salvo *ou* salvado> I. *vt* salvar; INFOR guardar II. *vr*: ~-se salvarse

salva-vidas¹ ['sawva-'vidas] *m inv* salvavidas *m inv*

salva-vidas² ['sawva-'vidas] *inv mf* socorrista *mf*

salve ['sawvi] *interj* salve

salvo ['sawvu] I. *pp irr de* **salvar** II. *prep* salvo

samambaia [samã'baja] *f* BOT helecho *m*

samba ['sãba] *m* MÚS samba *f*

Cultura   Nacida a mitades de la primera década del siglo pasado, durante los encuentros de las pasteleras de Bahía residentes en Río de Janeiro - la capital de entonces - la **samba** cobró fuerza y autonomía, con la ayuda de la radio, a partir de mitad de los años 20, estimulando el surgimiento de las **escolas de samba**. Con Noel Rosa la **samba** ya con un ritmo rico, ganó contenido, incorporando posteriormente variaciones e influencias de todo tipo. Más que un género, la **samba** se convirtió en parte de la identidad musical brasileña.

sambar [sã'bar] *vi* bailar la samba

sambista [sã'bista] *mf* sambista *mf*

sanatório [sana'tɔriw] *m* sanatorio *m*

sancionar [sãsjo'nar] *vt* (*uma lei*) sancionar

sandália [sã'daʎia] *f* sandalia *f*

sanduíche [sãdu'iʃi] *m* bocadillo *m*

saneamento [sania'mẽjtu] *m* sanea-

miento *m*
sanear [sɐni'ar] *conj como passear vt* sanear
sangrar [sɐ̃n'grar] *vi* sangrar
sangrento, -a [sɐ̃n'grẽjtu, -a] *adj* sangriento, -a
sangria [sɐ̃n'gria] *f* sangría *f*
sangue ['sɐ̃ngi] *m* sangre *f*
sangue-frio ['sɐ̃ngi-'friw] <sangues--frios> *m* sangre *f* fría
sanguessuga [sɐ̃ngi'suga] *mf pej (pessoa)* sanguijuela *f*
sanguinário, -a [sɐ̃ngi'nariw, -a] *adj* sanguinario, -a
sanguíneo, -a [sɐ̃n'gwiniw, -a] *adj* sanguíneo, -a
sanidade [sɐni'dadʒi] *f* salud *f*
sanitário [sɐni'tariw] *m* baño *m*, retrete *m*
Santa Catarina [sɐ̃nta kata'rina] *f* Santa Catarina
santidade [sɐ̃ntʃi'dadʒi] *f* santidad *f*
santificado, -a [sɐ̃ntʃifi'kadu, -a] *adj* santificado, -a
santo, -a ['sɐ̃ntu, -a] *adj, m, f* santo, -a *m, f*
Santos ['sɐ̃ntus] Santos
santuário [sɐ̃ntu'ariw] *m* santuario *m*
são, sã ['sɐ̃w, 'sɐ̃] *adj* sano, -a
São ['sɐ̃w] *adj* San
São Luís *m* São Luís *m*
São Paulo *m* São Paulo *m*, San Pablo *m RíoPl*
sapataria [sapata'ria] *f* zapatería *f*
sapato [sa'patu] *m* zapato *m*
sapo ['sapu] *m* sapo *m*
saque ['saki] *m (de cheque, dinheiro)* retirada *f*; *(esporte)* saque *m*

saquear [saki'ar] *conj como passear vt* saquear
saracotear [sarakutʃi'ar] *conj como passear vi* menearse
sarampo [sa'rɐ̃npu] *m* MED sarampión *m*
sarar [sa'rar] *vi, vt* sanar
sarcasmo [sar'kazmu] *m* sarcasmo *m*
sarcástico, -a [sar'kastʃiku, -a] *adj* sarcástico, -a
sarda ['sarda] *f* peca *f*
sardinha [sar'dʒina] *f* sardina *f*
sargento [sar'ʒẽjtu] *m* MIL sargento *m*
sarjeta [sar'ʒeta] *f* cuneta *f*
sarna ['sarna] *f* sarna *f*
satanás [sata'nas] <satanases> *m* satanás *m*
satânico, -a [sa'tɐniku, -a] *adj* satánico, -a
satélite [sa'tɛlitʃi] *m* satélite *m*
sátira ['satʃira] *f* sátira *f*
satírico, -a [sa'tʃiriku, -a] *adj* satírico, -a
satirizar [satʃiri'zar] *vt* satirizar
satisfaça [satʃis'fasa] *1., 3. pres subj de* **satisfazer**
satisfação <-ões> [satʃisfa'sɐ̃w, -'õjs] *f* satisfacción *f*
satisfatório, -a [satʃisfa'tɔriw, -a] *adj* satisfactorio, -a
satisfazer [satʃisfa'zer] *irr como* fazer I. *vi, vt* satisfacer II. *vr* ~-se satisfacerse
satisfeito, -a [satʃis'fejtu, -a] I. *pp de* **satisfazer** II. *adj* satisfecho, -a
saturado, -a [satu'radu, -a] *adj (farto)* harto, -a
saturar [satu'rar] *vt tb.* QUÍM saturar

Saturno [sa'turnu] *m* ASTRON Saturno *m*

saudação <-ões> [sawda'sãw, -'õjs] *f* saludo *m*

saudade [saw'dadʒi] *f* nostalgia *f*; **ter ~s de alguém/a. c.** echar de menos a alguien/algo

Cultura Llamamos **saudade** a un sentimiento de melancolía motivado por la ausencia de alguien o de alguna cosa, de la lejanía de un lugar, o de la falta de ciertas experiencias ya vividas. Frecuentemente en plural, la palabra se usa en varias situaciones: **estar com saudades de alguém que vive longe** (echar en falta a alguien que vive lejos), **sentir saudades das ruas da cidade natal** (echar en falta las calles de la ciudad natal), **ter saudades de comer uma boa feijoada** (echar en falta comer una buena feijoada), **sentir saudades dos tempos de faculdade**, (echar en falta los tiempos de la universidad) etc.

saudar [saw'dar] *irr vt* saludar
saudável <-eis> [saw'davew, -ejs] *adj* saludable
saúde [sa'udʒi] *f* salud *f*
saudoso, -a [saw'dozu, -'ɔza] *adj* nostálgico, -a
sauna ['sawna] *f tb. fig* sauna *f*
saxofone [sakso'foni] *m* saxofón *m*
saxofonista [saksofo'nista] *mf* saxofonista *mf*
scanner [is'kɐner] *m* INFOR escáner *m*
script [is'kriptʃi] *m* guión *m*

se [si] **I.** *conj* si; **como ~** +*subj*, como si +*subj*; **~ fosse possível** si fuera posible; **não sei ~ você sabe** no sé si sabes **II.** *pron* se; **lavar-~** lavarse **III.** *pron impess* se; **sabe-~ que...** se sabe que...; **aqui ~ come bem** aquí se come bien
sebo ['sebu] *m* sebo *m*, librería *f* de viejo
seca ['seka] *f* sequía *f*
secador [seka'dor] *m* secador *m*
seção <-ões> [se'sãw, -'õjs] *f* sección *f*
secar [se'kar] <*pp*: seco *ou* secado; c→qu> **I.** *vi, vt* (*roupa, cabelo, fruta*) secar **II.** *vr*: **~-se** secarse
seco, -a ['seku, -a] *adj* seco, -a
seções [se'sõjs] *f pl de* **seção**
secreção <-ões> [sekre'sãw, -'õjs] *f* secreción *f*
secretaria [sekreta'ria] *f* secretaría *f*
secretária [sekre'taria] *f* escritorio *m*; **~ (eletrônica)** contestador *m* (automático)
secretariado [sekretari'adu] *m* secretariado *m*
secretário, -a [sekre'tariw, -a] *m, f* secretario, -a *m, f*
secreto, -a [se'krɛtu, -a] *adj* secreto, -a
secular [seku'lar] <-es> *adj* secular
século ['sɛkulu] *m* siglo *m*
secundário, -a [sekũw'dariw, -a] *adj* secundario, -a
seda ['seda] *f* seda *f*
sedativo [seda'tʃivu] *m* MED sedante *m*
sede¹ ['sɛdʒi] *f* sede *f*

sede² ['sedʒi] *f* sed *f*; **matar a ~** saciar la sed

sedento, -a [se'dẽjtu, -a] *adj fig* sediento, -a

sediado, -a [sedʒi'adu, -a] *adj* con sede en

sediar [sedʒi'ar] *vt* ser la sede de

sedoso, -a [se'dozu, -'ɔza] *adj* sedoso, -a

sedução <-ões> [sedu'sãw, -'õjs] *f* seducción *f*

sedutor(a) [sedu'tor(a)] <-es> *adj*, *m(f)* seductor(a) *m(f)*

seduzir [sedu'zir] *vt* seducir

segmento [seg'mẽtu] *m* segmento *m*

segredo [se'gredu] *m* secreto *m*

segregação <-ões> [segrega'sãw, -'õjs] *f* segregación *f*

seguida [se'gida] *f* **em ~** en seguida

seguidamente [sigida'mẽjtʃi] *adv* ininterrumpidamente

seguido [si'gidu] *adv inf* continuamente

seguidor(a) [segi'dor(a)] <-es> *m(f)* seguidor(a) *m(f)*

seguimento [segi'mẽjtu] *m* consecuencia *f*

seguinte [si'gĩjtʃi] *adj* siguiente

seguir [si'gir] *irr* I. *vi*, *vt* seguir II. *vr* **~-se** seguir III. *prep (logo abaixo)* **os itens a ~** los ítems que siguen

segunda [si'gũwda] *f* segunda *f*

segunda-feira [si'gũwda-'fejra] <-segundas-feiras> *f* lunes *m inv*; **de ~** el lunes; **à(s) segundas-feiras** los lunes; **toda ~** todos los lunes; **na próxima ~** el próximo lunes; **na passada** el lunes pasado; **hoje é ~, (dia) 7 de dezembro** hoy es lunes, 7 de diciembre

segundo [si'gũwdu] I. *m* segundo *m* II. *prep* según; **~ a lei** según la ley III. *conj* según; **resolve os problemas ~ eles vão aparecendo** resuelve los problema según van apareciendo IV. *adv* en segundo lugar; **primeiro..., ~...** en primer lugar..., en segundo lugar...

segundo, -a [si'gũwdu, -a] *num ord* segundo, -a; **em ~ lugar** en segundo lugar; **a segunda vez** la segunda vez

segurado, -a [sigu'radu, -a] *adj*, *m*, *f* asegurado, -a *m*, *f*

seguradora [sigura'dora] *f* aseguradora *f*

seguramente [sigura'mẽjtʃi] *adv* seguramente

segurança¹ [sigu'rãsa] *f* seguridad *f*

segurança² [sigu'rãsa] *mf* vigilante *mf*

segurar [sigu'rar] <*pp*: seguro *ou* segurado> I. *vt (agarrar)* agarrar II. *vr*: **~-se** agarrarse

seguro [si'guru] *m* ECON seguro *m*

seguro, -a [si'guru, -a] *adj* seguro, -a

seguro-saúde [si'guru-sa'udʒi] <seguros-saúde(s)> *m* seguro médico

seio ['seju] *m* seno *m*

seis ['sejs] *num card* seis; *v.tb.* **dois**

seiscentos, -as [sejs'sẽjtus, -as] *num card* seiscientos, -as

seita ['sejta] *f* secta *f*

seja [seʒa] I. *subj de* **ser** II. *conj* sea; **ou ~,...** o sea,...

selar [se'lar] *vt* sellar

seleção <-ões> [sele'sãw, -'õjs] *f tb.* ESPORT selección *f*

selecionado, -a [selesjo'nadu, -a] *adj* seleccionado, -a

selecionar [selesjo'nar] *vt* seleccionar

seleções [sele'sõjs] *f pl de* **seleção**

seleto, -a [se'lɛtu, -a] *adj (grupo)* selecto, -a

self-service ['sɛwfi-'sɛrvisi] *m* self-service *m*

selo ['selu] *m* sello *m,* estampilla *f AmL*

selva ['sɛwva] *f* selva *f*

selvagem [sew'vaʒẽj] <-ens> *adj, mf* salvaje *mf*

selvageria [sewvaʒe'ria] *f* salvajismo *m*

sem ['sẽj] *prep* sin

semáforo [se'mafuru] *m* semáforo *m*

semana [se'mʌna] *f* semana *f*

semanal <-ais> [sema'naw, -'ajs] *adj* semanal

semblante [sẽj'blãntʃi] *m elev* semblante *m*

semear [seme'ar] *conj como passear vt tb. fig* sembrar

semelhança [seme'ʎãnsa] *f* semejanza *f*

semelhante [seme'ʎãntʃi] *adj, m* semejante *m*

sêmen ['semẽj] *m* semen *m*

semente [se'mẽjtʃi] *f* BOT semilla *f*

semestral <-ais> [semes'traw, -'ajs] *adj* semestral

semestre [se'mɛstri] *m* semestre *m*

semicírculo [semi'sirkulu] *m* semicírculo *m*

semifinal <-ais> [semifi'naw, -'ajs] *f* ESPORT semifinal *f*

seminário [semi'nariw] *m* seminario *m*

sem-número [sẽj'numeru] *m inv* sinnúmero *m*

sempre ['sẽjpri] **I.** *adv* siempre **II.** *conj* aún así; **foi muito cordial; ~ desconfio de suas intenções** fue muy cordial; aún así desconfío de sus intenciones

sem-terra [sẽj'tɛxa] *mf inv* sin tierra *mf inv*

sem-vergonha [sẽjver'gõɲa] *adj, mf inv* sinvergüenza *mf*

senado [se'nadu] *m* senado *m*

senador(a) [sena'dor(a)] <-es> *m(f)* senador(a) *m(f)*

senão [si'nãw] **I.** *conj* si no **II.** *prep* salvo

Senegal [sene'gaw] *m* Senegal *m*

senegalês(a) [senega'les(a)] <-es> *adj, m(f)* senegalés, -esa *m, f*

senha ['seɲa] *f (de cartão de crédito)* clave *f,* pin *m;* INFOR contraseña *f*

senhor(a) [si'ɲor(a)] <-es> *m(f)* señor(a) *m(f)*

senhorio, -a [seɲo'riw, -a] *m, f* propietario, -a *m, f*

senil <-is> [se'niw, -'is] *adj* senil

senilidade [seniʎi'dadʒi] *f sem pl* senilidad *f*

senis [se'nis] *adj pl de* **senil**

seno ['senu] *m* MAT seno *m*

senões [si'nõjs] *m pl de* **senão**

sensação <-ões> [sẽjsa'sãw, -'õjs] *f* sensación *f*

sensacional <-ais> [sẽjsasjo'naw, -'ajs] *adj* sensacional

sensações [sẽsa'sõjs] *f pl de* **sensação**

sensatez [sẽjsa'tes] *f sem pl* sensatez *f*

sensato, -a [sẽj'satu, -a] *adj* sensato, -a

sensibilidade [sẽjsibiʎi'dadʒi] *f* sensibilidad *f*

sensibilizado, -a [sẽjsibiʎi'zadu, -a] *adj* sensibilizado, -a

sensibilizar [sẽjsibiʎi'zar] *vt* sensibilizar

sensível <-eis> [sẽj'sivew, -ejs] *adj* sensible

senso ['sẽjsu] *m* sentido *m*

sensual <-ais> [sẽjsu'aw, -'ajs] *adj* sensual

sentado, -a [sẽj'tadu, -a] *adj* sentado, -a

sentar-se [sẽj'tarsi] *vr* sentarse

sentença [sẽj'tẽjsa] *f* JUR sentencia *f*

sentenciar [sẽjtẽjsi'ar] *vt* sentenciar

sentido [sĩj'tʃidu] *m* sentido *m*

sentimental <-ais> [sẽjtʃimẽj'taw, -'ajs] *adj* sentimental

sentimento [sẽjtʃi'mẽjtu] *m* sentimiento *m*

sentimentos [sẽjtʃi'mẽjtu] *mpl* (*pêsames*) pésame *m*

sentinela [sẽjtʃi'nɛla] *f* centinela *f*

sentir [sĩj'tʃir] *irr* **I.** *vt* sentir **II.** *vr*: ~-**se** sentirse

separação <-ões> [separa'sãw, -'õjs] *f* separación *f*

separadamente [separada'mẽjtʃi] *adv* separadamente

separado [sepa'radu] *adj* separado, -a

separar [sepa'rar] **I.** *vt* separar **II.** *vr*: ~-**se** separarse

sepulcro [se'puwkru] *m* sepulcro *m*

sepultado, -a [sepuw'tadu, -a] *adj* sepultado, -a

sepultar [sepuw'tar] *vt* sepultar

sepultura [sepuw'tura] *f* sepultura *f*

seqüência [se'kwẽjsia] *f* secuencia *f*

sequer [si'kɛr] *adv* siquiera

seqüestrador(a) [sekwestra'dor(a)] <-es> *m(f)* secuestrador(a) *m(f)*

seqüestrar [sekwes'trar] *vt* secuestrar

seqüestro [se'kwɛstru] *m* secuestro *m*

ser¹ ['ser] *irr* <-es> *vi* ser; **isto é bom** esto es bueno; **é uma hora** es la una; **são 10 pessoas** son 10 personas; **ela é professora** es profesora; **ele é do Brasil** es de Brasil; **isso é de ferro** eso es de hierro; **o que foi?** ¿qué pasa?

ser² ['ser] <-es> *m* ser *m*

serenata [sere'nata] *f* MÚS serenata *f*

sereno, -a [se'renu, -a] *adj* sereno, -a

sereno [se'renu] *m* (*relento*) rocío *m*

Sergipe [ser'ʒipi] *m* Sergipe *m*

seriado [seri'adu] *m* TV serial *m*

seriamente [ˈserja'mẽjtʃi] *adv* seriamente

série ['sɛrii] *f* serie *f*; ENS año *m*

seriedade [serje'dadʒi] *f sem pl* seriedad *f*

seringa [si'rĩga] *f* jeringa *f*

sério ['sɛriw] *adv* a ~ en serio

sério, -a ['sɛriw, -a] *adj* serio, -a

serpente [ser'pẽjtʃi] *f* serpiente *f*

serpentina [serpẽj'tʃina] *f* serpentina *f*

serra ['sɛxa] *f* sierra *f*

serrar [se'xar] *vt* serrar

sertão <-ões> [ser'tãw, -'õjs] *m* región poco poblada del interior de Brasil, en especial la región semiári-

servente [ser'vẽjtʃi] *mf* limpiador(a) *m(f)*

Sérvia ['sɛrvia] *f* Serbia *f*

serviçal <-ais> [servi'saw, -'ajs] *mf* criado, -a *m, f*

serviço [ser'visu] *m* servicio *m*

servidor [servi'dor] <-es> *m* INFOR servidor *m*

servidor(a) [servi'dor(a)] <-es> *m(f)* empleado, -a *m, f*

servil <-is> [ser'viw, -'is] *adj* servil

sérvio, -a ['sɛrviw, -a] *adj, m, f* serbio, -a *m, f*

servir [ser'vir] *irr como* vestir I. *vi, vt* servir II. *vr*: ~-se *(comida)* servirse

servis [ser'vis] *adj pl de* servil

servo, -a ['sɛrvu, -a] *m, f* siervo, -a *m, f*

sessão <-ões> [se'sãw, -'õjs] *f* sesión *f*

sessenta [se'sẽjta] *num card* sesenta

sessões [se'sõjs] *f pl de* sessão

sesta ['sɛsta] *f* siesta *f*

seta ['sɛta] *f* flecha *f*

sete ['sɛtʃi] *num card* siete; *v.tb.* **dois**

setecentos, -as [setʃi'sẽjtus, -as] *num card* setecientos, -as

setembro [se'tẽjbru] *m* septiembre *m*; *v.tb.* **março**

setenta [se'tẽjta] *num card* setenta

setentrional <-ais> [setẽjtrjo'naw, -ajs] *adj* septentrional

sétimo, -a ['sɛtʃimu, -a] *num ord* séptimo, -a; *v.tb.* **segundo**

setor [se'tor] <-es> *m* sector *m*

setuagenário, -a [setuaʒe'narjw, -a] *adj, m, f* septuagenario, -a *m, f*

setuagésimo, -a [setua'ʒɛzimu, -a] *num ord* septuagésimo, -a

seu ['sew] *m* señor *m*; ~ **José** don José

seu, sua ['sew, 'sua] *pron poss (dele, dela)* su; *(você)* tu

severo, -a [se'vɛru, -a] *adj* severo, -a

sexagenário, -a [seksaʒe'narjw, -a] *adj, m, f* sexagenario, -a *m, f*

sexagésimo, -a [seksa'ʒɛzimu, -a] *num ord* sexagésimo, -a

sexo ['sɛksu] *m* sexo *m*

sexólogo, -a [sek'sɔlogu, -a] *m, f* sexólogo, -a *m, f*

sexta-feira ['sesta-'fejra] *f* viernes *m inv*; ~ **treze** ≈ martes *m* y trece; *v.tb.* **segunda-feira**

sexto, -a ['sestu, -a] *num ord* sexto, -a; *v.tb.* **segundo**

sexual <-ais> [seksu'aw, -'ajs] *adj* sexual

sexy ['sɛksi] *adj* sexy

shopping ['ʃɔpĩg] *m* centro *m* comercial

Cultura Un **shopping center** es un centro comercial con tiendas, librerías, cines, cafeterías, restaurantes, bares y servicios en general. Los **shoppings**, como se les conoce también, se han convertido en un punto de encuentro en las grandes ciudades. Brasil tiene más de 250 establecimientos de ese tipo; el estado de São Paulo concentra la mayoría de ellos: más de 90, con 188.600 empleados.

---

shorts ['ʃɔrts] *mpl* pantalones *mpl* cortos

show ['ʃow] *m* show *m; (de rock)* concierto *m*

si ['si] **I.** *m* MÚS si *m* **II.** *pron pess (ele, ela)* sí; **para ~ (mesmo)** para sí (mismo)

Sibéria [si'bɛɾia] *f* Siberia *f*

siberiano, -a [sibeɾi'ɜnu, -a] *adj, m, f* siberiano, -a *m, f*

Sicília [si'siʎia] *f* Sicilia *f*

siciliano, -a [sisiʎi'ɜnu, -a] *adj, m, f* siciliano, -a *m, f*

sido ['sidu] *pp de* **ser**

sidra ['sidɾa] *f* sidra *f*

sífilis [sifiʎis] *f* MED sífilis *f*

siga ['siga] *1., 3. pres subj de* **seguir**

sigla ['sigla] *f* sigla *f*

significado [signifi'kadu] *m* significado *m*

significar [signifi'kaɾ] <c→qu> *vt* significar

significativo, -a [signifika'tʃivu, -a] *adj* significativo, -a

signo ['signu] *m* signo *m*

sigo ['sigu] *1. pres de* **seguir**

sílaba ['silaba] *f* sílaba *f*

silenciar [silẽjsi'aɾ] *vt* silenciar

silêncio [si'lẽjsiw] *m* silencio *m*

silencioso, -a [silẽjsi'ozu, -ɔza] *adj* silencioso, -a

silhueta [siʎu'eta] *f* silueta *f*

silvestre [siw'vɛstɾi] *adj* silvestre

sim ['sĩj] **I.** *m* sí *m* **II.** *adv* sí

simbólico, -a [sĩj'bɔʎiku, -a] *adj* simbólico, -a

simbolizar [sĩjboʎi'zaɾ] *vt* simbolizar

símbolo ['sĩjbulu] *m* símbolo *m*

simétrico, -a [si'mɛtɾiku, -a] *adj* simétrico, -a

similar [simi'laɾ] <-es> *adj* similar

simpatia [sĩjpa'tʃia] *f* simpatía *f*

simpático, -a [sĩj'patʃiku, -a] *adj* simpático, -a

simpatizante [sĩjpatʃi'zɜntʃi] *mf* simpatizante *mf*

simpatizar [sĩjpatʃi'zaɾ] *vt* simpatizar; **~ com** simpatizar con

simples ['sĩjplis] **I.** *adj inv* simple; **bilhete ~** billete sencillo **II.** *adv* con simplicidad

simplesmente [sĩjpliz'mẽjtʃi] *adv* simplemente

simplicidade [sĩjplisi'dadʒi] *f (facilidade)* simplicidad *f*

simplificar [sĩjplifi'kaɾ] <c→qu> *vt tb.* MAT simplificar

simplíssimo, -a [sĩj'plisimu, -a] *superl de* **simples**

simular [simu'laɾ] *vt* simular

simultaneamente [simuwtɜnja'mẽjtʃi] *adv* simultáneamente

simultâneo, -a [simuw'tɜniw, -a] *adj* simultáneo, -a

sinagoga [sina'gɔga] *f* sinagoga *f*

sinal <-ais> [si'naw, -'ajs] *m (indício)* señal *f; (de trânsito)* semáforo *m;* **~ aberto/fechado** semáforo verde/rojo

sinalização <-ões> [sinaʎiza'sɜw, -'õjs] *f* señalización *f*

sinceridade [sĩjseɾi'dadʒi] *f* sinceridad *f*

sincero, -a [sĩj'sɛɾu, -a] *adj* sincero, -a

sincronização <-ões> [sĩjkɾoniza'sɜw, -'õjs] *f* sincronización *f*

sincronizar [sĩjkɾoni'zaɾ] *vt* sincronizar

sindical [sĩdʒi'kaw] *adj* sindical
sindicato [sĩdʒi'katu] *m* sindicato *m*
síndico, -a ['sĩdʒiku, -a] *m*, *f* presidente, -a *m*, *f* de la comunidad
síndrome ['sĩdɾomi] *f* MED síndrome *m*
sinfonia [sĩfo'nia] *f* sinfonía *f*
sinfônico, -a [sĩ'foniku, -a] *adj* sinfónico, -a
singelo, -a [sĩ'ʒɛlu, -a] *adj* simple
singular [sĩgu'lar] *adj* singular
sinistro, -a [si'nistɾu, -a] *adj* siniestro, -a
sino ['sinu] *m* campana *f*
sinônimo [si'nonimu] *m* sinónimo *m*
sinopse [si'nɔpsi] *f* sinopsis *f inv*
sinta ['sĩta] *pp de.*, *3. pres subj de* **sentir**
sintaxe [sĩ'tasi] *f* LING sintaxis *f*
síntese ['sĩtezi] *f* síntesis *f inv*
sintético, -a [sĩ'tɛtʃiku, -a] *adj* sintético, -a
sintetizar [sĩtetʃi'zar] *vt* sintetizar
sinto ['sĩtu] *1. pres de* **sentir**
sintoma [sĩ'toma] *m tb. fig* síntoma *m*
sintonizar [sĩtoni'zar] *vt (o rádio)* sintonizar
sinuca [si'nuka] *f* snooker *m*
sirene [se'ɾeni] *f* sirena *f*
siri [si'ɾi] *m* cangrejo *m*
Síria ['siɾia] *f* Siria *f*
sírio, -a ['siɾiw, -a] *adj, m, f* sirio, -a *m*, *f*
Sírio ['siɾiw] *m* ASTRON Sirio *m*
sirva ['sirva] *1.*, *3. pres subj de* **servir**
sirvo ['sirvu] *1. pres de* **servir**
sísmico, -a ['sizmiku, -a] *adj* sísmico, -a

sistema [sis'tema] *m* sistema *m*
sistemático, -a [siste'matʃiku, -a] *adj* sistemático, -a
site ['sajtʃi] *m* INFOR sitio *m*
sítio ['sitʃiw] *m* finca *f*
situação <-ões> [situa'sãw, -'õjs] *f* situación *f*
situado, -a [situ'adu, -a] I. *pp de* **situar** II. *adj* situado, -a
situar [situ'ar] *vt* situar
skate [is'kejtʃi] *m* monopatín *m*, patineta *f AmL*
slogan [iz'logã] *m* eslogan *m*
smoking [iz'mokĩŋ] *m* esmoquin *m*
só ['sɔ] I. *adj* solo, -a II. *adv* sólo
soar [so'ar] <*1. pess pres:* sôo> *vi* sonar
sob ['sob] *prep* bajo; ~ **a mesa** debajo de la mesa; **feito ~ medida** hecho a medida; **está tudo ~ controle** está todo bajo control
sobe ['sɔbi] *3. pres de* **subir**
soberano, -a [sobe'ɾanu, -a] *adj, m, f* soberano, -a *m*, *f*
sobra ['sɔbɾa] *f* sobra *f*
sobrado [so'bɾadu] *m* chalet *m*
sobrancelha [sobɾã'seʎa] *f* ceja *f*
sobrar [so'bɾar] *vi* sobrar
sobre ['sobɾi] *prep (em cima de)* sobre, encima de; *(acerca de)* sobre
sobreaviso [sobɾja'vizu] *m* **estar de ~** estar sobre aviso
sobrecarregar [sobɾikaxe'gar] *vt* sobrecargar
sobremesa [sobɾi'meza] *f* postre *m*
sobrenatural <-ais> [sobɾinatu'ɾaw, -'ajs] *adj* sobrenatural
sobrenome [sobɾi'nɔmi] *m* apellido *m*

sobrepor [sobre'poɾ] *irr como pôr* *vt* sobreponer, poner encima

sobressair-se [sobresa'iɾsi] *conj como sair* *vr* (*destacar-se*) sobresalir

sobressalente [sobresa'lẽjtʃi] *adj* de recambio; **peça ~** repuesto *m*

sobressaltar-se [sobresaw'taɾsi] *vr* sobresaltarse

sobressalto [sobri'sawtu] *m* sobresalto *m*

sobretaxa [sobri'taʃa] *f* sobretasa *f*

sobretudo [sobri'tudu] *adv* sobre todo

sobrevivência [sobrevi'vẽjsia] *f* supervivencia *f*

sobrevivente [sobrevi'vẽjtʃi] *adj, mf* superviviente *mf*

sobreviver [sobrevi'veɾ] *vi* sobrevivir

sobriedade [sobrje'dadʒi] *f* sobriedad *f*

sobrinho, -a [su'brĩɲu, -a] *m, f* sobrino, -a *m, f*

sóbrio, -a ['sɔbriw, -a] *adj* sobrio, -a

social <-ais> [sosi'aw, -ajs] *adj* social

socialismo [sosja'ʎizmu] *m* socialismo *m*

socialista [sosja'ʎista] *adj, mf* socialista *mf*

sociável <-eis> [sosi'avew, -ejs] *adj* sociable

sociedade [sosje'dadʒi] *f* sociedad *f*

sócio, -a ['sɔsiw, -a] *m, f* socio, -a *m, f*

sociologia [sosjolo'ʒia] *f sem pl* sociología *f*

sociológico, -a [sosjo'lɔʒiku, -a] *adj* sociológico, -a

soco ['soku] *m* puñetazo *m*

socorrer [soko'xeɾ] *vt* socorrer

socorro [so'koxu] *m* socorro *m*

soda ['sɔda] *f* soda *f*

sofá [so'fa] *m* sofá *m*

sofá-cama [so'fa-'kama] <sofás-camas> *m* sofá-cama *m*

sofisticado, -a [sofistʃi'kadu, -a] *adj* sofisticado, -a

sofrer [so'freɾ] *vi, vt* sufrir

sofrimento [sofri'mẽjtu] *m* sufrimiento *m*

sofrível <-eis> [so'frivew, -ejs] *adj* (*desempenho, resultado*) pasable

software [sɔftʃiw'ɛɾ] *m* software *m*

sogro, -a ['sogru, 'sɔgra] *m, f* suegro, -a *m, f*

sóis ['sɔjs] *m pl de* **sol**

soja ['sɔʒa] *f* soja *f*

sol <sóis> ['sɔw, -'sɔjs] *m* sol *m*

solar [so'laɾ] *adj* solar

solário [so'lariw] *m* solárium *m*

solavanco [sola'vãŋku] *m* sacudida *f*

soldado [sow'dadu] *mf* soldado, -a *m, f*

solene [so'leni] *adj* solemne

solenidade [soleni'dadʒi] *f* solemnidad *f*

soletrar [sole'traɾ] *vt* deletrear

solicitação <-ões> [soʎisita'sãw, -'õjs] *f* solicitud *f*

solicitar [soʎisi'taɾ] *vt* solicitar

solícito, -a [so'ʎisitu, -a] *adj* solícito, -a

solidão <-ões> [soʎi'dãw, -'õjs] *f* soledad *f*

solidariedade [soʎidarje'dadʒi] *f* solidaridad *f*

solidário, -a [soʎi'dariw, -a] *adj* solidario, -a

solidez [soʎi'des] *f sem pl* solidez *f*
sólido, -a [ˈsɔʎidu, -a] *adj* sólido, -a
solidões [soʎi'dõjs] *f pl de* **solidão**
solista [soˈʎista] *mf* MÚS solista *mf*
solitário, -a [soʎi'tariw, -a] *adj* solitario, -a
solo [ˈsɔlu] *m* (*terra*) suelo *m*; MÚS solo *m*
soltar [sow'tar] <*pp:* solto *ou* soltado> *vt* soltar
solteiro, -a [sow'tejru, -a] *adj, m, f* soltero, -a *m, f*
solto, -a [ˈsowtu, -a] *pp irr de* **soltar**
solução <-ões> [soluˈsãw, -ˈõjs] *f* solución *f*
soluçar [soluˈsar] <ç→c> *vi* hipar
solucionar [solusjoˈnar] *vt* solucionar
soluço [soˈlusu] *m* hipo *m*
soluções [soluˈsõjs] *f pl de* **solução**
solúvel <-eis> [soˈluvew, -ejs] *adj* (*em líquido*) soluble
som [ˈsõw] <-ons> *m* sonido *m*
soma [ˈsoma] *f* suma *f*
somar [soˈmar] *vi, vt* MAT sumar
sombra [ˈsõwbra] *f* sombra *f*
sombrinha [sõwˈbriɲa] *f* sombrilla *f*
some [ˈsɔmi] *3. pres de* **sumir**
somente [sɔˈmẽjtʃi] *adv* solamente
somos [ˈsomus] *1. pl pres de* **ser**
sonda [ˈsõwda] *f* sonda *f*
sondagem [sõwˈdaʒẽj] <-ens> *f* sondeo *m*
soneca [soˈnɛka] *f* siesta *f*
sonegação <-ões> [sonegaˈsãw, -ˈõjs] *f* defraudación *f*
sonegar [soneˈgar] <g→gu> *vt* defraudar
sonhador(a) [sõɲaˈdor(a)] <-es> *adj, m(f)* soñador(a) *m(f)*
sonhar [sõˈɲar] *vi, vt* soñar
sonho [ˈsɔɲu] *m* (*mental*) sueño *m*
sono [ˈsonu] *m* sueño *m*
sonoro, -a [soˈnɔru, -a] *adj* sonoro, -a
sons [ˈsõws] *m pl de* **som**
sopa [ˈsopa] *f* sopa *f*
soprano [soˈprɐnu] *mf* MÚS soprano *mf*
soprar [soˈprar] *vi* soplar
sopro [ˈsopru] *m* soplo *m*
sórdido, -a [ˈsɔrdʒidu, -a] *adj* (*vil*) sórdido, -a
soro [ˈsoru] *m* suero *m*
sorridente [soxiˈdejtʃi] *adj* sonriente
sorrir [soˈxir] *irr como rir vi* sonreír
sorriso [soˈxizu] *m* sonrisa *f*
sorte [ˈsɔrtʃi] *f* suerte *f*
sortear [sortʃiˈar] *conj como passear vt* sortear
sorteio [sorˈteju] *m* sorteo *m*
sortido, -a [sorˈtʃidu, -a] *adj* surtido, -a
sortimento [sortʃiˈmẽjtu] *m* surtido *m*
sorvete [sorˈvetʃi] *m* helado *m*
sorveteria [sorveteˈria] *f* heladería *f*
S.O.S. [ɛsjoˈɛsi] *m* SOS *m*; **enviar um ~** lanzar un SOS
sósia [ˈsɔzia] *mf* doble *mf*
sossegar [suseˈgar] <g→gu> *vi* tranquilizarse
sossego [suˈsegu] *m* tranquilidad *f*
sótão [ˈsɔtãw] *m* desván *m*
sotaque [soˈtaki] *m* acento *m*
sou [ˈso] *1. pres de* **ser**
soube [ˈsowbi] *1., 3. pret perf de* **saber**
sovar [soˈvar] *vt* amasar

soviético, -a [sovi'etʃiku, -a] *adj, m, f* soviético, -a *m, f*

sovina [so'vina] *adj, mf* tacaño, -a *m, f*

sozinho, -a [sɔ'ziɲu, -a] *adj* solo, -a

spray [is'prej] *m* spray *m*

squash [is'kwɛʃi] *m* ESPORT squash *m*

Sr. [si'ɲor] *abr de* Senhor Sr.

Sra. [si'ɲɔra] *abr de* Senhora Sra.

Srta. [sixo'rita] *abr de* senhorita Srta.

Sta. ['sãnta] *abr de* Santa Sta.

status [is'tatus] *m inv* status *m inv*

Sto. ['sãntu] *abr de* Santo Sto.

stress [is'trɛs] *m* estrés *m*

strip-tease [is'tripi-'tʃizi] *m* strip-tease *m*

sua ['sua] *pron poss* **1.** *(dele, dela)* su; **a ~ casa** su casa; **a ~ irmã** su hermana; **fazer das ~s** hacer de las suyas **2.** *(você)* tu; **a ~ vizinha/loja** tu vecina/tienda; **ficar na ~ gíria** ir a lo suyo

suar [su'ar] *vi* sudar

suave [su'avi] *adj* suave; *(prestações)* módico, -a

suavidade [suavi'dadʒi] *f* suavidad *f*

suavizar [suavi'zar] *vt* suavizar

subconsciente [subkõwsi'ẽjtʃi] *adj, m* subconsciente *m*

subdesenvolvido, -a [subdʒizĩjvow-'vidu, -a] *adj* subdesarrollado, -a

subida [su'bida] *f* subida *f*

subir [su'bir] *irr vi, vt* subir

subitamente [subita'mẽjtʃi] *adv* súbitamente

súbito, -a ['subitu, -a] *adj* súbito, -a

subjetivo, -a [subʒe'tʃivu, -a] *adj* subjetivo, -a

subjuntivo [subʒũw'tʃivu] *m* LING subjuntivo *m*

sublime [su'blimi] *adj* sublime

sublinhar [subli'ɲar] *vt* subrayar

sublocar [sublo'kar] <c→qu> *vt* subarrendar

submarino [subma'rinu] *m* submarino *m*

submergir [submer'ʒir] <*pp:* submerso *ou* submergido; g→j> *vt* sumergir

submeter-se [subme'tersi] *vr* someterse

submisso, -a [sub'misu, -a] *adj* sumiso, -a

subnutrido, -a [subnu'tridu, -a] *adj* desnutrido, -a

subordinar [subordʒi'nar] *vt* subordinar

subornar [subor'nar] *vt* sobornar

suborno [su'bornu] *m* soborno *m*

subscrição <-ões> [subskri'sãw, -'õjs] *f* suscripción *f*

subseqüente [subse'kwẽjtʃi] *adj* subsecuente

subsidiado, -a [subsidʒi'adu, -a] *adj* subvencionado, -a

subsidiária [subsidʒi'aria] *f* filial *f*

subsídio [sub'sidʒiw] *m* subsidio *m*, subvención *f*

subsistir [subzis'tʃir] *vi* subsistir

subsolo [sub'sɔlu] *m* subsuelo *m*

substância [subs'tãnsia] *f* sustancia *f*

substancial <-ais> [substãnsi'aw, -'ajs] *adj* sustancial

substantivo [substãn'tʃivu] *m* sustantivo *m*

substituição <-ões> [substʃituj'sãw, -'õjs] *f* sustitución *f*

substituir [substʃitu'ir] *conj como incluir vt* sustituir

substituto, -a [substʃi'tutu, -a] *adj, m, f* sustituto, -a *m, f*

subterrâneo [subte'xɐniw] *m* subterráneo *m*

subterrâneo, -a [subte'xɐniw, -a] *adj* subterráneo, -a

subtração <-ões> [subtra'sɐ̃w, -'õjs] *f* MAT sustracción *f*

subtrair [subtra'ir] *conj como sair vt* sustraer

subtropical <-ais> [subtropi'kaw, -'ajs] *adj (clima)* subtropical

subumano, -a [subu'mɐnu, -a] *adj* infrahumano, -a

suburbano, -a [subur'bɐnu, -a] **I.** *adj* suburbano, -a; *pej (pouco refinado)* paleto, -a **II.** *m, f* habitante *mf* de los suburbios

subúrbio [su'burbiw] *m* suburbio *m*

subvenção <-ões> [subvẽj'sɐ̃w, -'õjs] *f* subvención *f*

subvencionar [subvẽjsjo'nar] *vt* subvencionar

subvenções [subvẽj'sõjs] *f pl de* **subvenção**

subversivo, -a [subver'sivu, -a] *adj* subversivo, -a

subversões [subver'sõjs] *f pl de* **subversão**

sucata [su'kata] *f* chatarra *f*

sucção <-ões> [suk'sɐ̃w, -'õjs] *f* succión *f*

suceder [suse'der] *vi* suceder

sucessão <-ões> [suse'sɐ̃w, -'õjs] *f* sucesión *f*

sucessivo, -a [suse'sivu, -a] *adj* sucesivo, -a

sucesso [su'sɛsu] *m* éxito *m*; **fazer ~** tener éxito

sucessões [suse'sõjs] *f pl de* **sucessão**

sucessor(a) [suse'sor(a)] <-es> *m(f)* sucesor(a) *m(f)*

suco ['suku] *m* zumo *m*, jugo *m AmL*

suculento, -a [suku'lẽtu] *adj* suculento, -a

sucumbir [sukũw'bir] *vi* sucumbir

sucursal <-ais> [sukur'saw, -'ajs] *f (de banco, empresa)* sucursal *f*; *(de jornal)* redacción *f*

sudanês, -esa [sudɜ'nes, -'eza] <-es> *adj, m, f* sudanés, -esa *m, f*

Sudão [su'dɜw] *m* Sudán *m*

sudeste [su'dɛstʃi] *m* sudeste *m*

súdito, -a ['sudʒitu, -a] *m, f* súbdito, -a *m, f*

sudoeste [sudo'ɛstʃi] *m* sudoeste *m*

Suécia [su'ɛsia] *f* Suecia *f*

sueco, -a [su'ɛku, -a] *adj, m, f* sueco, -a *m, f*

suéter [su'ɛter] *m* jersey *m*, suéter *m*

suficiente [sufisi'ẽjtʃi] *adj* suficiente

sufixo [su'fiksu] *m* LING sufijo *m*

suflê [su'fle] *m* GASTR suflé *m*

sufocante [sufo'kɜ̃tʃi] *adj* sofocante

sufocar [sufo'kar] <c→qu> *vt* sofocar

sufoco [su'foku] *m inf* sofoco *m*; **estar num ~** estar en un apuro

sugar [su'gar] <g→gu> *vt* succionar

sugerir [suʒe'rir] *irr como preferir vt* sugerir; **~ que** +*subj* sugerir que +*subj*

sugestão <-ões> [suʒes'tɜ̃w, -'õjs] *f* sugerencia *f*

sugiro [su'ʒiru] *1. pres de* **sugerir**
Suíça [su'isa] *f* Suiza *f*
suicidar-se [sujsi'darsi] *vr* suicidarse
suicídio [suj'sidʒiw] *m* suicidio *m*
suíço, -a [su'isu, -a] *adj, m, f* suizo, -a *m, f*
suíno [su'inu] *m* cerdo *m*
suíte [su'itʃi] *f* suite *f*
sujar [su'ʒar] **I.** *vt* ensuciar **II.** *vr* **~-se** ensuciarse
sujeitar-se [suʒej'tarsi] <*pp:* sujeito *ou* sujeitado> *vr* (*submeter-se*) someterse
sujeito¹ [su'ʒejtu] *m* LING sujeto *m*
sujeito, -a² [su'ʒejtu, -a] *m, f* tipo *m*
sujo, -a [ˈsuʒu, -a] *adj* (*com sujeira*) sucio, -a; (*piada*) verde
sul [ˈsuw] *m* sur *m*; **ao ~ de** al sur de
sul-africano, -a [suwafri'kʌnu, -a] *adj, m, f* sudafricano, -a *m, f*
sul-americano, -a [sulameri'kʌnu, -a] *adj, m, f* sudamericano, -a *m, f*
sulista [su'lista] **I.** *adj de la región* Sur de Brasil **II.** *mf habitante de la región Sur de Brasil*
sumário [su'mariw] *m* sumario *m*
sumiço [su'misu] *m* desaparición *f*
sumir [su'mir] *irr como* subir *vi* desaparecer
sumo [ˈsumu] *m* zumo *m*, jugo *m* *AmL*
sunga [ˈsũwga] *f* slip *m*
suntuoso, -a [sũwtu'ozu, -'ɔza] *adj* suntuoso, -a
suor [su'ɔr] <-es> *m* sudor *m*
superado, -a [supe'radu, -a] *adj* superado, -a
superar [supe'rar v] *vt* superar

superávit [supe'ravitʃi] *m* ECON superávit *m*
superdotado, -a [superdo'tadu, -a] *adj, m, f* superdotado, -a *m, f*
superego [supe'rɛgu] *m* superego *m*
superestimar [superestʃi'mar] *vt* sobre(e)stimar
superficial <-ais> [supersisi'aw, -ajs] *adj* superficial
superfície [super'fisii] *f* superficie *f*
supérfluo [su'pɛrfluu] *m* **o** ~ lo superfluo
supérfluo, -a [su'pɛrfluu, -a] *adj* superfluo, -a
superintendente [superĩtẽj'dẽjtʃi] *mf* superintendente *m*
superior [superi'or] *adj* superior
superior(a) [superi'or(a)] *m(f)* superior(a) *m(f)*
superioridade [superjori'dadʒi] *f* superioridad *f*
superlativo [superla'tʃivu] *m* LING superlativo *m*
superlotado, -a [superlo'tadu, -a] *adj* abarrotado, -a
superlotar [superlo'tar] *vt* abarrotar
supermercado [supermer'kadu] *m* supermercado *m*
superpotência [superpo'tẽjsia] *f* POL superpotencia *f*
supersticioso, -a [superstʃisi'ozu, -'ɔza] *adj* supersticioso, -a
supervisão <-ões> [supervi'zãw, -'õjs] *f* supervisión *f*
suplantar [suplʌ̃'tar] *vt* superar
suplementar [suplemẽj'tar] <-es> *adj* complementario, -a
suplemento [suple'mẽjtu] *m* suple-

mento *m*

supletivo [suple'tʃivu] *m* ENS *educación básica para adultos*

súplica ['suplika] *f* súplica *f*

suplicar [supli'kar] <c→qu> *vt* suplicar

suplício [su'plisiw] *m* suplicio *m*

supor [su'por] *irr como* pôr *vt* suponer

suportar [supor'tar] *vt* soportar

suportável <-eis> [supor'tavew, -ejs] *adj* soportable

suporte [su'pɔrtʃi] *m* INFOR almacenamiento *m* de datos

suposição <-ões> [supozi'sãw, -'õjs] *f* suposición *f*

suposto, -a [su'postu, -'ɔsta] I. *pp de* supor II. *adj* supuesto, -a

supremo, -a [su'premu, -a] *adj* supremo, -a

supressão <-ões> [supre'sãw, -'õjs] *f* supresión *f*

suprimento [supri'mẽtu] *m* abastecimiento *m*

suprimir [supri'mir] <pp: supresso *ou* suprimido> *vt* suprimir

suprir [su'prir] *vt* suplir

surdez [sur'des] *f sem pl* sordera *f*

surdo, -a ['surdu, -a] *adj, m, f* sordo, -a *m, f*

surfar [sur'far] *vi* hacer surf; ~ **na Internet** INFOR surfear en Internet

surfista [sur'fista] *mf* surfista *mf*

surgimento [surʒi'mẽtu] *m* surgimiento *m*

surgir [sur'ʒir] *vi* surgir

surja ['surʒa] *1., 3. pres subj de* surgir

surjo ['surʒu] *1. pres de* surgir

surpreender [surprieῇ'der] <pp: surpresso *ou* surpreendido> I. *vt* sorprender II. *vr*: ~-**se** sorprenderse

surpresa [sur'preza] *f* sorpresa *f*

surpreso, -a [sur'prezu, -a] I. *pp irr de* surpreender II. *adj* sorprendido, -a

surra ['suxa] *f* paliza *f*

surrar [su'xar] *vt* dar una paliza a

surrealismo [suxea'ʎizmu] *m* surrealismo *m*

surtir [sur'tʃir] *vt* surtir

SUS ['sus] *m abr de* Sistema Único de Saúde ≈ Insalud *m*

suscetibilidade [susetʃibiʎi'dadʒi] *f* susceptibilidad *f*; (*para doenças*) propensión *f*

suscetível <-eis> [suse'tʃivew, -ejs] *adj* susceptible

suscitar [susi'tar] *vt* suscitar

suspeita [sus'pejta] *f* sospecha *f*

suspeitar [suspej'tar] <pp: suspeito *ou* suspeitado> *vi* sospechar

suspeito, -a [sus'pejtu, -a] *adj, m, f* sospechoso, -a *m, f*

suspender [suspẽj'der] <pp: suspenso *ou* suspendido> *vt* suspender

suspensão <-ões> [suspẽj'sãw, -'õjs] *f* suspensión *f*

suspense [sus'pẽjsi] *m* suspense *m*, suspenso *m AmL*

suspirar [suspi'rar] *vi* suspirar

suspiro [sus'piru] *m* suspiro *m*

sussurrar [susu'xar] *vi, vt* susurrar

sussurro [su'suxu] *m* susurro *m*

sustentar [sustẽj'tar] I. *vt* sostener

II. *vr:* ~-**se** sostenerse

sustento [sus'tẽtu] *m* sustento *m*

susto ['sustu] *m* susto *m*

sutiã [sutʃi'ã] *m* sujetador *m*, brasier *m Méx*, corpiño *m RíoPl*

sutil <-is> [su'tʃiw, -'is] *adj* sutil

T

T, t [te] *m* T, t *f*

tá [ta] *interj inf* vale

tabela [ta'bɛla] *f* **1.** (*quadro*) tabla *f*; ~ **de preços** lista *f* de precios **2.** (*horário*) horario *m*

tabelado, -a [tabe'ladu, -a] *adj* controlado, -a; **artigo** ~ artículo con precio controlado

tablete [ta'blɛtʃi] *m* (*de chocolate*) tableta *f*

tábua ['tabwa] *f* tabla *f*; ~ **de passar** tabla de planchar

taça ['tasa] *f tb.* ESPORT copa *f*

Tadjiquistão [tadʒikis'tãw] *m* Tayikistán *m*

tailandês, -esa [tajlã'des, -'eza] *adj, m, f* tailandés, -esa *m, f*

Tailândia [taj'lãdʒia] *f* Tailandia *f*

tais [tajs] *adj, mf pl de* **tal¹**

Taiwan [taju'ã] *m* Taiwán *m*

taiwanês, -esa [tajwa'nes, -'eza] *adj, m, f* taiwanés, -esa *m, f*

tal¹ <tais> ['taw, tajs] *adj* tal; **nunca vi** ~ **coisa** nunca vi nada así; ~ **pai,** ~ **filho** de tal palo, tal astilla; ~ **e qual** tal y cual

tal² ['taw] **I.** *pron indef* tal; **o** ~ **professor** el tal profesor; **que** ~? ¿qué tal?; **fulano de** ~ fulano de tal **II.** *adv* tal; ~ **como** tal como; **de** ~ **maneira que...** de tal manera que...

talão [ta'lãw] *m* talonario *m*; ~ **de cheques** talonario de cheques

talento [ta'lẽtu] *m* talento *m*

talha ['taʎa] *f* **1.** ARTE talla *f* **2.** NÁUT polea *f* **3.** (*vaso*) tinaja *f*

talhar [ta'ʎar] **I.** *vt* (*madeira*) tallar; (*o dedo*) cortarse **II.** *vi* (*leite*) cortarse

talhe ['taʎi] *m* talle *m*

talher [ta'ʎɛr] <-es> *m* cubierto *m*

talho ['taʎu] *m* corte *m*

talvez [taw'ves] *adv* tal vez

tamanho [tɐ'mɐɲu] *m* tamaño *m*

tamanho, -a [tɐ'mɐɲu, -a] *adj* semejante

também [tɐ̃'bẽj] *adv* también; **eu** ~ **não** yo tampoco

tampão <-ões> [tɐ̃'pãw, -'õjs] *m* tapa *f*; (*para os ouvidos*) tapón *m*; (*absorvente*) tampón *m*

tampouco [tɐ̃'powku] *adv* tampoco

tangerina [tɐ̃ʒi'rina] *f* mandarina *f*

tango ['tɐ̃gu] *m* MÚS tango *m*

tanque ['tɐ̃ki] *m* **1.** (*reservatório*) *tb.* MIL tanque *m* **2.** (*para lavar roupa*) lavadero *m*

tantas ['tɐ̃tas] *fpl* **lá pelas** ~ **fomos embora** nos fuimos a las tantas

tanto ['tɐ̃tu] **I.** *pron indef* tanto, -a; **outro** ~ otro tanto; **um real e** ~ un real y pico; ~ **faz** da igual **II.** *adv* tanto; ~ **melhor** tanto mejor; ~**... quanto...** tanto... como...

tão ['tãw] *adv* tanto; **ele é** ~ **rico**

quanto eles él es tan rico como ellos; **não é assim** ~ **mau/grave** no es tan malo/grave; ~ **logo chegue, eu telefono** en cuanto llegue, telefoneo

tapa[1] ['tapa] *m* (*pancada*) bofetada *f*

tapa[2] ['tapa] *f* (*tampa*) tapa *f*

tapar [ta'par] *vt* tapar

tapete [ta'petʃi] *m* alfombra *f*

tarado [ta'radu] *m* pervertido *m*; ~ **sexual** pervertido sexual

tardar [tar'dar] **I.** *vt* retrasar; (**não**) ~ **em fazer a. c.** (no) tardar en hacer algo **II.** *vi* tardar

tarde ['tardʒi] **I.** *f* tarde *f*; **à** [*ou* **de**] ~ por la tarde; **boa** ~! ¡buenas tardes! **II.** *adv* tarde; **mais** ~ más tarde

tardinha [tar'dʒiɲa] *f* atardecer *m*; **à** ~ al atardecer

tarefa [ta'rɛfa] *f* tarea *f*

tarifa [ta'rifa] *f* tarifa *f*

tato ['tatu] *m* tacto *m*

tatuagem [tatu'aʒẽj] <-ens> *f* tatuaje *m*

taxa ['taʃa] *f* (*imposto, índice*) tasa *f*; ~**s alfandegárias** aranceles *mpl* aduaneros

táxi ['taksi] *m* taxi *m*

tchau [tʃaw] *interj* chao

Tchetchênia [tʃetʃe'tʃenia] *f* Chechenia *f*

tchetcheno, -a [tʃetʃe'tʃenu, -a] *adj, m, f* checheno, -a *m, f*

te [tʃi] *pron pess* te; **eu** ~ **vejo** te veo

teatral <-ais> [tʃia'traw, -'ajs] *adj* teatral

teatro [tʃi'atru] *m* teatro *m*

tecer [te'ser] <c→ç> *vt* (*tecido, teia*) tejer; (*crítica*) elaborar

tecla ['tɛkla] *f* tecla *f*

técnico, -a ['tɛkniku, -a] *adj, m, f* técnico, -a *m, f*

tecnologia [teknolo'ʒia] *f* tecnología *f*; ~ **de ponta** tecnología punta; **alta** ~ alta tecnología

tédio ['tɛdʒiw] *m* tedio *m*, aburrimiento *m*; **que** ~! ¡qué aburrimiento!

teia ['teja] *f* (*de aranha*) tela *f*; (*de espionagem*) red *f*

teimar [tej'mar] *vi* obstinarse; ~ **em fazer a. c.** obstinarse en hacer algo; **ele teima que não** insiste en que no

tel. [tele'foni] *abr de* **telefone** tel.

tela ['tɛla] *f* (*de pintura*) tela *f*; (*de televisão, cinema, computador*) pantalla *f*

telefonar [telefo'nar] *vi* telefonear; ~ **para alguém** telefonear a alguien

telefone [tele'foni] *m* teléfono *m*; ~ **celular** teléfono móvil, teléfono celular *AmL*; ~ **sem fio** teléfono inalámbrico

telefonema [telefo'nema] *m* llamada *f* telefónica

telefonia [telefo'nia] *f* telefonía *f*

telegrama [tele'grama] *m* telegrama *m*

telejornal <-ais> [tɛlʒor'naw, -'ajs] *m* telediario *m*

televisão <-ões> [televi'zãw, -'õjs] *f* televisión *f*; ~ **por assinatura** televisión de pago; ~ **a cabo** televisión por cable; **ver** ~ ver la televisión

telex [te'lɛks] *m inv* télex *m inv*

telha ['teʎa] *f* teja *f*

tema ['tema] *m* tema *m*

temer [te'mer] **I.** *vt* temer **II.** *vi* temer; **eu temo que...** +*conj* me

temo que...
temperamento [tẽjpera'mẽjtu] *m* temperamento *m*
temperar [tẽjpe'rar] *vt* (*a comida*) condimentar; (*a salada*) aliñar
temperatura [tẽjpera'tura] *f* temperatura *f*
tempero [tẽj'peru] *m* GASTR condimento *m*
tempestade [tẽjpes'tadʒi] *f* tormenta *f*, tempestad *f*
tempo [tẽjpu] *m* tiempo *m*; **com o ~** con el tiempo; **há ~s** hace tiempo; **o ~ todo** todo el tiempo; **neste meio ~** mientras tanto; **de ~s em ~s** de tiempo en tiempo
têmpora [tẽjpora] *f* ANAT sien *f*
temporada [tẽjpo'rada] *f* temporada *f*
tencionar [tẽjsjo'nar] *vt* tener la intención de; **~ fazer a. c.** tener la intención de hacer algo
tenda [tẽ'jda] *f* tienda *f*, carpa *f RíoPl*
tendão <-ões> [tẽj'dãw, -'õjs] *m* ANAT tendón *m*
tendência [tẽj'dẽsja] *f* tendencia *f*; **ter ~ para a. c.** tener tendencia a algo
tender [tẽj'der] *vt* tender; **a situação tende a melhorar** la situación tiende a mejorar
tendões [tẽj'dõjs] *m pl de* **tendão**
tenha [tẽ'ɲa] *1., 3. pres subj de* **ter**
tenho [tẽ'ɲu] *1. pres de* **ter**
tênis [tẽ'nis] *m inv* **1.** ESPORT tenis *m inv* **2.** (*calçado*) zapatilla *f* (de deporte)
tensão <-ões> [tẽj'sãw, -'õjs] *f* tensión *f*

tenso, -a [tẽ'jsu, -a] *adj* tenso, -a
tentação <-ões> [tẽjta'sãw, -'õjs] *f* tentación *f*
tentar [tẽj'tar] *vt* **1.** (*experimentar*) intentar; **~ fazer a. c.** intentar hacer algo **2.** (*causar vontade*) tentar
tentativa [tẽjta'tʃiva] *f* tentativa *f*
tênue [tẽ'nuj] *adj* tenue
teoria [teo'ria] *f* teoría *f*
teoricamente [teɔrika'mẽjtʃi] *adv* teóricamente
ter [ter] *irr* **I.** *vt* **1.** (*posse*) tener; **~ fome/dor** tener hambre/dolor; **~ o que fazer** tener qué hacer; **o que você tem?** ¿qué te pasa?; **quantos anos você tem?** ¿cuántos años tienes? **2.** (*haver*) haber; **tem muita gente que...** hay mucha gente que... **II.** *aux* (*passado*) haber; **eu não tinha percebido** no me había dado cuenta; **eu tive de** [*ou* **que**] **trabalhar** tuve que trabajar
terapeuta [tera'pewta] *mf* terapeuta *mf*
terapia [tera'pia] *f* terapia *f*
terça-feira [tersa-'fejra] <terças-feiras> *f* martes *m inv*; **~ gorda** ≈ martes de carnaval; *v.tb.* **segunda-feira**
terceiro, -a [ter'sejru, -a] *num ord* tercero, -a; **Terceiro Mundo** Tercer Mundo; **a terceira idade** *inf* la tercera edad; *v.tb.* **segundo**
terço [ter'su] *m* tercio *m*
Teresina [tere'zina] Teresina
termal <-ais> [ter'maw, -'ajs] *adj* termal
termas ['tɛrmas] *fpl* termas *fpl*

térmico, -a ['tɛrmiku, -a] *adj* térmico, -a; **garrafa térmica** termo *m*

terminal <-ais> [termi'naw, -'ajs] *m* terminal *f*; ~ **de embarque** terminal de embarque; ~ **de vídeo** INFOR terminal de vídeo

terminar [termi'nar] I. *vt* terminar II. *vi* terminar; **ela terminou com o namorado** cortó con su novio

termo ['tɛrmu] *m* término *m*; ~ **técnico** término técnico; **em ~s gerais** en términos generales

termômetro [ter'mometru] *m* termómetro *m*

ternura [ter'nura] *f* ternura *f*

terra ['tɛxa] *f* tierra *f*; **cair por ~** fracasar

terraço [te'xasu] *m* terraza *f*

terremoto [texe'mɔtu] *m* terremoto *m*

terreno [te'xenu] *m* terreno *m*

térreo ['tɛxiw] *m* planta *f* baja

terrestre [te'xɛstri] *adj* terrestre

territorial <-ais> [texitori'aw, -'ajs] *adj* territorial

território [texi'tɔriw] *m* territorio *m*

terrível <-eis> [te'xivew, -ejs] *adj* terrible

terror [te'xor] <-es> *m* terror *m*

terrorismo [texo'rizmu] *m* terrorismo *m*

terrorista [texo'rista] *adj, mf* terrorista *mf*

tesão <-ões> [te'zãw, -'õjs] *m ou f chulo (excitação)* excitación *f*

tese ['tɛzi] *f* tesis *f inv*; **em ~** en teoría

teso, -a ['tezu, -a] *adj (roupa)* estirado, -a; *(cabo)* tenso, -a

tesoura [tʃi'zora] *f* tijera *f*

tesouro [tʃi'zoru] *m* tesoro *m*

testa ['tɛsta] *f* frente *f*; **estar à ~ de a. c.** estar al frente de algo

testamento [testa'mẽjtu] *m* testamento *m*; **o Antigo/Novo Testamento** el Antiguo/Nuevo Testamento

testar [tes'tar] *vt* probar

teste ['tɛstʃi] *m* prueba *f*; ~ **anti-doping** prueba antidoping

testemunha [tʃistʃi'muɲa] *f* testigo *mf*

testemunhar [tʃistʃimu'ɲar] I. *vt (presenciar)* testimoniar; JUR testificar II. *vi* testificar

testemunho [tʃistʃi'muɲu] *m* testimonio *m*

teto ['tɛtu] *m* **1.** *(tb. fig)* techo *m* **2.** AERO visibilidad *f*

teu, tua [tew, tua] *pron poss* tuyo, -a; **o ~ trabalho/carro** tu trabajo/coche; **a tua casa/família** tu casa/familia; **isso é ~** eso es tuyo; **os ~s** los tuyos

tevê [te've] *f abr de* **televisão** tele *f*

têxtil <-eis> ['testʃiw, 'testejs] *adj* textil

texto ['testu] *m* texto *m*

tez [tes] <-es> *f* tez *f*

ti [tʃi] *pron pess (objetivo indicativo)* ti; **de ~** de ti; **para ~** para ti

tibetano, -a [tʃibe'tʒnu, -a] *adj, m, f* tibetano, -a *m, f*

Tibete [tʃi'bɛtʃi] *m* Tíbet *m*

tido, -a ['tʃidu, -a] I. *pp de* **ter** II. *adj* considerado, -a; **ele é ~ como um bom professor** se le considera un buen profesor

tijolo [tʃiˈʒolu] *m* ladrillo *m*
tigre, sa [ˈtʃigri, -ˈeza] *m, f* tigre(sa) *m(f)*
til [tʃiw] *m* tilde *f*
timão <-ões> [tʃiˈmɐ̃w, -ˈõjs] *m* (*leme*) timón *m*
timbre [ˈtʃĩbri] *m* timbre *m*
time [ˈtʃimi] *m* equipo *m*; **de segundo** ~ de segunda categoría
timidez [tʃimiˈdes] *f sem pl* timidez *f*
tímido, -a [ˈtʃimidu, -a] *adj* tímido, -a
timões [tʃiˈmõjs] *m pl de* **timão**
Timor Leste [tʃiˈmɔr ˈlɛstʃi] *m* Timor *m* Oriental
tímpano [ˈtʃĩpɐnu] *m* ANAT, MÚS tímpano *m*
tinha [ˈtʃiɲa] *1., 3. imperf de* **ter**
tinta [ˈtʃĩta] *f* **1.** (*para pintar*) pintura *f*; ~ **fresca** recién pintado **2.** (*para tingir*) tinte *m*
tinto, -a [ˈtʃĩtu, -a] *adj* tinto, -a; **vinho** ~ vino tinto
tintura [tʃĩˈtura] *f* tintura *f*
tio, -a [ˈtʃiw, -a] *m, f* tío, -a *m, f*
típico, -a [ˈtʃipiku, -a] *adj* típico, -a
tipo [ˈtʃipu] *m* tipo *m*
tipografia [tʃipograˈfia] *f* tipografía *f*
tira [ˈtʃira] *f* tira *f*
tira-gosto [ˈtʃira-ˈgostu] *m* aperitivo *m*
tiranizar [tʃirɐniˈzar] *vt* tiranizar
tirano, -a [tʃiˈrɐnu, -a] *m, f* tirano, -a *m, f*
tirar [tʃiˈrar] *vt* **1.** (*extrair, arrancar*) sacar; ~ **dinheiro do banco** sacar dinero del banco; ~ **sangue** sacar sangre; ~ **a mesa** quitar la mesa; ~ **satisfações** exigir explicaciones **2.** (*óculos, sapatos*) quitarse **3.** (*passaporte*) sacarse **4.** (*fotografia*) sacar **5.** (*férias*) tomar
tiritar [tʃiriˈtar] *vi* tiritar
tiro [ˈtʃiru] *m* tiro *m*; ~ **ao alvo** tiro al blanco; **troca de** ~**s** tiroteo *m*
tiroteio [tʃiroˈteju] *m* tiroteo *m*
titular [tʃituˈlar] *adj* titular
título [ˈtʃitulu] *m* título *m*
tive [ˈtʃivi] *1. pret perf de* **ter**
tivesse [tʃiˈvɛsi] *1., 3. pret subj de* **ter**
toa [toa] *f* **à** ~ *inf* porque sí; **ficar à** ~ quedarse sin nada para hacer
toalete [tuaˈlɛtʃi] *m* cuarto *m* de baño
toalha [tuˈaʎa] *f* toalla *f*; ~ **de mesa** mantel *m*
toar <*1. pess pres:* tôo> [toˈar] *vi* tronar
toca-discos [ˈtɔka-ˈdʒiskus] *m inv* tocadiscos *m inv*
toca-fitas [ˈtɔka-ˈfitas] *m inv* casete *m*
Tocantins [tokɐ̃ˈtʃijs] *m* Tocantins *m*
tocar [toˈkar] <c-> qu> **I.** *vt* **1.** tocar; **tocar a campainha** tocar el timbre **2.** (*comover*) conmover **II.** *vi* (*incumbir*) tocar; ~ **a alguém** (*herança, tarefa*) tocar a alguien
toco [ˈtoku] *m* **1.** (*de árvore*) tocón *m* **2.** (*de vassoura*) palo *m* **3.** (*de cigarro*) colilla *f*
todavia [todaˈvia] *conj* sin embargo
todo [ˈtodu] *adv* todo; **estar** ~ **molhado/sujo** estar todo mojado/sucio; **ao** ~ en total; **de** ~ del todo
todo, -a [ˈtodu, -a] **I.** *adj* todo, -a; **toda a noite** toda la noche; **a** ~ **momento** en todo momento; **toda gente** todo el mundo **II.** *pron indef*

todo, -a; ~ **mês/ano** todos los meses/años; **em** ~ **caso** en todo caso

toldo ['towdu] *m* toldo *m*

tolerante [tole'rãntʃi] *adj* tolerante

tolerar [tole'rar] *vt* tolerar

tolo, -a ['tolu, -a] *adj* tonto, -a, baboso, -a *Méx*; **fazer-se de ~** hacerse el tonto

tom [tõw] <tons> *m* tono *m*; **dar o ~** dar el tono; **ser de bom/mau ~** quedar bien/mal

tomada [to'mada] *f* 1. toma *f* 2. ELETR enchufe *m*

tomar [to'mar] *vt* 1. (*geral*) tomar; **o café da manhã** tomar el desayuno; **~ coragem** armarse de valor; **~ banho/uma ducha fria** tomar un baño/una ducha fría 2. (*receber*) tomarse; **~ aulas** recibir clases 3. (*fôlego*) cobrar; (*um táxi, um ônibus*) coger, tomar *AmL*

tomara [to'mara] *interj* ojalá; **~ que ele venha!** ¡ojalá que venga!

tombo ['tõwbu] *m* caída *f*; **levar um ~** caerse

tona ['tona] *f* superficie *f*; **trazer/vir à ~** sacar/salir a la superficie

tonelada [tone'lada] *f* tonelada *f*

tônico, -a ['toniku, -a] *adj* tónico, -a; (**água**) **tônica** tónica *f*

tons [tõws] *m pl de* **tom**

tonto, -a ['tõwtu, -a] *adj* 1. (*bobo*) tonto, -a 2. (*zonzo*) mareado, -a

tontura [tõw'tura] *f* mareo *m*; **estou com ~** estoy mareado, -a

topar [to'par] *vt* 1. (*aceitar*) aceptar; **~ fazer a. c.** estar de acuerdo con hacer algo 2. (*deparar*) toparse; **topei com ele na rua** me topé con él en la calle

topo ['topu] *m* (*tope*) cima *f*, cumbre *f*; (*extremidade*) punta *f*

toque ['tɔki] I. *pres de subj de* **tocar** II. *m* toque *m*; **dar um ~ a alguém** *inf* dar un toque a alguien

Tóquio ['tɔkiw] *f* Tokio *m*

tora ['tɔra] *f* trozo *m*

toranja [to'rɜ̃ʒa] *f* pomelo *m*

torcedor(a) [torse'dor(a)] *m(f)* aficionado, -a *m, f*

torcer [tor'ser] <c→ç> I. *vt* (*entortar*) torcer; (*um pé*) torcerse II. *vi* ESPORT animar; **~ por alguém** ser hincha de alguien

torcicolo [torsi'kɔlu] *m* tortícolis *f*; **ter um ~** tener tortícolis

tormenta [tor'mẽjta] *f* tormenta *f*

tornado [tor'nadu] *m* tornado *m*

tornar [tor'nar] I. *vt, vi* (*regressar*) volver; **~ a fazer a. c.** volver a hacer algo II. *vr* **~-se** volverse; **~-se realidade** hacerse realidad

torno ['tornu] *m* torno *m*; **em ~ de** en torno a

tornozelo [torno'zelu] *m* ANAT tobillo *m*

torpe ['tɔrpi] *adj* 1. (*impúdico*) impúdico, -a 2. (*vil*) infame

torrada [to'xada] *f* tostada *f*

torradeira [toxa'dejra] *f* tostadora *f*

torrão <-ões> [to'xɜ̃w, -'õjs] *m* terrón *m*

torrar [to'xar] *vt* 1. (*pão, café*) tostar 2. *inf* (*gastar*) derrochar

torre ['tɔxi] *f* torre *f*

torrente [to'xẽjtʃi] *f* torrente *m*

torrões [to'xõjs] *m pl de* **torrão**

torta ['tɔrta] f tarta f

torto, -a ['tortu, 'tɔrta] adj torcido, -a

tortura [tor'tura] f tortura f

torturar [tortu'rar] **I.** vt torturar **II.** vr ~-se torturarse

tosse ['tɔsi] f tos f

tossir [to'sir] irr como dormir vi toser

tostar [tos'tar] **I.** vt tostar **II.** vi (ao sol) tostarse

total <-ais> [to'taw, -'ajs] m total m; **no ~** en total

totalmente [totaw'mẽjtʃi] adv totalmente

tourada [to'rada] f corrida f de toros

toureiro [to'rejru] m torero m

touro ['toru] m toro m

Touro ['toru] m Tauro m

tóxico, -a ['tɔksiku, -a] adj tóxico, -a

trabalhador(a) [trabaʎa'dor(a)] adj, m(f) trabajador(a) m(f)

trabalhar [traba'ʎar] vi, vt trabajar

trabalho [tra'baʎu] m trabajo m; ~s **domésticos** tareas fpl domésticas; ~ **de meio expediente** trabajo de media jornada; ~ **de tempo integral** trabajo a tiempo completo

traça ['trasa] f polilla f

traçar [tra'sar] <ç→c> vt **1.** (linha, plano, caminho) trazar **2.** (texto) componer **3.** (casaco) cruzar

traço ['trasu] m (risco) trazo m; (carácter) rasgo m

tradição <-ões> [tradʒi'sãw, -'õjs] f tradición f

tradicional <-ais> [tradʒisjo'naw, -'ajs] adj tradicional

tradições [tradʒi'sõjs] f pl de **tradição**

tradução <-ões> [tradu'sãw, -'õjs] f traducción f

tradutor(a) [tradu'tor(a)] <-es> m(f) traductor(a) m(f)

traduzir [tradu'zir] vt traducir

tráfego ['trafegu] m tráfico m

traficante [trafi'kãntʃi] mf traficante mf

traficar [trafi'kar] <c→qu> vi traficar

tráfico ['trafiku] m tráfico m

traga ['traga] 1., 3. pres subj, 3. imperf **trazer**

tragar [tra'gar] <g→gu> vt tragar

tragédia [tra'ʒɛdʒia] f tragedia f

trago ['tragu] 1. pres de **trazer**

traição <-ões> [trai'sãw, -'õjs] f traición f

traidor(a) [trai'dor(a)] <-es> adj, m(f) traidor(a) m(f)

trair [tra'ir] conj como sair **I.** vt traicionar **II.** vr ~-se delatarse

traje ['traʒi] m traje m

trajeto [tra'ʒɛtu] m trayecto m

trama ['trama] f trama f

tramar [trɐ'mar] vt tramar; ~ **a. c. contra alguém** tramar algo contra alguien

trâmite ['trɐmitʃi] m trámite m

trampolim [trɐ̃npu'ʎĩj] <-ins> m trampolín m

trança ['trɐ̃sa] f trenza f

trancar [trɐ̃n'kar] <c→qu> **I.** vt (porta) cerrar; (matrícula) suspender **II.** vr ~-se encerrarse

tranco ['trɐ̃ŋku] m empujón m

tranquilizar [trɐ̃ŋkwiʎi'zar] **I.** vt tranquilizar **II.** vr ~-se tranquilizarse

tranquilo, -a [trɐ̃ŋ'kwilu, -a] adj tranquilo, -a

transação <-ões> [trãŋza'sãw, -'õjs] *f* transacción *f*

transar [trãŋ'zar] *vi* negociar

transbordar [trãŋzbor'dar] *vi* desbordarse

transcorrer [trãŋsko'xer] *vi* transcurrir

transferir [trãŋsfi'rir] *irr como* preferir I. *vt* (*empregados, dinheiro*) transferir; (*uma seção*) aplazar II. *vr*: ~-se mudarse

transformação <-ões> [trãŋsforma'sãw, -'õjs] *f* transformación *f*

transformar [trãŋsfor'mar] I. *vt* transformar II. *vr*: ~-se transformarse

transfusão <-ões> [trãŋsfu'zãw, -'õjs] *f* transfusión *f*

transistor [trãŋ'zistor] <-es> *m* ELETR transistor *m*

trânsito ['trãŋzitu] *m* tráfico *m*, tránsito *m*

transmissão <-ões> [trãŋzmi'sãw, -'õjs] *f* transmisión *f*

transmissor [trãŋzmi'sor] *m* transmisor *m*

transmitir [trãŋzmi'tʃir] *vt* transmitir

transpirar [trãŋspi'rar] *vi* transpirar

transplantar [trãŋsplãŋ'tar] *vt* tra(n)splantar

transplante [trãŋs'plãŋtʃi] *m* MED tra(n)splante *m*

transpor [trãŋs'por] *irr como* pôr *vt* superar

transportar [trãŋspor'tar] *vt* transportar

transporte [trãŋs'pɔrtʃi] *m* transporte *m*

transposto, -a [trãŋs'postu, -'ɔsta] *pp de* transpor

transtorno [trãŋs'tornu] *m* trastorno *m*

trapaça [tra'pasa] *f* trampa *f*

trapacear [trapasi'ar] *vt* hacer trampas en II. *vi* hacer trampas

trapalhada [trapa'ʎada] *f* lío *m*

trapo ['trapu] *m* trapo *m*

trarei [tra'rej] *1., 3. fut pres de* **trazer**

traria [tra'ria] *1., 3. fut pret de* **trazer**

trás [tras] *adv* **de** ~ de atrás; **para** ~ hacia atrás; **por** ~ **de** por detrás de

traslado [traz'ladu] *m* traslado *m*

tratado [tra'tadu] *m* tratado *m*

tratamento [trata'mẽjtu] *m* tratamiento *m*

tratar [tra'tar] I. *vt* tratar; ~ **bem**, **mal alguém** tratar bien/mal a alguien; ~ **com alguém** negociar con alguien II. *vr*: ~-**se** tratarse; **de que se trata?** ¿de qué se trata?

trato ['tratu] *m* trato *m*; **fazer um** ~ cerrar un trato

trator [tra'tor] <-es> *m* tractor *m*

trauma ['trawma] *m* trauma *m*

travar [tra'var] *vt* (*automóvel*) cerrar (*conversa*) trabar; (*um processo*) comenzar

través [tra'vɛs] *m* través *m*; **de** ~ de reojo

travessa [tra'vɛsa] *f* (*rua*) transversal *f*

travesseiro [travi'sejru] *m* almohada *f*

travesso, -a [tra'vesu, -a] *adj* travieso, -a

travessura [trave'sura] *f* travesura *f*

trazer [tra'zer] *irr vt* 1. trae

2. (*roupa*) vestir

trecho ['trɛʃu] *m* (*de estrada*) trecho *m*; (*de livro, música*) fragmento *m*

trégua ['tregwa] *f* tregua *f*

treinador(a) [trejna'dor(a)] <-es> *m(f)* entrenador(a) *m(f)*

treino ['trejnu] *m* entrenamiento *m*

treinar [trej'nar] *vi, vt* entrenar

trela ['trɛla] *f* **1.** (*de cão*) correa *f* **2.** *inf* confianza *f*; **dar ~ a alguém** *fig* dar cuerda a alguien

trem [trẽj] <-ens> *m* tren *m*; **ir/viajar de ~** ir/viajar en tren

trema ['trema] *m* LING diéresis *f inv*

tremendo, -a [tre'mẽjdu, -a] *adj* tremendo, -a; (*extraordinário*) excepcional

tremer [tre'mer] *vi* temblar

tremor [tre'mor] *m* temblor *m*

trens ['trẽjs] *m pl de* **trem**

trepar [tre'par] **I.** *vt* subirse **II.** *vi* trepar; **~ em árvore** trepar a un árbol

três [tres] *num card* tres; **a ~ por quatro** cada dos por tres; *v.tb.* **dois**

três-quartos ['tres-'kwartus] *inv* **I.** *adj* (*meia, saia*) tres cuartos **II.** *m* piso *m* con tres dormitorios

trevas ['trɛvas] *fpl* tinieblas *fpl*

trevo ['trevu] *m* trébol *m*

treze ['trezi] *num card* trece; *v.tb.* **dois**

trezentos, -as [tre'zẽjtus, -as] *num card* trescientos, -as

triagem [tri'aʒẽj] <-ens> *f* selección *f*

triângulo [tri'ãŋgulu] *m* triángulo *m*

tribo ['tribu] *f* tribu *f*

tribunal <-ais> [tribu'naw, -'ajs] *m* tribunal *m*

tributário, -a [tribu'tariw, -a] *adj* tributario, -a

tributo [tri'butu] *m* tributo *m*

tricô [tri'ko] *m* tricot *m*, punto *m*

tricotar [triko'tar] *vi* tricotar

trigésimo, -a [tri'ʒɛzimu, -a] *num ord* trigésimo, -a

trigo ['trigu] *m* trigo *m*

trilha ['triʎa] *f* camino *m*; (*rasto*) rastro *m*; **~ sonora** CINE banda *f* sonora

trilhão <-ões> [tri'ʎãw, -'õjs] *m* billón *m*

trilho ['triʎu] *m* (*de trem*) vía *f*

trilhões [tri'ʎõjs] *m pl de* **trilhão**

trimestral <-ais> [trimes'traw, -'ajs] *adj* trimestral

trimestre [tri'mɛstri] *m* trimestre *m*

trinta ['trĩta] *num card* treinta

trio ['triw] *m* trío *m*

tripa ['tripa] *f* tripa *f*

triplicar [tripli'kar] <c→qu> **I.** *vt* triplicar **II.** *vi* triplicarse

tripulação <-ões> [tripula'sãw, -'õjs] *f* tripulación *f*

tripulante [tripu'lãtʃi] *mf* tripulante *mf*

triste ['tristʃi] *adj* triste

tristeza [tris'teza] *f* tristeza *f*

triturar [tritu'rar] *vt* triturar

triunfar [triũw'far] *vi* triunfar

triunfo [tri'ũwfu] *m* triunfo *m*

trivial <-ais> [trivi'aw, -'ajs] *adj* trivial

triz [tris] *adv* **por um ~** por un tris

troca ['trɔka] *f* cambio *m*

troça ['trɔsa] *f* burla *f*

trocado [tro'kadu] *m* cambio *m*; **você tem aí um ~?** ¿tienes cambio?

trocador(a) [troka'dor(a)] *m(f)* cobrador(a) *m(f)*

trocar [tro'kar] <c→qu> **I.** *vt (permutar)* cambiar; *(olhares)* intercambiar **II.** *vi* cambiarse; ~ **de de casa** cambiar de casa **III.** *vr* ~**-se** *(roupas)* cambiarse

troçar [tro'sar] <ç→c> *vi* burlarse; ~ **de alguém** burlarse de alguien

troco ['trɔku] *m* cambio *m*, vuelto *m AmL;* **dar 10 reais de** ~ dar 10 reales de cambio

troféu [tro'fɛw] *m* trofeo *m*

tromba ['trõwba] *f* trompa *f*

trombeta [trõw'beta] *f* MÚS trompeta *f*

tronco ['trõwku] *m* **1.** *(de árvore)* tronco *m* **2.** TEL línea *f*

trono ['tronu] *m* trono *m;* **subir ao** ~ subir al trono

tropeçar [trope'sar] <ç→c> *vi* tropezar

tropical <-ais> [tropi'kaw, -'ajs] *adj* tropical

trópico ['trɔpiku] *m* trópico *m*

trotar [tro'tar] *vi* trotar

trote ['trɔtʃi] *m (do cavalo)* trote *m;* *(ao telefone)* broma *f*

trouxe ['trosi] *1., 3. pret perf de* **trazer**

trouxer [trow'sɛr] *1., 3. fut subj de* **trazer**

trouxesse [tro'sɛsi] *1., 3. imperf subj de* **trazer**

trovão <-ões> [tro'vãw, -'õjs] *m* trueno *m*

trovejar [trove'ʒar] *vi impess* tronar

trovoada [trovu'ada] *f* tronada *f*

trovões [tro'võjs] *m pl de* **trovão**

trufa ['trufa] *f* trufa *f*

truque ['truki] *m* truco *m*

tu [tu] *pron pess* tú; **tratar alguém por** ~ tratar a alguien de tú

tua [tua] *pron poss v.* **teu**

tubarão <-ões> [tuba'rãw, -'õjs] *m* tiburón *m*

tuberculose [tuberku'lɔzi] *f* MED tuberculosis *f*

tubo ['tubu] *m* tubo *m*

tudo ['tudu] *pron indef* todo; **antes de** ~ antes de nada; ~ **bem?** ¿qué tal?; ~ **bem!** ¡bien!

tulipa [tu'lipa] *f* tulipán *m*

tumba ['tũwba] *f* tumba *f*

tumor [tu'mor] *m* MED tumor *m*

túmulo ['tumulu] *m* tumba *f*

tumulto [tu'muwtu] *m* tumulto *m*

túnel <-eis> ['tunew, -ejs] *m* túnel *m*

túnica ['tunika] *f* túnica *f*

Tunísia [tu'nizia] *f* Túnez *f*

tunisiano, -a [tunizi'ʌnu, -a] *adj, m, f* tunecino, -a *m, f*

tupi [tu'pi] *adj, mf* tupí *mf*

tupiniquim [tupini'kĩ] <-ins> *adj pej* brasileño, -a

turbante [tur'bãntʃi] *m* turbante *m*

turbilhão <-ões> [turbi'ʎãw, -'õjs] *m* torbellino *m*

turbina [tur'bina] *f* turbina *f*

turbulência [turbu'lẽjsia] *f* turbulencia *f*

turco, -a ['turku, -a] *adj, m, f* turco, -a *m, f*

turismo [tu'rizmu] *m* turismo *m;* ~ **ecológico** turismo ecológico

turista [tu'rista] *mf* turista *mf*

turístico, -a [tu'ristʃiku, -a] *adj* turístico, -a

turma ['turma] f (de escola) clase f; (de amigos) panda f
turno ['turnu] m turno m
turquesa [tur'keza] f turquesa f
Turquia [tur'kia] f Turquía f
tutor(a) [tu'tor(a)] <-es> m(f) tutor(a) m(f)
TV [te've] f abr de **televisão** TV

U

U, u ['u] m U, u f
Ucrânia [u'kranja] f Ucrania f
ucraniano, -a [ukra'nianu, -a] adj, m, f ucraniano, -a m, f
UE [uni'ɛw ewro'pɛja] abr de **União Européia** UE f
Uganda [u'gãnda] f Uganda f
uísque [u'iski] m whisky m
uivar [uj'var] vi (lobo, vento) ulular; (cão) aullar
uivo ['ujvu] m (do lobo) ulular m; (do cachorro) aullido m
úlcera ['uwsera] f MED úlcera f
ulmeiro [uw'mejru] m BOT, **ulmo** ['uwmu] m BOT olmo m
última ['uwt∫ima] f inf última noticia f
ultimamente [uwt∫ima'mẽt∫i] adv últimamente
ultimato [uwt∫i'matu] m ultimátum m (inv)
último, -a ['uwt∫imu, -a] adj último, -a; **de última qualidade** de la peor calidad
ultrapassado, -a [uwtrapa'sadu, -a] adj anticuado, -a
ultrapassar [uwtrapa'sar] vt (exceder) sobrepasar; (automóvel) adelantar
ultra-som [uwtra'sõw] <-ons> m ecografía f
ultra-sônico, -a [uwtra'soniku, -a] adj ultrasónico, -a
um(a) ['ũw, 'uma] **I.** num card uno, -a; v.tb. **dois II.** art indef un(a); ~ **carro** un coche; ~**a casa** una casa; ~**as dez pessoas** unas diez personas; **está ~ frio!** ¡hace un frío! **III.** pron indef uno, -a; ~ **atrás do outro** uno tras otro
umbral <-ais> [ũw'braw, -'ajs] m jamba f
umedecer [umide'ser] <c→ç> vt humedecer
umidade [umi'dadʒi] f sem pl humedad f
úmido, -a ['umidu, -a] adj húmedo, -a
unânime [u'nanimi] adj unánime
unanimidade [unanimi'dadʒi] f sem pl unanimidad f
undécimo, -a [ũw'dɛsimu] adj undécimo, -a
unha ['ũna] f uña f
união <-ões> [uni'ãw, -'õjs] f unión f; ~ **Européia** Unión Europea
unicamente [unika'mẽt∫i] adv únicamente
único, -a ['uniku, -a] adj único, -a
unidade [uni'dadʒi] f unidad f
unido, -a [u'nidu, -a] adj unido, -a
unificar-se [unifi'karsi] <c→qu> vr unificarse
uniforme [uni'fɔrmi] adj, m uniforme m

uniões [uni'õjs] *f pl de* **união**

unir [u'nir] I. *vt* unir II. *vr:* ~-**se** unirse

unissono, -a [u'nisonu, -a] *adj* unísono, -a

unitário, -a [uni'tariw, -a] *adj* unitario, -a

universal <-ais> [univer'saw, -'ajs] *adj* universal

universidade [universi'dadʒi] *f* universidad *f*

universitário, -a [universi'tariw, -a] *adj, m, f* universitario, -a *m, f*

universo [uni'versu] *m* universo *m*

untar [ũw'tar] *vt* untar

urânio [u'rɐniw] *m sem pl* uranio *m*

urbanização <-ões> [urbɐniza'sɐ̃w, -'õjs] *f sem pl* urbanización *f*

urbano, -a [ur'bɐnu, -a] *adj* urbano, -a

urgência [ur'ʒẽjsia] *f* urgencia *f*

urgente [ur'ʒẽjtʃi] *adj* urgente

urina [u'rina] *f sem pl* orina *f*

urinar [uri'nar] *vi* orinar

urinol <-ois> [uri'nɔw, -'ɔjs] *m* orinal *m*

urna ['urna] *f* urna *f*

urrar [u'xar] *vi* rugir

urso, -a ['ursu, -a] *m, f* oso, -a *m, f*

URSS [uni'ɐ̃w-sovi'etʃika] HIST *abr de* **União das Repúblicas Socialistas Soviéticas** URSS *f*

urtiga [ur'tʃiga] *f* BOT ortiga *f*

Uruguai [uru'gwaj] *m* Uruguay *m*

uruguaio, -a [uru'gwaju, -a] *adj, m, f* uruguayo, -a *m, f*

usado, -a [u'zadu, -a] *adj* usado, -a

usar [u'zar] *vt* usar; ~ **barba** llevar barba

usbeque [uz'bɛki] *adj, mf* uzbeko, -a *m, f*

Usbequistão [uzbekis'tɐ̃w] *m* Uzbekistán *m*

usina [u'zina] *f* central *f*

uso ['uzu] *m* uso *m*

USP ['uspi] *f abr de* **Universidade de São Paulo** una de las universidades públicas de São Paulo, la mayor más importante de Brasil

usual <-ais> [uzu'aw, -'ajs] *adj* usual

usuário, -a [uzu'ariw, -a] *m, f* usuario, -a *m, f*

usufruir [uzufru'ir] *conj como incluir vi* disfrutar de

usurpar [uzur'par] *vt* usurpar

úteis ['utʃejs] *adj pl de* **útil**

utensílio [utẽj'siʎiw] *m* utensilio *m*

útero ['uteru] *m* útero *m*

UTI [ute'i] *f* MED *abr de* **unidade de terapia intensiva** UVI *f*, UTI *f AmL*

útil <-eis> ['utʃiw, -ejs] *adj* útil

utilidade [utʃiʎi'dadʒi] *f* utilidad *f*

utilitário [utʃiʎi'tariw] *m* INFOR utilidad *f*

utilização <-ões> [utʃiʎiza'sɐ̃w, -'õjs] *f* utilización *f*

utilizar [utʃiʎi'zar] *vt* utilizar

utopia [uto'pia] *f* utopía *f*

uva ['uva] *f* uva *f*; ~ **passa** uva pasa

V

V, v [ve] *m* V, v *f*

v. ['ver] *abr de* **ver** v.

vaca ['vaka] *f* vaca *f*

vacilar [vasi'lar] *vi* **1.** (*balançar*) temblar **2.** (*hesitar*) vacilar

vacina [va'sina] *f* vacuna *f*

vacinar [vasi'nar] **I.** *vt* vacunar **II.** *vr*: **~-se** vacunarse

vácuo ['vakuw] *m* vacío *m*; **embalado a ~** envasado al vacío

vadiagem [vadʒi'aʒẽj] <-ens> *f* vagancia *f*

vadiar [vadʒi'ar] *vi* vaguear

vadio, -a [va'dʒiw, -a] *adj, m, f* vago, -a *m, f*

vaga ['vaga] *f* (*emprego, estacionamento*) plaza *f*

vagabundo, -a [vaga'bũwdu, -a] *m, f* vagabundo, -a *m, f*

vagão <-ões> [va'gãw, -'õjs] *m* vagón *m*

vagão-leito <vagões-leito(s)> [va'gãw-'lejtu, va'gõjz-] *m* coche *m* cama

vagar [va'gar] <g→gu> **I.** *vi* vagar **II.** *vt* desocupar

vagem ['vaʒẽj] <-ens> *f* **1.** (*legume*) legumbre *f* **2.** (*feijão verde*) judía *f* verde, ejote *m Méx*, chaucha *f RíoPl*

vagina [va'ʒina] *f* vagina *f*

vago, -a [vagu, -a] *adj* (*quarto, tempo*) libre; (*emprego*) vacante

vagões [va'gõjs] *m pl de* **vagão**

vaguear [vage'ar] *conj como* **passear** *vi* vagar; **~ pela cidade** vagar por la ciudad

vaia ['vaja] *f* abucheo *m*

vaiar [vaj'ar] *vi, vt* abuchear

vaidade [vaj'dadʒi] *f* vanidad *f*

vaidoso, -a [vaj'dozu, -'ɔza] *adj* vanidoso, -a

vala ['vala] *f* fosa *f*; **~ comum** fosa común

vale ['vaʎi] *m* (*documento*) vale *m*; **pedir um ~** pedir un adelanto

valente [va'lẽtʃi] *adj* valiente

valentia [valẽ'tʃia] *f sem pl* valentía *f*

valer [va'ler] *irr* **I.** *vt* valer **II.** *vi* valer; **isso não vale!** ¡eso no vale!; **valeu!** *gíria* ¡gracias!

valeta [va'leta] *f* cuneta *f*

valia [va'ʎia] *f sem pl* valía *f*

validade [vaʎi'dadʒi] *f sem pl* validez *f*; **data de ~** fecha de caducidad

validar [vaʎi'dar] *vt* validar

válido, -a ['vaʎidu, -a] *adj* válido, -a

valioso, -a [vaʎi'ozu, -'ɔza] *adj* valioso, -a

valise [va'ʎizi] *f* maletín *m*

valor [va'lor] <-es> *m* **1.** valor *m* **2.** *pl ECON* valores *mpl*

valorização <-ões> [valoriza'sãw, -'õjs] *f* valorización *f*

valorizar [valori'zar] **I.** *vt* (*moeda, imóveis*) valorizar; (*pessoa, atitude*) valorar **II.** *vi* valorizarse

valsa ['vawsa] *f* vals *m*

válvula ['vawwula] *f* válvula *f*

vampiro, -a [vãŋ'piru, -a] *m, f* vampiro, -esa *m, f*

vangloriar-se [vãŋglori'arsi] *vr*: **~ de a. c.** vanagloriarse de algo

vantagem [vãŋ'taʒẽj] <-ens> *f* ventaja *f*

vantajoso, -a [vãŋta'ʒozu, -'ɔza] *adj* ventajoso, -a

vão ['vãw] <-s> *m* (*de escadas, ponte*) hueco *m*; (*de janela, porta*) vano *m*

vapor [va'por] *m* vapor *m*

vaporizar [vapori'zar] *vt* vaporizar
vaqueiro [va'kejru] *m* vaquero *m*
vara ['vara] *f* (*pau, estaca*) vara *f*; ~ **de pescar** caña de pescar
varal <-ais> [va'raw, -'ajs] *m* tendedero *m*
varanda [va'rãnda] *f* balcón *m*
varejista [vare'ʒista] *mf* minorista *mf*
varejo [va'reʒu] *m* comercio *m* al por menor
variação <-ões> [varia'sãw, -'õjs] *f* variación *f*
variar [vari'ar] *vi* (*ser diferente*) variar; (*delirar*) desvariar
variável <-eis> [vari'avew, -ejs] *adj* variable
varicela [vari'sɛla] *f* MED varicela *f*
variedade [varje'dadʒi] *f* variedad *f*
varíola [va'riwla] *f* MED viruela *f*
vários, -as ['varius, -as] *adj* varios, -as
varizes [va'rizis] *fpl* MED varices *fpl*
varrer [va'xer] *vt* barrer
várzea [varzia] *f* vega *f*
vasculhar [vasku'ʎar] *vt* examinar
vaselina® [vazi'ʎina] *f* vaselina *f*
vasilha [va'ziʎa] *f* vasija *f*
vaso ['vazu] *m* **1.** (*de plantas*) maceta *f*, tiesto *m* **2.** *tb.* ANAT vaso *m*
vassoura [va'sora] *f* escoba *f*
vasto, -a ['vastu, -a] *adj* vasto, -a
Vaticano [vatʃi'kɜnu] *m* Vaticano *m*
vazamento [vaza'mẽjtu] *m* escape *m*
vazão [va'zãw] *f sem pl* (*de mercadoria*) salida *f*; **dar ~ a a. c.** dar salida *f* a algo
vazar [va'zar] *vi* (*líquido, notícia*) filtrarse
vazio [va'ziw] *m* vacío *m*

vazio, -a [va'ziw, -a] *adj* vacío, -a
veado [vi'adu] *m* ciervo *m*
vedado, -a [ve'dadu, -a] *adj* prohibido, -a
vedar [ve'dar] **I.** *vt* (*interditar*) prohibir; (*entrada, passagem*) cerrar **II.** *v.* cerrar
veemência [vee'mẽjsia] *f sem pl* (*intensidade*) fuerza *f*
vegetação <-ões> [veʒeta'sãw, -'õjs] *f* vegetación *f*
vegetal <-ais> [veʒe'taw, -'ajs] *adj, m* vegetal *m*
vegetar [veʒe'tar] *vi* vegetar
vegetariano, -a [veʒetari'ɜnu, -a] *adj, m, f* vegetariano, -a *m, f*
veia ['veja] *f tb.* ANAT vena *f*
veículo [ve'ikulu] *m* vehículo *m*
veio [ve'ju] **3.** *pret de* **vir**
vela ['vɛla] *f* (*de barco, cera*) vela *f*, (*de automóvel*) bujía *f*
velar [ve'lar] *vt* velar
veleiro [ve'lejru] *m* velero *m*
velejar [vele'ʒar] *vi* navegar a vela
velhaco, -a [ve'ʎaku, -a] *adj, m, f* bellaco, -a *m, f*
velhice [ve'ʎisi] *f* vejez *f*
velho, -a ['vɛʎu, -a] *adj, m, f* viejo, -a *m, f*; **os ~s** (*país*) los viejos
velocidade [velosi'dadʒi] *f* velocidad *f*
velocímetro [velo'simetru] *m* velocímetro *m*
velório [ve'lɔriw] *m* velorio *m*
veloz [ve'lɔs] <-es> *adj* veloz
veludo [ve'ludu] *m* terciopelo *m*
vencedor(a) [vẽjse'dor(a)] <-es> *m(f)* vencedor(a) *m(f)*
vencer [vẽj'ser] <c→ç> *vi, vt* vencer

vencido, -a [vẽj'sidu, -a] *adj* vencido, -a; **dar-se por ~** darse por vencido

vencimento [vẽjsi'mẽjtu] *m* salario *m*; *(de juros, prazo)* vencimiento *m*

venda [ˈvẽjda] *f* 1. *(de produtos)* venta *f*; **estar à ~** estar a la venta 2. *(estabelecimento)* tienda *f*

vendaval <-ais> [vẽjda'vaw, -ajs] *m* vendaval *m*

vendedor(a) [vẽjde'dor(a)] <-es> *m(f)* vendedor(a) *m(f)*

vender [vẽj'der] I. *vt* vender; **vende-se** se vende II. *vr:* **~-se** venderse

veneno [ve'nenu] *m* veneno *m*

venenoso, -a [vene'nozu, -ˈɔza] *adj* venenoso, -a

venerar [vene'rar] *vt* venerar

Veneza [ve'neza] *f* Venecia *f*

veneziana [venezi'ɐna] *f* persiana *f* veneciana

Venezuela [venezu'ɛla] *f* Venezuela *f*

venezuelano, -a [venezue'lɐnu, -a] *adj, m, f* venezolano, -a *m, f*

venho [ˈvɐɲu] *1. pres de* **vir**

ventania [vẽjtɐ'nia] *f* vendaval *m*

ventar [vẽj'tar] *vi* soplar viento

ventilação <-ões> [vẽjtʃila'sɐ̃w, -ˈõjs] *f* ventilación *f*

ventilado, -a [vẽjtʃi'ladu, -a] *adj* ventilado, -a

ventilador [vẽjtʃila'dor] <-es> *m* ventilador *m*

vento [ˈvẽjtu] *m* viento *m*; **bons ~s** buenos tiempos

ventre [ˈvẽjtri] *m* vientre *f*

ventura [vẽj'tura] *f* ventura *f*

venturoso, -a [vẽjtu'rozu, -ˈɔza] *adj* venturoso, -a

ver¹ [ver] *m* **a meu ~** a mi modo de ver

ver² [ver] *irr* I. *vt* ver; *(examinar)* mirar; **prazer em vê-lo** encantado de verlo II. *vi* ver; **~ bem/mal** ver bien/mal; **não vejo nada** no veo nada; **veremos!** ¡veremos! III. *vr:* **~-se** verse

veraneio [vera'neju] *m* veraneo *m*

veranista [vera'nista] *mf* veraneante *mf*

verão <-ões, -ãos> [veˈrɐ̃w, -ˈõjs, -ˈɐ̃ws] *m* verano *m*

verba [ˈvɛrba] *f (dinheiro)* presupuesto *m*

verbal <-ais> [ver'baw, -'ajs] *adj* verbal

verbete [ver'betʃi] *m* entrada *f*

verbo [ˈvɛrbu] *m* verbo *m*

verdade [ver'dadʒi] *f* verdad *f*; **na ~** en realidad

verdadeiro, -a [verda'dejru, -a] *adj* verdadero, -a

verde [ˈverdʒi] *adj, m* verde *m*

verde-amarelo, -a [ˈverdʒi-amaˈrɛlu, -a] *adj (time)* brasileño, -a

verdura [ver'dura] *f* verdura *f*

verdureiro, -a [verduˈrejru] *m, f* verdulero, -a *m, f*

vereador(a) [verea'dor(a)] <-es> *m(f)* concejal(a) *m(f)*

vereda [ve'reda] *f* vereda *f*

vergonha [ver'goɲa] *f* vergüenza *f*, pena *f Méx*

verificação <-ões> [verifika'sɐ̃w, -ˈõjs] *f* verificación *f*

verificar [verifi'kar] <c→qu> vt verificar

verme ['vɛrmi] m tb. fig gusano m

vermelho, -a [ver'meʎu, -a] adj tb. fig rojo, -a

verniz [ver'nis] m barniz m; **sapato de ~** zapato de charol

verões [ve'rõjs] m pl de **verão**

verossímil <-eis> [vero'simiw, -ejs] adj verosímil

verruga [ve'xuga] f verruga f

versado, -a [ver'sadu, -a] adj versado, -a

versão <-ões> [ver'sãw, -'õjs] f versión f

versátil <-eis> [ver'satʃiw, -ejs] adj versátil

verso ['vɛrsu] m LIT verso m; (de folha) reverso m

versões [ver'sõjs] f pl de **versão**

versus ['vɛrsus] prep versus

vértebra ['vɛrtebra] f vértebra f

vertente [ver'tẽjtʃi] f vertiente f

verter [ver'ter] I. vt verter II. vi verterse

vertical <-ais> [vertʃi'kaw, -'ajs] adj, f vertical f

vertigem [ver'tʃiʒẽj] <-ens> f vértigo m

vesgo, -a ['vezgu, -a] adj bizco, -a

vesícula [vi'zikula] f vesícula f

vespa ['vespa] f ZOOL avispa f

véspera ['vɛspera] f víspera f; **~ de Natal** Nochebuena f

veste ['vɛstʃi] f vestidura f

vestiário [vestʃi'ariw] m vestuario m

vestíbulo [ves'tʃibulu] m vestíbulo m

vestido [vis'tʃidu] m vestido m

vestígio [ves'tʃiʒiw] m vestigio m

vestir [vis'tʃir] irr I. vi, vt vestir II. vr: **~-se** vestirse

vestuário [vestu'ariw] m vestuario m

veterano, -a [vete'rɐnu, -a] adj, m, f veterano, -a m, f

veterinário, -a [veteri'nariw, -a] adj, m, f veterinario, -a m, f

veto ['vɛtu] m POL veto m

véu ['vew] m velo m

vexame [ve'ʃɐmi] m (vergonha) vergüenza f, pena f Méx; (escândalo) vejación f

vez [ves] f 1. (ocasião) vez f; **desta ~** esta vez; **de ~ em quando** de vez en cuando; **às ~es** a veces; **uma que...** ya que...; **era uma ~...** érase una vez... 2. (turno) vez f; **um de cada ~** uno de cada vez; **agora é a sua ~** ahora te toca a ti

vezes ['vezis] adv MAT **três ~** três são nove tres por tres igual a nueve

vi [vi] 1. pret de **ver**

via ['via] I. f 1. (estrada, caminho, meio) vía f 2. (de documento) copia f II. adv vía; **~ internet** por Internet

viação <-ões> [via'sãw, -'õjs] f empresa f de transporte

viaduto [via'dutu] m viaducto m

viagem [vi'aʒẽj] <-ens> f viaje m; **~ de ida e volta** viaje de ida y vuelta

viajante [via'ʒɐ̃tʃi] mf viajero, -a m, f

viajar [via'ʒar] vi viajar; **~ para o Brasil** viajar a Brasil

viatura [via'tura] f vehículo m

víbora ['vibura] f víbora f

vibração <-ões> [vibra'sãw, -'õjs] f

vibrar *(som)* vibración *f*; *(entusiasmo)* entusiasmo *m*

vibrar [vi'brar] *vi* vibrar

vice-presidente [visi-prezi'dẽjtʃi] *mf* vicepresidente *mf*

viciar-se [visi'arsi] *vr* hacerse adicto; ~ **em drogas** volverse drogadicto

vício [visiw] *m (hábito)* vicio *m*; *(de drogas, álcool)* adicción *f*

vida [vida] *f* vida *f*; **estar bem de** ~ no pasar necesidades; **puxa** ~! *gíria* ¡caramba!

videira [vi'dejra] *f* vid *f*

vídeo ['vidʒiw] *m* vídeo *m*, video *m AmL*

videocassete [vidʒjoka'sɛtʃi] *m* videocasete *m*

videogame [vidʒjo'gejmi] *m* videojuego *m*

videolocadora [vidʒiwloka'dora] *f* videoclub *m*

vidraça [vi'drasa] *f* vidrio *m*

vidrado, -a [vi'dradu, -a] *adj* 1. *(janela)* acristalado, -a 2. *inf (apaixonado)* loco, -a

vidro [vidru] *m* 1. *(material)* vidrio *m*; ~ **fosco** vidrio opaco 2. *(em janela, vitrine)* cristal *m* 3. *(do automóvel)* ventanilla *f*

viela [vi'ɛla] *f* callejón *m*

Viena [vi'ena] *f* Viena *f*

Vietnã [vjetʃi'nã] *m* Vietnam *m*

viga [viga] *f* viga *f*

vigarice [viga'risi] *f* timo *m*

vigário [vi'gariw] *m* vicario *m*

vigarista [viga'rista] *mf* timador(a) *m(f)*

vigência [vi'ʒẽjsia] *f sem pl* vigencia *f*

vigente [vi'ʒẽjtʃi] *adj* vigente

vigésimo, -a [vi'ʒɛzimu, -a] *num ord* vigésimo, -a

vigia [vi'ʒia] *mf* vigía *mf*

vigiar [viʒi'ar] *vi, vt* vigilar

vigilante [viʒi'lãtʃi] *adj, mf* vigilante *mf*

vigília [vi'ʒiʎia] *f* 1. *(a um doente)* cuidado *m* 2. *(insônia)* vigilia *f*

vigor [vi'gor] <-**es**> *m* vigor *m*; **entrar em** ~ entrar en vigor

vigoroso, -a [vigo'rozu, -'ɔza] *adj* vigoroso, -a

vila [vila] *f* pueblo *m*; *(rua de casas)* urbanización *f*

vilão, vilã <-ões> [vi'lãw, -'ã, -'õjs] *m, f(em novelas, filmes)* malo, -a *m, f*

vim ['vĩj] *1. pret de* **vir**

vime ['vimi] *m* mimbre *f*

vinagre [vi'nagri] *m* vinagre *m*; ~ **balsâmico** vinagre de Módena

vinco [vĩjku] *m* 1. *(nas calças)* dobladillo *m* 2. *(em papel)* pliegue *m*

vínculo [vĩjkulu] *m* vínculo *m*

vinda [vĩjda] *f (chegada)* llegada *f*; *(regresso)* vuelta *f*

vindo, -a ['vĩjdu, -a] *pp de* **vir**

vingança [vĩj'gãsa] *f* venganza *f*

vingar [vĩj'gar] <g→gu> I. *vt* vengar II. *vr*: ~-**se de alguém** vengarse de alguien

vingativo, -a [vĩjga'tʃivu, -a] *adj* vengativo, -a

vinho ['viɲu] *m* vino *m*; ~ **branco** vino blanco; ~ **doce/seco** vino dulce/seco; ~ **de mesa** vino de mesa; ~ **rosé** vino rosado; ~ **tinto** vino tinto; ~ **verde** vino verde

vinte ['vĩtʃi] *num card* veinte

viola [vi'ɔla] *f* viola *f; reg (violão)* guitarra *f*

violação <-ões> [viola'sãw, -'õjs] *f* violación *f*

violão <-ões> [vio'lãw, -'õjs] *m* guitarra *f*

violar [vio'lar] *vt* violar

violência [vio'lẽjsia] *f* violencia *f*

violentar [violẽj'tar] *vt* violar

violento, -a [vio'lẽtu, -a] *adj* violento, -a

violeta [vio'leta] *m (cor)* violeta *m*

violino [vio'linu] *m* violín *m*

violões [vio'lõjs] *m pl de* **violão**

violoncelo [violõw'sɛlu] *m* violonchelo *m*

vir ['vir] *irr vi* venir; ~ **abaixo** venirse a abajo; **ele vem aí** ahí viene; **vem cá!** ¡ven aquí!; **de onde você vem?** ¿de dónde vienes?; **eu venho de avião/trem** vengo en avión/tren; **no ano que vem** el año que viene

virar [vi'rar] **I.** *vt* **1.** volver; *(roupa)* poner al revés; ~ **a cabeça** volver la cabeza **2.** *(disco, esquina)* dar la vuelta a; ~ **a página** pasar la página **II.** *vi (automóvel, pessoa)* girar, virar **III.** *vr*: ~**-se 1.** *(voltar-se)* volverse; ~**-se para alguém** volverse hacia alguien **2.** *(arranjar-se)* arreglárselas

virgem ['virʒẽj] <-ens> *adj, mf* virgen *mf*

Virgem ['virʒẽj] *f* Virgo *m; ser (de)* ~ ser Virgo

virgens ['virʒẽjs] *f pl de* **virgem**

virginidade [virʒĩji'dadʒi] *f sem pl* virginidad *f*

vírgula ['virgula] *f* coma *f*

viril <-is> [vi'riw, -'is] *adj* viril

virilha [vi'riʎa] *f* ANAT ingle *f*

viris [vi'ris] *adj pl de* **viril**

virtual <-ais> [virtu'aw, -'ajs] *adj* virtual

virtude [vir'tudʒi] *f* virtud *f*

vírus ['virus] *m inv* MED, INFOR virus *m inv*

visão <-ões> [vi'zãw, -'õjs] *f* visión *f*

visar [vi'zar] *vt* **1.** *(um alvo)* apuntar **2.** *(um cheque)* aprobar **3.** *(uma meta)* buscar

viseira [vi'zejra] *f* visera *f*

visibilidade [vizibili'dadʒi] *f sem pl* visibilidad *f*

visita [vi'zita] *f* visita *f*

visitante [vizi'tãtʃi] *mf* visitante *mf*

visitar [vizi'tar] *vt* visitar

visível <-eis> [vi'zivew, -ejs] *adj* visible

vislumbrar [vizlũw'brar] *vt* vislumbrar

vislumbre [viz'lũwbri] *m* vislumbre *m*

visões [vi'zõjs] *f pl de* **visão**

vison [vi'zõw] *m* visón *m*

visor [vi'zor] <-es> *m* visor *m*

vista ['vista] *f* vista *f;* ~ **cansada** vista cansada; **pagamento à** ~ pago al contado; **dar na(s)** ~**(s)** llamar la atención; **até à** ~! ¡hasta la vista!

visto ['vistu] *m (em passaporte)* visado *m;* ~ **de permanência** permiso *m* de residencia

visto, -a ['vistu, -a] **I.** *pp de* **ver** **II.** *adj* visto, -a; **ser bem/mal** ~ estar bien/mal visto; ~ **que...** visto que...

vistoria [visto'ria] *f* inspección *f*

vistoriar [vistori'ar] *vt* inspeccionar

vistoso, -a [vis'tozu, -'ɔza] *adj* vistoso, -a

visual <-ais> [vizu'aw, -ajs] *m inf* apariencia *f*

visualizar [vizuaʎi'zar] *vt* visualizar

vital <-ais> [vi'taw, -ajs] *adj* vital

vitalidade [vitaʎi'dadʒi] *f sem pl* vitalidad *f*

vitamina [vitɐ'mina] *f* (*substância*) vitamina *f*; (*batido*) batido *m*

vitela [vi'tɛla] *f* GASTR ternera *f*

vítima [vitʃima] *f* víctima *f*

vitória [vi'tɔria] *f* victoria *f*

Vitória [vi'tɔria] Vitória

vitorioso, -a [vitori'ozu, -'ɔza] *adj* victorioso, -a

vitrina [vi'trina] *f*, **vitrine** [vi'trini] *f* escaparate *m*, vitrina *f AmL*, vidriera *f RíoPl*

viúvo, -a [vi'uvu, -a] *adj, m, f* viudo, -a *m, f*

viva [viva] *interj* viva; **~ a noiva!** ¡viva la novia!

viveiro [vi'vejru] *m* vivero *m*

vivência [vi'vẽjsia] *f* vivencia *f*

vivenda [vi'vẽjda] *f* vivienda *f*

viver [vi'ver] <*pp*: vivo *ou* vivido>
I. *vt* vivir II. *vi* vivir; **~ da pesca** vivir de la pesca

víveres ['viveris] *mpl* víveres *mpl*

vivo, -a ['vivu, -a] I. *adj* vivo, -a II. *adv* **ao ~** en vivo

vizinhança [vizi'ɲɐ̃sa] *f* vecindario *m*

vizinho, -a [vi'ziɲu, -a] *adj, m, f* vecino, -a *m, f*

voador(a) [vua'dor(a)] <-es> *adj* volador(a)

voar [vu'ar] <*1. pess pres*: vôo> *vi* volar; **o tempo voa** el tiempo vuela

vocabulário [vokabu'lariw] *m* vocabulario *m*

vocábulo [vo'kabulu] *m* vocablo *m*

vocação <-ões> [voka'sɐ̃w, -'õjs] *f* vocación *f*

vocal <-ais> [vo'kaw, -ajs] *adj* vocal

você [vo'se] *pron pess* tú, vos *RíoPl*; **~ vai à festa?** ¿vas a ir a la fiesta?; **tratar alguém por** [*ou* **de**] **~** tratar a alguien de tú; **para ~** para ti; **isto foi dito por ~** tú dijiste eso

vocês [vo'ses] *pron pess pl* vosotros, vosotras, ustedes *AmL*; **~ vão à festa?** ¿vosotros/vosotras vais a la fiesta?, ¿ustedes van a la fiesta? *AmL*; **para ~** para vosotros/vosotras, para ustedes *AmL*

vodca ['vɔdʒika] *f* vodka *m*

voga ['vɔga] *f* **estar em ~** estar en boga

vogal <-ais> [vo'gaw, -'ajs] *f* vocal *f*

vol. [vo'lumi] *abr de* **volume** vol.

volante [vo'lɐ̃tʃi] *m* volante *m*

volátil <-eis> [vo'latʃiw, -ejs] *adj* volátil

vôlei ['volej] *m*, **voleibol** [volej'bɔw] *m* voleibol *m*

volt ['vowtʃi] *m* voltio *m*

volta ['vɔwta] I. *f* vuelta *f*; **~ e meia** cada dos por tres; **estar de ~** estar de vuelta II. *prep* **em ~ de** alrededor de; **por ~ das dez horas** alrededor de las diez

voltagem [vow'taʒẽj] <-ens> *f* voltaje *m*

voltar [vow'tar] *vi* volver; ~ **a si** volver en sí; **volto já!** ¡ahora mismo vuelvo!
volume [vo'lumi] *m* volumen *m*
volumoso, -a [volu'mozu, -'ɔza] *adj* voluminoso, -a
voluntário, -a [volũw'tarjw, -a] *adj, m, f* voluntario, -a *m, f*
volver [vow'ver] *vi* MIL **direita ~!** ¡media vuelta, derecha!
vomitar [vumi'tar] *vi, vt* vomitar
vômito ['vomitu] *m* vómito *m*
vontade [võw'tadʒi] *f* **1.** voluntad *f*; **de boa/má ~** de buena/mala gana **2.** ganas *fpl*; **fazer a. c. com/contra ~** hacer algo con/sin ganas; **fazer as ~s de alguém** satisfacer los deseos de alguien **3.** (*descontração*) **estar à ~** estar cómodo
vôo ['vou] *m* vuelo *m*; **~ doméstico** vuelo nacional
voraz [vo'ras] *adj* voraz
vos [vus] *pron pess* (*direto*) os, los, las *AmL*; (*indireto*) vosotros, -as, ustedes *AmL*
vós ['vɔs] *pron pess* HIST vos
vosso ['vɔsu] *pron poss* vuestro, -a, su *AmL*; **o ~ filho** vuestro hijo, su hijo *AmL*; **a vossa filha/casa** vuestra hija/casa, su hija/casa *AmL*
votação <-ões> [vota'sãw, -'õjs] *f* votación *f*
votar [vo'tar] *vi, vt* votar
voto ['vɔtu] *m* voto *m*
votos ['vɔtus] *mpl* votos *mpl*; **~ de felicidades** votos de felicidad; **fazer ~ de a. c.** hacer votos por algo
vou ['vow] *1. pres de* **ir**
vovó [vo'vɔ] *f* abuelita *f*
vovô [vo'vo] *m* abuelito *m*
voz ['vɔs] *f* voz *f*; **~ ativa/passiva** voz activa/pasiva
vulcão <-ões> [vuw'kãw, -'õjs] *m* volcán *m*
vulgar [vuw'gar] *adj* vulgar
vulgaridade [vuwgari'dadʒi] *f* vulgaridad *f*
vulnerável <-eis> [vuwne'ravew, -ejs] *adj* vulnerable
vulto ['vuwtu] *m* (*imagem*) bulto *m*
vultoso, -a [vuw'tozu, -'ɔza] *adj* considerable

W

W, w ['dabliw] *m* W, w *f*
walkie-talkie [wɔwki-'tɔwki] *m* walkie-talkie *m*
walkman [wɔwk'mɛj] <-s> *m* walkman *m*
watt ['vat] *m* ELETR vatio *m*
web ['wɛb] *f* INFOR web *f*
webcam [wɛb'kãm] *f* INFOR webcam *f*, cámara *f* web
web designer ['wɛb dʒi'zajner] *mf* diseñador(a) *m(f)* de páginas web
western ['wɛster] *m* western *m*
windsurfe [wĩjd'ʒi'sɐrfi] *m sem p* windsurf *m*
windsurfista [wĩjdʒisur'fista] *mf* windsurfista *mf*
workshop [worki'ʃɔpi] *m* taller *m*
WWW ['dabliw 'dabliw 'dabliw] *f abr de* **World Wide Web** WWW *f*

X

X, x [ʃis] *m* X, x *f*
xadrez [ʃa'dres] <-es> *m* (*jogo*) ajedrez *m*; (*tecido*) tela *f* a cuadros
xale ['ʃaʎi] *m* chal *m*
xampu [ʃãŋ'pu] *m* champú *m*
xará [ʃa'ra] *mf* o tocayo, -a *m, f*
xarope [ʃa'rɔpi] *m* MED jarabe *m*
xeque ['ʃɛki] *m* **1.** (*árabe*) jeque *m* **2.** (*em xadrez*) jaque *m*
xeque-mate ['ʃɛki-'matʃi] <xeques--mate(s)> *m* jaque *m* mate
xerife [ʃe'rifi] *m* sheriff *m*
xerocar [ʃero'kar] <c→qu> *vt* fotocopiar
xerox [ʃe'rɔks] *m sem pl*, **xérox**® [ʃe'rɔks] *m sem pl* fotocopia *f*; (*serviço*) copistería *f*
xícara ['ʃikara] *f* taza *f*, pocillo *m AmL*
xilofone [ʃilo'fɔni] *m* MÚS xilofón *m*
xilogravura [ʃilogra'vura] *f* xilografiado *m*
xingamento [ʃĩŋga'mẽtu] *m* insulto *m*
xingar [ʃĩ'gar] <g→gu> *vt* insultar
xixi [ʃi'ʃi] *m sem pl, inf* pis *m*; **fazer ~** hacer pis
xodó [ʃo'dɔ] *m* afecto *m*

Y

Y, y ['ipsilõw] *m* Y, y *f*
yuppie ['jupi] *mf* yuppie *mf*

Z

Z, z ['ze] *m* Z, z *f*
zagueiro [za'gejru] *m* FUT defensa *m*
Zaire ['zajɾi] *m* Zaire *m*
zairense [zaj'ɾẽjsi] *adj, mf* zaireño, -a *m, f*
Zâmbia ['zaʒ̃bia] *f* Zambia *f*
zambiano, -a [zãŋbi'anu, -a] *adj, m, f* zambiano, -a *m, f*
zanga ['zãŋga] *f* enfado *m*
zangado, -a [zãŋ'gadu, -a] *adj* enfadado, -a
zangão <-ões, -ãos> [zãŋ'gãw, -'õjs, -'ãws] *m* ZOOL zángano *m*
zangar-se [zãŋ'garsi] <g→gu> *vr* enfadarse
zangões [zãŋ'gõjs] *m pl de* **zangão**
zapping ['zapiŋ] *m* zapping *m*
zarpar [zar'par] *vi* zarpar
zebra ['zebra] *f* **1.** ZOOL cebra *f* **2.** (*de pedestres*) paso *m* de cebra
zelador(a) [zela'dor(a)] <-es> *m(f)* portero, -a *m, f*
zelar [ze'lar] *vt* velar; **~ por alguém/a. c.** velar por alguien/algo
zelo ['zelu] *m* celo *m*
zeloso, -a [ze'lozu, -'ɔza] *adj* celoso, -a
zé-ninguém ['zɛ-nĩŋ'gẽj] <zés-ninguém> *m* don nadie *m*
zé-povinho ['zɛ-po'viɲu] <zés-povinhos> *m* **o** ~ el populacho
zero ['zɛru] *num card* cero
zero-quilômetro ['zɛru-ki'lometru] *adj inv* nuevo, -a
ziguezague [zigi'zagi] *m* zigzag *m*
zimbabuano, -a [zĩjbabu'ʒnu, -a] *adj,*

m, f zimbabuense *mf*
Zimbábue [zĩȷ̃'bawi] *m* Zimbabue *m*
zimbabuense [zĩȷ̃'babu'ẽsi] *adj, mf v.* zimbabuano
zinco ['zĩku] *m sem pl* zinc *m*
zíper ['ziper] <-es> *m* cremallera *f*, cierre *m AmL*
zodíaco [zo'dʒiaku] *m* zodiaco *m*
zoeira [zu'ejra] *f* zumbido *m*
zombar [zõw'bar] *vi* burlarse; ~ **de alguém** burlarse de alguien
zombaria [zõwba'ria] *f* burla *f*
zona ['zona] *f* zona *f*
zoológico [zoo'lɔʒiku] *m* zoológico *m*
zoológico, -a [zoo'lɔʒiku, -a] *adj* zoológico, -a
zoólogo, -a [zo'ɔlogu, -a] *m, f* zoólogo, -a *m, f*
zunzunzum [zũw'zũw] <-uns> *m inf* rumor *m*
Zurique [zu'riki] *f* Zurich *m*

Los verbos regulares e irregulares españoles
Os verbos espanhóis regulares e irregulares

Abreviaturas:

pret. ind. pretérito indefinido
subj. pres. subjuntivo presente

Verbos regulares que terminan en *-ar*, *-er* e *-ir*

hablar

presente	imperfecto	pret. ind.	futuro	subj. pres.
hablo	hablaba	hablé	hablaré	hable
hablas	hablabas	hablaste	hablarás	hables
habla	hablaba	habló	hablará	hable
hablamos	hablábamos	hablamos	hablaremos	hablemos
habláis	hablabais	hablasteis	hablaréis	habléis
hablan	hablaban	hablaron	hablarán	hablen

gerundio hablando **participio** hablado

comprender

presente	imperfecto	pret. ind.	futuro	subj. pres.
comprendo	comprendía	comprendí	comprenderé	comprenda
comprendes	comprendías	comprendiste	comprenderás	comprendas
comprende	comprendía	comprendió	comprenderá	comprenda
comprendemos	comprendíamos	comprendimos	comprenderemos	comprendamos
comprendéis	comprendíais	comprendisteis	comprenderéis	comprendáis
comprenden	comprendían	comprendieron	comprenderán	comprendan

gerundio comprendiendo **participio** comprendido

recibir

presente	imperfecto	pret. ind.	futuro	subj. pres.
recibo	recibía	recibí	recibiré	reciba
recibes	recibías	recibiste	recibirás	recibas
recibe	recibía	recibió	recibirá	reciba
recibimos	recibíamos	recibimos	recibiremos	recibamos
recibís	recibíais	recibisteis	recibiréis	recibáis
reciben	recibían	recibieron	recibirán	reciban

gerundio recibiendo **participio** recibido

Verbos con cambios vocálicos

<e → ie> pensar

presente	imperfecto	pret. ind.	futuro	subj. pres.
pienso	pensaba	pensé	pensaré	piense
piensas	pensabas	pensaste	pensarás	pienses
piensa	pensaba	pensó	pensará	piense
pensamos	pensábamos	pensamos	pensaremos	pensemos
pensáis	pensabais	pensasteis	pensaréis	penséis
piensan	pensaban	pensaron	pensarán	piensen

gerundio pensando **participio** pensado

<o → ue> contar

presente	imperfecto	pret. ind.	futuro	subj. pres.
cuento	contaba	conté	contaré	cuente
cuentas	contabas	contaste	contarás	cuentes
cuenta	contaba	contó	contará	cuente
contamos	contábamos	contamos	contaremos	contemos
contáis	contabais	contasteis	contaréis	contéis
cuentan	contaban	contaron	contaron	cuenten

gerundio contando **participio** contado

Verbos con cambios ortográficos

<c → qu>   atacar

presente	imperfecto	pret. ind.	futuro	subj. pres.
ataco	atacaba	ataqué	atacaré	ataque
atacas	atacabas	atacaste	atacarás	ataques
ataca	atacaba	atacó	atacará	ataque
atacamos	atacábamos	atacamos	atacaremos	ataquemos
atacáis	atacabais	atacasteis	atacaréis	ataquéis
atacan	atacaban	atacaron	atacarán	ataquen

gerundio atacando   **participio** atacado

<g → gu>   pagar

presente	imperfecto	pret. ind.	futuro	subj. pres.
pago	pagaba	pagué	pagaré	pague
pagas	pagabas	pagaste	pagarás	pagues
paga	pagaba	pagó	pagará	pague
pagamos	pagábamos	pagamos	pagaremos	paguemos
pagáis	pagabais	pagasteis	pagaréis	paguéis
pagan	pagaban	pagaron	pagarán	paguen

gerundio pagando   **participio** pagado

<z → c>   cazar

presente	imperfecto	pret. ind.	futuro	subj. pres.
cazo	cazaba	cacé	cazaré	cace
cazas	cazabas	cazaste	cazarás	caces
caza	cazaba	cazó	cazará	cace
cazamos	cazábamos	cazamos	cazaremos	cacemos
cazáis	cazabais	cazasteis	cazaréis	cacéis
cazan	cazaban	cazaron	cazarán	cacen

gerundio cazando   **participio** cazado

<gu → gü> averiguar

presente	imperfecto	pret. ind.	futuro	subj. pres.
averiguo	averiguaba	averigüé	averiguaré	averigüe
averiguas	averiguabas	averiguaste	averiguarás	averigües
averigua	averiguaba	averiguó	averiguará	averigüe
averiguamos	averiguábamos	averiguamos	averiguaremos	averigüemos
averiguáis	averiguabais	averiguasteis	averiguaréis	averigüéis
averiguan	averiguaban	averiguaron	averiguarán	averigüen

gerundio averiguando   **participio** averiguado

<c → z> vencer

presente	imperfecto	pret. ind.	futuro	subj. pres.
venzo	vencía	vencí	venceré	venza
vences	vencías	venciste	vencerás	venzas
vence	vencía	venció	vencerá	venza
vencemos	vencíamos	vencimos	venceremos	venzamos
vencéis	vencíais	vencisteis	venceréis	venzáis
vencen	vencían	vencieron	vencerán	venzan

gerundio venciendo   **participio** vencido

<g → j> coger

presente	imperfecto	pret. ind.	futuro	subj. pres.
cojo	cogía	cogí	cogeré	coja
coges	cogías	cogiste	cogerás	cojas
coge	cogía	cogió	cogerá	coja
cogemos	cogíamos	cogimos	cogeremos	cojamos
cogéis	cogíais	cogisteis	cogeréis	cojáis
cogen	cogían	cogieron	cogerán	cojan

gerundio cogiendo   **participio** cogido

<gu → g> distinguir

presente	imperfecto	pret. ind.	futuro	subj. pres.
distingo	distinguía	distinguí	distinguiré	distinga
distingues	distinguías	distinguiste	distinguirás	distingas
distingue	distinguía	distinguió	distinguirá	distinga
distinguimos	distinguíamos	distinguimos	distinguiremos	distingamos
distinguís	distinguíais	distinguisteis	distinguiréis	distingáis
distinguen	distinguían	distinguieron	distinguirán	distingan

gerundio distinguiendo   **participio** distinguido

<qu → c> delinquir

presente	imperfecto	pret. ind.	futuro	subj. pres.
delinco	delinquía	delinquí	delinquiré	delinca
delinques	delinquías	delinquiste	delinquirás	delincas
delinque	delinquía	delinquió	delinquirá	delinca
delinquimos	delinquíamos	delinquimos	delinquiremos	delincamos
delinquís	delinquíais	delinquisteis	delinquiréis	delincáis
delinquen	delinquían	delinquieron	delinquirán	delincan

gerundio delinquiendo   **participio** delinquido

Los verbos irregulares

abolir

presente		
-----	**gerundio**	
-----	aboliendo	
-----		
abolimos	**participio**	
abolís	abolido	
-----		

abrir

participio:	abierto

adquirir

presente		
adquiero	**gerundio**	
adquieres	adquiriendo	
adquiere		
adquirimos	**participio**	
adquirís	adquirido	
adquieren		

andar

presente	pret. ind.		
ando	anduve	**gerundio**	
andas	anduviste	andando	
anda	anduvo		
andamos	anduvimos	**participio**	
andáis	anduvisteis	andado	
andan	anduvieron		

asir

presente
asgo	**gerundio**
ases	asiendo
ase	
asimos	**participio**
asís	asido
asen	

aullar

presente
aúllo	**gerundio**
aúllas	aullando
aúlla	
aullamos	**participio**
aulláis	aullado
aúllan	

avergonzar

presente	pret. ind.	
avergüenzo	avergoncé	**gerundio**
avergüenzas	avergonzaste	avergonzando
avergüenza	avergonzó	
avergonzamos	avergonzamos	**participio**
avergonzáis	avergonzasteis	avergonzado
avergüenzan	avergonzaron	

caber

presente	pret. ind.	futuro	condicional	
quepo	cupe	cabré	cabría	**gerundio**
cabes	cupiste	cabrás	cabrías	cabiendo
cabe	cupo	cabrá	cabría	
cabemos	cupimos	cabremos	cabríamos	**participio**
cabéis	cupisteis	cabréis	cabríais	cabido
caben	cupieron	cabrán	cabrían	

caer

presente	pret. ind.	
caigo	caí	**gerundio**
caes	caíste	cayendo
cae	cayó	
caemos	caímos	**participio**
caéis	caísteis	caído
caen	cayeron	

ceñir

presente	pret. ind.	
ciño	ceñí	**gerundio**
ciñes	ceñiste	ciñendo
ciñe	ciñó	
ceñimos	ceñimos	**participio**
ceñís	ceñisteis	ceñido
ciñen	ciñeron	

cocer

presente	
cuezo	**gerundio**
cueces	cociendo
cuece	
cocemos	**participio**
cocéis	cocido
cuecen	

colgar

presente	pret. ind.	
cuelgo	colgué	**gerundio**
cuelgas	colgaste	colgando
cuelga	colgó	
colgamos	colgamos	**participio**
colgáis	colgasteis	colgado
cuelgan	colgaron	

crecer

presente

crezco	**gerundio**
creces	creciendo
crece	
crecemos	**participio**
crecéis	crecido
crecen	

dar

presente	pret. ind.	subj. pres.		
doy	di	dé	**gerundio**	
das	diste	des	dando	
da	dio	dé		
damos	dimos	demos	**participio**	
dais	disteis	deis	dado	
dan	dieron	den		

decir

presente	imperfecto	pret. ind.	futuro	subj. pres.
digo	decía	dije	diré	diga
dices	decías	dijiste	dirás	digas
dice	decía	dijo	dirá	diga
decimos	decíamos	dijimos	diremos	digamos
decís	decíais	dijisteis	diréis	digáis
dicen	decían	dijeron	dirán	digan

gerundio diciendo   **participio** dicho

dormir

presente	pret. ind.	
duermo	dormí	**gerundio**
duermes	dormiste	durmiendo
duerme	durmió	
dormimos	dormimos	**participio**
dormís	dormisteis	dormido
duermen	durmieron	

elegir

presente	pret. ind.	
elijo	elegí	**gerundio**
eliges	elegiste	eligiendo
elige	eligió	
elegimos	elegimos	**participio**
elegís	elegisteis	elegido
eligen	eligieron	

empezar

presente	pret. ind.	
empiezo	empecé	**gerundio**
empiezas	empezaste	empezando
empieza	empezó	
empezamos	empezamos	**participio**
empezáis	empezasteis	empezado
empiezan	empezaron	

enraizar

presente	pret. ind.	
enraízo	enraicé	**gerundio**
enraízas	enraizaste	enraizando
enraíza	enraizó	
enraizamos	enraizamos	**participio**
enraizáis	enraizasteis	enraizado
enraízan	enraizaron	

erguir

presente	pret. ind.	subj. pres.	
yergo	erguí	irga	**gerundio**
yergues	erguiste	irgas	irguiendo
yergue	irguió	irga	
erguimos	erguimos	irgamos	**participio**
erguís	erguisteis	irgáis	erguido
yerguen	irguieron	irgan	

errar

presente	pret. ind.		
yerro	erré	**gerundio**	
yerras	erraste	errando	
yerra	erró		
erramos	erramos	**participio**	
erráis	errasteis	errado	
yerran	erraron		

escribir

participio: escrito

estar

presente	imperfecto	pret. ind.	futuro	subj. pres.
estoy	estaba	estuve	estaré	esté
estás	estabas	estuviste	estarás	estés
está	estaba	estuvo	estará	esté
estamos	estábamos	estuvimos	estaremos	estemos
estáis	estabais	estuvisteis	estaréis	estéis
están	estaban	estuvieron	estarán	estén

gerundio estando   **participio** estado

forzar

presente	pret. ind.	
fuerzo	forcé	**gerundio**
fuerzas	forzaste	forzando
fuerza	forzó	
forzamos	forzamos	**participio**
forzáis	forzasteis	forzado
fuerzan	forzaron	

fregar

presente	pret. ind.	
friego	fregué	**gerundio**
friegas	fregaste	fregando
friega	fregó	
fregamos	fregamos	**participio**
fregáis	fregasteis	fregado
friegan	fregamos	

freír

presente	pret. ind.	
frío	freí	**gerundio**
fríes	freíste	friendo
fríe	frió	
freímos	freímos	**participio**
freís	freísteis	frito
fríen	frieron	

haber

presente	imperfecto	pret. ind.	futuro	subj. pres.
he	había	hube	habré	haya
has	habías	hubiste	habrás	hayas
ha	había	hubo	habrá	haya
hemos	habíamos	hubimos	habremos	hayamos
habéis	habíais	hubisteis	habréis	hayáis
han	habían	hubieron	habrán	hayan

gerundio habiendo   **participio** habido

hacer

presente	imperfecto	pret. ind.	futuro	subj. pres.
hago	hacía	hice	haré	haga
haces	hacías	hiciste	harás	hagas
hace	hacía	hizo	hará	haga
hacemos	hacíamos	hicimos	haremos	hagamos
hacéis	hacíais	hicisteis	haréis	hagáis
hacen	hacían	hicieron	harán	hagan

gerundio haciendo   **participio** hecho

hartar

participio: hartado – *saturado*
harto (*só como atributivo*) : estoy harto – *estou farto*

huir

presente	pret. ind.		
huyo	huí	**gerundio**	
huyes	huiste	huyendo	
huye	huyó		
huimos	huimos	**participio**	
huís	huisteis	huido	
huyen	huyeron		

imprimir

participio:	impreso

ir

presente	imperfecto	pret. ind.	subj. pres.	
voy	iba	fui	vaya	**gerundio**
vas	ibas	fuiste	vayas	yendo
va	iba	fue	vaya	
vamos	íbamos	fuimos	vayamos	**participio**
vais	ibais	fuisteis	vayáis	ido
van	iban	fueron	vayan	

jugar

presente	pret. ind.	subj. pres.	
juego	jugué	juegue	**gerundio**
juegas	jugaste	juegues	jugando
juega	jugó	juegue	
jugamos	jugamos	juguemos	**participio**
jugáis	jugasteis	juguéis	jugado
juegan	jugaron	jueguen	

leer

presente	pret. ind.		
leo	leí	**gerundio**	
lees	leíste	leyendo	
lee	leyó		
leemos	leímos	**participio**	
leéis	leísteis	leído	
leen	leyeron		

lucir

presente
luzco	**gerundio**
luces	luciendo
luce	
lucimos	**participio**
lucís	lucido
lucen	

maldecir

presente	pret. ind.	
maldigo	maldije	**gerundio**
maldices	maldijiste	maldiciendo
maldice	maldijo	
maldecimos	maldijimos	**participio**
maldecís	maldijisteis	maldecido
maldicen	maldijeron	maldito

morir

presente	pret. ind.	
muero	morí	**gerundio**
mueres	moriste	muriendo
muere	murió	
morimos	morimos	**participio**
morís	moristeis	muerto
mueren	murieron	

oir, oír

presente	pret. ind.	
oigo	oí	**gerundio**
oyes	oiste	oyendo
oye	oyó	
oímos	oímos	**participio**
oís	oísteis	oído
oyen	oyeron	

oler

presente
huelo	**gerundio**
hueles	oliendo
huele	
olemos	**participio**
oléis	olido
huelen	

pedir

presente	pret. ind.	
pido	pedí	**gerundio**
pides	pediste	pidiendo
pide	pidió	
pedimos	pedimos	**participio**
pedís	pedisteis	pedido
piden	pidieron	

poder

presente	pret. ind.	futuro	
puedo	pude	podré	**gerundio**
puedes	pudiste	podrás	pudiendo
puede	pudo	podrá	
podemos	pudimos	podremos	**participio**
podéis	pudisteis	podréis	podido
pueden	pudieron	podrán	

podrir, pudrir

presente	imperfecto	pret. ind.	futuro	
pudro	pudría	pudrí	pudriré	**gerundio**
pudres	pudrías	pudriste	pudrirás	pudriendo
pudre	pudría	pudrió	pudrirá	
pudrimos	pudríamos	pudrimos	pudriremos	**participio**
pudrís	pudríais	pudristeis	pudriréis	podrido
pudren	pudrían	pudrieron	pudrirán	

poner

presente	pret. ind.	futuro	
pongo	puse	pondré	**gerundio**
pones	pusiste	pondrás	poniendo
pone	puso	pondrá	
ponemos	pusimos	pondremos	**participio**
ponéis	pusisteis	pondréis	puesto
ponen	pusieron	pondrán	

prohibir

presente		
prohíbo	**gerundio**	
prohíbes	prohibiendo	
prohíbe		
prohibimos	**participio**	
prohibís	prohibido	
prohíben		

proveer

presente	pret. ind.	
proveo	proveí	**gerundio**
provees	proveíste	proveyendo
provee	proveyó	
proveemos	proveímos	**participio**
proveéis	proveísteis	provisto
proveen	proveyeron	

pudrir *ver* **podrir**

querer

presente	pret. ind.	futuro	
quiero	quise	querré	**gerundio**
quieres	quisiste	querrás	queriendo
quiere	quiso	querrá	
queremos	quisimos	querremos	**participio**
queréis	quisisteis	querréis	querido
quieren	quisieron	querrán	

reír

presente	pret. ind.	
río	reí	**gerundio**
ríes	reíste	riendo
ríe	rió	
reímos	reímos	**participio**
reís	reísteis	reído
ríen	rieron	

reunir

presente		
reúno	**gerundio**	
reúnes	reuniendo	
reúne		
reunimos	**participio**	
reunís	reunido	
reúnen		

roer

presente	pret. ind.	subj. pres.	
roo/roigo	roí	roa/roiga	**gerundio**
roes	roíste	roas/roigas	royendo
roe	royó	roa/roiga	
roemos	roímos	roamos/roigamos/royamos	**participio**
			roído
roéis	roísteis	roáis/roigáis/royáis	
roen	royeron	roan/roigan	

saber

presente	pret. ind.	futuro	subj. pres.	
sé	supe	sabré	sepa	**gerundio**
sabes	supiste	sabrás	sepas	sabiendo
sabe	supo	sabrá	sepa	
sabemos	supimos	sabremos	sepamos	**participio**
sabéis	supisteis	sabréis	sepáis	sabido
saben	supieron	sabrán	sepan	

salir

presente	futuro	
salgo	saldré	**gerundio**
sales	saldrás	saliendo
sale	saldrá	
salimos	saldremos	**participio**
salís	saldréis	salido
salen	saldrán	

seguir

presente	pret. ind.	subj. pres.	
sigo	seguí	siga	**gerundio**
sigues	seguiste	sigas	siguiendo
sigue	siguió	siga	
seguimos	seguimos	sigamos	**participio**
seguís	seguisteis	sigáis	seguido
siguen	siguieron	sigan	

sentir

presente	pret. ind.	subj. pres.	
siento	sentí	sienta	**gerundio**
sientes	sentiste	sientas	sintiendo
siente	sintió	sienta	
sentimos	sentimos	sintamos	**participio**
sentís	sentisteis	sintáis	sentido
sienten	sintieron	sientan	

ser

presente	imperfecto	pret. ind.	futuro	subj. pres.
soy	era	fui	seré	sea
eres	eras	fuiste	serás	seas
es	era	fue	será	sea
somos	éramos	fuimos	seremos	seamos
sois	erais	fuisteis	seréis	seáis
son	eran	fueron	serán	sean

gerundio siendo   **participio** sido

soltar

presente
suelto	**gerundio**
sueltas	soltando
suelta	
soltamos	**participio**
soltáis	soltado
sueltan	

tener

presente	pret. ind.	futuro	
tengo	tuve	tendré	**gerundio**
tienes	tuviste	tendrás	teniendo
tiene	tuvo	tendrá	
tenemos	tuvimos	tendremos	**participio**
tenéis	tuvisteis	tendréis	tenido
tienen	tuvieron	tendrán	

traducir

presente	pret. ind.	
traduzco	traduje	**gerundio**
traduces	tradujiste	traduciendo
traduce	tradujo	
traducimos	tradujimos	**participio**
traducís	tradujisteis	traducido
traducen	tradujeron	

traer

presente	pret. ind.	
traigo	traje	**gerundio**
traes	trajiste	trayendo
trae	trajo	
traemos	trajimos	**participio**
traéis	trajisteis	traído
traen	trajeron	

valer

presente	futuro	
valgo	valdré	**gerundio**
vales	valdrás	valiendo
vale	valdrá	
valemos	valdremos	**participio**
valéis	valdréis	valido
valen	valdrán	

venir

presente	pret. ind.	futuro	
vengo	vine	vendré	**gerundio**
vienes	viniste	vendrás	viniendo
viene	vino	vendrá	
venimos	vinimos	vendremos	**participio**
venís	vinisteis	vendréis	venido
vienen	vinieron	vendrán	

ver

presente	imperfecto	pret. ind.	
veo	veía	vi	**gerundio**
ves	veías	viste	viendo
ve	veía	vio	
vemos	veíamos	vimos	**participio**
veis	veíais	visteis	visto
ven	veían	vieron	

volcar

presente	pret. ind.	
vuelco	volqué	**gerundio**
vuelcas	volcaste	volcando
vuelca	volcó	
volcamos	volcamos	**participio**
volcáis	volcasteis	volcado
vuelcan	volcaron	

volver

presente

vuelvo	**gerundio**
vuelves	volviendo
vuelve	
volvemos	**participio**
volvéis	vuelto
vuelven	

yacer

presente	subj. pres.	
yazco/yazgo/yago	yazca/yazga/yaga	**gerundio**
		yaciendo
yaces	yazcas/yazgas/yagas	
yace	yazca/yazga/yaga	
yacemos	yazcamos/yazgamos/yagamos	**participio**
		yacido
yacéis	yazcáis/yazgáis	
	yagáis	
yacen	yazcan/yazgan	
	yagan	

Los verbos regulares e irregulares portugueses
Os verbos portugueses regulares e irregulares

▶Abreviaturas:

m.-q.-perf.	mais-que-perfeito
pres. subj.	presente do subjuntivo
pret. imp.	pretérito imperfeito do indicativo
pret. perf.	pretérito perfeito do indicativo

▶Os pronomes pessoais

Para melhor entendimento das tabelas a seguir, deve-se considerar:

falo	1ª pessoa do singular	**eu**
falas	2ª pessoa do singular	**tu**
fala	3ª pessoa do singular	**ele, ela, você, o senhor, a senhora**
falamos	1ª pessoa do plural	**nós**
falam	2ª / 3ª pessoa do plural	**eles, elas, vocês, os senhores, as senhoras**

A segunda pessoa do plural **vós** não é usada no português atual. Sendo assim, o plural da segunda pessoa do singular **tu** passa a ser **vocês**.

▶Verbos regulares que terminam em -ar, -er e -ir
▶falar

presente	pret. imp.	pret. perf.	m.-q.-perf.	futuro	pres. subj.
falo	falava	falei	falara	falarei	fale
falas	falavas	falaste	falaras	falarás	fales
fala	falava	falou	falara	falará	fale
falamos	falávamos	falamos	faláramos	falaremos	falemos
falam	falavam	falaram	falaram	falarão	falem

gerúndio falando **particípio** falado

▶vender

presente	pret. imp.	pret. perf.	m.-q.-perf.	futuro	pres. subj.
vendo	vendia	vendi	vendera	venderei	venda
vendes	vendias	vendeste	venderas	venderás	vendas
vende	vendia	vendeu	vendera	venderá	venda
vendemos	vendíamos	vendemos	vendêramos	venderemos	vendamos
vendem	vendiam	venderam	venderam	venderão	vendam

gerúndio vendendo   **particípio** vendido

▶partir

presente	pret. imp.	pret. perf.	m.-q.-perf.	futuro	pres. subj
parto	partia	parti	partira	partirei	parta
partes	partias	partiste	partiras	partirás	partas
parte	partia	partiu	partira	partirá	parta
partimos	partíamos	partimos	partíramos	partiremos	partamos
partem	partiam	partiram	partiram	partirão	partam

gerúndio partindo   **particípio** partido

▶Verbos regulares que terminam em -air

▶sair

presente	pret. imp.	pret. perf.	m.-q.-perf.	futuro	pres. subj.
saio	saía	saí	saíra	sairei	saia
sais	saías	saíste	saíras	sairás	saias
sai	saía	saiu	saíra	sairá	saia
saímos	saíamos	saímos	saíramos	sairemos	saiamos
saem	saíam	saíram	saíram	sairão	saiam

gerúndio saindo   **particípio** saído

▶Verbos regulares que terminam em -ear

▶passear

presente	pret. imp.	pret. perf.	m.-q.-perf.	futuro	pres. subj.
passeio	passeava	passeei	passeara	passearei	passeie
passeias	passeavas	passeaste	passearas	passearás	passeies
passeia	passeava	passeou	passeara	passeará	passeie
passeamos	passeávamos	passeamos	passeáramos	passearemos	passeemos
passeiam	passeavam	passearam	passearam	passearão	passeiem

gerúndio passeando   **particípio** passeado

▶Verbos regulares que terminam em -oar

▶voar

presente
vôo
voas
voa
voamos
voam

▶Verbos regulares que terminam em -oer

▶doer

presente	pret. imp.	pret. perf.	m.-q.-perf.	futuro	pres. subj.
dói	doía	doeu	doera	doerá	doa
doem	doíam	doeram	doeram	doerão	doam

gerúndio doendo   **particípio** doído

▶roer

presente	pret. imp.	pret. perf.	m.-q.-perf.	futuro	pres. subj.
rôo	roía	roí	roera	roerei	roa
róis	roías	roeste	roeras	roerás	roas
rói	roía	roeu	roera	roerá	roa
roemos	roíamos	roemos	roêramos	roeremos	roamos
roem	roíam	roeram	roeram	roerão	roam

gerúndio roendo   **particípio** roído

▶Verbos regulares que terminam em *-uar*

▶averiguar

pret. perf.	pres. subj.
averigüei	averigúe
averiguaste	averigúes
averiguou	averigúe
averiguamos	averigüemos
averiguaram	averigúem

▶Verbos regulares que terminam em *-uir*

▶incluir

presente	pret. imp.	pret. perf.	m.-q.-perf.	futuro	pres. subj.
incluo	incluía	incluí	incluira	incluirei	inclua
incluis	incluías	incluiste	incluiras	incluirás	incluas
inclui	incluía	incluiu	incluira	incluirá	inclua
incluímos	incluíamos	incluimos	incluíramos	incluiremos	incluamos
incluem	incluíam	incluiram	incluiram	incluirão	incluam

gerúndio incluindo   **particípio** incluído

►Verbos regulares com alterações ortográficas

►<c → qu> ficar

pret. perf.	pres. subj.
fiquei	fique
ficaste	fiques
ficou	fique
ficamos	fiquemos
ficaram	fiquem

►<c → ç> agradecer

presente	pres. subj.
agradeço	agradeça
agradeces	agradeças
agradece	agradeça
agradecemos	agradeçamos
agradecem	agradeçam

►<ç → c> dançar

pret. perf.	pres. subj.
dancei	dance
dançaste	dances
dançou	dance
dançamos	dancemos
dançaram	dancem

►<g → j> corrigir

presente	pres. subj.
corrijo	corrija
corriges	corrijas
corrige	corrija
corrigimos	corrijamos
corrigem	corrijam

▶<g → gu> alugar

presente	pres. subj.
aluguei	alugue
alugaste	alugues
alugou	alugue
alugamos	aluguemos
alugaram	aluguem

▶<i → í> proibir

presente	pres. subj.
proíbo	proíba
proíbes	proíbas
proíbe	proíba
proibimos	proibamos
proíbem	proíbam

▶<u → ú> saudar

presente	pres. subj.
saúdo	saúde
saúdas	saúdes
saúda	saúde
saudamos	saudemos
saúdam	saúdem

▶Verbos regulares com particípios irregulares

infinitivo	particípio
abrir	aberto
escrever	escrito

▶Verbos regulares com particípios duplos

infinitivo	particípio irreg.	particípio reg.
aceitar	aceito	aceitado
acender	aceso	acendido
assentar	assente	assentado
despertar	desperto	despertado
eleger	eleito	elegido
emergir	emerso	emergido
entregar	entregue	entregado
enxugar	enxuto	enxugado
expressar	expresso	expressado
exprimir	expresso	exprimido
expulsar	expulso	expulsado
extinguir	extinto	extinguido
fartar	farto	fartado
ganhar	ganho	ganhado
gastar	gasto	gastado
imergir	imerso	imergido
imprimir	impreso	imprimido
juntar	junto	juntado
libertar	liberto	libertado
limpar	limpo	limpado
matar	morto	matado
pagar	pago	pagado
prender	preso	prendido
salvar	salvo	salvado
secar	seco	secado
segurar	seguro	segurado
soltar	solto	soltado
submergir	submerso	submergido
sujeitar	sujeito	sujeitado
suspender	suspenso	suspendido

▶Os verbos irregulares

▶aprazer

presente	pret. imp.	pret. perf.	m.-q.-perf.	futuro	pres. subj.
apraz	aprazia	aprouve	aprouvera	aprazerá	apraza
aprazem	apraziam	aprouveram	aprouveram	aprazerão	aprazam

gerúndio aprazendo **particípio** aprazido

▶caber

presente	pret. imp.	pret. perf.	m.-q.-perf.	futuro	pres. subj.
caibo	cabia	coube	coubera	caberá	caiba
cabes	cabias	coubeste	couberas	caberás	caibas
cabe	cabia	coube	coubera	caberá	caiba
cabemos	cabíamos	coubemos	coubéramos	caberemos	caibamos
cabem	cabiam	couberam	couberam	caberão	caibam

gerúndio cabendo **particípio** cabido

▶construir

presente	pret. imp.	pret. perf.	m.-q.-perf.	futuro	pres. subj.
construo	construía	construí	construíra	construirei	construa
constróis	construías	construiste	construíras	construirás	construas
constrói	construía	construiu	construíra	construirá	construa
construímos	construíamos	construímos	construíramos	construiremos	construamos
constroem	construíam	construíram	construíram	construirão	construam

gerúndio construindo **particípio** construído

▶**convergir**

presente	pret. imp.	pret. perf.	m.-q.-perf.	futuro	pres. subj.
convirjo	convergia	convergi	convergira	comvergirei	convirja
converges	convergias	convergiste	convergiras	convergirás	convirjas
converge	convergia	convergiu	convergira	convergirá	convirja
convergimos	convergíamos	convergimos	convergíramos	convergiremos	convirjamos
convergem	convergiam	convergiram	convergiram	convergirão	convirjam

gerúndio convergindo **particípio** convergido

▶**crer**

presente	pret. imp.	pret. perf.	m.-q.-perf.	futuro	pres. subj.
creio	cria	cri	crera	crerei	creia
crês	crias	creste	creras	crerás	creias
crê	cria	creu	crera	crerá	creia
cremos	críamos	cremos	crêramos	creremos	creiamos
crêem	criam	creram	creram	crerão	creiam

gerúndio crendo **particípio** crido

▶**dar**

presente	pret. imp.	pret. perf.	m.-q.-perf.	futuro	pres. subj.
dou	dava	dei	dera	darei	dê
dás	davas	deste	deras	darás	dês
dá	dava	deu	dera	dará	dê
damos	dávamos	demos	déramos	daremos	demos
dão	davam	deram	deram	darão	dêem

gerúndio dando **particípio** dado

▶dizer

presente	pret. imp.	pret. perf.	m.-q.-perf.	futuro	pres. subj.
digo	dizia	disse	dissera	direi	diga
dizes	dizias	disseste	disseras	dirás	digas
diz	dizia	disse	dissera	dirá	diga
dizemos	dizíamos	dissemos	disséramos	diremos	digamos
dizem	diziam	disseram	disseram	dirão	digam

gerúndio dizendo **particípio** dito

▶dormir

presente	pret. imp.	pret. perf.	m.-q.-perf.	futuro	pres. subj.
durmo	dormia	dormi	dormira	dormirei	durma
dormes	dormias	dormiste	dormiras	dormirás	durmas
dorme	dormia	dormiu	dormira	dormirá	durma
dormimos	dormíamos	dormimos	dormíramos	dormiremos	durmamos
dormem	dormiam	dormiram	dormiram	dormirão	durmam

gerúndio dormindo **particípio** dormido

▶estar

presente	pret. imp.	pret. perf.	m.-q.-perf.	futuro	pres. subj.
estou	estava	estive	estivera	estarei	esteja
estás	estavas	estiveste	estiveras	estarás	estejas
está	estava	esteve	estivera	estará	esteja
estamos	estávamos	estivemos	estivéramos	estaremos	estejamos
estão	estavam	estiveram	estiveram	estarão	estejam

gerúndio estando **particípio** estado

▶**fazer**

presente	pret. imp.	pret. perf.	m.-q.-perf.	futuro	pres. subj.
faço	fazia	fiz	fizera	farei	faça
fazes	fazias	fizeste	fizeras	farás	faças
faz	fazia	fez	fizera	fará	faça
fazemos	fazíamos	fizemos	fizéramos	faremos	façamos
fazem	faziam	fizeram	fizeram	farão	façam

gerúndio fazendo   **particípio** feito

▶**fugir**

presente	pres. subj.
fujo	fuja
foges	fujas
foge	fuja
fugimos	fujamos
fogem	fujam

gerúndio fugindo   **particípio** fugido

▶**haver**

presente	pret. imp.	pret. perf.	m.-q.-perf.	futuro	pres. subj.
hei	havia	houve	houvera	haverei	haja
hás	havias	houveste	houveras	haverás	hajas
há	havia	houve	houvera	haverá	haja
havemos	havíamos	houvemos	houvéramos	haveremos	hajamos
hão	haviam	houveram	houveram	havereão	hajam

gerúndio havendo   **particípio** havido

▶ir

presente	pret. imp.	pret. perf.	m.-q.-perf.	futuro	pres. subj.
vou	ia	fui	fora	irei	vá
vais	ias	foste	foras	irás	vás
vai	ia	foi	fora	irá	vá
vamos	íamos	fomos	fôramos	iremos	vamos
vão	iam	foram	foram	irão	vão

gerúndio indo   **particípio** ido

▶ler

presente	pres. subj.
leio	leia
lês	leias
lê	leia
lemos	leiamos
lêem	leiam

gerúndio lendo   **particípio** lido

▶odiar

presente	pret. imp.	pret. perf.	m.-q.-perf.	futuro	pres. subj.
odeio	odiava	odiei	odiara	odiarei	odeie
odeias	odiavas	odiaste	odiaras	odiarás	odeies
odeia	odiava	odiou	odiara	odiará	odeie
odiamos	odiávamos	odiamos	odiáramos	odiaremos	odiemos
odeiam	odiavam	odiaram	odiaram	odiarão	odeiem

gerúndio odiando   **particípio** odiado

▶ouvir

presente	pret. ind.
ouço	ouça
ouves	ouças
ouve	ouça
oivimos	ouçamos
ouvem	ouçam

gerúndio ouvindo   **particípio** ouvido

▶pedir

presente	pres. subj.
peço	peça
pedes	peças
pede	peça
pedimos	peçamos
pedem	peçam

gerúndio pedindo   **particípio** pedido

▶perder

presente	pres. subj.
perco	perca
perdes	percas
perde	perca
perdemos	percamos
perdem	percam

gerúndio perdendo   **particípio** perdido

▶poder

presente	pret. imp.	pret. perf.	m.-q.-perf.	futuro	pres. subj.
posso	podia	pude	podera	poderei	possa
podes	podias	pudeste	poderas	poderás	possas
pode	podia	pôde	podera	poderá	possa
podemos	podíamos	pudemos	podêramos	poderemos	possamos
podem	podiam	puderam	poderam	poderão	possam

gerúndio podendo **particípio** podido

▶polir

presente	pret. imp.	pret. perf.	m.-q.-perf.	futuro	pres. subj.
pulo	polia	poli	polira	polirei	pula
pules	polias	poliste	poliras	polirás	pulas
pule	polia	poliu	polira	polirá	pula
polimos	políamos	polimos	políramos	poliremos	pulamos
pulem	poliam	poliram	poliram	polirão	pulam

gerúndio polindo **particípio** polido

▶pôr

presente	pret. imp.	pret. perf.	m.-q.-perf.	futuro	pres. subj.
ponho	punha	pus	pusera	porei	ponha
pões	punhas	puseste	puseras	porás	ponhas
põe	punha	pôs	pusera	porá	ponha
pomos	púnhamos	pusemos	puséramos	poremos	ponhamos
põem	punham	puseram	puseram	porão	ponham

gerúndio pondo **particípio** posto

▶preferir

presente	pres. subj.
prefiro	prefira
preferes	prefiras
prefere	prefira
preferimos	prefiramos
preferem	prefiram

gerúndio preferindo   **particípio** preferido

▶prevenir

presente	pres. subj.
previno	previna
prevines	previnas
previne	previna
prevenimos	previnamos
previnem	previnam

gerúndio prevenindo   **particípio** prevenido

▶querer

presente	pret. imp.	pret. perf.	m.-q.-perf.	futuro*	pres. subj.
quero	queria	quis	quisera	quererei	queira
queres	querias	quiseste	quiseras	quererás	queiras
quer	queria	quis	quisera	quererá	queira
queremos	queríamos	quisemos	quiséramos	quereremos	queiramos
querem	queriam	quiseram	quiseram	quererão	queiram

gerúndio querendo   **particípio** querido

*pouco usado

▶reaver

presente	pret. imp.	pret. perf.	m.-q.-perf.	futuro*
	reavia	reouve	reouvera	reaverei
	reavias	reouveste	reouveras	reaverás
	reavia	reouve	reouvera	reaverá
reavemos	reavíamos	reouvemos	reouvéramos	reaveremos
	reaviam	reouveram	reouveram	reaverão

gerúndio reavendo   **particípio** reavido

*pouco usado

▶refletir

presente	subj. pres.
reflito	reflita
refletes	reflitas
reflete	reflita
relfetimos	reflitamos
refletem	reflitam

gerúndio refletindo   **particípio** refletido

▶requerer

presente	pret. imp.	pret. perf.	m.-q.-perf.	futuro	pres. subj.
requeiro	requeria	requeri	requerera	requererei	requeira
requeres	requerias	requereste	requereras	requererás	requeiras
requer/ requere	requeria	requeriu	requerera	requererá	requeira
requeremos	requeríamos	requeremos	requerêramos	requereremos	requeiramos
requerem	requeriam	requeram	requereram	requererão	requeiram

gerúndio requerendo   **particípio** requerido

▶rir

presente	
rio	**gerúndio**
ris	rindo
ri	
rimos	**particípio**
riem	rido

▶saber

presente	pret. imp.	pret. perf.	m.-q.-perf.	futuro	pres. subj.
sei	sabia	soube	soubera	saberei	saiba
sabes	sabias	soubeste	souberas	saberás	saibas
sabe	sabia	soube	soubera	saberá	saiba
sabemos	sabíamos	soubemos	soubéramos	saberemos	saibamos
sabem	sabiam	souberam	souberam	saberão	saibam

gerúndio sabendo   **particípio** sabido

▶seguir

presente	pres. subj.
sigo	siga
segues	sigas
segue	siga
seguimos	sigamos
seguem	sigam

gerúndio seguindo   **particípio** seguido

▶sentir

presente	pres. subj.
sinto	sinta
sentes	sintas
sente	sinta
sentimos	sintamos
sentem	sintam

gerúndio sentido **particípio** sentido

▶ser

presente	pret. imp.	pret. perf.	m.-q.-perf.	futuro	pres. subj.
sou	era	fui	fora	serei	seja
és	eras	foste	foras	serás	sejas
é	era	foi	fora	será	seja
somos	éramos	fomos	fôramos	seremos	sejamos
são	eram	foram	foram	serão	sejam

gerúndio sendo **particípio** sido

▶subir

presente
subo
sobes
sobe
subimos
sobem

gerúndio subindo **particípio** subido

▶ter

presente	pret. imp.	pret. perf.	m.-q.-perf.	futuro	pres. subj.
tenho	tinha	tive	tivera	terei	tenha
tens	tinhas	tiveste	tiveras	terás	tenhas
tem	tinha	teve	tivera	terá	tenha
temos	tínhamos	tivemos	tivéramos	teremos	tenhamos
têm	tinham	tiveram	tiveram	terão	tenham

gerúndio tendo   **particípio** tido

▶trazer

presente	pret. imp.	pret. perf.	m.-q.-perf.	futuro	pres. subj.
trago	trazia	trouxe	trouxera	trarei	traga
trazes	trazia	trouxeste	trouxeras	trarás	tragas
traz	trazia	trouxe	trouxera	trará	traga
trazemos	trazíamos	trouxemos	trouxéramos	traremos	tragamos
trazem	traziam	trouxeram	trouxeram	trarão	tragam

gerúndio trazendo   **particípio** trazido

▶valer

presente	pres. subj.
valho	valha
vales	valhas
vale	valha
valemos	valhamos
valem	valham

gerúndio valendo   **particípio** valido

▶ver

presente	pret. imp.	pret. perf.	m.-q.-perf.	futuro	pres. subj.
vejo	via	vi	vira	verei	veja
vês	vias	viste	viras	verás	vejas
vê	via	viu	vira	verá	veja
vemos	víamos	vimos	víramos	veremos	vejamos
vêem	viam	viram	viram	verão	vejam

gerúndio vendo **particípio** visto

▶vestir

presente	pres. subj.
visto	vista
vestes	vistas
veste	vista
vestimos	vistamos
vestem	vistam

gerúndio vestindo **particípio** vestido

▶vir

presente	pret. imp.	pret. perf.	m.-q.-perf.	futuro	pres. subj.
venho	vinha	vim	viera	virei	venha
vens	vinhas	vieste	vieras	virás	venhas
vem	vinha	veio	viera	virá	venha
vimos	vínhamos	viemos	viéramos	viremos	venhamos
vêm	vinham	vieram	vieram	virão	venham

gerúndio vindo **particípio** vindo

Los numerales

Os numerais

Los numerales cardinales

Os numerais cardinais

cero	0	zero
uno (apócope un), una	1	um, uma
dos	2	dois, duas
tres	3	três
cuatro	4	quatro
cinco	5	cinco
seis	6	seis
siete	7	sete
ocho	8	oito
nueve	9	nove
diez	10	dez
once	11	onze
doce	12	doze
trece	13	treze
catorce	14	quatorze, catorze
quince	15	quinze
dieciséis	16	dezesseis
diecisiete	17	dezessete
dieciocho	18	dezoito
diecinueve	19	dezenove
veinte	20	vinte
veintiuno (apócope veintiún), -a	21	vinte e um, a
veintidós	22	vinte e dois, duas
veintitrés	23	vinte e três
veinticuatro	24	vinte e quatro
veinticinco	25	vinte e cinco
treinta	30	trinta
treinta y uno (apócope treinta y un), -a	31	trinta e um, a
treinta y dos	32	trinta e dois, duas
treinta y tres	33	trinta e três
cuarenta	40	quarenta

cuarenta y uno (apócope cuarenta y un), -a	41	quarenta e um, a
cuarenta y dos	42	quarenta e dois, duas
cincuenta	50	cinqüenta
cincuenta y uno (apócope cincuenta y un), -a	51	cinqüenta e um, a
cincuenta y dos	52	cinqüenta e dois, duas
sesenta	60	sessenta
sesenta y uno (apócope sesenta y un), -a	61	sessenta e um, a
sesenta y dos	62	sessenta e dois, duas
setenta	70	setenta
setenta y uno (apócope setenta y un), -a	71	setenta e um, a
setenta y dos	72	setenta e dois, duas
ochenta	80	oitenta
ochenta y uno (apócope ochenta y un), -a	81	oitenta e um, a
ochenta y dos	82	oitenta e dois, duas
noventa	90	noventa
noventa y uno (apócope noventa y un), -a	91	noventa e um, a
noventa y dos	92	noventa e dois, duas
cien	100	cem
ciento uno (apócope ciento un), -a	101	cento e um, a
ciento dos	102	cento e dois, duas
ciento diez	110	cento e dez
ciento veinte	120	cento e vinte
ciento noventa y nueve	199	cento e noventa e nove
dos cientos, -as	200	duzentos, -as
dos cientos uno (apócope doscientos un), -a	201	duzentos, -as e um, a
dos cientos veintidós	222	duzentos, as e vinte e dois, duas
tres cientos, -as	300	trezentos, -as
cuatro cientos, -as	400	quatrocentos, -as
quinientos, -as	500	quinhentos, -as

seiscientos, -as	600	seiscentos, -as
sietecientos, -as	700	setecentos, -as
ochocientos, -as	800	oitocentos, -as
nuevecientos, -as	900	novecentos, -as
mil	1 000	mil
mil uno (apócope mil un), -a	1 001	mil e um, a
mil diez	1 010	mil e dez
mil cien	1 100	mil e cem
dos mil	2 000	dois, duas mil
diez mil	10 000	dez mil
cien mil	100 000	cem mil
un millón	1 000 000	um milhão
dos millones	2 000 000	dois milhões
dos millones quinientos, -as mil	2 500 000	dois milhões e quinhentos, -as mil
mil millones	1 000 000 000	um bilhão (ou bilião)
un billón	1 000 000 000 000	um trilhão (ou trilião)

Los numerales ordinales		Os numerais ordinais
primero (apócope primer), -a	1º, 1ª	primeiro, -a
segundo, -a	2º, 2ª	segundo, -a
tercero (apócope tercer), -a	3º, 3ª	terceiro, -a
cuarto, -a	4º, 4ª	quarto, -a
quinto, -a	5º, 5ª	quinto, -a
sexto, -a	6º, 6ª	sexto, -a
séptimo, -a	7º, 7ª	sétimo, -a
octavo, -a	8º, 8ª	oitavo, -a
noveno, -a	9º, 9ª	nono, -a (ou noveno, -a)
décimo, -a	10º, 10ª	décimo, -a
undécimo, -a	11º, 11ª	décimo, -a primeiro, -a (ou undécimo, -a)
duodécimo, -a	12º, 12ª	décimo, -a segundo, -a (ou duodécimo, -a)
decimotercero, -a	13º, 13ª	décimo, -a terceiro, -a
decimocuarto, -a	14º, 14ª	décimo, -a quarto, -a
decimoquinto, -a	15º, 15ª	décimo, -a quinto, -a
decimosexto, -a	16º, 16ª	décimo, -a sexto, -a
decimoséptimo, -a	17º, 17ª	décimo, -a sétimo, -a
decimoctavo, -a	18º, 18ª	décimo, -a oitavo, -a
decimonoveno, -a	19º, 19ª	décimo, -a nono, -a
vigésimo, a	20º, 20ª	vigésimo, -a
vigésimo, a primero, -a (o vigesimoprimero, -a)	21º, 21ª	vigésimo, -a primeiro, -a
vigésimo, a segundo, -a (o vigesimosegundo, -a)	22º, 22ª	vigésimo, -a segundo, -a
vigésimo, a tercero, -a (o vigesimotercero, -a)	23º, 23ª	vigésimo, -a terceiro, a
trigésimo, -a	30º, 30ª	trigésimo, -a
trigésimo, a primero, -a	31º, 31ª	trigésimo, -a primeiro, -a
trigésimo, a segundo, -a	32º, 32ª	trigésimo, -a segundo, -a
cuadragésimo, -a	40º, 40ª	quadragésimo, -a
quincuagésimo, -a	50º, 50ª	qüinquagésimo, -a
sexagésimo, -a	60º, 60ª	sexagésimo, -a
septuagésimo, -a	70º, 70ª	setuagésimo, -a

septuagésimo, -a primero, -a	71º, 71ª	setuagésimo, -a primeiro, -a
septuagésimo, -a segundo, -a	72º, 72ª	setuagésimo, -a segundo, -a
octogésimo, -a	80º, 80ª	octogésimo, -a
octogésimo, -a primero, -a	81º, 81ª	octogésimo, -a primeiro, -a
octogésimo, -a segundo, -a	82º, 82ª	octogésimo, -a segundo, -a
nonagésimo, -a	90º, 90ª	nonagésimo, -a
nonagésimo, -a primero, -a	91º, 91ª	nonagésimo, -a primeiro, -a
centésimo, -a	100º, 100ª	centésimo, -a
centésimo, -a primero, -a	101º, 101ª	centésimo, -a primeiro, -a
centésimo, -a décimo, -a	110º, 110ª	centésimo, -a décimo, -a
centésimo, -a nonagésimo, -a quinto, -a	195º, 195ª	centésimo, -a nonagésimo, -a quinto, -a
ducentésimo, -a	200º, 200ª	ducentésimo, -a
tricentésimo, -a	300º, 300ª	trecentésimo, -a
quingentésimo, -a	500º, 500ª	qüingentésimo, -a
milésimo, -a	1 000º, 1 000ª	milésimo, -a
dosmilésimo, -a	2 000º, 2 000ª	dois milésimos, -as
millonésimo, -a	1 000 000º, 1 000 000ª	milionésimo, -a
diezmillonésimo, -a	10 000 000º, 10 000 000ª	dez milionésimos, -a

Números fraccionarios (o quebrados)		Números fracionários
mitad; medio, a	½	meio, -a
un tercio	⅓	um terço
un cuarto	¼	um quarto
un quinto	⅕	um quinto
un décimo	1/10	um décimo
un centésimo	1/100	um centésimo
un milésimo	1/1000	um milésimo
un millonésimo	1/1 000 000	um milionésimo
dos tercios	⅔	dois terços
tres cuartos	¾	três quartos
dos quintos	⅖	dois quintos
tres décimos	3/10	três décimos
uno y medio	1 ½	um, a e meio, -a
dos y medio	2 ½	dois, duas e meio, -a
cinco tres octavos	5 ⅜	cinco inteiros e três oitavos
uno coma uno	1,1	um vírgula um

Medidas y pesos

Sistema (de numeración) decimal

mega-	1 000 000	M	mega-
hectokilo	100 000	hk	hectoquilo
miria-	10 000	Ma	miria-
kilo	1 000	K	quilo-
hecto-	100	H	hect(o)-
deca- (o decá-)	10	da	deca-
deci- (o decí-)	0,1	d	deci-
centi- (o centí-)	0,01	c	centi-
mili-	0,001	m	mili-
decimili-	0,000 1	dm	decimili-
centimili-	0,000 01	cm	centimili-
micro-	0,000 001	μ	micr(o)-

Medidas e pesos

Sistema (de numeração) decimal

Medidas de longitud / Medidas de longitude

milla marina	1 852 m	-	milha marítima
kilómetro	1 000 m	km	quilômetro
hectómetro	100 m	hm	hectômetro
decámetro	10 m	dam	decâmetro
metro	1 m	m	metro
decímetro	0,1 m	dm	decímetro
centímetro	0,01 m	cm	centímetro
milímetro	0,001 m	mm	milímetro
micrón, micra	0,000 001 m	μ	micro
milimicrón	0,000 000 001 m	mμ	milimicro, nanômetro
ángstrom	0,000 000 000 1 m	Å	angstrom (ou angström)

Medidas de superficie

Medidas de superficie			Medidas de superfície
kilómetro cuadrado	1 000 000 m²	km²	quilómetro quadrado
hectómetro cuadrado hectárea	10 000 m²	hm² ha	hectômetro quadrado hectare
decámetro cuadrado área	100 m²	dam² a	decâmetro quadrado are
metro cuadrado	1 m²	m²	metro quadrado
decímetro cuadrado	0,01 m²	dm²	decímetro quadrado
centímetro cuadrado	0,000 1 m²	cm²	centímetro quadrado
milímetro cuadrado	0,000 001 m²	mm²	milímetro quadrado

Medidas de volumen y capacidad

Medidas de volumen y capacidad			Medidas de volume e capacidade
kilómetro cúbico	1 000 000 000 m³	km³	quilómetro cúbico
metro cúbico estéreo	1 m³	m³ st	metro cúbico estéreo
hectolitro	0,1 m³	hl	hectolitro
decalitro	0,01 m³	dal	decalitro
decímetro cúbico litro	0,001 m³	dm³ l	decímetro cúbico litro
decilitro	0,000 1 m³	dl	decilitro
centilitro	0,000 01 m³	cl	centilitro
centímetro cúbico	0,000 001 m³	cm³	centímetro cúbico
mililitro	0,000 001 m³	ml	mililitro
milímetro cúbico	0,000 000 001 m³	mm³	milímetro cúbico

Pesos

Pesos			Pesos
tonelada	1 000 kg	t	tonelada
quintal métrico	100 kg	q	quintal métrico
kilogramo	1 000 g	kg	quilogramaquilo
hectogramo	100 g	hg	hectograma
decagramo	10 g	dag	decagrama
gramo	1 g	g	grama
quilate	0,2 g	-	quilate
decigramo (o decagramo)	0,1 g	dg	decigrama
centigramo	0,01 g	cg	centigrama
miligramo	0,001 g	mg	miligrama
microgramo	0,000 001 g	µg, g	micrograma

**PEQUEÑO MANUAL DE CONVERSACIÓN
PARA EL VIAJE**

**PEQUENO MANUAL DE CONVERSAÇÃO
PARA VIAGEM**

ÍNDICE	ÍNDICE
Médico	Médico
Médico de cabecera	Médico de família
Dentista	Dentista
Coche/Moto/Bicicleta	Carro/Moto/Bicicleta
Información	Informação
Avería	Avaria
Aparcamiento	Estacionamento
Gasolinera	Posto de gasolina
Accidente	Acidente
Alquiler	Aluguel
Taller	Oficina
Banco	Banco
Visita a sitios de interés	Visita a pontos turísticos
Excursión	Excursão
Museo	Museu
De compras	Compras
En general	Em geral
Farmacia	Farmácia
Tren	Trem
En la estación	Na estação
En el tren	No trem
Avión	Avião
Salida	Saída
Llegada	Chegada
En el avión	No avião
Conocerse	Encontrando pessoas
Saludos	Saudações
Despedida	Despedida

De visita	De visita
Por favor	Por favor
Gracias	Agradecimento
Perdón	Desculpas
Citas	Encontros
Comunicación	Comunicação
Presentación	Apresentação
Hospital	**Hospital**
Tráfico de cercanías	**Tráfego Local**
Transporte público	Transporte público
Taxi	Táxi
Policía	**Polícia**
Correos	**Correios**
Restaurante	**Restaurante**
Pedido	Pedido
La cuenta	A conta
Reclamación	Reclamação
Barco	**Barco**
A bordo	A bordo
Información	Informação
Piscina	**Piscina**
Deporte	**Esporte**
Playa	**Praia**
Teléfono	**Telefone**

Alojamiento	**Alojamento**
Información	Informação
Camping	Camping
Hotel	**Hotel**
Llegada	Chegada
Salida	Saída
Reclamación	Reclamação
Albergue juvenil	Albergue da juventude
Divertirse	**Diversão**
Bar/Discoteca/Boite	Bar/Discoteca/Boate
Teatro/Concierto/Cine	Teatro/Concerto/Cinema
Oficina de turismo	Informação turística
Tiempo	**Tempo**
Aduana	**Alfândega**
Control de pasaportes	Controle de passaportes
Control aduanero	Controle alfandegário

Médico | Médico

Médico de cabecera	Médico de família
¿Puede indicarme un buen... médico? pediatra? dentista?	Poderia me indicar um bom... médico? pediatra dentista?
¿Dónde está la consulta [*AmL* el consultorio]?	Onde fica o consultório?
¿Cuáles son las horas de consulta?	Quais são os horários de consulta?
¿Qué molestias siente?	O que você está sentindo?
No me encuentro bien.	Eu não me sinto bem.
Tengo fiebre.	Estou com febre.
Me siento mal/Me mareo con frecuencia.	Me sinto mal/Estou sempre enjoado.
Estoy muy resfriado.	Estou muito resfriado.
Tengo dolor de cabeza/garganta.	Estou com dor de cabeça/garganta.
Tengo una picadura/mordedura.	Fui picado/mordido.
Tengo el estómago revuelto.	Estou com o estômago revirado.
Tengo diarrea/estreñimiento.	Estou com diarréia/prisão de ventre.
Me he hecho una herida.	Eu me machuquei.
Me he caído.	Eu caí.
Creo que me he roto el/la...	Eu acho que quebrei o/a...
Creo que tengo un esguince en el/la...	Eu acho que torci meu/minha...
Me duele aquí.	Estou com uma dor aqui.
Tengo la tensión alta/baja.	Estou com a pressão alta/baixa.
Soy diabético.	Eu sou diabético.
Estoy embarazada.	Eu estou grávida
¿Tiene Ud. un certificado de vacunación?	Você tem uma carteira de vacinação?
Necesito hacerme un análisis de sangre/orina.	Preciso fazer um exame de sangue/urina.
¿Puede darme/recetarme algo contra...?	Poderia me dar /me receitar alguma coisa para...?
Aquí tiene mi tarjeta médica de seguros internacional.	Aqui está meu cartão de assistência médica internacional.
¿Me puede dar un certificado médico, por favor?	Poderia me dar um atestado médico, por favor?

Dentista	Dentista
Tengo (un) dolor de muelas (terrible).	Estou com (uma) dor de dente (terrível).
Me duele esta muela arriba/abajo/delante/detrás).	Este dente (de cima/de baixo/ da frente/do fundo) está doendo.
Se me ha perdido un empaste [*AmL* una tapadera].	Perdi minha obturação.
Se me ha roto un diente.	Quebrei um dente.
Hay que empastarlo.	É preciso obturá-lo.
Tendré que sacarlo.	Terei que arrancá-lo.
Póngame una inyección.	Me aplique uma injeção, por favor.
No quiero que me ponga una inyección	Eu não quero tomar injeção.

Coche/Moto/Bicicleta — Carro/Moto/Bicicleta

Información	Informação
Perdone, ¿por dónde se va a..., por favor?	Por favor, como faço para chegar até...?
¿A qué distancia está?	Fica muito longe?
¿Podría indicarme la ciudad/el camino/ eso en el mapa, por favor?	Poderia me mostrar a cidade/o caminho/isso, no mapa, por favor?
Perdone, señor/señora/señorita, ¿es ésta la carretera de...?	Desculpe-me senhor/senhora/senhorita, esta é a estrada de...?
¿Cómo se va a la autopista de...?	Como eu faço para chegar à rodovia de...?
Todo recto [*AmL* derecho] hasta...	Siga em frente até...
Luego en el semáforo tuerza [*AmL* doble] a la izquierda/derecha.	Logo que chegar no semáforo, vire à esquerda/direita.
¿Hay una ruta más tranquila a...?	Existe um caminho mais tranqüilo para...?
Se ha equivocado de carretera. Dé la vuelta hasta...	Você pegou a estrada errada. Dê a volta até...

Avería	Avaria
Tengo una avería.	Meu carro está quebrado.
Tengo una rueda pinchada.	Estou com um pneu furado.

¿Pueden enviarme un mecánico/una grúa, por favor?	Poderia me enviar um mecânico/um guincho, por favor?
¿Podría dejarme algo de gasolina, por favor?	Poderia me fornecer um pouco de gasolina, por favor?
¿Podría ayudarme a cambiar la rueda, por favor?	Poderia me ajudar a trocar o pneu, por favor?

Aparcamiento	**Estacionamento**
Perdone señor/señora/señorita ¿hay algún aparcamiento por aquí cerca?	Desculpe-me senhor/senhora/senhorita, existe algum estacionamento próximo daqui?
¿Puedo dejar el coche aquí?	Posso deixar meu carro aqui?
¿Puede darme cambio de... libras para el parquímetro?	Poderia me arrumar algumas moedas de... libras para o parquímetro?
¿Es un estacionamiento vigilado?	Este estacionamento tem um vigia?
¿Por cuánto tiempo se puede aparcar aquí?	Por quanto tempo posso estacionar aqui?
¿Cuál es el precio del aparcamiento por... hora? día? noche?	Qual é o preço do estacionamento por hora? dia? noite?
¿Está abierto el aparcamiento toda la noche?	O estacionamento fica aberto a noite toda?

Gasolinera	**Posto de gasolina**
¿Dónde está la estación de servicio más cercana, por favor?	Onde fica o posto de gasolina mais próximo?
... litros de... gasolina normal, con plomo/súper, gasoil, sin plomo, por favor	... litros de... gasolina normal com chumbo/super, diesel, sem chumbo, por favor
Lleno, por favor.	Encha o tanque, por favor.
¿Me comprueba el nivel del aceite/la presión de las ruedas?	Poderia verificar o nível do óleo e a calibragem dos pneus?
Quería que me lavaran el coche, por favor.	Queria que lavassem meu carro, por favor.

Quería un mapa de carreteras de la zona, por favor.	Queria um mapa de estradas da região, por favor.
¿Dónde están los aseos, por favor?	Onde fica o banheiro/o toalete, por favor?

Accidente / Acidente

Llame...	Chame...
una ambulancia.	uma ambulância.
a la policía.	a polícia.
a los bomberos.	os bombeiros.
¿Tiene Ud. un botiquín de urgencia?	Você tem uma kit de primeiros socorros?
Ha sido por mi culpa/por su culpa.	Foi minha culpa/sua culpa.
Ud....	Você...
no cedió el paso.	não me deu passagem.
no indicó que iba a cambiar de carril.	não indicou que ia mudar de pista.
iba a demasiada velocidad.	estava em alta velocidade.
me seguía demasiado de cerca.	estava muito perto do meu carro.
se saltó un semáforo en rojo.	ultrapassou um semáforo vermelho.
Yo iba a... kilómetros por hora.	Eu estava indo a... quilômetros por hora.
¿Me dice Ud. su nombre y dirección/los datos del seguro?	Poderia me dizer seu nome e endereço/me passar os dados do seu seguro?
¿Quiere hacerme de testigo?	Você quer ser minha testemunha?
Muchas gracias por su ayuda.	Muito obrigado(a) por sua ajuda.

Alquiler / Aluguel

Quisiera alquilar...	Eu gostaria de alugar...
un coche/un todoterreno,	um carro/um jipe todo-terreno,
una moto,	uma moto,
una vespa,	uma vespa,
un ciclomotor,	uma bicicleta motorizada,
una bicicleta	uma bicicleta
por... días/una semana.	por... dias/uma semana.
¿Qué tarifa se paga por día/por semana?	Quanto custa por dia/por semana?
¿Cuánto se paga por cada kilómetro de recorrido?	Qual é o preço de cada quilômetro percorrido?

¿Cuánto es el depósito?	De quanto é o depósito?
¿Está el vehículo asegurado a todo riesgo?	O carro possui seguro total?
¿Se puede dejar el coche en...?	É possível deixar o carro em...?

Taller / Oficina

¿Hay un taller por aquí cerca?	Tem alguma oficina perto daqui?
¿Puede acompañarme/remolcarme?	Poderia me acompanhar/me rebocar?
El coche/La moto no arranca.	O carro/A moto não está dando partida.
¿Sabe Ud. a qué se debe?	Você sabe me dizer qual é o problema?
El motor no va bien.	Tem alguma coisa errada com o motor.
Los frenos... no funcionan bien. están estropeados.	Os freios... não funcionam bem. estão com problemas.
El coche pierde aceite.	O carro está com vazamento de óleo.
¿Puede Ud. mirar, por favor?	Pode dar uma olhada, por favor?
Cambie las bujías, por favor.	Poderia trocar as velas de ignição, por favor.
¿Tiene piezas para este modelo?	Há peças de reposição para este modelo?
Haga sólo las reparaciones estrictamente necesarias, por favor.	Faça somente os reparos estritamente necessários, por favor.
¿Cuándo estará arreglado el coche/arreglada la moto?	Quando ficará pronto o carro/pronta a moto?
¿Cuánto costará?	Quanto vai custar?

Banco / Banco

Por favor, ¿dónde hay por aquí un banco/una oficina de cambio?	Por favor, onde tem um banco/uma casa de câmbio por aqui?
¿A qué hora abre/cierra el banco?	A que horas abre/fecha o banco?
Quisiera cambiar... euros/pesos en libras/dólares.	Eu gostaria de trocar... euros/pesos por libras/dólares.
¿Cómo está hoy el cambio?	Como está o câmbio de hoje?
¿Cuántas libras/Cuántos dólares dan por cien euros/pesos?	Quantas libras/quantos dólares consigo por cem euros/pesos?
Quisiera cobrar este cheque de viaje/giro postal.	Queria trocar este cheque de viagem/vale postal.

¿Cuál es el importe máximo posible?	Qual é o valor máximo permitido?
Su tarjeta de cheques, por favor?.	Seu cartão do banco, por favor?
¿Puedo ver su pasaporte/carnet de identidad, por favor?	Posso ver seu passaporte/carteira de identidade, por favor?
¿Quiere firmar aquí, por favor?	Queira assinar aqui, por favor?
Vaya a la caja.	Dirija-se ao caixa.
¿Cómo quiere el dinero?	Como quer o dinheiro?
Solamente en billetes, por favor.	Somente em notas, por favor.
Un poco de dinero suelto también, por favor.	Um pouco de dinheiro trocado também, por favor.
Quería tres billetes de cinco libras y el resto en dinero suelto, por favor.	Queria três notas de cinco libras e o restante em dinheiro trocado, por favor.
He perdido mis cheques de viaje.	Perdi meus cheques de viagem.

Visita a sitios de interés / Visita a pontos turísticos

Excursión / Excursão

¿En qué dirección está...?	Em que direção fica...?
¿Pasamos por...?	Passamos por...?
¿También veremos...?	Também vamos ver...?
¿Cuánto tiempo libre tenemos en...?	Quanto tempo livre temos em...?
¿Cuándo regresaremos?	Quando retornaremos?
¿Cuándo estaremos de vuelta?	Quando estaremos de volta?

Museo / Museu

¿Qué cosas dignas de verse hay aquí?	Quais são os lugares mais interessantes para se ver aqui?
¿A qué hora está abierto el museo?	A que horas abre o museu?
¿A qué hora empieza la visita con guía?	A que horas começa a visita guiada?
¿Hay también visita con guía en español?	Há também visita guiada em espanhol?
¿Está permitido sacar fotos aquí?	É permitido tirar fotos aqui?
¿Es éste/ésta el/la...?	Este/esta é o/a...?
¿Hay catálogo de los objetos expuestos?	Há um catálogo contendo os objetos da exibição?

De compras

En general
Horas de comercio
Abierto/Cerrado
Cerrado por vacaciones.
Por favor, dónde hay...?
¿Puede indicarme una buena tienda de...?
Quisiera...
¿Tiene Ud....?
Enséñeme..., por favor.

¿Tienen también algo más barato?
Me gusta. Me lo llevo.
¿Cuánto cuesta?
¿Aceptan Uds. tarjetas de crédito?

Farmacia
¿Dónde está la farmacia (de guardia) más cercana?
Me puede dar algo contra..., por favor?

Para esa medicina se necesita una receta.

¿Puedo esperar?
¿Cuándo puedo venir a recogerlo?

Tren

En la estación
Un billete [AmL boleto] de segunda/de primera clase para..., por favor.
Dos billetes [AmL boletos] de ida y vuelta a..., por favor.
¿Hay billetes [AmL boletos] de ida y vuelta baratos de fin de semana?

Compras

Em geral
Horas de funcionamento do comércio
Aberto/Fechado
Fechado por motivo de férias.
Por favor, onde tem...?
Poderia me indicar uma boa loja de...
Eu gostaria...
Você tem...?
Quero dar uma olhada em..., por favor?
Vocês têm alguma coisa mais barata?
Eu gostei. Vou levar.
Quanto custa?
Vocês aceitam cartões de crédito?

Farmácia
Onde fica a farmácia (de plantão) mais próxima?
Poderia me dar alguma coisa para..., por favor?
Este remédio só pode ser vendido com receita.
Posso esperar?
Quando posso vir te buscar?

Trem

Na estação
Um bilhete de segunda/de primeira classe para..., por favor.
Dois bilhetes de ida e volta para... por favor.
Há bilhetes econômicos de ida e volta de fim de semana?

Hacen un descuento para niños/familias numerosas/estudiantes?	Vocês dão descontos para crianças/famílias numerosas/estudantes?
Una reserva de asiento para el tren de las... a..., por favor.	Gostaria de reservar um lugar no trem das... para..., por favor.
Un asiento junto a la ventanilla?	Gostaria de um lugar junto à janela?
Quisiera un billete [*AmL* boleto] para el coche-cama [*AmL* coche-dormitorio]/coche-literas en el tren de las ocho a...	Queria um bilhete para a cabine-dormitório do trem das oito para...
Hay servicio de motorail a...?	Tem serviço de motorail para...?
Cuánto cuesta para un coche y cuatro personas?	Quanto custa para um carro e quatro pessoas?
Quisiera facturar esta maleta.	Gostaria de despachar esta mala.
Llegará el equipaje en el tren de las...?	A bagagem chegará no trem das...?
Cuándo llegará a...?	Quando chegará em...?
Dónde puedo facturar mi bicicleta?	Onde posso despachar minha bicicleta?
Lleva retraso el tren de...?	O trem das... está atrasado?
Hay enlace [*AmL* combinación] para...?	Tem uma conexão para...?
Hay transbordador [*AmL* ferry boat] en...?	Tem uma balsa em...?
(Dónde) Tengo que hacer transbordo?	(Onde) Tenho que fazer baldeação?
De qué andén sale el tren para...?	De que plataforma sai o trem para...?
El trén número..., procedente de... entra en el andén número uno.	O trem número..., procedente de... acaba de chegar à plataforma número um.
El tren de... lleva 10 minutos de retraso.	O trem de... está com 10 minutos de atraso.
Todos a bordo!	Todos a bordo!

En el tren	No trem
Perdón, señor/señora/señorita, ¿está libre este asiento?	Desculpe-me senhor/senhora/senhorita, este lugar está desocupado?
Puede ayudarme, por favor?	Poderia me ajudar, por favor?
Puedo abrir/cerrar la ventana?	Posso abrir/fechar a janela?
Perdone, señor/señora/señorita, éste es un departamento [*AmL* compartimento] para no fumadores.	Desculpe-me senhor/senhora/senhorita, mas este é uma área de não fumantes.

Perdón, este sitio es mío. Tengo reserva de asiento.	Desculpe-me mas este lugar é meu. Tenho reserva desta poltrona.
¿Para este tren en...?	Este trem pára em...?
¿Dónde estamos ahora?	Onde estamos agora?
¿Cuánto tiempo paramos aquí?	Quanto tempo ficaremos parados aqui?
¿Llegaremos puntuales?	Chegaremos na hora prevista?

Avión / Avião

Salida / Saída

¿Dónde está el mostrador de la compañía...?	Onde fica o balcão da companhia...?
¿Dónde está el mostrador de información?	Onde fica o balcão de informações?
¿A qué hora sale el próximo avión para...?	A que horas sai o próximo avião para...?
Quisiera reservar un vuelo de ida/de ida y vuelta a...	Gostaria de reservar um bilhete de ida e volta para...
¿Hay todavía plazas libres?	Ainda têm lugares disponíveis?
¿Cuánto cuesta el vuelo en clase turista/en primera clase?	Quanto custa um bilhete na classe econômica/na primeira classe?
¿A cuántos kilos de equipaje da derecho el billete [AmL boleto]?	Este bilhete dá direito a quantos quilos de bagagem?
¿Puedo llevar esto como equipaje de mano?	Posso levar isto como bagagem de mão?
Quisiera anular/cambiar este vuelo.	Gostaria de cancelar/alterar este bilhete.
¿A qué hora tengo que estar en el aeropuerto?	A que horas tenho que estar no aeroporto?
¿Lleva retraso el avión a...?	Está atrasado o avião para...?
¿Ya ha aterrizado el avión de...?	O avião de... já aterrizou?

Llegada / Chegada

No encuentro mi equipaje/maleta [AmL valija].	Não estou encontrando minha bagagem/mala.
Mi equipaje se ha perdido.	Minha bagagem foi extraviada.

Mi maleta [*AmL* valija] está dañada.	Minha mala está danificada.
¿Dónde puedo reclamar?	Onde posso fazer uma reclamação?
¿De dónde sale el autobús para el terminal?	De onde sai o ônibus para o terminal?

En el avión / No avião

¿Qué río/lago es ése?	Que rio/lago é este?
¿Qué montaña es ésa?	Que montanha é esta?
¿Dónde estamos ahora?	Onde estamos agora?
¿Cuándo aterrizamos en...?	Quando iremos aterrizar em...?

Conocerse / Encontrando pessoas

Saludos / Saudações

¡Buenos días!	Bom dia!
¡Buenas tardes!	Boa tarde!
¡Buenas noches!	Boa noite!
¡Hola!, ¿Qué tal?	Oi!, Como vai?
¿Cómo se llama?	Como você se chama?

Despedida / Despedida

¡Adiós!/¡Hasta luego!	Adeus!/Até logo!
¡Hasta pronto!	Até já!
¡Hasta más tarde!	Até mais tarde!
¡Hasta mañana!	Até amanhã!
¡Buenas noches!	Boa noite!
¡Qué se divierta(n)!	Divirta(m)-se!
¡Buen viaje!	Boa viagem!
Estaremos en contacto.	Vamos ficar em contato.

De visita / De visita

Perdone, ¿vive aquí el señor/la señora/la señorita X?	Desculpe-me, gostaria de saber se é aqui que mora o senhor/a senhora/a senhorita X?
¿Puedo hablar con el señor/la señora/la señorita X, por favor?	Posso falar com o senhor/a senhora/a senhorita X, por favor?

¿Cuándo estará en casa?	Quando ele/ela estará em casa?
¿Puedo dejar un recado?	Posso deixar um recado?
Volveré más tarde.	Voltarei mais tarde.
Pase, por favor.	Entre, por favor.
¿Quiere sentarse?	Gostaria de se sentar?
Paula le manda saludos.	Paula mandou lembranças.
¿Quiere tomar algo?	Você gostaria de beber alguma coisa?
¡Salud!	Saúde!

Por favor / Por favor

Sí, por favor.	Sim, por favor.
No, muchas gracias.	Não obrigado(a).
¿Me permite?	Posso?
¿Puede ayudarme, por favor?	Poderia me ajudar, por favor?

Gracias / Agradecimento

Gracias.	Obrigado(a).
Muchas gracias.	Muito obrigado(a).
Sí, gracias.	Sim, obrigado(a).
Gracias. Igualmente.	Obrigado(a). Igualmente.
Muchas gracias por su ayuda.	Muito obrigado(a) por sua ajuda.
De nada./No hay de qué.	De nada. Não há de que.

Perdón / Desculpas

Lo siento (mucho).	Sinto (muito).
Tengo que pedir disculpas.	Tenho que pedir desculpas.
¡Qué pena/lástima!	Que pena!

Citas / Encontros

¿Tiene algún plan para mañana?	Você tem algum plano para amanhã?
¿Vamos juntos?	Vamos juntos?
¿Salimos juntos esta noche?	Vamos sair juntos esta noite?
Me gustaría invitarle a comer.	Gostaria de convidá-lo(a) para almoçar/jantar.
¿A qué hora nos encontramos?	A que horas podemos nos encontrar?

te espero...
   a las nueve.
   delante del cine.
   en la plaza.
   en el café.
¿Podemos volver a vernos?
Espero que nos volvamos a ver pronto.
Muchas gracias por esta velada tan agradable.
Haga el favor de dejarme en paz.

Nos encontramos...
   às nove horas.
   em frente ao cinema.
   na praça.
   no café.
Podemos nos ver de novo?
Espero que voltemos a nos ver em breve.
Muito obrigado(a) por esta noite tão agradável.
Faça o favor de me deixar em paz.

Comunicación / Comunicação

¿Cómo dice? — Como disse?
No le entiendo. Puede repetir, por favor? — Eu não entendi. Pode repetir, por favor?
Por favor, hable un poco más despacio/alto. — Por favor, fale um pouco mais devagar/alto.
Habla Ud.... — Você fala...
   español? — espanhol?
   inglés? — inglês?
   francés? — francês?
   italiano? — italiano?
   alemán? — alemão?
Hablo sólo un poco de... — Eu só falo um pouco de...
¿Qué significa/quiere decir eso? — O que significa/quer dizer isso?
¿Cómo se pronuncia esta palabra? — Como se pronuncia esta palavra?

Presentación / Apresentação

¿Cómo se llama? — Como você se chama?
Me llamo... — Eu me chamo...
Encantado de conocerle. — Prazer em conhecê-lo(a)
Le presento... — Te apresento.../Este(a) é...
   a la señora/al señor/a la señorita X. — a senhora, o senhor, a senhorita X.
   a mi marido. — meu marido.
   a mi esposa/mujer. — minha esposa/mulher.
   a mi hijo/hija. — meu filho/minha filha.
   a mi hermano/hermana. — meu irmão/minha irmã.
   a mi novio/novia. — meu namorado/minha namorada.
   a mi compañero de trabajo. — meu colega de trabalho.

¿Qué tal está?	Oi, como vai?
Bien, gracias. ¿Y Ud.?	Tudo bem, obrigado(a), e você?
¿De dónde es Ud.?	De onde você é?
Soy de...	Sou de...
¿Lleva mucho tiempo aquí?	Faz tempo que você está aqui?
Llevo aquí desde...	Estou aqui desde...

Hospital

Hospital

¿Cuánto tiempo tendré que quedarme aquí?	Quanto tempo terei que ficar aqui?
Tengo dolor.	Estou com dor.
No puedo dormirme.	Não consigo dormir.
¿Podría darme un calmante/un somnífero, por favor?	Poderia me dar um calmante/algo para dormir, por favor?
¿Cuándo podré levantarme?	Quando poderei me levantar?

Tráfico de cercanías

Tráfego local

Transporte público

Transporte público

¿Qué autobús/tranvía/línea de metro va a...?	Que ônibus/bonde/linha de metrô vai para...?
Por favor, ¿dónde está la próxima...	Por favor, qual é o/a... mais próximo(a)?
parada del autobús?	ponto de ônibus?
parada del tranvía?	ponto de lotação?
estación del metro?	estação de metrô?
¿Cuál es la línea que va a..., por favor?	Por favor, qual é a linha que vai para...?
¿Va este autobús a...?	Este ônibus vai para...?
¿A qué hora sale el autobús?	A que horas sai o ônibus?
¿De dónde sale el autobús?	De onde sai o ônibus?
¿Qué dirección debo tomar?	Em que direção devo pegar?
¿Cuántas paradas son?	Quantas paradas são?
¿Dónde tengo que bajar/cambiar?	Onde eu tenho que descer/fazer baldeação?

¿Me avisa cuando lleguemos, por favor?	Poderia me avisar quando chegarmos, por favor?
¿Dónde se venden los billetes [*AmL* boletos], por favor?	Onde são vendidos os bilhetes?
Un billete [*AmL* boleto] a..., por favor.	Um bilhete para..., por favor.

Taxi — **Táxi**

Perdone, señor/señora/señorita, ¿dónde está la próxima parada de taxis?	Desculpe-me senhor/senhora/senhorita, onde fica o ponto de táxi mais próximo?
A la estación.	Para a estação.
Al Hotel...	Para o Hotel...
A la calle...	Para a rua...
A..., por favor.	Para..., por favor.
¿Cuánto cuesta hasta...?	Quanto custa ir até...?
Esto es para Ud.	Isto é para você.

Policía — Polícia

Por favor, ¿dónde está la comisaría de policía más cercana?	Por favor, onde fica a delegacia de polícia mais próxima?
Quiero denunciar un robo.	Gostaria de comunicar um roubo.
Me han robado...	Me roubaram...
el bolso/la cartera.	a bolsa/a carteira,
la cámara de fotos.	a máquina fotográfica,
el coche/la bicicleta	o carro/a bicicleta
Me han forzado la puerta del coche.	Forçaram a porta do meu carro.
Me han robado... del coche.	Me roubaram...do carro.
He perdido...	Perdi...
¿Puede Ud. ayudarme, por favor?	Poderia me ajudar, por favor?

Correos — Correios

¿Dónde está la oficina de correos más cercana/el buzón más cercano?	Onde fica o correio mais próximo/a caixa de correio mais próxima?

¿Cuánto cuesta una carta/una postal para Inglaterra/España?	Quanto custa para enviar uma carta/um cartão postal para a Inglaterra/Espanha?
Tres sellos [AmL estampillas] de... euros, por favor.	Três selos de... euros, por favor.
Quisiera enviar esta carta... por correo aéreo. por correo exprés.	Queria enviar esta carta... por via aérea. por correio expresso (Sedex).
¿Cuánto tarda una carta en llegar a Inglaterra/España?	Quanto tempo demora para esta carta chegar à Inglaterra/Espanha?

Restaurante

Restaurante

Pedido

Pedido

Camarero [AmL Mozo],... la carta [AmL el menú], la carta de vinos, por favor.	Garçom,... o cardápio, a carta de vinhos, por favor.
¿Hay platos vegetarianos?	Há pratos vegetarianos?
¿Hay menús para niños?	Há porções para crianças?
¿Qué me recomienda?	O que você me sugere?
¿Qué toma(n) de primer plato/de segundo/de postre?	O que gostaria(m) de entrada/de prato principal/de sobremesa?
Tomaré...	Eu vou beber/comer...
Lo lamento, pero ya no tenemos...	Desculpe-me, mas já não temos mais...
¿Para beber qué quiere(n) tomar?	O que você gostaria de beber?
Un vaso de..., por favor.	Um copo de..., por favor.
Una botella/Media botella de..., por favor.	Uma garrafa/Meia garrafa de..., por favor.
Con hielo, por favor.	Com gelo, por favor.
¿Puedo tomar... en vez de...?	Posso comer/beber... ao invés de...?
Tráiganos..., por favor.	Traga-nos..., por favor.
Soy alérgico a...	Sou alérgico a...
¿Cómo quiere su filete?	Como prefere seu filé?
bien hecho	bem passado
medio hecho	ao ponto
poco hecho	mal passado

La cuenta / A conta

La cuenta	A conta
¡La cuenta, por favor!	A conta, por favor!
Todo junto, por favor.	Tudo junto, por favor.
Cuentas separadas, por favor.	Contas separadas, por favor.
¿Está incluido el servicio?	O serviço está incluído?
Eso no lo he tomado. Tomé...	Eu não comi/bebi isto. Eu comi/bebi...
Para Ud.	Isto é para você.
Quédese con el cambio.	Fique com o troco.

Reclamación / Reclamação

Reclamación	Reclamação
Aquí falta un/una...	Está faltando um/uma...
¿Se ha olvidado Ud. de mi...?	Você se esqueceu do meu/da minha...?
Yo no he pedido esto.	Eu não pedi isto.
La comida está fría/salada.	A comida está fria/salgada.

Barco / Barco

A bordo / A bordo

A bordo	A bordo
¿Dónde está mi maleta [*AmL* valija]/equipaje?	Onde está minha mala/bagagem?
¿Dónde está el restaurante/salón?	Onde fica o restaurante/salão?
¿A qué hora se come?	A que horas são servidas as refeições?
No me siento bien.	Não estou me sentindo bem.
¿Me da algo contra el mareo?	Poderia me dar alguma coisa para enjôo?

Información / Informação

Información	Informação
¿Por dónde se llega mejor a... en barco?	Qual é a melhor maneira de chegar a... de barco?
¿De dónde/Cuándo parte el próximo barco/el próximo transbordador [*AmL* ferryboat] para...?	De onde/Quando sai o próximo barco/a próxima balsa para...?
¿Cuánto tarda la travesía?	Quanto tempo dura a travessia?
¿En qué puertos hacemos escala?	Em que portos faremos escala?

¿Cuándo atracamos en...?	Quando atracamos em...?
Quisiera un pasaje para...	Gostaria de uma passagem para...
Quisiera un pasaje para el viaje de ida y vuelta a las...	Gostaria de uma passagem de ida e volta para as...

Piscina

Piscina

¿Hay aquí...	Aqui tem...
una piscina al aire libre?	uma piscina ao ar livre?
una piscina cubierta?	uma piscina coberta?
Hay aquí una piscina termal?	Aqui tem uma piscina térmica?
¡Sólo para nadadores!	Somente para nadadores!
¡Prohibido zambullirse!	Proibido mergulhar!
¡Prohibido bañarse!	Proibido nadar!

Deporte

Esporte

¿Qué eventos deportivos hay por aquí?	Que eventos esportivos há por aqui?
¿Qué posibilidades hay aquí de hacer deporte?	Que tipo de esporte é possível fazer aqui?
¿Hay aquí un campo de golf/una cancha de tenis/un hipódromo?	Aqui tem um campo de golfe/uma quadra de tênis/um hipódromo?
¿Dónde se puede pescar a caña?	Onde se pode pescar com vara?
Me gustaría ver el partido de fútbol/las carreras de caballos.	Gostaria de ver um jogo de futebol/uma corrida de cavalos.
¿Cuándo/Dónde es?	Quando/Onde é?
¿Cuánto vale la entrada?	Quando custa a entrada?
¿Dónde puedo alquilar...?	Onde posso alugar...?
Yo juego...	Eu jogo...
¿Puedo jugar yo también?	Posso jogar também?

Playa

Praia

¿Hay aquí erizos de mar/medusas?	Aqui tem ouriços-do-mar/águas-vivas?
¿Hasta dónde podemos alejarnos a nado?	Até onde podemos ir a nado?

¿Es fuerte la corriente?	A corrente é forte?
¿Es peligroso para los niños?	É perigoso para as crianças?
¿A qué hora es la marea baja/alta?	A que horas a maré fica baixa/alta?

Teléfono

Telefone

¿Dónde está la cabina telefónica más próxima?	Onde fica a cabine telefônica mais próxima?
¿Me puede dar una tarjeta telefónica, por favor?	Poderia me dar um cartão telefônico, por favor?
¿Tiene Ud. una guía telefónica de...?	Você tem uma lista telefônica de...?
¿Cuál es el prefijo (nacional) de...?	Qual é o prefixo (nacional) de...?
Una conferencia con..., por favor.	Gostaria de fazer uma ligação para..., por favor.
Quiero hacer una llamada a cobro revertido.	Gostaria de fazer uma ligação a cobrar.
¿Puede Ud. comunicarme con...?	Poderia me colocar em contato com...?
Cabina número...	Cabine número...
Soy...	Sou...
Está comunicando.	Está ocupado.
¿Con quién hablo?	Com quem eu falo?
¿Puedo hablar con el señor/la señora/la señorita...?	Posso falar com o senhor/a senhora/a senhorita..., por favor?
Sí, soy yo.	Sim, sou eu.

Alojamiento

Alojamento

Información

Informação

Perdón, señor/señora/señorita. ¿Podría Ud. indicarme...	Desculpe-me senhor/senhora/senhorita. Poderia indicar-me...
un buen hotel?	um bom hotel?
una pensión?	uma pensão?
una habitación particular?	uma casa particular?
¿Es céntrico/tranquilo?	É central/tranqüilo?
Está cerca de la playa?	Fica perto da praia?

¿Hay por aquí un albergue juvenil/un camping?	Tem um albergue da juventude/camping por aqui?

Camping / Camping

¿Hay un camping por aquí cerca?	Há um camping aqui por perto?
¿Tiene Ud. sitio para una caravana/autocaravana [*AmL* casa rodante]/tienda [*AmL* carpa]?	Você tem lugar para um trailer/motor-home/barraca?
¿Cuánto cuesta por día y por persona?	Quanto custa por dia e por pessoa?
¿Cuánto se paga por...	Quanto eu pagaria por...
un coche?	um carro?
una caravana?	um trailer?
una autocaravana [*AmL* casa rodante]?	um motor-home?
una tienda [*AmL* carpa]?	uma barraca?
Se alquilan chalets/caravanas?	Vocês alugam chalés/trailers?
¿Hay una tienda de alimentación/comestibles aquí?	Há uma mercearia aqui?
¿Dónde están...	Onde ficam...
los aseos?	os banheiros/toaletes?
las duchas?	os chuveiros?
¿Dónde puedo cambiar bombonas de gas?	Onde posso trocar os botijões de gás?

Hotel / Hotel

Llegada / Chegada

Tengo una habitación reservada.	Reservei um quarto.
Me llamo...	Me chamo...
¿Tienen habitaciones libres...	Vocês têm vagas...
para una noche?	para uma noite?
para dos días/una semana?	para dois dias/uma semana?
Lo siento señor/señora/señorita, está todo ocupado.	Sinto muito senhor/senhora/senhorita, mas está tudo ocupado.
Sí, señor/señora/señorita. ¿Qué clase de habitación desea?	Sim, senhor/senhora/senhorita. Que tipo de quarto deseja?
una habitación individual	um quarto simples
una habitación doble	um quarto duplo

una habitación doble con dos camas	um quarto duplo com duas camas separadas
con ducha	com chuveiro
con baño	com banheiro
con vistas al mar	com vista para o mar
¿Podría ver la habitación?	Poderia ver o quarto?
¿Podría Ud. meter otra cama/una cuna en la habitación?	Seria possível colocar outra cama/um berço no quarto?
¿Cuánto cuesta la habitación con... desayuno? media pensión?	Cuanto custa o quarto com... café da manhã? meia pensão?
¿A qué hora es el desayuno?	A que horas é o café da manhã?
¿Dónde está el restaurante?	Onde fica o restaurante?
Despiérteme a las... de la mañana, por favor.	Poderia me acordar às... da manhã, por favor?
¿Cómo funciona el/la...?	Como funciona o/a...?
Mi llave, por favor.	Minha chave, por favor.
¿Dónde puedo echar esta carta?	Como faço para enviar esta carta?
¿Dónde puedo alquilar...?	Onde posso alugar...?
¿Dónde puedo llamar por teléfono?	Onde posso fazer uma ligação telefônica?

Salida / Saída

Me marcho hoy/mañana a las...	Estou saindo hoje/amanhã às...
¿A qué hora hay que dejar la habitación?	A que horas tenho que deixar o quarto?
Prepáreme la cuenta, por favor.	Poderia fechar minha conta, por favor.
¿Puedo pagar con tarjeta de crédito?	Posso pagar com cartão de crédito?
Haga bajar mi equipaje, por favor.	Poderia trazer minha bagagem para baixo, por favor.
¿Me puede llamar un taxi, por favor?	Poderia me chamar um táxi, por favor?
Muchas gracias por todo.	Muito obrigado(a) por tudo.
Adiós!	Adeus!

Reclamación	Reclamação
La habitación no está limpia.	O quarto não está limpo.
La ducha...	O chuveiro...
El inodoro...	O vaso sanitário...
La calefacción...	O aquecimento...
La luz...	A luz...
La televisión...	A televisão...
no funciona.	não funciona.
No hay agua (caliente).	Não tem água (quente).
El inodoro/lavabo está atascado.	O vaso sanitário está entupido/a pia está entupida.

Albergue juvenil	Albergue da Juventude
¿Me pueden alquilar ropa de cama/un saco para dormir?	Posso alugar roupas de cama/um saco de dormir?
La puerta de entrada se cierra a medianoche.	A porta de entrada fecha à meia-noite.

Divertirse

Diversão

Bar/Discoteca/Boite	Bar/Discoteca/Boate
¿Qué espectáculos hay aquí por las noches?	O que se tem para fazer à noite aqui?
¿Hay por aquí un bar acogedor?	Tem algum bar tranqüilo por aqui?
¿Dónde se puede ir aquí a bailar?	Onde se pode dançar por aqui?
¿Hay que ponerse traje de etiqueta/traje de noche?	É preciso usar trajes formais?
La entrada incluye una bebida.	A entrada inclui uma bebida.
¿Bailamos?	Vamos dançar?

Teatro/Concierto/Cine	Teatro/Concerto/Cinema
¿Qué hay esta noche (en el teatro)?	Qual é o espetáculo desta noite (no teatro)?
¿Qué hay mañana por la noche en el cine?	O que vai passar no cinema amanhã à noite?
¿Me recomienda una buena obra de teatro/una buena película?	Poderia me indicar uma boa peça de teatro/um bom filme?
¿A qué hora comienza la representación?	A que horas começa a apresentação?

¿Dónde se pueden adquirir las entradas [AmL los boletos]?	Onde posso comprar as entradas?
Dos entradas [AmL boletos] para esta noche/para mañana por la noche, por favor.	Duas entradas para esta noite/amanhã à noite, por favor.
¿Me puede dar un programa, por favor?	Pode me fornecer a programação, por favor?
¿Cuándo acaba la representación?	Quando termina a apresentação?
¿Dónde está el guardarropa?	Onde fica a chapelaria?

Oficina de turismo	**Informação turística**
Quisiera un mapa de la ciudad, por favor.	Eu gostaria de um mapa da cidade, por favor.
¿Tienen folletos de…?	Vocês têm folhetos de…?
¿Tienen un programa de espectáculos para esta semana?	Vocês têm um programa dos espetáculos desta semana?
¿Hay visitas organizadas de la ciudad?	Há visitas organizadas para se conhecer a cidade?
¿Cuánto vale la visita con guía?	Quanto custa a visita com guia?

Tiempo

Tempo

¿Qué tiempo tendremos hoy?	Como vai ser o tempo hoje?
Va a hacer bueno.	Vai fazer um tempo bom.
Va a llover.	Vai chover.
¿Qué temperatura hace hoy?	Qual a temperatura que teremos hoje?
Estamos a veinte grados (centígrados).	Estamos com vinte graus (centígrados).
Seguirá el buen/mal tiempo.	Continuará a fazer um tempo bom/ruim.
Va a hacer más calor/más frío.	Vai fazer mais calor/mais frio.
Va a llover/nevar.	Vai chover/nevar.
Hace frío/calor/bochorno.	Está frio/calor/abafado.
Va a haber tormenta.	Vai haver uma tempestade.
¿Cómo están las carreteras en…?	Como estão as estradas em…?
Las carreteras están heladas.	As estradas estão com gelo.

La visibilidad queda reducida a 20 metros/a menos de 50 metros.	A visibilidade está reduzida a 20 metros/a menos de 50 metros.

Aduana / Alfândega

Control de pasaportes	**Controle de passaportes**
Su pasaporte, por favor.	Seu passaporte, por favor.
Su pasaporte está caducado.	Seu passaporte está vencido.
¿Tiene Ud. un visado [*AmL* una visa]?	Você tem um visto?
¿Puedo conseguir un visado [*AmL* una visa] aquí mismo?	Posso conseguir um visto aqui mesmo?

Control aduanero	**Controle alfandegário**
¿Tiene(n) algo que declarar?	Você tem alguma coisa a declarar?
No, sólo tengo unos regalos.	Não, só estou trazendo alguns presentes.
¿Hay que pagar derechos de aduana por esto?	Eu tenho que pagar impostos de importação por isto?